Dr. WALTHER UTERMARK · Dr. WALTER SCHICKE

MELTING POINT TABLES OF ORGANIC COMPOUNDS

Second, revised, and supplemented edition

[redacted]

INTERSCIENCE PUBLISHERS

A DIVISION OF JOHN WILEY & SONS, INC., NEW YORK · LONDON

1963

Lizenzausgabe des Akademie-Verlages GmbH, Berlin

202 · 100/756/62
Gesamtherstellung: Druckhaus „Maxim Gorki", Altenburg

VORWORT ZUR ZWEITEN AUFLAGE

Die erste Auflage der „Schmelzpunkttabellen organischer Verbindungen“ ist trotz eines zweimaligen unveränderten Nachdruckes schon seit längerer Zeit vergriffen. Bei der nunmehr vorliegenden zweiten Auflage wurde eine Überarbeitung der ersten Auflage in dem Sinne vorgenommen, daß eine Zahl von Verbindungen, die in der Praxis von geringerem Wert sind, ausgemerzt und dafür wichtige Verbindungen von allgemeinerem Interesse in die Tabellen neu aufgenommen wurden. Der Umfang des Werkes ist etwa der gleiche geblieben; zahlreiche Anregungen von Fachkollegen aus Wissenschaft und Praxis wurden nach Möglichkeit berücksichtigt.

Da die gründliche Durchsicht und die Erweiterung des Werkes die Leistungsfähigkeit eines einzelnen überstieg, haben die im Titel genannten Autoren die Neubearbeitung gemeinsam durchgeführt.

Die Schmelzpunkte eutektischer Gemische, die in Spalte 11 zur Charakterisierung organischer Verbindungen neu aufgeführt wurden, wurden dem Buch von L. und A. Kofler, „Mikromethoden zur Kennzeichnung organischer Stoffe und Stoffgemische“ (Verlag Chemie, G. m. b. H., Berlin 1945)* entnommen.

Wie im Vorwort zur ersten Auflage ausgeführt wurde, sind die Schmelzpunkttabellen für den Analytiker und für die Praxis bestimmt. Im wesentlichen dürfte das Werk diese Ansprüche, wie die zahlreichen Buchbesprechungen zeigten, erfüllt haben; selbstverständlich sind sich die Autoren darüber klar, daß die getroffene Auswahl stets eine subjektive ist. Möge auch die neue Auflage mit den vorgenommenen Verbesserungen und Ergänzungen eine ebenso freundliche Aufnahme wie die erste Auflage finden.

Es ist uns eine angenehme Pflicht, den Fachgenossen an dieser Stelle für die gegebenen Hinweise und Vorschläge zu danken. Auch dem Akademie-Verlag gebührt unser Dank für sein Entgegenkommen und für die gute Ausstattung des Buches.

Die Verfasser

* Neuauflage 1954 im Verlag Chemie G. m. b. H., Weinheim

VORBEMERKUNGEN

Zur Kontrolle für das Vorliegen einer einheitlichen Substanz dienen die physikalischen Konstanten und darüber hinaus die chemischen Reaktionen. Erfahrungsgemäß zeigt fast jede organische Verbindung, falls sie nicht besonders zersetzlich ist, in kristallinischer Form einen bestimmten Schmelzpunkt. Als Schmelzpunkt ist jene Temperatur anzusprechen, bei der die Substanz nach der Meniskusbildung vollkommen klar und durchsichtig erscheint. Bei vollkommen reinen Stoffen liegt das Schmelzpunktintervall innerhalb eines oder höchstens zweier Grade. Zur Vermeidung einer Überhitzung der gut leitenden Quecksilberkugel des Thermometers gegenüber dem schlecht leitenden Substanzröhrchen ist es notwendig, das Erwärmen etwa 10° unterhalb des zu erwartenden Schmelzpunktes so langsam vorzunehmen, daß die Temperatur innerhalb einer Minute nur um 1° steigt. Sehr wichtig ist es auch, die Substanz vor Ausführung der Schmelzpunktsbestimmung fein gepulvert 24 Stunden lang in einem evakuierten Exsikkator stehen zu lassen oder, wenn angängig, bei höherer Temperatur zu trocknen, um Spuren der vom Umkristallisieren anhaftenden Lösungsmittel bzw. auch der aus der Atmosphäre „angezogenen" Feuchtigkeit zu entfernen. Es genügen z. B. bereits einige Prozente Feuchtigkeit, um den Schmelzpunkt der wasserfreien Oxalsäure um 80—90° herabzusetzen. Aber auch geringe, hartnäckig anhaftende Verunreinigungen, die chemisch gar nicht nachweisbar sind, können oftmals den Schmelzpunkt wesentlich beeinflussen. Ob die betreffende Verunreinigung den Schmelzpunkt herabsetzt oder erhöht, hängt von ihrem Charakter ab. Im allgemeinen pflegt sie ihn herabzusetzen. Wenn aber die Verunreinigung mit der Substanz isomorph ist und einen höheren Schmelzpunkt besitzt als diese, kann auch die Mischung höher schmelzen.

Bei der Heizbank nach *Kofler*, die im wesentlichen aus einem langen, schmalen Metallkörper besteht, auf dem durch einseitige Heizung ein annähernd linearer Temperaturabfall von 265 bis 50° erzeugt wird, kann man innerhalb einer Minute Schmelzpunkte und Mischschmelzpunkte bestimmen. Auch bei vielen zersetzlichen Substanzen lassen sich die Schmelzpunkte bestimmen, da die Heizbank innerhalb weniger Sekunden auf die Schmelztemperatur gebracht werden kann. Bei diesem Gerät kann man bei Hydraten das Entweichen des Kristallwassers, das Schmelzen des Hydrates und der wasserfreien Substanz besser verfolgen als bei Verwendung von Kapillarröhrchen. Das Verfahren ist unter anderem auch zur schnellen Kontrolle von Arzneigemischen geeignet, indem man das zu prüfende Präparat und ein entsprechend der Vorschrift hergestelltes Gemisch nebeneinander auf die Heizbank aufträgt und dabei vergleicht, ob die Schmelzgrenzen der beiden Proben übereinstimmen.

HÄUFIG VORKOMMENDE ELEMENT- UND RADIKALBEZEICHNUNGEN

Acetalyl	$-CH_2 \cdot CH(O \cdot C_2H_5)_2$
Acetonyl	$-CH_2 \cdot CO \cdot CH_3$
Acetyl	$-CO \cdot CH_3$
Acetylenyl	$-C\vdots CH$
Acridyl	$-C_{13}H_8N$
Äthoxalyl	$-CO \cdot CO \cdot O \cdot C_2H_5$
Äthoxy	$-O \cdot C_2H_5$
Äthyl	$-CH_2 \cdot CH_3$
Äthylen	$-CH_2 \cdot CH_2-$
Äthyliden	$>CH \cdot CH_3$
Alanyl	$-CO \cdot C_2H_4(NH_2)$
Allyl	$-CH_2 \cdot CH:CH_2$
Allyliden	$>CH \cdot CH:CH_2$
Amino	$-NH_2$
Aminoformyl	$-CO \cdot NH_2$
Amyl	$-C_5H_{11}$
Anilino	$-NH \cdot C_6H_5$
Anisal	$>CH^1 \cdot C_6H_4(O \cdot CH_3)^4$
Anisidino	$-NH \cdot C_6H_4 \cdot O \cdot CH_3$
Anisoyl	$-CO^1 \cdot C_6H_4(O \cdot CH_3)^4$
Anisyl	$-C_6H_4 \cdot (O \cdot CH_3)$ bzw. $-CH_2{}^1 \cdot C_6H_4(O \cdot CH_3)^4$
Anisyliden	$>CH^1 \cdot C_6H_4(O \cdot CH_3)^4$
Anthracyl, Anthryl	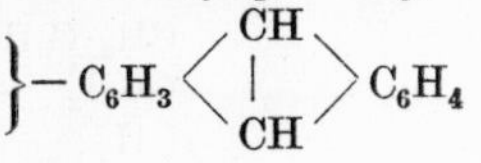
Anthranyl	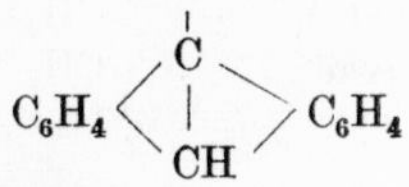
Arseno	$-As:As-$
Arsino	$-AsH_2$
Azido	$-N_3$
Azimino	$-NH \cdot N:N-$ (cyclisch gebunden)
Azo	$-N:N-$
Azoxy	$-N_2(O)-$
Benzal	$>CH \cdot C_6H_5$
Benzenyl	$\geqslant C \cdot C_6H_5$
Benzhydryl	$-CH(C_6H_5)_2$
Benzoyl	$-CO \cdot C_6H_5$
Benzoylen	$-CO \cdot C_6H_4-$
Benzyl	$-CH_2 \cdot C_6H_5$
Benzylen	$-CH_2 \cdot C_6H_4-$
Benzyliden	$>CH \cdot C_6H_5$
Bornyl	$-C_{10}H_{17}$
Brom	$-Br$
α-Butenyl	$-CH:CH \cdot CH_2 \cdot CH_3$
n-Butyl	$-CH_2 \cdot CH_2 \cdot CH_2 \cdot CH_3$
sek.-Butyl	$-CH(CH_3) \cdot CH_2 \cdot CH_3$
tert.-Butyl	$-C(CH_3)_3$
n-Butyryl	$-CO \cdot (CH_2)_2 \cdot CH_3$
Caproyl	$-CO \cdot C_5H_{11}$
Capryl	$-C_8H_{17}$
Capryloyl	$-CO \cdot C_7H_{15}$
Carbäthoxy	$-CO \cdot O \cdot C_2H_5$
Carbaminyl	$-CO \cdot NH_2$
Carbomethoxy	$-CO \cdot O \cdot CH_3$
Carbonyl	$>CO$
Carboxyl	$-COOH$
Carboxyloxy	$-O \cdot COOH$
Carvacryl	$-C_6H_3<^{(CH_3)^2}_{[CH(CH_3)_2]^5}$
Carvyl	$-C_{10}H_{15}$
Ceryl	$-C_{26}H_{53}$
Cetyl	$-C_{16}H_{33}$
Chinolyl	$-C_9H_6N$
Chlor	$-Cl$
Cinnamal	$>CH \cdot CH:CH \cdot C_6H_5$
Cinnamenyl	$-CH:CH \cdot C_6H_5$
Cinnamoyl	$-CO \cdot CH:CH \cdot C_6H_5$
Cinnamyl	$-CH_2 \cdot CH:CH \cdot C_6H_5$
Cinnamyliden	$>CH \cdot CH:CH \cdot C_6H_5$
Cuminyl	$-CH_2{}^1 \cdot C_6H_4[CH(CH_3)_2]^4$
Cyan	$-C\vdots N$
Cyanur	$\equiv(CN)_3$
Cyclobutyl	$-CH<^{CH_2}_{CH_2}>CH_2$

Cycloheptyl	$-CH\langle{CH_2\cdot CH_2\cdot CH_2 \atop CH_2\cdot CH_2\cdot CH_2}\rangle$ (die beiden CH_2-Enden verbunden)
Cyclohexyl	$-CH<{CH_2\cdot CH_2 \atop CH_2\cdot CH_2}>CH_2$
Cyclohexyliden	$>C—CH_2\cdot CH_2$ / $CH_2\cdot CH_2\cdot CH_2$ (ringförmig verbunden)
Cyclopentyl	$-CH\langle{CH_2\cdot CH_2 \atop CH_2\cdot CH_2}$ (ringförmig verbunden)
Cyclopropyl	$-CH\langle{CH_2 \atop CH_2}$ (ringförmig verbunden)
Decyl	$-C_{10}H_{21}$
Desyl	$-CH(C_6H_5)\cdot CO\cdot C_6H_5$
Diazo	$-N{:}N-$
Diazoamino	$-NH\cdot N{:}N-$ (acyclisch gebunden)
Diphenylyl	$-C_6H_4\cdot C_6H_5$
Dodecyl	$-C_{12}H_{25}$
Duryl	$-C_6H(CH_3)_4{}^{2.3.5.6}$ und $-CH_2\cdot C_6H_2(CH_3)_3$
Eikosyl	$-C_{20}H_{41}$
Fenchyl	$-C_{10}H_{17}$
Fluor	$-F$
Formyl	$-CHO$
Furfural	$>CH\cdot C_4H_3O$
Furoyl	$-CO\cdot C_4H_3O$
Furfuryl	$-CH_2\cdot C_4H_3O$
Furfuryliden	$>CH\cdot C_4H_3O$
Furyl	$-C_4H_3O$
Galloyl	$-CO\cdot C_6H_2(OH)_3{}^{3.4.5}$
Glycyl	$-CO\cdot CH_2\cdot NH_2$
Glykoloyl (Glykolyl)	$-CO\cdot CH_2\cdot OH$
Glyoxyl	$-CO\cdot CHO$
Guanidino	$-NH\cdot C({:}NH)\cdot NH_2$
Guanyl	$-C({:}NH)\cdot NH_2$
Heptyl	$-C_7H_{15}$
Hexamethylen	$-CH_2\cdot(CH_2)_4\cdot CH_2-$
Hexyl	$-C_6H_{13}$
Hippuryl	$-CO\cdot CH_2\cdot NH\cdot CO\cdot C_6H_5$
Hydrazino	$-NH\cdot NH_2$
Hydrazo	$-NH\cdot NH-$
Hydrindonyl	$-C_9H_7O$
Hydrindyl	$-C_9H_9$
Hydroxy	$-OH$
Hydroxylamino	$-NH\cdot OH$
Hydroxymercuri	$-Hg\cdot OH$
Imino	$>NH$
Indolyl	$-C_8H_6N$
Indonyl	$-C_9H_5O$
Isoamyl	$-CH_2\cdot CH_2\cdot CH(CH_3)_2$
Isobutyl	$-CH_2\cdot CH(CH_3)_2$
Isobutylen	$-C(CH_3)_2\cdot CH_2-$
Isobutyliden	$>CH\cdot CH(CH_3)_2$
Isobutyryl	$-CO\cdot CH(CH_3)_2$
Isoduryl	$-C_6H(CH_3)_4{}^{2.3.4.6}$ und $-CH_2\cdot C_6H_2(CH_3)_3$
Isopropenyl	$-C({:}CH_2)\cdot CH_3$
Isopropyl	$-CH(CH_3)_2$
Isopropyliden	$>C(CH_3)_2$
Jod	$-J$
Jodo	$-JO_2$
Jodoso	$-JO$
Keto	$>O$ (in doppelter Bindung an ein C-Atom)
Kresoxy	$-O\cdot C_6H_4\cdot CH_3$
Lactyl	$-CO\cdot C_2H_4(OH)$
Leucyl	$-CO\cdot C_5H_{10}(NH_2)$
Lutidyl	$-CH_2\cdot(CH_3)C_5H_3N$
Malonyl	$-CO\cdot CH_2\cdot CO-$
Menaphthyl	$-CH_2\cdot C_{10}H_7$
Menthyl	$-C_{10}H_{19}$
Mercapto	$-SH$
Mercuri	$>Hg$
Mesityl	$-C_6H_2(CH_3)_3{}^{2.4.6}$ und $-CH_2\cdot C_6H_3(CH_3)_2{}^{3.5}$
Methoxy	$-OCH_3$
Methyl	$-CH_3$
Methylen	$>CH_2$
Methylol	$-CH_2\cdot OH$
Myricyl	$-C_{30}H_{61}$
Naphthoyl	$-CO\cdot C_{10}H_7$
Naphthyl	$-C_{10}H_7$
Nitramino	$-NH\cdot NO_2$
Nitro	$-NO_2$
Nitroso	$-NO$
Nonyl	$-C_9H_{19}$
Octyl	$-C_8H_{17}$
Oenanthoyl	$-CO\cdot C_6H_{13}$
Oenanthyl	$-C_7H_{15}$
Oxalyl	$-CO\cdot CO-$

Oxido	$>$O (in Bindung an zwei C-Atome)
Oximino	$>N\cdot OH$
Oxo	$>$O (in doppelter Bindung an ein C-Atom)
Oxy	$-OH$
Ozonido	$-O_3$
Palmitoyl (Palmityl)	$-CO\cdot[CH_2]_{14}\cdot CH_3$
Pentamethylen	$-CH_2\cdot[CH_2]_3\cdot CH_2-$
Pentyl	$-C_5H_{11}$
Phenacal	$>CH\cdot CO\cdot C_6H_5$
Phenacetyl	$-CO\cdot CH_2\cdot C_6H_5$
Phenacyl	$-CH_2\cdot CO\cdot C_6H_5$
Phenacyliden	$>CH\cdot CO\cdot C_6H_5$
Phenäthyl	$-C_2H_4\cdot C_6H_5$
Phenanthryl	$-C_{14}H_9$
Phenetidino	$-NH\cdot C_6H_4\cdot O\cdot C_2H_5$
Phenoxy	$-OC_6H_5$
Phenyl	$-C_6H_5$
Phenylen	$-C_6H_4-$
Phosphino	$-PH_2$
Phthalal	$\begin{matrix}>CH^1\\>CH^2\end{matrix}>C_6H_4$
Phthaliden	$>C\left<\begin{matrix}C_6H_4\\ \vert\\ O{-}CO\end{matrix}\right.$
Phthalimido	$-N<\begin{matrix}CO\\CO\end{matrix}>C_6H_4$
Phthalyl	$-CO^1\cdot C_6H_4\cdot CO^2-$
Picolyl	$-CH_2\cdot C_5H_4N$
Pikryl	$-C_6H_2(NO_2)_3{}^{2.4.6}$
Pinyl	$-C_{10}H_{15}$
Piperidino	$-N<\begin{matrix}CH_2\cdot CH_2\\CH_2\cdot CH_2\end{matrix}>CH_2$
Piperidyl	$-C_5H_9>NH$
Piperonyliden	$>CH^1\cdot C_6H_3\begin{matrix}-O^3\\-O^4\end{matrix}>CH_2$
Propargyl	$-CH_2\cdot C\vdots CH$
α-Propenyl	$-CH{:}CH\cdot CH_3$
α-Propenyliden	$>C{:}CH\cdot CH_3$
Propionyl	$-CO\cdot CH_2\cdot CH_3$
Propyl	$-CH_2\cdot CH_2\cdot CH_3$
Propylen	$-CH(CH_3)\cdot CH_2-$
Propyliden	$>CH\cdot C_2H_5$
Pseudocumyl	$-C_6H_2(CH_3)_3{}^{2.4.5}$ und $-CH_2\cdot C_6H_3(CH_3)_2$
Pyridyl	$-C_5H_4N$
Pyrimidyl	$-C_4H_3N_2$
Pyromucyl	$-CO\cdot C_4H_3O$
Pyrroyl	$-CO\cdot C_4H_3>NH$
Pyrryl	$-C_4H_3>NH$
Pyrrylen	$-C_4H_2>NH$
Pyruvyl	$-CO\cdot CO\cdot CH_3$
Rhodan	$-S\cdot C\vdots N$
Salicoyl	$-CO^1\cdot C_6H_4(OH)^2$
Salicyliden	$>CH^1\cdot C_6H_4(OH)^2$
Semicarbazino	$-NH\cdot NH\cdot CO\cdot NH_2$
Stearoyl (Stearyl)	$-CO\cdot[CH_2]_{16}\cdot CH_3$
Stibino	$-SbH_2$
Styryl	$-CH{:}CH\cdot C_6H_5$
Suberyl	$-CH\left<\begin{matrix}CH_2\cdot CH_2\cdot CH_2\\ \cdot\\ CH_2\cdot CH_2\cdot CH_2\end{matrix}\right.$
Succinimido	$-N\left<\begin{matrix}CO-CH_2\\ \cdot\\ CO-CH_2\end{matrix}\right.$
Succinyl	$-CO\cdot[CH_2]_2\cdot CO-$
Sulfhydryl	$-SH$
Sulfo	$-SO_3H$
Tanacetyl	$-C_{10}H_{17}$
Tetramethylen	$-CH_2\cdot CH_2\cdot CH_2\cdot CH_2-$
Tetrazolyl	$-CHN_4$
Thenoyl	$-CO\cdot C_4H_3S$
Thenyl	$-CH_2\cdot C_4H_3S$
Thenyliden	$>CH\cdot C_4H_3S$
Thiazolyl	$-C_3H_2NS$
Thiazyl	$-C_3H_2NS$
Thienyl	$-C_4H_3S$
Thio(n)	S
Thiocarbonyl	$>CS$
Thiol	$-SH$
Thioureido	$-NH-CS-NH_2$
Thujyl	$-C_{10}H_{17}$
Thymyl	$-C_6H_3<\begin{matrix}(CH_3)^3\\ {[CH(CH_3)_2]^6}\end{matrix}$
Tolacyl	$-CH_2\cdot CO\cdot C_6H_4\cdot CH_3$
Toluidino	$-NH\cdot C_6H_4\cdot CH_3$
Toluyl	$-CO\cdot C_6H_4\cdot CH_3$
Toluylen	$-C_6H_3(CH_3)-$
Tolyl	$-C_6H_4\cdot CH_3$
Triazo	$-N_3$
Triazolyl	$-C_2H_2N_3$
Trimethylen	$-CH_2\cdot CH_2\cdot CH_2-$
Triphenylmethyl	$-C(C_6H_5)_3$
Undecyl	$-C_{11}H_{23}$
Ureido	$-NH\cdot CO\cdot NH_2$
Valeryl	$-CO\cdot C_4H_9$
Valyl	$-CO\cdot C_4H_8(NH_2)$
Vanillyliden	$>CH^1\cdot C_6H_3(O\cdot CH_3)^3(OH)^4$

Vinyl	$-CH{:}CH_2$
Vinylen	$-CH{:}CH-$
Vinyliden . . .	$>C{:}CH_2$
Xanthyl . . .	$-CH<\genfrac{}{}{0pt}{}{C_6H_4}{C_6H_4}>O$
Xenyl	$-C_6H_4\cdot C_6H_5$
Xylyl.	$-C_6H_3(CH_3)_2$ und $-CH_2\cdot C_6H_4\cdot CH_3$
Xylylen. . . .	$-C_6H_2(CH_3)_2-$ und $-CH_2\cdot C_6H_4\cdot CH_2-$

ABKÜRZUNGEN

A . . . . . . Äthylalkohol
$[\alpha]_D^{20}$ . . . . . spez. Drehung bei 20° C
abs. . . . . . absolut
Ae . . . . . . Äther
alkohol. . . . . alkoholisch
allg. . . . . . allgemein
asym. . . . . . asymmetrisch
At.Gew. . . . . Atomgewicht
Blätt. . . . . . Blättchen
Best. . . . . . Bestimmung
Bldg. . . . . . Bildung
Bzl. . . . . . Benzol
Bzn. . . . . . Benzin
bzw. . . . . . beziehungsweise
ca. . . . . . . zirka
Chlf. . . . . . Chloroform
D . . . . . . Dichte
D_4^{20} . . . . . spezifisches Gewicht bei 20° bezogen auf Wasser von 4°
$_nD^{20}$ . . . . . Brechungsexponent bei 20°
$_RD^{20}$ . . . . . Mol-Refraktion bei 20°
DE. . . . . . Dielektrizitätskonstante
Deriv. . . . . Derivat
Dest. . . . . . Destillation
Eig. . . . . . Eigenschaft
Einfl. . . . . . Einfluß
Einw. . . . . . Einwirkung
Eg. . . . . . . Eisessig
Ep. . . . . . . Erstarrungspunkt
$_nF^{20}$ . . . . . Dispersion bei 20°
Fl. . . . . . . Flüssigkeit
Fp . . . . . . Schmelzpunkt
fluoresz. . . . fluoreszierend
gelbl. . . . . . gelblich
gesätt. . . . . gesättigt
Ggw. . . . . . Gegenwart
g.Z. . . . . . geringe Zersetzung
h. . . . . . . heiß
Herst. . . . . Herstellung
JZ. . . . . . Jodzahl
k. . . . . . . kalt
Koeff. . . . . Koeffizient
konz. . . . . . konzentriert
Korr. . . . . . Korrektion
Kp. . . . . . Siedepunkt
Krist. . . . . . Kristalle
l. / lösl. . . . . löslich
ll. . . . . . . leicht löslich
Lg. . . . . . Ligroin
Lsg. . . . . . Lösung
Lsgg. . . . . . Lösungen
Lsgm. . . . . Lösungsmittel
Mol.Gew. . . . Molekulargewicht
Nachw. . . . . Nachweis
n. . . . . . . normal
Nd. . . . . . Niederschlag
opt.akt. . . . optisch-aktiv
Oxyd . . . . . Oxydation
PAe . . . . . Petroläther
Prod. . . . . Produkt
Py. . . . . . Pyridin
Red. . . . . . Reduktion
red. . . . . . reduziert
Rk. . . . . . Reaktion
riech. . . . . riechend
sd. . . . . . . siedend
spez. . . . . . spezifisch
sll. . . . . . . sehr leicht löslich
swl. . . . . . sehr wenig löslich
Stde. . . . . . Stunde
subl. . . . . . sublimiert
Subst. . . . . Substanz
SZ. . . . . . Säurezahl
u. . . . . . . und
unl. . . . . . unlöslich
v. . . . . . . von
Vak. . . . . . Hochvakuum
Verb. . . . . Verbindung
verd. . . . . . verdünnt
vgl. . . . . . vergleiche
Vork. . . . . Vorkommen
VZ. . . . . . Verseifungszahl
W . . . . . . Wasser

W-Bad	Wasserbad
wl.	wenig löslich
Wrk.	Wirkung
wss.	wässerig
z. B.	zum Beispiel
Zers.	Zersetzung
Z., zers.	zersetzt sich
zll.	ziemlich leicht löslich
zwl.	ziemlich wenig löslich
∞	in jedem Verhältnis mischbar

PREFACE TO THE SECOND EDITION

Although the first edition of "Melting Point Tables of Organic Compounds" was reprinted twice, it has not been available for some time. In this second, revised, edition several compounds of relatively minor practical significance were deleted from the tables and, in their stead, important compounds of greater general interest were included. The volume of the work has remained approximately unchanged. Many suggestions by colleagues active both in the pure and applied aspects of the field have been taken into consideration, as far as possible.

Because the thorough revising and enlarging of this work exceeded the capacities of a single person, the new work was carried out jointly by the authors named on the title page.

The melting points of eutectic mixtures, which are newly listed in column 11 for the purpose of characterizing organic compounds, are taken from L. and A. Kofler's "Micromethods for the Determination of Organic Substances and Mixtures of Substances" (Verlag Chemie G.m.b.H., Berlin 1945)*.

As has been explained in the Preface to the First Edition, the melting point tables are intended to serve the needs of the analytical chemist as well as of the practical chemist engaged in pursuits other than analysis. Essentially, this work appears to be fulfilling these needs, according to the numerous reviews it has received; the authors are, of course, aware of the fact that any selection is bound to be subjective. May this new edition, with its improvements and additions, find acceptance as readily as did the first.

We consider it a pleasant duty, at this point, to thank our colleagues for their advice and suggestions. The Akademie-Verlag also merits our gratitude for their cooperation and for the careful attention given to the production of this book.

The Authors

* New edition 1954 by Verlag Chemie G. m. b. H., Weinheim

INTRODUCTION

The presence of a uniform substance can be demonstrated by measuring the physical constants of the substance and, furthermore, by observing its chemical reactions. Experience has shown that almost every organic compound in crystalline form, provided it is not particularly unstable, has a definite melting point. The melting point is that temperature at which the substance appears completely clear and transparent, after formation of the meniscus. Completely pure compounds have a melting point range covering no more than one or at most two degrees. In order to avoid overheating of the mercury bulb of the thermometer, which is a good conductor, in relation to the poorly conducting melting point tube, it is necessary to raise the temperature very slowly when within approximately 10 °C of the expected melting point. The temperature, from then on, should increase by no more than 1 °C per minute. It is also very important, before the melting point determination is carried out, to let the finely powdered substance stand for 24 hours in an evacuated desiccator; or, if possible, to dry it at a higher temperature, so as to remove any traces of solvents left over from recrystallizations as well as sometimes moisture "absorbed" from the air. Thus, even a few percent moisture auffices to depress the melting point of anhydrous oxalic acid by 80–90 °C. Also negligible quantities of stubbornly adhering contaminants so small that they cannot even be detected by chemical means are capable of significantly affecting the melting point. The nature of a given contaminant determines whether that impurity will depress or raise the melting point. In general, a contaminant tends to depress the melting point. However when the contaminant is isomorphous with the substance it contaminates and melts at a higher tempreature than the latter, the mixture may in fact have a higher melting point than the substance.

The hot stage, as developed by Kofler, consists essentially of a long and narrow metallic body, on which one-sided heating may produce an almost linear drop in temperature between 265 and 50 °C. As the hot stage can be heated to the melting point temperature within a few seconds, it takes only a minute to determine melting points and mixed melting points. The use of this instrument rather than of capillary tubes in the study of hydrates also permits one to observe more clearly the evaporation of the water of crystallization, and the melting of the hydrate and of the anhydrous substance. This procedure, which has other applications as well, is especially suited to the rapid control of medicinal mixtures:

The preparation to be tested and a mixture prepared according to the prescription are applied to the hote stage side by side, and the melting point ranges of the two samples are compared to see if they agree.

ABBREVIATIONS

A	ethyl alcohol, ethanol
$[\alpha]_D^{20}$	spec. rotation at 20 °C
abs.	absolute
Ae.	ether
alkohol.	alcoholic
allg.	general
asym.	asymmetrical
At. Gew.	atomic weight
Blätt.	lamella, flake
Best.	determination
Bldg.	formation
Bzl.	benzene (C_6H_6)
Bzn.	benzine, gasoline
bzw.	respectively
ca.	circa, approximately
Chlf.	chloroform
D	density
D_4^{20}	specific gravity at 20°, referred to water at 4° (spec. gravity at 20/4°)
n_D^{20}	refractive index at 20°
R_D^{20}	molecular refraction at 20°
DE	dielectric constant
Deriv.	derivative
Dest.	distillation
Eig.	property
Einfl.	influence
Einw..	action, effect
Eg.	glacial acetic acid
Ep..	solidification point
n_F^{20}	dispersion at 20°
Fl.	liquid
F_p	melting point
gelbl.	yellowish
gesätt.	saturated
Ggw.	presence
g.Z.	slight decomposition
h.	hot
Herst.	preparation
JZ.	iodine number
k.	cold
Koeff.	coefficient
konz.	concentrated
Korr.	correction
Kp.	boiling point
Krist.	crystals
l.	soluble
lösl.	soluble
ll.	slightly soluble
Lg.	ligroin, petroleum naphtha
Lsg.	solution
Lsgg.	solutions
Lsgm.	solvent(s)
Mol.Gew.	molecular weight
Nachw.	detection
n.	normal
Nd.	precipitation
opt.akt.	optically active
Oxyd.	oxidation
PAe.	petroleum ether
Prod.	product
Py.	pyridine
Red.	reduction
red.	reduces
Rk.	reaction
riech.	smelling
sd.	boiling
spez.	specific
sll.	very easily soluble
swl.	very little soluble
Stde.	hour
subl.	sublimes
Subst.	substance
SZ.	acid number
u.	and
unl.	insoluble
v.	of
Vak.	high vacuum
Verb.	compound
verd.	diluted
vgl.	compare
Vork.	occurence

VZ.	saponification number
W	water
W-Bad . . .	water bath
wl.	slightly soluble
Wrk.	effect, action
wss.	aqueous
z. B.	for example
Zers.	decomposition
Z	decomposes
zers.	decomposes
zll.	rather easily soluble
zwl.	rather difficultly soluble
∞	miscible in allproportions

PREFACE A LA DEUXIEME EDITION

La première édition des «Tableaux des points de fusion des composés organiques» est depuis très longtemps épuisée, malgré une réimpression sans modification. Dans la seconde édition, ce travail a été remanié en éliminant un certain nombre de composés ne présentant qu'un faible intérêt pratique et en les remplaçant par des composés importants, d'intérêt général. Le volume de l'ouvrage est resté sensiblement le même, et l'on y a tenu compte, dans la mesure du possible, de nombreuses observations de collègues dans le domaine scientifique et pratique.

Comme l'étude et l'extension de l'ouvrage dépassaient les possibilités d'un seul individu, la nouvelle édition a été rédigée en collaboration par les auteurs cités dans le titre.

Les points de fusion des mélanges eutectiques, qui ont été rappelés colonne 11 pour caractériser les composés organiques, ont été extraits du livre de L. et A. Kofler «Méthodes micrométriques permettant de reconnaître les corps et mélanges organiques» (Edité par Verlag Chemie G.m.b.H., Berlin 1945)*.

Comme on l'a indiqué dans la préface de la première édition, les tableaux des points de fusion sont destinés aux analystes et praticiens. Cet ouvrage semble, en principe, avoir satisfait à ces impératifs, comme l'ont montré de nombreuses conversations le concernant; bien entendu, les auteurs savent que le choix fait est subjectif. Souhaitons à la nouvelle édition, avec ses améliorations et extensions, de recevoir un accueil aussi favorable que la première.

Nous avons ici l'agréable devoir de remercier nos collègues de leurs conseils et propositions. Nous remercions également les Editions de l'Académie de leur compréhension et de l'heureuse exécution du livre.

Les auteurs

* Nouvelle édition 1954 par Verlag Chemie G. m. b. H., Weinheim

AVANT-PROPOS

Pour contrôler la présence d'une substance déterminée, on utilise les constantes physiques, puis les réactions chimiques. Conformément à l'expérience, presque tous les composés organiques, lorsqu'ils ne sont pas particulièrement décomposables, présentent, sous forme cristalline, un point de fusion précis. Il faut considérer comme point de fusion, la température à laquelle la substance, après avoir formé un ménisque, apparait complètement claire et transparente. Pour les corps absolument purs, l'intervalle du point de fusion est de un ou tout au plus deux degrés. Pour éviter d'échauffer exagérément le bulbe du thermomètre, bon conducteur, par rapport au petit tube, mauvais conducteur, qui contient la substance, il est nécessaire de procéder au réchauffage à partir d'environ 10° en-dessous du point de fusion probable, suffisamment lentement pour que la température ne s'élève que de 1° par minute. Il est également très important de laisser la substance, finement pulvérisée, reposer 24 heures dans un dessicateur sous vide avant de procéder à la détermination du point de fusion ou, lorsque cela est possible, de la sècher à une température plus élevée pour éliminer les traces de solvant adhérentes du fait de la cristallisation, ou l'humidité prise à l'atmosphère. Quelques % d'humidité suffisent en effet pour réduire le point de fusion de l'acide oxalique anhydre, par exemple, de 80 à 90°. Même de faibles impuretés, fortement adhérentes, et non décelables chimiquement, peuvent souvent influencer fortement le point de fusion. L'impureté considérée peut soit abaisser, soit élever le point de fusion selon son caractère. En général, elle l'abaisse. Mais si elle est isomorphe avec la substance et possède un point de fusion plus élevé que celle-ci, le mélange peut également fondre à plus haute température.

Dans la paillasse chauffante de Kofler, qui se compose essentiellement d'un long corps métallique étroit, sur lequel on peut créer une chute de température sensiblement linéaire de 265° à 50° en le chauffant d'un côté, on peut déterminer, en une minute, les points de fusion des corps simples et des mélanges, car, la paillasse chauffante peut être portée à la température de fusion en quelques secondes. Avec cet appareil, on peut mieux suivre lorsqu'il s'agit d'hydrates, l'évacuation de l'eau de cristallisation, la fusion de l'hydrate et celle de la substance anhydre, que lorsqu'on utilise de petits tubes capillaires. Ce procédé convient, entre autres, pour contrôler rapidement les mélanges pharmaceutiques en mettant la préparation à vérifier et un mélange composé conformément aux prescriptions, cote à cote sur l'appareil, sur lequel on compare si les limites de fusion des deux échantillons concordent.

ABREVIATIONS

A.	Alcool éthylique
$[\alpha]_D^{20}$	rotation spécifique à 20°
abs.	absolu
Ae.	éther
alkohol.	alcoolique
allg.	général
asym.	asymétrique
At.Gew.	poids atomique
Blätt.	lamelle, feuillet
Best.	détermination
Bldg.	formation
Bzl.	benzol
Bzn.	benzine, essence
bzw.	relativement
ca.	environ
Chlf.	chloroforme
D	densité
D_D^{20}	poids spécifique à 20°, rapporté à l'eau à 4°
n_D^{20}	indice de réfraction à 20°
R_D^{20}	réfraction molaire à 20°
DE.	rigidité diélectrique
Deriv.	dérivée
Dest.	distillation
Eig.	propriété
Einfl.	influence
Einw.	action, réaction
Eg.	acide acétique glacial
Ep.	point de solidification
n_D^{20}	dispersion à 20°
Fl.	liquide
Fp.	point de fusion
gelbl.	jaunâtre
gesätt.	saturé
Ggw.	présence
g.Z.	légère décomposition
h.	chaud
Herst.	fabrication
JZ.	indice d'iode
k.	froid
Koeff.	coefficient
konz.	concentré
Korr.	correction
Kp.	point d'ébullition
Krist..	cristal
l.	soluble
lösl.	soluble
ll.	facilement soluble
Lg.	ligroïne
Lsg.	solution
Lsgg.	solutions
Lsgm.	solvant
Mol.Gew.	poids moléculaire
Nachw.	décèlement
n.	normal
Nd.	précipitation
opt.akt.	optiquement actif
Oxyd.	oxydation
PAe	éther de pétrole
Prod.	produit
Py.	pyridine
Red.	réduction
red.	réduit
Rk.	réaction
riech.	odorant
sd.	bouillant
spez.	spécifique
sll.	très facilement soluble
swl.	très peu soluble
Stde.	heure
subl.	sublimé
Subst.	substance
SZ.	indice d'acidité
u.	et
unl.	insoluble
v.	de
Vak.	vide poussé
Verb.	composé
verd.	dilué, raréfié
vgl.	voir, comparer
Vork.	présence
VZ.	indice de saponification

W.	eau	Z.	se décompose
W.-Bad . . .	bain-marie	zers.	se décompose
wl.	peu soluble	zll.	assez facilement soluble
Wrk.	action, fonction	zwl.	assez peu soluble
wss.	aqueux	∞	mélangeable dans n'importe quelle proportion
z. B.	par ex.		
Zers.	décomposition		

ПРЕДВАРИТЕЛЬНОЕ ЗАМЕЧАНИЕ

Первое издание ,,Таблиц точек плавления органических соединений'', дважды перепечатанное, давно уже разошлось. Настоящее, второе, издание было заново пересмотрено. Многие соединения ограниченного практического значения в нем опущены; введены были, как представляющие общий интерес, данные о новых важных соединениях. Объем книги оставлен прежним; многочисленные предложения наших научных и технических сотрудников были, по возможности, приняты во внимание.

Основательный пересмотр книги и ныне внесенных в нее дополнений является задачей непосильной для одного лица; новое издание было проработано его авторами совместно.

Приведенные в настоящем издании ,,Точки плавления эвтектических смесей (столбец 11-й) служат для идентификации органических соединений: они заимствованы из книги Л. и А. Кофлеров: ,,Микрометоды определения органических веществ и их смесей'' (Издательство ,,Ферлаг Хеми Г.м.б.Х.'', Берлин 1945)*.

В предисловии к первому изданию было указано, что ,,Таблицы'' предназначены для лабораторной практики. Опираясь на многочисленные рецензии, мы полагаем, что книга наша, несмотря на субъективно произведенный отбор материала, отвечает, в основном, предъявляемым к ней проблемам. Мы надеемся что новое, улучшенное и исправленное, издание ,,Таблиц'' найдет такой-же благосклонный прием как и наше первое издание.

Мы считаем нашим приятным долгом выразить нашим сотрудникам по работе нашу благодарность за поданные ими советы и указания.

Издательству ,,Академи-Ферлаг'' принадлежит наша благодарность за оказанную нам помощь при издании книги и за ее прекрасное оформление.

Авторы

* Переиздание 1954 г. издательства ,,Ферлаг Хеми Г.м.б.Х.'', Вейнгейм

ПРЕДИСЛОВИЕ КО ВТОРМУ ИЗДАНИЮ

Критерием чистоты химического соединения является, в особенности, постоянство его физических констант. Каждое кристаллизованное и заметно при нагревании не разлагающееся органическое соединение имеет свою определенную температуру плавления. Температурой плавления считается та, при которой расплавляемое вещество образовав мениск, становится, вслед за этим вполне прозрачным. Температурный интервал плавления совершенно чистого вещества не должен превышать одного или, самое большее, двух градусов. Для предупреждения перенагревания хорошо проводящего тепло ртутного шарика термометра (сравнительно с плохо проводящей тепло капилярной трубочкой с веществом) необходимо после достижения температуры на 10° ниже ожидаемой продолжать нагревание так чтобы температура повышалась лишь на 1° в минуту. Очень важно, чтобы исытуемое вещество было-бы предварительно тонко измельчено а затем оставлено на 24 часа в вакуумэксикаторе для высушивания. В тех случаях когда это возможно, высушивание вещества производится при повышенной температуре. Следы приставшего к веществу растворителя (от перекристаллизации) равно как и следы поглощенной им из воздуха влаги должны быть полностью удалены. Известно, например, что поглощение безводной щавелевой кислотой лишь нескольких процентов влаги (из воздуха) понижает ее точку плавления на 80—90°. Часто незначительные, химически не-обнаруживеемые следы приставших к веществу загрязнений изменяют существенно температуру его плавления. Присутствие примесей понижает, обычно, температуру плавления; в некоторых случаях, однако (изоморфия плавлящейся при более высокой температуре примеси, с испытуемым веществом), можно наблюдать и повышение температуры плавления.

Определение температуры плавления удобно производить с помощью нагревательного столика Кофлера, представляющим собой, в основном, длинную и узкую, с одного конца нагреваемую металлическую массу. Температура нагреваемой массы падает на всем ее протяжением от 265 до 50° с (почти) прямолинейно-выраженной закономерностью. Для нагревания прибора требуется лишь несколько секунд; само определение температуры плавления совершается в течении одной минуты. Прибор Кофлера особенно удобен для исследования гидратов; он позволяет лучше следить за отдачей ими кристаллизационной воды и определять точки плавления как самого гидрата так и обезвоженной его фазы чем это возможно с помощью капиллярных трубочек. Прибор удобен и тем, что допускает производить быстрый контроль смеси медикаментов: испытываемый и стандартный препараты наносятся на нагреваемую поверхность рядом; сравниваются пределы температур плавления обоих проб.

СОКРАЩЕНИЯ

A.	спирт этиловый
$[\acute{a}]_D^{20}$	удельное вращение при 20°C
abs.	абсолютный
Ae.	эфир
alkohol.	спиртовый
allg.	общий
asym.	асимметрический
At.Gew.	атомный вес
Blätt.	листочки
Best.	определение
Bldg.	образование
Bzl.	бензол
Bzn.	бензин
bzw.	соответственно
ca.	около, приблизительно
Chlf.	хлороформ
D	лотность
D_4^{20}	удельный вес при 20° относительно воды при 4°
n_4^{20}	показатель преломления при 20°
R_D^{20}	молялная рефракция при 20°
DE.	диэлектрическая постояанная
Deriv.	производные
Dest.	дистилляция
Eig.	свойство
Einfl.	влияние
Einw.	воздействие
Eg.	ледяная уксусная кислота
Ep.	точка застывания
n_F^{00}	дисперсия при 20°
Fl.	жидкость
F_p	точка плавления
gelbl.	желтоватый
gesätt.	насыщенный
Ggw.	присутствие
g.Z.	слабое разложение
h.	горяий
Herst.	получение, производство
JZ.	йодное число
k.	холодный
Koeff.	коэффициент
konz.	концентрированный
Korr.	исправление, корректура
Kp.	точка кипятения
Krist.	кристаллы
l. lösl.	растворимый
ll.	легко растворимый
Lg.	лигроин
Lsg.	раствор
Lsgg.	растворы
Lsgm.	растворитель
Mol.Gew.	молекулярный вес
Nachw.	идентификация
n.	нормальный
Nd.	осадок
opt.akt.	оптически-активный
Oxyd.	окисление
PAe	петролейный эфир
Prod.	продукт
Py.	пиридин
Red.	восстановление
red.	восстановленный
Rk.	реакция
riech.	пахнущий
sd.	кипящий
spez.	специфический, удельный
sll.	очень легко растворимый
swl.	очень мало растворимый
Stde.	час
subl.	сублимируется, возгоняется
Subst.	вещество, субстанция
SZ.	кислотное число
u.	и
unl.	нерастворимый
v.	от

Vak. . . . . высокий вакуум
Verb. . . . . соединение
verd. . . . . разбавленный
vgl. . . . . . сравни
Vork. . . . . существование (месторождение)
VZ. . . . . число омыления
W. . . . . . вода
W-Bad . . . водяная баня
wl. . . . . . мало растворимый
Wrk. . . . . действие
wss. . . . . . водный
z.B. . . . . . например
Zers. . . . . разложение
Z. . . . . . } разлагается
zers. . . . . } разлагается
zll. . . . . . довольно легко растворимый
zwl. . . . . . довольно слабо растворимый
∞ . . . . . смешивается во всех отношениях

SCHMELZPUNKTTABELLEN

Lfd. Nr.	*Fp*	Name	Summen-formel	Strukturformel	Mol.-Ge-wicht	Aggregat-zustand Farbe
1	2	3	4	5	6	7
1	**−189,9**	Propan	C_3H_8	$CH_3 \cdot CH_2 \cdot CH_3$	44,09	Gas
2	**−185,2**	Propen (Propylen)	C_3H_6	$CH_3 \cdot CH:CH_2$	42,08	Gas
3	**−184,0**	Methan	CH_4	CH_4	16,04	Gas
4	**−172,0**	Äthan	C_2H_6	$CH_3 \cdot CH_3$	30,07	Gas
5	**−169,5**	Äthylen	C_2H_4	$CH_2:CH_2$	28,05	Gas
6	**−161,5**	Bortrimethyl	C_3H_9B	$(CH_3)_3B$	55,92	Gas
7	**−159,7**	Vinylchlorid	C_2H_3Cl	$CH_2:CHCl$	62,50	Gas
8	**−158,6**	Isopentan	C_5H_{12}	$C_2H_5 \cdot CH(CH_3)_2$	72,15	Fl.
9	**−156,5**	Methylsilan	CH_6Si	$CH_3 \cdot SiH_3$	46,15	Gas
10	**−151,0**	Keten	C_2H_2O	$CH_2:CO$	42,04	Gas
11	**−149,9**	Dimethylsilan	C_2H_8Si	$(CH_3)_2SiH_2$	60,18	Gas
12	**−147,0**	Penten-(2)	C_5H_{10}	$CH_3 \cdot CH_2 \cdot CH:CH \cdot CH_3$	70,13	Fl.
13	**−146,0**	Propadien (Allen)	C_3H_4	$CH_2:C:CH_2$	40,06	Gas
14	**−145,0**	Diazomethan	CH_2N_2	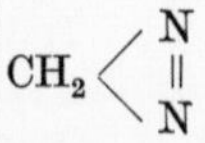	42,04	Gas
15	**−145,0**	Isobutan	C_4H_{10}	$(CH_3)_2CH \cdot CH_3$	58,12	Gas

Lfd. Nr.	Spez. Gewicht	Siedepunkt °C	Beilsteinzitat	Physikalische Konstanten und Eigenschaften	Löslichkeit	Reaktionen
	8	9	10	11	12	13
1	2,0196 g/l	−44,5 −10,60 (20 mm)	I 103		28 in W 10°	
2	0,647	−47,0	I 196			
3	0,7168 g/l 0,415	−164,0 −181,0 (105 mm)	I 56	brennt mit schwach leuchtender Flamme; riecht lauchartig		durch Ozon wird Methan in $HC\langle^{O}_{H}$ verwandelt
4		−88,5° −138,07 (20 mm)	I 80	Litergewicht 1,3562 g geruchlos Dampfdruck 20° 23230 mm Hg, 0° 17936 mm Hg, −20° 10678 mm Hg	wll. in W l. in A	
5		−103,9° −150° (14,9 mm Hg)	I 180	Litergewicht 1,2604 g riecht ätherisch erstickend. Dampfdruck 10° 38190 mm Hg, 0° 30552 mm Hg, −20° 18580 mm Hg		Durchleiten durch konz. Lsg. von $HgJ_2 \cdot 2KJ$ + NaOH → gelbe Trübung → gelber Nd.
6		−20,0°	IV 641	Litergewicht 2,536 g stechender Geruch; selbstentzündlich	swl. in W	
7	0,9692	−13,9	I 186	polymerisiert rasch im Sonnenlicht	unl. in W	+ alkohol. NH_3 bei 150° → Äthylendiamin
8	0,6206	27,95 −47,91 (20 mm) −52,71 (14 mm)	I 134	Dampfdruck 20° 568,5 mm Hg	unl. in W l. in A, Ae	+ rauchende HNO_3 → 2,3,4-Trinitro-2-methylbutan *Fp* 189−190° (Chlf.)
9	0,62	−57	E_1 IV 579	zers. beim Erwärmen	unl. in W	
10		−56	I 724	riecht unerträglich		+ W → Essigsäure + A → Essigester indifferent gegen O_2
11	$0,68^{-80°}$	−20				
12	$0,6535^{17°}$	36,4	I 210	$^{n}D^{20}$ 1,37576; $^{R}D^{20}$ 24,82 cm^3; $^{n}F^{20}$ 79,7°	unl. in W ∞ A, Ae	+ $KMnO_4$ → Ameisensäure + Bernsteinsäure + Buttersäure
13		−32	I 248			+ Br_2 → Tetrabromid *Fp* 10 bis 11°
14		−24	I 25	explodiert beim Erhitzen; sehr giftig; Methylierungsmittel		
15		−10,2 −86,01 (20 mm)	I 124	Litergewicht 2,6726 g; Dampfdruck 0° 1192 mm Hg	131 W 17° 1346 A 17° 2838 Ae 18°	

Lfd. Nr.	*Fp*	Name	Summenformel	Strukturformel	Mol.-Gewicht	Aggregatzustand Farbe
1	2	3	4	5	6	7
16	**−144,0**	Äthylmercaptan	C_2H_6S	$C_2H_5 \cdot SH$	62,13	Fl.
17	**−140,8**	Diallyl	C_6H_{10}	$CH_2:CH \cdot (CH_2)_2 \cdot CH:CH_2$	82,15	Fl.
18	**−138,7**	Äthylchlorid	C_2H_5Cl	$CH_3 \cdot CH_2Cl$	64,52	Fl.
19	**−138,5**	Dimethyläther (Methyläther)	C_2H_6O	$CH_3 \cdot O \cdot CH_3$	46,07	Gas
20	**−138,2**	Kohlenoxysulfid	COS	O=C=S	60,08	Gas
21	**−137,8**	Vinylbromid	C_2H_3Br	$CH_2:CHBr$	106,96	Fl.
22	**−137,4**	β-Chlorpropen	C_3H_5Cl	$CH_3 \cdot CCl:CH_2$	76,53	Fl.
23	**−136,4**	Allylchlorid	C_3H_5Cl	$CH_2=CH \cdot CH_2Cl$	76,53	Fl.
24	**−135,0**	Butan	C_4H_{10}	$CH_3 \cdot CH_2 \cdot CH_2 \cdot CH_3$	58,12	Gas
25	**−134,9**	2,3-Dimethylbutan	C_6H_{14}	$(CH_3)_2CH \cdot CH(CH_3)_2$	86,17	Fl.
26	**−134,3**	Trimethyläthylen (β-Methyl-β-buten, β-Isoamylen)	C_5H_{10}	$(CH_3)_2C:CH \cdot CH_3$	70,13	Fl.
27	**−131,3**	sek. Butylchlorid	C_4H_9Cl	$C_2H_5 \cdot CHCl \cdot CH_3$	92,57	Fl.
28	**−131,2**	Isobutylchlorid	C_4H_9Cl	$(CH_3)_2CH \cdot CH_2Cl$	92,57	Fl.

Lfd. Nr.	Spez. Gewicht	Siedepunkt °C	Beilsteinzitat	Physikalische Konstanten und Eigenschaften	Löslichkeit	Reaktionen
	8	9	10	11	12	13
16	$0{,}8454^{36°}$	37° 33,4 (724 mm)	I 340	n_D^{10} 1,43055; R_D^{10} 17,99 cm^3; n_F^{10} 101,9; riecht durchdringend, lauchartig; (f. Schlafmittel Sulfonal)	nl. in W l. in A, Ae ll. in Alkalien	+ HNO_2 (KNO_2) oder $C_2H_5NO_2$ → rosarot, E 1:7500 + verd. alkohol. $FeCl_3$-Lsg. → blau (unbeständig) Hg-Mercaptid *Fp* 76—77° (aus A)
17	0,6872	59,6	I 253	n_D^{20} 1,40102; R_D^{20} 28,99 cm^3; n_F^{20} 98,1; n_γ^{20} 1,41385; riecht rettigartig; polymerisiert beim Erhitzen	unl. in W	
18	$0{,}9171^{6}_{6}$	13,1 —56,67 (20 mm)	I 82	ebullioskop. Konstante 1,95; Dampfdruck 20° 1065 mm Hg	swl. in W ∞ A, Ae	
19		—23,7	I 281	Litergewicht 2,1096 g; Dampfdruck 20° 3586 mm Hg	3700 W 18° l. in A, Ae	+ HCl → CH_3Cl
20		—50,2	III 131	Litergewicht 2,721 g; Dampfdruck 20° 18700 mg Hg; geruchlos; stark narkotisch	54 W 20° 800 A 22° 1500 Toluol 22°	+ H_2O → allmählich CO_2 + H_2S
21	$1{,}5167^{14°}$	15,8	I 188	polymerisiert im Sonnenlicht		
22	$0{,}918^{9°}$	22,7	I 198			
23	$0{,}9379^{20}$	44,6	I 198	n_D^{20} 1,40950; R_D^{20} 20,44 cm^3; n_F^{20} 99,3		+ Mischung von 1 ml alkohol. Phloroglucinlösung (10%ig.) und 9 ml HCl (1,19) → rot
24		0,6 —73,13 (20 mm)	I 118	Litergewicht 2,7031 g; Dampfdruck 20° 769 mm Hg	15 W 17° 1920 A 17° 3031 Ae 18°	
25	0,6795	58,1	I 151	n_F^{20} 62,5	unl. in W l. in A, Ae	
26	$0{,}668^{13°}$	37,2	I 211			
27	0,8732	68,3	I 119	n_D^{20} 1,40147; R_D^{20} 25,46 cm^3; n_F^{20} 71,2; riecht ätherisch		
28	$0{,}8829^{15°}$	68,9	I 124	n_D^{15} 1,40096; R_D^{15} 25,73 cm^3; n_F^{15} 72,5	0,09 W 12,5° ∞ A, Ae	

Lfd. Nr.	Fp	Name	Summen-formel	Strukturformel	Mol.-Ge-wicht	Aggregat-zustand Farbe
1	2	3	4	5	6	7
29	—130,8	n-Pentan	C_5H_{12}	$CH_3 \cdot (CH_2)_3 \cdot CH_3$	72,15	Fl.
30	—129,0	Allylalkohol	C_3H_6O	$CH_2 : CH \cdot CH_2OH$	58,08	Fl.
31	—127,0	Buten-(2) (β-Butylen)	C_4H_8	$CH_3 \cdot CH : CH \cdot CH_3$	56,10	Gas
32	—127,0	Cyclopropan (Trimethylen)	C_3H_6	$\begin{matrix} H_2C \\ | \rangle CH_2 \\ H_2C \end{matrix}$	42,08	Gas
33	—126,4	Methylcyclohexan	C_7H_{14}	$H_2C \Big\langle \begin{matrix} CH_2 \cdot CH_2 \\ CH_2 \cdot CH_2 \end{matrix} \Big\rangle CH \cdot CH_3$	98,18	Fl.
34	—126,0	n-Propylalkohol	C_3H_8O	$C_2H_5 \cdot CH_2OH$	60,09	Fl.
35	—124,8	β-Brompropen	C_3H_5Br	$CH_3 \cdot CBr : CH_2$	120,99	Fl.
36	—124,0	Trimethylamin	C_3H_9N	$(CH_3)_3N$	59,11	Gas

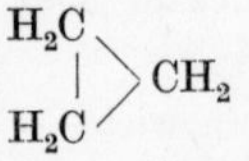

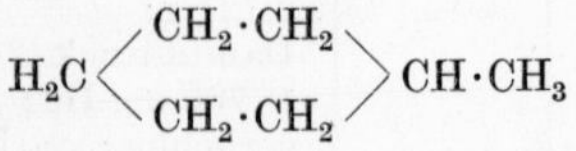

Lfd. Nr.	Spez. Gewicht	Siedepunkt °C	Beilsteinzitat	Physikalische Konstanten und Eigenschaften	Löslichkeit	Reaktionen
	8	9	10	11	12	13
29	0,6337	36,2 —43,60 (14 mm)	I 130	$^{n}D^{20}$ 1,35800; $^{R}D^{20}$ 25,28 cm³; $^{n}F^{20}$ 61,9; Dampfdruck 20° 422 mm Hg	unl. in W ∞ A, Ae	
30	$0{,}8703^{0°}$	97,1 (korr.)	I 436	$^{n}D^{15}$ 1,41152; $^{R}D^{15}$ 16,95 cm³; $^{n}F^{15}$ 96,6; heftig reizender Geruch; giftig	∞ W, A l. in Bzl.	3,5-Dinitrobenzoat *Fp* 48° Phenylurethan *Fp* 70° α-Naphthylurethan *Fp* 109°, Tafeln 0,1 g Subst. + HBr bis schwach gelbe Lsg., zum Sieden erhitzen + 0,1 ml 5%ige Codein-, Resorcin-, β-Naphthol- oder Thymollsg. unter Zusatz von 2 ml H_2SO_4 auf dem Dampfbad erhitzen: Thymol u. Codein → violettrot, Resorcin → weinrot, β-Naphthol → gelb mit grüner Fluorescenz
31	0,6315	1. +1,0 2. +2,5	I 204	2 stereoisomere Formen	l. in A unl. in H_2SO_4	Nitrosit *Fp* 134°
32	0,720	—34,5 (750mm)	V 15	wird von H_2SO_4 absorbiert	unl. in W	bei Rotglut → Propylen
33	$0{,}7718^{17°}$	100,3	V 29	^{n}D 1,42531; ^{R}D 32,47 cm³; ^{n}F 75,0; riecht benzinartig	unl. in W l. in A, Ae	
34	$0{,}8044^{20°}$	97,2 24,83 (20mm) 19,04 (14mm)	I 350	$^{n}D^{20}$ 1,38543; $^{R}D^{20}$ 17,52 cm³; $^{n}F^{20}$ 66,3; Dampfdichte 2,049; Dampfdruck 20° 15 mm Hg; spezif. Wärme 0,66; ebullioskop. Konstante 1,73; Flammpunkt 12°; stark alkoh. Geruch; brennt mit leuchtender Flamme	∞ W, A, Ae	71,69% Propylalkohol + 28,31% W: Kp. 87,7° (konstant); 1 ml Alkohol + 2 bis 8 Tropfen Beckmannsche Mischung schnell violett → weinrot; 2 ml [1 g Vanillin in 200 ml H_2SO_4 (d = 1,84)] + 3—4 Tropfen Propylalkohol + tropfenweise W → gelb, bei 15 Tropfen W → purpurrot; p-Nitrobenzoat *Fp* 35° 3,5-Dinitrobenzoat, *Fp* 74 bis 75°; Phenylurethan *Fp* 50—51°; Diphenylylurethan *Fp* 129°
35	13,965	48,4	I 200	$^{n}D^{20}$ 1,45193; $^{R}D^{20}$ 23,09 cm³; $^{n}F^{20}$ 119,8		
36	$0{,}662^{-5°}$	—3,5	IV 43	Litergewicht 17° 2,5804 g; riecht fischartig; brennbar (noch mit W 1 : 1)	ll. in W, A	Perjodid *Fp* 65°, bläulichgraue Nadeln (E 1:50000); Chloroplatinat *Fp* 242—243°, orangerote Oktaeder; Pikrat *Fp* 216°, hellgelbe Prismen; Pikrolonat *Fp* 250—252°, hellgelbe rhomb. Tafeln; Dinitro-α-naphthoat *Fp* 185°, zitronengelbe Prismen

Lfd. Nr.	*Fp*	Name	Summenformel	Strukturformel	Mol.-Gewicht	Aggregatzustand Farbe
1	2	3	4	5	6	7
37	**−123,1**	n-Butylchlorid	C_4H_9Cl	$C_2H_5 \cdot CH_2 \cdot CH_2Cl$	92,57	Fl.
38	**−123,0**	Acetaldehyd	C_2H_4O	$CH_3 \cdot CHO$	44,05	Fl.
39	**−122,8**	Propylchlorid	C_3H_7Cl	$C_2H_5 \cdot CH_2Cl$	78,54	Fl.
40	**−122,5**	Butin-(1) (Äthylacetylen)	C_4H_6	$C_2H_5 \cdot C{\vdots}C \cdot H$	54,09	Fl.
41	**−122,0**	Dipropyläther	$C_6H_{14}O$	$C_3H_7 \cdot O \cdot C_3H_7$	102,17	Fl.
42	**−121,0**	Methylmercaptan	CH_4S	$CH_3 \cdot SH$	48,11	Fl.
43	**−120,0**	Isopren [2-Methyl-butadien-(1,3)]	C_5H_8	$CH_2:CH \cdot C(CH_3):CH_2$	68,11	Fl.
44	**−119,4**	Allylbromid (γ-Brompropen)	C_3H_5Br	$CH_2:CH \cdot CH_2Br$	120,99	Fl.
45	**−119,0**	Äthylbromid	C_2H_5Br	$CH_3 \cdot CH_2Br$	108,98	Fl.
46	**−118,1**	Isobutylbromid	C_4H_9Br	$(CH_3)_2CH \cdot CH_2 \cdot Br$	137,03	Fl.

Lfd. Nr.	Spez. Gewicht	Siedepunkt °C	Beilsteinzitat	Physikalische Konstanten und Eigenschaften	Löslichkeit	Reaktionen
	8	9	10	11	12	13
37	$0{,}8972^{14°}$	78,0	I 118	$^{n}D^{20}$ 1,40147; $^{R}D^{20}$ 25,46 cm^3; $^{n}F^{20}$ 71,2		
38	0,7883	20,2 —49,41 (20 mm)	I 594	$^{n}D^{20}$ 1,33157; $^{R}D^{20}$ 11,57 cm^3; $^{n}F^{20}$ 61,3; Dampfdruck 20° 696 mm Hg; stechender Geruch; Dampf giftig; polymerisiert zu Metaldehyd u. Paraldehyd	∞ W, A, Ae	+ Fuchsinschweflige Säure → rot; + 1 ml 1%ige wss. Piperazinlsg. u. 1 ml 1%ige Nitroprusidnatriumlsg. nach 1 Min. Schütteln → blau → rotviolett → rot (E 1:20000), + NH_3 → gelb; Semicarbazon *Fp* 163° Thiosemicarbazon *Fp* 146° Oxim *Fp* 47° p-Nitrophenylhydrazon *Fp* 129° 2,4-Dinitrophenylhydrazon *Fp* 168°
39	$0{,}8918^{20°}$	46,4	I 104	$^{n}D^{20}$ 1,38856; $^{R}D^{20}$ 20,84 cm^3; $^{n}F^{20}$ 68,5	0,27 W 20° ∞ A, Ae	
40	0,6680	18,0	I 248	lauchartiger Geruch	ll. in W l. in A	
41	$0{,}7360^{20°}$	90,6	I 354	$^{n}D^{14,5}$ 1,38318; $^{n}D^{20}$ 1,38086; $^{R}D^{14,5}$ 31,66 cm^3; $^{n}F^{14,5}$ 66,1	0,30 W 20° ∞ A, Ae	
42	0,8961	5,8 (752 mm)	I 288	riecht nach faulem Kohl	l. in A, Ae	+ W → krist. Hydrat
43	$0{,}6849^{16°}$	34,08	I 252	$^{n}D^{18,3}$ 1,44207; $^{R}D^{18,3}$ 25,22 cm^3; $^{n}F^{18,3}$ 148,0; polymerisiert beim Erhitzen zu Isopren-Kautschuk	l. in A, Bzl. unl. in W	Pikrat *Fp* 96° 1,3,5-Trinitrobenzolat *Fp* 101°
44	$1{,}398^{20°}$	70,0	I 201	$^{n}D^{20}$ 1,46545; $^{R}D^{20}$ 23,95 cm^3; $^{n}F^{20}$ 132,0	l. in A, Ae	Erhitzen mit Zn u. Bzl. → Propylbenzol
45	$1{,}4586^{20°}$	38,46 —38,21 (20 mm) —43,6 (14 mm)	I 88	$^{n}D^{20}$ 1,42386; $^{R}D^{20}$ 19,11 cm^3; $^{n}F^{20}$ 93,3; Dampfdruck 20° 387,6 mm Hg; ebullioskop. Konstante 2,53; riecht ätherisch; wirkt anästhesierend	0,91 W 20° ∞ A, Ae	
46	1,2720	91,4	I 126		0,05 W 18° ∞ A, Ae	bei 210° → teilweise tert.-Butylbromid

Lfd. Nr.	*Fp*	Name	Summen-formel	Strukturformel	Mol.-Gewicht	Aggregat-zustand Farbe
1	2	3	4	5	6	7
47	**−118,0**	Phosgen	CCl_2O	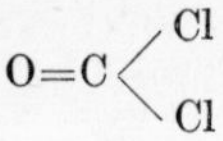	98,92	Gas
48	**−117,2**	Gärungsamylalkohol	$C_5H_{12}O$	$C_5H_{11}\cdot OH$	88,15	Fl.
49	**−117,0**	Isopropylchlorid	C_3H_7Cl	$CH_3\cdot CHCl\cdot CH_3$	78,54	Fl.
50	**−117,0**	Isoamylalkohol (Isobutylcarbinol)	$C_5H_{12}O$	$(CH_3)_2CH\cdot CH_2\cdot CH_2OH$	88,14	Fl.
51	**−116,3**	Diäthyläther („Äther“)	$C_4H_{10}O$	$C_2H_5\cdot O\cdot C_2H_5$	74,12	Fl.
52	**−114,8**	Triäthylamin	$C_6H_{15}N$	$(C_2H_5)_3N$	101,19	Fl.

Lfd. Nr.	Spez. Gewicht	Siedepunkt °C	Beilsteinzitat	Physikalische Konstanten und Eigenschaften	Löslichkeit	Reaktionen
	8	9	10	11	12	13
47	1,376$^{20°}$	8,2 (756,4 mm)	III 13	Litergewicht d. Dampfes 4,4 g; Dampfdruck 20° 1173,4 mm Hg; Flüchtigkeit 20° 7800000 mg/m³; Oberflächenspannung 0° 34,6 dyn/cm; Ausdehnungskoeffizient 10° 0,001561; spez. Wärme 0,243 cal; ebullioskop. Konst. 2,9; Verdampfungswärme 60 cal; riecht erstickend; greift Atmungsorgane an	wl. in W ll. in Benzol und Toluol	+ h. W. → HCl + CO_2 therm. Zers. → CO + Cl + Anilinwasser (3:100) → Diphenylharnstoff
48	0,812$^{12°}$	131,6	I 393	Gemisch von Alkoholen	2,67 W ∞ A, Ae	
49	0,8588$^{20°}$	36,5	I 105		0,31 W 20° ∞ A, Ae	
50	0,8130	131,3 51,95 (20 mm)	I 392	$^{n}D^{25}$ 1,4067; $^{n}F^{25}$ 41,3; Dampfdruck 20° 2,24 mm Hg; durchdringender u. hustenerregender Geruch; brennender Geschmack	wl. in W ∞ A, Ae	+ Piperonal + 50%ige H_2SO_4 → blau; Phenylurethan *Fp* 56,6° 3,5-Dinitrobenzoat *Fp* 61—62°
51	0,71925$^{15°}$ 0,7135$^{20°}$	34,6 —44,11 (14 mm)	I 314	$^{n}D^{20}$ 1,3526; $^{n}F^{20}$ 61,0; Dampfdruck 20° 437 mm Hg; spez. Wärme 30° 0,547; ebullioskop. Konstante 1,83; kryoskop. Konstante 1,79; riecht angenehm; brennender Geschmack; leicht entzündlich; Dampf wirkt betäubend	7,5 W 16° ∞ A, Chlf., Bzl.	Feuchter Ae trübt sich beim Schütteln mit gleichem Vol. CS_2; Nachweis von Peroxyden: Zusatz von Vanadinschwefelsäure → rot; Beim Kochen mit 3,5-Dinitrobenzoylchlorid + $ZnCl_2$ → 3,5-Dinitrobenzoesäureäthylester *Fp* 93—94°
52	0,7277$^{20°}$	89,4 2,09 (20 mm) 3,61 (14 mm)	IV 99	$^{n}D^{20}$ 1,40032; $^{R}D^{20}$ 33,74 cm³; $^{n}F^{20}$ 80,9; Dampfdruck 20° 52 mm Hg; ammoniakalisch riechendes Öl	16,6 W 20° 2 W 65°	Hydrochlorid, *Fp* 253—254°, hexagonale Krist.; Pikrat *Fp* 173°, gelbe rhomb. Prismen; Pikrolonat *Fp* 169°, zeisiggelbe Rosetten; Dinitro-α-naphthoat *Fp* 93°, hellgelbe Nadeln

Lfd. Nr.	*Fp*	Name	Summen-formel	Strukturformel	Mol.-Ge-wicht	Aggregat-zustand Farbe
1	2	3	4	5	6	7
53	**114,15**	Äthylalkohol (Äthanol)	C_2H_6O	$C_2H_5 \cdot OH$	46,07	Fl.
54	**−113,0**	α-Brompropen	C_3H_5Br	$CH_3 \cdot CH:CHBr$	120,99	Fl.
55	**−112,6**	Butyronitril (Propylcyanid)	C_4H_7N	$C_2H_5 \cdot CH_2 \cdot CN$	69,10	Fl.
56	**−112,4**	Butylbromid	C_4H_9Br	$C_2H_5 \cdot CH_2 \cdot CH_2Br$	137,03	Fl.
57	**−112,0**	Acetylchlorid	C_2H_3ClO	$CH_3 \cdot COCl$	78,50	Fl.
58	**−112,0**	Schwefelkohlenstoff	CS_2	$S{=}C{=}S$	76,14	Fl.
59	**−112,0**	Zinntetraäthyl	$C_8H_{20}Sn$	$(C_2H_5)_4Sn$	234,94	Fl.
60	**−111,9**	sek.-Butylbromid	C_4H_9Br	$C_2H_5 \cdot CHBr \cdot CH_3$	137,03	Fl.
61	**−111,9**	Isoamylbromid	$C_5H_{11}Br$	$(CH_3)_2CH \cdot CH_2 \cdot CH_2Br$	151,06	Fl.
62	**−111,3**	Äthylenoxyd	C_2H_4O	H_2C — CH_2 ╲O╱	44,05	Gas

Lfd. Nr.	Spez. Gewicht	Siedepunkt °C	Beilsteinzitat	Physikalische Konstanten und Eigenschaften	Löslichkeit	Reaktionen
	8	9	10	11	12	13
53	$0{,}7892^{20°}$	78,3 7,72 (20 mm) 2,75 (14 mm)	I 292	$^{n}D^{20}$ 1,36232; $^{R}D^{20}$ 12,78 cm^3; $^{n}F^{20}$ 61,1; Dampfdichte 1,586; Dampfdruck 20° 44 mm Hg; spezif. Wärme 0,61; Flammpunkt 12°; ebullioskop. Konstante 1,04; Oberflächenspannung 20° 22,03 dyn/cm; brennt mit blaßblauer, nichtleuchtender Flamme	∞ W, Chlf., Ae	Auf 40—50° erwärmen, + 6 Tropfen 10%iges KOH und Jodjodkalium bis Braunfärbung, mit KOH entfärben, abkühlen → Jodoform (E 1:2000) 2 ml [1 g Vanillin in 200 H_2SO_4 (1,84)] + 3—4 Tropfen A + einige Tropfen W → grünblau → hellgrün; 5 Tropfen A + 5 Tropfen verd. H_2SO_4 + Körnchen $K_2Cr_2O_7$ erhitzen, im Destillat Acetaldehyd (s. Nr. 38) nachweisen; p-Nitrobenzoat *Fp* 56° 3,5-Dinitrobenzoat *Fp* 93—94°; Diphenylurethan *Fp* 72°
54	$1{,}433^{16°}$	57,8	E_1 I 83	$^{n}D^{20}$ 1,45193; $^{R}D^{20}$ 23,09 cm^3; $^{n}F^{20}$ 119,8	l. in A	vgl. Nr. 153
55	$0{,}794^{20°}$	117,4	II 275	$^{n}D^{24}$ 1,3816	wl. in W l. in A	
56	$1{,}2829^{15°}$	100,3	I 119	$^{n}D^{20}$ 1,43983; $^{R}D^{20}$ 28,46 cm^3; $^{n}F^{20}$ 89,4	0,061 W 30°	
57		51,0				
58	$1{,}2634^{20°}$	46,25 —33,9 (20 mm)	III 197	$^{n}D^{20}$ 1,6204; Dampfdichte 2,621; Dampfdruck 20° 296,9 mm Hg; spezif. Wärme 30° 0,2401; Verdampfungswärme bei 46,3° 84 cal; ebullioskop. Konstante 2,29; riecht ätherisch; leicht entzündlich; stark lichtbrechend; giftig;	0,18 W 16° 0,15 W 30° ∞ A, Ae l. in Bzl.	zur sd. Lsg. von $Pb(NO_3)_2$ in 2n KOH 1 ml Subst. → schwarzer Nd. (E 60 γ) + 30% alkohol. KOH erhitzen + 1 Tropfen 1%ig. $CuSO_4$-Lsg. + CH_3COOH (1:2) ansäuern → gelber Nd. von Kupferxanthogenat (E 1:90000)
59	$1{,}1988^{20°}$	78,0 (13 mm)	IV 632	leicht entzündlich	unl. in W l. in Ae	
60	$1{,}251^{25°}$	91,3	I 119	riecht angenehm	unl. in W l. in A, Ae	
61	$1{,}236^{0°}$	120,3	I 136	$^{n}D^{20}$ 1,44118; $^{R}D^{20}$ 33,12 cm^3; $^{n}F^{20}$ 82,7	0,02 W 16° l. in A, Ae	beim Erhitzen mit Mg →Diisoamyl + festes Prod.
62	$0{,}8896^{6°}$	10,7	XVII 4	$^{n}D^{20}$ 1,3597; $^{n}F^{20}$ 58,0	∞ in W, A, Ae	bei 400° → Acetaldehyd + Jodjodkalium → langsam CHJ_3

Lfd. Nr.	Fp	Name	Summen-formel	Strukturformel	Mol.-Ge-wicht	Aggregat-zustand Farbe
1	2	3	4	5	6	7
63	−111,3	Kohlensuboxyd	C_3O_2	$O:C:C:C:O$	68,03	Gas
64	−110,9	Äthyljodid	C_2H_5J	C_2H_5J	155,98	Fl.
65	−110,8	3-Fluortoluol	C_7H_7F	$F \cdot C_6H_4 \cdot CH_3$	110,13	Fl.
66	−109,9	Propylbromid	C_3H_7Br	$C_2H_5 \cdot CH_2Br$	123,00	Fl.
67	−108,0	Isobutylalkohol (Isopropylcarbinol)	$C_4H_{10}O$	$(CH_3)_2CH \cdot CH_2OH$	74,12	Fl.
68	−105,0	tert.-Amylamin	$C_5H_{13}N$	$C_2H_5 \cdot C(CH_3)_2 \cdot NH_2$	87,16	Fl.
69	−105,0	Methyläthylsulfid	C_3H_8S	$CH_3 \cdot S \cdot C_2H_5$	76,16	Fl.
70	−105,0	Formaldehyddimethyl-acetal (Methylal)	$C_3H_8O_2$	$CH_3O \cdot CH_2 \cdot OCH_3$	76,09	Fl.
71	−104,7	Allylen (Methyl-acetylen)	C_3H_4	$CH_3 \cdot C : CH$	40,06	Gas
72	−104,1	sek.-Butyljodid	C_4H_9J	$C_2H_5 \cdot CHJ \cdot CH_3$	184,02	Fl.
73	−104,0	dl-sek.-Butylamin	$C_4H_{11}N$	$C_2H_5 \cdot CH(NH_2) \cdot CH_3$	74,14	Fl.
74	−103,7	Cyclohexen	C_6H_{10}	$H_2C \Big\langle \begin{matrix} CH_2 \cdot CH \\ CH_2 \cdot CH_2 \end{matrix} \Big\rangle CH$	82,15	Fl.
75	−103,5	Chlordimethyläther	C_2H_5ClO	$CH_2Cl \cdot O \cdot CH_3$	80,52	Fl.
76	−103,0	n-Butyljodid	C_4H_9J	$C_2H_5 \cdot CH_2 \cdot CH_2J$	184,02	Fl.
77	−102,1	Diäthylsulfid	$C_4H_{10}S$	$(C_2H_5)_2S$	90,19	Fl.
78	−102,0	Äthylnitrat	$C_2H_5NO_3$	$C_2H_5 \cdot O \cdot NO_2$	91,07	Fl.

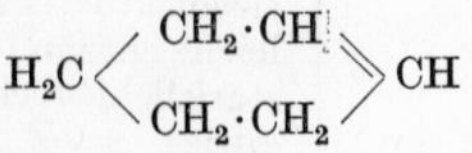

Lfd. Nr.	Spez. Gewicht	Siedepunkt °C	Beilsteinzitat	Physikalische Konstanten und Eigenschaften	Löslichkeit	Reaktionen
	8	9	10	11	12	13
63	$1{,}114^{0°}$	7	I 805	giftig	l. in CS_2	+ W → Malonsäure
64	$1{,}933^{20°}$	72,3 —13,23 (20 mm)	I 96	$^{n}D^{20}$ 1,51307; $^{R}D^{20}$ 24,29 cm^3; $^{n}F^{20}$ 162,8; Dampfdruck 20° 110 mm Hg; ebullioskop. Konstante 5,01	0,40 W 20° l. in A, Ae	
65	$0{,}9972^{13°}$	116,1	V 290	$^{n}D^{20}$ 1,46524; $^{R}D^{20}$ 30,73 cm^3; $^{n}F^{20}$ 136,0	unl. in W	
66	$1{,}3539^{20°}$	70,8	I 108	$^{n}D^{20}$ 1,43411; $^{R}D^{20}$ 23,70 cm^3; $^{n}F^{20}$ 91,3	0,25 W 20° l. ∞ A, Ae	+ alkohol. KOH → Propylen und Äthylpropyläther
67	$0{,}8050^{16°}$	108,15 32,31 (20 mm) 26,78 (14 mm)	I 373	$^{n}D^{17,5}$ 1,3968; $^{R}D^{17,5}$ 22,16 cm^3; $^{n}F^{17,5}$ 68,0; Dampfdruck 20° 8,8 mm Hg	10 W 15° ∞ A, Ae	+ 0,5% Piperonal-Lsg. und vorsichtig mit konz. H_2SO_4 kurze Zeit auf W-Bad erwärmen + 30%ige Essigsäure → rosa bis rot Phenylurethan *Fp* 80° α-Naphthylurethan *Fp* 103 bis 105° 3,5-Dinitrobenzoat *Fp* 86°
68	$0{,}748^{15°}$	76,9	IV 179		∞ W, A	Pikrat *Fp* 183°
69	0,8369	67,0	I 343		l. in A	
70	$0{,}8665^{15°}$ $0{,}8593^{20°}$	42,3	I 574	$^{n}D^{20}$ 1,35344; $^{R}D^{20}$ 19,19 cm^3; $^{n}F^{20}$ 58,0	30 W ∞ A, Ae	
71	$0{,}7128^{-55°}$	—27	I 246	riecht unangenehm	l. in W ll. in A 3000 Ae 16°	
72	$1{,}595^{20°}$	117 bis 118	I 123			
73	$0{,}7285^{15°}$	63	IV 161	$^{n}D^{16,7}$ 1,39501; $^{R}D^{16,7}$ 24,1 cm^3	12,5 W 20° ∞ A, Ae	Chloroplatinat *Fp* 228° Pikrat *Fp* 140 Benzolsulfonylderivat *Fp* 71°
74	$0{,}8102^{20°}$	83,5	V 63	$^{n}D^{22,1}$ 1,44507; $^{R}D^{22,1}$ 27,72 cm^3; $^{n}F^{22,1}$ 94,9	unl. in W l. in A, Ae	Oxydation → Adipinsäure *Fp* 152°
75	$1{,}0703^{20°}$	59	I 580	$^{n}D^{20}$ 1,39737; $^{R}D^{20}$ 18,13 cm^3; $^{n}F^{20}$ 73,4		+ W → Formaldehyd
76	1,614	130,5	I 123	$^{n}D^{20}$ 1,50006; $^{R}D^{20}$ 33,48 cm^3; $^{n}F^{20}$ 140,4		
77	$0{,}8364^{21°}$	92,0	I 344	$^{n}D^{20,5}$ 1,44253; $^{R}D^{20,5}$ 29,55 cm^3; $^{n}F^{20,5}$ 99,0	swl. in W l. in A, Ae	
78	$1{,}05^{22°}$	87,7	I 329	$^{n}D^{21,5}$ 1,38484; $^{R}D^{21,5}$ 19,30 cm^3	3,09 W 55° l. in A, Ae	

Lfd. Nr.	Fp	Name	Summenformel	Strukturformel	Mol.-Gewicht	Aggregatzustand Farbe
1	2	3	4	5	6	7
79	**−101,6**	n-Propylbenzol	C_9H_{12}	$C_2H_5 \cdot CH_2 \cdot C_6H_5$	120,19	Fl.
80	**−101,4**	Propyljodid	C_3H_7J	$C_2H_5 \cdot CH_2J$	170,00	Fl.
81	**−101,2**	Isopropylamin	C_3N_9H	$CH_3 \cdot CH(NH_2) \cdot CH_3$	59,11	Fl.
82	**−100,0**	Allylsenföl	C_4H_5NS	$CH_2{:}CH \cdot CH_2 \cdot N{:}C{:}S$	99,15	Öl
83	**−99,8**	Ameisensäuremethylester (Methylformiat)	$C_2H_4O_2$	$HCO \cdot OCH_3$	60,05	Fl.
84	**−99,3**	Isovaleriansäureäthylester	$C_7H_{14}O_2$	$(CH_3)_2CH \cdot CH_2 \cdot CO \cdot OC_2H_5$	130,18	Fl.
85	**−99,0**	n-Amylchlorid	$C_5H_{11}Cl$	$CH_3 \cdot (CH_2)_3 \cdot CH_2Cl$	106,60	Fl.
86	**−98,9**	Essigsäureisobutylester (Isobutylacetat)	$C_6H_{12}O_2$	$CH_3 \cdot CO \cdot OCH_2 \cdot CH(CH_3)_2$	116,16	Fl.
87	**−98,2**	2,2-Dimethylbutan	C_6H_{14}	$CH_3 \cdot C(CH_3)_2 \cdot CH_2 \cdot CH_3$	86,18	Fl.

Lfd. Nr.	Spez. Gewicht	Siedepunkt °C	Beilsteinzitat	Physikalische Konstanten und Eigenschaften	Löslichkeit	Reaktionen
	8	9	10	11	12	13
79	$0{,}8617^{20°}$	159 57,8 (20 mm)	V 390	$^{n}D^{12,3}$ 1,49549; $^{n}D^{20}$ 1,49215; $^{R}D^{12,3}$ 40,38 cm^3; $^{n}F^{12,3}$ 145,4	swl. in W l. in A	
80	$1{,}7472^{16°}$	102,2 12,37 (20 mm)	I 113	$^{n}D^{20}$ 1,50508; $^{R}D^{20}$ 28,94 cm^3; $^{n}F^{20}$ 148,4; Dampfdruck 20° 30,6 mm Hg	0,107 W 20° ∞ A, Ae	Zers. bei 175° → Propan
81	$0{,}694^{15°}$	33,0	IV 152	$^{n}D^{15,4}$ 1,37698; $^{R}D^{15,4}$ 19,59 cm^3; brennbar	∞ W, A, Ae	Pikrat *Fp* 150°
82	$1{,}0057^{24°}$	150,7 54,1 (20 mm) 47,17 (14 mm)	IV 214	$^{n}D^{20}$ 1,52660; $^{R}D^{20}$ 30,07 cm^3; $^{n}F^{20}$ 173,2; Dampfdruck 20° 4,8 mm Hg; riecht stechend; reizt zu Tränen; wirkt blasenziehend; giftig	0,2 W ∞ A, Ae	Subst. mit gleichen Mengen abs. A und 30%igem NH_3 unter Schütteln anwärmen, Eindampfen → Thiosinamin *Fp* 74°, Prismen; riecht lauchartig; 2 g Subst. + 1 g o-Toluidin kochen → Di-o-tolylthioharnstoff *Fp* 158°
83	1,0032° $0{,}974^{20}$	31,8	II 18	$^{n}D^{10}$ 1,3444; Dampfdruck 20° 471 mm Hg; Dampfdichte 2,009; spez. Wärme 0,55; Flammpunkt −20°; ebullioskop. Konstante 1,505; Oberflächenspannung 20° 24,62 dyn/cm	unl. in W l. in A	
84	$0{,}8657^{20°}$	134,7 40,7 (20 mm)	II 312	$^{n}D^{18,4}$ 1,39738; $^{R}D^{18,4}$ 36,15 cm^3; $^{n}F^{18,4}$ 69,1; Dampfdruck 20° 5,8 mm Hg		
85	$0{,}8716^{30°}$	108,3	I 130	$^{n}D^{20}$ 1,41192; $^{R}D^{20}$ 30,20 cm^3; $^{n}F^{20}$ 72,6	unl. in W l. in A, Ae	
86	$0{,}8711^{20°}$	118 27,6 (20 mm)	II 131	$^{n}D^{18,8}$ 1,39066; $^{R}D^{18,8}$ 31,59 cm^3; $^{n}F^{18,8}$ 67,8; Dampfdruck 20° 12,85; Dampfdichte 4,000; Flammpunkt 25°	0,67 W 20° ∞ A, Ae	
87	$0{,}6486^{20°}$	49,6	I 150	$^{n}F^{20}$ 64,9	unl. in W l. in A, Ae	

Lfd. Nr.	*Fp*	Name	Summen-formel	Strukturformel	Mol.-Gewicht	Aggregat-zustand Farbe
1	2	3	4	5	6	7
88	−98,1	Essigsäuremethylester (Methylacetat)	$C_3H_6O_2$	$CH_3 \cdot CO \cdot OCH_3$	74,08	Fl.
89	**−97,5**	Dimethylketen	C_4H_6O	$(CH_3)_2C = CO$	70,09	Fl.
90	**−97,2**	Allyljodid	C_3H_5J	$CH_2 : CH \cdot CH_2J$	167,99	Fl.
91	**−97,1**	Butyraldehyd	C_4H_8O	$C_2H_5 \cdot CH_2 \cdot CHO$	72,10	Fl.
92	**−97,1**	Methylalkohol (Methanol)	CH_4O	$CH_3 \cdot OH$	32,04	Fl.
93	**−96,9**	Cumol (Isopropylbenzol)	C_9H_{12}	$C_6H_5 \cdot CH(CH_3)_2$	120,19	Fl.
94	**−96,7**	Äthylidenchlorid (1.1-Dichloräthan)	$C_2H_4Cl_2$	$CH_3 \cdot CHCl_2$	98,97	Fl.
95	**−96,7**	Methylenchlorid (Dichlormethan, Solästhin)	CH_2Cl_2	$Cl \cdot CH_2 \cdot Cl$	84,94	Fl.

Lfd. Nr.	Spez. Gewicht	Siede-punkt °C	Beilstein-zitat	Physikalische Konstanten und Eigenschaften	Löslichkeit	Reaktionen
	8	9	10	11	12	13
88	$0{,}9244^{20°}$	56,9	II 124	$^{n}D^{20}$ 1,36099; $^{R}D^{20}$ 17,65 cm³; $^{n}F^{20}$ 62,5; Dampfdruck 20° 174 mm Hg; Dampfdichte 2,552; spezif. Wärme 0,50; Flammpunkt — 15°; ebullioskop. Konstante 2,06; riecht ätherisch	unl. in W l. in A, Ae	
89		34	I 731			+ W → Isobuttersäure (*Kp* 154,4°)
90	$1{,}848^{12°}$	102	I 202	$^{n}D^{20}$ 1,49548; $^{R}D^{20}$ 38,28 cm³; $^{n}F^{20}$ 131,1	l. in A	+ Na → Diallyl
91	$0{,}817^{20°}$	74,7	I 662		3,7 W ∞ A, Ae	Semicarbazon *Fp* 106° p-Nitrophenylhydrazon *Fp* 91—92° 2,4-Dinitrophenylhydrazon *Fp* 117,5—118°
92	$0{,}7923^{20°}$	64,7 —11,03 (14 mm) —5,82 (20 mm)	I 273	$^{n}D^{18}$ 1,329; $^{n}D^{20}$ 1,3305; $^{R}D^{18}$ 8,23 cm³; $^{n}F^{18}$ 53,9; Dampfdruck 20° 95,2 mm Hg; Dampfdichte 1,104; ebullioskop. Konstante 0,84; Oberflächenspannung 15° 22,99 dyn/cm; geruchlos, brennt mit blaßblauer Flamme, giftig		2 ml [1,0 Vanillin in 200 ml H_2SO_4 (1,84)] + 2—4 Tropfen Methanol + tropfenweise W → gelb → rosa + guajakolsulfonsaures K → rot + Resorcin u. konz. H_2SO_4 → rot u. roter Nd. + Gallussäure u. konz. H_2SO_4 → gelbgrün p-Nitrobenzoat *Fp* 96° 3,5-Dinitrobenzoat *Fp* 107°
93	$0{,}862^{20°}$	152,5	V 393		unl. in W l. in A, Ae	
94	$1{,}174^{20°}$	57,3	I 83	$^{n}D^{20}$ 1,41655; $^{R}D^{20}$ 21,01 cm³; $^{n}F^{20}$ 80,3; ebullioskop. Konstante 3,20	ll. in A, Ae	
95	$1{,}336^{20°}$	41,6	I 60	$^{n}D^{15}$ 1,42721; $^{R}D^{15}$ 16,55 cm³; $^{n}F^{15}$ 83,1; Dampfdruck 20° 350 mm Hg; Dampfdichte 2,931; spezif. Wärme 0,25; Verdampfungswärme 0° 78 cal; Oberflächenspannung 15° 28,83 dyn/cm; erstarrt unter *Fp* zu rhombischen Prismen	2 W 20° ∞ A, Ae	2 g Subst. mit 2 g KOH und 18 g A 1/4 Stunde kochen (Rückfluß). Nach Ansäuern kann Formaldehyd und Cl_2 nachgewiesen werden

Lfd. Nr.	Fp	Name	Summen-formel	Strukturformel	Mol.-Ge-wicht	Aggregat-zustand Farbe
1	2	3	4	5	6	7
96	—96,6	d-Limonen	$C_{10}H_{16}$	$CH_3 \cdot C\genfrac{}{}{0pt}{}{CH_2-CH_2}{CH-CH_2}CH \cdot C\genfrac{}{}{0pt}{}{CH_3}{CH_2}$	136,23	Fl.
97	—96,5	Acetylbromid	C_2H_3BrO	$CH_3 \cdot COBr$	122,96	Fl.
98	—96,0	Dimethylamin	C_2H_7N	$(CH_3)_2NH$	45,08	Fl.
99	—96,0	Valeronitril (n-Butyl-cyanid)	C_5H_9N	$CH_3 \cdot (CH_2)_3 \cdot CN$	83,13	Fl.
100	—95,8	Ameisensäureisobutyl-ester (Isobutyl-formiat)	$C_5H_{10}O_2$	$H \cdot CO \cdot OCH_2 \cdot CH(CH_3)_2$	102,13	Fl.
101	—95,2	Dibutyläther	$C_8H_{18}O$	$(C_2H_5 \cdot CH_2 \cdot CH_2)_2O$	130,22	Fl.
102	—95,0	Aceton (Propanon)	C_3H_6O	$CH_3 \cdot CO \cdot CH_3$	58,08	Fl.
103	—95,0	n-Amylbromid	$C_5H_{11}Br$	$CH_3 \cdot (CH_2)_3 \cdot CH_2Br$	151,06	Fl.

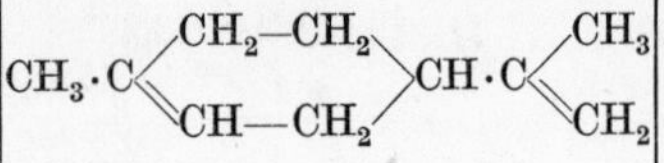

Lfd. Nr.	Spez. Gewicht	Siedepunkt °C	Beilsteinzitat	Physikalische Konstanten und Eigenschaften	Löslichkeit	Reaktionen
	8	9	10	11	12	13
96	$0{,}842^{20°}$	177,6 bis 178° 64—65 (15 mm)	V 133	$^nD^{19,6}$ 1,47271; $^RD^{19,6}$ 45,30 cm³; $^nF^{19,6}$ 113,7; $[\alpha]_D^{19,5}$ +123,8°; riecht zitronenartig	unl. in W l. in A, Ae	Tetrabromid *Fp* 104—105°, Tafeln α-Nitrosochlorid *Fp* 103—104°, monokline Krist. Carvonoxim *Fp* 72°, Platten (durch Kochen des Nitrosochlorids mit alkohol. Lauge)
97	$1{,}663^{15°}$	76,7	II 174	an der Luft stark rauchend		+ W → Zers.
98	$0{,}6865^{5,8°}$	7	IV 39	riecht stark ammoniakalisch, brennbar	ll. in W l. in A	+ o-Phthalaldehyd in verd. essigs. Lsg. rötlicher Nd. → tief-rote Färbung Hydrochlorid *Fp* 171° Pikrat *Fp* 155° Dinitro-α-naphthoat *Fp* 180° Benzoylderivat *Fp* 41°
99	$0{,}9566^{15°}$	140,8	II 301		l. in A	
100	$0{,}8832^{20°}$	97,7 11,45 (20 mm)	II 18	$^nD^{19,9}$ 1,38584; $^RD^{19,9}$ 27,18 cm³; $^nF^{19,9}$ 67,7; Dampfdruck 20° 32,6 mm Hg	1,01 W 20° l. in A, Ae	
101	$0{,}769^{20°}$	140,9	I 369	$^nD^{20}$ 1,39896	∞ A, Ae	
102	$0{,}796^{15°}$ $0{,}792^{20°}$	56,3 —20,07 (20 mm)	I 635	$^nD^{19,4}$ 1,35886; $^RD^{19,4}$ 16,15 cm³; $^nF^{19,4}$ 69,4; Dampfdruck 20° 180,3 mm Hg; Dampfdichte 2,000; spezif. Wärme 0,528; ebullioskop. Konstante 1,48; Flammpunkt —17°; Oberflächenspannung 20° 23,7 dyn/cm; brennender Geschmack	∞ W, A, Ae	Rk. mit Nitroprussidnatrium: 0,5 ml Subst. + 1 ml ammoniakal. $(NH_4)_2SO_4$-Lsg. + 1 bis 2 Tropfen 20%iges Nitroprussidnatrium in längstens 1/2 Stunde Permanganatfärbung 0,1 ml Subst. + 0,2 ml alkohol. m-Dinitrobenzol + 0,1 ml 10%ige NaOH → violettrot Subst. + Anthrachinon + konz. H_2SO_4 → orangegelb bis blutrot Oxim *Fp* 59—60° Semicarbazon *Fp* 190—191° Phenylhydrazon *Fp* 42° p-Nitrophenylhydrazon *Fp* 148 bis 148,5° Kochen mit Benzaldehyd u. Lauge → Dibenzalaceton *Fp* 112°, gelbe Kristalle
103	$1{,}1218^{20°}$	128	I 131	$^nD^{30}$ 1,44435; $^RD^{30}$ 32,97 cm³; $^nF^{30}$ 89,2	unl. in W l. in A, Ae	

Lfd. Nr.	*Fp*	Name	Summen-formel	Strukturformel	Mol.-Gewicht	Aggregat-zustand Farbe
1	2	3	4	5	6	7
104	**−95,0**	Toluol (Methylbenzol)	C_7H_8	$C_6H_5 \cdot CH_3$	92,13	Fl.
105	**−94,5**	Isohexylamin	$C_6H_{15}N$	$(CH_3)_2CH \cdot CH_2 \cdot CH_2 \cdot CH_2 \cdot NH_2$	101,19	
106	**−94,3**	Hexan	C_6H_{14}	$CH_3 \cdot (CH_2)_4 \cdot CH_3$	86,18	Fl.
107	**−93,9**	Äthylbenzol	C_8H_{10}	$C_6H_5 \cdot C_2H_5$	106,16	Fl.
108	**−93,5**	Isobutyljodid	C_4H_9J	$(CH_3)_2CH \cdot CH_2J$	184,02	Fl.
109	**−93,5**	Tripropylamin	$C_9H_{21}N$	$(C_2H_5 \cdot CH_2)_3N$	143,27	Fl.
110	**−93,3**	Buttersäureäthylester	$C_6H_{12}O_2$	$C_2H_5 \cdot CH_2 \cdot CO \cdot OC_2H_5$	116,16	Fl.
111	**−93,3**	Cyclopentan (Pentamethylen)	C_5H_{10}	$H_2C \cdot CH_2$ | > CH_2 $H_2C \cdot CH_2$	70,13	Fl.
112	**−93,1**	Isopropyljodid	C_3H_7J	$CH_3 \cdot CHJ \cdot CH_3$	170,00	Fl.
113	**−93,0**	Methylbromid	CH_3Br	CH_3Br	94,95	Gas
114	**−93,0**	Methylchlorid	CH_3Cl	CH_3Cl	50,49	Gas
115	**−92,9**	Ameisensäurepropylester (Propylformiat)	$C_4H_8O_2$	$HCO \cdot OCH_2 \cdot C_2H_5$	88,10	Fl.

Lfd. Nr.	Spez. Gewicht	Siedepunkt °C	Beilstein-zitat	Physikalische Konstanten und Eigenschaften	Löslichkeit	Reaktionen
	8	9	10	11	12	13
104	$0{,}8716^{15°}$ $0{,}8665_{4}^{20}$	110,8 18,11 (20 mm) 11,61 (14 mm)	V 280	$^{n}D^{14,7}$ 1,4992; $^{R}D^{14,7}$ 31,06 cm^3; $^{n}F^{14,7}$ 160; Dampfdruck 20° 22,3 mm Hg; Dampfdichte 3,172; Flammpunkt 7°; Oberflächenspannung 20° 27,4 dyn/cm; angenehmer Geruch	0,057 W 30° ∞ A, Ae, Bzl.	1 Vol. $SbCl_5$ in 2 Vol. CCl_4 + 1 bis 2 ml Toluol → rot 2 g Toluol mit 150 g W auf 95° erhitzen u. allmählich 6,9 g $KMnO_4$ eintragen → Benzoesäure Pikrat *Fp* 88°
106		123,3	IV 191		swl. in W	
106	$0{,}6603^{20°}$	69,0 —14,20 (20 mm)	I 142	$^{n}D^{20}$ 1,37536; $^{R}D^{20}$ 29,90 cm^3; $^{n}F^{20}$ 65,1; Dampfdruck 20° 119,8 mm Hg	0,01 W 15° l. in A, Ae	
107	$0{,}8669^{20°}$	136,15 39,0 (20 mm)	V 351	$^{n}D^{15}$ 1,49857; $^{R}D^{15}$ 35,72 cm^3; $^{n}F^{15}$ 154,2; Dampfdruck 20° 6,85 mm Hg	swl. in W ∞ A, Ae	Oxydation mit MnO_2 und H_2SO_4 zu Benzaldehyd und Acetophenon 2,4,6-Trinitroäthylbenzol *Fp* 37° Nadeln (+ KOH → rot)
108	$1{,}605^{20°}$	120,4	I 128	$^{n}D^{7}$ 1,5036	unl. in W ∞ A, Ae	
109	$0{,}757^{20°}$	156	IV 139	$^{n}D^{19,4}$ 1,41756; $^{R}D^{19,4}$ 47,61 cm^3	swl. in W l. in A	Hydrobromid *Fp* 180° Pikrat *Fp* 117°
110	$0{,}879^{20°}$	120,9 29,66 (20 mm)	II 270	$^{n}D^{20}$ 1,3928; $^{R}D^{20}$ 31,54 cm^3; $^{n}F^{20}$ 66,0; Dampfdruck 20° 11,34 mm Hg	wl. in W l. in A, Ae	
111	$0{,}7543^{20°}$	50,2 bis 50,8	V 19	$^{n}D^{20}$ 1,40609; $^{R}D^{20}$ 22,93 cm^3; $^{n}F^{20}$ 73,3	unl. in W ∞ A, Ae	+ HNO_3 → Nitrocyclopentan + Glutarsäure
112	$1{,}7109^{15°}$	89,5 1,40 (20 mm)	I 114	$^{n}D^{20}$ 1,49969; $^{R}D^{20}$ 29,34 cm^3; $^{n}F^{20}$ 156,1; Dampfdruck 20° 53 mm Hg	0,14 W 20° ∞ A, Ae	bei 250° → Propan
113	$1{,}732^{0°}$	4,6	I 66	im fl. Zustand zers.; wirkt narkotisch	∞ A, Ae, Chlf.	
114	1,336	—23,7	I 59	Litergewicht 2,3073 g; Dampfdruck 20° 3667 mm Hg; brennt mit grüngesäumter Flamme; Lokalanästhetikum	400 ml W 3500 ml A l. in Ae, Chlf.	Nachweis durch Überführung in N-Methyltetrachlorphthalimid, *Fp* 210—211°
115	$0{,}9058^{20°}$	81,2	II 21		218 W 22°	

Lfd. Nr.	*Fp*	Name	Summenformel	Strukturformel	Mol.-Gewicht	Aggregatzustand Farbe
1	2	3	4	5	6	7
116	**−92,9**	Bortriäthyl	$C_6H_{15}B$	$(C_2H_5)_3B$	98,00	Fl.
117	**−92,5**	Essigsäurepropylester (Propylacetat)	$C_5H_{10}O_2$	$CH_3 \cdot CO \cdot OCH_2 \cdot C_2H_5$	102,13	Fl.
118	**−92,5**	Methylamin	CH_5N	$CH_3 \cdot NH_2$	31,06	Gas
119	**−92,0**	Formaldehyd	CH_2O	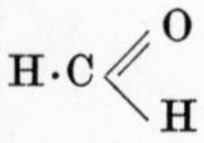	30,03	Gas
120	**−91,9**	Propionitril	C_3H_5N	$C_2H_5 \cdot CN$	55,08	Fl.

Lfd. Nr.	Spez. Gewicht	Siedepunkt °C	Beilsteinzitat	Physikalische Konstanten und Eigenschaften	Löslichkeit	Reaktionen
	8	9	10	11	12	13
116	$0,6931^{20°}$	95,0	IV 641	scharf riechend; selbstentzündlich	swl. in W	
117	$0,8908^{18°}$	101,6 15,89 (20 mm)	II 129	$^{n}D^{20}$ 1,38438; $^{R}D^{20}$ 26,98 cm^3; $^{n}F^{20}$ 66,8; Dampfdruck 20° 25,59 mm Hg; Dampfdichte 3,517; Flammpunkt 10°	1,47 W 16° ∞ A, Ae	
118		−7,55	IV 32	Litergewicht 1,3425 g; stark ammoniakalisch riechend; brennbar	97200 ml W ll. in A, Bzl.	+ o-Phthalaldehyd und Essigsäure in verd. Lsg. schwach gelber Nd. → grünlichbraune Färbung + Neßlers Reagens unl. Nd. (im Überschuß), Unterschied von Di- und Trimethylamin Hydrochlorid *Fp* 225—226° Pikrat *Fp* 215° Benzoylderivat *Fp* 80°
119	$0,815^{-20°}$	−21	I 558	wss. Lsg. riecht stechend; polymerisiert zu Paraformaldehyd	ll. n W l. in A	1. + 0,1 ml konz. HCl + 0,2 ml Fuchsinschweflige Säure + wss. Pikrinsäure, mit Ae ausschütteln → Fuchsin in Ae (E 1:500000) 2. + erbsengroßes Stück Phenylhydrazinhydrochlorid + 2—4 Tropfen 5—10%ige Nitroprussidnatriumlsg. + 15 Tropfen NaOH → blau bis blaugrün 3. + α-Naphthol in wenig NaOH → grün → dunkelblau 4. + Lsg. von 0,35 g Morphinsulfat oder -hydrochlorid in konz. H_2SO_4 → rosa → dunkelblauviolett [E 1: 250000) Semicarbazon *Fp* 169° p-Nitrophenylhydrazon *Fp* 182° 2,4-Dinitrophenylhydrazon *Fp* 162,5—164° + Dimethyldihydroresorcin → Methylen bis-[dimethyldihydroresorcin] *Fp* 187 bis 188°
120	$0,8021^{0°}$	97,1	II 245	$^{n}D^{14,6}$ 1,36888; $^{R}D^{14,6}$ 15,78 cm^3; ebullioskop. Konstante 1,87; sehr giftig	11,9 W 40° 29 W 100° l. in A, Ae	

Lfd. Nr.	*Fp*	Name	Summenformel	Strukturformel	Mol.-Gewicht	Aggregatzustand Farbe
1	2	3	4	5	6	7
121	−91,9	Methylisopropylketon	$C_5H_{10}O$	$CH_3\cdot CO\cdot CH(CH_3)_2$	86,13	Fl.
122	−91,5	Valeraldehyd	$C_5H_{10}O$	$CH_3\cdot (CH_2)_3\cdot CHO$	86,13	Fl.
123	−91,3	Diisobutyl (2.5-Dimethylhexan)	C_8H_{18}	$(CH_3)_2CH\cdot (CH_2)_2\cdot CH(CH_3)_2$	114,22	Fl.
124	−90,0	n-Heptan	C_7H_{16}	$CH_3\cdot (CH_2)_5\cdot CH_3$	100,20	Fl.
125	−89,0	Butyrylchlorid (Buttersäurechlorid)	C_4H_7ClO	$C_2H_5\cdot CH_2\cdot COCl$	106,55	Fl.
126	−89,0	Isopropylbromid	C_3H_7Br	$CH_3\cdot CHBr\cdot CH_3$	123,00	Fl.
127	−88,2	Isobuttersäureäthylester	$C_6H_{12}O_2$	$(CH_3)_2CH\cdot CO\cdot OC_2H_5$	116,16	Fl.
128	−88,0	Acrolein	C_3H_4O	$CH_2:CH\cdot CHO$	56,06	Fl.

Lfd. Nr.	Spez. Gewicht	Siedepunkt °C	Beilsteinzitat	Physikalische Konstanten und Eigenschaften	Löslichkeit	Reaktionen
	8	9	10	11	12	13
121	0,803$^{20°}$	93,5	I 682	$^{n}D^{16}$ 1,38788; $^{R}D^{16}$ 25,24 cm^3; $^{n}F^{16}$ 69,9; Geruch erinnert an Petersilie		Oxim *Fp* 109° Semicarbazon *Fp* 114° p-Nitrophenylhydrazon *Fp* 108—109° 2,4-Dinitrophenylhydrazon *Fp* 117°
122	0,819$^{11°}$	103,7	I 676	$^{n}D^{20}$ 1,38824; $^{R}D^{20}$ 25,46 cm^3; $^{n}F^{20}$ 72,2	wl. in W	Oxim *Fp* 52° Thiosemicarbazon *Fp* 65° 2,4-Dinitrophenylhydrazon *Fp* 106°
123	0,7000$^{12°}$	109 17,87 (20 mm)	I 162	$^{n}D^{15}$ 1,39481; $^{R}D^{15}$ 39,20 cm^3; $^{n}F^{15}$ 71,8; Dampfdruck 20° 22,6 mm Hg; riecht angenehm süßlich	unl. in W	
124	0,6838$^{20°}$	98,4 9,42 (20 mm)	I 154	$^{n}D^{20}$ 1,3776; $^{n}D^{25}$ 1,3722; $^{n}F^{25}$ 41,4; Dampfdruck 1,3776 mm Hg; Dampfdichte 2,069; Flammpunkt 18—20°; Oberflächenspannung 20° 21,7 dyn/cm	∞ W, A, Ae, Bzl.	1. mit 0,5%iger Piperonal-Lsg. und vorsichtig mit konz. H_2SO_4 kurze Zeit auf dem W-Bad erwärmen, + 30%ige Essigsäure → rosa bis rote Färbung 2. 2 ml [1 g Vanillin + 200 ml konz. H_2SO_4] + 3—4 Tropfen Subst. u. einige Tropfen W → gelb → tiefblauviolett 3. Unterschichten mit Lsg. von m-Nitrobenzaldehyd in konz. H_2SO_4 → roter Ring
125	1,028$^{20°}$	100–101	II 274	$^{n}D^{20}$ 1,42508; $^{R}D^{20}$ 24,07 cm^3; $^{n}F^{20}$ 93,5	l. in Ae	+ W → Zers.
126	1,3222$^{25°}$	59,4	I 108		0,32 W 20° ∞ A, Ae	
127	0,89037	110,1 23,24 (20 mm)	II 291	$^{n}D^{17,8}$ 1,39114; $^{R}D^{17,8}$ 31,61 cm^3; $^{n}F^{17,8}$ 69,2; Dampfdruck 20° 16,5 mm Hg	l. in A, Ae	
128	0,8389$^{20°}$	52–52,5	I 725	$^{n}D^{20}$ 1,39975; $^{R}D^{20}$ 16,14 cm^3; $^{n}F^{20}$ 127,0; $n\frac{20}{\alpha}$ 1,39620; $n\frac{20}{\gamma}$ 1,41691; Dampfdichte 1,94; Litergewicht d. Dampfes 2,3 g; Flüchtigkeit 20° 407000 mg/m^3; unbeständig; giftig; greift Schleimhäute an; stechender Geruch; Tränenreiz	26,7 W 20° ll. in A, Ae	Lsg. von Acrolein + Nitritreagens [0,5 ml 3,6%ige KNO_2-Lsg. in 1000 ml HCl (1,19)] + 2—3 ml Eiweißlösung → grün bis grünblaue Färbung, Empfindlichkeit 1:1000000 + Thiophen und konz. H_2SO_4 → karmoisinrot Dimethonderiv. *Fp* 192° Semicarbazon *Fp* 171° p-Nitrophenylhydrazon *Fp* 151° 2,4-Dinitrophenylhydrazon *Fp* 165°

Lfd. Nr.	*Fp*	Name	Summenformel	Strukturformel	Mol.-Gewicht	Aggregatzustand Farbe
1	2	3	4	5	6	7
129	**−86,4**	Methyläthylketon [Butanon-(2)]	C_4H_8O	$CH_3 \cdot CO \cdot C_2H_5$	72,10	Fl.
130	**−85,6**	n-Amyljodid	$C_5H_{11}J$	$CH_3 \cdot (CH_2)_3 \cdot CH_2J$	198,06	Fl.
131	**−85,5**	Äthylrhodanid	C_3H_5NS	$C_2H_5 \cdot S \cdot CN$	87,14	Fl.
132	**−85,5**	Isobutylamin	$C_4H_{11}N$	$(CH_3)_2CH \cdot CH_2 \cdot NH_2$	73,14	Fl.
133	**−85,0**	Cyclopentadien	C_5H_6	$CH{=}CH$ / $CH{=}CH$ $>CH_2$	66,10	Fl.
134	**−84,9**	Hexylbromid	$C_6H_{13}Br$	$CH_3 \cdot (CH_2)_4 \cdot CH_2Br$	165,08	Fl.
135	**−84,7**	Isobuttersäuremethylester	$C_5H_{10}O_2$	$(CH_3)_2CH \cdot CO \cdot OCH_3$	102,13	Fl.
136	**−83,5**	Methylisobutylketon	$C_6H_{12}O$	$(CH_3)_2CH \cdot CH_2 \cdot CO \cdot CH_5$	100,16	Fl.
137	**−83,5**	Methylpropylketon [Pentanon-(2)]	$C_5H_{10}O$	$C_2H_5 \cdot CH_2 \cdot CO \cdot CH_3$	86,13	Fl.
138	**−83,2**	Dimethylsulfid	C_2H_6S	$(CH_3)_2S$	62,13	Öl
139	**−83,0**	Essigsäureäthylester (Äthylacetat)	$C_4H_8O_2$	$CH_3 \cdot CO \cdot OC_2H_5$	88,10	Fl.

Lfd. Nr.	Spez. Gewicht	Siedepunkt °C	Beilsteinzitat	Physikalische Konstanten und Eigenschaften	Löslichkeit	Reaktionen
	8	9	10	11	12	13
129	$0{,}8255^{6°}$	79,6	I 666	$^{n}D^{15,9}$ 1,38071; $^{R}D^{15,9}$ 20,67 cm^3; $^{n}F^{15,9}$ 71,0; Oberflächenspannung 17,8 dyn/cm; riecht ätherisch	29,2 W 20° 18 W 79°	+ 1%ige Vanillinlsg. in konz. HCl + gleiches Vol. konz. H_2SO_4 → grün, erhitzen auf 100° → tiefblau Semicarbazon *Fp* 146° p-Nitrophenylhydrazon *Fp* 124—125° 2,4-Dinitrophenylhydrazon *Fp* 117°
130	$1{,}5018^{20°}$	157,0	I 133		unl. in W l. in A, Ae	
131	$0{,}9964^{25°}$	144,4	III 175	riecht lauchartig	unl. in W ∞ A, Ae	
132	$0{,}7363^{17°}$	68	IV 163	$^{n}D^{17}$ 1,39878; $^{R}D^{17}$ 24,02 cm^3	∞ W, A, Ae	+ Vanillin (1% in konz. HCl) + gleiches Volumen H_2SO_4 → grün (bei 100° tiefblau) Hydrochlorid *Fp* 160° Pikrat *Fp* 151°
133	$0{,}8047^{19°}$	41,0	V 112		unl. in W ∞ A, Ae, Bzl.	
134	$1{,}1725^{20°}$	155,5 (740mm)	I 144	$^{n}D^{20}$ 1,44778; $^{R}D^{20}$ 37,53 cm^3; $^{n}F^{20}$ 88,2	unl. in W l. in A, Ae	
135	$0{,}8906^{20°}$	92,3	II 290		l. in A, Ae	
136	$0{,}8032^{17°}$	116,9	I 691	$^{n}D^{17,4}$ 1,39694; $^{R}D^{17,4}$ 30,01 cm^3; $^{n}F^{17,4}$ 73,5	unl. in W ∞ A, Ae	Semicarbazon *Fp* 132° 2,4-Dinitrophenylhydrazon *Fp* 95°
137	$0{,}8124^{15°}$	101–102	I 676	$^{n}D^{20,2}$ 1,39946; $^{R}D^{20,2}$ 25,20 cm^3; $^{n}F^{20,2}$ 70,7; ebullioskop. Konstante 3,14	swl. in W ∞ A, Ae	Oxim *Fp* 58° Semicarbazon *Fp* 110° p-Nitrophenylhydrazon *Fp* 117° 2,4-Dinitrophenylhydrazon *Fp* 144°
138	$0{,}8458^{21°}$	38,0	I 288	riecht ätherisch und nach Meerrettich		
139	$0{,}9010^{20°}$	77,1 —3,08 (20 mm)	II 125	$^{n}D^{16,6}$ 1,39006; $^{n}D^{20}$ 1,3726; $^{R}D^{16,6}$ 19,43 cm^3; $^{n}F^{16,6}$ 73,9; Dampfdruck 20° 73 mm Hg; Dampfdichte 3,034; ebullioskop. Konstante 2,83; Flammpunkt —5°; Oberflächenspannung 15° 24,36 dyn/cm	8,53 W 20° ∞ A, Ae	

Lfd. Nr.	*Fp*	Name	Summenformel	Strukturformel	Mol.-Gewicht	Aggregatzustand Farbe
1	2	3	4	5	6	7
140	−83,0	Propylamin	C_3H_9N	$C_2H_5 \cdot CH_2 \cdot NH_2$	59,11	Fl.
141	−81,8	Acetylen	C_2H_2	CH:CH	26,04	Gas
142	−81,0	Propionaldehyd	C_3H_6O	$C_2H_5 \cdot CHO$	58,08	Fl.
143	−80,6	Äthylamin	C_2H_7N	$C_2H_5 \cdot NH_2$	45,08	Fl.
144	−80,6	Chlorameisensäure-äthylester	$C_3H_5ClO_2$	$Cl \cdot CO \cdot OC_2H_5$	108,53	Fl.
145	−80,5	Ameisensäureäthylester (Äthylformiat)	$C_3H_6O_2$	$H \cdot CO \cdot OC_2H_5$	74,08	Fl.

Lfd. Nr.	Spez. Gewicht	Siedepunkt °C	Beilsteinzitat	Physikalische Konstanten und Eigenschaften	Löslichkeit	Reaktionen
	8	9	10	11	12	13
140	$0{,}719^{20°}$	47,8	IV 136	brennbar	∞ W	Hydrochlorid *Fp* 157−158° Pikrat *Fp* 150° Benzoylderivat *Fp* 84° Benzolsulfonylderivat *Fp* 36°
141	$0{,}613^{-80°}$	−83,8	I 228	Litergewicht 1,1747 g; brennt mit stark rußender Flamme; riecht schwach ätherisch; süßlicher Geschmack	100 ml W 18° 600 ml A 18° 2500 ml Aceton	1 g $Cu(NO_3)_2$ in 50-ml-Kolben mit wenig W lösen + 4 ml NH_3 (20−21%ig) + 3 g Hydroxylaminhydrochlorid auf 50 ml auffüllen — entfärbt. Reagens mit Subst. in Stöpselzylinder schütteln → roter Nd. E $1{,}7 \cdot 10^{-6}$ Subst. in 4 l Gasgemisch
142	$0{,}807^{20°}$	49	I 629	riecht erstickend	20 W 20° ∞ A, Ae	+ 10 ml 1%iges Nitroprussidnatrium + 0,5 g Piperazin → blau Oxim *Fp* 40° o-Nitrophenylhydrazon *Fp* 172° p-Nitrophenylhydrazon *Fp* 129° 2,4-Dinitrophenylhydrazon *Fp* 154°
143	$0{,}6892^{15°}$	16,55	IV 87	Oberflächenspannung 24,6 dyn/cm; stark ammoniakalisch; schmeckt brennend; brennbar	∞ W, A, Ae	o-Phthalaldehyd in verd. essigs. Lsg. gelber Nd. → rote → grüne Färbung + $CrCl_3$ → dunkelrot Hydrochlorid *Fp* 270° (Zers.) Chloroplatinat *Fp* 215° Pikrat *Fp* 168° Benzoylderivat *Fp* 71° Benzolsulfonylderivat *Fp* 58°
144	$1{,}1352^{20°}$	93,0	III 10	$^{n}D^{20}$ 1,35975; $^{R}D^{20}$ 17,82 cm³; $^{n}F^{20}$ 62,5; riecht erstickend	l. in Bzl.	+ h. W Zers.
145	$0{,}9229^{10°}$	54,1 −23,93 (15 mm)	II 19	$^{n}D^{20}$ 1,3598; $^{R}D^{20}$ 17,82 cm³; $^{n}F^{20}$ 62,7; Dampfdruck 27° 222 mm Hg; Dampfdichte 2,552; Flammpunkt −21,63°; ebullioskop. Konstante 2,18; Oberflächenspannung 15° 24,37 dyn/cm	11 W 18° l. in A	

Lfd. Nr.	*Fp*	Name	Summen-formel	Strukturformel	Mol.-Ge-wicht	Aggregat-zustand Farbe
1	2	3	4	5	6	7
146	**−80,5**	cis-α,β-Dichloräthylen	$C_2H_2Cl_2$	CHCl:CHCl	96,95	Fl.
147	**−80,0**	Isobutyraldoxim	C_4H_9NO	$(CH_3)_2CH \cdot CH:N \cdot OH$	87,12	Öl
148	**−80,0**	dl-Methyläthylessigsäure	$C_5H_{10}O_2$	$C_2H_5 \cdot CH(CH_3) \cdot COOH$	102,13	Fl.
149	**−79,9**	n-Butylalkohol	$C_4H_{10}O$	$C_2H_5 \cdot CH_2 \cdot CH_2 \cdot OH$	74,12	Fl.
150	**−79,9**	Valeriansäuremethyl-ester	$C_6H_{12}O_2$	$CH_3 \cdot (CH_2)_3 \cdot CO \cdot OCH_3$	120,16	Fl.
151	**−79,4**	Capronitril	$C_6H_{11}N$	$CH_3 \cdot (CH_2)_4 \cdot CN$	97,16	Fl.
152	**−78,5**	n-Amylalkohol	$C_5H_{12}O$	$CH_3 \cdot (CH_2)_3 \cdot CH_2 \cdot OH$	88,15	Fl.
153	**−76,5**	α-Brompropen	C_3H_5Br	$CH_3 \cdot CH:CHBr$	120,99	Fl.
154	**−75,0**	Buttersäureanhydrid	$C_8H_{14}O_3$	$(C_2H_5 \cdot CH_2 \cdot CO)_2O$	158,19	Fl.
155	**−74,0**	Crotonaldehyd	C_4H_6O	$CH_3 \cdot CH:CH \cdot CHO$	70,09	Fl.

Lfd. Nr.	Spez. Gewicht	Siedepunkt °C	Beilsteinzitat	Physikalische Konstanten und Eigenschaften	Löslichkeit	Reaktionen
	8	9	10	11	12	13
146	$1{,}2913^{25°}$	60,3	I 186	$^{n}D^{20}$ 1,473; Dampfdruck 20° 205 mm Hg; Dampfdichte 3,345; Flammpunkt 17°; ebulliokop. Konstante 3,44; wirkt narkotisch		+ alkoh. KOH → Chloracetylen
147	$0{,}8943^{20°}$	139	I 674	riecht angenehm	l. in W	
148	$0{,}941^{21°}$	177	II 304	riecht schwächer, aber ähnlich Isovaleriansäure		Amid *Fp* 112° Anilid *Fp* 110° p-Toluidid *Fp* 93° Brucinsalz *Fp* 95°
149	$0{,}8098^{20°}$	117,5 41,73 (20 mm)	I 367	$^{n}D^{20}$ 1,39931; $^{R}D^{20}$ 22,14 cm³; $^{n}F^{20}$ 67,3; Dampfdruck 20° 4,71 mm Hg; Dampfdichte 2,552; Flammpunkt 34°; Oberflächenspannung 17,5° 24,42 dyn/cm	7,4 W 15° ∞ A, Ae	1. 2 ml [1 g Vanillin + 200 ml konz. H_2SO_4] + Subst. → orange + W → dunkelviolett 2. 1%ige alkoh. Furfurollsg. + 1,5 ml konz. H_2SO_4 + 1 mg Subst. 3 Min. in sd. W-Bad → granatrot Phenylurethan *Fp* 55—56°, Lamellen α-Naphthylurethan *Fp* 71 bis 72°, Tafeln p-Diphenylylurethan *Fp* 109° p-Nitrobenzoat *Fp* 35° 3,5-Dinitrobenzoat *Fp* 62,5°
150		118,46 25,89 (20 mm)	II 301	Dampfdruck 20° 14,5 mm Hg		
151	$0{,}8090^{20°}$	163,9	II 324	$^{n}D^{14,3}$ 1,40851; $^{R}D^{14,3}$ 29,72 cm³	unl. in W ll. in A, Ae	
152	$0{,}8866^{15°}$	138,0	I 383	$^{n}D^{15}$ 1,41173; $^{R}D^{15}$ 26,74 cm³; $^{n}F^{15}$ 71,9; Dampfdruck 25° 8 mm Hg; ebullioskop. Konstante 2,58; Oberflächenspannung 15° 26,03 dyn/cm	swl. in W	3,5-Dinitrobenzoesäureester *Fp* 46,4° Phenylurethan *Fp* 46° p-Nitrophenylurethan *Fp* 86° p-Diphenylylurethan *Fp* 99° p-Joddiphenylylurethan, *Fp* 165,3—165,5°
153	$1{,}4169^{16°}$	63,3	E_1 I 83	$^{n}D^{20}$ 1,45193; $^{R}D^{20}$ 23,09 cm³; $^{n}F^{20}$ 119,8		vgl. Nr. 54
154	$0{,}978^{16°}$	198,2	II 274		l. in A	
155	$0{,}8477^{21°}$	102,2	I 728	$^{n}D^{17,3}$ 1,43838; $^{R}D^{17,3}$ 21,50 cm³; $^{n}F^{17,3}$ 149,3; mit Dampf flüchtig, riecht zuerst obstartig, dann stechend	ll. in W ∞ A, Ae	Oxim *Fp* 119—120° Aldazin *Fp* 96° Semicarbazon *Fp* 201° Phenylhydrazon *Fp* 56° 2,4-Dinitrophenylhydrazon *Fp* 190°

Lfd. Nr.	*Fp*	Name	Summenformel	Strukturformel	Mol.-Gewicht	Aggregatzustand Farbe
1	2	3	4	5	6	7
156	**−73,9**	Propionsäureäthylester	$C_5H_{10}O_2$	$C_2H_5 \cdot CO \cdot OC_2H_5$	102,13	Fl.
157	**−73,5**	p-Cymol (1-Methyl-4-isopropylbenzol)	$C_{10}H_{14}$	$CH_3 \cdot C_6H_4 \cdot CH(CH_3)_2$	134,21	Fl.
158	**−73,0**	Acetanhydrid (Essigsäureanhydrid)	$C_4H_6O_3$	$(CH_3 \cdot CO)_2O$	102,09	Fl.
159	**−73,0**	Trichloräthylen (Tri)	C_2HCl_3	$CHCl:CCl_2$	131,40	Fl.
160	**−72,7**	tert.-Amylchlorid	$C_5H_{11}Cl$	$C_2H_5 \cdot CCl(CH_3)_2$	106,60	Fl.
161	**−70,2**	Isobutenbromid	$C_4H_8Br_2$	$(CH_3)_2CBr \cdot CH_2Br$	215,94	Fl.
162	**−70,0**	Diisobutylamin	$C_8H_{19}N$	$[(CH_3)_2CH \cdot CH_2]_2NH$	129,24	Fl.
163	**−70 bis −69**	2-Chlorthiophen	C_4H_3ClS	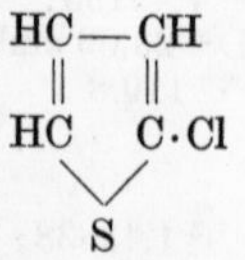	118,59	Fl.
164	**−69,9**	α-Picolin (α-Methylpyridin)	C_6H_7N	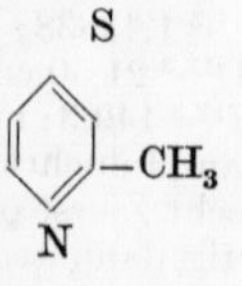		Fl.

Lfd. Nr.	Spez. Gewicht	Siedepunkt °C	Beilsteinzitat	Physikalische Konstanten und Eigenschaften	Löslichkeit	Reaktionen
	8	9	10	11	12	13
156	$0{,}8907^{20°}$	99,1 14,39 (20 mm)	II 240	$^nD^{20}$ 1,3847; $^RD^{20}$ 26,88 cm^3; $^nF^{20}$ 65,2; Dampfdruck 20° 28,01 mm Hg; Oberflächenspannung 15° 24,83 dyn/cm	1,7 W 20° ∞ A, Ae	
157	$0{,}8586^{20°}$	176,7 70,3 (20 mm)	V 420	$^nD^{13,7}$ 1,4926; $^RD^{13,7}$ 45,18 cm^3; $^nF^{13,7}$ 140,0; Dampfdruck 40° 38 mm Hg; ebullioskop. Konst. 5,34; riecht möhrenähnlich, eigentüml. herb	unl. in W l. in A, Ae	+ H_2SO_4 → orange
158	$1{,}082^{20°}$	139,4 49,1 (20 mm)	II 166	$^nD^{20}$ 1,39038; $^RD^{20}$ 27,38 cm^3 $^nF^{20}$ 69,3; Dampfdruck 20° 2,9 mm Hg; ebullioskop. Konstante 3,53; scharf riechend	∞ A, Ae	Kochen mit krist. Natriumselenit → rot p-Acetaminobenzoesäure *Fp* 253—254°, Nadeln
159	$1{,}4660^{18°}$	87,2 —0,08 (20 mm)	I 187	$^nD^{20}$ 1,481; Dampfdruck 20° 58 mm Hg; Dampfdichte 4,535; Verdampfungswärme 56,5 cal; ebullioskop. Konstante 4,43; mit Dampf flüchtig, wirkt narkotisch	unl. in W ∞ A, Ae, Chlf., Benzin	
160	$0{,}871^{20°}$	85,7	I 134	$^nD^{13,5}$ 1,4082; $^RD^{13,5}$ 30,25 cm^3; $^nF^{13,5}$ 84,0		
161	1,7675	149,0	I 127	$^nD^{20}$ 1,509		
162	$0{,}745^{20°}$	139,5 44,2 (20 mm)	IV 166	$^nD^{19,6}$ 1,40934; $^RD^{19,6}$ 42,91 cm^3; Dampfdruck 20° 5,06 mm Hg	swl. in W l. in A, Ae	Pikrat *Fp* 119° Acetylderivat *Fp* 86° Benzolsulfonylderivat *Fp* 55°
163	$0{,}558^{19°}$	127 bis 128	XVII 32	$^nD^{19}$ 1,55058		
164	$0{,}950^{15°}$ $0{,}9396^{25°}$	128	XX 234	Dipolmoment $\mu = 1{,}92$	ll. in W ∞ A, Ae	Pikrat *Fp* 169° Styphnat *Fp* 180° Jodmethylat *Fp* 230°

Lfd. Nr.	*Fp*	Name	Summen-formel	Strukturformel	Mol.-Ge-wicht	Aggregat-zustand Farbe
1	2	3	4	5	6	7
165	**−69,2**	Chlorpikrin	CCl_3NO_2	$CCl_3 \cdot NO_2$	164,39	ölige Fl.
166	**−69,0**	Önanthonitril	$C_7H_{13}N$	$CH_3 \cdot (CH_2)_5 \cdot CN$	111,18	
167	**−68,6** bis **−68,4**	2-Methyl-5-äthyl-thiophen	$C_7H_{10}S$	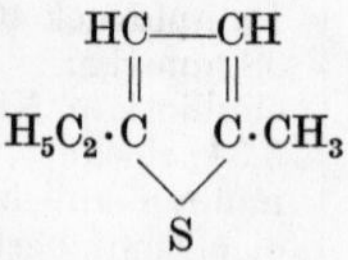	126,22	Fl.
168	**−67,5**	tert. Butylamin	$C_4H_{11}N$	$(CH_3)_3C \cdot NH_2$	73,14	Fl.
169	**−67,5**	Capronsäureäthylester	$C_8H_{16}O_2$	$CH_3 \cdot (CH_2)_4 \cdot CO \cdot OC_2H_5$	144,21	Fl.
170	**−67,5**	*β*-Chloräthylalkohol	C_2H_5ClO	$CH_2Cl \cdot CH_2OH$	80,52	Fl.
171	**−67,1**	Methylheptenon	$C_8H_{14}O$	$(CH_3)_2C{:}CH \cdot CH_2 \cdot CH_2 \cdot CO \cdot CH_3$	126,19	Fl.
172	**−66,5**	Formaldehyddiäthyl-acetal (Äthylal)	$C_5H_{12}O_2$	$CH_2(O \cdot C_2H_5)_2$	104,15	Fl.
173	**−66,1**	Methyljodid	CH_3J	CH_3J	141,95	Fl.
174	**−65,9**	Isobutyraldehyd	C_4H_8O	$(CH_3)_2CH \cdot CHO$	72,10	Fl.
175	**−65,0**	Äthylarsendichlorid	$C_2H_5AsCl_2$	$C_2H_5 \cdot AsCl_2$	174,88	Fl.

Lfd. Nr.	Spez. Gewicht	Siedepunkt °C	Beilsteinzitat	Physikalische Konstanten und Eigenschaften	Löslichkeit	Reaktionen
	8	9	10	11	12	13
165	1,6579$^{20°}$	111,9 49° (40 mm)	I 76	$n_D^{22,8}$ 1,46075; Dampfdruck 20° 18,31 mm Hg; Dampfdichte 5,69; Flüchtigkeit 20° 184000; riecht stechend; greift Augen und Schleimhäute an; Geruch pyridinähnlich	0,17 W 20° l. in A, Ae, Bzl., CS_2	+ Dimethylanilin → hellgelb bis dunkelbraun Kochen mit alkoh. KOH + wenige Tropfen Thymol → gelb, + H_2SO_4 → rotviolett Pikrat *Fp* 169—171°, Nadeln Golddoppelsalz *Fp* 186—187°, Prismen Platindoppelsalz, *Fp* 221 bis 222°, Prismen
166		181 bis 182				
167	0,9663$^{20}_{0°}$	159,8 bis 160	XVII 34	n_D^{20} 1,5073		
168	0,698$^{15°}$	45,2	IV 173	n_D^{18} 1,37940; R_D^{18} 24,23 cm^3; n_F^{18} 70,0	∞ W, A	Nitrit *Fp* 126—127° Pikrat *Fp* 198° Benzoylderivat *Fp* 134°
169	0,8733$^{19°}$	166,8	II 323		swl. in W l. in A, Ae	
170	1,2019$^{20°}$	128,6	I 337		∞ W l. in A, Ae	Phenylurethan *Fp* 51° α-Naphthylurethan *Fp* 101°
171	0,860$^{20°}$	173,2 71,60 (20 mm)	I 741	n_D^{20} 1,4445; Dampfdruck 30° 1,733 mm Hg; flüchtig mit Dampf, riecht nach Amylacetat		Semicarbazon *Fp* 136—138° p-Nitrophenylhydrazon *Fp* 104°, hellgelbe Nadeln 2,4-Dinitrophenylhydrazon *Fp* 81°, rotorange Kristalle
172	1,8319$^{20}_{0°}$	87,9	I 574		7,3 W 18° ∞ A, Ae	
173	2,2790$^{20°}$	42,4	I 69	n_D^{20} 1,52973; R_D^{20} 19,40 cm^3; n_F^{20} 80,9; ebullioskop. Konstante 4,19	1,8 W 15° ∞ A, Ae	
174	0,7938$^{20°}$	61,0	I 671	riecht stechend	8,8 W 20° ∞ A, Ae	an der Luft → Isobuttersäure p-Nitrophenylhydrazon *Fp* 132° 2,4-Dinitrophenylhydrazon *Fp* 182°, orangegelbe Nadeln Semicarbazon *Fp* 125—126°, Prismen
175	1,68$^{20°}$	156 (Zers.) (44,0 11 mm)	IV 603	Dampfdichte 6; Dampfdruck 21,5° 229 mm Hg; Flüchtigkeit 20° 20000 mg/m^3; Oberflächenspannung 47,9 dyn/cm; riecht schwach obstartig; wird bei Aufbewahrung gelb	ll. in Bzl., Aceton, A, Ae, Kerosen, Cyclohexan l. in W	+ unterphosphorige Säure → gelblichbraun + Jodsäurereagens → blau

Lfd. Nr.	*Fp*	Name	Summenformel	Strukturformel	Mol.-Gewicht	Aggregatzustand Farbe
1	2	3	4	5	6	7
176	**−65,0**	Diisopropenyl	C_6H_{10}	$CH_2{:}C(CH_3){\cdot}C(CH_3){:}CH_2$	82,15	Fl.
177	**−63,5**	Chloroform (Trichlormethan)	$CHCl_3$	$CHCl_3$	119,39	Fl.
178	**−63,0**	Dipropylamin	$C_6H_{15}N$	$(C_2H_5{\cdot}CH_2)_2NH$	101,19	Fl.
179	**−63,0** bis **−62,0**	3-Chlorthiophen	C_4H_3ClS	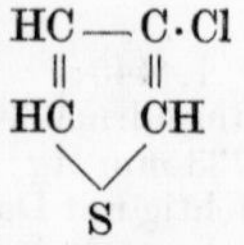	118,59	Fl.
180	**−62,0**	Malonsäuredimethylester	$C_5H_8O_4$	$CH_2(CO{\cdot}OCH_3)_2$	132,11	Fl.
181	**−60,0**	Dimethyl-o-toluidin	$C_9H_{13}N$	$CH_3{\cdot}C_6H_4{\cdot}N(CH_3)_2$	135,20	Fl.
182	**−60,0**	Methylchlorsulfat	CH_3ClO_3S	$CH_3{\cdot}O{\cdot}SO_2Cl$	130,56	Fl.
183	**−60,0** bis **−59,0**	2-Methyl-4-äthylthiophen	$C_7H_{10}S$	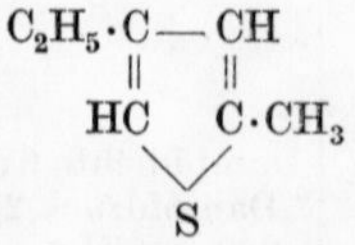	126,22	Fl.
184	**−59,0**	Mesityloxyd	$C_6H_{10}O$	$(CH_3)_2C{:}CH{\cdot}CO{\cdot}CH_3$	98,14	Fl.

Lfd. Nr.	Spez. Gewicht	Siedepunkt °C	Beilsteinzitat	Physikalische Konstanten und Eigenschaften	Löslichkeit	Reaktionen
	8	9	10	11	12	13
176	$0{,}7304^{16°}$	67,3 bis 67,8	I 256	polymerisiert in der Wärme	unl. in W l. in A	
177	$1{,}49845^{15°}$	61,21 —20,04 (20 mm)	I 61	$^{n}D^{20}$ 1,44671; $^{R}D^{20}$ 21,40 cm³; $^{n}F^{20}$ 89,1; Dampfdruck 20° 162,5 mm Hg; Dampfdichte 4,120; ebullioskop. Konstante 3,802; kryoskop. Konstante 4,90; Oberflächenspannung 20° 27,1 dyn/cm; riecht ätherisch; schmeckt süßlich; nicht brennbar; Narkotikum	0,82 W 20° ll. in A, Ae	1 Tropfen $CHCl_3$ mit Anilin und alkoh. KOH erwärmen. Es bildet sich Phenylcarbylamingeruch. E 1:60000 + Resorcin in NaOH-Lsg. erhitzt → gelbrot 1 Tropfen $CHCl_3$ mit 0,5%ig. alkoh. Thymol und etwas K_2CO_3 kochen → gelb, + 1 ml H_2SO_4 kochen → violett, + W → blau
178	$0{,}7384^{20°}$	109,2	IV 138	$^{n}D^{19,5}$ 1,40955; $^{R}D^{19,5}$ 33,53 cm³; brennbar;	l. in W, A	Hydrobromid *Fp* 271° Pikrat *Fp* 75° Benzolsulfonylderivat *Fp* 51°
179	—	136 bis 137	XVII 32	$^{n}D^{22}$ 1,55322		
180	$1{,}1437^{25°}$	181	II 572		l. in W, A	
181	$0{,}9286^{20°}$	185,0	XII 785	$^{n}D^{20}$ 1,52643; $^{R}D^{20}$ 44,69 cm³	l. in A	Hydrochlorid *Fp* 156—157° Pikrat *Fp* 122° Jodmethylat *Fp* 210°
182	$1{,}492^{15°}$	134 bis 135 42° (15 bis 16 mm)		Dampfdichte 4,5; Dampfdruck 20° 5,607 mm Hg; Flüchtigkeit 20° 40000 mg/m³	l. in Chlf., Ae, CCl_4	
183	$0{,}9742^{20°}_{4°}$	162 bis 164	—	$^{n}D^{20}$ 1,5098		
184	$0{,}8542^{21°}$	131,4 46,01 (20 mm)	I 736	$^{n}D^{16,4}$ 1,44582; $^{R}D^{16,4}$ 30,46 cm³; $^{n}F^{16,4}$ 135,6; Dampfdruck 20° 3,3 mm Hg; honigartiger Geruch	unl. in W ∞ A, Ae	Semicarbazon *Fp* 164° p-Nitrophenylhydrazon *Fp* 207° Oxim *Fp* 49°

Lfd. Nr.	*Fp*	Name	Summenformel	Strukturformel	Mol.-Gewicht	Aggregatzustand Farbe
1	2	3	4	5	6	7
185	**−59,0**	Methylarsendichlorid	CH_3AsCl_2	$CH_3 \cdot AsCl_2$	160,86	Fl.
186	**−57,5**	Chloral (Trichloracetaldehyd)	C_2HCl_3O	$CCl_3 \cdot CHO$	147,40	Fl.
187	**−57,4**	Pseudocumol (1,2,4-Trimethylbenzol)	C_9H_{12}	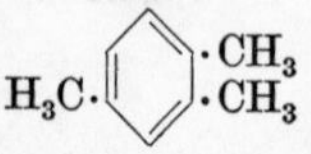	120,19	Fl.
188	**−57,0**	Chlorameisensäure-trichlormethylester (Diphosgen, Perstoff)	$C_2Cl_4O_2$	$Cl \cdot CO \cdot OCCl_3$	197,85	Fl.
189	**−57,0**	N-Methylanilin	C_7H_9N	$C_6H_5 \cdot NH \cdot CH_3$	107,15	Fl.
190	**−56,9**	Methylbutylketon [Hexanon-(2)]	$C_6H_{12}O$	$CH_3 \cdot (CH_2)_3 \cdot CO \cdot CH_3$	100,16	Fl.

Lfd. Nr.	Spez. Gewicht	Siedepunkt °C	Beilsteinzitat	Physikalische Konstanten und Eigenschaften	Löslichkeit	Reaktionen
	8	9	10	11	12	13
185	$1,8471^{19,5°}$	133 71 (100 mm)	IV 601	$^{n}D^{14,5}$ 1,5677; Dampfdruck 25° 10,83 mm Hg; Dampfdichte 5,5; Flüchtigkeit 20° 74400 mg/m³; stark lichtbrechend; mit W-Dampf flüchtig, greift die Atemwege an	wl. in W ll. in A, Ae	+ unterphosphorige Säure → gelbbraun + $Hg(NO_3)_2$ → schwarzgrauer Nd. von metall. Hg + W → Methylarsinoxyd *Fp* 95° + W + wss. H_2S → Methylarsinsulfid *Fp* 100°, Blättchen
186	$1,512^{20°}$	98 11,92 (20 mm)	I 616	$^{n}D^{20}$ 1,45572; $^{R}D^{20}$ 26,49 cm³; $^{n}F^{20}$ 93,7; Dampfdruck 20° 31,9 mm Hg; riecht süßlich und stechend		+ alkoh. Resorcinlsg. + NaOH zum Sieden erhitzen → violettrot bis gelblichrot; 0,1 g Subst. in 25 ml W + 10 ml verd. H_2SO_4 und 0,5 g Zn-Staub, nach Aufhören der H_2-Entwicklung mit frisch bereiteter Lsg. von Nitroprussidnatrium und Piperidin getränkten Papierstreifen eintauchen → blau (E 1:20000) + W → Hydrat *Fp* 53°, + A → Alkoholat *Fp* 65°, Oxim *Fp* 56° 2,4-Dinitrophenylhydrazon *Fp* 131°
187	$0,8784^{20°}$	168,2	V 400	$^{n}D^{15,2}$ 1,50672; $^{R}D^{15,2}$ 40,62 cm³; $^{n}F^{15,2}$ 158,2	unl. in W l. in A, Ae	
188	$1,6525^{14°}$	127	III 18	$^{n}D^{20}$ 1,45664; Dampfdichte 6,9; Dampfdruck 20° 10,33 mm Hg; Flüchtigkeit 20° 54300 mg/m³; Oberflächenspannung 40,5 dyn/cm; Seßhaftigkeit 20° 0,4; Viskosität 0,75°; erstickender Geruch; sehr giftig	ll. in Bzl., Toluol	+ alkoh. p-Dimethylaminobenzaldehyd + Diphenylamin (1:1) → gelb + W → Zers. + Anilinwasser (3:100) → Diphenylharnstoff
189	$0,9868^{20°}$	193,8 92,7 (20 mm)	XII 135	$^{n}D^{20}$ 1,57144; $^{R}D^{20}$ 35,60 cm³; $^{n}F^{20}$ 249,2; Dampfdruck 50° 1,62 mm Hg; mit Dampf flüchtig, riecht nach Anilin	l. in A, Ae, Bzl.	Erhitzen mit Mellitsäureanhydrid → gelbrot Platindoppelsalz *Fp* 199°, orange Krist. Pikrat *Fp* 134°, gelbes Krist.-Pulver Acetylderivat *Fp* 102—104° Benzoylderivat *Fp* 63° p-Toluolsulfonylderivat *Fp* 94°
190	$0,830^{0°}$	127,2	I 689	$^{n}D^{17,4}$ 1,39694; $^{R}D^{17,4}$ 30,01 cm³; $^{n}F^{17,4}$ 73,5	swl. in W ∞ A, Ae	Oxim *Fp* 49° Semicarbazon *Fp* 118° p-Nitrophenylhydrazon *Fp* 88° 2,4-Dinitrophenylhydrazon *Fp* 106°

Lfd. Nr.	*Fp*	Name	Summenformel	Strukturformel	Mol.-Gewicht	Aggregatzustand Farbe
1	2	3	4	5	6	7
191	**−56,5**	n-Octan	C_8H_{18}	$CH_3 \cdot (CH_2)_6 \cdot CH_3$	114,22	Fl.
192	**−55,3**	1,2-Dibrompropan (Propylenbromid)	$C_3H_6Br_2$	$CH_3 \cdot CHBr \cdot CH_2Br$	201,91	Fl.
193	**−55,0**	n-Amylamin	$C_5H_{13}N$	$CH_3 \cdot (CH_2)_3 \cdot CH_2 \cdot NH_2$	87,16	Fl.
194	**−55,0**	akt. α-Pinen	$C_{10}H_{16}$	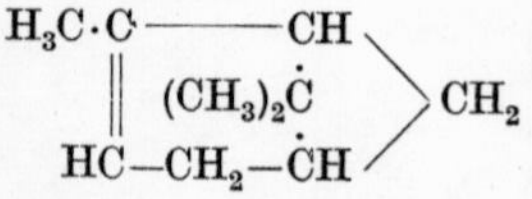	136,23	Fl.
195	**−54,0**	Bromaceton	C_3H_5BrO	$CH_3 \cdot CO \cdot CH_2Br$	136,99	Fl.
196	**−53,9**	n-Nonan	C_9H_{20}	$CH_3 \cdot (CH_2)_7 \cdot CH_3$	128,25	Fl.
197	**−53,6**	Methylrhodanid	C_2H_3NS	$CH_3 \cdot S \cdot CN$	73,12	Fl.

Lfd. Nr.	Spez. Gewicht	Siedepunkt °C	Beilstein-zitat	Physikalische Konstanten und Eigenschaften	Löslichkeit	Reaktionen
	8	9	10	11	12	13
191	$0{,}7042^{18°}$	125,8 31,95 (20 mm)	I 159	$^{n}D^{20}$ 1,39760; $^{R}D^{20}$ 39,19 cm^3; $^{n}F^{20}$ 69,8; Dampfdruck 20° 1,95 mm Hg; Oberflächenspannung 20° 31,11 dyn/cm	0,01 W 16° ∞ A, Ae	
192	$1{,}9463^{17°}$	139,9	I 109		swl. in W l. in A ll. in Ae	erhitzen → 1,3- oder 2,2-Dibrompropan
193	$0{,}766^{19°}$	103	IV 175	$^{n}D^{17,9}$ 1,40959; $^{R}D^{17,9}$ 28,70 cm^3	l. in W, A	Pikrat *Fp* 139°
194	$0{,}862^{18°}$	153,3 52,25 (20 mm)	V 144	$^{n}D^{18,1}$ *da*- 1,46634, $^{n}D^{16,3}$ *la* 1,46803; $^{R}D^{16,3}$ *da*- 43,99 cm^3, *la*- 43,91 cm^3; $^{n}F^{16,3}$ *da*- 96,8, *la*- 99,2; Dampfdruck 20° 3,20 mm Hg; leicht bewegliche Flüssigkeit von charakteristischem Geruch	2 A (72%ig) 15° 0,6 A (65%ig) 15° ∞ Ae, Chlf.	geht bei 250—270° in Dipenten über Nitrosochlorid *Fp* 103°, Blättchen Dibromid *Fp* 164°
195	$1{,}6223^{16°}$	138 (Zers.) 35—38 (10 mm)	I 657	Dampfdichte 4,75; Litergewicht d. Dampfes 5,69 g; Dampfdruck 20° 9 mm Hg; Flüchtigkeit 20° 75000 mg/m^3; stechender Geruch; unerträglich: 10 mg/m^3	swl. in W ll. in A, Aceton	+ m-Dinitrobenzol in Ggw. von NaOH → dunkelrote Färbung, schnell in schwarz übergehend 0,5 ml sehr verd. Lsg. mit etwas Na_2CO_3 1 Min. mäßig erwärmen + 1 kleiner Kristall (0,01 g) KBr + 2 ml konz. H_2SO_4 schütteln + 1 Tropfen 5%ig. wss. Natriumsalicylat-Lsg. → auf H_2SO_4 violetter Ring Oxim *Fp* 36°
196	$0{,}7177^{20°}$	150,6 51,1 (20 mm)	I 165	$^{n}D^{20}$ 1,40550; $^{R}D^{20}$ 43,84 cm^3; $^{n}F^{20}$ 69,2; Dampfdruck 20° 3,22 mm Hg; süßlicher Geruch	unl. in W ∞ A, Ae	
197	$1{,}0765^{15°}$	131	III 175	ebullioskop. Konst. 2,64; riecht lauchartig	swl. in W ∞ A, Ae	bei 180° → Methylsenföl

Lfd. Nr.	*Fp*	Name	Summen-formel	Strukturformel	Mol.-Gewicht	Aggregatzustand Farbe
1	2	3	4	5	6	7
198	**−53,5**	m-Xylol	C_8H_{10}	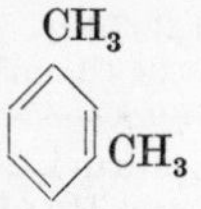	106,16	Fl.
199	**−53,0**	cis-α,β-Dibromäthylen	$C_2H_2Br_2$	CHBr:CHBr	185,87	Fl.
200	**−53,0**	Xanthogensäure	$C_3H_6OS_2$	$C_2H_5 \cdot O \cdot CS \cdot SH$	122,21	Öl
201	**−52,8**	Cyclopentanon	C_5H_8O	$H_2C—CH_2$ / $H_2C—CH_2$ > CO	84,11	Öl
202	**−52,7**	Mesitylen (1,3,5-Trimethylbenzol)	C_9H_{12}	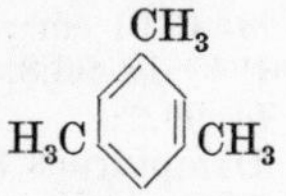	120,19	Fl.
203	**−52,6**	Methylenbromid (Dibrommethan)	CH_2Br_2	CH_2Br_2	173,86	Fl.
204	**−52,5**	Diisoamyl	$C_{10}H_{22}$	$[(CH_3)_2CH \cdot CH_2 \cdot CH_2\text{-}]_2$	142,28	Fl.
205	**−52,5**	Pinakolin	$C_6H_{12}O$	$(CH_3)_3C \cdot CO \cdot CH_3$	100,16	Fl.
206	**−52,0**	Resorcindimethyläther	$C_8H_{10}O_2$	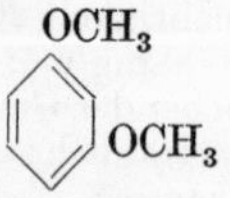	138,16	Fl.
207	**−51,6**	Hexylalkohol [Hexanol-(1)]	$C_6H_{14}O$	$CH_3 \cdot (CH_2)_4 \cdot CH_2 \cdot OH$	102,17	Fl.
208	**−51,5**	Essigsäurebenzylester (Benzylacetat)	$C_9H_{10}O_2$	$CH_3 \cdot CO \cdot OCH_2 \cdot C_6H_5$	150,17	Fl.
209	**−50,5**	Butylamin	$C_4H_{11}N$	$C_2H_5 \cdot CH_2 \cdot CH_2 \cdot NH_2$	73,14	Fl.
210	**−50,0**	trans-β,α-Dichloräthylen	$C_2H_2Cl_2$	CHCl:CHCl	96,95	Fl.

Lfd. Nr.	Spez. Gewicht	Siedepunkt °C	Beilsteinzitat	Physikalische Konstanten und Eigenschaften	Löslichkeit	Reaktionen
	8	9	10	11	12	13
98	$0,8642^{20°}$	139 43 (20 mm)	V 370	$^{n}D^{15,7}$ 1,4996; $^{n}D^{20}$ 1,49738; $^{R}D^{15,7}$ 35,90 cm³; $^{n}F^{15,7}$ 158,0; Dampfdruck 20° 5,10 mm Hg; Dampfdichte 3,655; Flammpunkt 23°; Oberflächenspannung 15° 30,12 dyn/cm	swl. in W ll. in A, Ae	1—2 ml Subst. + 2 ml [1 Vol $SbCl_5$ in 2 Vol. CCl_4] → rot Tetrabrom-m-xylol *Fp* 247°, Nadeln Subst. mit verd. HNO_3 (2:3) mehrere Stdn. kochen → m-Toluylsäure *Fp* 110,5°, prismat. Krist. Pikrat *Fp* 91°
99	$2,2846^{18°}$	112,5	E_1 I 81	$^{n}D^{20}$ 1,54367; $^{R}D^{20}$ 26,30 cm³; $^{n}F^{20}$ 164,9		+ alkohol. KOH → Bromacetylen
200	>1	24 (Zers.)	III 209		0,24 W 0°	+ A Zers. bei 24° → CS_2 + A
201	$0,9416^{22°}$	130,5	VII 5	$^{n}D^{20}$ 1,4366; Pfefferminz-Geruch	swl. in W l. in A, Ae	Oxim *Fp* 58,5° Semicarbazon *Fp* 205° Phenylhydrazon *Fp* 50° 2,4-Dinitrophenylhydrazon *Fp* 142°
202	$0,864^{20°}$	164,6 62,5 (20 mm)	V 406	$^{n}D^{17,1}$ 1,49804; $^{R}D^{17,1}$ 40,72 cm³; $^{n}F^{17,1}$ 153,3; Dampfdruck 20° 1,64 mm Hg	unl. in W l. in A, Ae	Pikrat *Fp* 97°
203	$2,4953^{20°}$	96,5	I 67	$^{n}D^{15}$ 1,54463; $^{R}D^{15}$ 21,89 cm³; $^{n}F^{15}$ 149,0	1,15 W 20° ∞ A, Ae	
204	$0,7216^{22°}$	160,3	I 169	$^{n}D^{18,1}$ 1,40924; $^{R}D^{18,1}$ 48,33 cm³; $^{n}D^{18,1}$ 72,0	l. in A, Eg.	
205	$0,7999^{16°}$	106,5	I 694	riecht pfefferminzartig	244 W 15° ∞ A, Ae	Oxim *Fp* 77—78° Semicarbazon *Fp* 157°
206	$1,0617^{15°}$	217,0	VI 813	mit Dampf flüchtig	wl. in W ll. in A, Ae	l. in H_2SO_4 gelb
207	$0,8204^{20°}$	155,8	I 407		wl. in W. l. in A, Ae	3,5-Dinitrobenzoat *Fp* 58° Phenylurethan *Fp* 42° α-Naphthylurethan *Fp* 59° p-Nitrophenylurethan *Fp* 103°
208	$1,057^{16°}$	214,9	VI 435	riecht nach Birnen	swl. in W ∞ A, Ae	
209	$0,742^{15°}$	77,8	IV 156	$^{n}D^{20}$ 1,401; $^{n}F^{20}$ 75,0; riecht ammoniakalisch	∞ W	Hydrochlorid *Fp* 195° Benzoylderivat *Fp* 42°
210	$1,2651^{15°}$	48,4	I 178	Dampfdruck 23° 293 mm; Verdampfungswärme 41 cal		

Lfd. Nr.	Fp	Name	Summen-formel	Strukturformel	Mol.-Ge-wicht	Aggrega zustand Farbe
1	2	3	4	5	6	7
211	—50,0	Diäthylamin	$C_4H_{11}N$	$(C_2H_5)_2NH$	73,13	Fl.
212	—50,0	β-Pinen (Nopinen)	$C_{10}H_{16}$	$H_2C:C\text{———}CH$ $(CH_3)_2C \quad CH_2$ $H_2C\text{—}CH_2\text{—}CH$	136,23	Fl.
213	—49,8	Malonsäurediäthylester	$C_7H_{12}O_4$	$CH_2(\cdot CO\cdot OC_2H_5)_2$	160,17	Fl.
214	—49,1 bis —48,9	2,3-Thioxen (2,3-Dimethyl-thiophen)	C_6H_8S	$HC\text{——}C\cdot CH_3$ $HC \quad C\cdot CH_3$ S	112,19	Fl.
215	—48,0	Epichlorhydrin (γ-Chlorpropenoxyd)	C_3H_5ClO	$H_2C\text{——}CH\cdot CH_2Cl$ O	92,53	Fl.
216	—48,0 bis —40,0	Phenylacetylen	C_8H_6	$C_6H_5\cdot C:CH$	102,13	Fl.
217	—47,8	3-Chlortoluol	C_7H_7Cl	$CH_3\cdot C_6H_4\cdot Cl$	125,58	Fl.
218	—47,0	Isobuttersäure	$C_4H_8O_2$	$(CH_3)_2CH\cdot COOH$	88,10	Fl.
219	—47,0	1-Methylcyclo-hexanol-(3)	$C_7H_{14}O$	$CH_3\cdot HC\cdot CH_2\cdot CH\cdot OH$ $H_2C\cdot CH_2\cdot CH_2$	114,18	Sirup

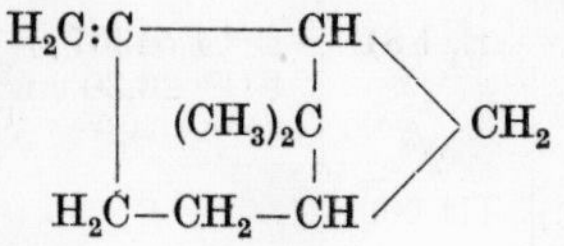

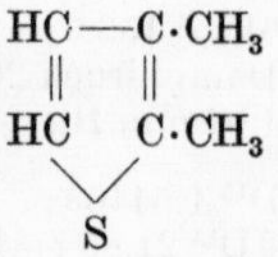

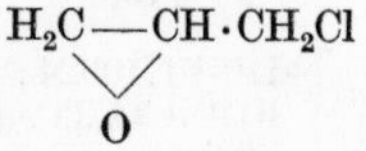

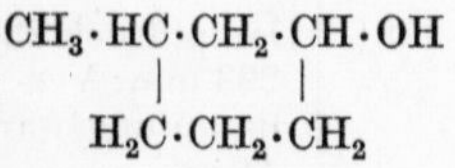

Lfd. Nr.	Spez. Gewicht	Siedepunkt °C	Beilsteinzitat	Physikalische Konstanten und Eigenschaften	Löslichkeit	Reaktionen
	8	9	10	11	12	13
211	0,7108[18°]	55,5	IV 95	$^{n}D^{17,6}$ 1,38730; $^{R}D^{17,6}$ 24,23 cm³; $^{n}F^{17,6}$ 75,4; brennbar	∞ W l. in A	Hydrochlorid *Fp* 223,5°, Blättchen Bromoaurat *Fp* 162°, kleine rote Nadeln Pikrat *Fp* 155° Pikrolonat *Fp* 260°, blaßgelbe Prismen Benzoylderivat *Fp* 42° Benzolsulfonylderivat *Fp* 42° N-α-Naphthyl-N′,N′-diäthylharnstoff *Fp* 127 bis 128°
212	0,8708[20°]	165,2	V 154	$^{n}D^{20}$ 1,4653	unl. in W l. in A, Ae	Oxydation zu Nopinsäure mit Permanganat unterhalb 40° in neutraler Lsg., *Fp* 126° Dibromid *Fp* 164°
213	1,0550[20°]	198,9 147 (21 mm)	II 573	$^{n}D^{20}$ 1,414; Oberflächenspannung 30° 30,56 dyn/cm; schwach aromatischer Geruch; bitterer Geschmack	l. in W, A	+ Essigsäureanhydrid unter Erwärmen → gelb bis gelbrot, gelbgrüne Fluorescenz
214	$1,0021_{4°}^{20°}$	140,2 bis 141,2	E_2 XVII 41	$^{n}D^{20}$ 1,5073		
215	1,1801[20°]	117	XVII 6	reizt die Schleimhäute der Augen und der Atmungswege	swl. in W ∞ A, Ae l. in Bzl.	
216	0,9295[20°]	139 bis 140	V 511	$^{n}D^{12,5}$ 1,5524	l. in W	
217	1,0722[20°]	161,6	V 291	Dampfdruck 30° 3,75 mm Hg	unl. in W l. in A	
218	0,9682[0°]	154,4 66,5 (20 mm)	II 288	$^{n}D^{20}$ 1,39300; $^{R}D^{20}$ 22,15 cm³; $^{n}F^{20}$ 69,9; Dampfdruck 20° 1,02 mm Hg; riecht buttersäureähnlich, weniger unangenehm	20 W 20° ∞ A, Ae	mit 40%ig. $KMnO_4$ in der Kälte → Hydroxyisobuttersäure *Fp* 78,5°, Nadeln Silbersalz → tafelförmige Blättchen Hydrazid *Fp* 104° Anilid *Fp* 105° p-Toluidid *Fp* 107° p-Bromphenacylester *Fp* 76,8°
219	0,9158[20°]	175 bis 176 80,01 (20 mm)	VI 12	$^{n}D^{20}$ 1,46165; $^{R}D^{20}$ 33,84 cm³; $^{n}F^{20}$ 81,9	1,03 W l. in A, Ae	p-Nitrobenzoat *Fp* 56° 3,5-Dinitrobenzoat *Fp* 99°

Lfd. Nr.	*Fp*	Name	Summen-formel	Strukturformel	Mol.-Gewicht	Aggregat zustand Farbe
1	2	3	4	5	6	7
220	**—45,0**	Chlorbenzol	C_6H_5Cl	C_6H_5Cl	112,56	Fl.
221	**—45,0**	α,α-Dichloraceton	$C_3H_4Cl_2O$	$CHCl_2 \cdot CO \cdot CH_3$	126,98	Fl.
222	**—45,0**	Dimethylarsinchlorid (Kakodylchlorid)	C_2H_6AsCl	CH_3 ⟩ $As \cdot Cl$ CH_3	140,43	Fl.
223	**—45,0**	Methylisocyanid	C_2H_3N	$CH_3 \cdot N{:}C$	41,05	Fl.
224	**—44,9**	Acetonitril (Methylcyanid)	C_2H_3N	$CH_3 \cdot CN$	41,05	Fl.
225	**—44,8**	Caprylsäureäthylester	$C_{10}H_{20}O_2$	$CH_3 \cdot (CH_2)_6 \cdot CO \cdot OC_2H_5$	172,26	Fl.
226	**—44,0**	Acetessigester	$C_6H_{10}O_3$	$CH_3 \cdot CO \cdot CH_2 \cdot CO \cdot OC_2H_5$	130,14	Fl.
227	**—43,9**	Cyclohexylchlorid	$C_6H_{11}Cl$	$H_2C—CH_2—CHCl$ | | $H_2C—CH_2—CH_2$	118,61	Fl.
228	**—43,6**	m-Toluidin	C_7H_9N	$CH_3 \cdot C_6H_4 \cdot NH_2$	107,15	Fl.

Lfd. Nr.	Spez. Gewicht	Siedepunkt °C	Beilsteinzitat	Physikalische Konstanten und Eigenschaften	Löslichkeit	Reaktionen
	8	9	10	11	12	13
220	$1,1064^{20°}$	132 34,8 (20 mm)	V 199	$^{n}D^{20}$ 1,52479; $^{R}D^{20}$ 31,14 cm^3; $^{n}F^{20}$ 170,7; Dampfdichte 3,888; Dampfdruck 20° 8,71 mm Hg; Oberflächenspannung 18° 33,7 dyn/cm; riecht angenehm	0,049 W 30° sll. in A, Ae, Chlf., Bzl.	
221	$1,236^{21°}$	120,0	I 654		wl. in W ll. in A, Ae	Semicarbazon *Fp* 163°
222	$1,504^{12°}_{4°}$	106,5 bis 107°	IV 607	scharfer, widerwärtiger Geruch	unl. in W, Ae l. in A	
223	$0,756^{4°}$	59,6	IV 56	sehr giftig	~ 10 W 15° l. in A, Ae	+ Säuren → Methylamin + Ameisensäure
224	$0,783^{20°}$	81,6	II 183	$^{n}D^{16,5}$ 1,34596; $^{R}D^{16,5}$ 11,11 cm^3; $^{n}F^{16,5}$ 57,7; ebullioskop. Konst. 1,3; brennt mit leuchtender Flamme, die pfirsichblütenfarben gesäumt ist	∞ W	Hydrat *Fp* 35°, gelbe Kristalle
225	$0,873^{16°}$	207 bis 208 (750mm)	II 348		swl. in W l. in A, Ae	
226	$1,021^{25°}$	180,0 (754mm)	III 632	Oberflächenspannung 25° 32,0 dyn/cm; angenehmer Geruch	12,5 W 16° ∞ A, Ae	+ alkoh. Nitroprussidnatrium → rot + $FeCl_3$ violette Färbung Semicarbazon *Fp* 129° p-Nitrophenylhydrazon *Fp* 118°, hellgelbe Prismen
227	$1,0000^{20°}$	140 bis 141	V 21		l. in A, Ae	
228	$0,9891^{20°}$	203,2 128 (17 mm)	XII 853	$^{n}D^{22,4}$ 1,57106; $^{R}D^{22,4}$ 35,33 cm^3	wl. in W ll. in A, Ae	+ Chromsäure → grün; + W → braun; + NH_3 → rot Hydrochlorid *Fp* 228° Acetylderivat *Fp* 66° Benzoylderivat *Fp* 125° Benzolsulfonylderivat *Fp* 83° p-Toluolsulfonylderivat *Fp* 114°

Lfd. Nr.	*Fp*	Name	Summen-formel	Strukturformel	Mol.-Gewicht	Aggregatzustand Farbe
1	2	3	4	5	6	7
229	—43,0	Kohlensäurediäthylester	$C_5H_{10}O_3$	$O{=}C\langle{}^{OC_2H_5}_{OC_2H_5}$	118,13	Fl.
230	—42,5	1,1,2,2-Tetrachloräthan	$C_2H_2Cl_4$	$CHCl_2 \cdot CHCl_2$	167,86	Fl.
231	—42,0	γ-Butyrolacton	$C_4H_6O_2$	H_2C——CH_2 / $H_2C{-}O{-}CO$ (ring)	86,09	Fl.
232	—42,0	Diäthylketon	$C_5H_{10}O$	$C_2H_5 \cdot CO \cdot C_2H_5$	86,13	Fl.
233	—42,0	1,3-Dioxan	$C_4H_8O_2$	$H_2C\langle{}^{CH_2 \cdot O}_{CH_2 \cdot O}\rangle CH_2$	88,10	Fl.
234	—42,0	Önanthaldehyd (Heptanal)	$C_7H_{14}O$	$CH_3 \cdot (CH_2)_5 \cdot CHO$	114,18	Fl.
235	—42,0	Pyridin	C_5H_5N	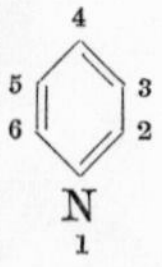	79,10	Fl.

Lfd. Nr.	Spez. Gewicht	Siedepunkt °C	Beilsteinzitat	Physikalische Konstanten und Eigenschaften	Löslichkeit	Reaktionen
	8	9	10	11	12	13
229	0,974[13°]	126	III 5	$^nD^{20}$ 1,38523; $^RD^{20}$ 28,37 cm³; $^nF^{20}$ 63,4; Dampfdichte 4,069; Dampfdruck 20° 35 mm Hg; Flammpunkt 30°; riecht ätherisch	unl. in W l. in A	
230	1,002[20°]	146,2 48,27 (20 mm)	I 86	$^nD^{20}$ 1,66772; $^RD^{20}$ 42,66 cm³; $^nF^{20}$ 188,6; Dampfdichte 5,793; Dampfdruck 20° 11 mm Hg; riecht wie Chloroform; giftig	unl. in W ∞ A, Ae	
231	1,1286[15°]	206,0	XVII 234	mit Dampf flüchtig	∞ W ll. in A, Ae	
232	0,8159[19°]	101,7	I 679	$^nD^{16,6}$ 1,39385; $^RD^{16,6}$ 25,18 cm³; $^nF^{16,6}$ 70,9	4,6 W 20° 3,7 W 100° ∞ A, Ae	Oxim *Fp* 69° Semicarbazon *Fp* 139° p-Nitrophenylhydrazon *Fp* 144° 2,4-Dinitrophenylhydrazon *Fp* 156°
233	1,0342[20°]	106	XIX 2	Oberflächenspannung 20° 35,42; riecht acetalähnlich	∞ W, A, Ae	
234	0,8226[15°]	155,0 55,16 (20 mm)	I 695	$^nD^{15}$ 1,41511; $^RD^{15}$ 34,79 cm³; $^nF^{15}$ 76,2; Dampfdruck 30° 4,1 mm Hg; durchdringender angenehmer Geruch; stark lichtbrechend	wl. in W l. in A, Ae	Oxim *Fp* 57—58° Semicarbazon *Fp* 109° p-Nitrophenylhydrazon *Fp* 73° 2,4-Dinitrophenylhydrazon *Fp* 106°
235	0,9772[23°]	115,5 25,19 (20 mm)	XX 181	$^nD^{21}$ 1,50919; $^RD^{21}$ 24,07 cm³; $^nF^{21}$ 157,2; Dampfdruck 24° 14,9 mm Hg; Oberflächenspannung 25° 24,9 dyn/cm; ebullioskop. Konst. 2,69; kryoskopische Konst. 4,97; hygroskopisch; mit Dampf flüchtig; eigentümlicher, scharfer Geschmack und Geruch	∞ W, A, Ae	+ etwas W + Spur Cyanbromidlsg. + einige Tropfen Anilin → rot + α-Dinitrochlorbenzol in alkohol. Lsg. + Lauge → rotviolett Chloroaurat *Fp* 304°, Prismen Chloroplatinat *Fp* 240—242°, orangegelbe Spieße Quecksilbersalz *Fp*. 177 bis 178°, Nadeln Pikrat *Fp* 164°, gelbe Nadeln Phenacylpyridiniumchlorid *Fp* 113° Jodmethylat *Fp* 117°

*

Lfd. Nr.	*Fp*	Name	Summenformel	Strukturformel	Mol.-Gewicht	Aggregatzustand Farbe
1	2	3	4	5	6	7
236	**−41,2**	Fluorbenzol	C_6H_5F	C_6H_5F	96,10	Fl.
237	**−41,0** bis **40,0**	2-Jodthiophen	C_4H_3JS	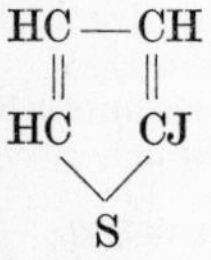	210,04	Fl.
238	**−40,6**	Oxalsäurediäthylester	$C_6H_{10}O_4$	$H_5C_2O\cdot OC\cdot CO\cdot OC_2H_5$	146,14	Öl
239	**−40,0**	Milchsäurenitril	C_3H_5NO	$CH_3\cdot CH(OH)\cdot CN$	71,08	Fl.
240	**−40,0**	Thiophen	C_4H_4S	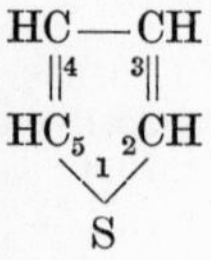	84,14	
241	**−40,0**	Zinkdimethyl	C_2H_6Zn	$(CH_3)_2Zn$	95,45	Fl.
242	**−39,8**	3-Bromtoluol	C_7H_7Br	$CH_3\cdot C_6H_4\cdot Br$	171,04	Fl.
243	**−39,0**	Benzylchlorid	C_7H_7Cl	$C_6H_5\cdot CH_2Cl$	126,58	Fl.
244	**−39,0**	Vinylessigsäure	$C_4H_6O_2$	$CH_2{:}CH\cdot CH_2\cdot COOH$	86,09	Fl.
245	**−38,6**	sek.-Octylalkohol	$C_8H_{18}O$	$CH_3\cdot (CH_2)_5\cdot CH(OH)\cdot CH_3$	130,22	Fl.
246	**−38,5**	Essigsäureoctylester (Octylacetat)	$C_{10}H_{20}O_2$	$CH_3\cdot CO\cdot OC_8H_{17}$	172,18	Fl.

Lfd. Nr.	Spez. Gewicht	Siedepunkt °C	Beilsteinzitat	Physikalische Konstanten und Eigenschaften	Löslichkeit	Reaktionen
	8	9	10	11	12	13
236	$1{,}0236^{20°}$	85 —0,45 (20 mm)	V 198	$^{n}D^{20}$ 1,46673; $^{R}D^{20}$ 26,00 cm^3; $^{n}F^{20}$ 146,0	0,15 W 30° l. in A	
237		73 (15 mm)	XVII 34			
238	$1{,}0785^{20°}$	185 95,9 (20 mm)	II 535	$^{n}D^{20}$ 1,41043; $^{R}D^{20}$ 33,57 cm^3; $^{n}F^{20}$ 74,0 Dampfdruck 60° 1,81 mm Hg	wl. in W ll. in Ae ∞ A	
239	$0{,}988^{20°}$	183 79 (25 mm)	III 284	$^{n}D^{18,4}$ 1,40582; $^{R}D^{18,4}$ 17,59 cm^3	∞ W, A l. in Ae	
240	$1{,}0705^{15°}$	84	XVII 29	$^{n}D^{20}$ 1,52853; $^{R}D^{20}$ 24,35 cm^3; $^{n}F^{20}$ 172,8; Oberflächenspannung 19° 36,0 dyn/cm, 87° 22,8 dyn/cm; schwacher, laugenartiger Geruch	unl. in W l. in A, Bzl.	mit nitrithaltiger H_2SO_4 → zuerst grüne, dann blaue Färbung + $SbCl_5$ in CCl_4 → grün + Phenanthrenchinon → tiefgrüne Flocken
241	$1{,}386^{10°}$	46	IV 671	riecht widerlich	l. in Ae	+ H_2O → Zers.
242	$1{,}4099^{20°}$	183,7 76,7 (20 mm)	V 305	$^{n}D^{20}$ 1,5546; $^{R}D^{20}$ 38,60 cm^3; Dampfdruck 30° 1,48 mm Hg	unl. in W l. in A	
243	$1{,}1002^{20°}$	179,4 64 (12 mm)	V 292	$^{n}D^{15,4}$ 1,5415; $^{R}D^{15,4}$ 35,72 cm^3; $^{n}F^{15,4}$ 175,0; Dampfdichte 4,4; Litergewicht d. Dampfes 5,26 g; riecht stark stechend; Dampf ist tränenreizend	unl. in k. W ∞ A, Ae	+ sied. W → Benzylalkohol
244	$1{,}013^{15°}$	163	II 407	$^{n}D^{20}$ 1,42386		+ sied. H_2SO_4 oder + HBr → Crotonsäure Amid *Fp* 72° Anilid *Fp* 58°
245	$0{,}8199^{20°}$	179	I 419	$^{n}D^{15}$ 1,43230; $^{R}D^{15}$ 40,58 cm^3; $^{n}F^{15}$ 78,9	0,15 W 15°	3,5-Dinitrobenzoat *Fp* 32,2° Phenylurethan *Fp* 114° α-Naphthylurethan *Fp* 63°
246		211,8				

Lfd. Nr.	Fp	Name	Summen-formel	Strukturformel	Mol.-Ge-wicht	Aggregat-zustand Farbe
1	2	3	4	5	6	7
247	−38,1	N,N-Diäthylanilin	$C_{10}H_{15}N$	$C_6H_5 \cdot N(C_2H_5)_2$	149,23	Öl
248	−37,6	Isovaleriansäure	$C_6H_{10}O_2$	$CH_3 \cdot CH(CH_3) \cdot CH_2 \cdot COOH$	102,13	Fl.
249	−37,2	Anisol (Phenylmethyläther)	C_7H_8O	$C_6H_5 \cdot O \cdot CH_3$	108,13	Fl.
250	−37,2	Dipropylcarbinol	$C_7H_{16}O$	$C_3H_7 \cdot CH(OH) \cdot C_3H_7$	116,20	Fl.
251	−36,5	Furfurol	$C_5H_4O_2$	HC—CH, HC C·CHO, O	96,08	Öl
252	−36,2	Trimethylendibromid (1,3-Dibrompropan)	$C_3H_6Br_2$	$CH_2Br \cdot CH_2 \cdot CH_2Br$	201,91	Fl.
253	−36,0	trans-Dekalin	$C_{10}H_{18}$	$H_2C \cdot CH_2 \cdot CH \cdot CH_2 \cdot CH_2$, $H_2C \cdot CH_2 \cdot CH \cdot CH_2 \cdot CH_2$	138,24	Fl.
254	−35,5	2,4-Dichlorthiophen	$C_4H_2Cl_2S$	ClC—CH, HC CCl, S	153,03	Fl.

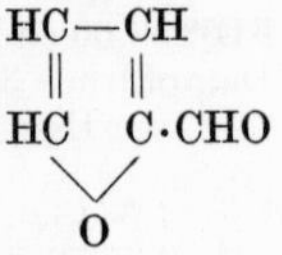

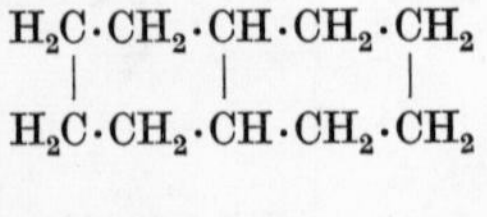

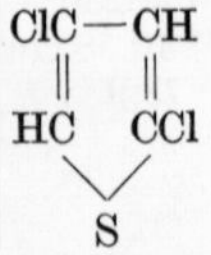

Lfd. Nr.	Spez. Gewicht	Siedepunkt °C	Beilsteinzitat	Physikalische Konstanten und Eigenschaften	Löslichkeit	Reaktionen
	8	9	10	11	12	13
247	$0,9351^{20°}$	215,5 92,75 (14 mm)	XII 164	$^{n}D^{20}$ 1,54206; $^{R}D^{20}$ 50,19 cm³; $^{n}F^{20}$ 220,3	wl. in W l. in A, Chlf., Eg.	Platindoppelsalz, gelbe Kristalle Pikrat *Fp* 142° 1,3,5-Trinitrobenzolat *Fp* 42 bis 42,5°, schwarze Prismen Salz d. 2,4,6-Trinitroresorcins *Fp* 159°, gelbe Nadeln Salz der 2,4,6-Trinitrobenzoesäure *Fp* 115—116°, farblose Prismen
248	$0,9332^{17°}$	176,7	II 309	$^{n}D^{20}$ 1,40433; $^{R}D^{20}$ 26,90 cm³; $^{n}F^{20}$ 71,7; riecht nach Baldrian und faulem Käse	4,24 W 20° ∞ A, Ae	Silbersalz stark glänzende Dendriten Hydrazid *Fp* 68° p-Bromphenacylester *Fp* 68° p-Phenylphenacylester *Fp* 76° Anilid *Fp* 115° p-Toluidid *Fp* 107°
249	$0,9961^{20°}_{4°}$	153,8 37,2 (20 mm)	VI 138	$^{n}D^{21,8}$ 1,51503; $^{R}D^{21,8}$ 33,00 cm³; $^{n}F^{21,8}$ 172,6; riecht angenehm	unl. in W l. in A, Ae	+ Vanillin und HCl → kirschrot bei 180° Zers. in Phenol und Äthylen + p-Nitrobenzoylchlorid → 4′-Nitro-4-methoxybenzophenon *Fp* 120,5—121°
250	$0,8183^{20°}$	156	I 415	$^{n}D^{17,7}$ 1,42173; $^{R}D^{17,7}$ 34,94 cm³; $^{n}F^{17,7}$ 72,6; riecht nach Pfefferminz	l. in A, Ae	3,5-Dinitrobenzoat *Fp* 64° α-Naphthylurethan *Fp* 80°
251	$1,1594^{20°}$	161,6	XII 272	$^{n}D^{20}$ 1,52608; $^{R}D^{20}$ 25,43 cm³; $^{n}F^{20}$ 270,4; mit W-Dampf flüchtig	8,3 W 20° ll. in A, Ae	+ Anilinacetat → rote Färbung + Benzidin in Essigsäure → rotviolett 5 ml Substanz + 5 ml HCl + 0,02 g Orcin langsam zum Sieden erhitzen → blaugrün (E 1:800000) Oxim *Fp* 48° Semicarbazon *Fp* 202° Phenylhydrazon *Fp* 97—98° 2,4-Dinitrophenylhydrazon *Fp* 229°
252	$1,9874^{15°}$	167,0	I 110		0,168 W 30° l. in A, Ae	
253	$0,8695^{20°}$	185	V 92	$^{n}D^{18}$ 1,48035; $^{R}D^{18}$ 43,85 cm³; $^{n}F^{18}$ 84,9	unl. in W l. in A, Ae	1 (ml) alkohol. Lsg. (1 Subst. in 50 95%ig. A) + 1 30%ig. CH_2O-Lsg. + 10 HCl (1,19) → gelb → orange
254		174 bis 175	XVII 35	$^{n}D^{24}$ 1,5665		

Lfd. Nr.	*Fp*	Name	Summen- formel	Strukturformel	Mol.- Ge- wicht	Aggrega- zustand Farbe
1	2	3	4	5	6	7
255	**−35,5**	1,1,2-Trichloräthan	$C_2H_3Cl_3$	$CH_2Cl \cdot CHCl_2$	133,42	Fl.
256	**−35,3**	Äthylenchlorid (1,2-Dichloräthan)	$C_2H_4Cl_2$	$CH_2Cl \cdot CH_2Cl$	98,97	Fl.
257	**−35,0**	1,5-Dibrompentan (Pentamethylen-bromid)	$C_5H_{10}Br_2$	$CH_2Br \cdot (CH_2)_3 \cdot CH_2Br$	229,99	Fl.
258	**−35,0**	Isocapronsäure (Isobutylessigsäure)	$C_6H_{12}O_2$	$(CH_3)_2CH \cdot (CH_2)_2 \cdot COOH$	116,16	Öl
259	**−35,0**	Methylheptylcarbinol	$C_9H_{20}O$	$CH_3 \cdot (CH_2)_6 \cdot CH(OH) \cdot CH_3$	144,25	Fl.
260	**−34,6**	2,2-Dichlorpropan	$C_3H_6Cl_2$	$CH_3 \cdot CCl_2 \cdot CH_3$	112,99	Fl.
261	**−34,6**	n-Heptylalkohol [Heptanol-(1)]	$C_7H_{16}O$	$CH_3 \cdot (CH_2)_5 \cdot CH_2OH$	116,20	Fl.
262	**−34,5**	n-Valeriansäure	$C_5H_{10}O_2$	$CH_3 \cdot (CH_2)_3 \cdot COOH$	102,13	Fl.
263	**−34,0**	Benzoesäureäthylester	$C_9H_{10}O_2$	$C_6H_5 \cdot CO \cdot OC_2H_5$	150,17	Fl.
264	**−34,0**	2-Chlortoluol	C_7H_7Cl	$CH_3 \cdot C_6H_4 \cdot Cl$	126,58	Fl.

Lfd. Nr.	Spez. Gewicht	Siedepunkt °C	Beilsteinzitat	Physikalische Konstanten und Eigenschaften	Löslichkeit	Reaktionen
	8	9	10	11	12	13
255	$1,441^{25°}$	113,5	I 85	$^{n}D^{22}$ 1,47192; $^{R}D^{22}$ 25,83 cm^3; $^{n}F^{22}$ 93,5	l. in A	
256	$1,2576^{17°}$	83,7 −1,46 (20 mm)	I 84	$^{n}D^{20}$ 1,44432; $^{R}D^{20}$ 21,01 cm^3; $^{n}F^{20}$ 83,5; Dampfdruck 20° 63 mm Hg; Flammpunkt 14,5°; Oberflächenspannung 29,9° 30,1 dyn/cm; ebullioskop. Konst. 3,12; schwacher chloroformartiger Geruch	0,865 W 25° l. in A, Ae	
257	$1,706^{18°}$	221	I 131	mit Dampf flüchtig; riecht aromatisch	unl. in W l. in A, Ae	
258	0,924	199,2 bis 199,7 100,01 (14 mm)	II 327	riecht sehr unangenehm	l. in A	Amid *Fp* 179° Anilid *Fp* 111° p-Toluidid *Fp* 63° p-Phenylphenacylester *Fp* 70° Oxydation mit alkal. $KMnO_4$ → Isocaprolacton *Fp* 7—8°
259	$0,8471^{20°}$	193–194	I 423		l. in A, Ae	
260	$1,0966^{15°}$	69,7	I 105		l. in A	
261	$0,8787^{25°}$	174,0 86,0 (20 mm)	I 414	$^{n}D^{20}$ 1,425; $^{n}F^{20}$ 74,0; Dampfdruck 60° 4,4 mm Hg	swl. in W ∞ A, Ae	3,5-Dinitrobenzoat *Fp* 47—48,5° Phenylurethan *Fp* 60° α-Naphthylurethan *Fp* 62°, Nadeln
262	$0,9397^{19°}$	185,4 93,65 (20 mm)	II 299	$^{n}D^{15}$ 1,41049; $^{R}D^{15}$ 26,83 cm^3; $^{n}F^{15}$ 73,5; riecht ähnlich wie Buttersäure	3,7 W 16° ∞ A, Ae	p-Chlorphenacylester *Fp* 97,8° Silbersalz → glänzende, wollige Nadeln (dient zur quantitativen Bestimmung) Anilid *Fp* 63° p-Toluidid *Fp* 70°
263	$1,0509^{15°}$	212,9 94,05 (14 mm)	IX 110	$^{n}D^{20}$ 1,50602; $^{R}D^{20}$ 42,58 cm^3; $^{n}F^{20}$ 161,1; Oberflächenspannung 25° 34,6 dyn/cm; Dämpfe sind hustenreizend	0,1 W 60° l. in A, Ae	wss. Lsg. + $FeCl_3$ + Essigsäure + H_2O_2 → violett
264	$1,0187^{20°}$	159,5 56,30 (20 mm)	V 290	Dampfdruck 40° 81,4 mm Hg	unl. in W l. in A	

Lfd. Nr.	*Fp*	Name	Summenformel	Strukturformel	Mol.-Gewicht	Aggregatzustand Farbe
1	2	3	4	5	6	7
265	**—34,0**	Dibromdimethyläther	$C_2H_4Br_2O$	$CH_2Br \cdot O \cdot CH_2Br$	203,88	Fl.
266	**—34,0**	Di-n-propylketon [Heptanon-(4)]	$C_7H_{14}O$	$C_3H_7 \cdot CO \cdot C_3H_7$	114,18	Fl.
267	**—33,6**	tert.-Butyljodid	C_4H_9J	$(CH_3)_3C \cdot J$	184,02	Fl.
268	**—32,0**	Dimethylsulfat	$C_2H_6O_4S$	$(CH_3O)_2SO_2$	126,13	Öl
269	**—31,3**	Jodbenzol	C_6H_5J	C_6H_5J	204,01	Fl.
270	**—31,0**	Glykoldiacetat	$C_6H_{10}O_4$	$(CH_3 \cdot CO \cdot OCH_2—)_2$	146,14	Fl.
271	**—31,0**	γ-Valerolacton	$C_5H_8O_2$	H_2C — CH_2 | | $OC \cdot O \cdot CH \cdot CH_3$	100,11	Fl.
272	**—31,0**	Tetralin (1,2,3,4-Tetrahydronaphthalin)	$C_{10}H_{12}$	$C_6H_4 \langle$ $CH_2 \cdot CH_2$ | $CH_2 \cdot CH_2$	132,20	Fl.
273	**—30,6**	Brombenzol	C_6H_5Br	C_6H_5Br	157,02	zerfließliche Nadeln Fl.
274	**—30,2**	Phenetol	$C_8H_{10}O$	$C_6H_5 \cdot O \cdot C_2H_5$	122,16	Fl.

Lfd. Nr.	Spez. Gewicht	Siedepunkt °C	Beilsteinzitat	Physikalische Konstanten und Eigenschaften	Löslichkeit	Reaktionen
	8	9	10	11	12	13
265	$2,203^{20°}$	154–155	I 582	Dampfdichte 7,0; Flüchtigkeit 20° 21100 mg/m^3; Viskosität 20° 1,1; Ausdehnungskoeffizient 0,0009	unl. in W l. in Ae, Bzl., Aceton	
266	$0,8205^{15°}$	144,1	I 699	mit Dampf flüchtig; riecht durchdringend; schmeckt brennend	swl. in W ∞ A, Ae	Semicarbazon, *Fp* 133° 2,4-Dinitrophenylhydrazon *Fp* 75°
267	$1,571^{0°}$	98−99	I 129			+ H_2O → tert.-Butylalkohol + HJ
268	$1,3276^{20°}$	188,5 (Zers.) 96° (15 mm)	I 283	Dampfdichte 4,3; Dampfdruck 20° 1,3874 mm Hg; Flüchtigkeit 20° 3300 mg/cm^3; greift Schleimhäute an; giftig	l. in A, Ae, Bzl., Chlf. 2,8 k. W	+ H_2O → Zers.
269	$1,8228^{25°}$	188,5 72,22 (20 mm)	V 215	$^nD^{18,5}$ 1,62145; $^RD^{18,5}$ 39,12 cm^3; $^nF^{18,5}$ 252,6; Dampfdruck 60° 2,15 mm Hg		
270	$1,4959^{17°}$	190,2	II 142	explodiert durch Schlag	14,3 W 22° ∞ A, Ae	
271	$1,057^{18°}$	207–208	XVII 235		∞ W	
272	$0,9732^{18°}$	206–207	V 491	$^nD^{17,8}$ 1,48035; $^RD^{17,8}$ 84,9 cm^3; $^nF^{17,8}$ 43,85; Oberflächenspannung 19,3° 34,21 dyn/cm; ebullioskop. Konst. 5,58; Flammpunkt 78°; färbt sich an der Luft gelb	unl. in W ll. in A, Ae ∞ Bzl., Benzin, Amylalkohol	+ konz. H_2SO_4 → weingelb 1 ml einer alkoh. Lsg. von 1 ml Tetralin in 50 ml 95%ig. A + 1 ml 30%ig. CH_2O-Lsg.: 1). + 10 ml HCl → zitronengelb (zum Sieden erhitzen) 2). + 2 ml konz. H_2SO_4 → rotbraun → weinrot 3). + 5 ml 95%ig. A + 2 Tropfen 2%ig. alkoh. Furfurol-Lsg. + 10 ml HCl (oder 2 ml H_2SO_4) zum Sieden erhitzen → blau
273	$1,5219^{0°}$	155,6 53,32 (20 mm)	V 206	$^nD^{20}$ 1,55977; $^RD^{20}$ 33,93 cm; $^nF^{20}$ 192,3; Oberflächenspannung 20° 28,88 dyn/cm; Dampfdruck 20° 5,50 mm Hg	0,045 W 30° ll. in A sll. in Ae	p-Sulfochlorid *Fp* 75−76° p-Sulfamid *Fp* 165°
274	$0,9666^{20°}$	172,0 71,6 (20 mm)	VI 140	$^nD^{20}$ 1,50736; Dampfdruck 40° 3,3 mm Hg; riecht aromatisch	unl. in W ll. in A, Ae	Pikrat *Fp* 92°

Lfd. Nr.	Fp	Name	Summen-formel	Strukturformel	Mol.-Ge-wicht	Aggregat-zustand Farbe
1	2	3	4	5	6	7
275	—30,0	n-Decan	$C_{10}H_{22}$	$CH_3 \cdot (CH_2)_8 \cdot CH_3$	142,28	Fl.
276	—30,0 bis —25,0	2,4-Dibromthiophen	$C_4H_2Br_2S$	$\begin{array}{cc} BrC\!\!-\!\!CH \\ \|\quad\| \\ HC\quad CBr \\ \diagdown\!\diagup \\ S \end{array}$	241,95	Öl
277	—29,5	Butyraldoxim	C_4H_9NO	$C_2H_5 \cdot CH_2 \cdot CH\!:\!NOH$	87,12	Fl.
278	—29,2	Nitromethan	CH_3NO_2	$CH_3 \cdot NO_2$	61,04	Öl
279	—29,0	Glutarsäuredinitril	$C_5H_6N_2$	$NC \cdot (CH_2)_3 \cdot CN$	94,11	Fl.
280	—29,0	Pentachloräthan	C_2HCl_5	$CCl_3 \cdot CHCl_2$	202,31	Fl.
281	—28,5	tert.-Butylchlorid	C_4H_9Cl	$(CH_3)_3C \cdot Cl$	92,57	Fl.
282	—28,2	β,β-Difluoräthylalkohol	$C_2H_4F_2O$	$CHF_2 \cdot CH_2OH$	82,05	Fl.
283	—28,0	Zinkdiäthyl	$C_4H_{10}Zn$	$(C_2H_5)_2Zn$	123,50	Fl.
284	—27,9	Dicyan	C_2N_2	$NC \cdot CN$	52,04	Gas
285	—27,5	Bleitetramethyl	$C_4H_{12}Pb$	$(CH_3)_4Pb$	267,35	Fl.
286	—27,0	Cyclooctatetraen	C_8H_8	$\begin{array}{c} HC\!:\!CH \cdot CH\!:\!CH \\ \mid\qquad\qquad\mid \\ HC\!:\!CH \cdot CH\!:\!CH \end{array}$	104,14	gelbes Öl
287	—27,0	symm. Dichlordibrom-äthan	$C_2H_2Br_2Cl_2$	$Br \cdot CHCl \cdot ClCH \cdot Br$	256,78	
288	—26,5	β-Fluoräthylalkohol	C_2H_5FO	$CH_2F \cdot CH_2OH$	64,06	Fl.
289	—26,5	Undecan	$C_{11}H_{24}$	$CH_3 \cdot (CH_2)_9 \cdot CH_3$	156,30	Fl.

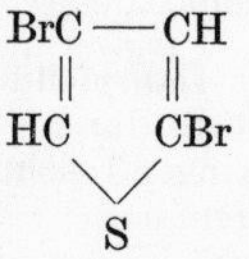

Lfd. Nr.	Spez. Gewicht	Siedepunkt °C	Beilsteinzitat	Physikalische Konstanten und Eigenschaften	Löslichkeit	Reaktionen
	8	9	10	11	12	13
275	0,7304^20°^	173 69,45 (20 mm)	I 168	$^nD^{20}$ 1,41203; $^RD^{20}$ 48,25 cm³; $^nF^{20}$ 73,4; Dampfdruck 50° 2,08 mm Hg	unl. in W l. in A, Ae	
276	$2{,}147^{23°}_{23°}$	210	XVII 33	$^nD^{22,8}$ 1,63039; mit Dampf flüchtig	unl. in W	
277	$0{,}923^{20°}$	152 (715mm)	I 663		1,08 W	
278	$1{,}1322^{20°}$	100,9	I 74	$^nD^{15}$ 1,38411; $^RD^{15}$ 12,49 cm³; $^nF^{15}$ 91,9; ebullioskop. Konst. 1,95	wl. in W l. in A, Ae	+ Alkali → Nitroacetaldoxim (Methazonsäure) *Fp* 79—80°
279	$0{,}995^{15°}_{15°}$	281	II 635	Dampfdruck 20° 7 mm Hg	l. in W, A unl. in Ae	
280	$1{,}693^{10°}$	161,9 55,4 (20 mm)	I 87	$^nD^{15}$ 1,50542; $^RD^{15}$ 35,57 cm³; $^nF^{15}$ 102,0; Dampfdruck 20° 7 mm Hg; riecht wie Chloroform	unl. in W l. in A, Ae	
281	$0{,}8471^{15°}_{15°}$	51	I 125	$^nD^{15}$ 1,40096; $^RD^{15}$ 25,73 cm³; $^nF^{15}$ 72,5		+ sied. W → tert.-Butylalkohol
282	$1{,}3084^{17°}$	96	I 336		∞ W, A, Ae	
283	$1{,}182^{18°}$	118	IV 672	riecht durchdringend; entzündet sich an der Luft	l. in Ae	+ H_2O zers.
284		—21,2	II 549	Dampfdruck 20° 37,20 mm Hg; giftig	350 ml W 30° 2600 ml A 20° 500 ml Ae 20°	
285	$1{,}9952^{20°}$	110	IV 639	giftig	unl. in W l. in A, Ae	
286	$0{,}923^{20°}$	42 (17 mm)	E_1 V 228	riecht süßlich		
287		195				
288	$1{,}1112^{18°}$	103,4	E_1 I 170		∞ W	
289	$0{,}7411^{20°}_{4°}$	194,5 87,1 (20 mm)	I 170	$^nD^{20}$ 1,41730; $^RD^{20}$ 52,38 cm³; $^nF^{20}$ 72,0	unl. in W ∞ A, Ae	

Lfd. Nr.	Fp	Name	Summen-formel	Strukturformel	Mol.-Ge-wicht	Aggregat-zustand Farbe
1	2	3	4	5	6	7
290	**—26,2**	2,3-Dichlorthiophen	$C_4H_2Cl_2S$	$\begin{array}{l} HC - CCl \\ \quad \| \quad\ \| \\ HC \quad\ CCl \\ \quad \backslash \ / \\ \quad\ S \end{array}$	153,03	Fl.
291	**—26,0**	Benzaldehyd	C_7H_6O	$C_6H_5 \cdot CHO$	106,12	Fl.
292	**—26,0**	Chloressigsäureäthyl-ester	$C_4H_7ClO_2$	$CH_2Cl \cdot CO \cdot OC_2H_5$	122,55	Fl.
293	**—26,0**	Dibenzylamin	$C_{14}H_{15}N$	$(C_6H_5 \cdot CH_2)_2NH$	197,27	Öl
294	**—26,0**	Tetrolaldehyd	C_4H_4O	$CH_3 \cdot C\vdots C \cdot CHO$	68,07	Fl.
295	**—26,0**	1,1,2-Tribromäthan	$C_2H_3Br_3$	$CH_2Br \cdot CHBr_2$	266,80	Fl.
296	**—25,8**	2-Bromtoluol	C_7H_7Br	$CH_3 \cdot C_6H_4 \cdot Br$	171,04	Fl.
297	**—25,8**	Triisobutylamin	$C_{12}H_{27}N$	$[(CH_3)_2CH \cdot CH_2]_3N$	185,34	Fl.
298	**—25,3**	o-Xylol	C_8H_{10}	$\begin{array}{l} \hexagon \ CH_3 \\ \quad\quad CH_3 \end{array}$	106,16	Fl.

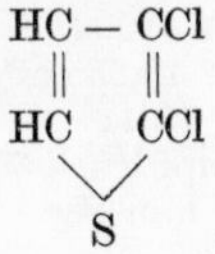

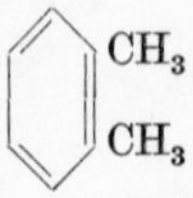

Lfd. Nr.	Spez. Gewicht	Siedepunkt °C	Beilsteinzitat	Physikalische Konstanten und Eigenschaften	Löslichkeit	Reaktionen
	8	9	10	11	12	13
290		173–174	XVII 36	$^{n}D^{21,7}$ 1,56866		
291	$1{,}0498^{20°}$	178,1 66,45 (14 mm)	VII 174	$^{n}D^{20}$ 1,54638; $^{R}D^{20}$ 32,0 cm³; $^{n}F^{20}$ 232,1; Oberflächenspannung 15,4° 39,19 dyn/cm; mit Dampf flüchtig; riecht bittermandelartig; schmeckt brennend aromatisch	0,3 W ∞ A, Ae	+ Acenaphthen und konz. H_2SO_4 → rotviolett 1 Tropfen Benzaldehyd + 1 bis 2 ml rauchende HNO_3 1 bis 2 Minuten schütteln + gleiche Menge W + 1 ml Aceton, mit NaOH alkalisch machen → blauer Nd. von Indigo Oxim *Fp* 35° Semicarbazon *Fp* 221—222° Phenylhydrazon *Fp* 156° p-Nitrophenylhydrazon *Fp* 192—193° α-Naphthylhydrazon *Fp* 144—145°, gelbe Nadeln oder Blättchen Benzalazin *Fp* 93° Benzalanilin *Fp* zuerst 48°, nach dem Erstarren bei 45°
292	$1{,}159^{20°}$	143,6	II 197	$^{n}D^{20}$ 1,42271; $^{R}D^{20}$ 26,91 cm³; $^{n}F^{20}$ 75,6; Dampfdichte 4,46	l. in A	+ H_2O Zers.
293	$1{,}026^{21°}$	270 (250mm)	XII 1035		unl. in W ll. in A, Ae	Benzolsulfonylderivat *Fp* 68° p-Toluolsulfonylderivat *Fp* 81°
294	$0{,}9265^{17°}_{0°}$	107	E_1 I 388	riecht stechend	wl. in W l. in A, Ae	Semicarbazon *Fp* 158°
295	$2{,}5790^{20°}$	187–188 (721mm)	I 93	$^{n}D^{20}$ 1,58902; $^{R}D^{20}$ 34,86 cm³; $^{n}F^{20}$ 162,0	l. in A	
296	$1{,}4222^{20°}$	181 75,1 (20 mm)	V 304	$^{n}D^{20}$ 1,5546; $^{R}D^{20}$ 36,60 cm³; Dampfdruck 20° 1,00 mm Hg	unl. in W l. in A	
297	$0{,}771^{17°}$	184–186	IV 166	$^{n}D^{17,3}$ 1,42519; $^{R}D^{17,3}$ 61,44 cm³	unl. in W	
298	$0{,}8812^{20°}$	144 45,2 (20 mm)	V 362	$^{n}D^{15,5}$ 1,50777; $^{R}D^{15,5}$ 35,77 cm³; $^{n}F^{15,5}$ 159,2; Dampfdruck 20° 4,6 mm Hg; riecht angenehm	swl. in W ll. in A, Ae	1—2 ml Subst. + 2 ml (1 Vol. $SbCl_5$ + 2 Vol. CCl_4) → rot Pikrat *Fp* 88° 4-Sulfochlorid *Fp* 51—52°, prismat. Nadeln 3-Sulfamid *Fp* 167°, Nädelchen Tetrabrom-o-xylol *Fp* 258°, weiche Nadeln

Lfd. Nr.	*Fp*	Name	Summen-formel	Strukturformel	Mol.-Gewicht	Aggregat-zustand Farbe
1	2	3	4	5	6	7
299	**−25,2**	akt. Carvon (1-Methyl-4-isopropenyl-Δ^6-cyclohexen-2-on)	$C_{10}H_{14}O$	$CH_3\cdot C\Big\langle{}^{CO-CH_2}_{CH-CH_2}\Big\rangle CH\cdot C\Big\langle{}^{CH_3}_{CH_2}$	150,21	Fl.
300	**−25,0**	Kakodyloxyd	$C_4H_{12}As_2O$	$[(CH_3)_2As]_2O$	225,95	Fl.
301	**−24,7**	Tetrachlorkohlenstoff	CCl_4	CCl_4	153,84	Fl.
302	**−24,6**	Benzylcyanid (α-Tolunitril)	C_8H_7N	$C_6H_5\cdot CH_2\cdot CN$	117,14	Fl.
303	**−24,5**	Diäthylsulfat	$C_4H_{10}O_4S$	$(C_2H_5O)_2SO_2$	154,19	Öl
304	**−24,4**	m-Dichlorbenzol	$C_6H_4Cl_2$	$Cl\cdot C_6H_4\cdot Cl$	147,01	Fl.
305	**−24,4**	o-Toluidin (α-Form)	C_7H_9N	$CH_3\cdot C_6H_4\cdot NH_2$	107,15	Fl.
306	**−24,0**	1,2,3,5-Tetramethyl-benzol (Isodurol)	$C_{10}H_{14}$	$C_6H_2(CH_3)_4$	134,21	Fl.
307	**−23,8**	Glutarsäurediäthylester	$C_9H_{16}O_4$	$CH_2(CH_2\cdot CO\cdot OC_2H_5)_2$	188,22	Fl.
308	**−23,2**	Acetylaceton	$C_5H_8O_2$	$CH_3\cdot CO\cdot CH_2\cdot CO\cdot CH_3$	100,11	Fl.

Lfd. Nr.	Spez. Gewicht	Siedepunkt °C	Beilsteinzitat	Physikalische Konstanten und Eigenschaften	Löslichkeit	Reaktionen
	8	9	10	11	12	13
299	$0{,}9652^{15°}_{15°}$	230–231 91–92 (10 mm)	VII 157	$^{n}D^{20}$ 1,4988; $[\alpha]^{20}_{D} = 62{,}4°$	unl. in W ll. in A	+ $FeCl_3$ in A → grün Oxim *Fp* 72° Komplex mit MgJ_2 + Ae Doppel-*Fp* 85° und 125°
300	$1{,}4943^{0°}$	150–151	IV 608	riecht widerlich; Dampf greift Augen an	wl. in W ll. in A, Ae	Hg- und Ag-Oxyde werden durch Kakodyloxyd reduziert
301	$1{,}5985^{18°}$	76,75 —9,17 (20 mm)	I 64	$^{n}D^{20}$ 1,46072; $^{R}D^{20}$ 26,51 cm^3; $^{n}F^{20}$ 96,6; Oberflächenspannung 20° 25,68 dyn/cm; ebullioskop. Konst. 4,88; kryoskop. Konst. 29,8; Dampfdruck 20° 17 mm Hg; Dampfdichte 5,310; riecht chloroformartig süßlich; nicht brennbar; wirkt anästhesierend	0,077 W 25° ∞ A, Ae, Bzl., CS_2, Benzin, Aceton	mit CuCl wird Lsg. schmutzig dunkelrot, in 2—3 Minuten dunkelblau
302	$1{,}016^{20°}$	233–234	IX 441	$^{n}D^{20,2}$ 1,52422; $^{R}D^{20,2}$ 35,22 cm^3	l. in A, Ae	
303	$1{,}1837^{15°}$	208	I 327	riecht nach Pfefferminz	unl. in W l. in A, Ae, Bzl.	> 200° → Zers.
304	$1{,}2881^{26°}$	172	V 202		swl. in W l. in A	
305	$0{,}9986^{20°}$	200,7 112 (20 mm)	XII 772	$^{n}D^{20}$ 1,57276; $^{R}D^{20}$ 35,33 cm^3; $^{n}F^{20}$ 229,5	1,50 W 20° ll. in A, Ae	2 Tropfen Subst. in 20 ml Ae + 20 ml W + tropfenweise Chlorkalk-Lsg. wss. Schicht → gelb-braun, + Anilin → rot-violett Hydrochlorid *Fp* 214,5 bis 215°, Prismen Pikrat, *Fp* 212—215° Acetylderiv. *Fp* 110°, Nadeln Benzoylderiv. *Fp* 145—146°, Nadeln
306	$0{,}896^{0°}$	195–197	V 430	$^{n}D^{16}$ 1,52031; $^{R}D^{16}$ 45,10 cm^3; $^{n}F^{16}$ 157,1	unl. in W l. in A, Ae	
307	$1{,}0270^{15°}$	233,7	II 633		swl. in W ll. in A	
308	$0{,}977^{19°}$	137,5	I 777	Oberflächenspannung 25,2° 29,2 dyn/cm; riecht nach Aceton und Essigsäure	12,5 W 20° ∞ A, Ae, Bzl. l. in Chlf. mit tiefblauer Farbe	+ $FeCl_3$ → intensiv rot; + o-Phenylendiamin in alkohol. essigsaurer Lsg. → violett Kupferacetylaceton blaue Krist. Oxim *Fp* 149° 2,4-Dinitrophenylhydrazon *Fp* 209°

Lfd. Nr.	Fp	Name	Summen-formel	Strukturformel	Mol.-Ge-wicht	Aggregat zustand Farbe
1	2	3	4	5	6	7
309	—23,0	n-Heptylamin	$C_7H_{17}N$	$CH_3 \cdot (CH_2)_6 \cdot NH_2$	114,21	Fl.
310	—22,4	Tetrachloräthylen (Perchloräthylen)	C_2Cl_4	$CCl_2 : CCl_2$	165,85	Fl.
311	—22,0	6-Methylchinolin	$C_{10}H_9N$	$C_9H_6N \cdot CH_3$	143,18	Fl.
312	—22,0	Diazoessigester	$C_4H_6N_2O_2$	$N : N : CH \cdot CO \cdot OC_2H_5$	114,10	gelbes Öl
313	—22,0	1-Methylnaphthalin	$C_{11}H_{10}$	$C_{10}H_7 \cdot CH_3$	142,19	Öl
314	—21,5	Diphenylsulfid	$C_{12}H_{10}S$	$(C_6H_5)_2S$	186,27	Fl.
315	—21,2	Benzotrichlorid (ω,ω,ω-Trichlortoluol)	$C_7H_5Cl_3$	$C_6H_5 \cdot CCl_3$	195,48	Fl.
316	—21,0	Cadmiumdiäthyl	$C_4H_{10}Cd$	$(C_2H_5)_2Cd$	170,53	Fl.
317	—21,0	1-Methylcyclohexen-(1)-on-(3)	$C_7H_{10}O$	$H_2C \Big\langle \begin{smallmatrix} CO - CH \\ CH_2 - CH_2 \end{smallmatrix} \Big\rangle C - CH_3$	110,78	Fl.
318	—21,0	Phenylsenföl	C_7H_5NS	$C_6H_5 \cdot N : CS$	135,18	Fl.
319	—20,8	Bernsteinsäurediäthyl-ester	$C_8H_{14}O_4$	$C_2H_5O \cdot OC \cdot (CH_2)_2 \cdot CO \cdot OC_2H_5$	174,19	Fl.
320	—20,0	tert.-Butylbromid	C_4H_9Br	$(CH_3)_3C \cdot Br$	137,03	Fl.
321	—20,0	N-Methylindol	C_9H_9N		131,17	
322	—20,0	Methylpropylacetylen [Hexin-(2)]	C_6H_{10}	$CH_3 \cdot C : C \cdot CH_2 \cdot CH_2 \cdot CH_3$	82,14	Fl.
323	—20,0	Tetramethylmethan (2.2-Dimethylpropan)	C_5H_{12}	$C(CH_3)_4$	72,15	

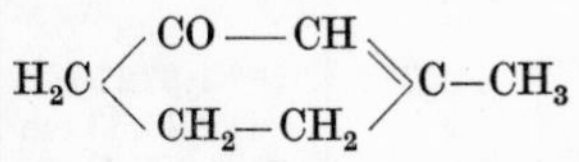

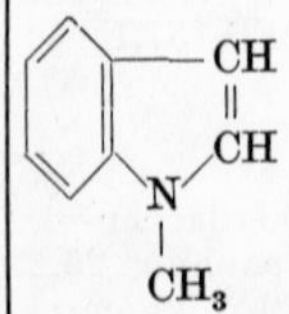

Lfd. Nr.	Spez. Gewicht	Siedepunkt °C	Beilsteinzitat	Physikalische Konstanten und Eigenschaften	Löslichkeit	Reaktionen
	8	9	10	11	12	13
309		155,25				
310	1,6239^15°^	119–120	I 187	$^{n}D^{20}$ 1,50547; $^{R}D^{20}$ 30,33 cm^3; $^{n}F^{20}$ 136,9; ebullioskop. Konst. 5,5; Dampfdruck 20° 17 mm Hg	unl. in W	
311	1,0654^20°^	258,6	XX 397	$^{n}D^{25,4}$ 1,60909; $^{R}D^{25,4}$ 47,03 cm^3; $^{n}F^{25,4}$ 290,9	wl. in W ∞ A, Ae	Pikrat *Fp* 229° Styphnat *Fp* 201° Jodmethylat *Fp* 219°
312	1,085^17°^	45 (12 mm)	XXV 110	stark riechend; mit Dampf flüchtig	wl. in W l. in A, Ae	+ sd. W → Glykolsäureäthylester + N_2; Rk. wird durch H-Ionen beschleunigt
313	1,005^19°^	240–243	V 566	mit Dampf flüchtig	unl. in W ll. in A, Ae	
314	1,1185$^{15°}_{15°}$	296	VI 299		unl. in W ll. in h. A	
315	1,38^14°^	213–214	V 300	$^{n}D^{19,2}$ 1,5584	unl. in W l. in A, Ae	Erhitzen mit W → Benzoesäure
316	1,6531^22°^	64 (19 mm)	IV 677	riecht unangenehm; raucht an der Luft	l. in A, Ae	+ H_2O → Zers.
317	0,9693	200	VII 54	$^{n}D^{20}$ 1,4938	∞ W ll. in A, Bzl.	
318	1,128^25°^	218,5	XII 453	mit W destillierbar	l. in Chlf.	Erhitzen mit W → Thiocarbanilid + CO_2 + H_2S + sd. A → Thiocarbanilsäure-O-äthylester *Fp* 68—72°
319	1,0402^20°^	217,7	II 609		∞ A, Ae	
320	1,1892^22°^	73,3	I 127			
321		239	XX 308	mit W-Dampf flüchtig	unl. in W sll. in A, Bzl.	
322	0,7494	84	I 253			
323		9,5	I 141		wl. in W l. in A, Bzl.	

*

Lfd. Nr.	*Fp*	Name	Summen-formel	Strukturformel	Mol.-Ge-wicht	Aggregat-zustand Farbe
1	2	3	4	5	6	7
324	**−19,7**	Propionsäure	$C_3H_6O_2$	$C_2H_5 \cdot COOH$	74,08	Fl.
325	**−19,5**	Phenylisocyaniddichlorid (Phenylimidophosgen)	$C_7H_5Cl_2N$	$C_6H_5 \cdot N{:}CCl_2$	173,96	gelbliche ölige Fl.
326	**−19,0**	2-Äthylnaphthalin	$C_{12}H_{12}$	$C_{10}H_7 \cdot C_2H_5$	156,22	Fl.
327	**−19,0**	Acetoncyanhydrin	C_4H_7NO	$(CH_3)_2C(OH) \cdot CN$	85,10	Fl.
328	**−18,0**	*β*-Phenyläthylamin	$C_8H_{11}N$	$C_6H_5 \cdot CH_2 \cdot CH_2 \cdot NH_2$	121,17	Fl.
329	**−18,0**	Orthoameisensäureäthylester	$C_7H_{16}O_3$	$HC(OC_2H_5)_3$	148,20	Fl.
330	**−17,5**	o-Dichlorbenzol	$C_4H_6Cl_2$	$Cl \cdot C_6H_4 \cdot Cl$	147,01	Fl.
331	**−17,0**	Acetol (Hydroxyaceton)	$C_3H_6O_2$	$CH_3 \cdot CO \cdot CH_2 \cdot OH$	74,08	Fl.
332	**−17,0**	Benzalchlorid	$C_7H_6Cl_2$	$C_6H_5 \cdot CHCl_2$	161,03	Fl.
333	**−17,0**	l-Chlornaphthalin	$C_{10}H_7Cl$	$C_{10}H_7Cl$	162,61	Fl.
334	**−16,5**	Thioglykolsäure	$C_2H_4O_2S$	$HS \cdot CH_2 \cdot COOH$	92,11	Fl.
335	**−16,3**	o-Toluidin (*β*-Form)	C_7H_9N	$CH_3 \cdot C_6H_4 \cdot NH_2$	107,15	Fl.

Lfd. Nr.	Spez. Gewicht	Siede-punkt °C	Beilstein-zitat	Physikalische Konstanten und Eigenschaften	Löslichkeit	Reaktionen
	8	9	10	11	12	13
324	0,9985$^{15°}$	140,7 52,05 (20 mm)	II 234	$^{n}D^{20}$ 1,3872; $^{R}D^{20}$ 17,47 cm^{3}; $^{n}F^{20}$ 67,4; Oberflächen-spannung 15° 27,91 dyn/cm; ebullioskop. Konst. 3,51; Dampfdruck 20° 2,91 mm Hg; Dissoziationskonst. 1,32·10^{-5} (18°); riecht stechend	∞ W, A, Ae	+ o-Phthalaldehyd → grünlichblau Bariumsalz, durch Verdunsten zur Kristallisation gebracht, → rhombische, oktaedrische Krist. Hydrazid *Fp* 40° p-Nitrobenzylester *Fp* 31° p-Chlorphenacylester *Fp* 98,2° Anilid *Fp* 103° p-Toluidid *Fp* 124°
325	1,30$^{15°}$	210 95 (15 mm)	XII 447	Dampfdruck 20° 0,2210 mm Hg; Dampfdichte 6,03; Flüchtigkeit 20° 2100 mg/cm^{3}; Oberflächen-spannung 52,2 dyn/cm; Geruch nach Zwiebeln	unl. in W l. in A, Chlf., CCl_4	+ Anilin schwach erwärmen → Triphenylguanidin *Fp* 143°
326	1,008$^{0°}$	251	V 569		unl. in W	
327	0,932$^{19°}$	82 (23 mm)	III 316	$^{n}D^{20}$ 1,41502; $^{R}D^{20}$ 22,13 cm^{3}; $^{n}F^{20}$ 77,6	ll. in W, A, Ae	+ Spuren Alkali → Aceton + HCN
328	0,958	198	XII 1096		wl. in W ll. in A l. in Bzl.	zieht CO_2 an
329	0,897	145–146	II 20		sll. in W	
330	1,3348$^{20°}$	179	V 201	$^{n}D^{20}$ 1,549; $^{n}F^{20}$ 176,0	swl. in W l. in A	
331	1,082$^{20°}_{20°}$	145–146 54 (18 mm)	I 821	$^{n}D^{20}$ 1,38193; $^{R}D^{20}$ 33,16 cm^{3}; $^{n}F^{20}$ 63,6; riecht angenehm; anfangs süßer, dann brennender Geschmack	∞ W, A, Ae	Phenylhydrazon *Fp* 103°, Säulen Oxim *Fp* 71°, Prismen mit o-Nitrobenzaldehyd und Alkali in der Kälte → Indigo
332	1,2557$^{14°}$	205,2	V 297	reizt zu Tränen	l. in A	+ H_2O → Benzaldehyd + HCl
333	1,0938$^{20°}$	259,3	V 541	$^{n}D^{20}$ 1,63321; $^{R}D^{20}$ 49,85 cm^{3}; $^{n}F^{20}$ 405,5	unl. in W l. in A, Ae	Pikrat *Fp* 137°
334	1,325$^{20°}$	107–108 (16 mm)	III 244	oxydiert leicht	l. in W, A, Ae	Anilid *Fp* 111° p-Toluidid *Fp* 126°
335						s. Nr. 305

Lfd. Nr.	*Fp*	Name	Summen-formel	Strukturformel	Mol.-Ge-wicht	Aggregat zustand Farbe
1	2	3	4	5	6	7
336	**−16,3**	n-Octylalkohol	$C_8H_{18}O$	$CH_3\cdot(CH_2)_6\cdot CH_2OH$	130,22	Fl.
337	**−16,0**	Carvacrylamin	$C_{10}H_{15}N$	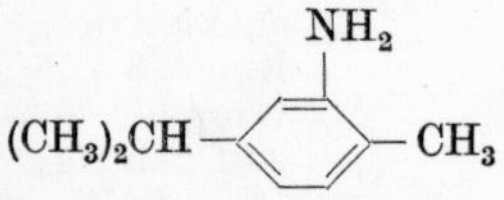	149,23	Öl
338	**−16,0**	Methylhexylketon	$C_8H_{16}O$	$CH_3\cdot(CH_2)_5\cdot CO\cdot CH_3$	128,20	Fl.
339	**−15,3**	Benzylalkohol	C_7H_8O	$C_6H_5\cdot CH_2OH$	108,13	Fl.
340	**−15,0**	Chinolin	C_9H_7N	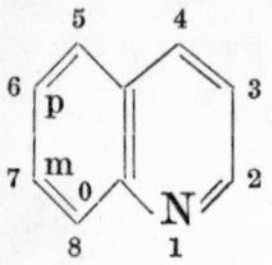	129,15	Fl.
341	**−14,7**	1,2,3-Trichlorpropan	$C_3H_5Cl_3$	$CH_2Cl\cdot CHCl\cdot CH_2Cl$	147,44	Fl.
342	**−14,0**	2-Chloranilin (1-Amino-2-chlor-benzol) [α-Form]	C_6H_6ClN	$Cl\cdot C_6H_4\cdot NH_2$	127,57	Fl.
343	**−14,0**	Dimethylisopropyl-carbinol	$C_6H_{14}O$	$(CH_3)_2C(OH)\cdot CH(CH_3)_2$	102,17	Fl.
344	**−13,8**	cis-α,β-Dijodäthylen	$C_2H_2J_2$	$CHJ:CHJ$	279,88	Fl.

Lfd. Nr.	Spez. Gewicht	Siedepunkt °C	Beilsteinzitat	Physikalische Konstanten und Eigenschaften	Löslichkeit	Reaktionen
	8	9	10	11	12	13
336	$0{,}827^{20°}$	196–197	I 412	$^{n}D^{15}$ 1,43230; $^{R}D^{15}$ 40,58 cm³; $^{n}F^{15}$ 78,9; durchdringender Geruch	swl. in W ∞ A, Ae	3,5-Dinitrobenzoat *Fp* 61—62° Phenylurethan *Fp* 74,2° α-Naphthylurethan *Fp* 66°
337	$0{,}994^{20°}$	240	XII 1171			Hydrochlorid *Fp* 207°
338	$0{,}8179^{21°}$	172,9	I 704	$^{n}D^{20}$ 1,41613; $^{R}D^{20}$ 39,22 cm³; $^{n}F^{20}$ 74,3	∞ A, Ae	Semicarbazon *Fp* 123° p-Nitrophenylhydrazon *Fp* 92—93° 2,4-Dinitrophenylhydrazon *Fp* 58°
339	$1{,}0427^{19°}$	205,2 98,22 (14 mm)	VI 428	$^{n}D^{24,9}$ 1,62450; $^{R}D^{24,9}$ 32,41 cm³; $^{n}F^{24,9}$ 172,3; Flammpunkt 96°; wirkt lokalanästhesierend; riecht schwach aromatisch; Stehen an der Luft → Bittermandelgeruch	4 W 17° 66,7 50%ig. A ∞ A, Ae	Oxalat *Fp* 81,5—82° Phthalat *Fp* 106—107° Phenylurethan *Fp* 78° p-Diphenylylurethan *Fp* 156° α-Naphthylurethan *Fp* 134,5° 3,5-Dinitrobenzoat *Fp* 112°
340	$1{,}0929^{20°}$	238,0 133,3 (16 mm)	XX 339	$^{n}D^{24,9}$ 1,62450; $^{R}D^{24,9}$ 41,87 cm³; $^{n}F^{24,9}$ 309,2; ebullioskop. Konst. 5,33; charakteristisch riechend; mit Dampf flüchtig; hygroskopisch; schwache Base	wl. in k. W ll. in h. W ∞ A, Ae, CS_2, Aceton	+ Jodjodkalium → rotbrauner Nd. + Phosphormolybdänsäure → gelblichweißer Nd. Hydrochlorid *Fp* 98° Chloroaurat *Fp* 235—238°, gelbe Nadeln Chloroplatinat *Fp* 225°, gelbe Nadeln Dichromat *Fp* 164—167°, rote lichtempfindliche Nadeln Pikrat *Fp* 203°, hellgelbe Nadeln
341	$1{,}417^{15°}$	156,9	I 106		unl. in W l. in A, Ae	Erhitzen mit W auf 160° → Glycerin
342	$1{,}2125^{20°}$	208,8 90,77 (14 mm)	XII 597	$^{n}D^{20}$ 1,58951; $^{R}D^{20}$ 35,46 cm³; $^{n}F^{20}$ 240,2; Oberflächenspannung 24,9° 44,7 dyn/cm	unl. in W l. in A, Bzl.	Pikrat *Fp* 134° Acetylderivat *Fp* 88° Benzoylderivat *Fp* 99° Benzolsulfonylderivat *Fp* 129° p-Toluolsulfonylderivat *Fp* 105°
343	$0{,}821^{20°}$	120–121	I 413	riecht campherartig	wl. in W l. in A, Ae	
344	$3{,}023^{11°}$	188	I 194		l. in A	+ alkohol. KOH → HJ-Abspaltung, viel schneller als trans-Form

Lfd. Nr.	*Fp*	Name	Summen-formel	Strukturformel	Mol.-Gewicht	Aggregatzustand Farbe
1	2	3	4	5	6	7
345	**−13,0**	Benzonitril	C_7H_5N	$C_6H_5\cdot CN$	103,12	Fl.
346	**−13,0**	Cyanwasserstoffsäure	CHN	$H\cdot C\vdots N$	27,03	Fl.
347	**−13,0**	Dimethyläthylessigsäure	$C_6H_{12}O_2$	$CH_3\cdot CH_2\cdot C(CH_3)_2\cdot COOH$	116,16	Fl.
348	**−13,0**	Piperidin	$C_5H_{11}N$	$H_2C\cdot CH_2\cdot CH_2$ / $H_2C\cdot NH\cdot CH_2$ (Ring)	85,15	Fl.
349	**−13,0**	o-Tolunitril	C_8H_7N	$CH_3\cdot C_6H_4\cdot CN$	117,14	Fl.
350	**−12,5**	Benzoesäuremethylester	$C_8H_8O_2$	$C_6H_5\cdot CO\cdot OCH_3$	136,14	Fl.
351	**−12,0**	Cycloheptan (Heptamethylen, Suberan)	C_7H_{14}	$H_2C\cdot CH_2\cdot CH_2$ / $H_2C\cdot CH_2\cdot CH_2$ $>CH_2$	98,18	Öl
352	**−12,0**	Dodecan	$C_{12}H_{26}$	$CH_3\cdot(CH_2)_{10}\cdot CH_3$	170,32	Fl.

Lfd. Nr.	Spez. Gewicht	Siedepunkt °C	Beilsteinzitat	Physikalische Konstanten und Eigenschaften	Löslichkeit	Reaktionen
	8	9	10	11	12	13
345	1,0051[20°]	191,3 82,4 (20 mm)	IX 275	$^{n}D^{25,5}$ 1,52570; $^{R}D^{25,5}$ 31,56 cm^3; $^{n}F^{25,5}$ 190,7; Dampfdruck 50° 3,5 mm Hg; ebullioskop. Konst. 3,87; riecht nach Bittermandelöl; giftig	l. in sd. W ∞ A, Ae	
346	0,6969[18°]	26	II 29	$^{n}D^{19}$ 1,254; Litergew. des Dampfes 0° 1,21 g; Dampfdruck 18° 567 mm Hg; Flüchtigkeit 20° 87300000 mg/m^3; ebullioskop. Konst. 0,85; kryoskop. Konst. 1,79; schwache Säure; brennt mit violetter Flamme; riecht betäubend, in Verdünnung bittermandelartig; sehr giftig	∞ W, A, Ae	alkal. Lsg. 5 Min. mit einigen Tropfen gelbem $(NH_4)_2S$ kochen, überschüssiges Sulfid mit 10%igem Cadmiumacetat entfernen, mit HNO_3 ansäuern + Ferrisulfat 0,1 mg je Liter noch Blutrotfärbung (Rhodanreaktion)
347		186 bis 187,5	II 335			Silbersalz Büschel seideartiger Nadeln p-Phenylphenacylester *Fp* 86,5°
348	0,8603[21°]	106,2 37 (70 mm)	XX 6	$^{n}D^{18,7}$ 1,45350; $^{R}D^{18,7}$ 26,68 cm^3; $^{n}F^{18,7}$ 89,2; Oberflächenspannung 16,5° 29,89 dyn/cm; ebullioskop. Konst. 2,84; riecht charakteristisch, pfefferartig und zugleich ammoniakalisch; schmeckt stark kaustisch	∞ W, A, Ae, Bzl.	+ Acetaldehyd + Nitroprussidnatrium → blau Hydrochlorid *Fp* 145° Chloroplatinat *Fp* 202,5°, hellgrüne Prismen Pikrat *Fp* 151—152°, gelbe Nadeln Benzoylderivat *Fp* 48° p-Toluolsulfonylderivat *Fp* 103°
349	0,996[20°]	205,2	IX 466	$^{n}D^{23,1}$ 1,52720; $^{R}D^{23,1}$ 36,39 cm^3	l. in A, Ae	
350	1,0937[15°]	199,5 84,03 (14 mm)	IX 109	$^{n}D^{20}$ 1,51800; $^{R}D^{20}$ 37,82 cm^3; $^{n}F^{20}$ 131,7	unl. in W l. in A, Ae	+ $FeCl_3$ (verd.) + Eg. + H_2O_2 → violett
351	0,8099[20°]	118 (726mm)	V 29	$^{n}D^{20}$ 1,44531	unl. in W ll. in A, Ae	
352	0,7511[20°]	214,5	I 171	$^{n}D^{20}$ 1,42188; $^{R}D^{20}$ 57,67 cm^3; $^{n}F^{20}$ 73,5	unl. in W ∞ A, Ae	

Lfd. Nr.	*Fp*	Name	Summen-formel	Strukturformel	Mol.-Gewicht	Aggregatzustand Farbe
1	2	3	4	5	6	7
353	**−12,0**	Tetradecen-(1)	$C_{14}H_{28}$	$CH_3\cdot(CH_2)_{11}\cdot CH{=}CH_2$	196,37	Fl.
354	**−12,0**	Oxalylchlorid	$C_2Cl_2O_2$	$ClOC\cdot COCl$	126,93	Nadeln
355	**−11,2**	Glykol (Äthylenglykol)	$C_2H_6O_2$	$HO\cdot CH_2\cdot CH_2\cdot OH$	62,07	ölige Fl
356	**−11,0**	Undecylalkohol)	$C_{11}H_{24}O$	$CH_3\cdot(CH_2)_9\cdot CH_2\cdot OH$	172,30	Fl.
357	**−10,4**	Eugenol	$C_{10}H_{12}O_2$	$CH_2{:}CH\cdot CH_2\cdot C_6H_3\langle^{OH(4)}_{OCH_3(3)}$	164,20	gelbliche Öl
358	**−10,2**	3-Chloranilin (1-Amino-3-chlorbenzol)	C_6H_6ClN	$Cl\cdot C_6H_4\cdot NH_2$	127,57	Fl.
359	**−10,0**	Önanthsäure (Heptylsäure)	$C_7H_{14}O_2$	$CH_3\cdot(CH_2)_5\cdot COOH$	130,18	Fl.
360	**−9,6**	2-Nitrotoluol (α-Form)	$C_7H_7NO_2$	$O_2N\cdot C_6H_4\cdot CH_3$	137,13	Fl.
361	**−9,0**	Acetonylaceton [Hexandion-(2,5)]	$C_6H_{10}O_2$	$CH_3\cdot CO\cdot CH_2\cdot CH_2\cdot CO\cdot CH_3$	141,14	Fl.
362	**−8,6**	Salicylsäuremethylester (Methylsalicylat, o-Hydroxybenzoesäuremethylester)	$C_8H_8O_3$	$HO\cdot C_6H_4\cdot CO\cdot OCH_3$	152,14	Fl.

Lfd. Nr.	Spez. Gewicht	Siedepunkt °C	Beilsteinzitat	Physikalische Konstanten und Eigenschaften	Löslichkeit	Reaktionen
	8	9	10	11	12	13
353	0,7745$^{15°}_{4°}$	246	I 226		unl. in W ll. in A, Ae	
354	1,488$^{13°}$	63,5	II 542		l. in Ae	+ H_2O → CO_2, CO u. HCl + A → Oxalsäurediäthylester
355	1,11307 20°	197,4 96,5 (15 mm)	I 465	$^nD^{20}$ 1,43063; $^RD^{20}$ 8 cm³; $^nF^{19,2}$ 73,0; Dampfdichte 2,138; Flammpunkt +117°; Oberflächenspannung 16,8° 46,38 dyn/cm; geruchlos; schmeckt süß	∞ W, A 1,1 in Ae	Oxydation mit $KMnO_4$ + Resorcin·H_2SO_4 → weinrot + α-Naphthol → violett 1 ml Subst. + 2 ml A, 1 ml alkoh. Vanillin-Lsg. (10%ig), Umschütteln + 1 ml konz. H_2SO_4 → gelbgrün → rotviolett (nach 1 Stunde) Gibt Aldehydreaktion des Glycerins, nicht aber Acroleingeruch Dibenzoat *Fp* 73—74°, rhomb. Prismen Bisphenylurethan *Fp* 157,5° Bis-p-nitrobenzoat *Fp* 140° Bis-3,5-dinitrobenzoat *Fp* 169°
356	0,8334$^{23°}$	146 (30 mm)	I 427			Phenylurethan *Fp* 62°, Nadeln p-Joddiphenylylurethan *Fp* 146,5, haarförmige Krist. oder lange Platten p-Nitrobenzoat *Fp* 30°
357	1,0630$^{18°}$	253,5 130,45 (14 mm)	VI 961	riecht nach Nelken; brennender Geschmack	swl. in W ll. in A, Ae	alkohol. Lsg. + $FeCl_3$ → blau + Natriumhypobromit → goldgelb → tiefbraun Phenylurethan *Fp* 95° Nadeln
358	1,2156$^{20°}$	228 99,40 (14 mm)	XII 602	$^nD^{20}$ 1,57305; $^RD^{20}$ 35,55 cm³; $^nF^{20}$ 242,7; mit Dampf flüchtig	unl. in W ll. in A	+ H_2SO_4 u. HNO_3 → dunkelrot Acetylderiv. *Fp* 78° Benzoylderivat *Fp* 120°
359	0,9216$^{14°}$	222 bis 224 121 bis 122 (18 mm)	II 338	$^nD^{15}$ 1,42146; $^nD^{20}$ 1,42571; $^RD^{20}$ 35,97 cm³; $^nF^{15}$ 72,9; $^nF^{20}$ 74,0; riecht schwach talgartig	0,24 W 15° l. in A, Ae	Cd-Salz *Fp* 95—96°, Blättchen Hg-Salz *Fp* 106,5°, Pb-Salz *Fp* 90,5—91,5°, Blättchen Zn-Salz *Fp* 131—132° p-Chlorphenacylester *Fp* 65° p-Phenylphenacylester *Fp* 62° Anilid *Fp* 95° p-Toluidid *Fp* 80°
360	1,1674$^{16°}$	222,3	V 318	$^nD^{20,4}$ 1,54739; $^RD^{20,4}$ 37,41 cm³	0,065 W 30° ll. in A, Ae	
361	0,973$^{20°}$	194 (754 mm)	I 878		∞ W, A, Ae unl. in KOH	Dioxim *Fp* 137°; wird beim Stehen gelb
362	1,1843$^{20°}$	223,3	X 70	$^nD^{20}$ 1,53019	0,074 W 30° l. in A, Ae	1 ml Subst. + 10 ml W schütteln + 1 Tropfen $FeCl_3$-Lsg. → violett

Lfd. Nr.	*Fp*	Name	Summen-formel	Strukturformel	Mol.-Gewicht	Aggrega zustand Farbe
1	2	3	4	5	6	7
363	−8,4	tert.-Amylalkohol (Schlafmittel „Amylenhydrat“)	$C_5H_{12}O$	$C_2H_5 \cdot C(CH_3)_2 \cdot OH$	88,15	Fl.
364	−8,2	Methylheptylketon	$C_9H_{18}O$	$CH_3 \cdot (CH_2)_6 \cdot CO \cdot CH_3$	142,23	Fl.
365	−8,0	1,2-Dihydronaphthalin	$C_{10}H_{10}$	$C_6H_4\langle^{CH_2 \cdot CH_2}_{CH{=}CH}$	130,18	Fl.
366	−8,0	Pyridazin	$C_4H_4N_2$		80,09	Fl.
367	−8,0 bis −7,0	Linolsäure	$C_{18}H_{32}O_2$	$CH_3 \cdot (CH_2)_4 \cdot CH{:}CH$ / $HOOC \cdot (CH_2)_7 \cdot CH{:}CH$ 〉 CH_2	280,44	Fl.
368	−7,6	Methyldiphenylamin	$C_{13}H_{13}N$	$(C_6H_5)_2N \cdot CH_3$	183,24	Fl.
369	−7,5	Zimtaldehyd	C_9H_8O	$C_6H_5 \cdot CH{:}CH \cdot CHO$	132,15	gelbe Fl.
370	−6,9	m-Dibrombenzol	$C_6H_4Br_2$	$Br \cdot C_6H_4 \cdot Br$	235,92	Fl.
371	−6,6	*l*-Menthon	$C_{10}H_{18}O$	$H_2C \cdot CH_2 \cdot CH \cdot CH(CH_3)_2$ / $CH_3 \cdot HC \cdot CH_2 \cdot CO$	154,24	Fl.
372	−6,5	trans-α,β-Dibromäthylen	$C_2H_2Br_2$	$CHBr{:}CHBr$	185,87	Fl.

Lfd. Nr.	Spez. Gewicht	Siedepunkt °C	Beilsteinzitat	Physikalische Konstanten und Eigenschaften	Löslichkeit	Reaktionen
	8	9	10	11	12	13
363	$0{,}8066^{25°}_{0°}$	102,3 30,18 (20 mm)	I 388	$^{n}D^{13}$ 1,40890; $^{R}D^{13}$ 26,70 cm^3; $^{n}F^{13}$ 59,80; Dampfdruck 20° 10,0 mm Hg; ebullioskop. Konst. 2,26; flüchtig, eigenartiger Geruch; brennender Geschmack	12,5 W ∞ A, Ae	2 ml (1 g Vanillin in 200 ml H_2SO_4) + 3—4 Tropfen Subst. → gelb + 15 Tropfen W → rotviolett 0,5 ml alkohol. Lsg. d. Subst. mit 5 ml (konz. H_2SO_4 u. 5%ige Weinsäurelsg.) unterschichten → obere Schicht weinrot 3,5-Dinitrobenzoat *Fp* 117 bis 118° Phenylurethan *Fp* 44—47°
364	$0{,}8261^{15°}$	195,3	I 709	$^{n}D^{15}$ 1,41817; $^{n}D^{20}$ 1,42096; $^{R}D^{15}$ 39,22 cm^3; $^{n}F^{15}$ 77,3	unl. in W l. in A, Ae	alkohol. Lsg. + H_2SO_4 + 5%ige Weinsäure → rosenrot Semicarbazon *Fp* 119°
365	$0{,}9974^{20°}$	89,0 (24 mm)	E_1 V 249	$^{n}D^{18,3}$ 1,58317; $^{R}D^{18,3}$ 43,59 cm^3; $^{n}F^{18,3}$ 245,1	unl. in W l. in A, Ae	
366	$0{,}9038^{18°}_{4°}$ $0{,}9025^{20°}_{4°}$	208	XXIII 98	$^{n}D^{20}$ 1,4688; $^{n}D^{23,5}$ 1,5231	ll. in W l. in A, Ae, Bzl. unl. in PAe	Pikrat *Fp* 169° (Zers.)
367	$0{,}9026^{18°}_{4°}$	228 (14 mm)	II 496			
368	$1{,}048^{20°}$	293,4	XII 80		unl. in W l. in A, Ae	
369	$1{,}0497^{20°}$	250 bis 252 (Zers.) 172 (90 mm) 128 bis 130 (20 mm)	VII 348	$^{n}D^{20}$ 1,61949; $^{R}D^{20}$ 44,18 cm^3; $^{n}F^{20}$ 426,8; mit W-Dampf flüchtig, charakteristischer Geruch des Zimtöles	unl. in W l. in A, Ae unl. in PAe	+ Benzidin in essigsaurer Lsg. → dunkelroter Nd. Oxim *Fp* 138° Phenylhydrazon *Fp* 169°, gelbe Nadeln Semicarbazon *Fp* 215—216°, Blättchen p-Nitrophenylhydrazon *Fp* 194°, orangerote Krist. Diphenylhydrazon *Fp* 135 bis 136°, gelbe Nadeln
370	$1{,}9523^{20°}$	217	V 211		l. in A, Ae	
371	$0{,}896^{20°}_{20°}$	209,6 88,04 (14 mm)	VII 38	$[\alpha]_D^{20}$ —24,83° (A) schmeckt bitter; mit Dampf flüchtig; Pfefferminzgeruch	wl. in W ∞ A, Ae	2,4-Dinitrophenylhydrazon *Fp* 145°, orangerote Krist. Oxim *Fp* 60—61° Semicarbazon *Fp* 189°
372	$2{,}2667^{18°}$	108	E_1 I 81	$^{n}D^{20}$ 1,54367; $^{R}D^{20}$ 36,30 cm^3; $^{n}F^{20}$ 164,9	l. in A, Ae	

Lfd. Nr.	*Fp*	Name	Summenformel	Strukturformel	Mol.-Gewicht	Aggregatzustand Farbe
1	2	3	4	5	6	7
373	−6,2	Anilin	C_6H_7N	$C_6H_5 \cdot NH_2$	93,12	Öl
374	−6,2	Tridecan	$C_{13}H_{28}$	$CH_3 \cdot (CH_2)_{11} \cdot CH_3$	184,34	Fl.
375	−6,0	Kakodyl	$C_4H_{12}As_2$	$(CH_3)_2As \cdot As(CH_3)_2$	209,96	Öl
376	−6,0	1-Methylimidazol	$C_4H_6N_2$	HC——N ⟩ CH ‖ $HC \cdot N(CH_3)$	82,10	Fl.
377	−5,9	Äthylsenföl	C_3H_5NS	$C_2H_5 \cdot N{:}CS$	87,14	Fl.
378	−5,9	Dibutylketon	$C_9H_{18}O$	$(C_2H_5 \cdot CH_2 \cdot CH_2)_2CO$	142,23	Fl.
379	−5,0	p-Aminoäthylbenzol	$C_8H_{11}N$	$C_2H_5 \cdot C_6H_4 \cdot NH_2$	121,18	Fl.
380	−5,0	Chlorcyan	CClN	$Cl \cdot C{:}N$ oder $C{:}N \cdot Cl$	61,47	Gas
381	−5,0	m-Nitrostyrol	$C_8H_7NO_2$	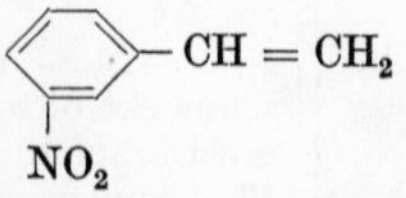	149,14	gelbe Krist.
382	−5,0	n-Nonylalkohol	$C_9H_{20}O$	$CH_3 \cdot (CH_2)_7 \cdot CH_2OH$	144,25	Fl.

Lfd. Nr.	Spez. Gewicht	Siedepunkt °C	Beilsteinzitat	Physikalische Konstanten und Eigenschaften	Löslichkeit	Reaktionen
	8	9	10	11	12	13
[3]73	1,0217 $_{20,7°}$	184,25 138,8 (200mm) 82,2 (20 mm) 69,2 (10 mm)	XII 59	$^{n}D^{20}$ 1,58629; $^{R}D^{20}$ 30,58 cm^3; $^{n}F^{20}$ 248,6; Oberflächenspannung 19,5° 43,4 dyn/cm; Dampfdruck 20° 0,37 mm Hg; ebullioskop. Konst. 3,69; kryoskop. Konst. 5,87; schwacher, charakteristischer Geruch	3,61 W 18° ∞ A, Ae, Bzl., H_2SO_4	+ Natriumkobaltonitrit, $Na_3[Co(NO_2)_6]$, → ziegelroter Nd. + H_2SO_4 + $K_2Cr_2O_7$ → blau wss. Lsg. + Calcium- oder Natriumhypochlorit (Überschuß vermeiden) → purpurrot (E 1:26000) Hydrochlorid *Fp* 198° α-Naphthalinsulfonat *Fp* 183° Acetylderivat *Fp* 114° Benzoylderivat *Fp* 160°
[3]74	0,7571	234	I 171		unl. in W ∞ A, Ae	
[3]75	>1,0	~170	IV 615	riecht widerlich; entzündet sich an der Luft	wl. in W	
[3]76	1,036$^{16°}$	198,0	XXIII 46		∞ W	Pikrat *Fp* 159°
[3]77	1,0194$^{0°}$	131 bis 132	IV 123	$^{n}D^{20}$ 1,52660; $^{R}D^{20}$ 30,07 cm^3; $^{n}F^{20}$ 173,2; riecht stechend, reizt zu Tränen	unl. in W l. in A, Ae	
[3]78	0,8270$^{13°}$	181 bis 182	E_1 I 365	$^{n}D^{20}$ 1,41946	swl. in W l. in A, Ae	Semicarbazon *Fp* 90° 2,4-Dinitrophenylhydrazon *Fp* 41°
[3]79		216				
[3]80	1,222$^{0°}$	12,6 —32,90 (50 mm)	III 38	Dampfdichte 2,11; Dampfdruck —20° 148,2 mm Hg, +20° 1001,8 mm Hg; Flüchtigkeit 20° 2600000 mg/m^3; Litergewicht d. Dampfes 2,56 g; riecht stechend; reizt zu Tränen; sehr giftig	2500 ml W 20° 10000 ml A 20° 5000 ml Ae 20°	+ Benzidin-Kupferacetat → blau + W Cyanurchlorid
[3]81			V 478		unl. in W ll. in A, Ae, Chlf., Ligroin	
[3]82	0,8279$^{20°}$	213,5	I 423	riecht nach Citronellol	l. in A, Ae	Phenylurethan *Fp* 62—64° p-Nitrophenylurethan *Fp* 104° glänzende Blättchen 3,5-Dinitrobenzoat *Fp* 52°

Lfd. Nr.	*Fp*	Name	Summen-formel	Strukturformel	Mol.-Gewicht	Aggrega zustan Farbe
1	2	3	4	5	6	7
383	**−5,0**	dl-α-Pipecolin (dl-α-Methylpiperidin)	$C_6H_{13}N$	$H_2C \cdot CH_2 \cdot CH_2$ | | $H_2C \cdot NH \cdot CH \cdot CH_3$	99,17	Fl.
384	**−5,0**	Triolein (Glycerin-trioleat)	$C_{57}H_{104}O_6$	$C_3H_5[O \cdot CO \cdot O \cdot (CH_2)_7 \cdot CH{:}CH \cdot (CH_2)_7 \cdot CH_3]_3$	885,40	Öl
385	**−4,7**	n-Buttersäure	$C_4H_8O_2$	$C_2H_5 \cdot CH_2 \cdot COOH$	88,10	ölige Fl
386	**−4,5**	Cadmiumdimethyl	C_2H_6Cd	$(CH_3)_2Cd$	142,48	Fl.
387	**−4,0**	dl-α-Brombuttersäure	$C_4H_7BrO_2$	$C_2H_5 \cdot CH(Br) \cdot COOH$	167,01	Öl
388	**−4,0**	1,2,3,4-Tetramethyl-benzol (Prehnitol)	$C_{10}H_{14}$	$C_6H_2(CH_3)_4$	134,21	Fl.
389	**−4,0**	β,β′,β″-Trichlortriäthyl-amin	$C_6H_{12}Cl_3N$	N with three branches: $CH_2 \cdot CH_2Cl$ $CH_2 \cdot CH_2Cl$ $CH_2 \cdot CH_2Cl$	204,53	Fl.
390	**−3,9**	Benzylbromid	C_7H_7Br	$C_6H_5 \cdot CH_2Br$	171,04	Fl.
391	**−3,9**	n-Capronsäure	$C_6H_{12}O_2$	$CH_3 \cdot (CH_2)_4 \cdot COOH$	116,16	Öl
392	**−3,9**	2-Nitrotoluol (β-Form)	$C_7H_7NO_2$	$O_2N \cdot C_6H_4 \cdot CH_3$	137,13	Fl.

Lfd. Nr.	Spez. Gewicht	Siedepunkt °C	Beilsteinzitat	Physikalische Konstanten und Eigenschaften	Löslichkeit	Reaktionen
	8	9	10	11	12	13
383	0,8436$^{23°}$	119	XX 95	$n_D^{6,5}$ 1,4594	l. in W, Bzl. ll. in A, Ae	
384	0,915$^{15°}$	237 (18 mm)	II 468	geruch- u. geschmacklos	unl. in W wl. in A l. in Ae	
385	0,9599$^{19°}$	163,5 72,2 (20 mm)	II 264	n_D^{20} 1,39789; R_D^{20} 22,19 cm³; n_F^{20} 70,2; n_α^{20} 1,39554; n_β^{20} 1,40246; Dampfdruck 30° 1,50 mm Hg; Oberflächenspannung 15° 27,32 dyn/cm; ebullioskop. Konst. 3,94; riecht ranzig und nach Essigsäure	∞ W oberhalb —3,8° ∞ A, Ae	Kupfersalz (2%) unl. in Bzl., l. in Ae, Chlf. und Essigester → blau + o-Phthalaldehyd in der Kälte grünlichblau Hydrazid *Fp* 44° p-Nitrobenzylester *Fp* 35° p-Chlorphenacylester *Fp* 55° Anilid *Fp* 95° p-Toluidid *Fp* 75°
386	1,9852$^{17°}$	105,5	IV 677	riecht dumpf; reizt zu Tränen	l. in A, Ae	+ W zers.
387	1,567$^{20°}$	127 bis 128 (25 mm)	II 281		~ 7 W l. in A	Anilid *Fp* 98° p-Toluidid *Fp* 92°
388	0,904$^{16°}$	204	V 430	n_D^{16} 1,52031; R_D^{16} 45,10 cm³; n_F^{16} 157,1	unl. in W l. in A, Ae	+ verd. HNO_3 → 2,3,4-Trimethylbenzoesäure *Fp* 167,5°
389		180 (Zers.) 137 bis 138 (15 mm)		Dampfdruck 20° 2,0 mm Hg; Flüchtigkeit 20° 2230 mg/m³	unl. in W l. in Bzl., Chlf., CCl_4	+ 5%ige Phosphorwolframsäure → starke Trübung + Dragendorff-Reagens → rotgelber Nd. Hydrochlorid (Sinalost) *Fp* 130—131° Pikrat *Fp* 136,5—137°
390	1,443$^{17°}$	198 bis 199 82,5 (10 mm)	V 306	Dampfdichte 5,8; Dampfdruck 20° 0,33 mm Hg; Flüchtigkeit 20° 2440 mg/m³; Litergewicht des Dampfes 7,11 g; Dampf reizt zu Tränen	unl. in W ∞ A, Ae	+ alkohol. Ag-Acetat-Lsg. → gelb (AgBr)
391	0,9294$^{20°}_{20°}$	204 bis 204,5 104,31 (14 mm)	II 321	n_D^{20} 1,41382; R_D^{20} 31,50 cm³; n_F^{20} 73,6; Oberflächenspannung 25,7° 27,0 dyn/cm; schwacher, unangenehmer Geruch	unl. in W	Bleisalz *Fp* 73—74° p-Phenylphenacylester *Fp* 65° p-Bromphenacylester *Fp* 72°, glänzende Blättchen Anilid *Fp* 95° p-Toluidid *Fp* 75°
392	1,1674$^{16°}$	222,3	V 318	$n_D^{20,4}$ 1,54739; $R_D^{20,4}$ 37,41 cm³: $n_D^{19,3}$ 1,58375	0,065 W 30° ll. in A, Ae	

Lfd. Nr.	*Fp*	Name	Summenformel	Strukturformel	Mol.-Gewicht	Aggregatzustand Farbe
1	2	3	4	5	6	7
393	**−3,5**	2,3,5-Trichlorthiophen	C_4HCl_3S	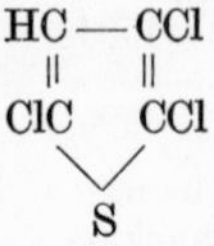	187,48	Fl.
394	**−3** bis **−2°**	γ-Tocopherol (7,8-Dimethyltocol)	$C_{28}H_{48}O_2$	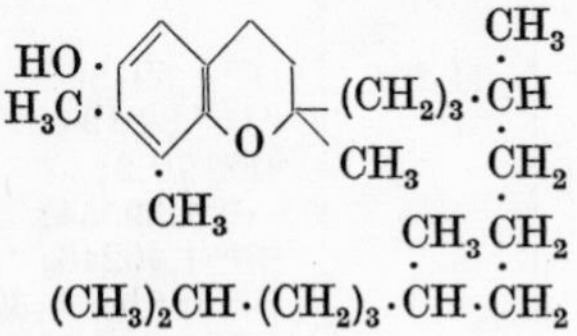	416,66	gelbes Öl Nadeln (aus Methanol bei −35°
395	**−2,5**	d-Coniin (d-α-n-Propylpiperidin)	$C_8H_{17}N$	$H_2C\cdot CH_2\cdot CH_2$ / $H_2C\cdot NH\cdot CH\cdot CH_2\cdot C_2H_5$	127,22	Fl.
396	**−2,0**	Inden	C_9H_8	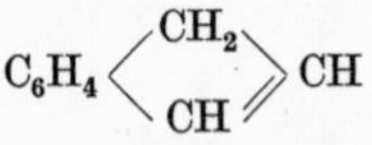	116,15	Fl.
397	**−2,0**	2-Methylchinolin (Chinaldin)	$C_{10}H_9N$	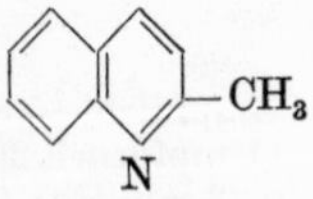	143,18	Fl.
398	**−2,0**	Tetramethyl-m-phenylendiamin	$C_{10}H_{16}N_2$	$(CH_3)_2N\cdot C_6H_4\cdot N(CH_3)_2$	164,24	Fl.
399	**−1,0**	Benzoylchlorid	C_7H_5ClO	$C_6H_5\cdot COCl$	104,57	Fl.
400	**−0,5**	Kohlensubsulfid	C_3S_2	SC:C:CS	100,16	rote Fl.
401	**−0,5**	2,3,4-Trichlorthiophen	C_4HCl_3S	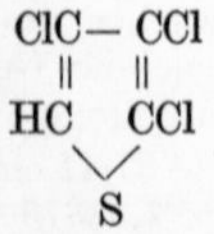	187,48	Fl.

Lfd. Nr.	Spez. Gewicht	Siedepunkt °C	Beilsteinzitat	Physikalische Konstanten und Eigenschaften	Löslichkeit	Reaktionen
	8	9	10	11	12	13
393		207,7 bis 209,7	XVII 33	$^{n}D^{19,3}$ 1,58375	l. in A, Ae	
394		200 bis 210 (0,1 mm)		λ_{max} 298 mμ	unl. in W. ∞ in A, Ae, Chlf., Ölen, Fetten	Allophanat *Fp* 136—138°
395	0,8440$^{20°}$	165,7 bis 165,8	XX 110	$[\alpha]_D^{19}$ +15,7°; $^{n}D^{20}$ 1,4505; $^{n}D^{29,9}$ 1,45119; $^{R}D^{29,9}$ 40,64 cm³; Mol. Refr. 40,51; sehr giftig; mit W-Dampf flüchtig; riecht nach Mäuseurin	l. in W sll. in A, Ae, Bzl.	+ $SbCl_5$ → grün + Natriummolybdat in konz. H_2SO_4 (0,1:100) → strohgelb; + Formalin-H_2SO_4 → tiefblau + Kaliumplatinsulfocyanid → roter, öliger Nd. (E 1:1000) Hydrochlorid *Fp* 220°, Nadeln
396	1,002$^{15°}_{15°}$	182,2	V 515	kryoskop. Konst. 7,28; polymerisiert beim Aufbewahren und Erhitzen	unl. in W l. in A, Ae	alkohol. Lsg. + einige Tropfen alkohol. Kieselwolframsäure → carminrot (spezifisch u. empfindlich) 0,1 g Subst. + 1 ml Essigsäure + 2 ml konz. H_2SO_4 → granatrot, + 5%ige KBr-Lsg. → rotviolett Dibromid *Fp* 31,5—32,5°, Prismen Pikrat *Fp* 98°, goldgelbe Nadeln, explosiv
397	1,0585$^{20°}$	247,6	XX 387	$^{n}D^{25,4}$ 1,60909; $^{R}D^{25,4}$ 47,03 cm³; $^{n}F^{25,4}$ 29,09; riecht schwach nach Chinon	swl. in A l. in A, Ae	Pikrat *Fp* 191°, hellgelbe Krist. Chromat, lange gelbrote Nadeln Quecksilbersalz *Fp* 165,5°, Nadeln Jodmethylat *Fp* 195°
398	0,9849$^{16°}$	266,7	XIII 40			
399	1,2188$^{15°}$	197 80,59 (14 mm)	IX 182	$^{n}D^{20}$ 1,55369; $^{R}D^{20}$ 37,13 cm³; $^{n}F^{20}$ 221,3; riecht stechend	l. in Ae	+ W u. + A → Zers. + Formaldehyd + konz. H_2SO_4 → braunrot
400	1,319$^{15°}$		III 207	greift Schleimhäute an; polymerisiert beim Aufbewahren	ll. in A, Ae	
401		209,2 bis 210,2	XVII 33	$^{n}D^{19,1}$ 1,58588	l. in A, Ae	

Lfd. Nr.	Fp	Name	Summen-formel	Strukturformel	Mol.-Ge-wicht	Aggregat-zustand Farbe
1	2	3	4	5	6	7
402	−0,02	Anisaldehyd	$C_8H_8O_2$	$CH_3 \cdot O \cdot C_6H_4 \cdot CHO$	136,14	Fl.
403	0,0	1,1,2,2-Tetrabromäthan	$C_2H_2Br_4$	$CHBr_2 \cdot CHBr_2$	345,70	Fl.
404	0,0	Aluminiumtrimethyl	C_3H_9Al	$(CH_3)_3Al$	72,08	Fl.
405	0,0	Benzoylbromid	C_7H_5BrO	$C_6H_5 \cdot COBr$	185,03	Fl.
406	0,1	Peressigsäure	$C_2H_4O_3$	$CH_3 \cdot CO \cdot O \cdot OH$	76,05	Fl.
407	0,1	Chlorvinylarsindichlorid	$C_2H_2AsCl_3$	$Cl \cdot CH{:}CH \cdot As \Big\langle \begin{matrix} Cl \\ Cl \end{matrix}$	207,32	Fl.
408	0,5	Carvacrol (1-Methyl-2-hydroxy-4-iso-propylbenzol)	$C_{10}H_{14}O$	(CH₃)₂CH—C₆H₃(OH)—CH₃	150,21	Fl.
409	0,6	Fumarsäurediäthylester	$C_8H_{12}O_4$	$C_2H_5O \cdot OC \cdot CH{:}CH \cdot CO \cdot OC_2H_5$	172,18	Fl.
410	1,3	Cineol (Eucalyptol, (1,8-Oxido-p-menthan)	$C_{10}H_{18}O$	$CH_3 \cdot C \Big\langle \begin{matrix} CH_2 \cdot CH_2 \\ CH_2 \cdot CH_2 \end{matrix} \Big\rangle CH \cdot C(CH_3)_2$ —O—	154,24	Fl.
411	1,0	Phytol	$C_{20}H_{40}O$	$HOCH_2 \cdot CH{:}C \cdot CH_2 \cdot CH_2 \cdot CH_2$ (CH₃) $H_3C \cdot CH \cdot (CH_2)_3 \cdot CH \cdot (CH_2)_3 \cdot CH$ (CH₃, CH₃, CH₃)	246,52	Fl.
412	1,3	Salicylsäureäthylester (2-Hydroxybenzoe-säureäthylester)	$C_9H_{10}O_3$	$HO \cdot C_6H_4 \cdot CO \cdot OC_2H_5$	166,17	Fl.

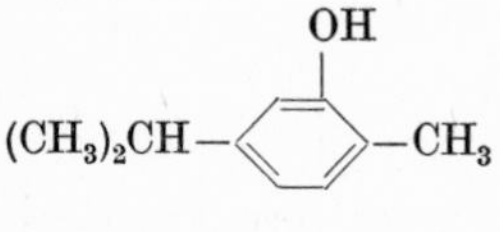

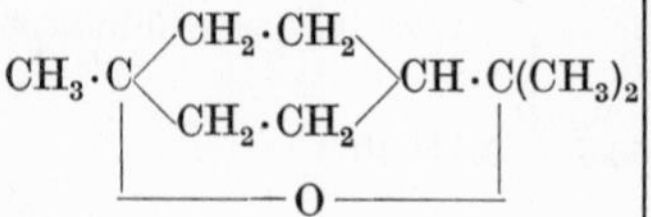

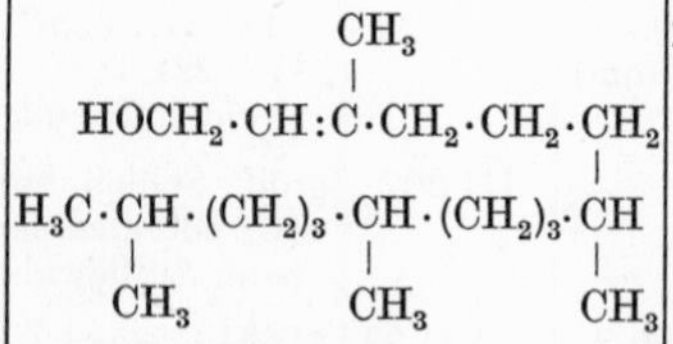

Lfd. Nr.	Spez. Gewicht	Siedepunkt °C	Beilsteinzitat	Physikalische Konstanten und Eigenschaften	Löslichkeit	Reaktionen
	8	9	10	11	12	13
402	1,1301[13°]	247	VIII 67	$^{n}D^{20}$ 1,5740; schmeckt brennend, gewürzhaft; Geruch der Weißdornblüte	0,2 k. W ∞ A, Ae	Semicarbazon *Fp* 203—204° Phenylhydrazon *Fp* 120 bis 121°, Blättchen oder Nadeln p-Bromphenylhydrazon *Fp* 150°, Blättchen 2,4-Dinitrophenylhydrazon *Fp* 255°
403	2,9673[20°]	123,7 (19 mm)	I 94	$^{n}D^{20}$ 1,62772; $^{R}D^{20}$ 42,66 cm³; $^{n}F^{20}$ 188,6 kryoskop. Konst. 21,7	0,065 W 30° ∞ A, Ae	
404		130	IV 643	entzündet sich an der Luft	l. in A	+ Benzidin in essigsaurer Lsg. → orangegelb
405	1,570	218	IX 195	raucht an der Luft	l. in Bzl.	+ W u. A → Zers.
406		expl. bei 110°	II 169	riecht stechend; greift die Haut an	ll. in W, A, Ae l. in H_2SO_4	
407	1,8855	190 77—78 (12 mm)		$^{n}D^{10,6}$ 1,6138; Litergewicht des Dampfes 8,62 g; Dampfdichte 7,2; Dampfdruck 20° 0,3954 mm Hg; Flüchtigkeit 20° 2300 mg/m³; riecht nach Geranien	unl. in W ll. in A, Bzl., Petroleum in Alkalien lösl. unter Entwicklung von Acetylen	+ Na_2S → bernsteinähnliche Masse, *Fp* 114° + unterphosphorige Säure → gelbbraun
408	0,976[20°]	237,7	VI 527	mit Dampf flüchtig; riecht in der Wärme stechend	swl. in W ll. in A, Ae l. in Alkalien	+ $FeCl_3$ in alkohol. Lsg. → grün + NaOH in $CHCl_3$ beim Erwärmen → rot Phenylurethan *Fp* 138°, Nadeln
409	1,0552[17°]	218,5	II 742		l. in A	
410	0,9267[20°]	176 bis 177 68,95 (20 mm)	XVII 24	Dampfdruck 20° 1,28 mm Hg; riecht campherartig	0,22 W 15° ∞ A, Ae	5 ml Subst. + 5 ml (15%ige Ammoniummolybdat-Lsg. in verd. HNO_3 + 5% Ammoniumsulfat) erwärmen → blau
411	0,854	145 (0,3 mm)	I 453	optisch inaktiv	unl. in W ∞ A, Bzl.	
412	$1,372^{15°}_{15°}$	231,5 110,76 (14 mm)	X 73	$^{n}D^{20}$ 1,523; riecht nach Gaultheriaöl; färbt sich an der Luft gelb	unl. in W l. in A, Ae ll. in Bzl.	

Lfd. Nr.	*Fp*	Name	Summenformel	Strukturformel	Mol.-Gewicht	Aggregatzustand Farbe
1	2	3	4	5	6	7
413	1,6	Salicylaldehyd (2-Hydroxybenz-aldehyd)	$C_7H_6O_2$	$HO\cdot C_6H_4\cdot CHO$	122,12	Öl
414	2,0	N,N-Dimethylanilin	$C_8H_{11}N$	$C_6H_5\cdot N(CH_3)_2$	121,18	Öl
415	2,0	4-Nitro-m-xylol	$C_8H_9NO_2$	$O_2N\cdot C_6H_3(CH_3)_2$	151,16	Fl.
416	2,2	Formamid	CH_3NO	$HCO\cdot NH_2$	45,04	Fl.
417	2,4	p-Phenetidin (p-Äthoxyanilin)	$C_8H_{11}NO$	$H_2N\cdot C_6H_4\cdot O\cdot C_2H_5$	137,18	Fl.
418	2,5 bis 3,5	α-Tocopherol (Vitamin E, 5,7,8-Trimethyltocol)	$C_{29}H_{50}O_2$	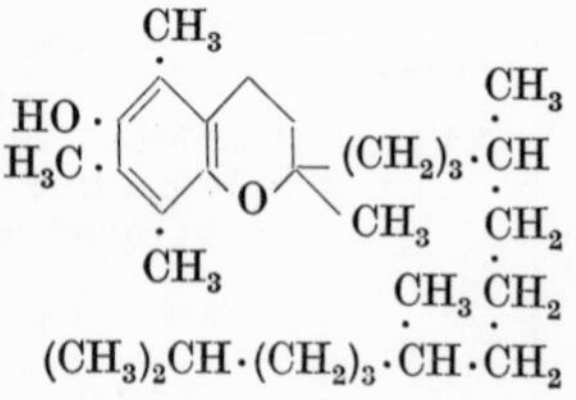	430,69	schwach gelbliches Öl Nadeln (aus Methanol bei −35°
419	3,0	Benzoyljodid	C_7H_5JO	$C_6H_5\cdot COJ$	232,03	gelbe Fl.
420	3,2	Ascaridol	$C_{10}H_{16}O_2$	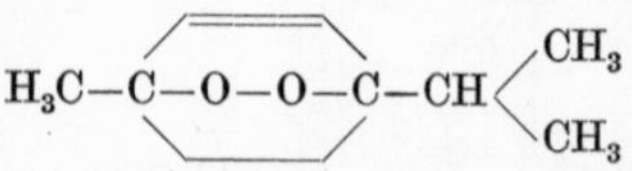	168,23	Fl.
421	3,6	Dibenzyläther (Benzyläther)	$C_{14}H_{14}O$	$(C_6H_5\cdot CH_2)_2O$	198,25	Fl.

Lfd. Nr.	Spez. Gewicht	Siedepunkt °C	Beilsteinzitat	Physikalische Konstanten und Eigenschaften	Löslichkeit	Reaktionen
	8	9	10	11	12	13
413	$1{,}690^{20°}_{20°}$	196,5 80,10 (14 mm)	VIII 31	riecht würzig; mit Dampf flüchtig	1,7 W 86° ∞ A, Ae 75,7 Bzl. 12°	+ $FeCl_3$ → intensiv violett 1 Tropfen Subst. in 5 ml A + 5 Tropfen Aceton mit konz. H_2SO_4 unterschichten → tiefroter Ring Oxim *Fp* 57° Phenylhydrazon *Fp* 142 bis 143°, Prismen p-Bromphenylhydrazon *Fp* 171—172° 2,4-Dinitrophenylhydrazon *Fp* 252° Methyläther *Fp* 35° Phenylurethan *Fp* 133°
414	$0{,}9555^{20°}$	193 87,9 (20 mm)	XII 141	$^{n}D^{20}$ 1,58873; $^{R}D^{20}$ 40,82 cm^3; $^{n}F^{20}$ 245,5; Dampfdruck 30° 2,42 mm Hg; kryoskop. Konst. 5,8; aromatischer Geruch	swl. in W l. in Bzl.	+ Br_2 + NH_3 → intensiv blaugrün + wss. Thalliumchlorid → dunkelblau → tiefgrün → violett Kochen mit Mellitsäureanhydrid → blau Pikrat *Fp* 142°, gelbe Krist. Jodmethylat *Fp* 228° (Z.)
415	$1{,}135^{15°}$	244	V 378		unl. in W l. in A, Ae	
416	$1{,}1284^{25°}$	105 (11 mm)	II 26	hygroskopisch	∞ W, A swl. in Ae	
417	1,0613	254 bis 255	XIII 436	$^{n}D^{20}$ 1,44709	l. in A, Ae	+ Furfurol in essigsaurer Lsg. → eosinrot Hydrochlorid *Fp* 234° Acetylderivat *Fp* 135° Benzoylderivat *Fp* 173°
418				λ_{max} 294 mμ λ_{min} 267 mμ	unl. in W ∞ in A, Ae, Chlf., Ölen, Fetten	Allophanat *Fp* 172—173° p-Nitrophenylurethan *Fp* 130—131°
419		117 (14 mm)	IX 195	wird beim Aufbewahren rotgelb	l. in Bzl.	+ W u. + A → Zers.
420	$1{,}0105^{20°}_{4°}$	83—84 (3 mm)	XIX 17	$^{n}D^{20}$ 1,4743 $[\alpha]_D^{15}$ −0,5°		
421	$1{,}0428^{20°}$	296	VI 434	zers. an der Luft unter Bildung von Benzaldehyd		Pikrat *Fp* 78°

Lfd. Nr.	*Fp*	Name	Summenformel	Strukturformel	Mol.-Gewicht	Aggregatzustand Farbe
1	2	3	4	5	6	7
422	**4,0**	Methylenjodid	CH_2J_2	CH_2J_2	267,87	Blättchen und Nadeln
423	**4,5**	α-Phenyl-α.γ-butadien	$C_{10}H_{10}$	$C_6H_5 \cdot CH:CH \cdot CH:CH_2$	130,18	Fl.
424	**5,0**	Diäthylsulfoxyd	$C_4H_{10}OS$	$(C_2H_5)_2SO$	106,19	Fl.
425	**5,0**	Cumalin [Pyron-(2)]	$C_5H_4O_2$	$HC \cdot CH:CH$ / ‖ │ / $HC—O—CO$	96,08	Fl.
426	**5,0**	Ricinolsäure	$C_{18}H_{34}O_3$	$CH_3 \cdot (CH_2)_5 \cdot CH(OH) \cdot CH_2 \cdot CH$ / ‖ / $HOOC \cdot (CH_2)_7 \cdot CH$	298,45	Öl
427	**5,2**	o-Anisidin (1-Amino-2-methoxybenzol)	C_7H_9NO	$CH_3O \cdot C_6H_4 \cdot NH_2$	123,15	Fl.
428	**5,49**	Benzol	C_6H_6	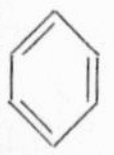	78,11	Fl.
429	**5,5**	Kreosol (4-Hydroxy-3-methoxy-1-methylbenzol	$C_8H_{10}O_2$	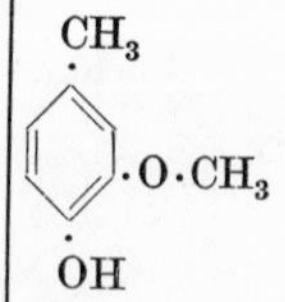	138,16	Öl
430	**5,5**	Methyl-tert.-butylcarbinol (Pinakolinalkohol)	$C_6H_{14}O$	$(CH_3)_3C \cdot CH(OH) \cdot CH_3$	102,17	Fl.
431	**5,5**	Tetradecan	$C_{14}H_{30}$	$CH_3 \cdot (CH_2)_{12} \cdot CH_3$	198,38	Fl.
432	**5,6**	2-Bromphenol	C_6H_5BrO	$Br \cdot C_6H_4 \cdot OH$	173,02	Öl

Lfd. Nr.	Spez. Gewicht	Siede-punkt °C	Beilstein-zitat	Physikalische Konstanten und Eigenschaften	Löslichkeit	Reaktionen
	8	9	10	11	12	13
22	$3{,}3254^{20°}$	181 (Zers.)	I 71	$^{n}D^{15}$ 1,74428; $^{R}D^{15}$ 32,54 cm^3; $^{n}F^{15}$ 375,8; kryoskop. Konst. 14,0	1,42 W 20° l. in A, Ae	
23	$0{,}9286^{20°}$	95 (20 mm)	V 517	riecht stechend; polymerisiert an der Luft	unl. in W l. in A, Ae	
24		88—89 (15 mm)	I 346		ll. in W l. in A, Ae	
25	$1{,}2001^{20°}$	206 (717mm)	XVII 271	riecht cumarinartig	∞ W l. in Alkali	
26	$0{,}954^{16°}$ $0{,}9417^{25}$	227 (10 mm) 250 (15 mm)	III 385	$^{n}D^{25}$ 1,4703 $[\alpha)_D^{25}$ +7,79°	unl. in W l. in Bzl. ∞ A, Ae	Ca-Salz *Fp* 80°, Schuppen Amid *Fp* 66°, Warzen
27	$1{,}0923^{20°}$	225	XIII 358		l. in A	Pikrat, goldgelbe Nadeln Acetylderivat *Fp* 87—88° Benzoylderivat *Fp* 60°
28	$0{,}8786^{20°}$	80,12	V 179	$^{n}D^{20}$ 1,50144; $^{R}D^{20}$ 26,14 cm^3; $^{n}F^{20}$ 166,4; Oberflächen-spannung 20° 28,88 dyn/cm; Dampfdruck 25° 74,8 mm Hg; Dampfdichte 2,690; ebullioskop. Konst. 2,64; kryoskop. Konst. 5,07 Flammpunkt —15°	0,07 W 22° 0,185 W 30° ∞ A, Ae, Aceton, Toluol	+ 1—2 ml (1 Vol. $SbCl_5$ in 2 Vol. CCl_4) → gelb bis gelbrot Nitrieren in CCl_4 unter Kühlung mit Nitriersäure, Lsgm. vorsichtig abdampfen, neutralisieren, mit Ae ausschütteln + 2 ml Aceton + 0,002 mg Dinitrobenzol gelöst in n/10-KOH → Violettfärbung
29	$1{,}0919^{25°}$	221–222	VI 179	$^{n}D^{20}$ 1,547; $^{n}F^{20}$ 185,0	swl. in W ∞ A, Ae, Bzl.	+ Spur $FeCl_3$ → blau + mehr $FeCl_3$ → grün
30	$0{,}8185^{20°}$	120 bis 120,6	I 412	riecht campherartig; schmeckt brennend	swl. in W l. in A, Ae	Phenylurethan *Fp* 79°
31	$0{,}7645^{20°}$	252,5	I 171		unl. in W ∞ A, Ae	
32	$1{,}5529^{80°}$	194–195	VI 197	Oberflächen-spannung 18° 42,58 dyn/cm; riecht unangenehm	swl. in W l. in A, Ae	

Lfd. Nr.	Fp	Name	Summen-formel	Strukturformel	Mol.-Ge-wicht	Aggrega zustand Farbe
1	2	3	4	5	6	7
433	**5,7**	Nitrobenzol	$C_6H_5NO_2$	$C_6H_5 \cdot NO_2$	123,11	Fl.
434	**6,0**	m,m′-Ditolyl	$C_{14}H_{14}$	$CH_3 \cdot C_6H_4 \cdot C_6H_4 \cdot CH_3$	182,25	Öl
435	**6,0**	d-Fenchon	$C_{10}H_{16}O$	$H_2C \cdot C(CH_3) \cdot CO$ $\dot{C}H_2$ $H_2C{-}\dot{C}H{-}{-}C(CH_3)_2$	152,23	Öl
436	**6,2**	α-Bromnaphthalin	$C_{10}H_7Br$		207,07	Öl
437	**6,4**	Cyclohexan (Hexahydrobenzol)	C_6H_{12}	$H_2C \begin{array}{c} CH_2 \cdot CH_2 \\ CH_2 \cdot CH_2 \end{array} CH_2$	84,17	Fl.
438	**6,7**	o-Dibrombenzol	$C_6H_4Br_2$	$Br \cdot C_6H_4 \cdot Br$	235,92	Fl.
439	**6,7**	Isosafrol	$C_{10}H_{10}O_2$		162,18	Fl.
440	**7,0**	ω-Bromstyrol	C_8H_7Br	$C_6H_5 \cdot CH:CHBr$	183,05	Fl.

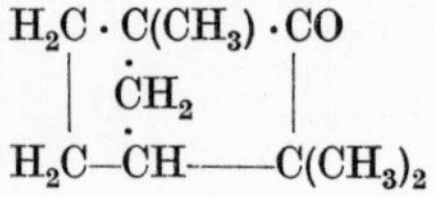

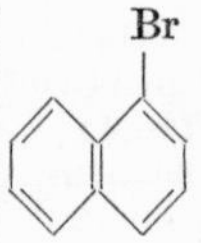

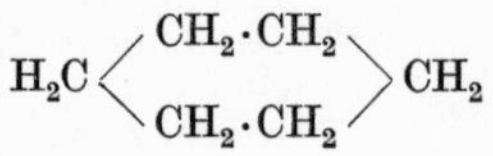

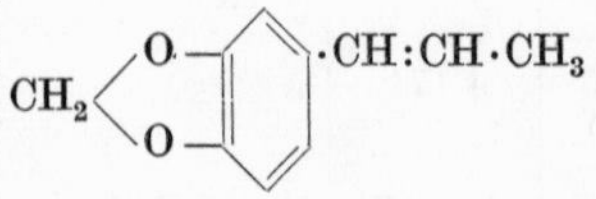

Lfd. Nr.	Spez. Gewicht	Siede-punkt °C	Beilstein-zitat	Physikalische Konstanten und Eigenschaften	Löslichkeit	Reaktionen
	8	9	10	11	12	13
433	1,2229$^{0°}$	210,9 93,1 (15 mm)	V 233	n_D^{20} 1,55319; R_D^{20} 32,74 cm³; n_F^{20} 252,4; ebullioskop. Konst. 5,27; kryoskop. Konst. 6,89; mit Dampf flüchtig; riecht bittermandelölartig; giftig	0,19 W 20° 0,27 W 55° l. in A, Ae	durch Reduktion → Anilin + Hypochlorit-Lsg. → violett 2 Teile Subst. + 1 Teil KOH → grün, + W untere Schicht gelb, obere Schicht grün → rot
434	0,999$^{16°}$	286,0 (716mm)	V 609		unl. in W l. in A, Ae, Bzl.	
435	0,946$^{20°}$	193,5 82,4 (20 mm)	VII 96	[α] + 62,8°; Dampfdruck 50° 3,16 mm Hg; ebullioskop. Konst. 5,94; kryoskop. Konst. 6,8; campherähnlicher Geruch	unl. in W l. in A, Ae	Semicarbazon *Fp* 184°, Prismen Oxim *Fp* 165°, Nädelchen Azin *Fp* 106—107°, Nadeln
436	1,4865$^{20°}$	281,1 144,7 (15 mm)	V 547	$n_D^{19,4}$ 1,65876; $R_D^{19,4}$ 51,32 cm³; $n_F^{19,4}$ 325,0; Oberflächenspannung 20,1° 44,53 dyn/cm; mit Dampf flüchtig	unl. in W l. in A, Ae, Bzl.	
437	0,7791$^{20°}$	80,8	V 20	n_D^{20} 1,4254; R_D^{20} 27,73 cm³; n_F^{20} 75,3; Oberflächenspannung 20° 26,54 dyn/cm; Dampfdruck 20° 76,7 mm Hg; ebullioskop. Konst. 2,75; kryosk. Konst. 20,2; riecht nach Chloroform und Rosenöl	unl. in W ∞ A, Ae	
438	1,994$^{11°}$	221	V 210	$n_D^{17,5}$ 1,6117	l. in A, Ae	
439	1,117$^{15°}$	242–243 105–106 (4 mm)	XIX 35	$n_D^{19,3}$ 1,5759	unl. in W l. in A, Ae, Bzl.	Pikrat *Fp* 68,5° Pseudonitrosit *Fp* 132° + alkohol. Alkali erwärmen → β-Nitroisosafrol *Fp* 98°, gelbe Krist.
440	1,4269$^{16°}$	219	V 477	riecht nach Hyazinthen	unl. in W l. in A, Ae	

Lfd. Nr.	*Fp*	Name	Summen- formel	Strukturformel	Mol.- Ge- wicht	Aggrega- zustand Farbe
1	2	3	4	5	6	7
441	7,0	Decylalkohol	$C_{10}H_{22}O$	$CH_3\cdot(CH_2)_8\cdot CH_2\cdot OH$	158,28	Öl
442	7,0	Phenylcyclohexan (Cyclohexylbenzol)	$C_{12}H_{16}$	$C_6H_5\cdot HC\langle{}^{CH_2\cdot CH_2}_{CH_2\cdot CH_2}\rangle CH_2$	160,25	Fl.
443	7,5	4-Chlortoluol	C_7H_7Cl	$Cl\cdot C_6H_4\cdot CH_3$	126,58	Fl.
444	7,5	Citraconsäureanhydrid	$C_5H_4O_3$	HC ═ C·CH_3 / OC—O—CO	112,08	Fl.
445	7,6	dl-Butandiol-(2.3)	$C_4H_{10}O_2$	$CH_3\cdot CH(OH)\cdot CH(OH)\cdot CH_3$	90,12	
446	8,05	Bromoform	$CHBr_3$	$CHBr_3$	252,77	Tafeln
447	8,4	Ameisensäure	CH_2O_2	$H\cdot COOH$	46,03	Fl.
448	8,5	Äthylendiamin (1.2-Diaminoäthan)	$C_2H_8N_2$	$H_2N\cdot CH_2\cdot CH_2\cdot NH_2$	60,10	Fl.

Lfd. Nr.	Spez. Gewicht	Siedepunkt °C	Beilsteinzitat	Physikalische Konstanten und Eigenschaften	Löslichkeit	Reaktionen
	8	9	10	11	12	13
441	$0{,}8297^{20°}$	231	I 425	stark lichtbrechend	l. in A, Ae	α-Naphthylurethan *Fp* 71,4° p-Nitrophenylurethan *Fp* 117°, glänzende Blättchen Phenylurethan *Fp* 59,6°, kleine Nadeln 3,5-Dinitrobenzoat *Fp* 57°
442		239 112,6 (15 mm)	V 503	n_D^{18} 1,5274		
443	$1{,}0697^{20°}$	162	V 292	mit Dampf flüchtig	unl. in W l. in A	
444	$1{,}250^{15°}$	213–214	XVII 440		l. in A	+ W → Citraconsäure *Fp* 91° (Zers.)
445		176,7 (742mm)	E_1 I 546			Diacetat *Fp* 41–41,5° Dibenzoat *Fp* 53–54° Bis-p-brombenzoat *Fp* 205–209°
446	$2{,}8899^{20°}$	149,6	I 68	n_D^{20} 1,5890; R_D^{20} 30,22 cm³; n_F^{20} 176,0; Oberflächenspannung 20° 51,0 dyn/cm; kryosk. Konst. 14,4; riecht nach Chloroform; schmeckt süßlich; wirkt anästhesierend	0,319 W 30° ll. in A, Ae	$CHBr_3$-Dampf im Wasserstoffstrom über Gemisch von festem KOH und Thymol, das gelinde erwärmt wird, leiten → violette Färbung Kochen mit alkohol. KOH, Eindampfen; Rückstand + wenig konz. H_2SO_4 u. etwas $CuSO_4$ → schwarzviolett, + W verschwindet die Farbe, beim Erwärmen erscheint sie wieder
447	$1{,}2259^{18°}$	100,8 50 (120mm)	II 8	$n_D^{20,0}$ 1,37137; $R_D^{20,0}$ 8,57 cm³; n_F^{20} 71,6; Oberflächenspannung 15° 38,13 dyn/cm; Dampfdruck 20° 31,3 mm Hg; ebullioskop. Konst. 2,4; kryoskop. Konst. 2,77; riecht stechend; ätzt die Haut	∞ W l. in A, Ae	+ Natriumbisulfit → gelbrot 0,2 g Resorcin in schwach schwefelsaurer Lsg. von CH_2O_2 mit konz. H_2SO_4 unterschichten → oranger Ring + konz. H_2SO_4 → CO mit $PdCl_2$-Lsg. nachweisen. Durch Reduktion in schwach saurer Lsg. mit Mg entsteht Formaldehyd Hydrazid *Fp* 54° Anilid *Fp* 47° p-Toluidid *Fp* 53° p-Nitrobenzylester *Fp* 31° p-Chlorphenacylester *Fp* 128,0°
448	$0{,}902^{15°}$	116,5	IV 230	$n_D^{26,1}$ 1,45400; $R_D^{26,1}$ 18,24 cm³; $n_F^{26,1}$ 95,2; schwach ammoniakalisch riechend; ätzender Geschmack	ll. in W l. in A 0,3 Ae	wss. Lsg. + Spur $CuSO_4$ + Lauge → blauviolett Hydrat *Fp* 10,0° Dibenzoylderivat *Fp* 245°, Nadeln Pikrat *Fp* 233–235°, Blättchen

Lfd. Nr.	Fp	Name	Summen-formel	Strukturformel	Mol.-Ge-wicht	Aggregat zustand Farbe
1	2	3	4	5	6	7
449	8,5	α.α-Diphenyläthylen	$C_{14}H_{12}$	$\begin{array}{c}C_6H_5\\ \quad\quad\rangle C:CH_2\\ C_6H_5\end{array}$	180,24	Fl.
450	8,7	2-Chlorphenol	C_6H_5ClO	$Cl \cdot C_6H_4 \cdot OH$	128,56	Fl.
451	9	2-Acetothienon (2-Acetylthiophen)	C_6H_6OS	$\begin{array}{c}HC\!-\!\!-\!CH\\ \|\quad\quad\|\\ HC\quad C\cdot COCH_3\\ \diagdown S \diagup\end{array}$	126,17	Fl.
452	9	Propiolsäure	$C_3H_2O_2$	$HC:C\ COOH$	70,05	Fl.
453	9,4	2-Nitroanisol	$C_7H_7NO_3$	$O_2N \cdot C_6H_4 \cdot OCH_3$	153,13	Fl.
454	9,5	Lepidin (4-Methyl-chinolin)	$C_{10}H_9N$		143,18	Öl
455	9,5 bis 11,5	Cyclooctan (Oktamethylen)	C_8H_{16}	$H_2C\!\!\left\langle\begin{array}{c}CH_2 \cdot CH_2 \cdot CH_2\\ CH_2 \cdot CH_2 \cdot CH_2\end{array}\right\rangle\!\!CH_2$	112,72	Fl.
456	10	n-Pentadecan	$C_{15}H_{32}$	$CH_3 \cdot (CH_2)_{13} \cdot CH_3$	212,41	Fl.
457	10	o-Toluolsulfochlorid	$C_7H_7ClO_2S$	$CH_3 \cdot C_6H_4 \cdot SO_2Cl$	190,65	Öl
458	10,01	Äthylenbromid (1,2-Dibromäthan)	$C_2H_4Br_2$	$BrCH_2 \cdot CH_2Br$	187,88	Fl.
459	10,25	Brompikrin	CBr_3NO_2	$CBr_3 \cdot NO_2$	297,77	Prismen
460	10,8	Dichloressigsäure	$C_2H_2Cl_2O_2$	$CHCl_2 \cdot COOH$	128,95	Fl.

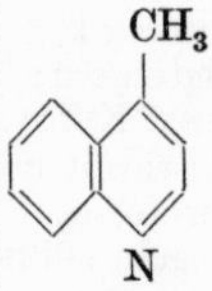

d. r.	Spez. Gewicht	Siedepunkt °C	Beilsteinzitat	Physikalische Konstanten und Eigenschaften	Löslichkeit	Reaktionen
	8	9	10	11	12	13
49	$1{,}0206^{22°}$	277	V 639		l. in A, Ae	Oxydation → Benzoesäure
50	$1{,}235^{25°}$	175–176	VI 183	kryoskop. Konst. 7,72; riecht jodoformartig	2,8 W 20° l. in A, Ae	Chloracetat *Fp* 144° p-Nitrobenzoat *Fp* 100°
51	$1{,}168^{20°}_{4°}$	213,9 (±0,055 je mm)	XVII 287	$^{n}D^{20}$ 1,5667; Viskosität (30°) 2,32 cP; Oberflächenspannung (30°) 44,5 dyn/cm	l. in Ae, CS_2 1,4 W 30°	Phenylhydrazon *Fp* 96°
52	$1{,}139^{15°}_{15°}$	144 (Zers.) 92 (50 mm)	II 477		l. in W, A, Ae	Amid *Fp* 61–62°
53	$1{,}254^{20°}$	265	VI 217	mit Dampf flüchtig	0,169 W 30° l. in A, Ae	
54	$1{,}0868^{20°}$	64,2	XX 395	$^{n}D^{25,4}$ 1,60909; $^{R}D^{25,4}$ 47,03 cm³; $^{n}F^{25,4}$ 290,9; hygroskopisch; riecht stechend; reizt zum Niesen	wl. in W ll. in A, Ae	Pikrat *Fp* 207° Styphnat *Fp* 237° Jodmethylat *Fp* 174°
55	0,833	146,3 bis 148 (720mm)	V 35	riecht intensiv nach Campher	l. in A	
456	$0{,}7689^{20°}$	270,5	I 172		∞ A, Ae	
457	$1{,}3443^{17°}$	126 (10 mm)	XI 86			
458	$2{,}1804^{20°}$	131,6 34,75 (20 mm)	I 90	$^{n}D^{20}$ 1,51277; $^{R}D^{20}$ 27,44 cm³; $^{n}F^{20}$ 131,5; Dampfdruck 20° 8,75 mm Hg; ebullioskop. Konst. 6,43; kryoskop. Konst. 12,5	0,431 W 30° ∞ A, Ae	
459	$2{,}811_{12{,}5°}$	127 (118mm)	I 77	flüchtig mit Dampf; scharfer Geruch	wl. in W ll. in A, Ae, Bzl., Chlf., CCl_4	
460	$1{,}573^{15°}_{15°}$	194	II 202	Dampfdruck 100° 21,9 mm Hg	l. in W, A, Ae	Anilid *Fp* 125° p-Toluidid *Fp* 153°

Lfd. Nr.	*Fp*	Name	Summenformel	Strukturformel	Mol.-Gewicht	Aggreg zustan Farbe
1	2	3	4	5	6	7
461	**10,9**	m-Kresol	C_7H_8O	$CH_3 \cdot C_6H_4 \cdot OH$	108,13	Fl.
462	**10,5 bis 11,5**	Myristinsäure-äthylester	$C_{16}H_{32}O_2$	$CH_3 \cdot (CH_2)_{12} \cdot CO \cdot OC_2H_5$	256,52	Fl.
463	**11**	4-Bromanisol	C_7H_7BrO	$Br \cdot C_6H_4 \cdot OCH_3$	187,04	Fl.
464	**11**	Butyrophenon (Phenyl-propylketon)	$C_{10}H_{12}O$	$C_2H_5 \cdot CH_2 \cdot CO \cdot C_6H_5$	148,20	Fl.
465	**11**	2-Chlorbenzaldehyd	C_7H_5ClO	$Cl \cdot C_6H_4 \cdot CHO$	140,57	Nadeln
466	**11,2**	Safrol (1-Allyl-3.4-methylendioxybenzol)	$C_{10}H_{10}O_2$	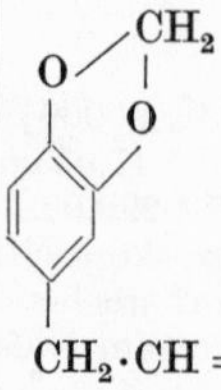	162,18	Krist.
467	**11,3**	1,4-Dioxan (Diäthylendioxyd)	$C_4H_8O_2$	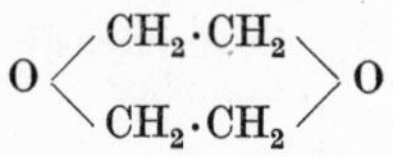	88,10	Fl.
468	**12**	o-Nitrostyrol	$C_8H_7NO_2$	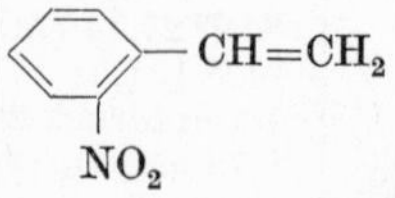	149,14	Fl.
469	**12**	Zimtsäureäthylester	$C_{11}H_{12}O_2$	$C_6H_5 \cdot CH:CH \cdot CO \cdot OC_2H_5$	176,21	Fl.
470	**12,5**	Pelargonsäure (n-Nonansäure)	$C_9H_{18}O_2$	$CH_3 \cdot (CH_2)_7 \cdot COOH$	158,23	blättrig Krist. oder Öl

Lfd. Nr.	Spez. Gewicht	Siedepunkt °C	Beilsteinzitat	Physikalische Konstanten und Eigenschaften	Löslichkeit	Reaktionen
	8	9	10	11	12	13
461	$1,034^{20°}$	201,8	VI 373		2,42 W 25° 4,4 W 88° ∞ A, Ae l. in Bzl., Chlf., Aceton, Dioxan	+ $FeCl_3$ → rotviolett + selenige Säure + H_2SO_4 → dunkelsmaragdgrün Acetat *Kp*. 212° Phenylurethan *Fp* 121—122° α-Naphthylurethan *Fp* 127 bis 128°
462		295 (Zers.)	II 365			
463	$1,494^{0°}$	215	VI 199		l. in A, Ae	
464	$0,990^{18°}$	231 (727mm)	VII 313		unl. in W l. in A, Ae	Oxim *Fp* 50° Semicarbazon *Fp* 190°
465	$1,252^{20°}$	208 (748mm)	VII 233	riecht stechend	swl. in W ll. in A, Ae	Phenylhydrazon *Fp* 86° 2,4-Dinitrophenylhydrazon *Fp* 206°
466	$1,106^{15°}$	234,5 121,28 (14 mm)	XIX 39	$n_D^{14,0}$ 1,5430	unl. in W l. in A, Ae	+ konz. H_2SO_4 → intensiv rot + Essigsäureanhydrid (1 + 5) + 1 Tropfen konz. H_2SO_4 → smaragdgrün → bräunlich Erhitzen mit alkohol. KOH → Isosafrol Trinitrobenzolat *Fp* 51°
467	$1,0329^{20°}$	100,8	XIX 3	n_D^{20} 1,425; Oberflächenspannung 20° 35,42 dyn/cm; ebullioskop. Konst. 3,13; kryoskop. Konst. 4,7; Flammpunkt 5°; riecht aromatisch	∞ W, A, Ae	Pikrat *Fp* 66°
468			V 478	mit W-Dampf destillierbar	unl. in W l. in A, Bzl.	+ H_2SO_4 → blau
469	$1,049^{20°}$	271,0	IX 581	n_D^{20} 1,55982; R_D^{20} 54,27 cm^3; n_F^{20} 282,7	unl. in W l. in A, Ae	
470	$0,9068^{18°}$	253 bis 254	II 352	n_D^{20} 1,43446; R_D^{20} 45,51 cm^3; n_F^{20} 78,7; flüchtig mit Wasserdampf	l. in W, A	Amid *Fp* 99° Anilid *Fp* 57° p-Toluidid *Fp* 84° Pb-Salz *Fp* 94—95° Zn-Salz *Fp* 131—132° Cd-Salz *Fp* 96°, Blättchen *p*-Chlorphenacylester *Fp* 59°

Lfd. Nr.	*Fp*	Name	Summenformel	Strukturformel	Mol.-Gewicht	Aggregatzustand Farbe
1	2	3	4	5	6	7
471	**12,6**	Paraldehyd	$C_6H_{12}O_3$	$CH_3\cdot CH\langle{}^{O\cdot CH(CH_3)}_{O\cdot CH(CH_3)}\rangle O$	132,16	Fl.
472	**13**	Acrylsäure	$C_3H_4O_2$	$CH_2:CH\cdot COOH$	72,06	Fl. Prismen oder Tafeln
473	**13**	Anthranilsäureäthylester (o-Aminobenzoesäureäthylester)	$C_9H_{11}NO_2$	$H_2N\cdot C_6H_4\cdot CO\cdot OC_2H_5$	165,19	Krist.
474	**13**	Methylphenylnitrosamin	$C_7H_8N_2O$	$C_6H_5\cdot N(NO)\cdot CH_3$	136,15	hellgelbes Öl
475	**13**	Tetranitromethan	CN_4O_8	$C(NO_2)_4$	196,04	Fl.
476	**13,2**	p-Xylol	C_8H_{10}	$C_6H_4(CH_3)_2$	106,16	Tafeln
477	**13,3**	Nitroglycerin	$C_3H_5N_3O_9$	$(O_2N\cdot O\cdot CH_2)_2CH\cdot O\cdot NO_2$	277,09	Öl
478	**13,5**	*β,β'*-Dichlordiäthylsulfid	$C_4H_8Cl_2S$	$S\langle{}^{CH_2CH_2Cl}_{CH_2CH_2Cl}$	159,08	Öl

Lfd. Nr.	Spez. Gewicht	Siedepunkt °C	Beilsteinzitat	Physikalische Konstanten und Eigenschaften	Löslichkeit	Reaktionen
	8	9	10	11	12	13
471	0,9943$^{20°}$	124	XIX 385	n_D^{20} 1,41976; R_D^{20} 32,55 cm^3; n_F^{20} 81,2; kryoskop. Konst. 7,05; riecht ätherisch; brennender, kühler Geschmack	12 W 13° 6 W 100° ∞ A, Ae	depolymerisiert sich bei Dest. oder bei Ggw. von Katalysatoren teilweise zu Acetaldehyd 1 Tropfen Destillat von 1 Teil Subst. u. 2 Teilen verd. H_2SO_4 + 1 ml 1%ige Piperazinlsg. u. 1 ml 1%ige Nitroprussidnatrium-Lsg. 1 Min. schütteln → bläulich-violett → rotviolett
472	1,062$^{16°}$	140,8 bis 141	II 397	riecht stechend	∞ W ll. in A l. in Bzl.	polymerisiert bei Dest.; Hg-Salz Tafeln; Ag-Salz Prismen; Pb-Salz lange Nadeln + Hydroxamsäure *Fp* 115 bis 116°, Flocken + $FeCl_3$ → rot Anilid *Fp* 104—105° p-Toluidid *Fp* 141°
473	1,77$^{20°}$	266	XIV 319		l. in A	Acetylderivat *Fp* 61° Benzoylderivat *Fp* 98°
474	1,125$^{25°}$	128 (19 mm)	XII 579		l. in A, Ae	
475	1,650$^{13°}$	126	I 80		unl. in W ll. in A, Ae	+ alkohol. KOH → Nitroform und Äthylnitrat
476	0,8611$^{20°}$	138 41,3 (20 mm)	V 382	n_D^{20} 1,4956; $n_D^{16,2}$ 1,49734; $R_D^{16,2}$ 35,96 cm^3; $n_F^{16,2}$ 157,7; kryoskop. Konst. 4,3; Dampfdruck 20° 5,8 mm Hg	swl. in W ll. in A, Ae	1—2 ml Subst. + 1 ml (1 Vol. $SbCl_5$ + 2 Vol. CCl_4) → rot Tetrabrom-p-xylol *Fp* 253°, lange Nadeln 2,3,5-Trinitro-p-xylol *Fp* 137—138°, Nadeln p-Xylol-2-sulfonsäure *Fp* 86°, Blätter Pikrat *Fp* 91°
477	1,6011$^{15°}_{15°}$	160 (15 mm)	I 516	explodiert durch Stoß, Schlag oder Erhitzen; giftig	0,18 W 20° 37,5 A 0° 54 A 20° ∞ Ae, Chlf. wl. in CS_2	
478	1,2741$^{20°}$ 1,2790$^{15°}$	216 bis 217,5 105 (15 mm)	I 349	Dampfdichte 5,5; Litergewicht des Dampfes 7,09 g; Dampfdruck 20° 0,0650 mg/m^3; Flüchtigkeit 20° 625 mg/m^3; Oberflächenspannung 58,1 dyn/cm; Viskosität 20° 2,6° E; n_D^{15} 1,53125; mit Dampf flüchtig; senfartiger Geruch	0,068 W 25° l. in A, Ae, Aceton, Benzin, Petroleum	+ SO_2 auf 85° im W-Bad erwärmen → rot + $AuCl_3$ → gelber Nd.

*

Lfd. Nr.	*Fp*	Name	Summen-formel	Strukturformel	Mol.-Gewicht	Aggregat zustand Farbe
1	2	3	4	5	6	7
479	**13,6**	Brenztraubensäure	$C_3H_4O_3$	$CH_3 \cdot CO \cdot COOH$	88,06	Fl.
480	**14**	Benzhydrylchlorid	$C_{13}H_{11}Cl$	$(C_6H_5)_2CHCl$	202,68	Krist.
481	**14**	Ölsäure	$C_{18}H_{34}O_2$	$CH \cdot (CH_2)_7 \cdot CH_3$ ‖ $CH \cdot (CH_2)_7 \cdot COOH$	282,45	Nadeln
482	**14,5**	Benzolsulfochlorid	$C_6H_5ClO_2S$	$C_6H_5 \cdot SO_2Cl$	176,62	Krist.
483	**15,0**	Acetoin	$C_4H_8O_2$	$CH_3 \cdot CH(OH) \cdot CO \cdot CH_3$	88,10	Fl.
484	**15,0**	2,5-Dimethylpyrazin	$C_6H_8N_2$	$N \langle \begin{matrix} CH \cdot C(CH_3) \\ C(CH_3) : CH \end{matrix} \rangle N$	108,14	Tafeln und Prismen
485	**15**	Glyoxal	$C_2H_2O_2$	$OHC \cdot CHO$	58,04	gelbe Prismen
486	**15**	Isocrotonsäure (β-Crotonsäure)	$C_4H_6O_2$	$CH_3 \cdot CH : CH \cdot COOH$	86,09	Nadeln (PAe)
487	**15**	Methylnonylketon	$C_{11}H_{22}O$	$CH_3 \cdot (CH_2)_8 \cdot CO \cdot CH_3$	170,29	Fl.
488	**15**	Nitroform	CHN_3O_6	$CH(NO_2)_3$	151,04	Krist.
489	**15**	3-Nitro-o-xylol	$C_8H_9NO_2$	$O_2N \cdot C_6H_3(CH_3)_2$	151,16	Nadeln (A)

Lfd. Nr.	Spez. Gewicht	Siedepunkt °C	Beilsteinzitat	Physikalische Konstanten und Eigenschaften	Löslichkeit	Reaktionen
	8	9	10	11	12	13
479	1,2649$^{25°}_{25°}$	165 (Z.) 77,29 (20 mm)	III 608	Dampfdruck 40° 1,98 mm Hg; riecht nach Essigsäure	∞ W, A, Ae	in ammoniakalischer Lsg. + konz. Nitroprussidnatrium-Lsg. → violettblau, + Essigsäure → blau, + KOH → dunkelrot + α-Naphthol-H_2SO_4 gelb, in der Wärme rotorange + β-Naphthol-H_2SO_4 rot, in der Wärme blau Phenylhydrazon *Fp* 192°, Nadeln o-Nitrophenylhydrazon *Fp* 219–220°
480		360 (Z.) 173 (19 mm)	V 590		l. in A, Ae	
481	0,900$^{12°}$ 0,8998$^{11°}_{4°}$	286 (100mm) 231,5 (15 mm)	II 463	n_D^{20} 1,4620; Oberflächenspannung 20° 33,3 dyn/cm; geruchlos und geschmacklos	unl. in W ∞ A, Ae, PAe	Pb-Salz *Fp* 80° Li-Salz, krist. Büschel p-Phenylphenacylester *Fp* 61° Amid *Fp* 75–76° Anilid *Fp* 41° Phenylhydrazid *Fp* 91–93° Diphenylhydrazid *Fp* 83–86°
482	1,378$^{23°}$	119 (15 mm)	XI 34		unl. in W ll. in A	
483	1,002$^{15°}$	140 bis 142	I 827	riecht angenehm	∞ W ll. in A wl. in Ae	Semicarbazon *Fp* 185° Phenylhydrazon *Fp* 243° (Z.)
484	0,9896$^{18°}$	155	XXIII 96	mit Dampf flüchtig	ll. in W, A, Ae	Pikrat *Fp* 159°
485	1,14$^{20°}$	51 (776mm)	I 759	Dampf ist grün, brennt mit violetter Farbe; polymerisiert leicht	l. in W ll. in A, Ae	+ $FeCl_3$ + Pepton-HCl → blaßviolett + H_2SO_4 violettbraun Dioxim *Fp* 78°
486	1,031$^{15°}$	169 bis 169,3 79,4 (20 mm)	II 412	Dampfdruck 50° 3,75 mm Hg	40 W l. in A	Anilid *Fp* 118° *p*-Toluidid *Fp* 132°
487	0,8295$^{17°}$	225 105 bis 106 (13 mm)	I 713	$n_D^{17,3}$ 1,43002; $R_D^{17,3}$ 53,0 cm³; $n_F^{17,3}$ 77,4; riecht apfelsinenartig	unl. in W l. in A, Ae	Oxim *Fp* 46–47° Semicarbazon *Fp* 122–124° p-Nitrophenylhydrazon *Fp* 90–91°, gelbe Nadeln Oxydation mit Hypobromit → n-Caprinsäure
488	1,5967$^{24°}$	45–47 (22 mm)	I 79	explosiv bei raschem Erhitzen	l. in W l. in Alkali gelb	NH_4-Salz *Fp* 200° (Z.)
489		240	V 367		unl. in W l. in A	

Lfd. Nr.	*Fp*	Name	Summen-formel	Strukturformel	Mol.-Ge-wicht	Aggregat zustand Farbe
1	2	3	4	5	6	7
490	**15**	Phenylarsindijodid	$C_6H_5AsJ_2$	$C_6H_5AsJ_2$	405,83	zitronen gelbe Nadeln
491	**15**	o-Thiokresol	C_7H_8S	$CH_3 \cdot C_6H_4 \cdot SH$	124,20	Blätter
492	**15—16**	n-Undecylamin	$C_{11}H_{25}N$	$CH_3 \cdot (CH_2)_9 \cdot CH_2 \cdot NH_2$	171,32	Fl.
493	**15—16**	Phthalylchlorid	$C_8H_4Cl_2O_2$	$C_6H_4(COCl)_2$	203,03	Fl.
494	**15,5**	2,5-Dimethylanilin	$C_8H_{11}N$	$(CH_3)_2C_6H_3 \cdot NH_2$	121,18	gelbes Ö
495	**16**	Benzalhydrazin	$C_7H_8N_2$	$C_6H_5 \cdot CH:N \cdot NH_2$	120,15	Blätter
496	**16**	Calciumoxalat	C_2CaO_4	CO·O |　　 > Ca CO·O	128,10	Krist.
497	**16**	Caprylsäure (n-Octansäure)	$C_8H_{16}O_2$	$CH_3 \cdot (CH_2)_6 \cdot COOH$	144,21	Blätter
498	**16**	Methacrylsäure	$C_4H_6O_2$	$CH_2:C(CH_3) \cdot COOH$	86,09	Prismen
499	**16**	3-Nitrotoluol	$C_7H_7NO_2$	$O_2N \cdot C_6H_4 \cdot CH_3$	137,13	Krist.
500	**16**	Tetramethylenglykol	$C_4H_{10}O_2$	$HO \cdot CH_2 \cdot (CH_2)_2 \cdot CH_2 \cdot OH$	90,12	Fl.
501	**16—17**	Hämopyrrol	$C_8H_{13}N$	$C_2H_5 \cdot C$ —— $C \cdot CH_3$ ‖　　　‖ $HC \cdot NH \cdot C \cdot CH_3$	123,19	Krist.
502	**16—17**	3-Methylchinolin	$C_{10}H_9N$	$C_9H_6N \cdot CH_3$	143,18	Prismen
503	**16—17**	1,2,3-Tribrompropan	$C_3H_5Br_3$	$CH_2Br \cdot CHBr \cdot CH_2Br$	280,82	Prismen

Lfd. Nr.	Spez. Gewicht	Siedepunkt °C	Beilsteinzitat	Physikalische Konstanten und Eigenschaften	Löslichkeit	Reaktionen
	8	9	10	11	12	13
490		190 (12 mm)	XVI 831		l. in h. A oder Aceton	
491		194,3 84,6 (20 mm)	VI 370	Dampfdruck 50° 3,16 mm Hg; mit Dampf flüchtig	unl. in W l. in A	
492		232	IV 199	mit W-Dampf flüchtig	unl. in Ae ll. in sd. W u. A	
493	$1{,}409^{20°}$	276,7	IX 805	$^{n}D^{20}$ 1,56919		+ W u. A → Zers.
494	$0{,}9790^{21°}$	218	XII 1135	$^{n}D^{21,3}$ 1,55914; $^{R}D^{21,3}$ 39,95 cm³; Oberflächenspannung 26,0° 36,6 dyn/cm	l. in h. A	Hydrochlorid *Fp* 228° Acetylderiv. *Fp* 139° Benzoylderivat *Fp* 146°
495		140 (14 mm)	VII 225	riecht nach Seifenlauge	l. in A, Ae	zerfällt in feuchter Luft
496			II 515		0,0006 W 18° 0,0014 W 95°	
497	$0{,}9139^{20°}$	237,5 136,6 (20 mm)	II 347	$^{n}D^{21}$ 1,42677; $^{R}D^{21}$ 40,71 cm³; $^{n}F^{21}$ 75,5; riecht schweißähnlich; Dampf reizt zum Husten	unl. in k. W 0,25 in sd. W ll. in A, Ae, Bzl.	+ o-Phthalaldehyd in der Kälte farblos, in der Hitze schmutzigblau Cu-Salz *Fp* 204—205°, grüne Blättchen Pb-Salz *Fp* 83,5—84,5°, Blättchen p-Chlorphenacylester *Fp* 63,0° Amid *Fp* 110° p-Toluidid *Fp* 70° Anilid *Fp* 57°
498	$1{,}015^{20°}$	163	II 421	polymerisiert bei höherer Temperatur	ll. in h. W ∞ A, Ae	Amid *Fp* 106°
499	$1{,}160^{18°}$	230 bis 231	V 321		0,050 W 30° ll. in A, Ae	
500	$1{,}020^{20°}$	230	I 478	schmeckt brennend und bitter	∞ W, A wl. in Ae	
501	$0{,}915^{20°}$	198 (725mm)	E_1 XX 46	$^{n}D^{20}$ 1,4467; mit Dampf flüchtig	wl. in h. W ll. in A, Ae	0,5 ml Subst. + 1 ml A + 0,5 ml 10%ige alkohol. Vanillin-Lsg. + 0,5 ml konz. H_2SO_4 → rotviolett
502	$1{,}0673^{20°}$	259,6	XX 394	$^{n}D^{25,3}$ 1,60909; $^{R}D^{25,4}$ 47,03 cm³; $^{n}F^{25,4}$ 290,9; mit Dampf flüchtig	swl. in W	Pikrat *Fp* 187° Styphnat *Fp* 190° Jodmethylat *Fp* 221°
503	$2{,}436^{23°}$	219 bis 221	I 112		unl. in W l. in A	

Lfd. Nr.	*Fp*	Name	Summenformel	Strukturformel	Mol.-Gewicht	Aggregatzustand Farbe
1	2	3	4	5	6	7
504	**16,68**	Essigsäure	$C_2H_4O_2$	$CH_3\cdot COOH$	60,05	Fl.
505	**17**	4-tert.-Butylanilin	$C_{10}H_{15}N$	$(CH_3)_3C\cdot C_6H_4\cdot NH_2$	149,23	Öl
506	**17**	Önanthsäureanhydrid	$C_{14}H_{26}O_3$	$[CH_3\cdot(CH_2)_5\cdot CO]_2O$	242,35	dicke Fl.
507	**17**	Pentamethyläthylalkohol	$C_7H_{16}O$	$(CH_3)_3C\cdot C(CH_3)_2\cdot OH$	116,20	Fl.
508	**17**	Succinylchlorid (Bernsteinsäuredichlorid)	$C_4H_4Cl_2O_2$	$ClOC\cdot CH_2\cdot CH_2\cdot COCl$	154,99	Fl.
509	**17**	1,2,4-Trichlorbenzol	$C_6H_3Cl_3$	$C_6H_3Cl_3$	181,46	Krist.
510	**17**	d-Weinsäurediäthylester	$C_8H_{14}O_6$	$C_2H_5O\cdot OC\cdot[CH(OH)]_2\cdot CO\cdot OC_2H_5$	206,19	Fl.
511	**17–18**	3-Chlorbenzaldehyd	C_7H_5ClO	$Cl\cdot C_6H_4\cdot CHO$	140,57	Prismen
512	**17,8**	o,o′-Ditolyl	$C_{14}H_{14}$	$CH_3\cdot C_6H_4\cdot C_6H_4\cdot CH_3$	182,25	Krist.
513	**17,8**	β,β,β-Trichloräthylalkohol	$C_2H_3Cl_3O$	$CCl_3\cdot CH_2\cdot OH$	149,42	Tafeln
514	**18**	cis-β-Dekalol II	$C_{10}H_{18}O$	$H_2C\cdot CH_2\cdot CH\cdot CH_2\cdot CH\cdot OH$ / $H_2C\cdot CH_2\cdot CH\cdot CH_2\cdot CH_2$ (vertikal verbunden)	154,24	Fl.
515	**18**	Acetonoxalester	$C_7H_{10}O_4$	$CH_3\cdot CO\cdot CH_2\cdot CO\cdot CO\cdot OC_2H_5$	158,15	Krist.
516	**18**	3-Bromanilin	C_6H_6BrN	$Br\cdot C_6H_4\cdot NH_2$	172,03	Krist.

Lfd. Nr.	Spez. Gewicht	Siedepunkt °C	Beilsteinzitat	Physikalische Konstanten und Eigenschaften	Löslichkeit	Reaktionen
	8	9	10	11	12	13
504	1,0492$^{20°}$	118,1 29,9 (20 mm)	II 96	$^{n}D^{20}$ 1,37182; $^{R}D^{20}$ 12,99 cm³; $^{n}F^{20}$ 66,3; Oberflächenspannung 20° 23,5 dyn/cm; Dampfdruck 20° 11,8 mm Hg; ebullioskop. Konst. 3,07; kryoskop. Konst. 3,9; stechender Geruch	∞ W, A, Ae	Jod-Lanthan-Rk.: 1—3 ml der Lsg. + 1 ml 5%ige Lanthannitratlsg. + 1 ml n/50-Jodlsg. + einige Tropfen NH_3 langsam bis zum Sieden erwärmen → blau + A + konz. H_2SO_4 erhitzen→ Essigestergeruch Amid *Fp* 82–83° Hydrazid *Fp* 67° Phenacylester *Fp* 40° p-Nitrobenzylester *Fp* 78°
505	0,937$^{25°}$	238 bis 240	XII 1166	riecht unangenehm	swl. in W ∞ A, Ae	Pikrat *Fp* 192° (Z.) Acetylderivat *Fp* 56°
506	0,9217	268 bis 271 164 (15 mm)	II 340	reagiert neutral	wl. in W l. in A	
507	0,835	131 bis 132	I 418	riecht campherartig	ll. in A, Ae	
508	1,395$^{15°}$	190 bis 192	II 613		l. in Ae, Bzl.	+ W → Zers.
509	1,446$^{26°}$	213	V 204		unl. in W l. in A, Ae, Bzl.	
510	1,204$^{20°}$	280	III 512	$[\alpha]_D$ +7,66°	l. in W, A	
511	1,250$^{15°}$	213 bis 215 98,5 (0,5 mm)	VII 234		wl. in W ll. in A, Ae	Oxim *Fp* 70° Phenylhydrazon *Fp* 134—135°
512		258 (738 mm)	V 608		unl. in W ll. in A, Ae, Bzl.	
513	1,550$^{23°}$	151 (737 mm)	I 338	riecht ätherisch; hykroskopisch	wl. in W ∞ A, Ae l. in KOH	Phenylurethan *Fp* 87° α-Naphthylurethan *Fp* 120°
514		243 (746 mm)	E_2 VI 74			Phenylurethan *Fp* 102°
515	1,1251$^{20°}$	213 bis 215	III 747	$^{n}D^{18,2}$ 1,47228; $^{R}D^{18,2}$ 39,33 cm³; $^{n}F^{18,2}$ 195,5	l. in A	+ $FeCl_3$ → Rotfärbung
516	1,5808 $^{20,6°}$	251	XII 633	$^{n}D^{20,4}$ 1,62604; $^{R}D^{20,4}$ 38,55 cm³; $^{n}F^{20,4}$ 265,0	l. in A	Acetylderivat *Fp* 87,5° Benzoylderivat *Fp* 136°

Lfd. Nr.	*Fp*	Name	Summen-formel	Strukturformel	Mol.-Gewicht	Aggrega zustand Farbe
1	2	3	4	5	6	7
517	**18**	(dl-)Milchsäure	$C_3H_6O_3$	$CH_3 \cdot CH(OH) \cdot COOH$	90,08	Krist.
518	**18**	α-Octadecylen [Octadecen-(1)]	$C_{18}H_{36}$	$CH_3 \cdot (CH_2)_{15} \cdot CH{=}CH_2$	252,47	Krist.
519	**18**	β,β′,β″-Trichlortrivinyl-arsin	$C_6H_6AsCl_3$	$(Cl \cdot CH{:}CH)_3As$	259,39	Fl.
520	**18–19**	Cyclopropancarbonsäure	$C_4H_6O_2$	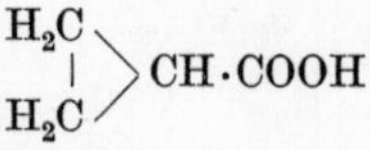	86,09	Krist.
521	**19**	N-Methylanthranil-säuremethylester	$C_9H_{11}NO_2$	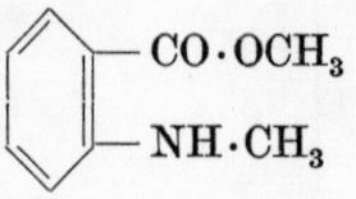	165,19	Krist.
522	**19,5**	Bernsteinsäuredimethyl-ester	$C_6H_{10}O_4$	$CH_3O \cdot OC \cdot (CH_2)_2 \cdot CO \cdot OCH_3$	146,14	Krist.
523	**19,6**	Phenylhydrazin	$C_6H_8N_2$	$C_6H_5 \cdot NH \cdot NH_2$	108,14	monokli Tafeln
524	**19,7**	Acetophenon (Methylphenylketon)	C_8H_8O	$CH_3 \cdot CO \cdot C_6H_5$	120,14	perl-mutter-artige Blättche
525	**20**	Hexadecan	$C_{16}H_{34}$	$CH_3 \cdot (CH_2)_{14} \cdot CH_3$	226,43	Blättche

Lfd. Nr.	Spez. Gewicht	Siedepunkt °C	Beilsteinzitat	Physikalische Konstanten und Eigenschaften	Löslichkeit	Reaktionen
	8	9	10	11	12	13
517	1,240	122 (12 mm)	III 268	n_D^{20} 1,44145; R_D^{20} 19,19 cm³; n_F^{20} 77,1; sehr hygroskopisch; mit W-Dampf flüchtig	ll. in W, A wl. in Ae	+ $Fe(NO_3)_3$-Lsg. → zitronengelb; mit J_2 + NaOH erwärmt → CHJ_3; 1 mg Subst. + 5 mg α-Naphthol in 1 ml konz. H_2SO_4 gelinde erwärmt → orangerote Lsg., beim Erhitzen → gelb und braungrüne Fluoreszenz Amid *Fp* 124° Anilid *Fp* 59° Phenylester *Fp* 96°
518	0,791	179 (15 mm)	I 226		ll. in A, Bzl.	
519	$1{,}5727^{21,5°}_{4°}$	260 145 bis 146 (18 mm)		Dampfdichte 9; Litergew. des Dampfes 10,79 g; $n_D^{16,2}$ 1,5985; sehr starker anhaftender Geruch nach Geranien	unl. in W, A l. in Ae, Bzl.	
520	$1{,}088^{20°}$	181	IX 4		l. in CS_2	Anilid *Fp* 124°
521	$1{,}120^{15°}$	256	XIV 324	riecht nach Jasmin	unl. in W l. in A, Ae	
522	$1{,}1208^{20°}$	195	II 609	kryoskop. Konst. 5,55	l. in A	
523	$1{,}097^{23°}$	243,5 120 (17 mm)	XV 67	$n_D^{20,3}$ 1,60813; $R_D^{20,3}$ 34,06 cm³; $n_F^{20,3}$ 255,5; kryoskop. Konst. 5,86; erzeugt auf der Haut Ekzeme; starkes Blutgift; riecht unangenehm	wl. in k. W ∞ A, Ae, Bzl., Chlf. swl. in konz. Alkali	+ Formaldehyd erhitzen + Nitroprussidnatrium → blau wss. Lsg. + Chlorwasser, Phenol u. NH_3 → gelb + HNO_3 → orange, erwärmen → rot Hydrochlorid *Fp* 243—246° Acetylderivat *Fp* 128° Benzoylderivat *Fp* 168° 1-Phenyl-4-p-nitrophenylsemicarbazid *Fp* 211—213, gelbe Nadeln
524	$1{,}0238^{25°}$ $1{,}0282^{20°}_{4°}$	201,5 85,79 (14 mm)	VII 271	n_D^{20} 1,53349; $R_D^{19,1}$ 36,28 cm³; $n_F^{19,1}$ 216,6	unl. in W ll. in A, Ae l. in H_2SO_4	+ H_2SO_4 → orangegelb Oxim *Fp* 59° Diphenylhydrazon *Fp* 97—98°, Warzen β-Naphthylhydrazon *Fp* 150°, Nädelchen Semicarbazon *Fp* 198°, Tafeln
525	$0{,}771^{18°}$	270 163,4 (20 mm)	I 172	n_F^{20} 76,0; Dampfdruck 150° 11,4 mm Hg	unl. in W ∞ A, Ae	

Lfd. Nr.	*Fp*	Name	Summen-formel	Strukturformel	Mol.-Ge-wicht	Aggrega zustand Farbe
1	2	3	4	5	6	7
526	20	Glycerin	$C_3H_8O_3$	$HOCH_2 \cdot CH(OH) \cdot CH_2OH$	92,09	Fl.
527	20	1,2,3,4-Tetrahydro-chinolin	$C_9H_{11}N$	C_6H_4 ⟨ $CH_2 \cdot CH_2$ / $NH \cdot CH_2$	133,19	Fl.
528	20 bis 22,5	Pyrimidin	$C_4H_4N_2$	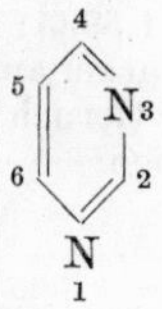	80,09	Krist.
529	20,5	Zimtsäurenitril (Styrylcyanid)	C_9H_7N	$C_6H_5 \cdot CH{:}CH \cdot CN$	129,15	Krist.
530	21	Benzoesäurebenzylester	$C_{14}H_{12}O_2$	$C_6H_5 \cdot CO \cdot OCH_2 \cdot C_6H_5$	212,24	Nadeln oder Blättchen
531	21	Propiophenon (Äthylphenylketon)	$C_9H_{10}O$	$C_2H_5 \cdot CO \cdot C_6H_5$	134,17	Tafeln
532	21	o-Xylylbromid	C_8H_9Br	$CH_3 \cdot C_6H_4 \cdot CH_2Br$	185,07	Prismen
533	22	dl-Mandelsäurenitril	C_8H_7NO	$C_6H_5 \cdot CH(OH) \cdot CN$	133,14	Prismen (A)

Lfd. Nr.	Spez. Gewicht	Siedepunkt °C	Beilsteinzitat	Physikalische Konstanten und Eigenschaften	Löslichkeit	Reaktionen
	8	9	10	11	12	13
526	$1{,}2604^{20°}$	290 181,34 (20 mm)	I 502	$^{n}D^{20}$ 1,4746; Dampfdruck 150° 4,48 mm Hg; Oberflächenspannung 30° 64,7 dyn/cm; hygroskopisch; schmeckt süß	∞ A, W unl. in Ae, Chlf.	0,5 ml Subst. + 1 ml A + 0,5 ml 10%ige alkohol. Vanillin-Lsg. + 5 ml konz. H_2SO_4 → rotviolett + HNO_3 (+ H_2SO_4) → Nitroglycerin Acroleinbildung durch Erhitzen mit Kaliumbisulfat oder Borsäure Triacetat *Fp* 131° α-Naphthylurethan *Fp* 279 bis 280°
527	$1{,}0588^{20°}$	251	XX 262	$^{n}D^{23,4}$ 1,59331; $^{R}D^{23,4}$ 42,79 cm^3; $^{n}F^{23,4}$ 301,8; starke Base	wl. in W ∞ A, Ae	+ $K_2Cr_2O_7$ + verd. H_2SO_4 → dunkelrot Benzoylderivat *Fp* 75°
528		124	XXIII 89	riecht durchdringend; narkotisch	ll. in W	+ $AuCl_3$ *Fp* 226°, Nadeln Pikrat *Fp* 156°
529	$1{,}035^{0°}$	255 bis 256	IX 589		unl. in W ll. in A	
530	$1{,}122^{19°}$	323 bis 324 191,29 (20 mm)	IX 121	Dampfdruck 150° 3,46 mm Hg	wl. in W l. in A	
531	$1{,}0133^{16°}$	218	VII 300	$^{n}D^{20}$ 1,5270	l. in A, Ae	Oxim *Fp* 53° Semicarbazon *Fp* 174° 4-Phenylsemicarbazon *Fp* 159° p-Nitrophenylhydrazon *Fp* 147° 2,4-Dinitrophenylhydrazon *Fp* 191°
532	$1{,}381^{23°}$	216	V 365	Dampfdichte 6,4; Litergew. des Dampfes 8,49; Dampfdruck 20° 0,24 mm Hg; Flüchtigkeit 2400 mg/m^3; Oberflächenspannung 48–50 dyn/cm; riecht aromatisch, verdünnt fliederartig; reizt zu Tränen	unl. in W ∞ A, Ae, Bzl.	+ H_2SO_4 → blutrot
533	$1{,}116^{20°}$	170 (Z.)	X 206		unl. in W l. in A, Ae	+ H_2SO_4 → rot >170° → Benzaldehyd u. HCN

Lfd. Nr.	Fp	Name	Summen-formel	Strukturformel	Mol.-Ge-wicht	Aggregat zustand Farbe
1	2	3	4	5	6	7
534	22,5	Heptadecan	$C_{17}H_{36}$	$H_3C \cdot (CH_2)_{15} \cdot CH_3$	240,46	Tafeln
535	22,5	d-Weinsäuredibutyl-ester	$C_{12}H_{22}O_6$	$(\cdot CHOH \cdot CO \cdot OC_4H_9)_2$	262,30	Prismen
536	22,5	Veratrol (1,2-Dimethoxy-benzol)	$C_8H_{10}O_2$	$\cdot O \cdot CH_3$ $\cdot O \cdot CH_3$	138,16	Krist. (PAe)
537	22,8 bis 23	Anethol (4-Propenyl-anisol)	$C_{10}H_{12}O$	$CH_3 \cdot CH : CH \cdot \hspace{1em} \cdot OCH_3$	148,20	Blättche (A)
538	23	Isoduridin (4-Amino-1,2,3,5-tetramethyl-benzol)	$C_{10}H_{15}N$	$H_2N \cdot C_6H(CH_3)_4$	152,25	
539	23	1,2,3-Triazol	$C_2H_3N_3$	$\begin{matrix} HC = CH \\ \mid \quad \mid \\ HN \cdot N : N \end{matrix}$ bzw. $\begin{matrix} HC - CH \\ \parallel \quad \parallel \\ N \cdot NH \cdot N \end{matrix}$	69,07	Krist.
540	23,4	o-Dijodbenzol	$C_6H_4J_2$	$J \cdot C_6H_4 \cdot J$	329,91	Tafeln (Ligroin)
541	23,4	Putrescin (Tetra-methylendiamin)	$C_4H_{12}N_2$	$H_2N \cdot (CH_2)_4 \cdot NH_2$	88,15	Krist.
542	23,5	Myristinaldehyd (Tetradecanal)	$C_{14}H_{28}O$	$CH_3 \cdot (CH_2)_{12} \cdot CHO$	212,36	Krist.
543	23,9	Cyclohexanol (Hexahydrophenol, Anol)	$C_6H_{12}O$	$H_2C \left\langle \begin{matrix} CH_2 \cdot CH_2 \\ CH_2 \cdot CH_2 \end{matrix} \right\rangle CH \cdot OH$	100,16	Nadeln
544	24	Benzyljodid (ω-Jodtoluol)	C_7H_7J	$C_6H_5 \cdot CH_2 \cdot J$	218,05	farblose Krist.

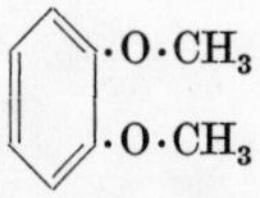

Lfd. Nr.	Spez. Gewicht	Siedepunkt °C	Beilsteinzitat	Physikalische Konstanten und Eigenschaften	Löslichkeit	Reaktionen
	8	9	10	11	12	13
34	$0{,}7766^{23°}$	303	I 173	$n_D^{23,7}$ 1,43583; $R_D^{23,7}$ 80,98 cm^3; $n_F^{23,7}$ 76,2	unl. in W l. in A, Ae	
35		200 bis 203 (18 mm)	III 518			
36	$1{,}0811^{21°}$	207	VI 771		wl. in W l. in A, Ae	Pikrat *Fp* 56—57° 4,5-Dibromderiv. *Fp* 92°
37	$0{,}9875^{25°}_{25°}$	233 bis 234	VI 566	riecht nach Anis; schmeckt stark süß	ll. in A l. in Ae l. in H_2SO_4	+ H_2SO_4 → rot + W Entfärbung → Abscheidung von Anisoin *Fp* 140° Dibromid *Fp* 67°, Nadeln Monobromanetholdibromid *Fp* 112,5°, dicke, trikline Nadeln Pikrat *Fp* 70°
38	$0{,}978^{24°}$	255	XII 1175			
39	$1{,}1861^{25°}$	203 (739 mm)	XXVI 11	$n_\alpha^{25,3}$ 1,4819; schmeckt widerlich süß	ll. in W, A, Ae, CS_2, Chlf. u. in Ligroin	
40		287	V 225	mit Dampf flüchtig	swl. in W wl. in k. A	
41	$0{,}877^{25°}$	158 bis 160	IV 264	kryoskop. Konst. 38,78; riecht nach Piperidin	ll. in W	Dihydrochlorid *Fp* 315° (Z.) Au-Salz *Fp* 212—214°, grünlichgelbe Prismen Pikrat *Fp* 260° (Z.), hellgelbe Prismen N,N′-Diacetylderiv. *Fp* 137° N,N′-Dibenzoylderiv. *Fp* 176 bis 177°
42		166 (24 mm)	I 716	polymerisiert sich beim Aufbewahren		Oxim *Fp* 82,5° Semicarbazon *Fp* 106,5°
43	$0{,}9369^{34°}$	160,5	V I5	n_D^{37} 1,46055; R_D^{37} 29,28 cm^3; n_F^{37} 78,3; Flammpunkt 68°; Acetylzahl 561; Oberflächenspannung 45° 31,37 dyn/cm; sehr hygroskopisch; riecht nach Campher und Fusel	5,67 W 11° l. in A, Ae	p-Nitrobenzoat *Fp* 52° 3,5-Dinitrobenzoat *Fp* 112 bis 113° Phenylurethan *Fp* 82° p-Diphenylylurethan *Fp* 166° α-Naphthylurethan *Fp* 128 bis 129° saurer Phthalsäureester *Fp* 99°, dicke Krist.
44	$1{,}733^{25°}$	226 (Z.) 93° (11 mm)	V 314	Dampfdichte 7,5; Litergewicht d. Dampfes 9,07 g; Dampfdruck 20° 0,11 mm Hg; Dampf reizt zu Tränen	unl. in W l. in A, Ae, Bzl.	

Lfd. Nr.	*Fp*	Name	Summen-formel	Strukturformel	Mol.-Gewicht	Aggrega zustand Farbe
1	2	3	4	5	6	7
545	**24**	Dodecylalkohol	$C_{12}H_{26}O$	$CH_3 \cdot (CH_2)_{10} \cdot CH_2 \cdot OH$	186,33	Blättche (A)
546	**24**	Thiobenzoesäure	C_7H_6OS	$C_6H_5 \cdot CO \cdot SH$ oder $C_6H_5 \cdot CS \cdot OH$	138,18	gelbes Öl
547	**24**	Trithioaceton	$C_9H_{18}S_3$	$(CH_3)_2C<(S \cdot C(CH_3)_2)(S \cdot C(CH_3)_2)>S$	222,41	Nadeln (A)
548	**24—25**	β,β'-Dicyandiäthylsulfid	$C_6H_8N_2S$	$S<(CH_2 \cdot CH_2 \cdot CN)(CH_2 \cdot CH_2 \cdot CN)$	140,19	Öl
549	**24,5**	Anthranilsäuremethylester	$C_8H_9NO_2$	$H_2N \cdot C_6H_4 \cdot CO \cdot OCH_3$	151,18	Krist.
550	**24,5**	2.3-Dichloranilin	$C_6H_5Cl_2N$	$H_2N \cdot C_6H_3Cl_2$	162,02	gelbliche Nadeln (Ligroin
551	**24,5**	$\iota,\varkappa$-Undecylensäure	$C_{11}H_{20}O_2$	$CH_2{:}CH \cdot (CH_2)_8 \cdot COOH$	184,27	Nadeln
552	**24,8**	Isochinolin (3,4-Benzopyridin)	C_9H_7N	$C_6H_4<(CH{:}CH)(CH{:}N)$ (CH:CH | CH:N)	129,15	Tafeln
553	**25**	Anisalkohol (p-Methoxybenzylalkohol)	$C_8H_{10}O_2$	$CH_3 \cdot O \cdot C_6H_4 \cdot CH_2 \cdot OH$	138,16	Nadeln
554	**25**	1,4-Dihydronaphthalin	$C_{10}H_{10}$	$C_6H_4<(CH_2 \cdot CH)(CH_2 \cdot CH)$ (CH ‖ CH)	130,18	Blättche
555	**25**	Methylarsindijodid	CH_3AsJ_2	$CH_3 \cdot AsJ_2$	343,78	gelbe Nadeln
556	**25**	Pyrrolidon-(2) (Butyrolactam)	C_4H_7NO	H_2C——CH_2 | | $H_2C \cdot NH \cdot CO$	85,10	Krist. (PAe)
557	**25,4**	α-Brombenzylcyanid	C_8H_6BrN	$C_6H_5 \cdot CH(Br) \cdot CN$	196,05	weiße Krist.

fd. Nr.	Spez. Gewicht	Siedepunkt °C	Beilsteinzitat	Physikalische Konstanten und Eigenschaften	Löslichkeit	Reaktionen
	8	9	10	11	12	13
45	0,8309$^{24°}$	255 bis 259	I 428		wl. in W l. in A, Ae	α-Naphthylurethan *Fp* 80° p-Nitrophenylurethan *Fp* 117°, Blättchen
46		Z.	IX 419	mit Dampf flüchtig	unl. in W sll. in A, Ae	+ Alkohole → Benzoesäureester
47		130 (13 mm)	XIX 389		unl. in W l. in A, Aceton	
48		182 (6 mm)			unl. in W l. in Bzl., Aceton	
49	1,168$^{18°}$	127 (11 mm)	XIV 317	riecht nach Orangenblüten; flüchtig mit Wasserdampf	wl. in W ll. in A, Ae	Pikrat *Fp* 105—106°, gelbe Nadeln Benzoylderivat *Fp* 100—102°, Nadeln
50		252	XII 621		l. in W, Bzl. ll. in A	
51		275 198 bis 200 (90 mm)	II 458		l. in A	Bariumsalz, flache Nadeln oder Blättchen Cu-Salz *Fp* 232—234° Zn-Salz *Fp* 115—116° Pb-Salz *Fp* 80° Amid *Fp* 85°
52	1,0980$^{20°}$	240,6	XX 380	$^{n}D^{25}$ 1,6223; riecht angenehm, ähnelt Benzaldehyd	swl. in W l. in A	saures Sulfat *Fp* 205—206,5, Tafeln Chloroplatinat *Fp* 263° (Z.) Pikrat *Fp* 223°, hellgelbe Nadeln Jodmethylat *Fp* 159°
53	1,1076$^{25°}_{25°}$	258,8	VI 897		l. in A, Ae	+ Oxydationsmittel → Anisaldehyd + Anissäure Phenylurethan *Fp* 94°
54	0,993$^{32°}$	94,5 (17 mm)	V 518	$^{n}D^{18,3}$ 1,58137; $^{R}D^{18,3}$ 43,59 cm^3; $^{n}F^{18,3}$ 245,1	unl. in W l. in A, Ae	
55		122,7 (11 mm)			swl. in W ll. in A, Ae, Bzl., CS_2	
56	1,116$^{25°}$	245	XXI 236	ebullioskop. Konst. 1,77; kryoskop. Konst. 12,8	ll. in W, A, Ae, Chlf., Bzl.	
57	1,5160$^{20°}$	242 bis 247 132 bis 134 (12 mm)		Dampfdichte 6,8; Litergewicht d. Dampfes 8,75; Dampfdruck 20° 0,0122 mm Hg; Flüchtigkeit 20° 174 mg/m^3; mit Dampf flüchtig	unl. in W l. in A, Ae, Bzl., CS_2, Chlf., CCl_4, Aceton, Essigsäure	

Lfd. Nr.	*Fp*	Name	Summen-formel	Strukturformel	Mol.-Gewicht	Aggregazustan Farbe
1	2	3	4	5	6	7
558	**25,5**	tert.-Butylalkohol (Trimethylcarbinol)	$C_4H_{10}O$	$(CH_3)_3C\cdot OH$	72,12	Tafeln und Prismen
559	**25—26**	α-Brompropionsäure	$C_3H_5BrO_2$	$CH_3\cdot CH(Br)\cdot COOH$	152,99	Prismen
560	**25—26**	d-Milchsäure	$C_3H_6O_3$	$CH_3\cdot CH(OH)\cdot COOH$	90,08	Prismen
561	**26**	2-Aminothiophenol	C_6H_7NS	$H_2N\cdot C_6H_4\cdot SH$	125,19	Nadeln
562	**26**	Benzophenon (labil)	$C_{13}H_{10}O$	$C_6H_5\cdot CO\cdot C_6H_5$	182,21	monokline Krist.
563	**26**	2,4-Dimethylphenol (asymm. m-Xylenol)	$C_8H_{10}O$	$(CH_3)_2C_6H_3\cdot OH$	122,16	Nadeln
564	**26**	Glycerin-α,α′-dinitrat	$C_3H_6N_2O_7$	$HO\cdot CH(CH_2\cdot O\cdot NO_2)_2$	182,09	Prismen
565	**26**	1-Methylcyclohexanol	$C_7H_{14}O$	$H_2C\cdot CH_2\cdot C(CH_3)\cdot OH$ $H_2C\cdot CH_2\cdot CH_2$	114,18	Krist.
566	**26**	p-Tolylsenföl	C_8H_7NS	$CH_3\cdot C_6H_4\cdot N{:}C{:}S$	149,21	Nadeln (Ae)
567	**26,6**	Acetonphenylhydrazon	$C_9H_{12}N_2$	$(CH_3)_2C{:}N\cdot NH\cdot C_6H_5$	148,20	
568	**27**	Dithioresorcin	$C_6H_6S_2$	$HS\cdot C_6H_4\cdot SH$	142,24	Krist.
569	**27**	Diphenyläther	$C_{12}H_{10}O$	$C_6H_5\cdot O\cdot C_6H_5$	170,20	Platten (A)

Lfd. Nr.	Spez. Gewicht	Siedepunkt °C	Beilsteinzitat	Physikalische Konstanten und Eigenschaften	Löslichkeit	Reaktionen
	8	9	10	11	12	13
558	$0{,}7887^{20°}$	82,55	I 379	$^{n}D^{20}$ 1,38779; $^{R}D^{20}$ 22,22 cm^3; $^{n}F^{20}$ 67,1; Dampfdruck 20° 38,0 mm Hg	∞ W, A, Ae	2 ml 0,5%ige Vanillin-H_2SO_4-Lsg. + 3—4 Tropfen Subst. + 10 Tropfen W → orange → dunkelrot → violett p-Nitrobenzoat *Fp* 116° 3,5-Dinitrobenzoat *Fp* 141,5 bis 142,5° Phenylurethan *Fp* 136° α-Naphthylurethan *Fp* 100 bis 101°
559	$1{,}700^{20°}$	204 (Z.)	II 254		ll. in w. W	Amid *Fp* 123° Anilid *Fp* 99°
560		Zers.	III 261	$[\alpha]D^{20}$ +3,3°; $^{n}D^{20}$ 1,44145; $^{R}D^{20}$ 19,19 cm^3; $^{n}F^{20}$ 77,1; zerfließlich	l. in W, A, Ae	erhitzen mit verd. H_2SO_4 (1:1) + Resorcin → rot 0,2 ml Subst. mit 2 ml H_2SO_4 erwärmen, nach Erkalten + 1—2 Tropfen 5%iger alkohol. Guajacol-Lsg. → fuchsinrot
561		234	XIII 397			Oxydation → 2,2′-Diaminodiphenyldisulfid *Fp* 93°
562	$1{,}1108^{18°}$	305,4	VII 410	$^{n}D^{23,4}$ 1,60596; $^{R}D^{23,4}$ 56,70 cm^3; $^{n}F^{23,4}$ 268,3; kryoskop. Konst. 9,8	unl. in W 16,95 A (97%ig) 18° 24,7 Ae 13°	Oxim *Fp* 143,5—144° Phenylhydrazon *Fp* 137° Semicarbazon *Fp* 165°
563	$1{,}036^{0°}$	211,5	VI 486	mit W-Dampf flüchtig	swl. in W ∞ A, Ae	+ $FeCl_3$ → blau p-Diphenylylurethan *Fp* 184° Benzoat *Fp* 38° 3,5-Dinitrobenzoat *Fp* 164,6°, Tafeln
564	$1{,}47^{15°}$	146 bis 148 (15 mm)	I 515	detoniert beim Erhitzen	ll. in W, A, Ae	
565	$0{,}9387^{12°}$	155	VI 11	$^{n}D^{20}$ 1,46357; $^{R}D^{20}$ 32,14 cm^3; $^{n}F^{20}$ 85,1; Acetylzahl 492; riecht nach Campher	unl. in W l. in A, Ae	p-Nitrobenzoat *Fp* 63° 3,5-Dinitrobenzoat *Fp* 111° Phenylurethan *Fp* 92° α-Naphthylurethan *Fp* 118°
566		237	XII 956			
567		163 (50 mm)	XV 129		0,24 W 22°	
568		243	VI 834	riecht durchdringend		
569	$1{,}151^{1°}$	259	VI 146	riecht nach Geranien	unl. in W ll. in A ∞ Ae	

Lfd. Nr.	*Fp*	Name	Summen-formel	Strukturformel	Mol.-Gewicht	Aggregatzustand Farbe
1	2	3	4	5	6	7
570	27	Diphenylmethan	$C_{13}H_{12}$	$C_6H_5 \cdot CH_2 \cdot C_6H_5$	168,22	Nadeln
571	27	Methylbenzylketon	$C_9H_{10}O$	$C_6H_5 \cdot CH_2 \cdot CO \cdot CH_3$	134,17	Krist.
572	27	o-Nitrobenzalchlorid	$C_7H_5Cl_2NO_2$	$O_2N \cdot C_6H_4 \cdot CHCl_2$	206,03	Krist. (A)
573	27	3-Nitrobenzylalkohol	$C_7H_7NO_3$	$O_2N \cdot C_6H_4 \cdot CH_2 \cdot OH$	153,13	Krist.
574	27	Octadecan	$C_{18}H_{38}$	$CH_3 \cdot (CH_2)_{16} \cdot CH_3$	254,48	Krist. (A)
575	28	N-Methylacetamid	C_3H_7NO	$CH_3 \cdot CO \cdot NH \cdot CH_3$	73,09	Nadeln
576	28	4-Bromtoluol	C_7H_7Br	$Br \cdot C_6H_4 \cdot CH_3$	171,04	Krist. (A)
577	28	4-Chlor-1,2-dinitro-benzol (bei 28° schm. Form)	$C_6H_3ClN_2O_4$	$Cl \cdot C_6H_3(NO_2)_2$	202,56	
578	28	Di-p-tolylmethan	$C_{15}H_{16}$	$(CH_3 \cdot C_6H_4)_2CH_2$	196,28	Prismen (A)
579	28	ω-Jodacetophenon	C_8H_7JO	$C_6H_5 \cdot CO \cdot CH_2J$	246,05	
580	28	4-Methylacetophenon	$C_9H_{10}O$	$CH_3 \cdot C_6H_4 \cdot CO \cdot CH_3$	134,17	Nadeln
581	28	Phoron	$C_9H_{14}O$	$[(CH_3)_2C:CH]_2CO$	138,20	gelbgrün Prismen
582	28	Diäthanolamin	$C_4H_{11}NO_2$	$HN(CH_2 \cdot CH_2 \cdot OH)_2$	105,14	Prismen

Lfd. Nr.	Spez. Gewicht	Siedepunkt °C	Beilsteinzitat	Physikalische Konstanten und Eigenschaften	Löslichkeit	Reaktionen
	8	9	10	11	12	13
570	$1{,}0008^{26°}$	260 bis 261	V 588	kryoskop. Konst. 6,72; riecht nach Orangen	unl. in W ll. in A, Ae, Chlf.	2,4,2′,4′-Tetranitroderiv. *Fp* 172°
571	$1{,}003^{20°}$	215	VII 303		l. in A	Oxim *Fp* 70° Semicarbazon *Fp* 197° Phenylhydrazon *Fp* 87° p-Nitrophenylhydrazon *Fp* 145° 2,4-Dinitrophenylhydrazon *Fp* 156°
572		143 (12 mm)	V 332		l. in A, Ae	
573	$1{,}296^{18°}_{15°}$	175 bis 180 (3 mm)	VI 449		wl. in W ll. in Ae	Benzoat *Fp* 94°
574	$0{,}7754^{30°}$	317	I 173		unl. in W l. in A, Ae	
575		206	IV 58		ll. in W, A, Ae, Chlf.	Verb. mit C_2H_5J, sehr zerfließliche Nadeln
576	$1{,}3898^{20°}$	183,6 76,8 (20 mm)	V 305	$^nD^{20}$ 1,5546; $^RD^{20}$ 38,60 cm³	unl. in W l. in A	Oxydation → 4-Brombenzoesäure *Fp* 251°
577			V 262		unl. in W l. in A ll. in Ae	
578	$0{,}980^{20°}$	286	V 615		unl. in W, A ll. in Ae	
579		170 (30 mm)	I 660			
580	$1{,}006^{18°}$	220	VII 307	riecht fenchelartig	ll. in A, Ae, Bzl.	Oxim *Fp* 88° Semicarbazon *Fp* 208° Phenylhydrazon *Fp* 96° p-Nitrophenylhydrazon *Fp* 198° 2,4-Dinitrophenylhydrazon *Fp* 248°
581	$0{,}885^{20°}$	197 79,8 (14 mm)	I 751		l. in A, Ae	Oxim *Fp* 48° Semicarbazon *Fp* 186° 2,4-Dinitrophenylhydrazon *Fp* 112°
582	$1{,}0966^{20°}_{4°}$	270 (748mm)	IV 283	an feuchter Luft zerfließlich	swl. in Lg., Bzl., Ae	Nitrat *Fp* 69° Chloroplatinat *Fp* 145° (Z.)

Lfd. Nr.	*Fp*	Name	Summenformel	Strukturformel	Mol.-Gewicht	Aggregatzustand Farbe
1	2	3	4	5	6	7
583	**28,3**	Guajacol (Brenzcatechinmonomethyläther, 1-Hydroxy-2-methoxybenzol)	$C_7H_8O_2$	$HO \cdot C_6H_4 \cdot O \cdot CH_3$	124,13	schwach rötliche oder gelbliche Prismen
584	**29**	p-Chlorbenzylchlorid	$C_7H_6Cl_2$	$Cl \cdot C_6H_4 \cdot CH_2Cl$	161,03	Nadeln
585	**29**	Cyanursäuretriäthylester[dodekahydrat]	$C_9H_{15}N_3O_3$	$C_3H_3N_3(C_2H_5)_3$	213,23	Prismen (verd. A) Nadeln (W)
586	**29**	p-Nitrostyrol	$C_8H_7NO_2$	$O_2N \cdot C_6H_4 \cdot CH:CH_2$	149,14	Prismen (Ligroin)
587	**29—30**	Undecylsäure (n-Undecansäure)	$C_{11}H_{22}O_2$	$CH_3 \cdot (CH_2)_9 \cdot COOH$	186,29	Schuppen
588	**29,5**	p-Tolunitril	C_8H_7N	$CH_3 \cdot C_6H_4 \cdot CN$	117,14	Nadeln (A)
589	**30**	Acetylperoxyd	$C_4H_6O_4$	$[CH_3 \cdot CO \cdot O]_2$	118,09	Krist. (A)
590	**30**	3-Aminodiphenyl	$C_{12}H_{11}N$	$C_6H_5 \cdot C_6H_4 \cdot NH_2$	169,22	Nadeln
591	**30**	Apiol (1,2-Methylendioxy-3,6-dimethoxy-4-allylbenzol; Petersiliencampher)	$C_{12}H_{14}O_4$	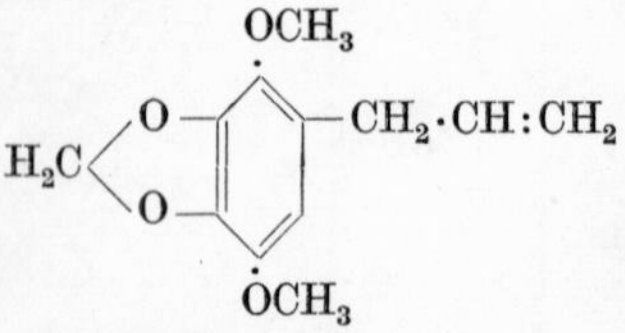	222,23	weiße Nadeln
592	**30**	4-Nitro-o-xylol	$C_8H_9NO_2$	$O_2N \cdot C_6H_3(CH_3)_2$	151,16	gelbe Prismen (A)

Lfd. Nr.	Spez. Gewicht	Siedepunkt °C	Beilsteinzitat	Physikalische Konstanten und Eigenschaften	Löslichkeit	Reaktionen
	8	9	10	11	12	13
583	$1{,}1287^{21°}$	205	VI 768	riecht aromatisch, phenol- und rauchartig; Geschmack brennend; wirkt antiseptisch	1,88 W 15° ll. in A, Ae l. in Lauge	+ $Fe(NO_3)_3$ → grün → rotbraun + $AgNO_3$ bei Zimmertemp. sehr langsam, + 1 Tropfen NH_3 sofort reduziert + konz. HNO_3 → intensiv rot + Eisen-Schwefelsäure → braun → grün → langsam blau; beim Erwärmen blauviolett, nach Abkühlen wieder blau Tribromguajacol *Fp* 116°, Nadeln Pikrat *Fp* 89°, orange Nadeln Carbonat (*Duotal*) *Fp* 86—88° Benzoat *Fp* 57° Phenylurethan *Fp* 136° α-Naphthylurethan *Fp* 118°
584		213 bis 214	V 297	sublimiert; Dampf reizt zu Tränen	unl. in W wl. in k. A l. in h. A ll. in Ae, Bzl.	
585		275	XXVI 126	leicht flüchtig mit W-Dampf	ll. in A, Ae, CS_2	
586			V 478	polymerisiert sich beim Stehen oder Erhitzen	unl. in W ll. in Ae, Bzl.	
587		179 (28 mm) 212 (100mm)	II 358			p-Chlorphenacylester *Fp* 60,2° p-Jodphenacylester *Fp* 81,8° Amid *Fp* 28,5° Anilid *Fp* 103° p-Toluidid *Fp* 80°
588	$0{,}9805^{20°}_{20°}$	217,6	IX 489		l. in A, Ae	
589		63 (21 mm)	II 170	sehr explosiv; ozonähnlicher Geruch	l. in h. W 4,02 A 25° wl. in Ae	
590		254 (135mm)	XII 1318	mit Dampf flüchtig	ll. in A, Ae	Acetylderivat *Fp* 148°
591	1,015	294	XIX 87	nach Petersilie riechend; mit Dampf flüchtig	unl. in W ll. in A, Ae	5 mg α-Naphthol + 1 ml konz. H_2SO_4 + 1 mg Substanz → intensiv rot, gelindes Erwärmen → intensiv grüne Fluorescenz
592	$1{,}139^{30°}_{30°}$	258	V 368		unl. in W ∞ A > 30° ll. in Ae	

Lfd. Nr.	*Fp*	Name	Summen-formel	Strukturformel	Mol.-Ge-wicht	Aggrega zustand Farbe
1	2	3	4	5	6	7
593	**30,5**	Chinoxalin	$C_8H_6N_2$	$C_6H_4\langle$ N:CH | N:CH $\rangle$	130,14	Krist.
594	**30,5**	n-Tridecylalkohol	$C_{13}H_{28}O$	$CH_3 \cdot (CH_2)_{11} \cdot CH_2OH$	200,35	Krist.
595	**31,0**	Benzoxazol	C_7H_5NO	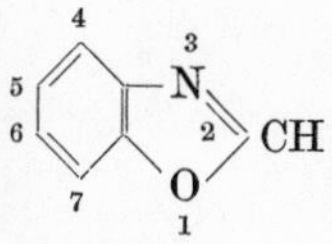	119,12	Krist.
596	**31**	Hexahydrobenzoesäure	$C_7H_{12}O_2$	$H_2C\langle {CH_2 \cdot CH_2 \atop CH_2 \cdot CH_2} \rangle CH \cdot COOH$	128,17	Tafeln oder Prismen
597	**31**	o-Kresol	C_7H_8O	$CH_3 \cdot C_6H_4 \cdot OH$	108,13	Krist.
598	**31**	Palmitinsäurenitril	$C_{16}H_{31}N$	$CH_3 \cdot (CH_2)_{14} \cdot CN$	237,42	Tafeln
599	**31–32**	Exaltolid [Pentadeca-nolid-(15,1)]	$C_{15}H_{28}O_2$	$CH_2 \cdot (CH_2)_{13} \cdot CO$ (ringförmig über O verbunden)	240,37	Nadeln
600	**31–34**	*β,β'*-Dibromdiäthyl-sulfid	$C_4H_8Br_2S$	$S(CH_2 \cdot CH_2Br)_2$	248,00	weiße Krist.
601	**31,5**	Tricaprin (Glycerintri-caprinat)	$C_{33}H_{62}O_6$	$C_3H_5(O \cdot CO \cdot C_9H_{19})_3$	554,83	Krist.
602	**31,5**	Caprinsäure (n-Decansäure)	$C_{10}H_{20}O_2$	$CH_3 \cdot (CH_2)_8 \cdot COOH$	172,26	Nadeln

Lfd. Nr.	Spez. Gewicht	Siedepunkt °C	Beilsteinzitat	Physikalische Konstanten und Eigenschaften	Löslichkeit	Reaktionen
	8	9	10	11	12	13
593	1,133[48°]	229,5	XXIII 176	kryoskop. Konst. 8,90	∞ W, A, Ae	Sulfat *Fp* 186°
594		140 (16 mm)	I 428	$^nD^{48}$ 1,6231	l. in A	p-Nitrobenzoat *Fp* 37° Phenylurethan *Fp* 70° α-Naphthylurethan *Fp* 80° p-Joddiphenylylurethan *Fp* 144 bis 144,5°, Scheiben oder Platten
595		183	XXVII 42	mit Dampf flüchtig	unl. in W	Jodmethylat *Fp* 183° (Z.)
596	1,0253[34°]	232 bis 233	IX 7	mit W-Dampf schwer flüchtig	0,20 W 15° ll. in A, Ae	Amid *Fp* 186° Anilid *Fp* 142°
597	1,0482[20°]	190,8 85 (20 mm)	VI 349	$^nD^{20}$ 1,547; $^nF^{20}$ 185,0; kryoskop. Konst. 5,60; angenehmer Karbolgeruch	2,6 W 25° ∞ h. A, Ae, Bzl., Chlf., Aceton, Benzin, Dioxan	+ $FeCl_3$ → blaue Färbung → grün → schmutziggelb Kalischmelze → Salicylsäure Acetat Kp. 208° 3,5-Dinitrobenzoat *Fp* 138° α-Naphthylurethan *Fp* 142°
598	$0{,}8224^{31°}_{4°}$	146 (15 mm)	II 375		unl. in W swl. in Ae	
599	$0{,}9447^{38°}_{4°}$	176 (15 mm)	E_2 XVII 295	$^nD^{33}$ 1,4669	riecht nach Ambra und Moschus	
600	2,05[15°]	240 139 bis 142 (17 mm)		Dampfdruck 20° 0,0295 mm Hg; Flüchtigkeit 20° 400 mg/cm³	unl. in W ll. in A, Ae, Bzl.	
601	$0{,}9205^{40°}_{4°}$		II 356	$^nD^{40}$ 1,44461 Oberflächenspannung 40° 28,7 dyn/cm	ll. in h. A, Ae, Chlf., PAe, Bzl.	
602	0,8858[40°]	266,4	II 355	$^nD^{30}$ 1,43078; $^nD^{40}$ 1,42855; kryoskop. Konst. 4,7	swl. in W ll. in A, Ae	Pb-Salz *Fp* 100° Amid *Fp* 108° Anilid *Fp* 63° p-Toluidid *Fp* 78° p-Chlorphenacylester *Fp* 61,6° p-Bromphenacylester *Fp* 67°

Lfd. Nr.	Fp	Name	Summen-formel	Strukturformel	Mol.-Ge-wicht	Aggregat zustand Farbe
1	2	3	4	5	6	7
603	31,5	Diphenylarsincyanid	$C_{13}H_{10}AsN$	$(C_6H_5)_2As \cdot CN$	255,13	weiße Blätt-chen
604	31,5	5-Hydroxymethyl-furfurol	$C_6H_6O_3$	$\overset{\displaystyle HC\!-\!\!-\!\!CH}{\underset{\displaystyle HO \cdot CH_2 \cdot C \cdot O \cdot C \cdot CHO}{\|\qquad\|}}$	126,11	Nadeln (Ae + PAe)
605	32	Benzalmalonsäure-diäthylester	$C_{14}H_{16}O_4$	$C_6H_5 \cdot CH\!:\!C(CO \cdot OC_2H_5)_2$	248,27	Krist.
606	32	Benzazid	$C_7H_5N_3O$	$C_6H_5 \cdot CO \cdot N_3$	147,13	Tafeln (Aceton)
607	32	2-Bromanilin	C_6H_6BrN	$Br \cdot C_6H_4 \cdot NH_2$	172,03	Krist.
608	32	α-Ketobuttersäure	$C_4H_6O_3$	$C_2H_5 \cdot CO \cdot COOH$	102,09	Tafeln
609	32	Malonsäuredinitril	$C_3H_2N_2$	$NC \cdot CH_2 \cdot CN$	66,06	Krist.
610	32	2-Nitro-p-kresol (OH = 1)	$C_7H_7NO_3$	$CH_3 \cdot C_6H_3(NO_2) \cdot OH$	153,13	gelbe Nadeln (verd. A)
611	32	Nonadecan	$C_{19}H_{40}$	$CH_3 \cdot (CH_2)_{17} \cdot CH_3$	268,51	Blätt-chen
612	32	Thionaphthen	C_8H_6S		134,19	Blätt-chen
613	32—34	Benzoylcyanid	C_8H_5NO	$C_6H_5 \cdot CO \cdot CN$	131,13	Tafeln
614	32,5	3-Bromphenol	C_6H_5BrO	$Br \cdot C_6H_4 \cdot OH$	173,02	Blätt-chen
615	32,5	2-Chlor-1-nitrobenzol	$C_6H_4ClNO_2$	$Cl \cdot C_6H_4 \cdot NO_2$	157,56	Nadeln
616	32,5	Dimethylarsincyanid	C_3H_6AsN	$(CH_3)_2As \cdot CN$	131,00	weiße Prismen

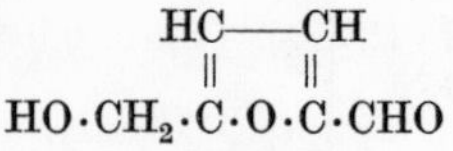

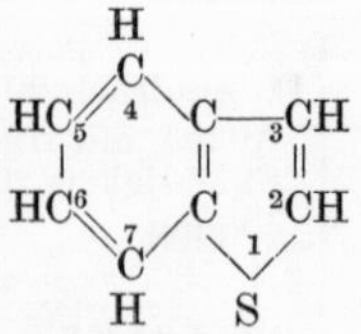

Lfd. Nr.	Spez. Gewicht	Siedepunkt °C	Beilsteinzitat	Physikalische Konstanten und Eigenschaften	Löslichkeit	Reaktionen
	8	9	10	11	12	13
603	1,3160$^{52°}_{4°}$	377 195 (12 mm)		Dampfdichte 8,8; Oberflächenspannung 41 dyn/cm; Dampfdruck 20° 0,00011 mm Hg; Flüchtigkeit 20° 0,15 mg/m^3; $^nD^{52}$ 1,6153; scharfer, zum Nießen reizender Geruch	unl. in W wl. in A ll. in Bzl., Ae, Chlf. und h. A	
604	1,2629$^{36°}$	114 (1 mm)	XVIII 14	riecht nach Kamillen	ll. in W, A, Ae	
605	1,105$^{20°}$	308 bis 312	IX 892		unl. in W ll. in A, Ae	
606		Z.	IX 332		unl. in W l. in A ll. in Ae	
607		229	XII 631	$^nD^{20,4}$ 1,62604; $^RD^{20,4}$ 38,55 cm^3; $^nF^{20,4}$ 265,0; Ep. 28,7°	unl. in W sll. in A	Pikrat *Fp* 129° Acetylderivat *Fp* 99° Benzoylderivat *Fp* 116° p-Tolylsulfonylderivat *Fp* 90°
608	1,20	85 (21 mm)	III 629	hygroskopisch	l. in W, A wl. in Ae	Oxim *Fp* 154° (Z.) Phenylhydrazon *Fp* 151—152°
609	1,051$^{32°}$	218 bis 219	II 589	$^nD^{34,2}$ 1,41463; $^RD^{34,2}$ 15,76 cm^3; giftig	13,3 W; 40 A; 20 Ae; 10 Chlf.	
610	1,2399$^{39°}$	125 (22 mm)	VI 412	mit Dampf flüchtig	wl. in W ll. in A, Ae, Bzl.	
611	0,7720$^{40°}$	330	I 174		unl. in W l. in A, Ae	
612	1,1486$^{36°}$	221 bis 222	XVII 59	$^nD^{36,2}$ 1,633; riecht naphthalinartig; mit Dampf flüchtig	unl. in W ll. in A, Ae	Pikrat *Fp* 149° + H_2O_2 → Sulfon *Fp* 142 bis 143° + Kalk erhitzen 301—330° → o-Thiokresol + HCOOH lösl. in H_2SO_4 → rot
613		206 bis 208	X 659		l. in Ae	+ Zn + HCl → Benzaldehyd
614		236	VI 198		swl. in W l. in A, Ae	
615	1,305$^{80°}$	243	V 241	kryoskop. Konst. 7,5	unl. in W l. in A	
616	1,43	144	IV 608	sublimiert	unl. in W ll. in A, Ae	

Lfd. Nr.	Fp	Name	Summen-formel	Strukturformel	Mol.-Ge-wicht	Aggregat zustand Farbe
1	2	3	4	5	6	7
617	32,5	Pyron-(4)	$C_5H_4O_2$	HC—CO—CH $\parallel \quad\quad \parallel$ HC—O—CH	96,08	Krist.
618	32,5	Zibeton	$C_{17}H_{30}O$	HC·$(CH_2)_7$ $\parallel$ $\rangle$CO HC·$(CH_2)_7$	250,41	Krist.
619	32,8	3-Chlorphenol	C_6H_5ClO	Cl·C_6H_4·OH	128,56	Nadeln
620	32,9	Dicyclopentadien	$C_{10}H_{12}$	HC————CH—CH————CH $\parallel \quad\quad \mid \quad \mid \quad\quad \parallel$ HC—CH_2—CH—CH—CH_2—CH	132,20	stern-förmige Krist.
621	33	α-Acetylfuran (Methyl-α-furylketon)	$C_6H_6O_2$	CH·O·C·CO·CH_3 $\parallel \quad\quad \parallel$ HC————CH	110,11	Krist.
622	33	β-Aminocrotonsäure-äthylester	$C_6H_{11}NO_2$	CH_3·C(NH_2):CH·CO·OC_2H_5 oder CH_3·C(:NH)·CH_2·CO·OC_2H_5	129,16	Krist. (PAe)
623	33	2,4-Dichlor-1-nitro-benzol	$C_6H_3Cl_2NO_2$	$Cl_2C_6H_3$·NO_2	192,01	Nadeln (A)
624	33	2,2′-Dithienyl	$C_8H_6S_2$	HC——CH HC——CH $\parallel \quad \parallel \quad \parallel \quad \parallel$ HC C——C CH S S	166,26	Blätt-chen (verd. A)
625	33	natürliche Hypogäa-säure	$C_{16}H_{30}O_2$	$C_{15}H_{29}$·COOH	254,40	Krist. (A)
626	33	Isoeugenol	$C_{10}H_{12}O_2$	HO· ·CH:CH·CH_3 O·CH_3	164,20	recht-eckige Tafeln
627	33	Zimtalkohol (Styron)	$C_9H_{10}O$	C_6H_5·CH:CH·CH_2·OH	134,17	Nadeln
628	33,5	Lävulinsäure	$C_5H_8O_3$	CH_3·CO·CH_2·CH_2·COOH	116,11	Blätt-chen

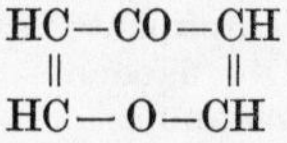

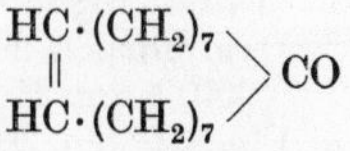

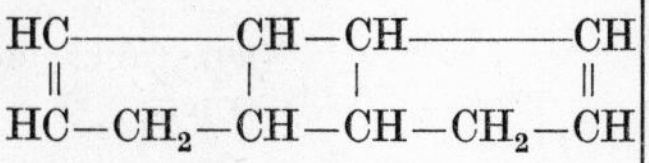

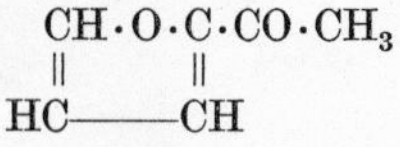

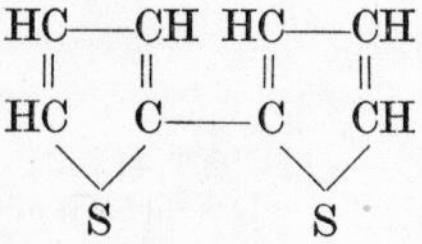

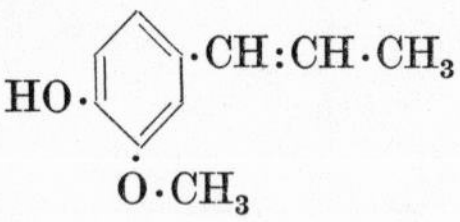

Lfd. Nr.	Spez. Gewicht	Siedepunkt °C	Beilsteinzitat	Physikalische Konstanten und Eigenschaften	Löslichkeit	Reaktionen
	8	9	10	11	12	13
617		215	XVII 271		sll. in W, Ae l. in A	lösl. in KOH → gelb
618		342 (741mm)	E_1 VII 95	mit Dampf flüchtig; riecht nach Moschus	unl. in W l. in A	Oxim *Fp* 92°
619	$1{,}268^{25°}$	214	VI 185	kryoskop. Konst. 8,30	2,6 W 20° l. in A, Ae	Benzoat *Fp* 71°
620		170 (Z.) 88 (55 mm)	V 495	Dampfdruck 80° 25,9 mm Hg		Bisnitrosochlorid *Fp* 182° Pseudonitrosit ($C_{20}H_{24}N_4O_6$) *Fp* 147°, Blätter (in sd. Toluol → grün, abkühlen farblos)
621	$1{,}098^{20°}$	173 67 (10 mm)	XVII 286	$^nD^{20}$ 1,5017; Dampfdruck 50° 3,3 mm Hg		+ Acetanhydrid u. konz. H_2SO_4 → rot → rotviolett → olivgrün Oxim *Fp* 104° Semicarbazon *Fp* 148° Phenylhydrazon *Fp* 86,5°
622	$1{,}0144^{36°}$	210 (Z.)	III 654		unl. in W ll. in A, Ae, Bzl., Chlf.	
623	$1{,}4290^{80°}$	258,5	V 245		unl. in W ll. in h. A ∞ Ae	
624		260	XIX 32	mit Dampf flüchtig; charakteristisch riechend	ll. in A, Ae	l. in konz. H_2SO_4 → gelb mit grünlicher Fluoreszenz
625		Z.	II 461	zersetzt sich an der Luft unter Bräunung	ll. in A	Ba-Salz, körniger Nd. gibt bei der Destillation Sebacinsäure
626	$1{,}087^{20°}$	140 (12 mm) 270 (750mm)	VI 955	riecht eugenolartig	wl. in W ll. in A, Ae	Oxydation → Vanillin alkohol. Lsg. + $FeCl_3$ → olivgrün + 1,3,5-Trinitrobenzol *Fp* 70°, hellrote Nadeln Acetat *Fp* 79—80°, Nadeln Diphenylylurethan *Fp* 112–113° Benzoat *Fp* 104°
627	$1{,}0440^{20°}$	257,5	VI 570	$^nD^{33}$ 1,57580; $^RD^{33}$ 42,91 cm³; $^nF^{33}$ 244,7	l. in W sll. in A, Ae	p-Nitrobenzoat *Fp* 78° 3,5-Dinitrobenzoat *Fp* 121°
628	$1{,}143^{17°}$	245 (Z.)	III 671		ll. in W, A, Ae	+ $Fe(NO_3)_3$ → rötlichgelb + Paraform-H_2SO_4 → orange, und grüne Fluoreszenz Semicarbazon *Fp* 187° (Z.) Oxim *Fp* 96° Phenylhydrazon *Fp* 108° p-Nitrobenzylester *Fp* 61° Amid *Fp* 108° Anilid *Fp* 102° p-Toluidid *Fp* 109°

Lfd. Nr.	*Fp*	Name	Summenformel	Strukturformel	Mol.-Gewicht	Aggregatzustand Farbe
1	2	3	4	5	6	7
629	**33,8**	p-Kresol	C_7H_8O	$CH_3 \cdot C_6H_4 \cdot OH$	108,13	Prismen
630	**34**	Brenzschleimsäureäthylester	$C_7H_8O_3$	HC——CH ‖ ‖ $HC—O—C \cdot CO \cdot OC_2H_5$	140,13	Blättchen
631	**34**	β-Benzylpyridin	$C_{12}H_{11}N$	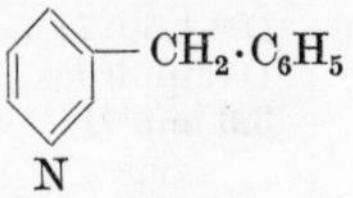	169,22	Krist.
632	**34**	Erucasäure	$C_{22}H_{42}O_2$	$CH_3 \cdot (CH_2)_7 \cdot CH{:}CH \cdot (CH_2)_{11}$ $\cdot COOH$	338,56	Nadeln (A) Tafeln (PAe)
633	**34**	Pilocarpin	$C_{11}H_{16}N_2O_2$	$C_2H_5 \cdot HC$ —— $CH \cdot CH_2 \cdot C—N—CH_3$ | | ‖ >CH $OC \cdot O \cdot CH_2$ $HC—N$	208,25	Nadeln
634	**34**	o-Tolylcarbinol (o-Tolubenzylalkohol)	$C_8H_{10}O$	$CH_3 \cdot C_6H_4 \cdot CH_2OH$	122,16	Nadeln
635	**34,1**	2-Methylnaphthalin	$C_{11}H_{10}$	$C_{10}H_7 \cdot CH_3$	142,19	Tafeln
636	**34,2**	m-Dijodbenzol	$C_6H_4J_2$	$J \cdot C_6H_4 \cdot J$	329,91	Tafeln (A + Ae
637	**34,2**	m-Xylylenchlorid	$C_8H_8Cl_2$	$C_6H_4(CH_2Cl)_2$	175,06	Krist.
638	**34,4**	Mesobutandiol-(2.3)	$C_4H_{10}O_2$	$CH_3 \cdot CH(OH) \cdot CH(OH) \cdot CH_3$	90,12	
639	**34,5**	4-Aminodiphenylmethan	$C_{13}H_{13}N$	$C_6H_5 \cdot CH_2 \cdot C_6H_4 \cdot NH_2$	183,24	Krist. (Ligroin
640	**34,5**	N,N′-Dimethyl-o-phenylendiamin	$C_8H_{12}N_2$	$C_6H_4(NH \cdot CH_3)_2$	136,19	Prismen (Ligroin
641	**34,5**	N,N-Diphenylhydrazin	$C_{12}H_{12}N_2$	$(C_6H_5)_2N \cdot NH_2$	184,23	Tafeln (Ligroin
642	**34,9**	Triacetonamin	$C_9H_{17}NO$	$H_2C \cdot CO \cdot CH_2$ | | $(CH_3)_2C \cdot NH \cdot C(CH_3)_2$	155,23	Nadeln (Ae)

Lfd. Nr.	Spez. Gewicht	Siedepunkt °C	Beilsteinzitat	Physikalische Konstanten und Eigenschaften	Löslichkeit	Reaktionen
	8	9	10	11	12	13
629	$1{,}0347^{20°}$	202,1	VI 389	kryoskop. Konst. 7,00; Geruch erinnert an Pferdeställe	2,29 W 40° ∞ h. A, Ae	+ selenige Säure und H_2SO_4 → olivgrün → braun + $FeCl_3$ → blaue Färbung Kalischmelze → 4-Hydroxybenzoesäure Acetat *Fp* 212,5° Benzoat *Fp* 71° Phenylurethan *Fp* 115° Diphenylylurethan *Fp* 93—94° α-Naphthylurethan *Fp* 146°
630	$1{,}1174^{21°}$	197	XVIII 275		unl. in W l. in A, Ae	
631		287 (740mm)	XX 426		swl. in W ll. in A, Ae	Pikrat *Fp* 126—127°
632	$0{,}8602^{55°}$	281 (30 mm)	II 472	$n_\alpha^{55,4}$ 1,44704; $n_\beta^{55,4}$ 1,46543; Jodzahl 74,3	unl. in W sll. in A, Ae, Chlf., PAe	Amid *Fp* 84° Anilid *Fp* 55° p-Toluidid *Fp* 58° Phenylhydrazid *Fp* 82—83° β-Naphthylhydrazid *Fp* 106 bis 107° p-Phenylphenacylester *Fp* 76°
633			XXVII 633	$[\alpha]_D$ + 106°; eutekt. Temp.: mit Salophen 153°, mit Dicyandiamid 101°; pupillenverengend; schweißtreibend; starkes Gift	ll. in W, A wl. in Ae	+ Formaldehyd-H_2SO_4 angefeuchtet → gelb → gelbbraun → blutrot → braunrot Hydrochlorid *Fp* 196—203° Pikrat *Fp* 145—147°
634	$1{,}0219_{4°}^{19,8°}$	223 (755mm)	VI 484	$n_D^{19,8}$ 1,5578	l. in W ll. in A, Ae, Chlf.	Carbanilsäureester *Fp* 79°
635		241 bis 242	V 567		unl. in W l. in A	
636		285	V 225		wl. in W	
637	$1{,}302^{20°}$	250 bis 255	V 373		unl. in W ll. in A, Ae	
638		181,7 (742mm)	E_1 I 546			Diacetat *Fp* 2,5—3° Dibenzoat *Fp* 75,5—76,2° Bis-p-brombenzoat *Fp* 139 bis 139,8°
639		198 (15 mm)	XII 1323		ll. in A, Ae	Acetylderivat *Fp* 128—129°
640		245 bis 255	XIII 15			+ $FeCl_3$ + HCl → rote Färbung
641	$1{,}19^{16°}$	220 (45 mm)	XV 122		swl. in W ll. in A, Ae	lösl. in H_2SO_4 → blau Acetylderiv. *Fp* 184°
642		205	XXI 249		ll. in W, A, Ae	

Lfd. Nr.	*Fp*	Name	Summen-formel	Strukturformel	Mol.-Gewicht	Aggregat-zustand Farbe
1	2	3	4	5	6	7
643	**35**	α-Benzaldoxim	C_7H_7NO	$C_6H_5 \cdot CH{:}N \cdot OH$	121,13	Prismen
644	**35**	Dibenzylketon (α,α′-Diphenylaceton)	$C_{15}H_{14}O$	$(C_6H_5 \cdot CH_2)_2CO$	210,16	Krist. (Ae)
645	**35**	1,2-Dichlornaphthalin	$C_{10}H_6Cl_2$	$C_{10}H_6Cl_2$	197,06	Tafeln (A)
646	**35**	4-Jodtoluol	C_7H_7J	$J \cdot C_6H_4 \cdot CH_3$	218,05	Blättchen
647	**35**	Methylsenföl (Methylisothiocyanat)	C_2H_3NS	$CH_3 \cdot N{:}CS$	73,12	Krist.
648	**35**	α-Monoolein (Glycerin-α-monooleat)	$C_{21}H_{40}O_4$	$CH_2OH \cdot CHOH \cdot CH_2 \cdot O \cdot CO \cdot C_{17}H_{33}$	356,53	Krist.
649	**35**	m-Nitrobenzoylchlorid	$C_7H_4ClNO_3$	$O_2N \cdot C_6H_4 \cdot COCl$	185,57	Krist.
650	**35**	α-Terpineol	$C_{10}H_{18}O$	$CH_3 \cdot C \langle {}^{CH_2 \cdot CH_2}_{CH \cdot CH_2} \rangle CH \cdot C(CH_3)_2$ (mit OH an $C(CH_3)_2$)	154,24	Krist.
651	**35**	Trimethylessigsäure	$C_5H_{10}O_2$	$(CH_3)_3C \cdot COOH$	102,13	Nadeln
652	**35**	p-Xylylbromid	C_8H_9Br	$CH_3 \cdot C_6H_4 \cdot CH_2 \cdot Br$	185,07	Nadeln (A)
653	**35 bis 36**	Mezcalin (3,4,5-Trimethoxyphenäthylamin)	$C_{11}H_{17}NO_3$	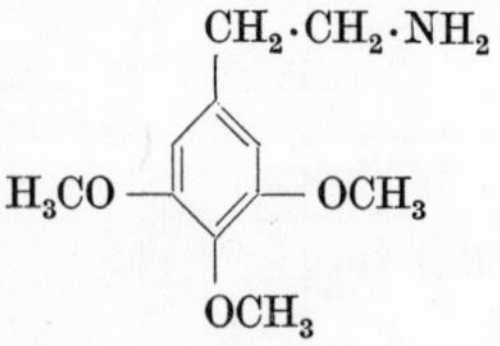	211,25	Krist.
654	**35,5**	2-Benzylnaphthalin	$C_{17}H_{14}$	$C_{10}H_7 \cdot CH_2 \cdot C_6H_5$	218,28	Prismen (A)
655	**35,5**	Methyl-p-phenylendiamin	$C_7H_{10}N_2$	$H_2N \cdot C_6H_4 \cdot NH \cdot CH_3$	122,17	Blättchen
656	**36**	Atophanallylester (Atochinol)	$C_{19}H_{15}NO_2$	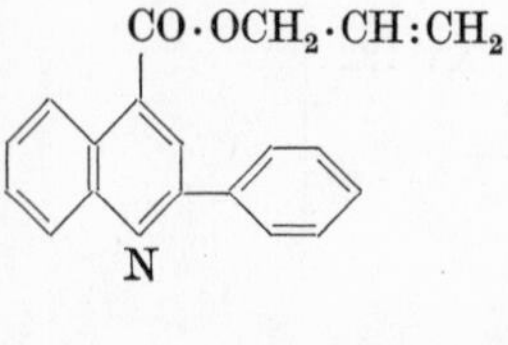	289,32	gelbliche Krist.

Lfd. Nr.	Spez. Gewicht	Siedepunkt °C	Beilsteinzitat	Physikalische Konstanten und Eigenschaften	Löslichkeit	Reaktionen
	8	9	10	11	12	13
43	$1{,}111^{20°}$	117 (14 mm)	VII 218	$^{n}D^{20}$ 1,5908	wl. in W ll. in Ae, Bzl.	
44		330,6 198,4 (20 mm)	VII 445	zers. am Licht; Dampfdruck 170° 5,9 mm Hg	unl. in W ll. in A, Ae	Semicarbazon *Fp* 145–146°, Spieße Oxim *Fp* 123° (+ konz. H_2SO_4 → grün) Phenylhydrazon *Fp* 128–129°, Blättchen 2,4-Dinitrophenylhydrazon *Fp* 100°
45		295	V 542		l. in A, Ae	
46		211,5	V 312		unl. in W ll. in A, Ae, CS_2	Oxydation → 4-Jodbenzoesäure *Fp* 265°
47	$1{,}0697^{37°}$	119	IV 77	mit Dampf flüchtig; riecht stechend nach Meerrettich	unl. in W l. in A, Ae	
48			II 467			
49		154 bis 155 (15 mm)	IX 381		ll. in Ae	
50	$0{,}928^{40°}_{40°}$	219	VI 58	schwacher Fliedergeruch	unl. in W ll. in A, Ae, Essigsäure	Nitrosochlorid *Fp* 112–114°, Nadeln Phenylurethan *Fp* 113°, spießige Nadeln α-Naphthylurethan *Fp* 151 bis 152°
51	$0{,}905^{20°}$	163,7	II 319		2,2 W 20°	Amid *Fp* 155–156°
52		219 (740mm)	V 385		unl. in W l. in A sll. in h. Ae, Chlf.	
53			E_1 XIII 338		wl. in W l. in A, Chlf. unl. in Ae, PAe	Hydrochlorid *Fp* 181° Pikrat *Fp* 219–220° N-Methylderivat *Fp* 130–140° N-Acetylderivat *Fp* 94° N-Benzoylderivat *Fp* 121°
54	$1{,}176^{0°}$	350	V 690	$^{n}D^{24,8}$ 1,6118	unl. in W 2,27 A 15° ll. in sd. A, Bzl.	
55		257 bis 259	XIII 71		ll. in W, A, Ae	
56					unl. in W, Lauge und verd. Säure	+ Jodlösung → braunes Perjodid gelbe Lsg. in konz. H_2SO_4 gelinde erwärmt → orange, stark erwärmt → intensiv braun

Lfd. Nr.	Fp	Name	Summen-formel	Strukturformel	Mol.-Ge-wicht	Aggrega zustan Farbe
1	2	3	4	5	6	7
657	36	Azoxybenzol	$C_{12}H_{10}N_2O$	$C_6H_5 \cdot \overset{\cdot\cdot}{N} : N \cdot C_6H_5$ O	198,22	gelbe Nadel
658	36	Benzylamin	C_7H_9N	$C_6H_5 \cdot CH_2 \cdot NH_2$	107,15	Fl.
659	36	4-Chlor-1,2-dinitro-benzol (α-Form)	$C_6H_3ClN_2O_4$	$Cl \cdot C_6H_3(NO_2)_2$	202,56	Säulen (Ae)
660	36	3-Jod-1-nitrobenzol	$C_6H_4JNO_2$	$J \cdot C_6H_4 \cdot NO_2$	249,01	gelbe Krist.
661	36	Tetrachlorthiophen	C_4Cl_4S	$\begin{array}{c} ClC \!-\! CCl \\ \| \quad \| \\ ClC \quad CCl \\ \diagdown \diagup \\ S \end{array}$	221,93	
662	36	Zimtsäurechlorid (Cinnamoylchlorid)	C_9H_7ClO	$C_6H_5 \cdot CH : CH \cdot COCl$	166,60	Krist.
663	36	Zimtsäuremethylester	$C_{10}H_{10}O_2$	$C_6H_5 \cdot CH : CH \cdot CO \cdot OCH_3$	162,18	Krist.
664	36	Pinakon [2,3-Dimethyl-butandiol-(2,3)]	$C_6H_{14}O_2$	$(CH_3)_2C(OH) \cdot C(OH)(CH_3)_2$	118,17	Nadel (A, Ae, CS$_2$)
665	37	Benzofulven	$C_{10}H_8$	$C_6H_4 \begin{array}{c} \diagup CH_2 \\ \| \\ C \\ \diagdown CH \end{array} \diagdown CH$	128,16	grün-gelbe Blättch
666	37	Phenylbenzylamin (Benzylanilin)	$C_{13}H_{13}N$	$C_6H_5 \cdot CH_2 \cdot NH \cdot C_6H_5$	182,24	Prisme (Me)
667	37	β-Naphthyläthyläther	$C_{12}H_{12}O$	$C_{10}H_7 \cdot O \cdot C_2H_5$	182,22	Krist.
668	37	„Dijodbrassidinsäure-äthylester" (Lipo-jodin)	$C_{24}H_{46}J_2O_2$	$CH_3 \cdot (CH_2)_7 \cdot CH \cdot J$ $\|$ $C_2H_5O \cdot OC \cdot (CH_2)_{11} \cdot CH \cdot J$	620,43	weißes Pulver
669	37	α-Naphthonitril	$C_{11}H_7N$	$C_{10}H_7 \cdot CN$	153,17	Nadel (Ligroin

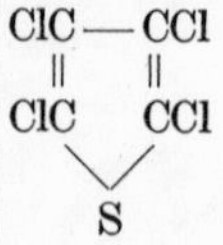

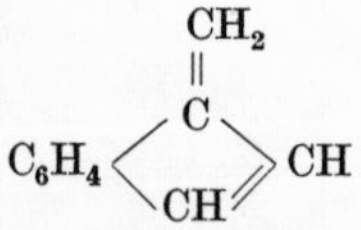

Lfd. Nr.	Spez. Gewicht	Siedepunkt °C	Beilsteinzitat	Physikalische Konstanten und Eigenschaften	Löslichkeit	Reaktionen
	8	9	10	11	12	13
657	$1{,}248^{20°}_{20°}$	Z.	XVI 621	$^{n}D^{20}$ 1,66438	unl. in W 21 abs. A 16° 11,4 94% A 15° ll. in Ae 43,5 Ligroin 15°	
658	$0{,}9826^{19°}$	184,5	XII 1013	riecht charakteristisch	∞ W, A, Ae	Hydrochlorid *Fp* 158° Pikrat *Fp* 199° Acetylderivat *Fp* 60—61° Benzoylderivat *Fp* 105—106° Phenylsulfonylderivat *Fp* 88° p-Tolylsulfonylderivat *Fp* 116°
659			V 262		unl. in W l. in A ll. in Ae	
660	$1{,}804^{155°}$	~280	V 253			
661		224 bis 225	XVII 33	$^{n}D^{36}$ 1,59216		
662	$1{,}162^{45°}$	251 bis 253	IX 587	$^{n}\alpha^{42,5}$ 1,6045	l. in CCl_4, PAe, Bzl.	+ W → Zers.
663	$1{,}0415^{260}_{0°}$	259,6	IX 581	$^{n}D^{20,4}$ 1,57661; $^{R}D^{20,4}$ 49,34 cm³; $_{n}F^{20,4}$ 310,9	unl. in W ll. in A, Ae	
664	$0{,}967^{15°}$	174,4	I 487	Geruch nach Campher	wl. in k. W ll. in h. W, A, Ae	destilliert mit verd. H_2SO_4 → Pinakolin Hydrat *Fp* 46,5°, durchsichtige, quadratische Tafeln
665		95 (17 mm)	E_1 V 265	riecht naphthalinartig; sehr flüchtig		
666		306 bis 307	XII 1023	eutekt. Temp.: mit Azobenzol 25°, mit Benzil 23°		Hydrochlorid *Fp* 214—216° Oxalat *Fp* 155°
667	$1{,}0640^{20°}_{20°}$	282	VI 641		unl. in W l. in A, Ae, CS_2, Toluol	
668					unl. in W l. in Alkalien, Säuren alkohol. KOH verseift	+ konz. H_2SO_4 → blaßviolettrot + $HNO_3 \cdot H_2SO_4$ → gelb
669	$1{,}117^{15°}_{15°}$	299	IX 649		ll. in A l. in CS_2, Essigsäure	

*

Lfd. Nr.	*Fp*	Name	Summenformel	Strukturformel	Mol.-Gewicht	Aggregatzustand Farbe
1	2	3	4	5	6	7
670	**37**	2-Nitrodiphenyl	$C_{12}H_9NO_2$	$C_6H_5 \cdot C_6H_4 \cdot NO_2$	199,20	Tafeln (A)
671	**37**	Piperonal (Heliotropin)	$C_8H_6O_3$	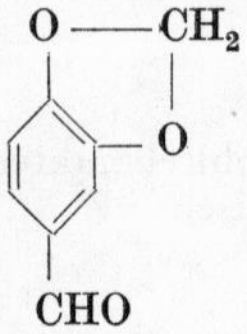	152,14	weiße Krist. (W)
672	**37**	Phenylarsindifluorid	$C_6H_5AsF_2$	$C_6H_5 \cdot AsF_2$	190,01	Krist.
673	**37**	dl-Brenzweinsäure-anhydrid (dl-Methyl-bernsteinsäure-anhydrid)	$C_5H_6O_3$	$CH_3 \cdot CH \cdot CO$ / $CH_2 \cdot CO$ > O	114,10	Krist.
674	**37 bis 37,5**	Diacetylanilin (N-Phenyldiacet-amid)	$C_{10}H_{11}NO_2$	$C_6H_5 \cdot N(CO \cdot CH_3)_2$	177,20	Tafeln (Ligroin)
675	**37,1**	4-Chlor-1,2-dinitro-benzol (*β*-Form)	$C_6H_3ClN_2O_4$	$Cl \cdot C_6H_3(NO_2)_2$	202,56	
676	**38**	dl-Camphenilon	$C_9H_{14}O$	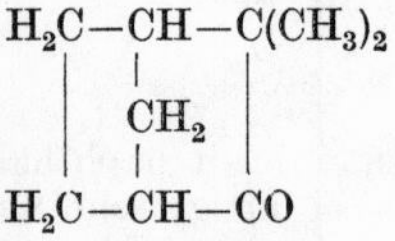	138,20	Krist.
677	**38**	2-Chlorchinolin	C_9H_6ClN	$C_9H_6N \cdot Cl$	163,60	Nadeln (verd. A)
678	**38**	Eikosan	$C_{20}H_{42}$	$CH_3 \cdot (CH_2)_{18} \cdot CH_3$	282,54	Krist.
679	**38**	2-Methoxyacetophenon	$C_9H_{10}O_2$	$CH_3 \cdot O \cdot C_6H_4 \cdot CO \cdot CH_3$	150,17	Tafeln (Ae)
680	**38**	2-Methoxybenzaldehyd	$C_8H_8O_2$	$CH_3 \cdot O \cdot C_6H_4 \cdot CHO$	136,14	Prismen
681	**38**	Methylnitramin	$CH_4N_2O_2$	$CH_3 \cdot NH \cdot NO_2$	76,06	Nadeln (Ae)

Lfd. Nr.	Spez. Gewicht	Siedepunkt °C	Beilsteinzitat	Physikalische Konstanten und Eigenschaften	Löslichkeit	Reaktionen
	8	9	10	11	12	13
670	1,44	~320	V 582		unl. in W ll. in A, Ae	
671		263	XIX 115	riecht heliotropartig	0,35 W 20° 0,66 W 78° 125 A 20° ~700 sd. A ∞ Ae	0,5 mg Substanz + 5 mg α-Naphthol in 1 ml konz. H_2SO_4 → grüne Lsg. → rot mit grüner Fluoreszenz (wenn ungelöste Subst. → langsam violett) + selenige Säure und H_2SO_4 → orange → grün + $FeCl_3$ in alkohol. Lsg. → gelbbraun Oxim *Fp* 110° Semicarbazon *Fp* 230—233° Thiosemicarbazon *Fp* 185° Phenylhydrazon *Fp* 100° 2,4-Dinitrophenylhydrazon *Fp* 266°
672		213			l. in Bzl.	
673		244 bis 248	XVII 414		swl. in W	
674		142 (11 mm)	XII 250		swl. in W ll. in Bzl., Ligroin	
675			V 262		unl. in W l. in A ll. in Ae	
676	$0,971^{38°}$	192 bis 194	VII 71	kryoskop. Konst. 64,0; mit Dampf flüchtig; riecht nach Campher		Semicarbazon *Fp* 244°
677	$1,246^{25°}$	268 (744mm)	XX 359		swl. in W ll. in A, Ae, Bzl.	Pikrat *Fp* 122°
678	$0,7779^{37°}$	205 (15 mm)	I 174		unl. in W l. in A, Ae	
679	$1,082^{41°}$	260	VIII 87		sll. in W, A, Ae	Oxim *Fp* 86—87° Semicarbazon *Fp* 198° Phenylhydrazon *Fp* 142° 2,4-Dinitrophenylhydrazon *Fp* 220°
680	$1,1354^{15°}_{15°}$	243 bis 244	VIII 43		unl. in W l. in A ll. in Ae	p-Nitrophenylhydrazon *Fp* 171° 4-Phenylsemicarbazon *Fp* 155°
681	$1,243^{49°}$	Z.	IV 567		ll. in W, A l. in Ae	

Lfd. Nr.	*Fp*	Name	Summen-formel	Strukturformel	Mol.-Gewicht	Aggregat-zustand Farbe
1	2	3	4	5	6	7
682	38	n-Tetradecylalkohol	$C_{14}H_{30}O$	$CH_3\cdot(CH_2)_{12}\cdot CH_2OH$	214,38	
683	38	5,6,7,8-Tetrahydronaphthylamin-(2)	$C_{10}H_{13}N$	$H_2C\cdot CH_2$ / $H_2C\cdot CH_2$ $>C_6H_3\cdot NH_2$	147,21	Nadeln (Ligroin)
684	38	p-Toluolsulfonsäure	$C_7H_8O_3S$	$CH_3\cdot C_6H_4\cdot SO_3H$	172,20	violette Krist.
685	38,5	Cinnolin	$C_8H_6N_2$	$C_6H_4<$ $CH{:}CH$ / $N{=}N$	130,14	hellgelbe Krist. (Ligroin)
686	38,7 bis 38,9	Diphenylarsinchlorid	$C_{12}H_{10}AsCl$	$(C_6H_5)_2As\cdot Cl$	264,57	weiße Krist.
687	38,8	4-Chlor-1,2-dinitrobenzol (γ-Form)	$C_6H_3ClN_2O_4$	$Cl\cdot C_6H_3(NO_2)_2$	202,56	Nadeln (Ae)
688	38,9	5-Chlor-2-nitrophenol	$C_6H_4ClNO_3$	$O_2N\cdot C_6H_3(Cl)\cdot OH$	173,56	gelbe Prismen (W)
689	39	Äthylstyrylketon (α-Methyl-α'-benzalaceton)	$C_{11}H_{12}O$	$C_6H_5\cdot CH{:}CH\cdot CO\cdot C_2H_5$	160,24	Schuppen (PAe)
690	39	2-Hydroxybenzophenon	$C_{13}H_{10}O_2$	$C_6H_5\cdot CO\cdot C_6H_4\cdot OH$	198,21	Blättchen (verd. A)
691	39	Zimtsäurebenzylester	$C_{16}H_{14}O_2$	$C_6H_5\cdot CH{:}CH\cdot CO\cdot OCH_2\cdot C_6H_5$	238,27	Prismen
692	39—40	2-Aminobenzaldehyd	C_7H_7NO	$H_2N\cdot C_6H_4\cdot CHO$	121,13	Blättchen
693	39—40	Furfurylidenaceton	$C_8H_8O_2$	HC——CH (‖ ‖) / $HC\cdot O\cdot C\cdot CH{:}CH\cdot CO\cdot CH_3$	136,14	Nadeln
694	39—40	α-Piperidon (2-Oxopiperidin)	C_5H_9NO	$H_2C\cdot CH_2\cdot CH_2$ / $H_2C\cdot NH\cdot CO$	99,13	Krist.

Lfd. Nr.	Spez. Gewicht	Siedepunkt °C	Beilsteinzitat	Physikalische Konstanten und Eigenschaften	Löslichkeit	Reaktionen
	8	9	10	11	12	13
682		170 (15 mm)	I 428			p-Nitrobenzoat *Fp* 51° Phenylurethan *Fp* 71° α-Naphthylurethan *Fp* 81° p-Joddiphenylylurethan *Fp* 142,2 bis 143°
683		276 (173mm)	XII 1198		ll. in A, Ae	Acetylderivat *Fp* 107°
684		146 (Hochvakuum)	XI 97			Salz mit Anilin *Fp* 238° Salz mit p-Toluidin *Fp* 198° Anilid *Fp* 103°
685			XXIII 173	starke Base; riecht charakteristisch; schmeckt bitter; giftig	ll. in W, A, Ae	
686	$1{,}4820^{16°}_{4°}$	333 (Z.) 193 (20 mm)	XVI 845	Dampfdichte 9,0; Dampfdruck 20° 0,005 mm Hg; Flüchtigkeit 20° 0,3 mg/m³; $^{n}D^{56}$ 1,6332; Oberflächenspannung 39,35 dyn/cm; reizt Nasen- u. Rachenschleimhäute	fast unl. in W (0,2:100) l. in A sll. in Bzl.	+ KJ-Lsg. → gelbbraune Krist. *Fp* 45° + NaCNS-Lsg. → braun
687			V 262		unl. in W l. in A ll. in Ae	
688		subl.	VI 238		wl. in W ll. in A, Ae, Essigsäure	
689		142 (12 mm)	VII 373		wl. in W ll. in A, Ae	Oxim *Fp* 85—86°
690		250 (650mm)	VIII 155	mit Dampf flüchtig; riecht nach faulenden Äpfeln	unl. in W ll. in A, Ae, Bzl.	Kalischmelze → Salicylsäure Oxim *Fp* 133—134° p-Nitrobenzoylderivat *Fp* 125°
691		240 bis 244 (25 mm)	IX 584		unl. in W ll. in A, Ae	
692		Z.	XIV 21	mit Dampf flüchtig	wl. in W sll. in A, Ae, Bzl.	Oxim *Fp* 136°
693		135 bis 137 (33 mm)	XVII 306		ll. in A, Ae, Chlf. wl. in PAe	+ H_2SO_4 → rot
694		256	XXI 238		ll. in W, A, Ae, verd. Säuren l. in Bzl. unl. in Alkali	

Lfd. Nr.	*Fp*	Name	Summen-formel	Strukturformel	Mol.-Gewicht	Aggregatzustand Farbe
1	2	3	4	5	6	7
695	**40** (subl.)	Äthylbordihydroxyd	$C_2H_7BO_2$	$C_2H_5 \cdot B(OH)_2$	73,89	Krist. (Ae)
696	**40**	2,4-Dibromphenol	$C_6H_4Br_2O$	$Br_2C_6H_3 \cdot OH$	251,92	Nadeln (PAe)
697	**40**	*l*-Ephedrin[1-Phenyl-2-methylaminopropa-nol-(1)]	$C_{10}H_{15}NO$	$C_6H_5 \cdot CH(OH) \cdot CH(NH \cdot CH_3) \cdot CH_3$	165,23	Krist. (Ae)
698	**40**	3-Jodphenol	C_6H_5JO	$J \cdot C_6H_4 \cdot OH$	220,01	Nadeln (Ligroin)
699	**40**	Grifolin	$C_{16}H_{28}O_2$	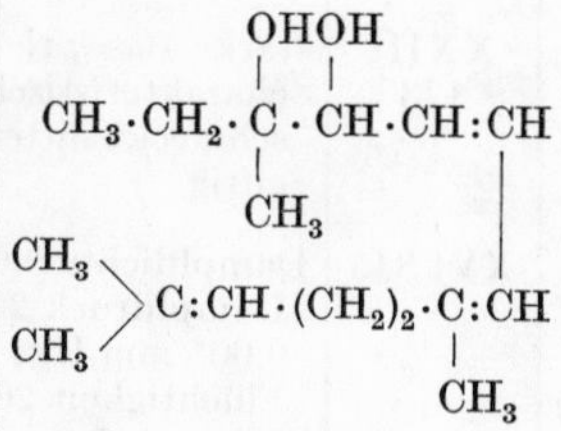	252,38	Nadeln (PAe)
700	**40**	Pseudopelletierin	$C_9H_{15}NO$	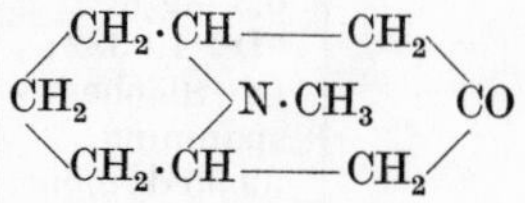	153,22	Prismen (W oder PAe)
701	**40**	Pyrogallol-1-methyl-äther	$C_7H_8O_3$	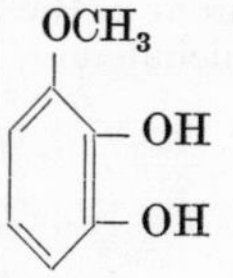	141,13	Krist.
702	**40–50**	Kakodyltrichlorid	$C_2H_6AsCl_3$	$(CH_3)_2AsCl_3$	211,35	Säulen (A)
703	**40,4**	2-Jodphenol	C_6H_5JO	$J \cdot C_6H_4 \cdot OH$	220,01	Tafeln (Ligroin)
704	**40,5**	Diphenylarsinjodid	$C_{12}H_{10}AsJ$	$(C_6H_5)_2As \cdot J$	356,03	gelbe hexa-gonale Krist. (A)
705	**40,5**	2-Nitrobenzaldehyd [labile Form]	$C_7H_5NO_3$	$O_2N \cdot C_6H_4 \cdot CHO$	151,12	hellgelbe Nadeln
706	**41**	*β*-Chlorpropionsäure	$C_3H_5ClO_2$	$CH_2Cl \cdot CH_2 \cdot COOH$	108,53	Blättchen
707	**41**	*l*-*β*-Conicein	$C_8H_{15}N$	$H_2C \cdot CH_2 \cdot CH_2$ / $H_2C \cdot NH \cdot CH \cdot CH:CH \cdot CH_3$	125,21	Nadeln

Lfd. Nr.	Spez. Gewicht	Siedepunkt °C	Beilsteinzitat	Physikalische Konstanten und Eigenschaften	Löslichkeit	Reaktionen
	8	9	10	11	12	13
695			IV 642	sehr flüchtig	ll. in W, A, Ae	
696		177 (17 mm)	VI 202	riecht widerlich anhaftend	0,19 W 15° sll. in A, Ae	Acetat *Fp* 36° Benzoat *Fp* 98°
697		255	XIII 636		ll. in W, A, Ae	Hydrochlorid *Fp* 216–219°, Nadeln Chloroplatinat *Fp* 186°
698			VI 207	mit Dampf flüchtig	ll. in A, Ae	Acetat *Fp* 38° Benzoat *Fp* 73° Phenylurethan *Fp* 138°
699				etwas toxisch	wl. in A, Ae l. in Bzl.	
700		246	XXI 261		ll. in W, A, Ae, Chlf. swl. in PAe	+ $K_2Cr_2O_7$ + H_2SO_4 → intensiv grün
701		163 bis 164 (48 mm)	VI 1081			
702			IV 612	raucht an der Luft	l. in Ae	+ W, + A Zers. Erhitzen > 50° → Methylarsindichlorid und Methylchlorid
703	$1{,}8757^{80°}$	186 (160mm)	VI 207	mit Dampf flüchtig	l. in h. W ll. in A, Ae	Benzoat *Fp* 34° Phenylurethan *Fp* 122°
704		204 bis 218 (18 mm)			unl. in W ll. i. Ae, Bzl., Chlf., CCl_4, Aceton	
705		153 (23 mm)	VII 243		0,23 W 25° ll. in A, Ae	Semicarbazon *Fp* 242° Hydrazon *Fp* 76° Phenylhydrazon *Fp* 154° p-Nitrophenylhydrazon *Fp* 263°
706		204 (Z.)	II 249	hygroskopisch	sll. in A, Ae	> Kp. Zers. in HCl und Acrylsäure Amid *Fp* 101°
707	$0{,}8520^{50°}$		XX 146	$[\alpha]_D^{45}$ −50,5°	wl. in W ll. in A, Ae	

Lfd. Nr.	*Fp*	Name	Summen-formel	Strukturformel	Mol.-Gewicht	Aggregatzustand Farbe
1	2	3	4	5	6	7
708	41	N,N-Dimethyl-p-phenylendiamin	$C_8H_{12}N_2$	$H_2N \cdot C_6H_4 \cdot N(CH_3)_2$	136,19	Nadeln (Bzl. +Ligroin
709	41	Isophthalylchlorid	$C_8H_4Cl_2O_2$	$C_6H_4(COCl)_2$	203,03	Krist.
710	41	Thiocarbamidsäure-O-äthylester (Xanthogenamid)	C_3H_7NOS	$H_2N \cdot CS \cdot O \cdot C_2H_5$	105,16	Pyramiden
711	41	Phenol	C_6H_6O	$C_6H_5 \cdot OH$	94,11	Nadeln
712	41–42	2-Nitromesitylen (2-Nitro-1,3,5-trimethylbenzol)	$C_9H_{11}NO_2$	$(CH_3)_3C_6H_2 \cdot NO_2$	165,19	Prismen (A)
713	41–42	2-Brom-1-nitrobenzol	$C_6H_4BrNO_2$	$Br \cdot C_6H_4 \cdot NO_2$	202,02	gelbliche Krist.
714	41–43	Benzopersäure	$C_7H_6O_3$	$C_6H_5 \cdot CO \cdot O \cdot OH$	138,12	Blätter (Bzl.)
715	42	Benzalaceton (Methylstyrylketon)	$C_{10}H_{10}O$	$CH_3 \cdot CO \cdot CH:CH \cdot C_6H_5$	146,18	dicke Tafeln
716	42	Benzoesäureanhydrid	$C_{14}H_{10}O_3$	$(C_6H_5 \cdot CO)_2O$	226,22	rhomb. Prismen (A)
717	42	Brenzcatechindiäthyläther	$C_{10}H_{14}O_2$	$C_6H_4(OC_2H_5)_2$	166,21	
718	42	β-Chlor-α,α-diphenyläthylen	$C_{14}H_{11}Cl$	$(C_6H_5)_2C:CHCl$	214,69	Nadeln (A)

Lfd. Nr.	Spez. Gewicht	Siedepunkt °C	Beilsteinzitat	Physikalische Konstanten und Eigenschaften	Löslichkeit	Reaktionen
	8	9	10	11	12	13
08	$1{,}0414^{15°}_{15°}$	262,3	XIII 73		ll. in W, A l. in Ae	Pikrat *Fp* 186° Acetylderivat *Fp* 131° Benzoylderivat *Fp* 98°
09		276	IX 834		l. in Ae, Bzl.	+ W von 100° → Zers.
10		Z.	III 137		wl. in W ∞ A, Ae	erhitzen → Äthylmercaptan, Cyansäure und Cyanursäure Cu-Salz *Fp* 101°, farblose Blättchen
11	$1{,}0545^{45°}$	181,4 90,2 (25 mm) 79,03 (10 mm)	VI 110	$^{n}D^{21}$ 1,5509; $^{n}D^{40,6}$ 1,54247; $^{R}D^{40,6}$ 27,95 cm³; $^{n}F^{40,6}$ 189,0; Oberflächenspannung 55° 36,5 dyn/cm; Dampfdruck 30° 0,49 mm Hg, 50° 2,23 mm Hg; ebullioskop. Konst. 3,60; kryoskop. Konst. 7,27; riecht charakteristisch; ätzt die Haut; giftig	8,2 W 15° ∞ W >65,3° ∞ A, Ae	wss. Lsg. + $Fe(NO_3)_3$-Lsg. → blauviolett wss. Lsg. + 2 Tropfen 0,3%ige H_2O_2-Lsg. → tiefgrün → braun + einige mg $NaHCO_3$ → intensiv blaurot + 1 Tropfen 2-n. NH_3 → kirschrot wss. Lsg. + Eisen-Schwefelsäure → blaßgrün Subst. + Pyridin → hellrötlich-orange, + Chlf. u. W → gelb Subst. + γ-Picolin → purpur, + Chlf. u. W → blau Millons Reagens b. Kochen gelber Nd. + HNO_3 tiefrot Benzoat *Fp* 69° Chloracetylderivat *Fp* 99° Diphenylylurethan *Fp* 104–105° α-Naphthylurethan *Fp* 132 bis 133°
12		255	V 410		ll. in A	
13	$1{,}625^{80°}$	261	V 247	kryoskop. Konst. 9,10	l. in verd. A	
14		97–100 (13 bis 15 mm)	IX 178	sehr flüchtig; riecht stechend; flüchtig mit Dampf	wl. in W l. in A, Ae	
15	$1{,}0347^{20°}_{20°}$	260 bis 262	VII 364	riecht nach Cumarin und Rhabarber	ll. in A, Ae, Bzl.	Oxim *Fp* 117° Semicarbazon *Fp* 187–188° Phenylhydrazon *Fp* 159° (+ HCl intensiv gelb) 2,4-Dinitrophenylhydrazon *Fp* 223°
16	$1{,}1989^{15°}$	360 198 (10 mm)	IX 164		swl. in W l. in A, Ae	
17			VI 771	eutekt. Temp. mit Benzil 37°		
18		298 171,3 (20 mm)	V 639		ll. in Ae, Chlf., CS_2	

Lfd. Nr.	*Fp*	Name	Summen-formel	Strukturformel	Mol.-Gewicht	Aggregatzustand Farbe
1	2	3	4	5	6	7
719	**42**	Hydrindon-(1) [Indanon-(1)]	C_9H_8O	$C_6H_4\left\langle {CH_2 \atop CO} \right\rangle CH_2$	132,15	Nadeln (W.) Platten (Ae)
720	**42**	*β*-Methylhydroxylamin	CH_5NO	$CH_3 \cdot NH \cdot OH$	47,06	Prismen
721	**42**	2-Nitrozimtsäureäthylester	$C_{11}H_{11}NO_4$	$O_2N \cdot C_6H_4 \cdot CH:CH \cdot CO \cdot OC_2H_5$	221,21	gelbe rhomb. Krist. (A)
722	**42—43**	Myosmin	$C_9H_{10}N_2$	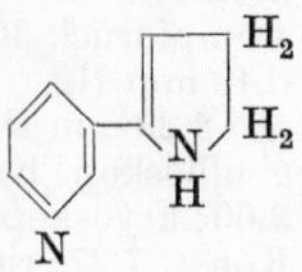	146,19	Krist.
723	**42—43**	Thallin (6-Methoxy-1,2,3,4-tetrahydrochinolin)	$C_{10}H_{13}NO$	$CH_3 \cdot O \cdot C_6H_3\left\langle {CH_2-CH_2 \atop NH-CH_2} \right.$	163,21	Krist. (W)
724	**42—44**	*l*-Menthol	$C_{10}H_{20}O$	$H_2C \cdot CH_2 \cdot CH \cdot CH(CH_3)_2$ $CH_3 \cdot HC \cdot CH_2 \cdot CH \cdot OH$	156,26	hexagonale Nadeln
725	**42,9**	4-Chlorphenol	C_6H_5ClO	$Cl \cdot C_6H_4 \cdot OH$	128,56	Nadeln
726	**43**	Benzylrhodanid	C_8H_7NS	$C_6H_5 \cdot CH_2 \cdot S \cdot CN$	149,21	Prismen
727	**43**	p-Chlorbenzoesäuremethylester	$C_8H_7ClO_2$	$Cl \cdot C_6H_4 \cdot CO \cdot OCH_3$	170,59	Nadeln
728	**43**	4-Chlor-1,3-dinitrobenzol (*β*-Form)	$C_6H_3ClN_2O_4$	$Cl \cdot C_6H_3(NO_2)_2$	202,56	Krist. (Ae.)

Lfd. Nr.	Spez. Gewicht	Siedepunkt °C	Beilsteinzitat	Physikalische Konstanten und Eigenschaften	Löslichkeit	Reaktionen
	8	9	10	11	12	13
19	$1{,}099^{42°}$	243 bis 245	VII 360	mit Dampf flüchtig; riecht phthalidartig; schmeckt bitter	unl. in W ll. in A, Ae, Bzl.	Oxim *Fp* 146°, Nadeln Azin *Fp* 164—165°, Nadeln oder Prismen Semicarbazon *Fp* 233°, Tafeln Phenylhydrazon *Fp* 135° p-Nitrophenylhydrazon *Fp* 235° 2,4-Dinitrophenylhydrazon *Fp* 258°
20	$1{,}003^{20°}$	62,5 (15 mm)	IV 534	hygroskopisch	ll. in W, A wl. in Ae	
21			IX 605		unl. in W l. in Bzl. ll. in A, Ae	
22				optisch inaktiv; riecht nach Mäusen		
23		283 (735mm)	XXI 61		wl. in W ll. in A, Ae, Bzl.	+ $FeCl_3$ → grün
24	$0{,}890^{15°}_{15°}$	215,5	VI 28	$[\alpha]_D^{48}$ —49,86 (Ae); Dampfdruck 100° 11,25 mm Hg; ebullioskop. Konst. 6,15; kryoskop. Konst. 12,24; eutekt. Temp.: mit Azobenzol 32°, mit Benzil 37°; Geschmack würzig u. brennend, Geruch pfefferminzartig	0,04 k. W sll. in A, Ae, Essigsäure, Chlf.	Lösen 2 mg Substanz und 2 mg Piperonal in 1 ml konz. H_2SO_4 → gelb, bei Verdünnen mit A → intensiv rotviolett bis blauviolett Acetat *Fp* 227—228° Benzoat *Fp* 54,5° p-Nitrobenzoat *Fp* 62° 3,5-Dinitrobenzoat *Fp* 153° Phenylurethan *Fp* 111—112° α-Naphthylurethan *Fp* 128°
25	$1{,}260^{45°}$	217	VI 186	kryoskop. Konst. 5,58; riecht stärker als Phenol	2,7 W 20° ll. in A, Ae	+ 10—20 mg Paraform + 1 ml H_2SO_4 → gelb wss. Lsg. + $Fe(NO_3)_3$ → intensiv violett + 1—2 Tropfen 0,3%ige H_2O_2-Lsg. → tiefgrün Benzoat *Fp* 93° Phenylurethan *Fp* 149° α-Naphthylurethan *Fp* 166°
26		230 bis 235	VI 460	riecht nach Kresse; schmeckt brennend	unl. in W l. in A, Ae	
27			IX 340	eutekt. Temp. mit Benzil 31°		
28		315 (Z.)	V 263		unl. in W wl. in k. W ll. in Ae	

Lfd. Nr.	*Fp*	Name	Summen-formel	Strukturformel	Mol.-Gewicht	Aggrega zustan Farbe
1	2	3	4	5	6	7
729	**43**	3,4-Dichlor-1-nitrobenzol	$C_6H_3Cl_2NO_2$	$Cl_2C_6H_3 \cdot NO_2$	192,01	Nadeln (A)
730	**43**	3,4-Dimethoxybenzaldehyd (Veratrumaldehyd)	$C_9H_{10}O_3$	$(CH_3O)_2C_6H_3 \cdot CHO$	166,17	Nadeln (Ae)
731	**43**	Salicylsäurephenylester (Salol)	$C_{13}H_{10}O_3$	$HO \cdot C_6H_4 \cdot CO \cdot OC_6H_5$	214,21	rhomb. Tafeln (Me)
732	**43**	Thialdin	$C_6H_{13}NS_2$	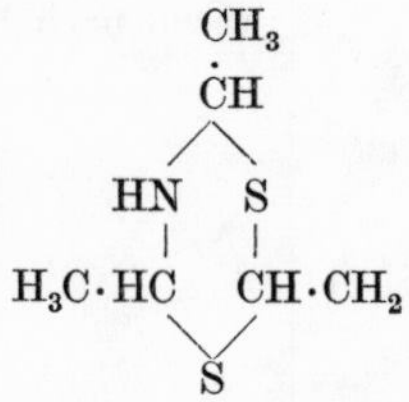	163,30	Tafeln (A + A
733	**43,5**	2-Nitrobenzaldehyd	$C_7H_5NO_3$	$O_2N \cdot C_6H_4 \cdot CHO$	151,12	hellgelb Nadeln
734	**43—44**	Cyanamid	CH_2N_2	$H_2N \cdot C \vdots N$	42,04	Nadeln
735	**43—44**	1-Methylcyclohexanon-(2)-oxim	$C_7H_{13}NO$	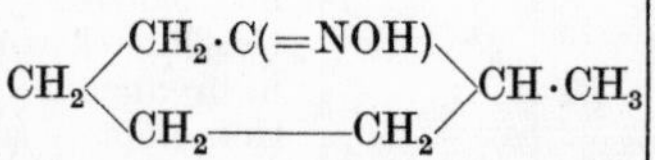 $CH_2\left\langle\begin{matrix}CH_2 \cdot C(=NOH) \\ CH_2 —— CH_2\end{matrix}\right\rangle CH \cdot CH_3$	127,18	Krist.
736	43—44	dl-α-Hydroxybuttersäure	$C_4H_8O_3$	$C_2H_5 \cdot CH(OH) \cdot COOH$	104,10	zerfließl. Krist.
737	**43—44**	p-Thiokresol	C_7H_8S	$CH_3 \cdot C_6H_4 \cdot SH$	124,20	Blättch (verd. A oder Ae
738	**43—47**	Psicain (d-Pseudococainbitartrat)	$C_{21}H_{27}NO_{10}$	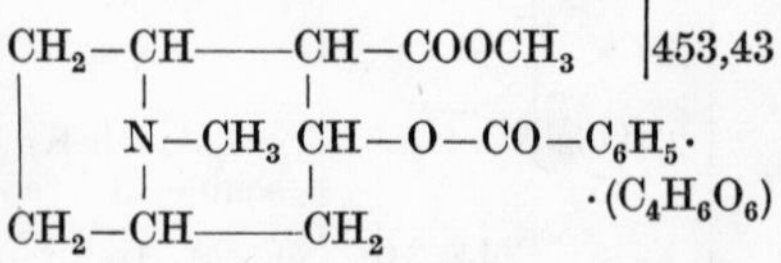	453,43	strahlig prismat Krist.
739	**44**	Piazthiol (3,4-Benzo-1,2,5-thiodiazol)	$C_6H_4N_2S$	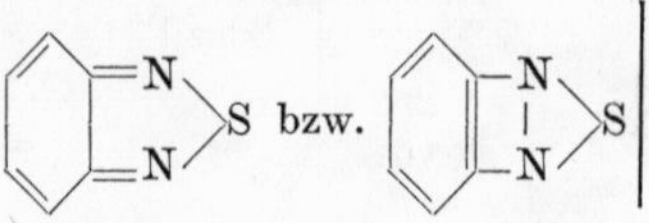	136,20	Nadeln

Lfd. Nr.	Spez. Gewicht	Siedepunkt °C	Beilsteinzitat	Physikalische Konstanten und Eigenschaften	Löslichkeit	Reaktionen
	8	9	10	11	12	13
729	$1{,}4514^{80°}$	255 bis 256	V 246		unl. in W wl. in k. A	
730		281	VIII 255	riecht nach Vanille	unl. in k. W ll. in A, Ae	Oxim *Fp* 95° Semicarbazon *Fp* 177° Phenylhydrazon *Fp* 121° 2,4-Dinitrophenylhydrazon *Fp* 265°
731		313 167 (10 mm)	X 76	eutekt. Temp.: mit Azobenzol 26°, mit Benzil 29°; Geruch u. Geschmack schwach würzig	0,015 W 25° 53,8 A 25° ll. in Ae sll. in Bzl. l. in Lauge	alkohol. Lsg. + $FeCl_3$-Lsg. → violett Eisen-H_2SO_4 → 15° → blaßgrün, beim Erwärmen stärker grün und braun Acetylderivat *Fp* 99° Benzoylderivat *Fp* 81° 1,3,5-Trinitrobenzolat *Fp* 85°
732	$1{,}191^{18°}$	Z.	XXVII 461	flüchtig mit Dampf	swl. in W ll. in A, Ae	
733		153 (23 mm)	VII 243	stabile Form	0,23 W 25°	Oxim *Fp* 102° Semicarbazon *Fp* 256° Phenylhydrazon *Fp* 154°
734	$1{,}0729^{48°}$	140 (19 mm)	III 74	zerfließlich; mit Dampf flüchtig; zers. bei etwa 150°	sll. in W, A, Ae, Bzl. wl. in CS_2	Silbersalz hochgelb, amorph, ll. in verd. HNO_3, fast unl. in verd. NH_3
735		108 bis 109 (8 mm)	VII 14	Dampfdruck 100° 41 mm Hg		
736		255 bis 260 (Z.)	III 302	sublimiert bei 60 bis 70°	wl. in W	
737		195	VI 416	mit Dampf flüchtig	unl. in W l. in A ll. in Ae	
738						wss. Lsg. + $Fe(NO_3)_3$-Lsg. → intensiv zitronengelb Hydrochlorid *Fp* 205°, Nadeln
739		206	XXVII 569	mit W-Dampf destillierbar	unl. in W l. in A, Bzl.	

Lfd. Nr.	*Fp*	Name	Summenformel	Strukturformel	Mol.-Gewicht	Aggregatzustand Farbe
1	2	3	4	5	6	7
740	44	Laurinsäure (Dodecansäure)	$C_{12}H_{24}O_2$	$CH_3\cdot(CH_2)_{10}\cdot COOH$	200,31	Nadeln (A)
741	44	1,2,4-Tribrombenzol	$C_6H_3Br_3$	$C_6H_3Br_3$	314,83	Nadeln (A + Ae
742	44	Zimtsäurecinnamylester (Styracin)	$C_{18}H_{16}O_2$	$C_6H_5\cdot CH{:}CH\cdot COO\cdot CH_2\cdot CH$ ‖ $C_6H_5\cdot CH$	264,31	Nadeln oder Säulen
743	44,5	Laurinaldehyd (Dodecanal)	$C_{12}H_{24}O$	$CH_3\cdot(CH_2)_{10}\cdot CHO$	184,31	Krist.
744	45	α-Äthylcrotonsäure	$C_6H_{10}O_2$	$CH_3\cdot CH{:}C(C_2H_5)\cdot COOH$	114,14	Prismen
745	45	Angelicasäure	$C_5H_8O_2$	$CH_3\cdot CH{:}C(CH_3)\cdot COOH$	100,11	monokline Nadeln
746	45	Benzhydrylbromid	$C_{13}H_{11}Br$	$(C_6H_5)_2CH\cdot Br$	247,13	Krist. (PAe)
747	45	2,4′-Diaminodiphenyl	$C_{12}H_{12}N_2$	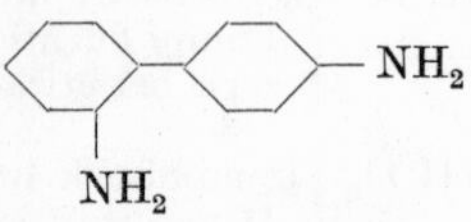	184,23	Nadeln (verd. A
748	45	α,α′-Dichloraceton	$C_3H_4Cl_2O$	$CH_2Cl\cdot CO\cdot CH_2Cl$	126,98	Tafeln oder Nadeln
749	45	2,4-Dichlorphenol	$C_6H_4Cl_2O$	$Cl_2C_6H_3\cdot OH$	163,01	Nadeln (Bzl.)
750	45	Diphenyldisulfoxyd	$C_{12}H_{10}O_2S_2$	$C_6H_5\cdot SO\cdot SO\cdot C_6H_5$	250,23	Krist. (A)
751	45	Elaidinsäure	$C_{18}H_{34}O_2$	$CH_3\cdot(CH_2)_7\cdot CH{:}CH\cdot(CH_2)_7\cdot$ $\cdot COOH$	282,45	Blättche (A)
752	45	2-Methoxy-3-äthoxybenzaldehyd	$C_{10}H_{12}O_3$	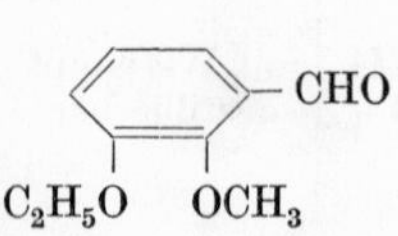	180,20	Nadeln (W)

Lfd. Nr.	Spez. Gewicht	Siede-punkt °C	Beilstein-zitat	Physikalische Konstanten und Eigenschaften	Löslichkeit	Reaktionen
	8	9	10	11	12	13
740	$0,864^{60°}$	225 (100mm)	II 359	n_D^{76} 1,4236; $n_\alpha^{78,5}$ 1,41749; $n_\beta^{78,5}$ 1,42474; kryoskop. Konst. 4,4; Oberflächenspannung bei 78,3° 26,0 dyn/cm; eutekt. Temp.: mit Azobenzol 34°, mit Benzil 38°; mit Dampf flüchtig	unl. in W ll. in A, Ae	Pb-Salz *Fp* 104,6–108° Ag-Salz *Fp* 212–213° Amid *Fp* 98° Anilid *Fp* 78° p-Toluidid *Fp* 87° Phenylhydrazid *Fp* 105° β-Naphthylhydrazid *Fp* 136° Phenacylester *Fp* 48–49° p-Phenylphenacylester *Fp* 84° p-Bromphenacylester *Fp* 76°
741		275	V 213	sublimiert	ll. in sd. A, Ae sll. in Bzl., CS_2	
742	$1,1565^{4°}$		IX 585	eutekt. Temp.: mit Azobenzol 30°, mit Benzil 34°; riecht balsamisch, etwas blumig	5 k. W 23 sd. A 33 Ae	
743		184 bis 185 (100mm)	I 714			Oxim *Fp* 73° Semicarbazon *Fp* 101–102°
744		209	II 440		wl. in W ll. in A, Ae	
745	$0,954^{76°}$	185	II 428	riecht gewürzartig	wl. in k. W ll. in h. W	Ca-Salz, Blättchen Amid *Fp* 128° Anilid *Fp* 126°
746	$1,491^{13°}$	184 (20 mm)	V 592		l. in A, Ae sll. in Bzl.	
747		363	XIII 211		swl. in W ll. in A, Ae	N,N′-Diacetylderiv. *Fp* 202°
748	$1,3826^{46°}$	172,5	I 655	wirkt blasenziehend; riecht ätzend; Dampf entzündet die Schleimhäute	l. in W ll. in A, Ae	Semicarbazon *Fp* 120°
749		209 bis 210	VI 189	riecht unangenehm	0,45 W 20° ll. in A, Ae	Chloracetylderivat *Fp* 140° Benzoylderivat *Fp* 97°
750			IV 324		unl. in W l. in A	
751	$0,8505^{79°}$	362 234 (15 mm)	II 469	$n_\alpha^{79,4}$ 1,43583; $n_\beta^{79,4}$ 1,44425; kryoskop. Konst. 3,9	unl. in W ll. in A, Ae	Oxydation mit $KMnO_4$ in alkohol. Lsg. → 9,10-Dihydroxystearinsäure, *Fp* 99–100° p-Bromphenacylester *Fp* 65° Amid *Fp* 93°
752		153 (18 mm)	E_2 VIII 268	mit W-Dampf flüchtig	swl. in W	

Lfd. Nr.	*Fp*	Name	Summen-formel	Strukturformel	Mol.-Gewicht	Aggregat-zustand Farbe
1	2	3	4	5	6	7
753	**45**	1-Phenylnaphthalin	$C_{16}H_{12}$	$C_{10}H_7 \cdot C_6H_5$	204,26	wachsartig
754	**45**	p-Toluidin (p-Aminotoluol)	C_7H_9N	$CH_3 \cdot C_6H_4 \cdot NH_2$	107,15	Krist. (verd. A)
755	**45—46**	n-Pentadecylalkohol	$C_{15}H_{32}O$	$CH_3 \cdot (CH_2)_{13} \cdot CH_2OH$	228,41	
756	**45,1**	2-Nitrophenol	$C_6H_5NO_3$	$O_2N \cdot C_6H_4 \cdot OH$	139,11	gelbe Nadeln (A oder Ae)
757	**45,5**	α-Jodpropionsäure	$C_3H_5JO_2$	$CH_3 \cdot CHJ \cdot COOH$	199,99	Nadeln
758	**45,5**	Nonandiol-(1,9) (Nonamethylen-glykol)	$C_9H_{20}O_2$	$HO \cdot (CH_2)_9 \cdot OH$	160,25	Krist.
759	**45,5**	3-Methoxysalicyl-aldehyd	$C_8H_8O_3$	$CH_3O \cdot C_6H_3(OH) \cdot CHO$	152,14	hellgelbe Nadeln
760	**46**	Metacrolein	$C_9H_{12}O_3$	$(C_3H_4O)_3$	168,19	
761	**46**	4-Äthylphenol	$C_8H_{10}O$	$C_2H_5 \cdot C_6H_4 \cdot OH$	122,16	Nadeln
762	**46**	4-Aminothiophenol	C_6H_7NS	$H_2N \cdot C_6H_4 \cdot SH$	125,19	Krist.
763	**46**	Benzaldiacetat	$C_{11}H_{12}O_4$	$C_6H_5 \cdot CH(O \cdot CO \cdot CH_3)_2$	208,21	Krist. (A)
764	**46**	Chloralalkoholat	$C_4H_7Cl_3O_2$	$Cl_3C \cdot CH(OH) \cdot O \cdot C_2H_5$	193,47	Nadeln
765	**46**	Chloressigsäure-anhydrid	$C_4H_4Cl_2O_3$	$(ClCH_2 \cdot CO)_2O$	170,99	Prismen (Bzl.)

Lfd. Nr.	Spez. Gewicht	Siedepunkt °C	Beilsteinzitat	Physikalische Konstanten und Eigenschaften	Löslichkeit	Reaktionen
	8	9	10	11	12	13
753		324 bis 325	V 687		unl. in W ll. in A, Ae	
754	0,9339[79°]	200,4	XII 880	$^{n}D^{59,1}$ 1,55324; $^{R}D^{59,1}$ 35,95 cm³; ebullioskop. Konst. 4,14; eutekt. Temp.: mit Azobenzol 29°, mit Benzil 27°; mit W-Dampf flüchtig; riecht weinartig; schmeckt brennend	0,74 W 21° 240 A 22° ll. in Ae	+ $FeCl_3$ → hellgelb → rosenrot + Chromsäure → rotbraun, verdünnen → gelb + HNO_3 → tiefblau → violett → rot → braun Hydrochlorid *Fp* 243° Pikrat *Fp* 169° Acetylderivat *Fp* 153° Benzoylderivat *Fp* 158° Phenylsulfonylderivat *Fp* 120° p-Tolylsulfonylderivat *Fp* 117°
755			I 429			p-Nitrobenzoat *Fp* 46° Phenylurethan *Fp* 72° α-Naphthylurethan *Fp* 85° p-Joddiphenylylurethan *Fp* 141,3—141,5°
756	1,2945[45°]	214	VI 213	kryoskop. Konst. 7,44; eutekt. Temp.: mit Azobenzol 31°, mit Benzil 30°; mit Dampf flüchtig; riecht nach angebranntem Zucker	0,32 W 18° 1,08 W 100° 24,5 A 15° 95 Ae 15°	Acetylderivat *Fp* 39° Benzoylderivat *Fp* 59° 3,5-Dinitrobenzoat *Fp* 142° Phenylurethan *Fp* 126° α-Naphthylurethan *Fp* 113°
757		105 (0,3mm)	II 261		swl. in W sll. in A, Bzl.	Cu(II)-Salz grüne Nadeln
758		177 (15 mm)	I 493	eutekt. Temp.: mit Azobenzol 38°, mit Benzil 39°; schmeckt etwas bitter	ll. in A, Ae unl. in PAe	
759		265 bis 266	VIII 240		wl. in k. W ll. in A, Ae	
760			I 727		unl. in W ll. in A, Ae	
761		219	VI 472		l. in W ll. in A, Ae	Chloracetylderivat *Fp* 97° Benzoylderivat *Fp* 60° Phenylurethan *Fp* 120° α-Naphthylurethan *Fp* 128°
762		140 (18 mm)	XVIII 553	mit Dampf flüchtig	l. in W ll. in A, Ae	
763		220 (Z.)	VII 210		sll. in A, Ae	
764	1,3286[66°]	115 bis 116 52,5 (30 mm)	I 621	Dampfdruck 20° 1,3 mm Hg	l. in W, A	erhitzen auf 150° → Chloral + Äthylalkohol
765		110 (11 mm)	II 199		swl. in Lg. ll. in A, Ae	

Lfd. Nr.	Fp	Name	Summen-formel	Strukturformel	Mol.-Ge-wicht	Aggrega' zustand Farbe
1	2	3	4	5	6	7
766	**46**	3-Chlor-1-nitrobenzol	$C_6H_4ClNO_2$	$Cl \cdot C_6H_4 \cdot NO_2$	157,56	gelblich Prismen (A)
767	**46**	Dimethyl-β-naphthylamin	$C_{12}H_{13}N$	$C_{10}H_7 \cdot N(CH_3)_2$	171,23	Krist.
768	**46**	Essigsäure-α-naphthylester	$C_{12}H_{10}O_2$	$CH_3 \cdot CO \cdot OC_{10}H_7$	186,20	Nadeln od. Tafel (A)
769	**46**	p-Nitrobenzalchlorid	$C_7H_5Cl_2NO_2$	$O_2N \cdot C_6H_4 \cdot CHCl_2$	206,03	Prismen (A)
770	**46**	Phenylnitramin	$C_6H_6N_2O_2$	$C_6H_5 \cdot NH \cdot NO_2$	138,12	Blättchen (Lg.)
771	**46**	Trilaurin (Glycerintrilaurat)	$C_{39}H_{74}O_6$	$C_3H_5(O \cdot CO \cdot [CH_2]_{10} \cdot CH_3)_3$	638,98	Nadeln (A)
772	**46,5**	2-Nitrothiophen	$C_4H_3NO_2S$	HC——CH ‖ ‖ HC C·NO₂ \ / S	129,14	Krist.
773	**47**	Acetaldoxim	C_2H_5NO	$CH_3 \cdot CH : N \cdot OH$	59,07	Nadeln
774	**47**	Pyrogalloltrimethyl-äther (1,2,3-Tri-methoxybenzol)	$C_9H_{12}O_3$	$C_6H_3(OCH_3)_3$	168,19	Nadeln (verd. A
775	**47**	l-Fenchylalkohol	$C_{10}H_{18}O$	$H_2C \cdot C(CH_3) \cdot CH \cdot OH$ $\mid$ CH_2 $\mid$ $H_2C \cdot CH$——$C(CH_3)_2$	154,24	Krist.
776	**47**	Isocumarin	$C_9H_6O_2$	$C_6H_4 \big\langle \begin{smallmatrix} CH:CH \\ \mid \\ CO—O \end{smallmatrix}$	146,14	Tafeln (Bzl.)
777	**47**	Phenylcyanamid	$C_7H_6N_2$	$C_6H_5 \cdot NH \cdot CN$	118,13	Krist. $1^1/_2 H_2O$ (A)
778	**47**	m-Xylylenglykol	$C_8H_{10}O_2$	$C_6H_4(CH_2 \cdot OH)_2$	138,16	Krist. (Bzl.)
779	**47—48**	2,6-Dimethylphenol (vic. m-Xylenol)	$C_8H_{10}O$	$(CH_3)_2C_6H_3 \cdot OH$	122,16	Blättchen oder Nadeln (W)

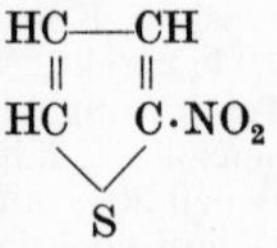

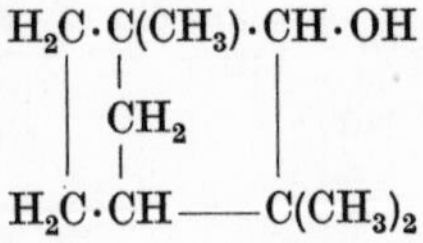

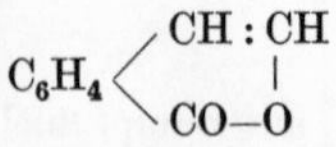

Lfd. Nr.	Spez. Gewicht	Siedepunkt °C	Beilsteinzitat	Physikalische Konstanten und Eigenschaften	Löslichkeit	Reaktionen
	8	9	10	11	12	13
766	1,543	235,6	V 243	kryoskop. Konst. 6,07	unl. in W l. in A ll. in Ae	
767	$1{,}0387^{70°}_{70°}$	305	XII 1273			Pikrat *Fp* 200°
768			VI 608		ll. in A, Ae	durch heißes W Zers.
769			V 332		ll. in A, Ae	
770			XVI 661		l. in W sll. in A	erhitzen auf 97—98° → 2- und 4-Nitroanilin
771	$0{,}8944^{60°}_{4°}$		VI 362	$^{n}D^{60}$ 1,44039	unl. in W wl. in k. A ll. in Ae, Bzl., Chlf., PAe	
772		224 bis 225	XVII 35	färbt sich an der Luft allmählich rot	unl. in W	+ Alkali erhitzen → braunrot
773	$0{,}9645^{20°}$	114 bis 115	I 608		∞ W, A, Ae	
774		235	VI 1081		ll. in A, Ae, Bzl.	Verb. mit 1,3,5-Trinitrobenzol *Fp* 81°, hellgelbe Prismen Verb. mit 2,4,6-Trinitrotoluol *Fp* 56,5°, dunkelgelbe Nadeln
775	$0{,}933^{50°}$	200 bis 205 (750mm)	VI 70	mit Dampf flüchtig; riecht nach Schimmel	unl. in W ll. in A, Ae, PAe	Oxalat *Fp* 92,5—93,5° Phenylurethan *Fp* 82—82,5°, Nadeln α-Naphthylurethan *Fp* 148° Phthalestersäure *Fp* 146,5° p-Chlorbenzoat *Fp* 73—74°, Nadeln p-Nitrobenzoat *Fp* 108—109°, gelbe Nadeln
776		285 (719mm)	XVII 333	mit Dampf flüchtig	sll. in A, Ae	
777			XII 368		wl. in W sll. in A, Ae	+ W → Phenylharnstoff
778	$1{,}135^{53°}$	156 (13 mm)	VI 914		ll. in W l. in Ae	
779		203	VI 485		l. in W, A	Pikrat *Fp* 50—53° p-Diphenylylurethan *Fp* 198°

Lfd. Nr.	*Fp*	Name	Summen-formel	Strukturformel	Mol.-Gewicht	Aggrega zustand Farbe
1	2	3	4	5	6	7
780	47,5	α-Brom-d-campher-β-sulfonsäure	$C_{10}H_{15}BrO_4S$	OC / $BrHC$ $>C_8H_{13}\cdot SO_3H$	311,20	Prismen $+3H_2O$ (W)
781	47,5	1,2,3,4-Tetrachlorbenzol	$C_6H_2Cl_4$	$C_6H_2Cl_4$	215,90	Nadeln
782	48	Benzophenon (Diphenylketon) [stabile Form]	$C_{13}H_{10}O$	$C_6H_5\cdot CO\cdot C_6H_5$	182,21	rhomb. Prismen
783	48	N-Benzoylpiperidin	$C_{12}H_{15}NO$	$C_6H_5\cdot CO\cdot NC_5H_{10}$	189,25	Krist.
784	48	Chinazolin	$C_8H_6N_2$	$C_6H_4<$ $CH:N$ / $N=CH$	130,14	Blättche (PAe)
785	48	trans-Dekahydro-chinolin	$C_9H_{17}N$	$H_2C\cdot CH_2\cdot CH\cdot CH_2\cdot CH_2$ / $H_2C\cdot CH_2\cdot CH\cdot NH\cdot CH_2$	139,23	Prismen (Ligroin
786	48	Dibromessigsäure	$C_2H_2Br_2O_2$	$CHBr_2\cdot COOH$	217,87	zerfließl. Krist.
787	48	Nicotinsäureazid	$C_6H_4N_4O$	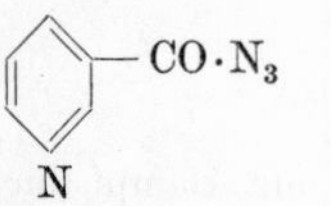	148,12	Krist. (W)
788	48	Stearolsäure	$C_{18}H_{32}O_2$	$CH_3\cdot(CH_2)_7\cdot C:C\cdot(CH_2)_7\cdot COOH$	280,44	Prismen (A)
789	48	Thymochinon	$C_{10}H_{12}O_2$	$(CH_3)_2CH\cdot C_6H_2(:O)_2\cdot CH_3$	164,20	gelbe Tafeln
790	48—49	4-Allylbrenzcatechin	$C_9H_{10}O_2$	$C_6H_3(OH)_2\cdot CH_2\cdot CH:CH_2$	150,17	filzige Nadeln (PAe)
791	48—49	Alival (1,2-Dihydroxy-3-jodpropan)	$C_3H_7JO_2$	$HOCH_2\cdot CH(OH)\cdot CH_2J$	202,00	Krist.
792	48—49	α-Eläostearinsäure	$C_{18}H_{30}O_2$	$CH:CH\cdot CH:CH\cdot(CH_2)_3\cdot CH_3$ / $CH:CH\cdot(CH_2)_7\cdot COOH$	278,42	Blättche (A)

Lfd. Nr.	Spez. Gewicht	Siede-punkt °C	Beilstein-zitat	Physikalische Konstanten und Eigenschaften	Löslichkeit	Reaktionen
	8	9	10	11	12	13
780			XI 317		sll. in W ll. in A, Ae	
781		254	V 204		unl. in W wl. in A ll. in Ae, CS_2	
782	$1{,}1108^{18°}$	305,4 224,2 (100mm) 177,4 (20 mm)	VII 410	$_nD^{53,5}$ 1,59570; $_RD^{53,5}$ 57,02 cm³; $_nF^{53,5}$ 286,3; kryoskop. Konst. 9,8; Dampfdruck 150° 6,01 mm Hg, 250° 257 mm Hg; eutekt. Temp.: mit Azobenzol 29°, mit Benzil 34°; sublimierbar	unl. in W 16,95 A (97%) 18° 24,7 Ae 13°	Oxim *Fp* 143,5—144° Phenylhydrazon *Fp* 137° p-Nitrophenylhydrazon *Fp* 154° 2,4-Dinitrophenylhydrazon *Fp* 239° Semicarbazon *Fp* 167° Phenylsemicarbazon *Fp* 165°
783		320 bis 321	XX 46		l. in A	
784		243	XXIII 175	wss. Lsg. reagiert neutral; schmeckt bitter	ll. in W, A, Ae	
785	$0{,}9021^{56°}$	203 (735mm)	XX 156	mit Dampf flüchtig; riecht betäubend; reagiert basisch	ll. in h. W, A, Ae	
786		232 (Z.)	II 218		ll. in A, Ae	Amid *Fp* 156°
787			XXII 42	stechender Geruch		
788		260	II 495		unl. in W wl. in k. A ll. in Ae	
789		232	VII 662	eutekt. Temp. mit Benzil 33°; riecht durchdringend	swl. in W ll. in A, Ae l. in H_2SO_4	Semicarbazon *Fp* 201—202°, gelbe Nadeln Oxim *Fp* 160—162°, Nadeln + Thymohydrochinon → schwarzviolette Nadeln
790		139 (4 mm)	VI 961		ll. in W	+ $FeCl_3$ in A → tief grün
791				eutekt. Temp.: mit Azobenzol 44°, mit Benzil 44°; schmeckt bitter, kühlend		Lsg. + $AgNO_3$ → klar + Natriumacetat oder 1 Tropfen NH_3 → sofort AgJ
792		235 (12 mm)	II 497	β-Form *Fp* 71°	ll. in A, Ae, PAe, CS_2	Tetrabromid *Fp* 115° (in Eisessig bei 5—10°)

Lfd. Nr.	Fp	Name	Summen-formel	Strukturformel	Mol.-Ge-wicht	Aggregat-zustand Farbe
1	2	3	4	5	6	7
793	48—49	Hydrozimtsäure (β-Phenylpropion-säure)	$C_9H_{10}O_2$	$C_6H_5 \cdot CH_2 \cdot CH_2 \cdot COOH$	150,17	Nadeln (W) Prismen (A)
794	48—49	o-Nitrobenzylchlorid	$C_7H_6ClNO_2$	$O_2N \cdot C_6H_4 \cdot CH_2Cl$	171,58	Krist. (PAe)
795	48,8 bis 49	Triphenylphosphat	$C_{18}H_{15}O_4P$	$\begin{matrix} C_6H_5O \\ C_6H_5O \\ C_6H_5O \end{matrix} \Big\rangle PO$	326,28	Krist.
796	49	2-Aminodiphenyl	$C_{12}H_{11}N$	$C_6H_5 \cdot C_6H_4 \cdot NH_2$	169,22	Krist. (verd. A)
797	49	Diacetylaceton	$C_7H_{10}O_3$	$(CH_3 \cdot CO \cdot CH_2)_2CO$	142,15	Blättchen
798	49	Benzoylpseudotropin (Tropinbenzoat, Tropacocain)	$C_{15}H_{19}NO_2$	$\begin{matrix} CH_2-CH——CH_2 \\ \quad\quad\quad\quad\mid \\ N \cdot CH_3 \; CH-O-CO- \\ \quad\quad\quad\quad\mid \\ CH_2-CH——CH_2 \end{matrix}$	245,31	weiße Tafeln (Ae)
799	49	4-Chlorbenzaldehyd	C_7H_5ClO	$Cl \cdot C_6H_4 \cdot CHO$	140,57	Platten
800	49	Dibenzylsulfid (Benzylsulfid)	$C_{14}H_{14}S$	$(C_6H_5 \cdot CH_2)_2S$	214,32	Tafeln (Ae, Chlf.)
801	49	1,6-Dichlornaphthalin	$C_{10}H_6Cl_2$	$C_{10}H_6Cl_2$	197,06	Nadeln (A)
802	49	3,4-Dimethylanilin (asymm. o-Xylidin)	$C_8H_{11}N$	$(CH_3)_2C_6H_3 \cdot NH_2$	121,18	Tafeln (Ligroin)

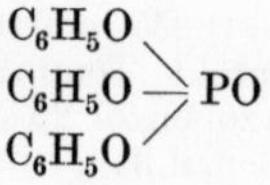

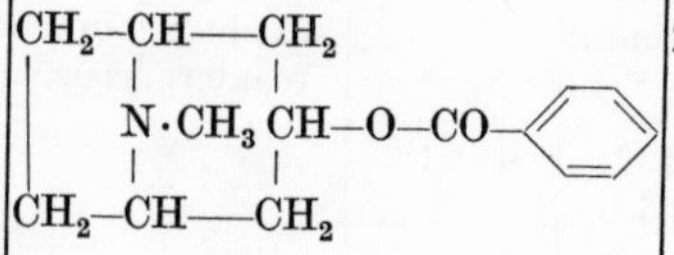

d. r.	Spez. Gewicht	Siede- punkt °C	Beilstein- zitat	Physikalische Konstanten und Eigenschaften	Löslichkeit	Reaktionen
	8	9	10	11	12	13
3	$1{,}0712^{49°}_{0°}$	280 149 (10 mm)	IX 508	eutekt. Temp.: mit Azobenzol 32°, mit Benzil 38°; mit Dampf flüchtig	0,59 W 20° ll. in A l. in Ae	Amid *Fp* 105° Anilid *Fp* 92° p-Toluidid *Fp* 135° Hydrazid *Fp* 103° 4-Nitrobenzylester *Fp* 36,3° Phenacylester *Fp* 42° p-Bromphenacylester *Fp* 104° p-Phenylphenacylester *Fp* 95°
4			V 327	Dampfdichte 5,9; brennt auf der Haut	unl. in W ll. in h. A, h. Ae, k. Bzl.	
5	$1{,}85^{20°}_{4°}$	260 (20 mm)	VI 179	Viskosität nach Engler 70° 1,7°; Verdampfungs- verlust 2 Stdn. bei 100° 0,05%	0,2 W 50°	
6		299	XII 1317	mit Dampf flüchtig	unl. in k. W ll. in A, Ae	Acetylderivat *Fp* 117,5°, Kp. 355°
7	$1{,}053^{80°}_{80°}$		I 808		ll. in h. A, Ae l. in Alkali (gelb)	
8				optisch inaktiv; salzigerGeschmack; geruchlos; an- ästhesierend	wl. in W l. in A, Ae	+ 1 Tropfen Eisen-Phosphor- säure bis Verfärbung erhitzen + 0,5 ml konz. H_2SO_4 + 0,5 ml W + 1 Tropfen CH_3OH → Geruch Benzoe- säuremethylester 5 mg mit Glasstab auf Uhrglas mit 1 Tropfen 5%iger K_2CrO_4 → reichliche Fällung feiner Nadeln, die mit 1 Tropfen konz. HCl nicht harzig wird Hydrochlorid *Fp* 285—288° Pikrat *Fp* 243—245°
9		213 (748mm)	VII 235		wl. in k. A ll. in A, Ae, Bzl., CS_2	Oxim *Fp* 106° Semicarbazon *Fp* 230° Phenylhydrazon *Fp* 127° p-Nitrophenylhydrazon *Fp* 239° 2,4-Dinitrophenylhydrazon *Fp* 270°
0	$1{,}0712^{50°}_{50°}$	>185 Z.	VI 455		unl. in W l. in A, Ae	
1		subl.	V 543	mit Dampf flüchtig	unl. in W l. in A, Ae	
2	$1{,}076^{17°}$	226	XII 1103		wl. in k. W	Acetylderivat *Fp* 99° Phenylsulfonylderivat *Fp* 118° p-Tolylsulfonylderivat *Fp* 145°

Lfd. Nr.	*Fp*	Name	Summen-formel	Strukturformel	Mol.-Gewicht	Aggreg. zustan Farbe
1	2	3	4	5	6	7
803	**49 bis 49,5**	1-Propoxy-2-amino-4-nitrobenzol („Ultrasüß“)	$C_9H_{12}N_2O_3$	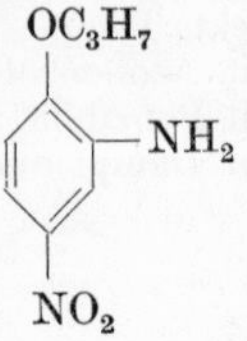	196,20	orange zitrone gelbe Krist
804	**49–50**	Bromessigsäure	$C_2H_3BrO_2$	$Br \cdot CH_2 \cdot COOH$	138,96	Krist
805	**49–50**	Hydrochinonmono-amyläther	$C_{11}H_{16}O_2$	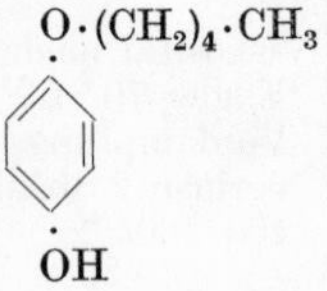	180,24	
806	**49–50**	Tetraäthylammonium-hydroxyd	$C_8H_{21}NO$	$(C_2H_5)_4N \cdot OH$	147,26	Nadel mit $4H_2C$
807	**49–50**	Tropolon	$C_7H_6O_2$	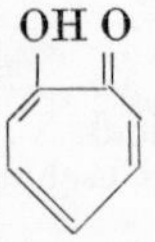	122,11	Nadel
808	**49,5**	2-Jod-1-nitrobenzol	$C_6H_4JNO_2$	$J \cdot C_6H_4 \cdot NO_2$	249,01	gelbe Nadel
809	**49,5**	Cetylalkohol (Hexadecanol)	$C_{16}H_{34}O$	$CH_3 \cdot (CH_2)_{14} \cdot CH_2OH$	242,43	Blättch (A)
810	**49,6**	*l*-*β*-Hydroxybutter-säure	$C_4H_8O_3$	$CH_3 \cdot CH(OH) \cdot CH_2 \cdot COOH$	104,10	hygro skop Krist
811	**49,6**	Carbamidsäureäthyl-ester (Urethan, Äthylurethan)	$C_3H_7NO_2$	$H_2N \cdot CO \cdot OC_2H_5$	89,09	weiß Blättch
812	**50**	Anthranilsäurenitril	$C_7H_6N_2$	$H_2N \cdot C_6H_4 \cdot CN$	118,13	Nadel (PAe

Lfd. Nr.	Spez. Gewicht	Siedepunkt °C	Beilsteinzitat	Physikalische Konstanten und Eigenschaften	Löslichkeit	Reaktionen
	8	9	10	11	12	13
803				110mal so süß wie Zucker	l. in W, A	Subst. in wenigen Tropfen A + 1 Tropfen 25%ige HCl → Farbe verschwindet, + Spur Zinkstaub → rosa → himbeerrot
804	$1{,}934^{50°}_{50°}$	196	II 213	erzeugt auf der Haut Blasen	sll. in W, A	Amid *Fp* 91° Anilid *Fp* 131° p-Toluidid *Fp* 91° p-Nitrobenzylester *Fp* 88°
805						
806			IV 103		sll. in W	
807					ll. in W l. in A, Ae, konz. HCl	+ $FeCl_3$ → grün Pikrat *Fp* 83,5—84° Benzoat *Fp* 129—130°
808	$1{,}810^{155°}$	288 (729mm)	V 252	sublimiert	unl. in W ll. in h. A sll. in Ae	
809	$0{,}8176^{50°}$ $0{,}8105^{60°}$	189,5 (15 mm)	I 429	kryoskop. Konst. 6,0; eutekt. Temp.: mit Azobenzol 42°, mit Benzil 46°	unl. in W ll. in A sll. in Ae, Bzl.	p-Nitrobenzoat *Fp* 52° 3,5-Dinitrobenzoat *Fp* 66° Phenylurethan *Fp* 73° p-Nitrophenylurethan *Fp* 117 bis 118° α-Naphthylurethan *Fp* 81 bis 82°, feine Nadeln
810		Z.	III 307	$[\alpha]_D^{16}$ —24,9° (W)	ll. in W, A, Ae unl. in Bzl.	erhitzen → Crotonsäure + W
811	$1{,}0482^{60°}$	184	III 22	eutekt. Temp.: mit Azobenzol 41°, mit Benzil 42°, mit Acetanilid 35°; Geschmack salzig, kühlend; hygroskopisch	35,0 W 11° 380,7 W 40° zll. A 22° ll. in Bzl., Chlf. swl. in Laugen	alkalische HgJ_2-Lsg. → weißer Nd., Erwärmen → orange 0,04 g Subst. in 5 ml W + 5 ml NaOH + 2 ml Neßlers Reagens → weißer Nd. → gelb → braun + Jod und Lauge → CHJ_3 Methylendiurethan *Fp* 131° Chloralurethan *Fp* 103°, blättrige Masse
812		262 (751mm)	XIV 322		wl. in W ll. in A, Ae	

Lfd. Nr.	Fp	Name	Summen-formel	Strukturformel	Mol.-Ge-wicht	Aggregat-zustand Farbe
1	2	3	4	5	6	7
813	50	dl-Camphen	$C_{10}H_{16}$	$H_2C\cdot CH-C(CH_3)_2$ $\quad\vert\qquad\vert$ $\qquad CH_2$ $\quad\vert\qquad\vert$ $H_2C\cdot CH-C\!:\!CH_2$	136,23	gefiedert Krist. (Me)
814	50	Carbamidsäurechlorid	CH_2ClNO	$H_2N\cdot COCl$	79,49	Säulen
815	50	2,5-Dichloranilin	$C_6H_5Cl_2N$	$Cl_2C_6H_3\cdot NH_2$	162,02	Nadeln (Lg.)
816	50	$\alpha.\beta$-Dichlorpropionsäure	$C_3H_4Cl_2O_2$	$CH_2Cl\cdot CHCl\cdot COOH$	142,98	Nadeln
817	50	Formanilid	C_7H_7NO	$H\cdot CO\cdot NH\cdot C_6H_5$	121,13	Prismen (A, Ae)
818	50	Phenolsulfonsäure-(2)	$C_6H_6O_4S$	$HO\cdot C_6H_4\cdot SO_3H$	174,17	Krist.
819	50	3-Äthoxy-4-methoxy-benzaldehyd (Iso-vanillinäthyläther)	$C_{10}H_{12}O_3$		180,20	Krist.
820	50	α-Naphthylamin	$C_{10}H_9N$	$C_{10}H_7\cdot NH_2$	143,18	Nadeln (verd. A)
821	50—51	Benzolsulfonsäure	$C_6H_6O_3S$	$C_6H_5\cdot SO_3H$	158,17	Nadeln
822	50—51	4-Brom-2-chlorphenol	C_6H_4BrClO	$Br(Cl)C_6H_3\cdot OH$	207,47	Nadeln (Lg.)
823	50,5	3,5-Dichloranilin	$C_6H_5Cl_2N$	$Cl_2C_6H_3\cdot NH_2$	162,02	Nadeln (W)
824	51	ω-Bromacetophenon	C_8H_7BrO	$C_6H_5\cdot CO\cdot CH_2Br$	199,05	Prismen (verd. A)

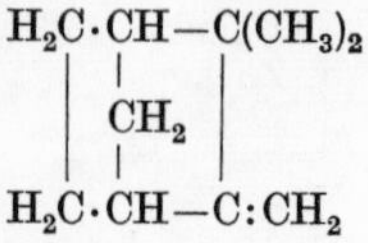

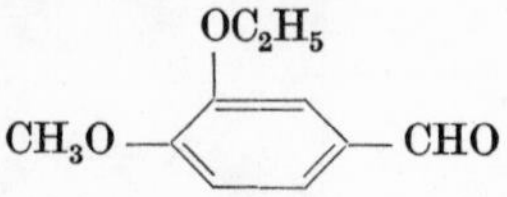

Lfd. Nr.	Spez. Gewicht	Siedepunkt °C	Beilsteinzitat	Physikalische Konstanten und Eigenschaften	Löslichkeit	Reaktionen
	8	9	10	11	12	13
813	$0{,}8223^{78°}$	160 58,8 (20 mm)	V 156	Dampfdruck 40° 71 mm Hg; sublimiert leicht; eigentümlicher Geruch	unl. in W l. in A ll. in Ae	Hydrochlorid *Fp* 125—127° Dibromid *Fp* 89° + Alkalien und Schütteln → Camphenhydrat, *Fp* 142°
814		61—62 (Z.)	III 31	riecht heftig		+ W → CO_2 + NH_4Cl + A → Zers. beim Aufbewahren → Cyanursäure und HCl
815	1,1473	271	XII 230		swl. in W ll. in A, Ae, CS_2	Hydrochlorid *Fp* 191—192° Acetylderivat *Fp* 132° Benzoylderivat *Fp* 120°
816			II 252			
817	$1{,}112^{60°}$	166 (14 mm)	XII 230		l. in W ll. in A l. in Ae	
818			XI 234		sll. in W	+ h. H_2SO_4 → Phenolsulfonsäure-(4)
819		154,5 (12 mm)	E_2 VIII 283			
820	$1{,}108^{50°}$	300,8 163 (15 mm)	XII 1212	eutekt. Temp.: mit Azobenzol 33°, mit Benzil 28°; mit Dampf flüchtig; sublimierbar; färbt sich an der Luft rot; riecht unangenehm; schmeckt beißend bitter	0,17 W ll. in A, Ae	Oxydationsmittel → blau → purpur alkohol. Lsg. + alkohol. Thalliumchlorid-Lsg. → tiefviolett 1 Tropfen salzsaurer Lsg. auf Filtrierpapier + 1 Tropfen $K_2Cr_2O_7$-Lsg. u. verd. H_2SO_4 → rosavioletter Fleck → blau Acetylderivat *Fp* 160° Benzoylderivat *Fp* 161—162° Pikrat *Fp* 161° Phenylsulfonylderivat *Fp* 167° p-Tolylsulfonylderivat *Fp* 157°
821		135 bis 137 (Vakuum)	XI 26		sll. in W, A unl. in Ae wl. in Bzl.	Salz mit Anilin *Fp* 240° Salz mit p-Toluidin *Fp* 205° Anilid *Fp* 110°
822		233 bis 234				
823		259 bis 260	XII 626			Acetylderivat *Fp* 187° Benzoylderivat *Fp* 147°
824	$1{,}709^{15°}$	260 (Z.) 135 (12 mm)	VII 283	Dampfdichte 6,8; eutekt. Temp.: mit Azobenzol 34°, mit Benzil 36°; reizt zu Tränen	ll. in A, Ae, Chlf., Bzl., Essigsäure unl. in W	Oxim *Fp* 128° Semicarbazon *Fp* 146° Phenylhydrazon *Fp* 126° p-Nitrophenylhydrazon *Fp* 248° 2,4-Dinitrophenylhydrazon *Fp* 230°

Lfd. Nr.	Fp	Name	Summen-formel	Strukturformel	Mol.-Ge-wicht	Aggregazustand Farbe
1	2	3	4	5	6	7
825	51	γ-Phenylbuttersäure	$C_{10}H_{12}O_2$	$C_6H_5 \cdot CH_2 \cdot (CH_2)_2 \cdot COOH$	164,20	Blättche (W)
826	51	1,2,3,5-Tetrachlor-benzol	$C_6H_2Cl_4$	$C_6H_2Cl_4$	215,90	Nadeln (A)
827	51	Tetramethyl-p-phenylendiamin	$C_{10}H_{16}N_2$	$(CH_3)_2N \cdot C_6H_4 \cdot N(CH_3)_2$	164,24	Blättche (verd. A)
828	51—52	α-Brom-α-isopropyl-butyramid (Neodorm)	$C_7H_{14}BrNO$	$\begin{array}{l} CH_3 \cdot CH_2 \\ \qquad \diagdown C(Br) \cdot CONH_2 \\ (CH_3)_2CH \diagup \end{array}$	208,11	weißes Pulver
829	51,4	4-Nitrotoluol	$C_7H_7NO_2$	$O_2N \cdot C_6H_4 \cdot CH_3$	137,13	rhomb. Krist.
830	51,5	Chloralhydrat	$C_2H_3Cl_3O_2$	$CCl_3 \cdot CH(OH)_2$	165,42	mono-kline prismat. Krist.
831	51,5	Ricinelaidinsäure	$C_{18}H_{34}O_3$	$\begin{array}{l} CH_3 \cdot (CH_2)_5 \cdot CH(OH) \cdot CH_2 \cdot CH \\ \qquad\qquad\qquad\qquad\qquad \| \\ HOOC \cdot (CH_2)_7 \cdot CH \end{array}$	298,45	Nadeln (Lg.)
832	51,5	Thymol (3-Hydroxy-1-methyl-4-isopropylbenzol)	$C_{10}H_{14}O$	$\begin{array}{c} OH \\ (CH_3)_2CH \cdot \langle\!\!\!\bigcirc\!\!\!\rangle \cdot CH_3 \end{array}$	150,20	hexa-gonale Tafeln (Eisessig)
833	52	2-Aminodiphenylmethan	$C_{13}H_{13}N$	$C_6H_5 \cdot CH_2 \cdot C_6H_4 \cdot NH_2$	183,24	Prismen
834	52	Benzalanilin	$C_{13}H_{11}N$	$C_6H_5 \cdot N{:}CH \cdot C_6H_5$	181,23	Blättche (verd. A.) gelbe Nadeln (CS_2)

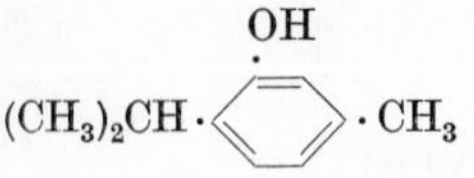

d. r.	Spez. Gewicht	Siede-punkt °C	Beilstein-zitat	Physikalische Konstanten und Eigenschaften	Löslichkeit	Reaktionen
	8	9	10	11	12	13
5		290 171 (15 mm)	IX 539		l. in W ll. in A, Ae	Amid *Fp* 84,5° Äthylamid *Fp* 36°
6		246	V 204		wl. in k. A ll. in Bzl. sll. in CS_2	+ HNO_3 → 2,3,4,6-Tetrachlor-1-nitrobenzol
7		260	XIII 74	wss. Lsg. wird an der Luft violettblau; brennt auf der Haut	wl. in k. W ll. in A, Ae	1,3,5-Trinitrobenzolat *Fp* 142°
8				Geruch nach Fettsäure; Geschmack mentholartig	swl. in W 15°	Lsg. in Paraform-H_2SO_4 beim Erwärmen orange und grüne Fluoreszenz
29	$1{,}1392^{55°}_{55°}$	238 112,25 (14 mm)	V 323	${}^{n}D^{20,4}$ 1,54739; ${}^{R}D^{20,4}$ 37,41 cm^3; eutekt. Temp.: mit Azobenzol 29°, mit Benzil 34°	0,044 W 30° l. in A ll. in Ae	
30	$1{,}908^{20°}$	96	I 619	ebullioskop. Konst. 2,28; Dampfdruck 20° 12,7 mm Hg; eutekt. Temp.: mit Azobenzol 43°, mit Benzil 41°; eigentümlich riechend, schwach bitterer Geschmack	474 W 17° 250 A 14°	Erwärmen mit Lauge → Chloroform, das mit Orcin oder Resorcin nachgewiesen wird Subst. + einige Tropfen Na_2S-Lsg. → gelb bis rot Erwärmen mit α-Naphthol und H_2SO_4 → grüne bis blaue Lsg. + Neßlers-Reagens → ziegelrot → gelbgrüner Nd. (Unterschied von Chlf.) + Pyrogallol + konz. H_2SO_4 in der Wärme → blau
31		241 (10 mm)	III 388		ll. in A wl. in k. PAe	
32	$0{,}969^{24°}$	233,5 121,9 (20 mm)	VI 532	${}^{R}D^{9,6}$ 158,8; ebullioskop. Konst. 6,82; eutekt. Temp.: mit Azobenzol 43°, mit Benzil 41°; Dampfdruck 20° 12,7 mm Hg; Geschmack brennend, Geruch würzig; flüchtig mit Dampf	0,09 W 19° 0,14 W 40° 357 91 Vol.-% A 20° 385 Ae 20° ll. in Alkali	gibt keine $FeCl_3$-Rk. mit Selenigschwefelsäure → gelb, blau, purpur, grün Subst. + Essigsäure und H_2SO_4 erwärmen → rot (E 1:1000000) Chloracetylderivat *Fp* 148° Benzoat *Fp* 32° 3,5-Dinitrobenzoat *Fp* 103° Phenylurethan *Fp* 107—107,5° α-Naphthylurethan *Fp* 160°
33		190 (22 mm)	XII 1322	mit Dampf flüchtig	ll. in A, Ae	Acetylderivat *Fp* 135° Benzoylderivat *Fp* 116°
34	$1{,}038^{55°}$	300	XII 195	mit Dampf flüchtig; eutekt. Temp.: mit Azobenzol 38°, mit Benzil 39°	unl. in W ll. in A, Ae	

Lfd. Nr.	*Fp*	Name	Summen-formel	Strukturformel	Mol.-Ge-wicht	Aggreg zustan Farb
1	2	3	4	5	6	7
835	**52**	7,8-Benzochinolin	$C_{13}H_9N$	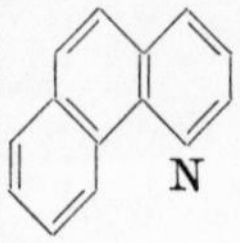	179,21	Blättch (A)
836	**52**	Bromcyan	CBrN	Br·C⫶N oder C:N·Br	105,94	farblos Nadel oder Prisme
837	**52**	Carbanilsäureäthylester (Phenylurethan, Euphorin)	$C_9H_{11}NO_2$	$C_6H_5\cdot NH\cdot CO\cdot OC_2H_5$	165,19	Nadel (W)
838	**52**	2,5-Dinitrotoluol	$C_7H_6N_2O_4$	$(O_2N)_2C_6H_3\cdot CH_3$	182,13	Nadel (A)
839	**52—55**	Antipyrinmandelat (Tussol)	$C_{19}H_{20}N_2O_4$	$C_{11}H_{12}N_2O\cdot C_8H_8O_3$	340,37	weiße Krist.
840	**52,2**	Dibenzyl	$C_{14}H_{14}$	$C_6H_5\cdot CH_2\cdot CH_2\cdot C_6H_5$	182,25	mono-kline Spieße (A)
841	**52,9**	Triäthylphosphinoxyd	$C_6H_{15}OP$	$(C_2H_5)_3PO$	134,16	Nadeln
842	**53**	4-Aminodiphenyl	$C_{12}H_{11}N$	$C_6H_5\cdot C_6H_4\cdot NH_2$	169,22	Blättche (verd. A
843	**53**	tert.-Butylcarbinol (Neopentylalkohol)	$C_5H_{12}O$	$(CH_3)_3C\cdot CH_2OH$	88,15	Krist.
844	**53**	trans-*β*-Dekalol I	$C_{10}H_{18}O$	$H_2C\cdot CH_2\cdot CH\cdot CH_2\cdot CH\cdot OH$ $H_2C\cdot CH_2\cdot CH\cdot CH_2\cdot CH_2$	154,24	Prismen (PAe)

Lfd. Nr.	Spez. Gewicht	Siedepunkt °C	Beilsteinzitat	Physikalische Konstanten und Eigenschaften	Löslichkeit	Reaktionen
	8	9	10	11	12	13
835		338 (719mm)	XX 463		unl. in W ll. in A, Ae	Hydrochlorid *Fp* 213°
836	1,92	61,6	II 39	Dampfdichte 3,7; Litergewicht d. Dampfes 4,40 g; Dampfdruck 25° 119,5 mm; Flüchtigkeit bei 20° 296000 mg/m³; sehr flüchtig; riecht heftig; sehr giftig	wl. in W, CS_2, Aceton, Bzl., CCl_4 ll. in Ae	+ A → Zers. + Benzidin-Kupferacetat → blau
837	$1,106^{30°}$	237*	XII 320	geruchlos; brennender Geschmack	swl. in k. W ll. in A, Ae	* beim Erhitzen über 237° Zers. → Phenylisocyanat + Alkohol 3 mg Subst. in 3 ml konz. H_2SO_4 + α-Naphthol in 2 ml W → violettrot + Fe u. H_3PO_4 erhitzen → grünblau, abkühlen → grün
838	$1,282^{111°}$		V 341		ll. in A, Bzl., CS_2	
839				salzig, schwach bitter	15 W 3—4 A 25—26 Ae	Subst. + konz. H_2SO_4 → farblos, bei gelinder Erwärmung im sd. W-Bad intensiv braunorange Erhitzen mit α-Naphthol u. konz. H_2SO_4 → orangerot
840	$0,9682^{52°}$	284	V 598	Oberflächenspannung 108,3° 27,86 dyn/cm; kryoskop. Konst. 7,23; eutekt. Temp.: mit Azobenzol 43°, mit Benzil 41°	l. in A ll. in Ae, CS_2	1,3,5-Trinitrobenzolat *Fp* 102° therm. Zers. → Toluol, Stilben, Phenanthren
841		240	IV 592		∞ in W, A wl. in Ae unl. in KOH	
842		302	XII 1318	mit Dampf flüchtig	wl. in k. W ll. in h. W, A, Ae	Acetylderivat *Fp* 171° Benzoylderivat *Fp* 230°
843		113	I 406	riecht pfefferminzartig; sehr flüchtig		Phenylurethan *Fp* 114°
844		230 (746mm)	E_2 VI 74			Phenylurethan *Fp* 99°

Lfd. Nr.	*Fp*	Name	Summen-formel	Strukturformel	Mol.-Ge-wicht	Aggregat-zustand Farbe
1	2	3	4	5	6	7
845	**53**	p-Dichlorbenzol	$C_6H_4Cl_2$	$Cl \cdot C_6H_4 \cdot Cl$	147,01	Blättchen (A)
846	**53**	Carbamidsäurepropyl-ester	$C_4H_9NO_2$	$H_2N \cdot CO \cdot OC_3H_7$	103,12	Krist.
847	**53**	2,5-Dimethoxybenz-aldehyd	$C_9H_{10}O_3$	$(CH_3 \cdot O)_2C_6H_3 \cdot CHO$	166,17	Nadeln (verd. A)
848	**53**	2,2-Dinitropropan	$C_3H_6N_2O_4$	$CH_3 \cdot C(NO_2)_2 \cdot CH_3$	134,09	Krist.
849	**53**	N,N′-Dimethyl-p-phenylendiamin	$C_8H_{12}N_2$	$CH_3 \cdot NH \cdot C_6H_4 \cdot NH \cdot CH_3$	136,19	Krist. (Ligroin)
850	**53**	Hydrochinonmono-methyläther	$C_7H_8O_2$	$HO \cdot C_6H_4 \cdot OCH_3$	124,13	irisie-rende Blättchen (W)
851	**53**	Indol	C_8H_7N	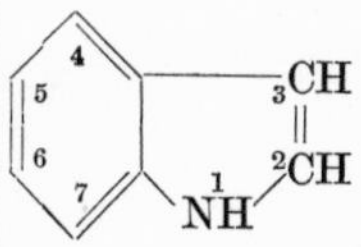	117,14	glänzende Blättchen (W)
852	**53**	2-Jodchinolin	C_9H_6JN	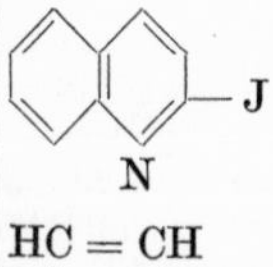	255,07	Nädelchen (verd. A)
853	**53**	Maleinsäureanhydrid	$C_4H_2O_3$	HC = CH | | OC·O·CO	98,06	Nadeln (Chlf. oder Ae)
854	**53**	2-Nitro-m-toluidin	$C_7H_8N_2O_2$	$CH_3 \cdot C_6H_3(NO_2) \cdot NH_2$	152,15	gelbe Nadeln
855	**53**	Pentamethylbenzol	$C_{11}H_{16}$	$C_6H(CH_3)_5$	148,24	Prismen (verd. A)
856	**53**	Piperonylalkohol (3,4-Methylendioxy-benzylalkohol)	$C_8H_8O_3$	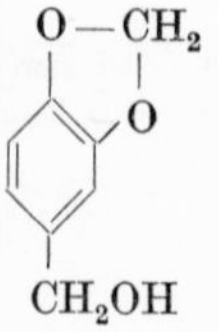	152,14	Nadeln

fd. Nr.	Spez. Gewicht	Siede-punkt °C	Beilstein-zitat	Physikalische Konstanten und Eigenschaften	Löslichkeit	Reaktionen
	8	9	10	11	12	13
45	1,2675$^{55°}_{55°}$	173,7	V 203	sublimiert Dampfdruck 50° 7,25 mm Hg; eutekt. Temp.: mit Azobenzol 29°, mit Benzil 37°	0,008 W 30° ll. in h. A, Ae, Bzl.	
46		195	III 28		ll. in W, A, Ae	
47		146 (10 mm)	VIII 245		wl. in k. W ll. in A, Ae	
48		185,5	I 117		swl. in W	
49		149 (17 mm)	XIII 71	brennt auf der Haut	wl. in W ll. in A, Ae	
50		243	VI 843	nicht mit W-Dampf flüchtig; eutekt. Temp.: mit Azobenzol 39°, mit Benzil 37°	l. in Bzl.	+ $FeCl_3$ → blau + Phosphormolybdänsäure → blau
51		253 123 (5 mm)	XX 304	eutekt. Temp. mit Azobenzol 27°; schwache Base, mit Dampf flüchtig; blumiger Geruch	l. in h. W ll. in A, Ae	Oxydation → Indigo gibt rote Fichtenspanreaktion, sehr empfindlich; + p-Dimethylaminobenzaldehyd + HCl + $K_2S_2O_8$ → violettrot wss. Lsg. + 1 Tropfen HNO_3 + 0,05%ige KNO_2-Lsg. + Nitroprussidnatrium + einige Tropfen NaOH → tiefviolett Pikrat *Fp* 187° 1,3,5-Trinitrobenzolat *Fp* 187° Acetylderivat *Fp* 182—183°
52			XX 370		wl. in W ll. in A, Ae, Bzl.	Äthojodid *Fp* 205° (Z.)
53	1,509	202	XVII 432		ll. in Chlf. ∼ 17 Xylol 30° l. in A, Lg.	
54			XII 876		wl. in k. W ll. in A	Acetylderivat *Fp* 136°
55	0,847$^{107°}$	231	V 443		unl. in W ll. in A	Pikrat *Fp* 131° + $KMnO_4$ → Benzolpentacarbonsäure *Fp* 238°
56		Z.*	XIX 67		wl. in k. W ∞ in A, Ae	*Erhitzen → Piperonal *Fp* 37° Benzoat *Fp* 66° Phenylurethan *Fp* 102°

Lfd. Nr.	*Fp*	Name	Summen-formel	Strukturformel	Mol.-Ge-wicht	Aggrega[illegible] zustand Farbe
1	2	3	4	5	6	7
857	**54**	Diphenylamin	$C_{12}H_{11}N$	$(C_6H_5)_2NH$	169,22	Blättche[illegible] (Ligroin
858	**53–54**	1,2,3-Trichlorbenzol	$C_6H_3Cl_3$	$C_6H_3Cl_3$	181,46	Tafeln (A)
859	**53,4**	4-Chlor-1,3-dinitro-benzol (α-Form)	$C_6H_3ClN_2O_4$	$Cl \cdot C_6H_4(NO_2)_2$	202,56	Nadeln (A)
860	**53,5**	Bromalhydrat	$C_2H_3Br_3O_2$	$CBr_3 \cdot CH(OH)_2$	298,80	Krist. + H_2O (W)
861	**53,5** bis **54,5**	Vitamin K_2	$C_{41}H_{56}O_2$	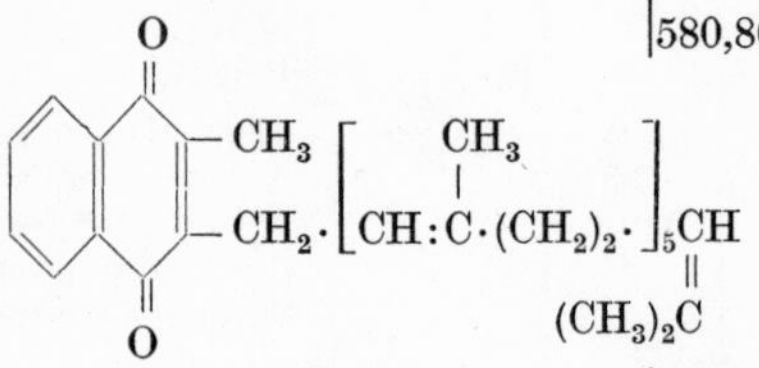	580,86	hellgelb[illegible] Krist. (Aceton oder PAe)
862	**53,8**	Myristinsäure (n-Tetradecansäure)	$C_{14}H_{28}O_2$	$CH_3 \cdot (CH_2)_{12} \cdot COOH$	228,36	glänzen[illegible] Blättche[illegible]
863	**54**	Carbamidsäuremethyl-ester	$C_2H_5NO_2$	$H_2N \cdot CO \cdot OCH_3$	75,07	Tafeln
864	**54**	p-Chlorjodbenzol	C_6H_4ClJ	$Cl \cdot C_6H_4 \cdot J$	238,47	Blätter (A)
865	**54**	Formylhydrazin	CH_4N_2O	$OHC \cdot NH \cdot NH_2$	60,06	Tafeln (A)
866	**54**	Glycerin-β-mononitrat	$C_3H_7NO_5$	$HOCH_2 \cdot CH(O \cdot NO_2) \cdot CH_2OH$	137,09	Blättche[illegible] (W)
867	**54**	4-Nitroanisol	$C_7H_7NO_3$	$O_2N \cdot C_6H_4 \cdot OCH_3$	153,13	Prismen (A)
868	**54**	Oxalsäuredimethylester	$C_4H_6O_4$	$CH_3O \cdot OC \cdot CO \cdot OCH_3$	118,09	Tafeln

Lfd. Nr.	Spez. Gewicht	Siedepunkt °C	Beilsteinzitat	Physikalische Konstanten und Eigenschaften	Löslichkeit	Reaktionen
	8	9	10	11	12	13
857	$1{,}159^{20°}$	302	XII 174	kryoskop. Konst. 8,6; eutekt. Temp.: mit Azobenzol 33°, mit Benzil 34°; schmeckt brennend; riecht blumenartig	0,03 W 25° 56 A 20° ll. in Ae, Eisessig	+ Cl_2 in alkohol. Lsg. → violett (E 1:65000) Lsg. in konz. HCl + 1 Tropfen HNO_3 → tiefblau Acetylderivat *Fp* 103° Benzoylderivat *Fp* 180° Phenylsulfonylderivat *Fp* 122° p-Tolylsulfonylderivat *Fp* 142° Pikrat *Fp* 182°
858		218 bis 219	V 203		swl. in A	
859			V 264	mit Dampf flüchtig	unl. in W ll. in A, Ae	
860	$2{,}566^{40°}$	Z.*	I 626			* Erhitzen → Bromal + W
861				lichtempfindlich		
862	$0{,}8622^{54°}$	250,5 (100mm)	II 365	n_D^{60} 1,43075; Oberflächenspannung bei 56,8° 28,6 dyn/cm; eutekt. Temp.: mit Azobenzol 43°, mit Benzil 48°	unl. in W ll. in A, Ae, Bzl.	Lithiumsalz *Fp* 223,6—224,2°, Schuppen Ag-Salz *Fp* 211°, amorphes Pulver Methylester *Fp* 18° Phenacylester *Fp* 56° p-Bromphenacylester *Fp* 81° Amid *Fp* 102° Anilid *Fp* 84° p-Toluidid *Fp* 93° Phenylhydrazid *Fp* 108° β-Naphthylhydrazid *Fp* 129°
863	$1{,}136^{56°}$	177	III 21		217 W 11° 73 A 13°	
864	$1{,}886^{57°}_{4°}$	227,6	V 221	eutekt. Temp. mit Benzil 38°	l. in A ll. in Bzl.	
865			II 93		ll. in A, Bzl.	
866		155 bis 160	I 515		ll. in W, A l. in Ae	
867	$1{,}233^{20°}$	258 bis 260	VI 230	mit Dampf flüchtig	0,007 W 15° 0,059 W 30° l. in A, Ae	
868	$1{,}1479^{54°}$	163 72 (20 mm)	II 534	n_D^{20} 1,385; Dampfdruck 20° 0,56 mm Hg	l. in A	

Lfd. Nr.	*Fp*	Name	Summenformel	Strukturformel	Mol.-Gewicht	Aggrega zustand Farbe
1	2	3	4	5	6	7
869	**54**	Pyrazin	$C_4H_4N_2$	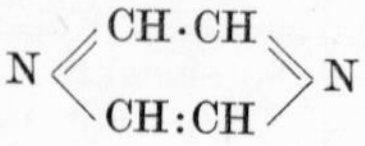	80,09	Prismen (W) Tafeln (Ae)
870	**54–55**	Phloroglucintrimethyläther (1,3,5-Trimethoxybenzol)	$C_9H_{12}O_3$	$C_6H_3(O\cdot CH_3)_3$	168,19	gelbgrün Prismen
871	**54–55**	o-Xylolsulfonsäure-(4)	$C_8H_{10}O_3S$	$(CH_3)_2C_6H_3\cdot SO_3H$	186,23	Tafeln
872	**54–56**	Diphenylarsinbromid	$C_{12}H_{10}AsBr$	$(C_6H_5)_2As\cdot Br$	309,03	Krist.
873	**54,4**	N-Äthylacetanilid	$C_{10}H_{13}NO$	$CH_3\cdot CO\cdot N(C_2H_5)C_6H_5$	163,21	rhomb. Krist.
874	**54,5**	m,m'-Azotoluol	$C_{14}H_{14}N_2$	$CH_3\cdot C_6H_4\cdot N{:}N\cdot C_6H_4\cdot CH_3$	210,27	orange-rote Krist. (A)
875	**54,5**	Bernsteinsäuredinitril	$C_4H_4N_2$	$NC\cdot CH_2\cdot CH_2\cdot CN$	80,09	Krist.
876	**54,5**	2,3-Dimethoxybenzaldehyd	$C_9H_{10}O_3$	$(CH_3O)_2C_6H_3\cdot CHO$	166,17	Nadeln (A oder Ae)
877	**54,5**	2-Jodnaphthalin	$C_{10}H_7J$	$C_{10}H_7J$	254,08	Blättchen
878	**54,6**	2,5-Dichlor-1-nitrobenzol	$C_6H_3Cl_2NO_2$	$Cl_2C_6H_3\cdot NO_2$	192,01	Tafeln u. Prismen (A)
879	**54,8**	Pyrogallol-1.3-dimethyläther	$C_8H_{10}O_3$	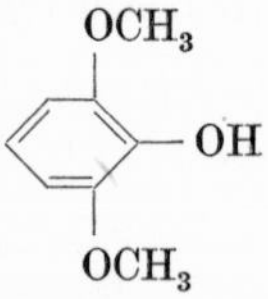	154,16	Prismen (W)
880	**55**	o,o'-Azotoluol	$C_{14}H_{14}N_2$	$CH_3\cdot C_6H_4\cdot N{:}N\cdot C_6H_4\cdot CH_3$	210,27	rote Krist (A od. Ae
881	**55**	4-Bromdimethylanilin	$C_8H_{10}BrN$	$Br\cdot C_6H_4\cdot N(CH_3)_2$	200,08	Blättche (A)
882	**55**	Dicetyläther	$C_{32}H_{66}O$	$(C_{16}H_{33})_2O$	464,83	Krist.
883	**55**	o-Xylylenchlorid	$C_8H_8Cl_2$	$C_8H_4(CH_2Cl)_2$	175,06	Krist. (PAe)
884	**55,5**	Isoapiol	$C_{12}H_{14}O_4$	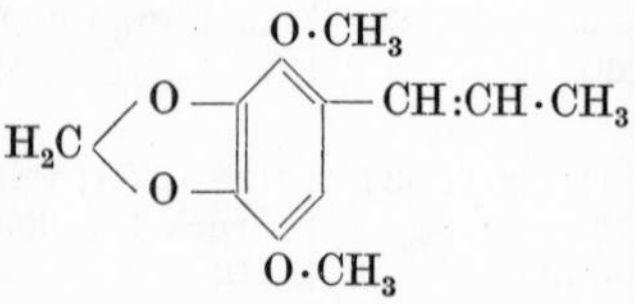	222,23	Blättchen (A)

Lfd. Nr.	Spez. Gewicht	Siedepunkt °C	Beilsteinzitat	Physikalische Konstanten und Eigenschaften	Löslichkeit	Reaktionen
	8	9	10	11	12	13
869	$1{,}031^{61°}$	116	XXIII 91	mit Dampf flüchtig	ll. in W, A, Ae	Pikrat *Fp* 157°
870	$0{,}885^{20°}$	79,8 (14 mm)	VI 1101		l. in A, Ae	
871			XI 121			Amid *Fp* 144°
872		356 (Z.)			unl. in W ll. in Bzl.	
873	$1{,}106^{20°}_{4°}$	258 (731mm)	XII 246			
874			XVI 64		ll. in A, Ae	
875	$0{,}9686^{84°}$	265 bis 267	II 615		ll. in W, A wl. in Ae, CS_2	
876		256 (745mm)	E_1 VIII 601	mit Dampf flüchtig	wl. in k. W ll. in A, Ae	
877		308 bis 310	V 552	$_nD^{19,5}$ 1,70256; $_RD^{19,5}$ 56,54 cm^3; mit Dampf flüchtig	unl. in W ll. in A, Ae	
878		266	V 245	mit Dampf flüchtig	unl. in W wl. in k. A ll. in Bzl., Chlf.	
879		262,7	VI 1081			Verb. mit Pikrinsäure *Fp* 53°, gelbe Nadeln
880			XVI 61	mit Dampf flüchtig	6,03 A 15° 147,7 Ae 17°	
881		264	XII 637		l. in A, Ae	
882		300	I 430		ll. in A, Ae	
883	$1{,}393^{0°}$	239 bis 241	V 364	Lösungen riechen stechend	unl. in W ll. in A, Ae	
884		303 bis 304	XIX 85		unl. in W ll. in h. A, Ae l. in H_2SO_4 rot	

Lfd. Nr.	Fp	Name	Summen-formel	Strukturformel	Mol.-Ge-wicht	Aggregat-zustand Farbe
1	2	3	4	5	6	7
885	56	2-Aminopyridin	$C_5H_6N_2$	$C_5H_4N \cdot NH_2$	94,11	Blättchen (Ligroin)
886	56	3-Brom-1-nitrobenzol	$C_6H_4BrNO_2$	$Br \cdot C_6H_4 \cdot NO_2$	202,02	Krist.
887	56	Hydrochinondimethyl-äther (1,4-Di-methoxybenzol)	$C_8H_{10}O_2$	$C_6H_4(\cdot O \cdot CH_3)_2$	138,16	Blättchen (A)
889	56	6-Nitro-m-kresol (OH = 1)	$C_7H_7NO_3$	$CH_3 \cdot C_6H_3(NO_2) \cdot OH$	153,13	gelbe Tafeln (Ae)
890	56	o-Phthalaldehyd	$C_8H_6O_2$	$C_6H_4(CHO)_2$	134,13	gelbe Nadeln (PAe)
891	56	1,1,1-Trinitroäthan	$C_2H_3N_3O_6$	$CH_3 \cdot C(NO_2)_3$	165,07	Würfel
892	56—57	2,6-Dibromphenol	$C_6H_4Br_2O$	$Br_2C_6H_3 \cdot OH$	251,92	Nadeln (W)
893	56—57	Pentabromäthan	C_2HBr_5	$CBr_3 \cdot CHBr_2$	424,63	Prismen
894	56—58	Pentamethylentetrazol (Cardiazol, Pentetra-zol)	$C_6H_{10}N_4$	$N{\Big\langle}{\genfrac{}{}{0pt}{}{N=C \cdot CH_2 \cdot CH_2}{N-N \cdot CH_2 \cdot CH_2}}{\Big\rangle}CH_2$	138,17	farblose Krist.
895	56,5	Trimyristin	$C_{45}H_{86}O_6$	$C_3H_5(O \cdot CO \cdot [CH_2]_{12} \cdot CH_3)_3$	723,14	Blättchen (Ae)
896	57	α-Äthylstilben	$C_{16}H_{16}$	$C_6H_5(C_2H_5)C:CH \cdot C_6H_5$	208,29	Krist. (A)
897	57	β-Benzylhydroxylamin	C_7H_9NO	$C_6H_5 \cdot CH_2 \cdot NH \cdot OH$	123,15	Nadeln (PAe)
898	57	2,3-Dichlorphenol	$C_6H_4Cl_2O$	$Cl_2C_6H_3 \cdot OH$	163,01	Krist. (Benzin)
899	57	Dimethylnitramin	$C_2H_6N_2O_2$	$(CH_3)_2N \cdot NO_2$	90,08	Nadeln (Ae)
900	57	Egressin (N-Isoamyl-carbaminsäure-3-methyl-6-isopropyl-phenylester)	$C_{16}H_{25}NO_2$	$\begin{array}{l}CH_3\\ \dot{C}H \cdot (CH_2)_2 \cdot NH \cdot CO \cdot O-\\ \dot{C}H_3\end{array}$ (Strukturformel mit $H_3C\!-\!CH\!-\!CH_3$ und CH_3)	262,36	farblose Krist.
901	57	Salicylaldoxim	$C_7H_7NO_2$	$HO \cdot C_6H_4 \cdot CH:NOH$	137,13	Prismen (Bzl. + PAe)

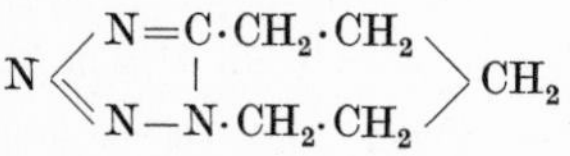

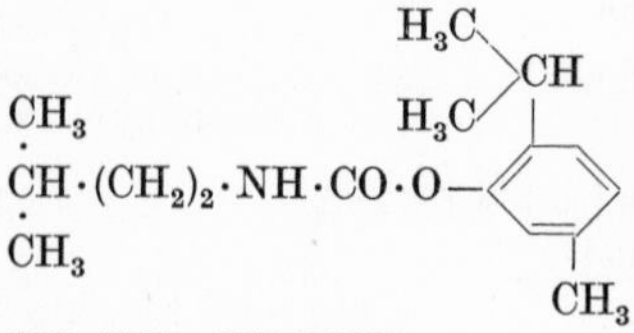

d. r.	Spez. Gewicht	Siedepunkt °C	Beilsteinzitat	Physikalische Konstanten und Eigenschaften	Löslichkeit	Reaktionen
	8	9	10	11	12	13
35		204	XXII 428	eutekt. Temp.: mit Azobenzol 45°, mit Benzil 43°; schmeckt schwach bitter, wirkt anästhesierend	ll. in W, A, Ae wl. in Lauge	Pikrat *Fp* 223° Acetylderivat *Fp* 71° Benzoylderivat *Fp* 165°
36	1,704$^{20°}$	256,5	V 248	kryoskop. Konst. 8,75	wl. in W ll. in A	
37	1,0386$^{100°}_{100°}$	212,6	VI 843	eutekt. Temp.: mit Azobenzol 33°, mit Benzil 40°	ll. in A, Ae	Pikrat *Fp* 119°
39			VI 385	mit Dampf flüchtig	wl. in W ll. in A, Ae, Bzl.	
90			VII 674	im Licht unbeständig	0,6 h. W l. in A, Ae	+ konz. KOH → Phthalid Bisphenylhydrazon *Fp* 191°
91			I 103	flüchtig mit Chloroformdampf; riecht stark reizend	wl. in W ll. in A, Ae	
92		162,21	VI 202	mit Dampf flüchtig	wl. in k. W ll. in A, Ae	
93	3,312	210 (300mm)	I 95		unl. in W l. in A ll. in Ae	
94				eutekt. Temp.: mit Azobenzol 34°, mit Benzil 36°; Geschmack kühlend bitter	ll. in W, A, Ae	$HgCl_2$-Lsg. gibt weiße Kriställchen, die sich bereits in wenigen Tropfen 2n-Salzsäure lösen
95	0,8848$^{60°}$		II 367	eutekt. Temp.: mit Azobenzol 45°, mit Benzil 49°	unl. in W ll. in A, Bzl., Chlf.	
96		296 bis 297	V 647		l. in A	
97			XV 17		l. in W	
98			E_1 VI 102	riecht durchdringend jodoformartig		
99	1,109$^{72°}$	187	IV 85	mit Dampf flüchtig	ll. in W, A, Ae	
00				riecht schwach	wl. in W ll. in organ. Lösungsmm.	
01			VIII 49		l. in W, NaOH, Essigester ll. in A, Ae, Bzl.	+ NaOH → gelb spezif. Reagens auf Cu Methyläther *Fp* 92°

Lfd. Nr.	*Fp*	Name	Summen-formel	Strukturformel	Mol.-Gewicht	Aggregatzustand Farbe
1	2	3	4	5	6	7
902	**57**	Tetrabromäthylen	C_2Br_4	$CBr_2:CBr_2$	343,68	Tafeln (verd. A
903	**57**	Trichloressigsäure	$C_2HCl_3O_2$	$CCl_3\cdot COOH$	163,40	zerfließ Krist.
904	**57—58**	Benzalacetophenon (Chalkon)	$C_{15}H_{12}O$	$C_6H_5\cdot CO\cdot CH:CH\cdot C_6H_5$	208,25	hellgelb Prismen (PAe)
905	**57—58**	ω-Chloracetophenon	C_8H_7ClO	$C_6H_5\cdot CO\cdot CH_2Cl$	154,59	farblos bis gelblich Krist. oder rhomb. Blättchen
906	**57—58**	Isonitrosoacetessigester	$C_6H_9NO_4$	$CH_3\cdot CO\cdot C(:N\cdot OH)\cdot CO\cdot OC_2H_5$	159,14	Säulen (Chlf.)
907	**57—58**	Paraconsäure (β-Carboxy-γ-butyrolacton)	$C_5H_6O_4$	H_2C——$CH\cdot COOH$ | | $OC-O-CH_2$	130,10	zerfließ Krist.
908	**57,2**	p-Anisidin (1-Amino-4-methoxybenzol)	C_7H_9NO	$CH_3\cdot O\cdot C_6H_4\cdot NH_2$	123,15	Tafeln (W)
909	**57,5**	Behenolsäure	$C_{22}H_{40}O_2$	$CH_3\cdot (CH_2)_7\cdot C\vdots C\cdot (CH_2)_{11}\cdot COOH$	336,54	Nadeln
910	**58**	Atophanmethylester (Novatophan, 2-Phenylchinolin-4-carbonsäuremethylester)	$C_{17}H_{13}NO_2$	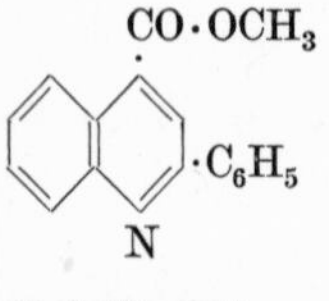	263,28	gelbstichige Krist.
911	**58**	2,5-Dichlorphenol	$C_6H_4Cl_2O$	$Cl_2C_6H_3\cdot OH$	163,01	Prismen (PAe)

Lfd. Nr.	Spez. Gewicht	Siedepunkt °C	Beilsteinzitat	Physikalische Konstanten und Eigenschaften	Löslichkeit	Reaktionen
	8	9	10	11	12	13
902		226 bis 227	I 192	mit Dampf flüchtig		
903	$1{,}630_{60°}^{60°}$	196,5	II 206	kryoskop. Konst. 12,1; ätzt und zerstört die Haut, Geruch an Johannisbrot erinnernd; wss. Lsg. reagiert sauer	1201 W 25° l. in A, Ae	Beim Kochen mit Lauge u. Resorcin → rotviolette Lsg.; mit Lauge u. Orcin → gelbe, grün fluoreszierende Lsg. 1 g Subst. mit 0,5 g Antipyrin u. 2—3 ml W 1/2 Min. Kochen → Geruch nach Chlf. Amid *Fp* 141° Anilid *Fp* 94° p-Nitrobenzylester *Fp* 80°
904	$1{,}071^{62°}$	345 bis 348	VII 478		unl. in W l. in A ll. in Ae	+ H_2SO_4 → intensiv gelb Oxim *Fp* 73° Phenylhydrazon *Fp* 120° 2,4-Dinitrophenylhydrazon *Fp* 245°
905	$1{,}321^{20°}$	247 (Z.) 143 (25 mm) 139 bis 141 (14 mm)	VII 282	Litergewicht d. Dampfes 6,43 g; Dampfdruck 20° 0,0130 mm Hg; Flüchtigkeit 20° 105 mg/m³; Dampfdichte 5,3; spez. Wärme 0,264 cal; Geruch angenehm aromatisch; Dampf reizt Schleimhäute stark	unl. in W ll. in A, CS_2, Ae, 40 Bzl. l. 9,6 $COCl_2$, 63 CNCl wl. in $SnCl_4$, $TiCl_4$	0,002 mg in 5 ml alkohol. m-Dinitrobenzol-Lsg. in Ggw. von NaOH → kirschrote Lsg. Oxim *Fp* 89° Semicarbazon *Fp* 156° Phenylhydrazon *Fp* 114° 2,4-Dinitrophenylhydrazon *Fp* 212°
906		155 (15 mm)	III 744		wl. in W sll. in A, Ae	+ metallisches Eisen → blaue Färbung
907			XVIII 371			
908	$1{,}0605^{67°}$	243	XIII 435	eutekt. Temp.: mit Azobenzol 42°, mit Benzil 42°; mit W-Dampf schwer flüchtig	wl. in W l. in A	Pikrolonat *Fp* 165° Acetylderivat *Fp* 130—132° Benzoylderivat *Fp* 154° Phenylsulfonylderivat *Fp* 96° p-Tolylsulfonylderivat *Fp* 114°
909			II 497		unl. in W ll. in A, Ae	Amid *Fp* 92° Methylester *Fp* 22°, lange Nadeln Äthylester *Fp* 15—16°, Nadeln
910				eutekt. Temp.: mit Azobenzol 35°, mit Benzil 43°	unl. in W und Laugen l. in 2n-Säuren	+ wss. Jodlsg. → blau gelbe Lsg. in Paraform-H_2SO_4 beim Erhitzen → braun mit intensiv roter Fluoreszenz
911		211 (744mm)	VI 189		wl. in W ll. in A, Ae	Chloracetylderivat *Fp* 143° Benzoylderivat *Fp* 69°

Lfd. Nr.	*Fp*	Name	Summen-formel	Strukturformel	Mol.-Gewicht	Aggregat-zustand Farbe
1	2	3	4	5	6	7
912	**58**	3-Nitrobenzaldehyd	$C_7H_5NO_3$	$O_2N \cdot C_6H_4 \cdot CHO$	151,12	Nadeln (W)
913	**58**	ω-Nitrostyrol	$C_8H_7NO_2$	$C_6H_5 \cdot CH:CH \cdot NO_2$	149,14	gelbliche Prismen (A)
914	**58—59**	Cinchotoxin	$C_{19}H_{22}N_2O$	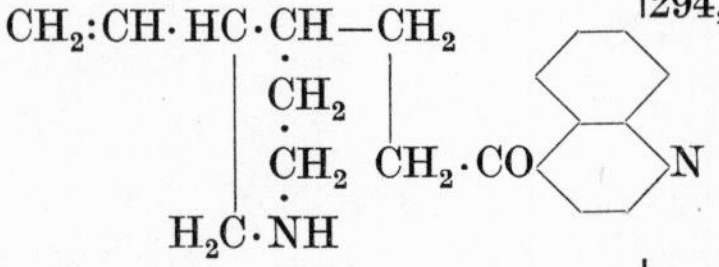	294,38	Prismen (Ae)
915	**58—59**	Glycerin-α-mononitrat	$C_3H_7NO_5$	$HO \cdot CH_2 \cdot CH(OH) \cdot CH_2 \cdot O \cdot NO_2$	137,09	Prismen (W, A od. Ae)
916	**58—60**	4-Chlorthymol (6-Chlor-3-hydroxy-1-methyl-4-isopropylbenzol)	$C_{10}H_{13}ClO$	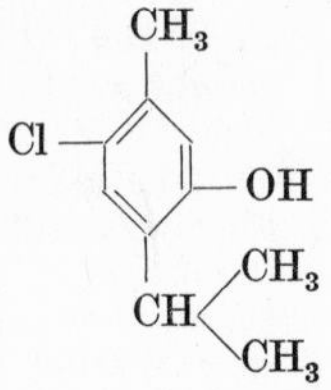	184,66	Krist.
917	**58,2**	Natriumacetat	$C_2H_3NaO_2$	$CH_3 \cdot COONa + 3\,H_2O$	136,12	Krist.
918	**58,5**	5-Methylindol	C_9H_9N	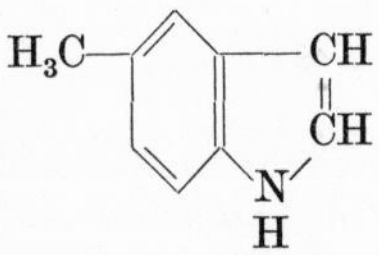	131,17	Krist.
919	**59**	Acetophenonoxim	C_8H_9NO	$CH_3 \cdot C(:N \cdot OH) \cdot C_6H_5$	135,16	Nadeln (W)
920	**59**	Benzalacetessigester	$C_{13}H_{14}O_3$	$C_6H_5 \cdot CH:C(COCH_3) \cdot CO \cdot OC_2H_5$	218,24	Tafeln (A oder Ae)
921	**59**	1-Benzylnaphthalin	$C_{17}H_{14}$	$C_{10}H_7 \cdot CH_2 \cdot C_6H_5$	218,28	Blättche (A)
922	**59**	β-Bromnaphthalin	$C_{10}H_7Br$	$C_{10}H_7Br$	207,07	Blättche (A)
923	**59**	5-Chlor-1,3-dinitro-benzol	$C_6H_3ClN_2O_4$	$Cl \cdot C_6H_3(NO_2)_2$	202,56	Nadeln (A)

Lfd. Nr.	Spez. Gewicht	Siedepunkt °C	Beilsteinzitat	Physikalische Konstanten und Eigenschaften	Löslichkeit	Reaktionen
	8	9	10	11	12	13
912		164 (23 mm)	VII 250		0,16 W 25° ll. in h. A zll. in Ae	Oxim *Fp* 95° Semicarbazon *Fp* 246° Thiosemicarbazon *Fp* 163° Hydrazon *Fp* 107° Phenylhydrazon *Fp* 121°
913		250 bis 260 (Z.)	V 478	riecht nach Zimt; reizt Haut und Schleimhäute	wl. in h. W l. in A ll. in Ae	
914			XXIV 203	$[\alpha]_D^4$ +57,7 (abs. A); giftig	0,18 W 18° l. in A ~ 50 Ae unl. in CS_2	
915	1,40	155 bis 160	I 514	nicht explosiv	ll. in W, A swl. in Ae	
916			VI 539	brennt mit rußender Flamme; mit W-Dampf flüchtig; riecht ähnlich Thymol; Geschmack brennend, kühl	swl. in W ll. in A, Ae, Bzl., CS_2, Aceton	erwärmen mit konz. H_2SO_4 → schwach champagnerfarben (Thymol → rosa) + Millons Reagens → dunkelviolett (Thymol → gelbrot) Subst. in 1 ml Eisessig + 6 Tropfen H_2SO_4 + 1 Tropfen HNO_3 → orangerot (Thymol → blaugrün) erwärmen in konz. H_2SO_4 u. etwas Weinsäure → rotviolett → schmutzig blau → dunkelgrün (Chlorkresol u. -xylenol → rotviolett)
917	$1,44^{25}$	123	II 107	beim *Fp* W-Abspaltung	ll. in W	
918			XX 317	eutekt. Temp.: mit Azobenzol 34°, mit Benzil 32°; mit W-Dampf flüchtig	wl. in W ll. in A, Bzl.	
919		245 (Z.)	VII 278	mit Dampf flüchtig	sll. in A, Ae	+ H_2SO_4 → Acetanilid
920		181 (17 mm)	X 731		l. in A, Ae ll. in Chlf. l. in h. H_2SO_4	in heißer H_2SO_4 → rot
921	$1,166^{17°}$	350	V 689	kryoskop. Konst. 12,4	unl. in W 1,66 A 15° 3,33 sd. A 50 k. Ae	Pikrat *Fp* 101° Styphnat *Fp* 134°
922	$1,605^{0°}$	281 bis 282	V 548	$n_D^{19,4}$ 1,65876; $R_D^{19,4}$ 51,32 cm³; $n_F^{19,4}$ 325,0	unl. in W 6 92% A 20° ll. in Ae, Bzl.	Pikrat *Fp* 79°
923			V 264	mit Dampf flüchtig	unl. in W ll. in A, Ae	

Lfd. Nr.	*Fp*	Name	Summenformel	Strukturformel	Mol.-Gewicht	Aggregatzustand Farbe
1	2	3	4	5	6	7
924	**59**	Chromon	$C_9H_6O_2$	$C_6H_4 \langle \begin{matrix} CO \cdot CH \\ \parallel \\ O - CH \end{matrix}$	146,14	Nadeln (PAe)
925	**59**	2-Fluornaphthalin	$C_{10}H_7F$	$C_{10}H_7F$	146,16	Blättchen (A)
926	**59**	*l*-Scopolamin (Hyoscin)	$C_{17}H_{21}NO_4$	HC—CH—CH_2 CH_2OH O N·CH_3CH·O·CO·CH HC—CH—CH_2 C_6H_5	303,35	weiße Krist.
927	**59**	o-Tolylhydrazin	$C_7H_{10}N_2$	$CH_3 \cdot C_6H_4 \cdot NH \cdot NH_2$	122,17	Nadeln
928	**59**	p-Tolylcarbinol (p-Tolubenzylalkohol)	$C_8H_{10}O$	$CH_3 \cdot C_6H_4 \cdot CH_2OH$	122,16	Krist.
929	**59—60**	*β*-Äthylhydroxylamin	C_2H_7NO	$C_2H_5 \cdot NH \cdot OH$	61,08	Nadeln (Ligroin)
930	**59—60**	p-Aminobenzoesäure-*β*-diäthylaminoäthylester (Novocain-Base)	$C_{13}H_{20}N_2O_2$	$H_2N \cdot C_6H_4 \cdot CO \cdot O \cdot CH_2 \cdot CH_2 \cdot N(C_2H_5)_2$	236,31	Tafeln (Ae)
931	**59—60**	2,2′-Dihydroxybenzophenon	$C_{13}H_{10}O_3$	$HO \cdot C_6H_4 \cdot CO \cdot C_6H_4 \cdot OH$	214,21	hellgelbe Prismen oder Blättchen (Ligroin)
932	**59—60**	Hydnocarpussäure	$C_{16}H_{28}O_2$	$\begin{matrix} CH = CH \\ \vert \\ CH_2 - CH_2 \end{matrix} \rangle CH \cdot (CH_2)_{10} \cdot COOH$	252,38	Blättchen (A)
933	**59—60**	4-Methylbenzophenon	$C_{14}H_{12}O$	$CH_3 \cdot C_6H_4 \cdot CO \cdot C_6H_5$	196,24	Krist.
934	**59—60**	5,6,7,8-Tetrahydronaphthol-(2)	$C_{10}H_{12}O$	$\begin{matrix} H_2C - CH_2 \\ \vert \\ H_2C - CH_2 \end{matrix} \rangle C_6H_3 \cdot OH$	148,20	Nadeln (Ligroin)
935	**59—60**	Acetoxim	C_3H_7NO	$(CH_3)_2C{:}N \cdot OH$	73,12	Prismen
936	**59,4 bis 59,8**	Stearylalkohol	$C_{18}H_{38}O$	$CH_3 \cdot (CH_2)_{16} \cdot CH_2OH$	270,48	Blättchen (Bzl. od. Aceton)

d. r.	Spez. Gewicht	Siede-punkt °C	Beilstein-zitat	Physikalische Konstanten und Eigenschaften	Löslichkeit	Reaktionen
	8	9	10	11	12	13
4			XVII 327		ll. in A, Ae, Chlf., Bzl.	
5		212,5	V 541		ll. in A, Chlf., Bzl.	
6			XXVII 99	$[\alpha]_D$ −28,0° (W) eutekt. Temp.: mit Azobenzol 37°, mit Benzil 39°; schmeckt bitter	swl. in W ll. in org. Lsgm.	+ alkalische Quecksilberjodidlösung bleibt bei Zimmertemperatur klar. Beim Erhitzen wird graues Quecksilber abgeschieden Pikrat *Fp* 190—191°
7			XV 496		ll. in A, Ae, Chlf., HCl	
8		217	VI 498		ll. in A, Ae sl. in k. W	
9	0,9070$^{20°}$		IV 535		ll. in W, A wl. in Ae	
0			XIV 429		unl. in W ll. in A, Ae	wss. Lsg. + $HgCl_2$ → weißer Nd. + Jod-Lsg. → braunes Perjodid Hydrochlorid (Novocain) *Fp* 156° Nitrat *Fp* 101° Pikrat *Fp* 153—154°
1		330 bis 340 (Z.)	VIII 313		unl. in W ll. in A, Ae, Chlf.	Erhitzen >330° → Xanthon + H_2O
2			IX 79	$[\alpha]_D$ +68,1° (Chlf.)	ll. in Chlf. l. in A	Amid *Fp* 112—113°
3		326,5	VII 440		swl. in W l. in A ll. in Ae	Oxim *Fp* 116° Semicarbazon *Fp* 122° Phenylhydrazon *Fp* 109° 2,4-Dinitrophenylhydrazon *Fp* 202°
4		275 bis 276	VI 579		wl. in k. W ll. in A, Ae l. in H_2SO_4	
5	0,97$^{20°}_{20°}$	135 (728mm)	I 649		sll. in W, A, Ae	
6		210 (15 mm)	I 429			Acetat *Fp* 33° p-Joddiphenylylurethan *Fp* 137,2—137,5° p-Nitrophenylurethan *Fp* 115°, Nadeln

Lfd. Nr.	*Fp*	Name	Summen-formel	Strukturformel	Mol.-Gewicht	Aggreg zustan Farbe
1	2	3	4	5	6	7
937	**60**	N-(2′-Dimethylamino-propyl)-phenothiazin (Promethazin)	$C_{17}H_{20}N_2S$	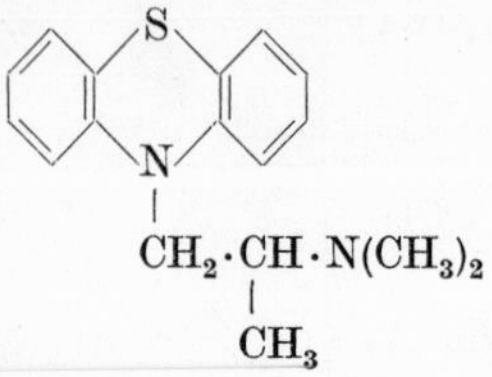	284,41	Krist.
938	**60**	Benzoylaceton	$C_{10}H_{10}O_2$	$C_6H_5 \cdot CO \cdot CH_2 \cdot CO \cdot CH_3$	162,18	Prisme
939	**60**	Chinotoxin	$C_{20}H_{24}N_2O_2$	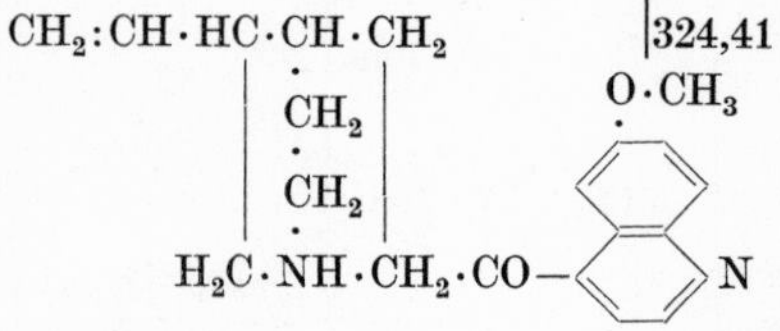	324,41	amorp.
940	**60**	2-Chlor-1,4-dinitro-benzol	$C_6H_3ClN_2O_4$	$Cl \cdot C_6H_3(NO_2)_2$	202,56	Nadel (A)
941	**60**	2-Chlornaphthalin	$C_{10}H_7Cl$	$C_{10}H_7Cl$	162,61	Blättch (A)
942	**60**	Desoxybenzoin	$C_{14}H_{12}O$	$C_6H_5 \cdot CO \cdot CH_2 \cdot C_6H_5$	196,24	Tafel (A)
943	**60**	2,6-Dimethylchinolin	$C_{11}H_{11}N$	$C_9H_5N(CH_3)_2$	157,21	Prisme (Ae)
944	**60**	3,4-Dinitrotoluol	$C_7H_6N_2O_4$	$(O_2N)_2C_6H_3 \cdot CH_3$	182,13	Nadel (CS_2)
945	**60**	2-Methylindol	C_9H_9N	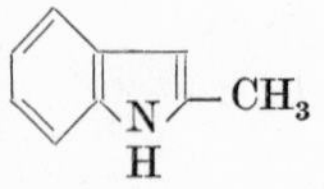	131,17	Nadel (W) Blättch (verd.
946	**60**	1-Hydroxynaphthal-dehyd-(2)	$C_{11}H_8O_2$	$HO \cdot C_{10}H_6 \cdot CHO$	172,17	grüngel Nadel (verd.
947	**60**	Tolan (Diphenyl-acetylen)	$C_{14}H_{10}$	$C_6H_5 \cdot C \vdots C \cdot C_6H_5$	178,22	Blättch oder Säule (A)
948	**60**	Triphenylarsin	$C_{18}H_{15}As$	$(C_6H_5)_3As$	306,21	Tafel (Bzl.)

Lfd. Nr.	Spez. Gewicht	Siedepunkt °C	Beilsteinzitat	Physikalische Konstanten und Eigenschaften	Löslichkeit	Reaktionen
	8	9	10	11	12	13
937		190 bis 192				Hydrochlorid *Fp* 230—232 (Z.) Pikrat *Fp* 164°
938	$1{,}090^{60°}_{60°}$	260 bis 262	VII 680	mit Dampf flüchtig	wl. in k. W sll. in A, Ae ll. in NaOH	p-Nitrophenylhydrazon *Fp* 101° 2,4-Dinitrophenylhydrazon *Fp* 151°
939			XXV 39	$[\alpha]_D^{15}$ +44° (Chlf.); schmeckt bitter; giftig	wl. in W ll. in A, Ae, Chlf.	
940			V 264		unl. in W l. in A	
941	$1{,}2656^{16°}$	265 (751mm)	V 541	kryoskop. Konst. 9,76	unl. in W ll. in A, Ae	Pikrat *Fp* 81°
942		320 bis 322	VII 431		wl. in sd. W ll. in A, Ae	Oxim *Fp* 98° Semicarbazon *Fp* 148° Phenylhydrazon *Fp* 116° p-Nitrophenylhydrazon *Fp* 163° 2,4-Dinitrophenylhydrazon *Fp* 204°
943		266 bis 267	XX 408		wl. in h. W ll. in A, Ae	Pikrat *Fp* 191° Styphnat *Fp* 200° Jodmethylat *Fp* 237°
944	$1{,}259^{111°}$		V 341	eutekt. Temp.: mit Azobenzol 35°, mit Benzil 32°; mit Dampf flüchtig	2,19 CS_2 17°	
945	1,07	272	XX 311	eutekt. Temp.: mit Azobenzol 38°, mit Benzil 38°	wl. in h. W ll. in A, Ae	Pikrat *Fp* 139°
946			VIII 148	mit Dampf flüchtig; riecht zimtartig	wl. in k. W ll. in A, Ae	
947	$0{,}966^{99,8°}$	170 (19 mm)	V 656		unl. in W ll. in h. A, Ae	
948	1,306	>360	XVI 828		unl. in W wl. in k. A ll. in Ae	

Lfd. Nr.	Fp	Name	Summen-formel	Strukturformel	Mol.-Ge-wicht	Aggrega zustand Farbe
1	2	3	4	5	6	7
949	60—61	9-Äthylanthracen	$C_{16}H_{14}$	$C_6H_4\left\{\begin{array}{c}C(C_2H_5)\\ CH\end{array}\right\}C_6H_4$	206,27	Blätter (A)
950	60—61	N-Benzylacetamid (Acetylbenzylamin)	$C_9H_{11}NO$	$C_6H_5\cdot CH_2\cdot NH\cdot CO\cdot CH_3$	149,10	
951	60—61	Guajacolbenzoat	$C_{14}H_{12}O_3$	$O\cdot CO\cdot C_6H_5$ $O\cdot CH_3$	228,24	weiße Krist.
952	60—61	2-Jodanilin	C_6H_6JN	$J\cdot C_6H_4\cdot NH_2$	219,03	Nadeln
953	60—61	3-Nitrodimethylanilin	$C_8H_{10}N_2O_2$	$O_2N\cdot C_6H_4\cdot N(CH_3)_2$	166,18	rote Krist. (Ae)
954	60—61	Phenoxthin	$C_{12}H_8OS$	$C_6H_4\left\langle\begin{array}{c}O\\ S\end{array}\right\rangle C_6H_4$	200,25	Nadeln (A)
955	60—70	o-Chinon (Benzo-chinon-1,2)	$C_6H_4O_2$	$HC\left\langle\begin{array}{c}CH\cdot CO\\ CH:CH\end{array}\right\rangle CO$	108,09	rote Tafeln (Ae)
956	60,5	Margarinsäure (n-Heptadecylsäure, Daturinsäure)	$C_{17}H_{34}O_2$	$CH_3\cdot (CH_2)_{15}\cdot COOH$	270,44	dünne Platten
957	61	p-Brombenzylbromid	$C_7H_6Br_2$	$Br\cdot C_6H_4\cdot CH_2\cdot Br$	248,94	
958	61	β-Chlorisocrotonsäure	$C_4H_5ClO_2$	$CH_3\cdot CCl:CH\cdot COOH$	120,54	Prismen (W)
959	61	2,3-Dichlor-1-nitro-benzol	$C_6H_3Cl_2NO_2$	$Cl_2C_6H_3\cdot NO_2$	192,01	Nadeln (PAe)
960	61	Diphenyldisulfid	$C_{12}H_{10}S_2$	$C_6H_5\cdot S\cdot S\cdot C_6H_5$	218,33	Nadeln (A)

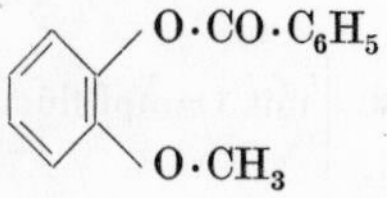

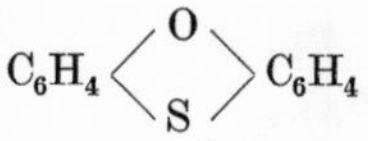

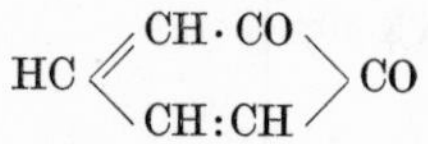

Lfd. Nr.	Spez. Gewicht	Siedepunkt °C	Beilsteinzitat	Physikalische Konstanten und Eigenschaften	Löslichkeit	Reaktionen
	8	9	10	11	12	13
949			V 678		unl. in W l. in A	Pikrat *Fp* 120°
950		>300°	XII 1044		unl. in W, Bzl. sll. in A, Ae	
951			IX 130	eutekt. Temp.: mit Azobenzol 38°, mit Benzil 43°; kaum riechende und schmeckende Krist.	unl. in W, Lauge und Säure wl. in Eisessig ll. in h. A, Ae, Chlf.	+ Eisen-H_2SO_4 → graugrün → graublau; gelinde erwärmen → grauviolett; vorsichtig erhitzen bis braun — abkühlen → intensiv grün Subst. + 1 Tropfen Eisen-Phosphorsäure + 1 ml konz. H_2SO_4-Lsg. olivgrün → stahlblau → grün; erwärmen grauviolett → braungrün; abkühlen → grau → olivgrün 0,1 g Subst. + 10%ige NaOH → Trübung, erstarrt zu gallertartiger Masse
952			XII 669	mit Dampf flüchtig	wl. in k. W sll. in A, Ae	Acetylderivat *Fp* 110° Pikrat *Fp* 112°
953	$1{,}313^{17°}$	280 bis 285	XII 701	mit Dampf flüchtig		Pikrat *Fp* 119° Jodmethylat *Fp* 205°
954		183 (12 mm)	XIX 45	riecht geraniolartig	unl. in W ll. in A, Ae	
955			VII 600	färbt die Haut braun; nicht flüchtig; geruchlos; sehr zersetzlich	l. in W, A ll. in Ae	macht aus angesäuerter KJ-Lsg. sofort J_2 frei; liefert mit SO_2 oder $(NH_4)_2S$ in der Kälte Brenzcatechin
956		227 (100mm)	II 376			Zn-Salz *Fp* 126,6° Mg-Salz *Fp* 137—142° Methylester *Fp* 30° Äthylester *Fp* 27,5° p-Nitrobenzylester *Fp* 49° p-Bromphenacylester *Fp* 83° Amid *Fp* 106°
957			V 308	sublimiert; mit W-Dampf flüchtig	unl. in W l. in A ll. in Ae	
958	$1{,}197^{69°}$	194,8	II 416		1,91 W 19° ll. in A, Ae	erhitzen → β-Chlorcrotonsäure Anilid *Fp* 108°
959	$1{,}4494^{80°}$	257 bis 258	V 245	mit Dampf flüchtig	unl. in W ll. in A, Ae	
960		310	VI 323		unl. in W l. in A ll. in Ae	+ konz. H_2SO_4 → Thianthren

Lfd. Nr.	*Fp*	Name	Summen-formel	Strukturformel	Mol.-Gewicht	Aggregatzustand Farbe
1	2	3	4	5	6	7
961	**61**	Erythrittetranitrat	$C_4H_6N_4O_{12}$	$[O_2N\cdot O\cdot CH_2\cdot CH(O\cdot NO_2)-]_2$	302,12	Blättchen (A)
962	**61**	α,α-Dibrompropionsäure	$C_3H_4Br_2O_2$	$CH_3\cdot CBr_2\cdot COOH$	231,89	Tafeln
963	**61**	Hydrindon-(2)	C_9H_8O	$C_6H_4\langle(CH_2)(CH_2)\rangle CO$	132,15	Nadeln (A oder Ae)
964	**61**	β-Naphthaldehyd	$C_{11}H_8O$	$C_{10}H_7\cdot CHO$	156,17	Blättchen (W)
965	**61**	3-Nitrodiphenyl	$C_{12}H_9NO_2$	$C_6H_5\cdot C_6H_4\cdot NO_2$	199,20	gelbe Blättchen (A)
966	**61**	2,4,5-Trimethoxy-1-propenylbenzol (Asaron)	$C_{12}H_{16}O_3$	$CH_3\cdot CH{:}CH\cdot C_6H_2(O\cdot CH_3)_3$	208,25	Nadeln u. Blättchen (W)
967	**61**	1,2,4-Trinitrobenzol	$C_6H_3N_3O_6$	$C_6H_3(NO_2)_3$	213,11	Blättchen (Ae)
968	**61–62**	Atophanäthylester (Acitrin)	$C_{18}H_{15}NO_2$	$CO\cdot OC_2H_5$ 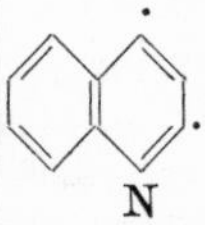 $\cdot C_6H_5$ N	277,31	gelblich-weiße Krist.
969	**61,3**	Monochloressigsäure	$C_2H_3ClO_2$	$CH_2Cl\cdot COOH$	94,50	weiße, zerfließliche Krist.
970	**61,3**	d-Weinsäuredimethylester	$C_6H_{10}O_6$	$CH_3O\cdot OC\cdot[CH(OH)]_2\cdot CO\cdot OCH_3$	178,14	Krist. (Bzl.)
971	**61,5**	1,3-Dichlornaphthalin	$C_{10}H_6Cl_2$	$C_{10}H_6Cl_2$	197,06	Nadeln (A)
972	**61,5**	1-Nitronaphthalin	$C_{10}H_7NO_2$	$C_{10}H_7\cdot NO_2$	173,16	gelbe Nadeln (A)
973	**62**	Apoatropin	$C_{17}H_{21}NO_2$	$H_2C\cdot CH - CH_2$ / $N\cdot CH_3 CH\cdot O\cdot CO\cdot C({:}CH_2)\cdot C_6H_5$ / $H_2C\cdot CH - CH_2$	271,35	Prismen (Chlf.)

.fd. Nr.	Spez. Gewicht	Siedepunkt °C	Beilsteinzitat	Physikalische Konstanten und Eigenschaften	Löslichkeit	Reaktionen
	8	9	10	11	12	13
61			I 527	eutekt. Temp.: mit Azobenzol 57°, mit Benzil 52°; detoniert durch Schlag	unl. in k. W l. in A	
62		126 (20 mm)	II 257			
63	$1{,}071^{67°}$	220 bis 225 (Z.)	VII 363	mit Dampf flüchtig	unl. in W ll. in A, Ae	Oxim *Fp* 155°
64	$1{,}078^{98°}$		VII 401	mit Dampf flüchtig	wl. in sd. W ll. in A, Ae	Oxim *Fp* 156° Semicarbazon *Fp* 245° Phenylhydrazon *Fp* 206° p-Nitrophenylhydrazon *Fp* 230° 2,4-Dinitrophenylhydrazon *Fp* 270°
65			V 582		unl. in W ll. in A, Eisessig, Lauge	
66	$1{,}165^{18°}$	296	VI 1129	sublimiert	wl. in sd. W ll. in A, Ae, Chlf.	
67	$1{,}73^{15°}$		V 271		5,45 A 15° 7,13 Ae 15° 14,08 Bzl. 15°	
68					swl. in W ll. in A, Ae	
69	$1{,}58^{20°}_{20°}$	189	II 194	kryoskop. Konst. 5,24; ätzt die Haut; β-Modifikation *Fp* 56,2°, γ-Modifikation *Fp* 50,0°	614 W 30°	beim Eindampfen mit Lauge → Glykolsäure, *Fp* 80° p-Bromphenacylester *Fp* 105° Amid *Fp* 120° Anilid *Fp* 134°
70	$1{,}340^{15°}$	280	III 510		wl. in W, Ae	
71		291 (775mm)	V 542	eutekt. Temp.: mit Azobenzol 34°, mit Benzil 40°	l. in A	
72	$1{,}2226^{62°}$	304	V 553	kryoskop. Konst. 9,1	unl. in W l. in A, Ae ll. in CS_2	+ H_2SO_4 → dunkelrot
73			XXI 20		wl. in W sll. in A, Ae	

Lfd. Nr.	Fp	Name	Summen-formel	Strukturformel	Mol.-Ge-wicht	Aggrega zustand Farbe
1	2	3	4	5	6	7
974	62	Benzoinäthyläther	$C_{16}H_{16}O_2$	$C_6H_5 \cdot CH(O \cdot C_2H_5) \cdot CO \cdot C_6H_5$	240,29	Nadeln (Ligroin
975	62	N,N′-Dimethylthio-harnstoff	$C_3H_8N_2S$	$CH_3 \cdot NH \cdot CS \cdot NH \cdot CH_3$	104,18	Tafeln
976	62	Melen	$C_{30}H_{60}$		420,78	Krist.
977	62	Phenyl-α-naphthyl-amin	$C_{16}H_{13}N$	$C_{10}H_7 \cdot NH \cdot C_6H_5$	219,27	Nadeln (A)
978	62	Vitamin-A$_1$-aldehyd (Retinin$_1$)	$C_{20}H_{28}O$		284,42	orange Krist. (PAe)
979	62—63	β-Brompropionsäure	$C_3H_5BrO_2$	$CH_2Br \cdot CH_2 \cdot COOH$	152,99	Prismen
980	62—63	Tetramethylammo-niumhydroxyd	$C_4H_{13}NO$	$(CH_3)_4N \cdot OH$	91,15	Nadeln mit $5H_2O$
981	62—64	Vitamin-A$_1$ (Axerophthol)	$C_{20}H_{30}O$		286,44	schwac gelbe dicke Prismer
982	62,5	3,4-Dimethylphenol (asymm.-o-Xylenol)	$C_8H_{10}O$	$(CH_3)_2C_6H_3 \cdot OH$	122,16	Nadeln (W)
983	62,6	Palmitinsäure (n-Hexadecansäure)	$C_{16}H_{32}O_2$	$CH_3 \cdot (CH_2)_{14} \cdot COOH$	256,42	perl-mutter artige Krist.

Strukturformel (Nr. 978, Vitamin-A$_1$-aldehyd):

$$H_3C \quad CH_3$$
$$\diagdown \diagup$$
$$C \qquad\qquad\qquad CH_3$$
$$\diagup \diagdown \qquad\qquad\qquad |$$
$$H_2C \quad C-CH=CH-C=CH-CH=CH-C$$
$$| \quad\; \| \qquad\qquad\; | \qquad\qquad \|$$
$$H_2C \quad C-CH_3 \qquad CH_3 \qquad OHC-CH$$
$$\diagdown \diagup$$
$$CH_2$$

Strukturformel (Nr. 981, Vitamin-A$_1$):

$$H_3C \quad CH_3$$
$$\diagdown \diagup$$
$$C \qquad\qquad\qquad CH_3$$
$$\diagup \diagdown \qquad\qquad\qquad |$$
$$H_2C \quad C-CH=CH-C=CH-CH=CH-C$$
$$| \quad\; \| \qquad\qquad\; | \qquad\qquad \|$$
$$H_2C \quad C-CH_3 \qquad CH_3 \quad HO \cdot CH_2 \cdot CH$$
$$\diagdown \diagup$$
$$CH_2$$

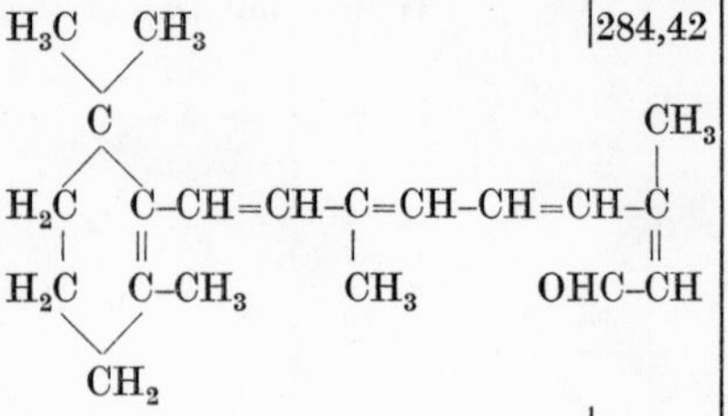

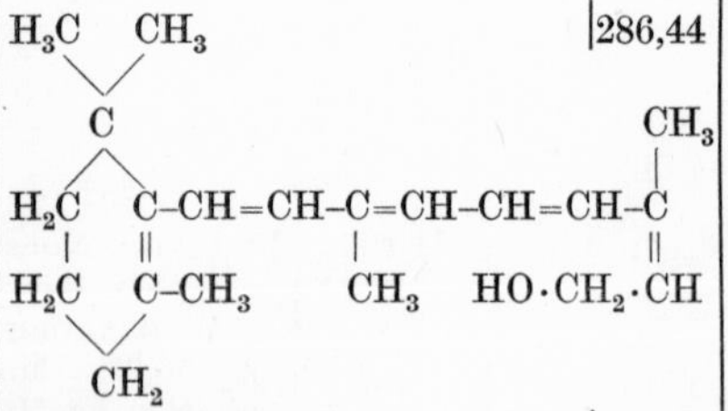

Lfd. Nr.	Spez. Gewicht	Siedepunkt °C	Beilsteinzitat	Physikalische Konstanten und Eigenschaften	Löslichkeit	Reaktionen
	8	9	10	11	12	13
974			VIII 174		ll. in A, Ae, Bzl.	
975			IV 70		sll. in W, A wl. in Ae	
976	0,913	218 (0,5 mm)	I 227		unl. in W wl. in A	
977		335 (528mm)	XII 1224	eutekt. Temp.: mit Azobenzol 34°, mit Benzil 37°; Lösungen fluoreszieren blau	ll. in A, Ae, Bzl.	1,3,5-Trinitrobenzolat *Fp* 130° Acetylderivat *Fp* 115° Benzoylderivat *Fp* 152°
978				λ_{max} in A 385,5 mμ	ll. in PAe, A, Chlf.	2,4-Dinitrophenylhydrazon *Fp* 208°
979	$1{,}700^{20°}$	204 (Z.)	I 200		ll. in W, A	
980			IV 50	starke Base, zieht aus der Luft begierig CO_2 an	220 W 15° ∞ W 63°	Destillation → $(CH_3)_3N$ + CH_3OH Chloroplatinat *Fp* 278° (Z.) Pikrat *Fp* 312—313°, monokline Prismen + $K_3Fe(CN)_6$ Rauten und Sechsecke (100—150 μ)
981				λ_{max} in A 325 mμ (E = 1750)	l. in Me, PAe	Anthrachinon-β-carbonsäureester *Fp* 122—123°, gelbe Prismen Acetat *Fp* 57—58°, gelbe Prismen
982	$1{,}023^{17°}_{15°}$	225	VI 480	eutekt. Temp.: mit Azobenzol 42°, mit Benzil 43°	l. in W, A	Pikrat *Fp* 83,3° p-Diphenylylurethan *Fp* 183° α-Naphthylurethan *Fp* 142°
983	$0{,}8527^{62°}$	271,5 (100mm) 207 (10 mm)	II 370	n_D^{80} 1,42693; kryoskop. Konst. 4,3; eutekt. Temp.: mit Azobenzol 49°, mit Benzil 58°; Oberflächenspannung 65,2° 26,8 dyn/cm	unl. in W 9,3 A 19° l. in Ae	Lsg. in konz. H_2SO_4 schäumt beim Schütteln + Zusatz von Paraform beim Erwärmen orange und zeigt grüne Fluoreszenz Methylester *Fp* 29,5° Äthylester *Fp* 24° p-Nitrobenzylester *Fp* 42° Phenacylester *Fp* 58° Amid *Fp* 106° Anilid *Fp* 90,5° p-Toluidid *Fp* 98°

Lfd. Nr.	*Fp*	Name	Summen-formel	Strukturformel	Mol.-Ge-wicht	Aggrega zustand Farbe
1	2	3	4	5	6	7
984	**62,8**	m-Phenylendiamin (1,3-Diaminobenzol)	$C_6H_8N_2$	$H_2N \cdot C_6H_4 \cdot NH_2$	108,14	Krist. (A)
985	**63**	Cyclopentadecanon (Exalton)	$C_{15}H_{28}O$	$OC<$ $(CH_2)_{11}—CH_2$ / $CH_2——CH_2$	224,37	Nadeln (Me)
986	**63**	trans-α-Dekalol	$C_{10}H_{18}O$	$H_2C \cdot CH_2 \cdot CH \cdot CH(OH) \cdot CH_2$ $H_2C \cdot CH_2 \cdot CH — CH_2 — CH_2$	154,24	Nadeln (PAe)
987	**63**	2,4-Dichloranilin	$C_6H_5Cl_2N$	$Cl_2C_6H_3 \cdot NH_2$	162,02	Nadeln (W oder A)
988	**63**	2,3-Dinitrotoluol	$C_7H_6N_2O_4$	$(O_2N)_2C_6H_3 \cdot CH_3$	182,13	Nadeln (PAe)
989	**63**	Humulochinon	$C_{16}H_{22}O_5$	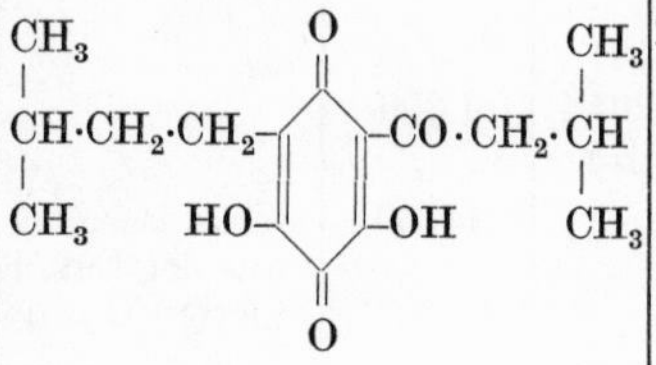	294,34	rote Nadeln (Me)
990	**63**	1,3,5-Trichlorbenzol	$C_6H_3Cl_3$	$C_6H_3\ Cl_3$	181,46	Nadeln
991	**63**	Tropin	$C_8H_{15}NO$	$H_2C \cdot CH——CH_2$ $N \cdot CH_3 \quad CH \cdot OH$ $H_2C \cdot CH——CH_2$	141,21	Tafeln (Ae)
992	**63,5**	4-Bromphenol	C_6H_5BrO	$Br \cdot C_6H_4 \cdot OH$	173,02	Krist. (Chlf. oder Ae)
993	**63—64**	2,3-Diaminotoluol (o-Toluylendiamin)	$C_7H_{10}N_2$	$CH_3 \cdot C_6H_3(NH_2)_2$	122,17	Krist.
994	**63—64**	1,7-Dichlornaphthalin	$C_{10}H_6Cl_2$	$C_{10}H_6Cl_2$	197,07	Blättche (verd. A Nadeln (Eisessig
995	**63—64**	Rongalit (Na-Salz der Formaldehydsulf-oxylsäure)	CH_3NaO_3S	$HO \cdot CH_2 \cdot S(:O) \cdot ONa + 2H_2O$	154,12	Tafeln
996	**63—64**	m-Xylolsulfonsäure-(4)	$C_8H_{10}O_3S$	$(CH_3)_2C_6H_3 \cdot SO_3H$	186,23	Blättche (verd. H_2SO_4)

Lfd. Nr.	Spez. Gewicht	Siedepunkt °C	Beilsteinzitat	Physikalische Konstanten und Eigenschaften	Löslichkeit	Reaktionen
	8	9	10	11	12	13
984	$1{,}1389^{150}_{15°}$	282 bis 284	XIII 33		26,9 W 24° ll. in A l. in Ae	Diacetylderivat *Fp* 191°, Prismen Dibenzoylderivat *Fp* 240°, Nadeln Pikrat *Fp* 208°
985	$0{,}8973^{66°}_{4°}$	120 (0,3 mm)	E_2 VII 50	musconartig riechend		Semicarbazon *Fp* 187—188°
986		130 (28 mm)	VI 67	flüchtig mit Dampf	wl. in W ll. in A, Ae	Phenylurethan *Fp* 172°
987	$1{,}567^{20°}$	239	XII 621	flüchtig mit Dampf	wl. in W ll. in A, Ae	Pikrat *Fp* 106° Acetylderivat *Fp* 146° Benzoylderivat *Fp* 117°
988	$1{,}263^{111°}$		V 339	flüchtig mit Dampf	unl. in W	
989			E_2 VIII 536		ll. in Alkali	+ Alkali → rot Monosemicarbazon *Fp* 184 bis 186°
990		208	V 204		unl. in W l. in A, Bzl.	
991	$1{,}039^{36°}$	233	XXI 26	eutekt. Temp.: mit Azobenzol 38°, mit Benzil 41°; hygroskopisch; bitterer Geschmack	ll. in W, A wl. in Ae	+ H_2SO_4 → orange → violettrot Chloroplatinat *Fp* 198° (Z.)
992	$1{,}5875^{80°}$	235 bis 236	VI 198		1,42 W 15° ll. in A, Ae, Eisessig	Acetat *Fp* 21° Chloracetat *Fp* 157° Benzoat *Fp* 102° Phenylurethan *Fp* 144° α-Naphthylurethan *Fp* 169°
993		255	XIII 123		l. in W, A, Ae	
994		286	V 543		unl. in W l. in A, Ae, Bzl.	
995		125 (Z.)	I 577		50 W unl. in A, Ae	+ NaOH → Formaldehyd + $NaHSO_3$ → reduz. Indigo Amid *Fp* 137°
996			XI 123			

Lfd. Nr.	*Fp*	Name	Summen-formel	Strukturformel	Mol.-Gewicht	Aggregazustand Farbe
1	2	3	4	5	6	7
997	**64**	p-Aminobenzoesäure-isobutylester (Cycloform)	$C_{11}H_{15}NO_2$	$H_2N \cdot C_6H_4 \cdot COO \cdot CH_2 \cdot CH(CH_3)_2$	193,24	weiße Krist.
998	**64**	Caryophyllenoxyd	$C_{15}H_{24}O$		220,34	Prismen (Bzl.)
999	**64**	2,5-Diaminotoluol (p-Toluylendiamin)	$C_7H_{10}N_2$	$CH_3 \cdot C_6H_3(NH_2)_2$	122,17	Tafeln (Bzl.)
1000	**64**	α,β-Dibrompropionsäure	$C_3H_4Br_2O_2$	$CH_2Br \cdot CHBr \cdot COOH$	231,89	Tafeln
1001	**64**	2,6-Dinitrophenol	$C_6H_4N_2O_5$	$(O_2N)_2C_6H_3 \cdot OH$	184,11	hellgelbe Nadeln (W)
1002	**64**	4-Jodanilin	C_6H_6JN	$J \cdot C_6H_4 \cdot NH_2$	219,03	Nadeln (W)
1003	**64**	Nitrourethan	$C_3H_6N_2O_4$	$O_2N \cdot NH \cdot CO \cdot OC_2H_5$	134,09	Blättchen (Lg)
1004	**64–65**	Carbamidsäuretrichloräthylester (Voluntal)	$C_3H_4Cl_3NO_2$	$H_2N \cdot CO \cdot OCH_2 \cdot CCl_3$	192,44	Nadeln
1005	**64,5**	Antipyrinacetylsalicylat (Acetopyrin)	$C_{20}H_{20}N_2O_5$	$C_{11}H_{12}N_2O \cdot C_9H_8O_4$	368,38	weiße Krist.
1006	**64,5**	Tiglinsäure	$C_5H_8O_2$	$CH_3 \cdot CH:C(CH_3) \cdot COOH$	100,11	Tafeln u Säulen
1007	**64,5**	o-Xylylenglykol	$C_8H_{10}O_2$	$C_6H_4(CH_2OH)_2$	138,16	Tafeln (Ae)
1008	**65**	4-Aminobenzylalkohol	C_7H_9NO	$H_2N \cdot C_6H_4 \cdot CH_2OH$	123,15	Blättchen (Bzl.)
1009	**65**	3-Aminopyridin	$C_5H_6N_2$	$C_5H_4N \cdot NH_2$	94,11	Blättchen (Ligroin + Bzl.)
1010	**65**	α-Chloracrylsäure	$C_3H_3ClO_2$	$CH_2:CCl \cdot COOH$	106,51	Nadeln
1011	**65**	3,5-Dimethylphenol (symm. m-Xylenol)	$C_8H_{10}O$	$(CH_3)_2C_6H_3 \cdot OH$	122,16	Nadeln (W)
1012	**65**	4-Methylbrenzcatechin	$C_7H_8O_2$	$CH_3 \cdot C_6H_3(OH)_2$	124,13	Prismen (Bzl.)
1013	**65**	m-Nitrobenzalchlorid	$C_7H_5Cl_2NO_2$	$O_2N \cdot C_6H_4 \cdot CHCl_2$	206,03	Krist.(A)

Lfd. Nr.	Spez. Gewicht	Siede-punkt °C	Beilstein-zitat	Physikalische Konstanten und Eigenschaften	Löslichkeit	Reaktionen
	8	9	10	11	12	13
997			E_1 XIV 567	eutekt. Temp.: mit Azobenzol 44°, mit Benzil 45°	swl. in W ll. in A, Ae, Öl l. in Säuren	amorphes Perjodid
998	$0{,}9658^{20°}_{4°}$			$[\alpha]^{25}_{D}$ −68°; $^{n}D^{20}$ 1,4958		
999		273 bis 274	XIII 144		ll. in W, A, Ae	2-Acetylderivat *Fp* 143°
1000		160 (20 mm)	II 258	2. Form — Prismen *Fp* 51°	1945 W 11° ll. in A 304 Ae 10°	Amid *Fp* 130°
1001	1,645	subl.	VI 257		wl. in W ll. in sd. A, Ae	
1002			XII 670	flüchtig mit Dampf	ll. in A l. in Ae	Acetylderivat *Fp* 184° Benzoylderivat *Fp* 86° Phenylthioharnstoffderivat *Fp* 153°
1003		140 (Z.)	III 125		ll. in W sll. in A, Ae wl. in Lauge	
1004			E_1 III 9	eutekt. Temp.: mit Azobenzol 46°, mit Benzil 45°	wl. in W ll. in A	
1005			XXIV 32		l. in W	Zers. $-CH_3COOH$-Abspaltung + $Fe(NO_3)_3$ → violett
1006	$0{,}9641^{76°}$	198,5	II 430	n_{α}^{76} 1,43217 n_{β}^{76} 1,44536	wl. in k. W l. in A, Ae	p-Bromphenacylester *Fp* 68° p-Nitrobenzylester *Fp* 64° Amid *Fp* 76° Anilid *Fp* 77° p-Toluidid *Fp* 71°
1007			VI 910		ll. in W, A 25 Ae 18°	
1008			XIII 620		sll. in W l. in A, Ae	
1009		251	XXII 431		ll. in W, A, Ae unl. in Laugen	+ HCl + $AuCl_3$ *Fp* 218°, dunkelrote Krist. + HCl + $PtCl_4$ *Fp* 223° (Z.), orangerote Prismen
1010		176 bis 181	II 401	sehr flüchtig		
1011		219,5	VI 492	sublimierbar; eutekt. Temp.: mit Azobenzol 41°, mit Benzil 40°	wl. in W l. in A	3,5-Dinitrobenzoat *Fp* 195° p-Diphenylylurethan *Fp* 150°
1012	$1{,}129^{73°}$	251	VI 878		ll. in W, A, Ae	
1013			V 332		ll. in W, A, Ae	

Lfd. Nr.	Fp	Name	Summen-formel	Strukturformel	Mol.-Ge-wicht	Aggregat zustand Farbe
1	2	3	4	5	6	7
1014	**65**	Triphenyläthylen (α-Phenylstilben)	$C_{20}H_{16}$	$(C_6H_5)_2C:CH \cdot C_6H_5$	256,33	Nadeln
1015	**65—66**	Brassidinsäure	$C_{22}H_{42}O_2$	$CH_3 \cdot (CH_2)_7 \cdot CH:CH \cdot (CH_2)_{11} \cdot$ $\cdot COOH$	338,56	Blättchen (A)
1016	**65—66**	Phenylglyoxylsäure (Benzoylameisen-säure)	$C_8H_6O_3$	$C_6H_5 \cdot CO \cdot COOH$	150,13	Prismen
1017	**65—66**	p-Tolylhydrazin	$C_7H_{10}N_2$	$CH_3 \cdot C_6H_4 \cdot NH \cdot NH_2$	122,17	Blättchen (A)
1018	**65 bis 66,5**	Humulon	$C_{21}H_{30}O_5$		360,45	
1019	**65—67**	Isocamphan	$C_{10}H_{18}$		138,24	farn-kraut-ähnliche Krist. (Metha-nol)
1020	**65,1**	Tripalmitin (Glycerintripalmitin-säureester)	$C_{51}H_{98}O_6$	$C_3H_5(O \cdot CO \cdot [CH_2]_{14} \cdot CH_3)_3$	807,29	Nadeln (Ae)
1021	**65,4**	3,5-Dichlor-1-nitro-benzol	$C_6H_3Cl_2NO_2$	$Cl_2C_6H_3 \cdot NO_2$	192,01	hellgelbe Blättchen (A)
1022	**65,6**	Cyanessigsäure	$C_3H_3NO_2$	$NC \cdot CH_2 \cdot COOH$	85,06	zerfließl. Krist.
1023	**66**	Acet-m-toluidid	$C_9H_{11}NO$	$CH_3 \cdot CO \cdot NH \cdot C_6H_4 \cdot CH_3$	149,19	Nadeln (W)

Strukturformel (1018, Humulon):

$$
\begin{array}{c}
O \\
\|\\
C \\
(CH_3)_2C:CH \cdot CH_2 \cdot C \qquad\quad C \cdot CO \cdot CH_2 \cdot CH(CH_3)_2 \\
\|\qquad\qquad\| \\
HO \cdot C \qquad\quad C \cdot OH \\
C \\
(CH_3)_2C:CH \cdot CH_2 \diagup \quad \diagdown OH
\end{array}
$$

Strukturformel (1019, Isocamphan):

$$
\begin{array}{c}
H_2C \cdot CH \cdot C(CH_3)_2 \\
| \\
CH_2 \\
| \\
H_2C \cdot CH \cdot CH \cdot CH_3
\end{array}
$$

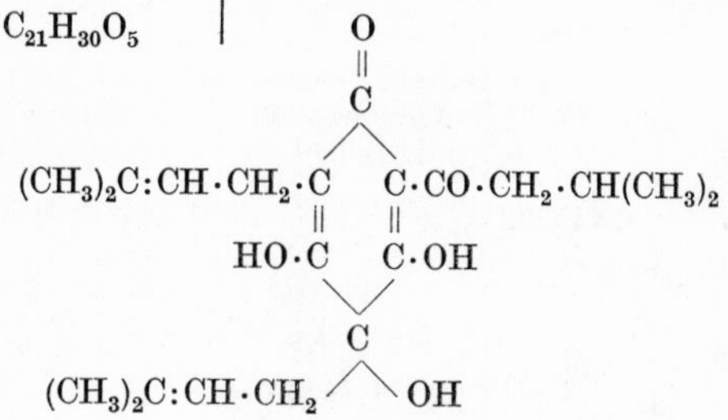

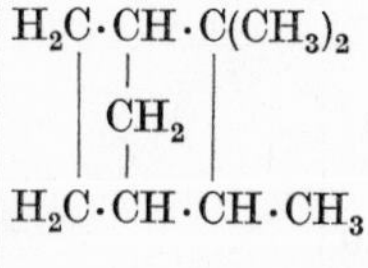

fd. Nr.	Spez. Gewicht	Siedepunkt °C	Beilsteinzitat	Physikalische Konstanten und Eigenschaften	Löslichkeit	Reaktionen
	8	9	10	11	12	13
14		221 (14 mm)	V 722		unl. in W ll. in A, Ae, Eg.	
15	0,8587$^{57°}$	282 (30 mm) 256 (10 mm)	II 474	$n_\alpha^{57,1}$ 1,44615 $n_\beta^{57,1}$ 1,45459	wl. in W swl. in k. A wl. in Ae	Na-Salz *Fp* 245—248°, Blättchen Methylester *Fp* 34—35°, Blätter Äthylester *Fp* 29—30°, Blätter Chlorid *Fp* 14° Amid *Fp* 94° Anilid *Fp* 78° Phenylhydrazid *Fp* 98° Diphenylhydrazid *Fp* 106° β-Naphthylhydrazid *Fp* 120 bis 122°
16		Z.	X 654		sll. in W l. in A ll. in Ae unl. in CS_2	Phenylhydrazon *Fp* 163°
17		240 bis 244 (Z.)	VI 510		wl. in W ll. in A, Ae	Acetylderiv. *Fp* 121° Benzoylderiv. *Fp* 146°
18				$[\alpha]_D$ —232°; schwach sauer; geruchlos; nicht flüchtig	wl. in h. W ll. in organ. Lösungsmm. l. in Alkalien	+ Alkali → gelb + $FeCl_3$ in A → intensiv rotviolett Pb-Salz gelb, amorph Cu-Salz grün, amorph
19	0,8276$^{67°}$	164 (713mm)	V 103	kryoskop. Konst. 44,5	unl. in W ll. in A, Bzl.	
20	0,8657$^{80°}$		II 373	n_D^{80} 1,43807 eutekt. Temp.: mit Azobenzol 52°, mit Benzil 56°	unl. in W 0,004 A 21° ll. in Ae	
21	1,4278$^{80°}$		V 246		unl. in W wl. in A	
22		165 (Z.)	II 583		l. in W, A, Ae wl. in Chlf., Bzl.	Erhitzen > 165° → Acetonitril + CO_2 Amid *Fp* 123° Anilid *Fp* 198°
23	1,041$^{15°}$	303	XII 860		0,44 W 13° ll. in A, Ae l. in Eisessig	

Lfd. Nr.	*Fp*	Name	Summen-formel	Strukturformel	Mol.-Ge-wicht	Aggrega zustand Farbe
1	2	3	4	5	6	7
1024	**66**	2,6-Dinitrotoluol	$C_7H_6N_2O_4$	$(O_2N)_2C_6H_3 \cdot CH_3$	182,13	Nadeln (A)
1025	**66**	Hydrochinonmono-äthyläther	$C_8H_{10}O_2$	$HO \cdot C_6H_4 \cdot OC_2H_5$	138,16	Krist.
1026	**66**	Isonitrosoaceton	$C_3H_5NO_2$	$CH_3 \cdot CO \cdot CH{:}N \cdot OH$	87,08	Blättche (Ae + PA
1027	**66**	β-Naphthonitril	$C_{11}H_7N$	$C_{10}H_7 \cdot CN$	153,17	Blättche (Ligroin
1028	**66**	2-Hydroxy-3-äthoxy-benzaldehyd (o-Bourbonal)	$C_9H_{10}O_3$	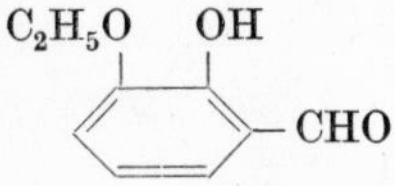	166,17	gelblich gefärbte Nadeln (Xylol)
1029	**66**	N-Phenyl-N′-äthyl-harnstoff	$C_9H_{12}N_2O$	$O{=}C\langle^{NH \cdot C_2H_5}_{NH \cdot C_6H_5}$	164,20	Krist.
1030	**66—67**	4-Aminodiphenylamin	$C_{12}H_{12}N_2$	$H_2N \cdot C_6H_4 \cdot NH \cdot C_6H_5$	184,23	Blättche oder Nadeln (verd. A
1031	**66,1**	Triakontan	$C_{30}H_{62}$	$CH_3 \cdot (CH_2)_{28} \cdot CH_3$	422,80	Blättche (Bzl.)
1032	**66,4**	4-Bromanilin	C_6H_6BrN	$Br \cdot C_6H_4 \cdot NH_2$	172,03	Krist.
1033	**66,5**	Diäthylbromessigsäure-amid (Neuronal)	$C_6H_{12}BrNO$	$(C_2H_5)_2C(Br) \cdot CO \cdot NH_2$	194,08	Krist.
1034	**66,5**	Naphthylendiamin-(1,8)	$C_{10}H_{10}N_2$	$H_2N \cdot C_{10}H_6 \cdot NH_2$	158,20	Krist. (verd. A
1035	**67**	Chloralhydrat-Anti-pyrin (Hypnal)	$C_{13}H_{15}Cl_3N_2O_3$	$CCl_3 \cdot CH(OH)_2 \cdot C_{11}H_{12}N_2O$	353,64	weißes Krist.-Pulver
1036	**67**	2,6-Dichlorphenol	$C_6H_4Cl_2O$	$Cl_2C_6H_3 \cdot OH$	163,01	Nadeln
1037	**67**	3-Hydroxybenzyl-alkohol	$C_7H_8O_2$		124,13	Nadeln
1038	**67**	Diphenylnitrosamin (N-Nitroso-diphenyl-amin)	$C_{12}H_{10}N_2O$	$(C_6H_5)_2N \cdot NO$	198,22	gelbe Tafeln (Bzl. +

Lfd. Nr.	Spez. Gewicht	Siedepunkt °C	Beilsteinzitat	Physikalische Konstanten und Eigenschaften	Löslichkeit	Reaktionen
	8	9	10	11	12	13
24	$1{,}283^{111°}$		V 341	eutekt. Temp.: mit Azobenzol 41°, mit Benzil 42°	l. in A	
25		246				
26	$1{,}0744^{67°}$	subl.	I 763	mit Dampf flüchtig	ll. in W, A l. in Alkali gelb	
27	$1{,}091^{80°}_{80°}$	305	IX 659		swl. in W l. in A, Ae	
28		108 bis 112 (2 mm)	E_2 VIII 267	mit Dampf flüchtig	wl. in W ll. in A, Ae	+ $FeCl_3$ → blau, Erwärmen → gelb
29				eutekt. Temp.: mit Azobenzol 39°, mit Benzil 46°		
30		354 (in H_2)	XIII 76		wl. in W ll. in A, Ae	+ $FeCl_3$ → rot → grün
31		235 (1 mm)	I 176		unl. in W wl. in A l. in Ae	
32	$1{,}799^{18°}$	245 (Z.)	XII 636	$^{n}D^{20,4}$ 1,62604; $^{R}D^{20,4}$ 38,55 cm³; $^{n}F^{20,4}$ 265,0	unl. in k. W sll. in A, Ae	Acetylderivat *Fp* 167—168° Benzoylderivat *Fp* 204°
33			II 334	eutekt. Temp.: mit Azobenzol 45°, mit Benzil 49°; wirkt hypnotisch	0,7 k. W ll. in h. W, A, Ae, Bzl.	bei 160—170° HBr-Abspaltung
34		205 (12 mm)	XIII 205	bräunt sich allmählich, auch bei Luft- und Lichtabschluß	l. in W ∞ in A, Ae, Bzl.	N,N′-Dibenzoylderivat *Fp* 312°
35			XXIV 31		wl. in W l. in A	wss. Lsg. + $FeCl_3$ → blutrot Spur Subst. in W gelöst + 1 Tropfen rauch. HNO_3 → grün
36		218 bis 220	VI 190	riecht durchdringend, anhaftend	∞ in A, Ae	
37		ca. 300 (Z.)	VI 896		ll. in A, Ae, h. W wl. in Chlf.	wss. Lsg. + wenig $FeCl_3$ → veilchenblau
38			XII 580	eutekt. Temp.: mit Azobenzol 40°, mit Benzil 46°	wl. in k. A ll. in h. A sll. in h. Bzl.	

Lfd. Nr.	*Fp*	Name	Summen-formel	Strukturformel	Mol.-Ge-wicht	Aggrega zustan Farbe
1	2	3	4	5	6	7
1039	**67**	Phenylbenzylcarbinol	$C_{14}H_{14}O$	$C_6H_5\cdot CH_2\cdot CH(OH)\cdot C_6H_5$	198,25	Nadeln (verd. A
1040	**67**	2,4,6-Trichlorphenol	$C_6H_3Cl_3O$	$Cl_3C_6H_2\cdot OH$	197,46	farblos Nadeln
1041	**67—68**	1,4-Dichlornaphthalin	$C_{10}H_6Cl_2$	$C_{10}H_6Cl_2$	197,06	Nadeln (A)
1042	**67,5**	Isophthalsäuredi-methylester	$C_{10}H_{10}O_4$	$C_6H_4(CO\cdot OCH_3)_2$	194,18	Nadeln (verd. A
1043	**68**	2-Äthylbenzoesäure	$C_9H_{10}O_2$	$C_2H_5\cdot C_6H_4\cdot COOH$	150,17	Nadeln (W)
1044	**68**	Azobenzol	$C_{12}H_{10}N_2$	$C_6H_5\cdot N{:}N\cdot C_6H_5$	182,22	orange-rote Blättche (A)
1045	**68**	p-Chlorbenzolsulfon-säure	$C_6H_5ClO_3S$	$Cl\cdot C_6H_4\cdot SO_3H$	192,62	Nadeln
1046	**68**	3,4-Dichlorphenol	$C_6H_4Cl_2O$	$Cl_2C_6H_3\cdot OH$	163,01	Nadeln
1047	**68**	3,5-Dichlorphenol	$C_6H_4Cl_2O$	$Cl_2C_6H_3\cdot OH$	163,01	Krist. (PAe)
1048	**68**	Itaconsäureanhydrid	$C_5H_4O_3$	$H_2C{:}C$—CO | >O $CH_2\cdot CO$	112,08	Krist.
1049	**68**	Mesitol (2,4,6-Tri-methylphenol)	$C_9H_{12}O$	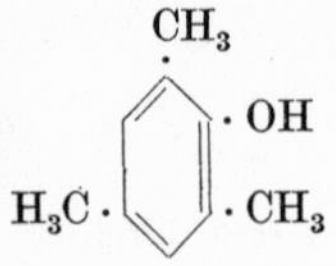	136,19	Nadeln
1050	**68**	Methylnitrolsäure	$CH_2N_2O_3$	$O_2N\cdot CH{:}N\cdot OH$	90,04	Nadeln (Ae)
1051	**68**	α-Monomyristin (Glycerin-α-myristin-säureester)	$C_{17}H_{34}O_4$	$CH_3\cdot[CH_2]_{12}\cdot CO\cdot O\cdot CH_2$ | $HO\cdot H_2C\cdot CH\cdot OH$	302,44	Krist.
1052	**68**	α-Naphthalinsulfo-chlorid	$C_{10}H_7ClO_2S$	$C_{10}H_7\cdot SO_2Cl$	226,68	Blättche (Ae)

Lfd. Nr.	Spez. Gewicht	Siedepunkt °C	Beilsteinzitat	Physikalische Konstanten und Eigenschaften	Löslichkeit	Reaktionen
	8	9	10	11	12	13
039		167 (10 mm)	VI 683		0,06 sd. W 42 in 94% A 7° ll. in Ae	Dest. → Stilben
040	$1{,}49^{75°}$	244	VI 190	eutekt. Temp.: mit Azobenzol 29°, mit Benzil 35°; durchdringender Geruch	0,085 W 25° 0,243 W 96° sll. in A, Ae l. in Lauge	gesättigte wss. Lsg. + $Fe(NO_3)_3$-Lsg. → schwach graublau + $AgNO_3$ in Anwesenheit von 1 Tropfen 2n-NH_3 → eigelben, flockigen Niederschlag Chloracetylderivat *Fp* 182° Benzoat *Fp* 70° p-Nitrobenzoat *Fp* 106° α-Naphthylurethan *Fp* 188°
041		286 (745mm)	V 542		unl. in W wl. in A ll. in Aceton	
042			IX 834			
043		259	IX 526		swl. in k. W ll. in A, Ae	
044	1,203	293	XVI 8	eutekt. Temp. mit Benzil 50°	0,03 W 20° 7,9 A 16° l. in Ae ll. in Lauge	
045		147 bis 148 (Vakuum)	XV 54		l. in W, A unl. in Ae	Salz mit Anilin *Fp* 223° Salz mit p-Toluidin *Fp* 209° Chlorid *Fp* 53° Amid *Fp* 143–144° Anilid *Fp* 104°
046		253	VI 190	riecht phenolartig		Chloracetylderivat *Fp* 141°
047		233	VI 190	riecht phenolartig	ll. in A	
048		140 (20 mm)	XVII 442		swl. in k. Ae sll. in Chlf.	
049		219	VI 518	mit Dampf flüchtig	swl. in W ll. in A, Ae	Chloracetat *Fp* 139° Benzoat *Fp* 62° Phenylurethan *Fp* 142°
050		explod.	II 92	unbeständig	ll. in W, A, Ae	+ Alkali → rot
051			II 366			
052		194 (13 mm)	XI 157		unl. in W 18,18 A 18° ll. in Ae	

Lfd. Nr.	*Fp*	Name	Summen-formel	Strukturformel	Mol.-Ge-wicht	Aggregat zustand Farbe
1	2	3	4	5	6	7
1053	68	Nitrosobenzol	C_6H_5NO	$C_6H_5 \cdot NO$	107,11	Krist. (A + Ae)
1054	68	Pseudocumidin (1-Amino-2,4,5-trimethylbenzol)	$C_9H_{13}N$	$(CH_3)_3C_6H_2 \cdot NH_2$	135,20	
1055	68	N-m-Tolylhydroxyl-amin	C_7H_9NO	$CH_3 \cdot C_6H_4 \cdot NHOH$	123,15	Blättchen (Bzl. + PAe)
1056	68	cis-Zimtsäure (Allozimtsäure)	$C_9H_8O_2$	$HC \cdot C_6H_5$ ‖ $HC \cdot COOH$	148,15	Krist.
1057	68—76	Pyramidonsalicylat	$C_{20}H_{23}N_3O_4$	$C_{13}H_{17}N_3O \cdot C_7H_6O_3$	369,41	weißes Krist.-Pulver
1058	69	2,4,6-Trinitroanisol	$C_7H_5N_3O_7$	$(NO_2)_3C_6H_2 \cdot OCH_3$	243,13	Tafeln oder Blättchen (A)
1059	69	Benzhydrol	$C_{13}H_{12}O$	$(C_6H_5)_2CH \cdot OH$	184,23	Nadeln (Ligroin)
1060	69	Chaulmoograsäure	$C_{18}H_{32}O_2$	$HC:CH$ $\rangle CH \cdot (CH_2)_{12} \cdot COOH$ $H_2C \cdot CH_2$	280,44	Blättchen (A)
1061	69	*β,β*-Dimethylacrylsäure	$C_5H_8O_2$	$(CH_3)_2C:CH \cdot COOH$	100,11	Prismen (W)
1062	69	2,3-Dimethylchinolin	$C_{11}H_{11}N$	$C_9H_5 \cdot N(CH_3)_2$	157,21	Krist. (Ligroin)
1063	69	Perchlordiäthyläther	$C_4Cl_{10}O$	$C_2Cl_5 \cdot O \cdot C_2Cl_5$	418,61	tetragonale Doppelpyramiden
1064	69	Phyllopyrrol	$C_9H_{15}N$	$C_2H_5 \cdot C$——$C \cdot CH_3$ ‖ ‖ $H_3C \cdot C$—NH—$C \cdot CH_3$	137,22	Blättchen (PAe)
1065	69	5,6,7,8-Tetrahydro-naphthol-(1)	$C_{10}H_{12}O$	$H_2C \cdot CH_2$ $\rangle C_6H_3 \cdot OH$ $H_2C \cdot CH_2$	148,20	Tafeln

.fd. Nr.	Spez. Gewicht	Siedepunkt °C	Beilsteinzitat	Physikalische Konstanten und Eigenschaften	Löslichkeit	Reaktionen
	8	9	10	11	12	13
053		57–59 (18 mm)	V 230	Lsgg. sind grün; mit Dampf flüchtig; stechender Geruch	unl. in W l. in A, Ae	
054		234 bis 235	XII 1150		0,12 W 19° l. in A, Ae, Bzl.	Acetylderivat *Fp* 161° Benzoylderivat *Fp* 167° Benzolsulfonylderivat *Fp* 136°
055			XV 14		wl. in W, Bzl. ll. in A	oxydiert in wss. Lsg. an der Luft zu m.m′-Azoxytoluol
056		95 (Vakuum)	IX 591		0,69 W 18°	wss. Lsg. + $FeCl_3$ → gelber Nd. p-Bromphenacylester *Fp* 146° Anilid *Fp* 151° p-Toluidid *Fp* 168°
057				wss. Lsg. sauer	16 W 5–6 A	wss. Lsg. + $FeCl_3$ → violettrot
058			VI 288	eutekt. Temp.: mit Azobenzol 48°, mit Benzil 48°	l. in Bzl., Eg.	
059		298	VI 678	Zers. bei 300°	0,05 W 20° ll. in A, Ae, Chlf.	Benzoat *Fp* 88° p-Nitrobenzoat *Fp* 131° 3,5-Dinitrobenzoat *Fp* 141° Phenylurethan *Fp* 140° p-Nitrophenylurethan *Fp* 150° α-Naphthylurethan *Fp* 136°
060		247 bis 248 (20 mm)	IX 80	$[\alpha]_D^{20}$ +62° (Chlf.)	unl. in W wl. in A ll. in Ae, Chlf.	Methylester *Fp* 22° Amid *Fp* 106° Anilid *Fp* 89°
061	$1{,}066^{24°}$	199	II 432		wl. in k. W ll. in A, Ae	
062		261 (729mm)	XX 406		wl. in W ll. in A l. in Ae	Pikrat *Fp* 235° Jodmethylat *Fp* 218°
063	1,900	Z.	II 210			
064		213 (725mm)	E_1 XX 51	verharzt an der Luft	unl. in W ll. in A, Ae l. in verd. H_2SO_4 gelb	
065		265 (705mm)	VI 578		wl. in h. W ll. in A, Ae	

Lfd. Nr.	*Fp*	Name	Summen-formel	Strukturformel	Mol.-Gewicht	Aggregatzustand Farbe
1	2	3	4	5	6	7
1066	69	Toluchinon	$C_7H_6O_2$	$O:C_6H_3(CH_3):O$	122,12	gelbe Blättche und Nadeln
1067	69	p-Toluolsulfochlorid	$C_7H_7ClO_2S$	$CH_3\cdot C_6H_4\cdot SO_2Cl$	190,65	Tafeln (Ae)
1068	69—70	α,α'-Dipalmitin (Glycerin-α,α'-dipalmitat)	$C_{35}H_{68}O_5$	$C_{15}H_{31}\cdot CO\cdot O\cdot CH_2\cdot CH\cdot OH$ $C_{15}H_{31}\cdot CO\cdot O\cdot CH_2$	568,53	Nadeln (A, Chlf.
1069	69,3	Stearinsäure	$C_{18}H_{36}O_2$	$CH_3\cdot(CH_2)_{16}\cdot COOH$	284,47	Blättche
1070	69,5	α,α'-Dipyridyl	$C_{10}H_8N_2$	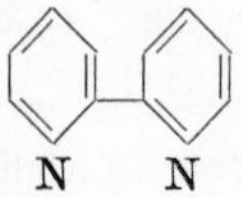	156,18	Krist. (verd. A
1071	69,5	6-Nitro-o-kresol (2-Methyl-6-nitro-1-hydroxybenzol)	$C_7H_7NO_3$	$CH_3\cdot C_6H_3(NO_2)\cdot OH$	153,13	gelbe Prismer (verd. A
1072	69,5	2-Hydroxydiphenyl-amin	$C_{12}H_{11}NO$	$C_6H_5\cdot NH\cdot C_6H_4\cdot OH$	185,22	Prismer (W)
1073	70	Benzoesäurephenyl-ester	$C_{13}H_{10}O_2$	$C_6H_5\cdot CO\cdot OC_6H_5$	198,21	Prismer (A + Ae
1074	70	Diphenylsulfoxyd	$C_{12}H_{10}OS$	$(C_6H_5)_2S:O$	218,26	Prismer (Lsg.)
1075	70	Essigsäure-β-naphthyl-ester	$C_{12}H_{10}O_2$	$CH_3\cdot CO\cdot OC_{10}H_7$	186,20	Nadeln (A)
1076	70	Thiosinaminjodäthylat (Jodamin)	$C_6H_{13}JN_2S$	$H_2C:CH\cdot CH_2\cdot NH\cdot C(:S)\cdot NH_2 \cdot C_2H_5J$	271,16	weiße Krist.

Lfd. Nr.	Spez. Gewicht	Siedepunkt °C	Beilsteinzitat	Physikalische Konstanten und Eigenschaften	Löslichkeit	Reaktionen
	8	9	10	11	12	13
066		subl.	VII 645	riecht wie Benzochinon; sehr flüchtig; sublimiert in Blättchen	wl. in k. W l. in A, Ae	wss. Lsg. + Alkalien → intensiv braunrot Oxim *Fp* 165°, Semicarbazon *Fp* 178—179° Phenylhydrazon *Fp* 130° 2,4-Dinitrophenylhydrazon *Fp* 128°
067		146 (15 mm)	XI 103		l. in A, Ae	
068			II 373		l. in Ae, Chlf., h. A	
069	0,8286^80°^	291 (100mm)	II 377	$^{n}D^{71}$ 1,4325; Oberflächenspannung 70° 28,9 dyn/cm; kryoskop. Konst. 4,5; eutekt. Temp.: mit Azobenzol 55°, mit Benzil 60°	swl. in W 2,5 k. W 19,7 A 40° 22 Bzl. 23°	Lsg. + konz. H_2SO_4 schäumt beim Schütteln + Paraform beim Erwärmen orange mit grüner Fluoreszenz Pb-Salz *Fp* 125° Methylester *Fp* 38° Äthylester *Fp* 33,7° Phenacylester *Fp* 69° p-Bromphenacylester *Fp* 90° Amid *Fp* 108,5—109° Anilid *Fp* 93,6° Diphenylhydrazid *Fp* 122,5° β-Naphthylhydrazid *Fp* 132 bis 133°
070		272,5	XXIII 199	eutekt. Temp.: mit Azobenzol 38°, mit Benzil 46°; aromatisch riechend	0,5 W ll. in A, Ae, Bzl., Chlf.	mit $Fe^{\cdot\cdot}$-Ionen rote Komplexsalze Pikrat *Fp* 158°
071			VI 365		unl. in W ll. in A, Ae	
072		185 (20 mm)	XIII 365		wl. in sd. W ll. in A, Ae	
073		298 bis 299	IX 116	eutekt. Temp.: mit Azobenzol 43°, mit Benzil 48°	unl. in W 8,8 A 21° ll. in Ae	
074		210 (15 mm)	VI 300		ll. in A, Ae l. in Bzl.	+ rauchende H_2SO_4 → vorübergehende Blaufärbung
075			VII 644		ll. in A, Ae, Chlf.	
076				schwacher Geruch nach Allyldisulfid		wss. Lsg. + $Fe(NO_3)_3$ → langsam gelb und orange; beim Erhitzen Joddämpfe; wss. Lsg. + 2n-Lauge + Nitroprussidnatrium → intensiv violettrot

Lfd. Nr.	*Fp*	Name	Summen-formel	Strukturformel	Mol.-Gewicht	Aggrega zustand Farbe
1	2	3	4	5	6	7
1077	**70**	4-Hydroxydiphenyl-amin (Allegan)	$C_{12}H_{11}NO$	$C_6H_5 \cdot NH \cdot C_6H_4 \cdot OH$	185,22	Blättche
1078	**70**	Pyrazol	$C_3H_4N_2$	HC——CH ‖ ‖ HC—NH—N	68,08	Nadeln (Ligroin
1079	**70—71**	4-Aminobenzaldehyd	C_7H_7NO	$H_2N \cdot C_6H_4 \cdot CHO$	121,13	Blättche (W)
1080	**70—71**	4-Chloranilin	C_6H_6ClN	$Cl \cdot C_6H_4 \cdot NH_2$	127,57	Prismer
1081	**70—71**	6-Chlor-2-nitrophenol	$C_6H_4ClNO_3$	$O_2N \cdot C_6H_3(Cl) \cdot OH$	173,56	gelbe Nadeln (W)
1082	**70—71**	2,4-Dinitrotoluol	$C_7H_6N_2O_4$	$(O_2N)_2C_6H_3 \cdot CH_3$	182,13	Nadeln (CS_2)
1083	**70—71**	Mephenesin (Myanesin, α,β-Dihydroxy-γ-[2-methylphenoxy]-propan)	$C_{10}H_{14}O_3$	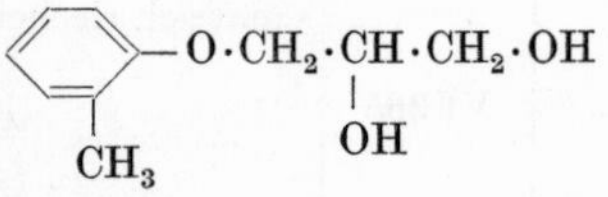	182,21	Krist.
1084	**70—80**	2,4-Diaminophenol	$C_6H_8N_2O$	$(H_2N)_2C_6H_3 \cdot OH$	124,14	Blättche
1085	**70,5**	Diphenyl	$C_{12}H_{10}$	$C_6H_5 \cdot C_6H_5$	154,20	Blättche (A)

Lfd. Nr.	Spez. Gewicht	Siedepunkt °C	Beilsteinzitat	Physikalische Konstanten und Eigenschaften	Löslichkeit	Reaktionen
	8	9	10	11	12	13
1077		330 198 bis 200 (10 mm)	XIII 144		swl. in k. W ll. in A, Ae, Chlf., Eg. ll. in verd. Säuren u. Alkali	salzsaure Lsg. + HCl → goldgelb
1078		186 bis 188	XXIII 39	reagiert neutral, bitterer Geschmack	ll. in W, A, Ae, Bzl.	Pikrat *Fp* 159–160° Oxalat *Fp* 192° (Z.)
1079			XIV 29		wl. in W l. in A, Ae	Oxim *Fp* 124° Semicarbazon *Fp* 173° Phenylhydrazon *Fp* 175°
1080	1,427$^{19°}$	230 bis 231	XII 607	eutekt. Temp.: mit Azobenzol 42°, mit Benzil 42°	l. in A, Ae ll. in W	+ $H_2SO_4 \cdot HNO_3$ → dunkelbraunrot Pikrat *Fp* 178° Acetylderivat *Fp* 174° Benzoylderivat *Fp* 192° Benzolsulfonylderivat *Fp* 121° p-Tolylsulfonylderivat *Fp* 95°
1081			VI 239	riecht nach Safran; mit Dampf flüchtig	wl. in W ll. in Chlf.	
1082	1,3208$^{71°}$		V 339	eutekt. Temp.: mit Azobenzol 39°, mit Benzil 46°	0,027 W 22° 3,04 A 15° 9,42 Ae 22° 76,8 Pyridin 15°	
1083				Lsg. neutral	wl. in W (1%) ll. in A, Propylenglykol	0,1 g Subst. in 5,5 ml W + 3 ml 4%ige Lsg. von Na-Hexametaphosphat + 1,5 ml Folinsche Lsg. u. 0,4 g W-freies Na_2CO_3 5 Min. im W-Bad erhitzen, nach Abkühlen → blau
1084			XIII 549		l. in A wl. in Ae l. in Säuren, Alkali	
1085	0,9919$^{73°}$	254,9 136,9 (20 mm)	V 576	Oberflächenspannung 129,2° 28,64 dyn/cm; ebullioskop. Konst. 7,06; kryoskop. Konst. 8,0; Dampfdruck 100° 3,23 mm Hg; eutekt. Temp.: mit Azobenzol 38°, mit Benzil 48°	unl. in W l. in Ae 9,98 A 20° l. in Chlf., Bzl.	bildet kein Pikrat + $SbCl_5$ in CCl_4 → gelbrot → gelber Nd. 4,4′-Dibromdiphenyl *Fp* 164° 4,4′-Dinitrodiphenyl *Fp* 233°

Lfd. Nr.	Fp	Name	Summen-formel	Strukturformel	Mol.-Ge-wicht	Aggregat-zustand Farbe
1	2	3	4	5	6	7
1086	71	Cumarin (o-Hydroxy-zimtsäurelacton)	$C_9H_6O_2$	$C_6H_4 \Big\langle \begin{array}{l} CH:CH \\ \quad\mid \\ O \cdot CO \end{array}$	146,14	etwas durch-scheinen-de Nadeln (A)
1087	71	2,4-Dimethoxybenz-aldehyd	$C_9H_{10}O_3$	$(CH_3O)_2C_6H_3 \cdot CHO$	166,17	Nadeln (verd. A)
1088	71	β-Eläostearinsäure	$C_{18}H_{30}O_2$	$CH:CH \cdot CH:CH \cdot (CH_2)_3 \cdot CH_3$ $\mid$ $CH:CH \cdot (CH_2)_7 \cdot COOH$	278,42	Blättchen
1089	71	p-Nitrobenzylchlorid	$C_7H_6ClNO_2$	$O_2N \cdot C_6H_4 \cdot CH_2Cl$	171,58	Blättchen oder Nadeln (A)
1090	71	3-Hydroxythionaphthen (Thioindoxyl)	C_8H_6OS	$\begin{array}{c} H \\ C \\ HC \quad C-C \cdot OH \\ \mid \quad \parallel \quad \parallel \\ HC \quad C \quad CH \\ C \quad S \\ H \end{array}$	150,19	Nadeln (W)
1091	71—72	N,N-Dibenzylanilin	$C_{20}H_{19}N$	$(C_6H_5 \cdot CH_2)_2N \cdot C_6H_5$	273,36	Prismen (A)
1092	71—72	Dibenzyldisulfid	$C_{14}H_{14}S_2$	$C_6H_5 \cdot CH_2 \cdot S \cdot S \cdot CH_2 \cdot C_6H_5$	246,38	Blättchen (A)
1093	71—72	Ricinstearolsäuredijodid (Dijodyl)	$C_{18}H_{32}J_2O_3$	$CH_3 \cdot (CH_2)_5 \cdot CH(OH) \cdot CH_2 \cdot CJ$ $\parallel$ $HOOC \cdot (CH_2)_7 \cdot CJ$	550,26	weißes kristalli-nes Pulver
1094	71—72	Pseudocumenol (2,4,5-Trimethyl-phenol)	$C_9H_{12}O$	$\begin{array}{c} OH \\ H_3C \cdot \!\bigcirc\! \cdot CH_3 \\ CH_3 \end{array}$	136,19	Nadeln
1095	71,5	3,4-Dichloranilin	$C_6H_5Cl_2N$	$Cl_2C_6H_3 \cdot NH_2$	162,02	gelbe Nadeln

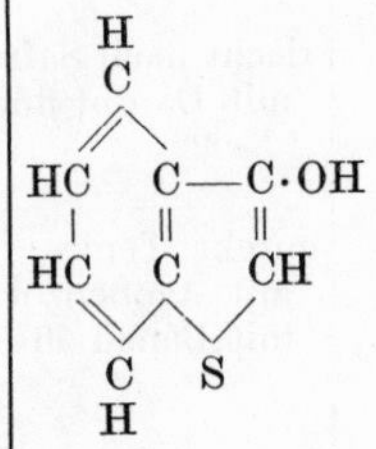

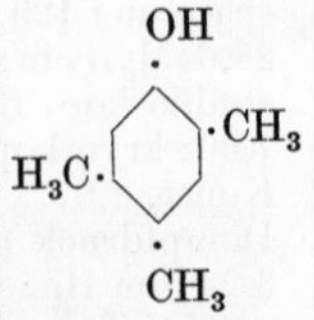

lfd. Nr.	Spez. Gewicht	Siede-punkt °C	Beilstein-zitat	Physikalische Konstanten und Eigenschaften	Löslichkeit	Reaktionen
	8	9	10	11	12	13
086	0,935	291	XVII328	eutekt. Temp.: mit Azobenzol 44°, mit Benzil 47°; sublimierbar; mit Dampf flüchtig; gewürzhafter Geruch; schmeckt bitter	unl. in k. W l. in h. W, A, Ae l. in h. Lauge	+ Alkali → gelb in H_2SO_4 lösen + W → rot → lila Erhitzen gesättigter wss. Lsg. mit KJ + J → blauschwarze Krist., *Fp* 92—93° einige Körnchen Subst. mit PCl_5 überschichtet u. erwärmt → orangegelbe Schmelze
087		165 (10 mm)	VIII 242	riecht heliotropartig; mit Dampf flüchtig	unl. in W ll. in A, Ae	Oxim *Fp* 106° 2,4-Dinitrophenylhydrazon *Fp* 245°
088			II 497		l. in A, Ae	+ $KMnO_4$ → Azelainsäure + Valeriansäure
089	1,34		V 324	brennt auf der Haut	unl. in W 7,10 A 25° 23,1 Ae 25°	
090		Z.	XVII 119	riecht nach α-Naphthol; färbt sich an der Luft, schneller durch Alkali rot; mit Dampf flüchtig; bildet ein Sulfon	wl. in k. W ll. in A, Ae	Oxydation → Thioindigo
091	$1{,}0444^{80°}$	>300 (Z.)	XII 1037		unl. in W wl. in k. A ll. in Ae	Pikrat *Fp* 131° Jodmethylat *Fp* 135°
092		>270 (Z.)	VI 465		swl. in W wl. in k. A ll. in sd. A, Ae, Bzl.	
093					unl. in W l. in Laugen und NH_3	Lsg. in 1 Tropfen 2n-Ammoniak + $AgNO_3$-Lsg. → gallertartige Fällung, die beim Erhitzen intensiv gelb wird
094		234 bis 235	VI 509	$n_D^{15,3}$ 1,50672; $R_D^{15,3}$ 40,62 cm³; $n_F^{15,3}$ 158,2; mit Dampf flüchtig	unl. in k. W ll. in A, Ae	Acetylderivat *Fp* 34° Chloracetylderivat *Fp* 132° Benzoylderivat *Fp* 63° Phenylurethan *Fp* 111°
095		272	XII 626		wl. in W l. in Bzl. l. in A	

Lfd. Nr.	*Fp*	Name	Summen-formel	Strukturformel	Mol.-Ge-wicht	Aggrega zustan Farbe
1	2	3	4	5	6	7
1096	**71,5**	2-Nitroanilin	$C_6H_6N_2O_2$	$O_2N \cdot C_6H_4 \cdot NH_2$	138,12	gelbe Nadeln oder Blättche (W)
1097	**71,6**	Tristearin (Glycerin-tristearat)	$C_{57}H_{110}O_6$	$C_3H_5(O \cdot CO \cdot [CH_2]_{16} \cdot CH_3)_3$	891,45	Säulen (Ae)
1098	**72**	α-Crotonsäure	$C_4H_6O_2$	$CH_3 \cdot CH{:}CH \cdot COOH$	86,09	Nadeln (W)
1099	**72**	α-Hydroxyglutarsäure	$C_5H_8O_5$	$HOOC \cdot CH(OH) \cdot (CH_2)_2 \cdot COOH$	148,11	Krist.
1100	**72**	2,4-Dinitrobenzaldehyd	$C_7H_4N_2O_5$	$(O_2N)_2C_6H_3 \cdot CHO$	196,12	hellgelb Tafeln (Bzl. + Ligroin
1101	**72**	5-Nitrochinolin	$C_9H_6N_2O_2$	$C_9H_6N \cdot NO_2$	174,15	Nadel (W od.
1102	**72—74**	Anisalaceton	$C_{11}H_{12}O_2$	$CH_3 \cdot O \cdot C_6H_4 \cdot CH{:}CH \cdot CO \cdot CH_3$	176,21	Blättch (Ae)
1103	**72,5**	2,6-Dichlor-1-nitro-benzol	$C_6H_3Cl_2NO_2$	$Cl_2C_6H_3 \cdot NO_2$	192,01	Nadel (A)
1104	**73**	Dekamethylenglykol [Decandiol-(1,10)]	$C_{10}H_{22}O_2$	$HO \cdot (CH_2)_{10} \cdot OH$	174,28	Nadeln (W ode verd. A
1105	**73**	Diäthylallylacetamid (Novonal)	$C_9H_{17}NO$	$CH_2{:}CH \cdot CH_2 \cdot C(C_2H_5)_2 \cdot CONH_2$	155,23	Nadel
1106	**73**	trans-α,β-Dijodäthylen	$C_2H_2J_2$	$CHJ{:}CHJ$	279,88	Prisme (A)
1107	**73**	4-Chlorbenzylalkohol	C_7H_7ClO	$Cl \cdot C_6H_4 \cdot CH_2 \cdot OH$	142,58	Spieße (W)
1108	**73**	Diphenylurethan (Diphenylcarbamid-säureäthylester)	$C_{15}H_{15}NO_2$	$(C_6H_5)_2N \cdot CO \cdot O \cdot C_2H_5$	241,28	Prisme

Lfd. Nr.	Spez. Gewicht	Siedepunkt °C	Beilsteinzitat	Physikalische Konstanten und Eigenschaften	Löslichkeit	Reaktionen
	8	9	10	11	12	13
096	$1{,}442^{15°}$		XII 687	mit Dampf flüchtig	0,126 W 25° 15,85 A 15° sll. in Ae ll. in Chlf.	Pikrat *Fp* 73° Acetylderivat *Fp* 93° Benzoylderivat *Fp* 98° Benzolsulfonylderivat *Fp* 104° p-Tolylsulfonylderivat *Fp* 115°
097	$0{,}8621^{80°}$		II 383	n_D^{80} 1,4396	unl. in W swl. in k. A, Ae l. in Bzl., Chlf.	
098	$0{,}973^{72°}$	189	II 408	kryoskop. Konst. 6,5; riecht schwach buttersäureähnlich	8,28 W 15° swl. in k. Laugen	Amid *Fp* 159,5—160°, dünne Nadeln Anilid *Fp* 102° Hydrazidhydrochlorid *Fp* 173°, Nadeln + Nitrit → 1-Nitroso-5-methylpyrazolidon *Fp* 131°, Blättchen
099			III 442	$[\alpha]_D^{19}$ +1,76 (W)		
100		190 bis 210 (10 bis 20 mm)	VII 264		wl. in W sll. in A, Ae, Bzl.	Oxim *Fp* 128° Phenylhydrazon *Fp* 228° p-Nitrophenylhydrazon *Fp* 292° 2,4-Dinitrophenylhydrazon *Fp* 258°
101		subl.	XX 371		wl. in sd. W l. in h. A	Jodmethylat *Fp* 215° (Z.)
102			VIII 131		ll. in A, Ae, Bzl. l. in HCl und H_2SO_4 gelb	
103	$1{,}4094^{80°}$	130 (8 mm)	V 246		unl. in W wl. in k. A	
104		179 (11 mm)	I 494	eutekt. Temp.: mit Azobenzol 64°, mit Benzil 67°	wl. in k. W ll. in A, h. W	
105				eutekt. Temp.: mit Azobenzol 52°, mit Benzil 60°; Geschmack pfefferminzartig	l. in A	farblose Lsg. in Paraform-H_2SO_4, beim Erwärmen orange mit grüner Fluoreszenz + alkalische HgJ_2-Lsg. → weißer Nd., in Hitze gelblich
106		190,5 (Z.)	I 194	sublimiert; mit Dampf flüchtig; riecht intensiv	l. in A, Ae	
107		235	VI 444		sl. in h. W ll. in A, Ae	
108			XII 427	eutekt. Temp.: mit Azobenzol 44°, mit Benzil 51°	l. in Ae, PAe, Bzl. sl. in k. A	

Lfd. Nr.	*Fp*	Name	Summenformel	Strukturformel	Mol.-Gewicht	Aggrega zustand Farbe
1	2	3	4	5	6	7
1109	**73**	m-Hydroxybenzoesäuremethylester	$C_8H_8O_3$	$HO \cdot C_6H_4 \cdot CO_2 \cdot CH_3$	152,14	Blättche
1110	**73—74**	p-Aminobenzoesäure-n-propylester (Propäsin)	$C_{10}H_{13}NO_2$	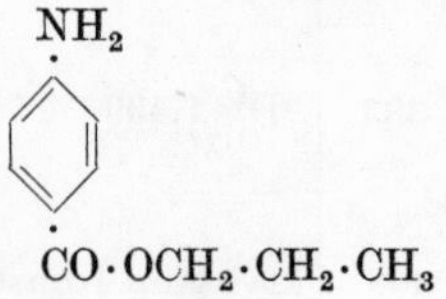	179,21	Nadeln
1111	**73—74**	Coniferylalkohol	$C_{10}H_{12}O_3$	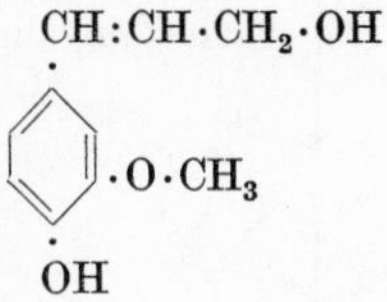	180,20	Prismer
1112	**73—74**	Diäthylsulfon	$C_4H_{10}O_2S$	$(C_2H_5)_2SO_2$	122,19	Tafeln
1113	**74**	Carnaubasäure	$C_{24}H_{48}O_2$	$C_{23}H_{47} \cdot COOH$	368,62	silberglänzend Blättche (Eg.)
1114	**74**	Emetin	$C_{29}H_{40}N_2O_4$	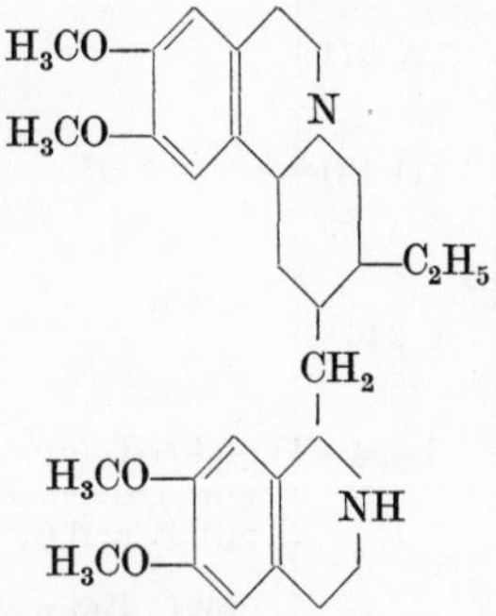	480,63	gelbliche Krist.
1115	**74**	α-Methyl-trans-zimtsäure	$C_{10}H_{10}O_2$	$C_6H_5 \cdot CH = C(CH_3) \cdot COOH$	162,18	Nadeln (A oder W)
1116	**74**	2-Nitrobenzylalkohol	$C_7H_7NO_3$	$O_2N \cdot C_6H_4 \cdot CH_2OH$	153,13	Nadeln (W)
1117	**74**	5-Nitro-m-xylol	$C_8H_9NO_2$	$O_2N \cdot C_6H_3(CH_3)_2$	151,16	Nadeln (A)
1118	**74**	Styroldibromid	$C_8H_8Br_2$	$C_6H_5 \cdot CHBr \cdot CH_2Br$	263,98	Blättche oder Nadeln (A)

Lfd. Nr.	Spez. Gewicht	Siedepunkt °C	Beilsteinzitat	Physikalische Konstanten und Eigenschaften	Löslichkeit	Reaktionen
	8	9	10	11	12	13
109		280 bis 280,5 (709mm)	X 139	eutekt. Temp.: mit Azobenzol 52°, mit Benzil 53°		
110			XIV 423		wl. in W ll. in A, Bzl.	
111			VI 1131		unl. in k. W wl. in h. W l. in A ll. in Ae	
112	$1{,}057^{100}$	248	I 346		15,6 W 16° l. in A, Ae sll. in Bzl.	
113			II 393			Li-Salz *Fp* 215—216° Pb-Salz *Fp* 109—110° Methylester *Fp* 54—55° Äthylester *Fp* 49—50°
114					unl. in k. W ll. in A, Ae, Chlf., Aceton, h. Bzl.	+ 10—20 mg Paraform + 1 ml H_2SO_4 → grüngelb + $HNO_3 \cdot H_2SO_4$ → intensiv grüngelb → orangegelb + konz. HCl + Chlorwasser → orange Hydrogenoxalat *Fp* 166° (Z.)
115		288	IX 615	vgl. Nr. 1218		
116		270 (Z.)	VI 447		swl. in W l. in A, Ae	Acetat *Fp* 35°
117		273 (739mm)	V 378		unl. in W l. in A ll. in Ae	
118		254 140 (15 mm)	V 356	Dampfdruck 100° 5,7 mm Hg	unl. in W l. in A ll. in Ae	

Lfd. Nr.	*Fp*	Name	Summenformel	Strukturformel	Mol.-Gewicht	Aggrega zustand Farbe
1	2	3	4	5	6	7
1119	74–75	4-Dimethylaminobenzaldehyd	$C_9H_{11}NO$	$(CH_3)_2N \cdot C_6H_4 \cdot CHO$	149,19	gelblich Blättche (W)
1120	74–76	Diacetylaminoazotoluol (Pellidol)	$C_{18}H_{19}N_3O_2$	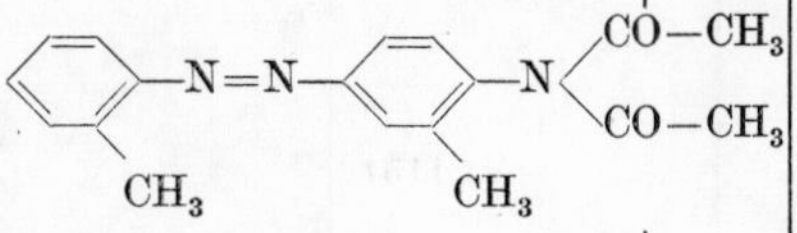	309,36	rote Krist.
1121	74,5	2,5-Dimethylphenol (p-Xylenol)	$C_8H_{10}O$	$(CH_3)_2C_6H_3 \cdot OH$	122,16	Krist. (A + Ae
1122	75	Blei(II)-acetat	$C_4H_6O_4Pb$	$(CH_3COO)_2Pb + 3\ H_2O$	325,30	Krist.
1123	75	trans-β-Dekalol II	$C_{10}H_{18}O$	$H_2C \cdot CH_2 \cdot CH \cdot CH_2 \cdot CH \cdot OH$ / $H_2C \cdot CH_2 \cdot CH \cdot CH_2 \cdot CH_2$	154,24	Prismer (PAe)
1124	75	Dibromzimtsäurebornylester (Adamon)	$C_{19}H_{24}Br_2O_2$	$C_6H_5 \cdot CHBr \cdot CHBr \cdot CO \cdot O \cdot C_{10}H_{17}$	444,21	weißes Krist.-Pulver
1125	75	2,3-Dimethylphenol (vic. o-Xylenol)	$C_8H_{10}O$	$(CH_3)_2C_6H_3 \cdot OH$	122,16	Nadeln (W)
1126	75	3,5-Dinitro-o-xylol	$C_8H_8N_2O_4$	$(O_2N)_2C_6H_2(CH_3)_2$	196,16	Nadeln (A)
1127	75	Duridin (3-Amino-1,2,4,5-tetramethylbenzol)	$C_{10}H_{15}N$	$(CH_3)_4C_6H \cdot NH_2$	149,23	Krist.
1128	75	Guajacolglycerinäther (Guajamar)	$C_{10}H_{14}O_4$	$(HOCH_2)_2CH \cdot O \cdot C_6H_4 \cdot O \cdot CH_3$	198,21	weiße Krist.
1129	75	Isobehensäure	$C_{22}H_{44}O_2$	$C_{21}H_{43} \cdot COOH$	340,57	perlmutterglänzend Blättche (Eg ode PAe)
1130	75 (Z.)	Mycomycin [n-Trideca-tetraen-(3,5,7,8)-diin-(10,12)-säure]	$C_{13}H_{10}O_2$	$CH{:}CH \cdot CH{:}CH \cdot CH_2 \cdot COOH$ / $CH{:}C{:}CH \cdot C{:}C \cdot C{:}CH$	198,21	Krist.

Lfd. Nr.	Spez. Gewicht	Siedepunkt °C	Beilsteinzitat	Physikalische Konstanten und Eigenschaften	Löslichkeit	Reaktionen
	8	9	10	11	12	13
19		176 bis 177 (17 mm)	XIV 31	eutekt. Temp.: mit Azobenzol 42°, mit Benzil 49°	l. in W, A, Ae	Oxim *Fp* 144° Phenylhydrazon *Fp* 148° p-Nitrophenylhydrazon *Fp* 182° 2,4-Dinitrophenylhydrazon *Fp* 325°
20			E_1 XVI 322	eutekt. Temp.: mit Azobenzol 43°, mit Benzil 52°, mit Acetanilid 64°	swl. in W ll. in A, Ae l. in Säuren rot	+ konz. HNO_3 → rot → Erwärmen → bräunlichgelb alkohol. Lsg. + α-Naphthol + NH_3 → intensiv grün — dichroitisch rotbraun mit Zn u. HCl entfärbte Lsg. + Chlorwasser → intensiv violettrot; bei anschließender Indophenolreaktion mit viel NH_3 → langsam grün
21	$1{,}169^{15°}$	211,5	VI 494	mit Dampf flüchtig; sublimierbar; eutekt. Temp.: mit Azobenzol 48°, mit Benzil 48°	wl. in W l. in A, Ae	Pikrat *Fp* 81—82°, orange Krist. Benzoat *Fp* 61° 3,5-Dinitrobenzoat *Fp* 137,2° p-Diphenylylurethan *Fp* 162° α-Naphthylurethan *Fp* 173°
22	2,54		II 115	schmeckt metallisch; giftig	56 W 25°	
23		230 (746mm)	E_2 VI 74			Phenylurethan *Fp* 165°
24				geschmacklos	unl. in W ll. in h. A, Ae, Chlf.	
25		218	VI 480		wl. in W l. in A	+ $FeCl_3$ → blauviolett
26			V 369		unl. in W wl. in A ll. in Chlf., Bzl.	
27		261 bis 262	XII 1177	mit W-Dampf flüchtig	swl. in k. W ll. in organ. Lösungsmm.	Acetylderivat *Fp* 207°
28				bitterer Geschmack; geruchlos	l. in W	+ Fe-H_2SO_4 → olivgrün → stahlblau, beim Erwärmen Lsg. reinblau → grün
29			E_1 II 180			Li-Salz *Fp* 210° (Z.) Methylester *Fp* 54°, schimmernde Blättchen
30				$[\alpha]_D^{25}$ —130°		in alkal. Lsg. bei 27° → Isomycomycin *Fp* 140° (Z.), Nadeln

Lfd. Nr.	*Fp*	Name	Summen-formel	Strukturformel	Mol.-Gewicht	Aggrega zustan Farbe
1	2	3	4	5	6	7
1131	**75**	p-Nitrobenzoylchlorid	$C_7H_4ClNO_3$	$O_2N \cdot C_6H_4 \cdot COCl$	185,57	Nadeln (Lg)
1132	**75**	β-Naphtholmethyläther (Nerolin)	$C_{11}H_{10}O$	$C_{10}H_7 \cdot O \cdot CH_3$	158,19	Blättch (Ae)
1133	**75**	Phthalid	$C_8H_6O_2$	$C_6H_4 \langle {CH_2 \atop CO} \rangle O$	134,13	Nadeln o Tafeln (W)
1134	**75**	d-Sorbit (wasserhaltig) (Compral; Sionon)	$C_6H_{14}O_6$	$HOCH_2 \cdot (CHOH)_4 \cdot CH_2OH + {}^1/_2\, H_2O$	191,18	weiße Krist.
1135	**75—76**	8-Hydroxychinolin (Oxin)	C_9H_7NO	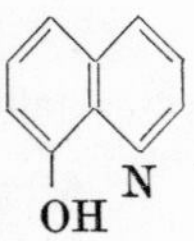	145,15	Prismen (verd. A
1136	**75—76**	Thioacetanilid	C_8H_9NS	$CH_3 \cdot CS \cdot NH \cdot C_6H_5$	151,23	Nadeln (W)
1137	**75—76**	Trichloräthylurethan + Trichlorisopropylalkohol (Voluntal + Isopral)		$OC \langle {NH_2 \atop O \cdot CH_2 \cdot CCl_3} + {CH_3 \atop H} \rangle C \langle {OH \atop CCl_3}$	345,88	weiße Krist.
1138	**76**	Benzylquecksilberbenzoat	$C_{14}H_{12}HgO_2$	$C_6H_5 \cdot COO \cdot Hg \cdot CH_2 \cdot C_6H_5$	412,85	Blättche
1139	**76**	Diacetylmonoxim	$C_4H_7NO_2$	$CH_3 \cdot CO \cdot C(:N \cdot OH) \cdot CH_3$	101,10	Blättche (W)
1140	**76**	3,4-Dichloracetophenon	$C_8H_6Cl_2O$	$Cl_2C_6H_3 \cdot CO \cdot CH_3$	189,04	Nadeln (PAe)
1141	**76**	α,α′-Distearin (Glycerin-α,α′-distearat)	$C_{39}H_{76}O_5$	$HO \cdot CH \langle {CH_2 \cdot O \cdot CO \cdot C_{17}H_{35} \atop CH_2 \cdot O \cdot CO \cdot C_{17}H_{35}}$	624,99	Blättche (Lg) Nadeln (Chlf.

Lfd. Nr.	Spez. Gewicht	Siedepunkt °C	Beilsteinzitat	Physikalische Konstanten und Eigenschaften	Löslichkeit	Reaktionen
	8	9	10	11	12	13
131		150 bis 152 (15 mm)	IX 394	eutekt. Temp.: mit Azobenzol 32°, mit Benzil 42°		
132		271	VI 640	eutekt. Temp.: mit Azobenzol 46°, mit Benzil 50°; mit Dampf flüchtig; riecht nach Orangenblüten	unl. in W wl. in A ll. in Ae	Pikrat *Fp* 108°
133		290	XVII 310	Dampfdruck 150° 12,9 mm Hg	l. in sd. W ll. in A, Ae	
134			I 533	eutekt. Temp.: mit Azobenzol 59°, mit Benzil 56°; schmeckt süß	l. in W	wss. Lsg. + wenig $CuSO_4$-Lsg. + 2n-Lauge → blau, + einige Tropfen n/10 $KMnO_4$-Lsg. → tiefgrün → braun; bei gelindem Erhitzen → rotes Kupferoxydul Triacetonderivat *Fp* 45° Hexaacetat *Fp* 99°
135		266,6	XXI 91	eutekt. Temp.: mit Azobenzol 47°, mit Benzil 54°; riecht phenolartig; wirkt antiseptisch	swl. in k. W ll. in A, Essigester wl. in Ae ll. in verd. Alkali	Erwärmen mit CH_3Cl u. NaOH → grün; + H_2SO_4 → grüngelb 1 Tropfen gesättigte Lsg. der Subst. in ca. 80%ig. Essigsäure auf Filtrierpapier bringen, in die Mitte mit Kapillare verd. $CuSO_4$-Lsg. + 1 Tropfen 25%ig. KCN-Lsg. → himbeerrot Pikrat *Fp* 204° Styphnat *Fp* 193° Jodmethylat *Fp* 143° (Z.)
136		Z.	XII 245		l. in NaOH	
137				bitterer Geschmack		heiß bereitete, abgekühlte wss. Lsg. + alkoholische HgJ_2-Lsg. → weiße Flocken bei Erhitzen → Hg-Abscheidung
138						
139		185 bis 186	I 772		l. in W ll. in A, Ae l. in Alkali gelb	+ Alkali → gelb
140		135 (12 mm)	E_2 VII 219		unl. in W wl. in A l. in Bzl., Toluol	
141			II 381			

Lfd. Nr.	*Fp*	Name	Summenformel	Strukturformel	Mol.-Gewicht	Aggregatzustand Farbe
1	2	3	4	5	6	7
1142	76	Methylpropylcarbinol-carbaminsäureester (Hedonal)	$C_6H_{13}NO_2$	$CO\cdot NH_2$ / $O{-}CH\langle(CH_3)(C_3H_7)$	131,17	weiße Nadeln
1143	76	Pentabromaceton	C_3HBr_5O	$CBr_3\cdot CO\cdot CHBr_2$	452,62	Nadeln (A)
1144	76	Phenylessigsäure (α-Toluylsäure)	$C_8H_8O_2$	$C_6H_5\cdot CH_2\cdot COOH$	136,14	weiße Schuppe
1145	76	Äthan-$\alpha,\alpha,\beta,\beta$-tetracarbonsäuretetraäthylester	$C_{14}H_{22}O_8$	$CH(CO\cdot OC_2H_5)_2$ / $CH(CO\cdot OC_2H_5)_2$	318,32	Prismen
1146	76	Trional (Methylsulfonal)	$C_8H_{18}O_4S_2$	$(CH_3)(C_2H_5)\rangle C(SO_2\cdot C_2H_5)_2$	242,36	Tafeln (A)
1147	76—77	d-3(α)-Bromcampher	$C_{10}H_{15}BrO$	$C_8H_{14}\langle(CO)(CHBr)$	231,14	weiße Prismen (A)
1148	76,5	Tribenzoin	$C_{24}H_{20}O_6$	$(C_6H_5\cdot COO\cdot CH_2)_2CH\cdot O\cdot CO\cdot C_6H_5$	404,40	Nadeln (Methanol)
1149	77	Arachinsäure (Eikosansäure)	$C_{20}H_{40}O_2$	$CH_3\cdot(CH_2)_{18}\cdot COOH$	312,52	Blättcher
1150	77	3-Chlor-1,2-dinitrobenzol	$C_6H_3ClN_2O_4$	$Cl\cdot C_6H_3(NO_2)_2$	202,56	Krist. (Ae)

Lfd. Nr.	Spez. Gewicht	Siedepunkt °C	Beilsteinzitat	Physikalische Konstanten und Eigenschaften	Löslichkeit	Reaktionen
	8	9	10	11	12	13
142				eutekt. Temp.: mit Azobenzol 53°, mit Benzil 63°; Geschmack campherartig; fast geruchlos; beim Kochen mit 2n-HCl → campherartiger Geruch	wl. in W l. in A, Ae	+ konz. H_2SO_4 löst sich ohne Gasentwicklung (Unterschied vom Aponal); nach Zusatz von Paraform erwärmt → Lsg. orange bis braunrot und grüne Fluoreszenz
143		265,5	I 659	sublimierbar; mit Dampf flüchtig; riecht durchdringend	unl. in W ll. in A, Ae	
144	$1{,}0809^{80°}$	144 (12 mm) 157,2 (20 mm)	IX 431	$n_\alpha^{78,8}$ 1,50246; eutekt. Temp.: mit Azobenzol 49°, mit Benzil 57°; Dampfdruck 100° 3,2 mm Hg; kryoskop. Konst. 9,0; eigenartiger, schwacher Geruch	1,80 W 25° ll. in A, Ae	+ Paraform-Schwefelsäure löst orangegelb; Lsg. wird rasch braunrot und zeigt intensive rotbraune Fluoreszenz p-Nitrobenzylester *Fp* 65° Phenacylester *Fp* 50° p-Bromphenacylester *Fp* 89° Amid *Fp* 154° Anilid *Fp* 117° p-Toluidid *Fp* 136°
145		305 (Z.) 200 bis 210 (8 mm)	II 858	eutekt. Temp.: mit Azobenzol 51°, mit Benzil 57°	. in A, Ae, Lg.	
146			I 671	eutekt. Temp.: mit Azobenzol 49°, mit Benzil 55°; bitterer Geschmack	0,32 in k. W 5,7 A 15° 6,4 Ae	im Glührohr mit Holzkohle geglüht → Mercaptangeruch
147	1,452	274 (Z.)	VII 120	$[\alpha]_D^{10}$ +139° (A); eutekt. Temp.: mit Azobenzol 39°, mit Benzil 49°, mit Acetanilid 63°; kryoskop. Konst. 11,87; mit Dampf flüchtig	schwerl. in W, Lauge und Säure 12 A 15° 130 A 50° ll. in Ae sll. in Chlf.	+ Paraform-Schwefelsäure beim Erhitzen braunrot, fluoresziert grün Lsg. in Eisen-Schwefelsäure beim Erhitzen → grüngelb → bräunlichviolett → violett
148	$1{,}228^{12°}$	Z.	IX 140	eutekt. Temp.: mit Azobenzol 47°, mit Benzil 58°	sll. in sd. A, Ae, Bzl.	
149		328 (Z.)	II 389	mol. Verbrennungswärme 3025,8 cal	unl. in W wl. in A ll. in Ae	Methylester *Fp* 54,5° Äthylester *Fp* 50° Phenacylester *Fp* 86° p-Bromphenacylester *Fp* 89° Amid *Fp* 108° Anilid *Fp* 96°
150			E_1 V 137		ll. in A, Ae	

Lfd. Nr.	Fp	Name	Summen-formel	Strukturformel	Mol.-Ge-wicht	Aggregat-zustand Farbe
1	2	3	4	5	6	7
1151	77	Bourbonal („Äthyl-vanillin", 3-Äthoxy-4-hydroxybenz-aldehyd)	$C_9H_{10}O_3$	OC_2H_5 $HO \cdot \langle \rangle \cdot CHO$	166,17	Kristall-schuppen
1152	77	N,N'-Diäthylthio-harnstoff	$C_5H_{12}N_2S$	$C_2H_5 \cdot NH \cdot CS \cdot NH \cdot C_2H_5$	132,23	Krist.
1153	77	Tetrolsäure	$C_4H_4O_2$	$CH_3 \cdot C:C \cdot COOH$	84,07	Tafeln (Ae)
1154	77	m-Xylylenbromid	$C_8H_8Br_2$	$C_6H_4(CH_2Br)_2$	263,98	Nadeln (Chlf.)
1155	77—78	4-Phenylpyridin	$C_{11}H_9N$	$C_5H_4N \cdot C_6H_5$	155,19	Blättchen (W)
1156	77—78	Vitamin A$_2$-aldehyd (Retinin$_2$)	$C_{20}H_{26}O$	H_3C CH_3 CH_3 $-CH:CH \cdot C:CH$ $-CH_3$ CH_3 $CH:CH \cdot C:CH \cdot CHO$	282,41	rote Krist. (PAe)
1157	77,5	1,6-Naphthylendiamin	$C_{10}H_{10}N_2$	$H_2N \cdot C_{10}H_6 \cdot NH_2$	158,19	Nadeln
1158	77,5	3-Nitro-p-toluidin (NH$_2$ = 1)	$C_7H_8N_2O_2$	$CH_3 \cdot C_6H_3(NO_2) \cdot NH_2$	152,15	gelbe Nadeln (W)
1159	78	Acetylurethan (Acetyl-carbamidsäureäthyl-ester)	$C_5H_9NO_3$	$CH_3 \cdot CO \cdot NH \cdot CO \cdot OC_2H_5$	131,13	Krist.
1160	78	3-Chloracetanilid	C_8H_8ClNO	$CH_3 \cdot CO \cdot NH \cdot C_6H_4 \cdot Cl$	169,61	Nadeln
1161	78	3-Diäthylaminophenol	$C_{10}H_{15}NO$	$(C_2H_5)_2N \cdot C_6H_4 \cdot OH$	165,23	rhomb. Krist. (CS$_2$ + Ligroin)
1162	78	Dibenzoylmethan	$C_{15}H_{12}O_2$	$C_6H_5 \cdot CO \cdot CH_2 \cdot CO \cdot C_6H_5$	224,25	Tafeln (A + Ae)
1163	78	Kohlensäurediphenyl-ester	$C_{13}H_{10}O_3$	$O:C(\cdot O \cdot C_6H_5)_2$	214,21	Nadeln (A)
1164	78	Lactamid (Milchsäureamid)	$C_3H_7NO_2$	$CH_3 \cdot CH(OH) \cdot CO \cdot NH_2$	89,09	Prismen (A)
1165	78	Tetrahydro-p-chinon (Cyclohexan-1,4-dion)	$C_6H_8O_2$	$OC \langle \begin{array}{c} CH_2 \cdot CH_2 \\ CH_2 \cdot CH_2 \end{array} \rangle CO$	112,12	Tafeln (W)
1166	78	2,4,6-Trichloranilin	$C_6H_4Cl_3N$	$Cl_3C_6H_2 \cdot NH_2$	196,47	Nadeln (Lg.)

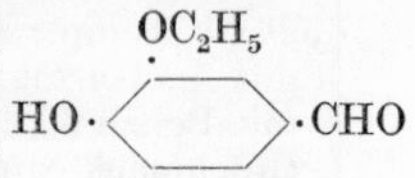

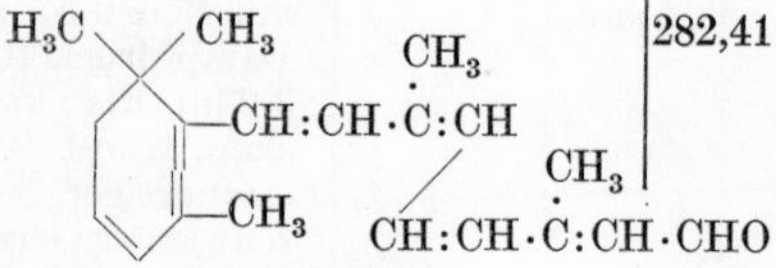

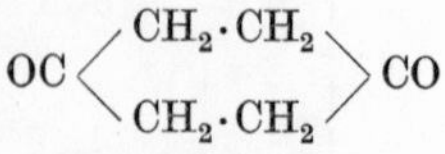

Lfd. Nr.	Spez. Gewicht	Siedepunkt °C	Beilsteinzitat	Physikalische Konstanten und Eigenschaften	Löslichkeit	Reaktionen
	8	9	10	11	12	13
151			VIII 256	eutekt. Temp.: mit Azobenzol 52°, mit Benzil 58°; vanilleartiger Geruch	wl. in W l. in A, Ae	+ $FeCl_3$ → blau, erwärmen auf 60° → gelb + Hydrazinsulfat u. HCl → gelber Nd.
152			IV 118		l. in W, A	
153		203	II 479	sublimierbar	ll. in W, A, Ae	Zers. bei 211°
154	$1{,}959^{0°}$	137 (20 mm)	V 374		unl. in W l. in A ll. in Ae	
155		274 bis 275	XX 424		l. in h. W ll. in A, Ae	Pikrat *Fp* 195–196°
156				λ_{max} in Cyclohexan 386 mμ; sehr O_2-empfindlich	wl. in PAe l. in A, Chlf.	2,4-Dinitrophenylhydrazon *Fp* 197°
157			XIII 204		ll. in W, A, Bzl.	
158			XII 996		wl. in k. W ll. in h. A, Ae	Hydrochlorid *Fp* 230–240° Acetylderivat *Fp* 148,5°
159		205 bis 215	III 26		l. in W, A	
160			XII 604		ll. in A, Ae, Bzl., CS_2	
161		276 bis 280	XIII 408			
162		220 (18 mm)	VII 769		unl. in W 4,43 A 20° ll. in Ae, NaOH	+ $Fe(NO_3)_3$ in A → rotviolett Cu-Salz *Fp* 325°, grüne Nadeln Semicarbazon *Fp* 205°
163	$1{,}272^{14°}$	301 bis 302	VI 158		unl. in W ll. in h. A, Ae, Eisessig	
164			III 283	eutekt. Temp.: mit Azobenzol 66°, mit Benzil 73°	ll. in W, A	
165		subl. 100°	VII 556		ll. in W, A, Ae	
166		262	VII 627		ll. in A, Ae, CS_2	Pikrat *Fp* 83° Acetylderivat *Fp* 206° Benzoylderivat *Fp* 174°

Lfd. Nr.	*Fp*	Name	Summen-formel	Strukturformel	Mol.-Gewicht	Aggregatzustand Farbe
1	2	3	4	5	6	7
1167	78	Wismuttriphenyl	$C_{18}H_{15}Bi$	$(C_6H_5)_3Bi$	440,30	Säulen (A)
1168	78 bis 78,5	Cerotinsäure	$C_{26}H_{52}O_2$	$C_{25}H_{51}\cdot COOH$	396,68	Krist.-Nadeln (Ae)
1169	78—79	Methadon [Polamidon, 6-Dimethylamino-4,4-diphenylheptanon-(3)]	$C_{21}H_{27}NO$	$CH_3\cdot CH_2\cdot CO\cdot C(C_6H_5)_2\cdot CH_2\cdot CH(CH_3)\cdot N(CH_3)_2$	309,43	Krist.
1170	78—79	Glykolsäure (Hydroxyessigsäure)	$C_2H_4O_3$	$HO\cdot CH_2\cdot COOH$	76,05	Nadeln (W) Blättchen (A)
1171	78—79	α-Monopalmitin (Glycerin-α-palmitat)	$C_{19}H_{38}O_4$	$C_{15}H_{31}\cdot CO\cdot O\cdot CH_2\cdot CH(OH)\cdot CH_2OH$	330,13	Tafeln (Bzl.)
1172	78,4	Allylthioharnstoff (Thiosinamin)	$C_4H_8N_2S$	$CH_2{:}CH\cdot CH_2\cdot NH\cdot CS\cdot NH_2$	116,19	Krist.
1173	79	Cerylalkohol	$C_{26}H_{54}O$	$CH_3\cdot(CH_2)_{24}\cdot CH_2OH$	382,43	Nadeln (A)
1174	79	Diacetamid	$C_4H_7NO_2$	$(CH_3\cdot CO)_2NH$	101,10	Nadeln (Ae)

Lfd. Nr.	Spez. Gewicht	Siedepunkt °C	Beilsteinzitat	Physikalische Konstanten und Eigenschaften	Löslichkeit	Reaktionen
	8	9	10	11	12	13
167	1,585$^{20°}$	242 (14 mm)	XVI 898		wl. in k. A l. in Ae ll. in Chlf.	
168	0,836$^{79°}$		II 394		ll. in sd. A ∼20 sd. Ae	Pb-Salz *Fp* 112,5—113,5°, Nadeln Mg-Salz *Fp* 174—176°, Pulver Chlorid *Fp* 47° Methylester *Fp* 60° Cerylester *Fp* 82° Amid *Fp* 109°
169				bitterer Geschmack	l. in W, A, Chlf.	+ Lugolsche Lsg. → brauner Nd. → farbl. Krist. Hydrochlorid *Fp* 236°
170		Z.	III 228	nicht flüchtig	l. in W, A, Ae, Bzl.	1. wss. Lsg. + $Fe(NO_3)_3$-Lsg. → zitronengelb 2. 1 mg Subst. in Lsg. von 5 mg β-Naphthol in 1 ml H_2SO_4 beim Erhitzen in sd. W-Bad → rote, intensiv grün fluoreszierende Lsg.; mit α-Naphthol → braunorange Lsg., gelbgrün fluoreszierend 3. einige mg Subst. oder 1 Tropfen wss. Lsg. mit 0,2 ml W u. 2 ml konz. H_2SO_4 über kleiner Flamme erhitzen, nach Erkalten + 1 Tropfen 5%ige alkoh. Kodein-Lsg. → violett (mit Guajacol an Stelle von Kodein → rosen- bis himbeerrot) p-Nitrobenzylester *Fp* 107° p-Nitrophenacylester *Fp* 138° Amid *Fp* 120° Anilid *Fp* 96°
171			II 373			
172	1,110$^{78°}$		IV 211	$n_\alpha^{78,1}$ 1,59362; eutekt. Temp.: mit Azobenzol 66°, mit Benzil 64°; bitterer Geschmack	3 W 0° ll. in h. W l. in A wl. in Ae	verd. Jodlsg. wird entfärbt; starke Jodlsg. fällt Perjodid + Paraform-H_2SO_4 beim Erwärmen → orange bis braun mit grüner Fluoreszenz + Nitroprussidnatrium in alkal. Lsg. → gelb
173		Z.	I 432			Erhitzen mit Natronkalk → Cerotinsäure, *Fp* 78—78,5° Acetat *Fp* 63,5°
174		216 bis 218 121 (20 mm)	II 81	Dampfdruck 100° 6,2 mm Hg	ll. in W l. in A, Ae	

Lfd. Nr.	*Fp*	Name	Summen-formel	Strukturformel	Mol.-Ge-wicht	Aggrega-zustand Farbe
1	2	3	4	5	6	7
1175	**79**	Di-p-tolylamin	$C_{14}H_{15}N$	$(CH_3 \cdot C_6H_4)_2NH$	197,27	Nadeln
1176	**79**	Hexachlordimethyl-carbonat (Triphosgen)	$C_3Cl_6O_3$	$O:C(\cdot O \cdot CCl_3)_2$	296,77	weiße Krist.-Masse
1177	**79**	*β*-Naphthalinsulfo-chlorid	$C_{10}H_7ClO_2S$	$C_{10}H_7 \cdot SO_2Cl$	226,68	Blättchen (Bzl. + PAe)
1178	**79**	3-Nitro-p-kresol (OH = 1)	$C_7H_7NO_3$	$CH_3 \cdot C_6H_3(NO_2) \cdot OH$	153,13	gelbe Prismen (Ae)
1179	**79**	2-Nitronaphthalin	$C_{10}H_7NO_2$	$C_{10}H_7 \cdot NO_2$	173,16	Tafeln oder Nadeln (A)
1180	**79**	*α*-Hydroxyisobutter-säure	$C_4H_8O_3$	$(CH_3)_2C(OH) \cdot COOH$	104,10	Prismen
1181	**79**	Propionamid	C_3H_7NO	$C_2H_5 \cdot CO \cdot NH_2$	73,12	Tafeln (Bzl.)
1182	**79**	Triphenylphosphin	$C_{18}H_{15}P$	$(C_6H_5)_3P$	262,28	Tafeln oder Prismen (Ae)
1183	**79—80**	2-Aminodiphenylamin	$C_{12}H_{12}N_2$	$H_2N \cdot C_6H_4 \cdot NH \cdot C_6H_5$	184,23	Nadeln (W)
1184	**79—80**	Nitroacetaldoxim (Methazonsäure)	$C_2H_4N_2O_3$	$O_2N \cdot CH_2 \cdot CH:N \cdot OH$	104,07	Tafeln (Chlf. od Ae)
1185	**80**	Ammoniumcyanat	CH_4N_2O	NH_4CNO	60,06	Nadeln
1186	**80**	Benzamidin	$C_7H_8N_2$	$C_6H_5 \cdot C(:NH) \cdot NH_2$	120,15	Krist.
1187	**80**	Benzamidoxim	$C_7H_8N_2O$	$C_6H_5 \cdot C(:NOH) \cdot NH_2$	136,15	Prismen (W)
1188	**80**	Cephaelin	$C_{28}H_{38}N_2O_4$	$C_{25}H_{28}N_2(OCH_3)_3(OH)$	466,60	weiße Nadeln
1189	**80**	2,4-Dibromanilin	$C_6H_5Br_2N$	$Br_2C_6H_3 \cdot NH_2$	250,94	Nadeln oder Blättchen (A)

Lfd. Nr.	Spez. Gewicht	Siedepunkt °C	Beilsteinzitat	Physikalische Konstanten und Eigenschaften	Löslichkeit	Reaktionen
	8	9	10	11	12	13
75		330,5	XII 907			
76	1,6	205 124 (50 mm)	III 17	leicht flüchtig; Phosgengeruch	ll. in A, Ae unl. in W	
77		201 (13 mm)	XI 173		unl. in W l. in Bzl., Chlf.	
78			VI 411		wl. in k. W ll. A, Ae l. in Bzl.	
79		182 (14 mm)	V 555	riecht zimtartig; flüchtig mit Dampf	unl. in W ll. in A, Ae	
80		212	III 313	mit Dampf flüchtig; hygroskopisch; sublimiert	ll. in W, A, Ae	+ $FeCl_3$ → intensiv gelb
81	1,042	213 119 (20 mm)	II 243	n_α 1,42667; Dampfdruck 100° 6,2 mm Hg; eutekt. Temp.: mit Azobenzol 66°, mit Benzil 71°	ll. in W, A, Ae, Chlf. l. in Bzl.	
82	1,194°	>360	XVI 759		unl. in W l. in A ll. in Ae l. in H_2SO_4	
83			XIII 16		wl. in k. W ll. in Bzl., Chlf.	Acetylderivat *Fp* 158° Benzoylderivat *Fp* 203°
84			I 627	wss. Lsg. reagiert stark sauer; zersetzt sich allmählich; explodiert bei 110°	ll. in W, A, Ae	
85			III 34		sll. in W	über 80° → Harnstoff
86		Z.	IX 280		zll. in W ll. in A wl. in Ae	beim Aufbewahren → Benzamid + NH_3
87		Z. 170	IX 304		wl. in k. W ll. in A, Ae, Bzl.	
88				$[\alpha]_D^{15}$ −21,2°; bitterer Geschmack; reagiert stark basisch	swl. in W l. in Essigsäure, verd. HCl, verd. H_2SO_4 ll. in A, Chlf., Aceton wl. in Ae	+ $FeCl_3$ in alkohol. Lsg. → braun → blaugrün
89	$2,260^{20°}$	156 (24 mm)	XII 655		l. in A, Laugen	Pikrat *Fp* 124° Acetylderivat *Fp* 146° Benzoylderivat *Fp* 134° p-Tolylsulfonylderivat *Fp* 134°

Lfd. Nr.	*Fp*	Name	Summen-formel	Strukturformel	Mol.-Gewicht	Aggrega zustan Farbe
1	2	3	4	5	6	7
1190	**80**	4,4′-Diaminodiphenyl-disulfid	$C_{12}H_{12}N_2S_2$	$H_2N \cdot C_6H_4 \cdot S \cdot S \cdot C_6H_4 \cdot NH_2$	248,35	Nadeln (verd.
1191	**80**	Dihydroxyaceton (α,γ-Dihydroxy-β-oxopropan)	$C_3H_6O_3$	$HO \cdot CH_2 \cdot CO \cdot CH_2 \cdot OH$	90,08	Krist. (Aceton
1192	**80**	Chlorphenesin (Geco-phen, α,β-Dihydroxy-γ-[p-chlorphenoxy)-propan)	$C_9H_{11}ClO_3$	$Cl \cdot C_6H_4 \cdot O \cdot CH_2 \cdot CH(OH) \cdot CH_2OH$	202,64	Krist.
1193	**80**	Metaldehyd				Nadeln od. tetra gonale Prismen
1194	**80**	Durol (1,2,4,5-Tetra-methylbenzol)	$C_{10}H_{14}$	$C_6H_2(CH_3)_4$	134,21	Blättche
1195	**80**	α-Truxillin	$C_{38}H_{46}N_2O_8$		658,76	
		$CH_3 \cdot NC_7H_{10}(CO_2 \cdot CH_3) \cdot O \cdot CO \cdot HC{-}CH \cdot C_6H_5$ / $C_6H_5 \cdot HC{-}CH \cdot CO \cdot O \cdot (CH_3 \cdot O_2C)C_7H_{10}N \cdot CH_3$				
1196	**80 bis 80,5**	Lignocerinsäure	$C_{24}H_{48}O_2$	$C_{23}H_{47} \cdot COOH$	368,62	Nadeln (A oder Eg.)
1197	**80,4**	Naphthalin	$C_{10}H_8$	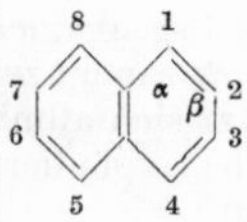	128,16	Tafeln (A)
1198	**80,8**	2,4,6-Trinitrotoluol	$C_7H_5N_3O_6$	$(O_2N)_3C_6H_2 \cdot CH_3$	227,13	Krist. (A)
1199	**81**	Benzoylacetonitril	C_9H_7NO	$C_6H_5 \cdot CO \cdot CH_2 \cdot CN$	145,15	Blättche (W)

Lfd. Nr.	Spez. Gewicht	Siedepunkt °C	Beilsteinzitat	Physikalische Konstanten und Eigenschaften	Löslichkeit	Reaktionen
	8	9	10	11	12	13
190			XIII 536	Lsgg. sind gelb	wl. in W ll. in A, Ae	
191			I 846	schmeckt süß; kühlend	ll. in W wl. in k. A, k. Ae	Methylphenylosazon *Fp* 145°, gelbliche Nadeln 2,4-Dinitrophenylhydrazon *Fp* 163—164°, gelbe Nadeln
192				Lsg. neutral u. stabil		
193			I 602		unl. in W l. in A, Bzl.	
194	$0{,}833^{81°}$	192	V 431	$n_F^{81,3}$ 147,3; mit Dampf flüchtig; riecht campherartig	unl. in W ll. in A, Ae	
195			XXII 202	linksdrehend; bitterer Geschmack	swl. in W, Ligroin ll. in A, Ae	
196			II 393			Li-Salz *Fp* 189—194° Pb-Salz *Fp* 117° Methylester *Fp* 57—57,5° Äthylester *Fp* 56° Phenacylester *Fp* 87—88° p-Bromphenacylester *Fp* 91°
197	$1{,}168^{22°}$	217,96	V 531	$n_D^{96,6}$ 1,58269; $n_R^{96,6}$ 44,37 cm^3; $n_F^{96,6}$ 286,9; Oberflächenspannung 80° 32,36 dyn/cm; Dampfdruck 100° 18,3 mm Hg; ebullioskop. Konst. 5,80; kryoskop. Konst. 6,9; eutekt. Temp.: mit Azobenzol 42°, mit Benzil 52°, mit Acetanilid 74°; mit Dampf flüchtig; sublimiert bei 80°	0,003 W 25° 9,5 A 19,5° 80 A 60° 500 A 70° ll. in Ae 59,25 Bzl. 21° 750 Bzl. 70°	beim Erwärmen mit frisch sublimiertem $AlCl_3$ → grünblau bis violett 1—2 mg Subst. + (1 Vol. $SbCl_5$ in 2 Vol. CCl_4) → gelbbraun → dunkellila Pikrat *Fp* 151,5° Styphnat *Fp* 168° 1,3,5-Trinitrobenzolat *Fp* 153°
198	1,654		V 347	eutekt. Temp.: mit Azobenzol 51°, mit Benzil 47°	1,64 W 22° 10 A 88° ll. in Ae	
199			X 680		wl. in k. W ll. in A, Ae sll. in Chlf. l. in Laugen	Erwärmen mit alkoh. HCl → Äthylbenzoat

Lfd. Nr.	*Fp*	Name	Summen-formel	Strukturformel	Mol.-Ge-wicht	Aggrega zustand Farbe
1	2	3	4	5	6	7
1200	81	p-Brombenzoesäure-methylester	$C_8H_7BrO_2$	$Br \cdot C_6H_4 \cdot CO \cdot OCH_3$	215,52	Nadeln
1201	81	α-Naphthylurethan (α-Naphthylcarb-aminsäureäthylester)	$C_{13}H_{13}NO_2$	$C_{10}H_7 \cdot NH \cdot CO \cdot OC_2H_5$	191,22	Krist.
1202	81	3-Hydroxymethylen-d-campher	$C_{11}H_{16}O_2$	C_8H_{14} < CO | C:CH·OH	180,24	Prismen (PAe)
1203	81	10-Hydroxystearin-säure	$C_{18}H_{36}O_3$	$CH_3 \cdot (CH_2)_7 \cdot CH \cdot (CH_2)_8 \cdot COOH$ OH	300,47	Tafeln (A)
1204	81	Thio-β-naphthol (β-Naphthylmer-captan)	$C_{10}H_8S$	$C_{10}H_7 \cdot SH$	160,23	Schuppe (A)
1205	81—82	Äthylenjodid	$C_2H_4J_2$	$CH_2J \cdot CH_2J$	281,89	Tafeln (Ae)
1206	81—82	2,3,5,6-Tetramethyl-pyridin	$C_9H_{13}N$	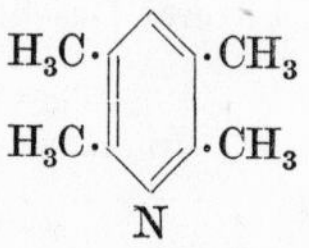	135,20	Blättche oder Prismen (Ae)
1207	81—82	α-Monostearin (Gly-cerin-α-monostearat)	$C_{21}H_{42}O_4$	$C_{17}H_{35} \cdot CO \cdot OCH_2 \cdot CH \cdot OH$ CH_2OH	358,55	Tafeln (Me-thanol)
1208	81,5	Vanillin (3-Methoxy-4-hydroxybenz-aldehyd)	$C_8H_8O_3$	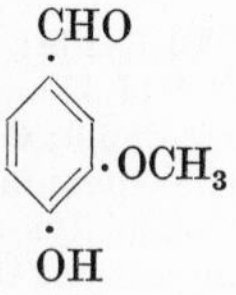	152,14	weiße Nadeln (W)
1209	82	Palmiton	$C_{31}H_{62}O$	$C_{15}H_{31} \cdot CO \cdot C_{15}H_{31}$	450,81	Blättchen (A)
1210	82	Acetamid	C_2H_5NO	$CH_3 \cdot CO \cdot NH_2$	59,07	Prismen

fd. Nr.	Spez. Gewicht	Siedepunkt °C	Beilsteinzitat	Physikalische Konstanten und Eigenschaften	Löslichkeit	Reaktionen
	8	9	10	11	12	13
00			IX 352	eutekt. Temp.: mit Azobenzol 46°, mit Benzil 56°		
01			XII 1236	eutekt. Temp.: mit Azobenzol 53°, mit Benzil 50°		
02		251	VII 591	mit Dampf flüchtig	wl. in W ll. in A, Ae l. in Alkali	+ $Fe(NO_3)_3$ → rotviolette Färbung
03		Z.	III 365		unl. in W 9,63 A 20° 2,35 Ae 20°	Phenylhydrazid *Fp* 106–107° Diphenylhydrazid *Fp* 124 bis 125°
04		286 (Z.)	VI 657		wl. in W ll. in A, Ae	
05	$2{,}132^{10°}$	Z.	I 99		wl. in W l. in A	
06		197 bis 198	E_2 XX 166	angenehmer Geruch		Pikrat *Fp* 176° Jodmethylat *Fp* 178°
07			II 380		wl. in A l. in Ae, Lg.	
08		285 (in CO_2) 170 (15 mm)	VIII 247	charakteristischer Geruch u. Geschmack; sublimierbar ab 115°; eutekt. Temp.: mit Azobenzol 55°, mit Benzil 64°, mit Acetamid 61°	1 W 14° 5 W 80° ll. in A, Ae, Chlf., CS_2, Eg., Lauge	1. 0,1 g Subst. + 1 ml Eg. u. etwas H_2SO_4 → grünblau 2. Subst. + Aceton u. H_2SO_4 → grün, erwärmen → tiefrot 3. + $Fe(NO_3)_3$ → violettstichig blau 4. Lsg. von 1 mg β-Naphthol und 1 mg Vanillin in 1 ml konz. H_2SO_4 + $^1/_2$ Menge Wasser im zerstreuten Tageslicht undurchsichtig grün, im Auflicht blauviolette Lsg. Oxim *Fp* 117° Semicarbazon *Fp* 232° Acetat *Fp* 78° Phenylurethan *Fp* 116–117°
09			I 719			Oxim *Fp* 59°
10	1,159	221	II 175	kryoskop. Konst. 5,65; eutekt. Temp.: mit Azobenzol 66°, mit Benzil 77°	220 W 20° 850 W 60° 65 A 20° 370 A 60°	

Lfd. Nr.	*Fp*	Name	Summen-formel	Strukturformel	Mol.-Gewicht	Aggrega zustand Farbe
1	2	3	4	5	6	7
1211	82	5,6-Benzochinaldin	$C_{14}H_{11}N$	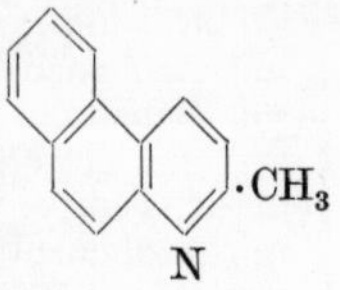	193,24	Nadeln (verd. A Tafeln (Ae)
1212	82	Benzylquecksilber-salicylat	$C_{14}H_{12}HgO_3$	$C_6H_5 \cdot CH_2 \cdot Hg \cdot O \cdot OC \cdot C_6H_4 \cdot OH$	428,85	Nadeln (Methyl alkohol
1213	82	Carbaminsäure-β,β'-dichlorisopropylester (Aleudrin)	$C_4H_7Cl_2NO_2$	$CO-NH_2$ / $O-CH<(CH_2Cl)(CH_2Cl)$	172,02	weiße Krist.
1214	82	2,6-Dinitro-p-kresol (OH = 1)	$C_7H_6N_2O_5$	$CH_3 \cdot C_6H_2(NO_2)_2 \cdot OH$	198,13	gelbe Nadeln (verd. A
1215	82	3,4-Dinitro-o-xylol	$C_8H_8N_2O_4$	$(O_2N)_2C_6H_2(CH_3)_2$	196,16	Nadeln (A)
1216	82	ω,ω-Diphenylfulven	$C_{18}H_{14}$	$CH:CH$ / $CH:CH$ $>C:C<$ C_6H_5 / C_6H_5	230,29	rote Tafeln od. Pris men(PA
1217	82	β-Jodpropionsäure	$C_3H_5JO_2$	$CH_2J \cdot CH_2 \cdot COOH$	199,98	Blättche (W)
1218	82	α-Methyl-trans-zimt-säure	$C_{10}H_{10}O_2$	$C_6H_5 \cdot C \cdot H$ ‖ $H_3C \cdot C \cdot COOH$	162,18	Tafeln (W, Ae
1219	82	3-Hydroxydiphenyl-amin	$C_{12}H_{11}NO$	$C_6H_5 \cdot NH \cdot C_6H_4 \cdot OH$	185,22	Blättche (W)
1220	82	2-Hydroxynaphthalde-hyd-(1)	$C_{11}H_8O_2$	$HO \cdot C_{10}H_6 \cdot CHO$	172,17	Prisme (A)
1221	82 (Z.)	β-Phenylhydroxylamin	C_6H_7NO	$C_6H_5 \cdot NH \cdot OH$	109,12	Nadeln (W)
1222	82–83	4-Amino-1,2,4-triazol	$C_2H_4N_4$	$HC—N \cdot NH_2$ / ‖ | / $N \cdot N:CH$	84,08	Nadeln (A)
1223	82–83	2-Hydroxyhydrozimt-säure (Hydro-o-cumarsäure)	$C_9H_{10}O_3$	$HO \cdot C_6H_4 \cdot CH_2 \cdot CH_2 \cdot COOH$	166,17	Krist. (W)
1224	82–83	Tetrahydrohumulon	$C_{21}H_{34}O_5$	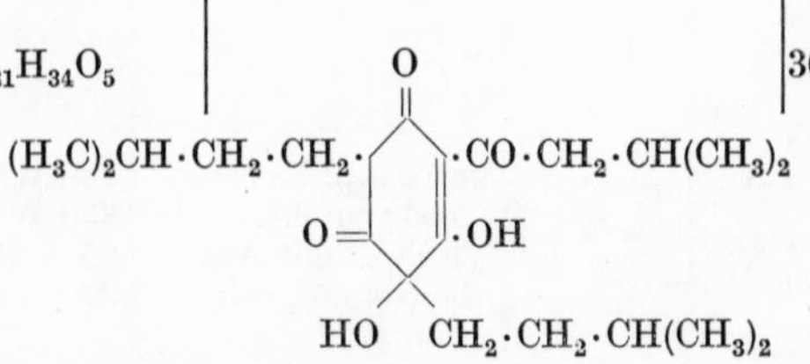	366,48	schwac gelblich Subst.

Lfd. Nr.	Spez. Gewicht	Siedepunkt °C	Beilstein-zitat	Physikalische Konstanten und Eigenschaften	Löslichkeit	Reaktionen
	8	9	10	11	12	13
211		>300	XX 471		wl. in W ll. in A, Ae	
212						
213			III 29	bitterer Geschmack; geruchlos	swl. in W ll. in A, Ae, Aceton	
214			VI 414		wl. in W l. in A ll. in Ae, Bzl.	
215			V 369		unl. in W wl. in A ll. in Ae	
216			V 696		unl. in W l. in Eg.	
217			II 261		8,0 W 25° ll. in A, Ae	Amid *Fp* 101°
218		288	IX 615	vgl. Nr. 1115	0,12 sd. W ll. in A, Ae, Bzl.	Anilid *Fp* 93°
219		340	XIII 410		wl. in W ll. in A, Ae	
220		192 (27 mm)	VIII 143		unl. in W l. in A, Ae	
221			XV 2		2 k. W 10 h. W ll. in A, Ae, Chlf.	Erhitzen → Azoxybenzol, Anilin, W; bildet in H_2SO_4 tiefblaue Farbstoffe
222			XXVI 16	hygroskopisch	l. in W, A wl. in Chlf.	Hydrochlorid *Fp* 153°
223		Z.	X 241		5 W 18° 109 W 40° ll. in A, Ae	Erhitzen → Lacton löst Fe unter H_2-Entwicklung
224					ll. in organ. Lösungsmm.	+ $FeCl_3$ → rotviolett + Pb-Acetat → gelbes Salz + Cu-Acetat → grüner, amorpher Nd.

Lfd. Nr.	*Fp*	Name	Summen-formel	Strukturformel	Mol.-Ge-wicht	Aggrega zustan Farbe
1	2	3	4	5	6	7
1225	**82—84**	α,α,β-Trichlorbutyr-aldehyd + Pyra-midon (Trigemin)		$C_4H_5Cl_3O + C_{13}H_{17}N_3O$	406,74	weiße Krist. (W)
1226	**82—84**	Vitamin D_3	$C_{27}H_{44}O$	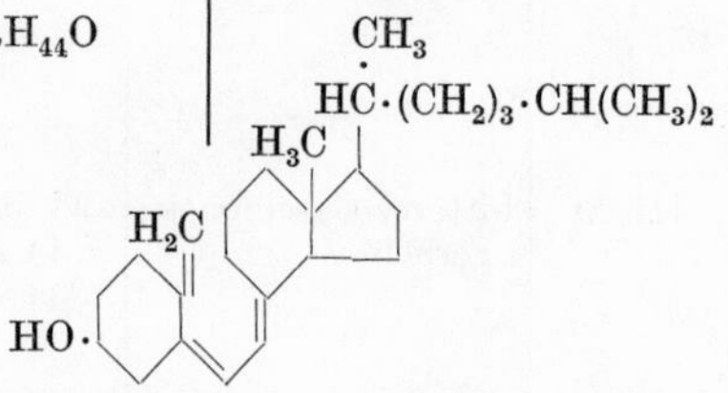	384,62	farblos Nadeln
1227	**82—85**	4-Nitro-o-kresol (OH = 1) [unstabile Form]	$C_7H_7NO_3$	$CH_3 \cdot C_6H_3(NO_2) \cdot OH$	153,13	gelbe Nadeln (W)
1228	**82,5 bis 83**	2-Hydroxyazobenzol	$C_{12}H_{10}N_2O$	$C_6H_5 \cdot N:N \cdot C_6H_4 \cdot OH$	198,22	orange-rote, blau-schim-mernde Nadeln (A)
1229	**83**	3-Aminotriphenyl-methan	$C_{19}H_{17}N$	$H_2N \cdot C_6H_4 \cdot CH(C_6H_5)_2$	259,33	Prismen (Ae)
1230	**83**	Jodessigsäure	$C_2H_3JO_2$	$CH_2J \cdot COOH$	185,96	Tafeln (W)
1231	**83**	Pikrylchlorid (2,4,6-Trinitrochlorbenzol)	$C_6H_2ClN_3O_6$	$Cl \cdot C_6H_2(NO_2)_3$	247,56	Nadeln (A, Ae, Ligroin)
1232	**83—84**	Benzolsulfinsäure	$C_6H_6O_2S$	$C_6H_5 \cdot SO_2H$	142,17	Prismen (W)
1233	**83—84**	Diosphenol (Bucco-campher)	$C_{10}H_{16}O_2$	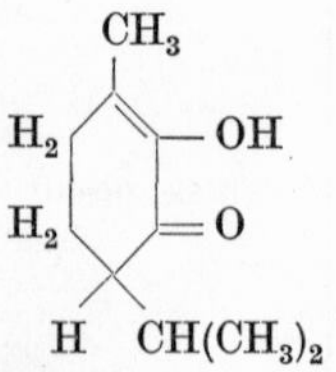	168,23	mono-kline Nadeln oder Prismen (A + Ae
1234	**83—86**	Aponal (Carbaminsäure-ester des tertiären Amylenhydrats	$C_6H_{13}NO_2$	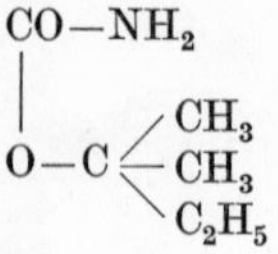	131,17	weiße Krist.

Lfd. Nr.	Spez. Gewicht	Siedepunkt °C	Beilsteinzitat	Physikalische Konstanten und Eigenschaften	Löslichkeit	Reaktionen
	8	9	10	11	12	13
225			XXV 453	Geruch schwach chlorartig; unangenehm bitter	65 W 2 A 10 Ae	+ α-Naphthol + konz. H_2SO_4, erwärmen → gelb, grün fluoreszierend + Guajacolcarbonat + H_2SO_4 → graublau + $SbCl_3$ in Chlf. → blau
226				$[\alpha]_D^{20}$ +83,3 (Aceton); Absorptionsminimum 265 mμ		3,5-Dinitrobenzoat *Fp* 128 bis 129° Allophanat *Fp* 73°
227			VI 366		swl. in W ll. in A, Ae	(vgl. Nr. 1383)
228			XVI 90	mit Dampf flüchtig	wl. in W ll. in A, Ae l. in Alkali	
229		248 (12 mm)	XII 1342			Acetylderivat *Fp* 168°
230			II 222			Amid *Fp* 95° Anilid *Fp* 143°
231	1,797$^{20°}$		V 273	eutekt. Temp.: mit Azobenzol 45°, mit Benzil 51°	swl. in W ll. in sd. A wl. in Ae	färbt Wolle orangerot, Seide orangegelb
232		>100 (Z.)	XI 2		wl. in k. W ll. in h. W, A, Ae	> 100° → Benzolsulfonsäure und Diphenyldisulfoxyd
233		232 109 bis 110 (10 mm)	VII 566	sublimierbar; riecht in der Wärme stechend u. mentholartig	l. in A, Ae	reduziert Fehlingsche Lsg. mit $FeCl_3$ → dunkelgrün Phenylurethan *Fp* 113° bei zweistündigem Erhitzen mit HCl (konz.) auf 150—180° → fast quantitativ Thymol
234				Geschmack schwach campherartig	unl. in W l. in A, Ae	+ H_2SO_4 → CO_2-Bildung + Paraform → langsame Gelbfärbung; gelinde erwärmen → orange-braunrot, grüne Fluoreszenz + alkohol. HgJ_2-Lsg. → gallertartige Flocken (langsam), schäumt beim Schütteln, beim Absitzen weiße feinpulvrige Trübung

Lfd. Nr.	*Fp*	Name	Summenformel	Strukturformel	Mol.-Gewicht	Aggrega zustan Farbe
1	2	3	4	5	6	7
1235	**83,5**	4-Chlor-1-nitrobenzol	$C_6H_4ClNO_2$	$Cl \cdot C_6H_4 \cdot NO_2$	157,56	Krist.
1236	**83,5**	2,4-Dinitro-m-xylol	$C_8H_8N_2O_4$	$(O_2N)_2C_6H_2(CH_3)_2$	196,16	Krist. (A)
1237	**83,5**	Histamin [4(5)-Amino-äthylimidazol; β-Imidazolyläthylamin]	$C_5H_9N_3$	$H_2N \cdot CH_2 \cdot CH_2 \cdot C$——N ‖ ⟩CH H·C—NH	111,15	Tafeln (Chlf.)
1238	**83,5**	β-Phenylglycidsäure	$C_9H_8O_3$	$C_6H_5 \cdot HC$——$CH \cdot COOH$ (über O verbrückt)	164,15	Prisme
1239	**83,5**	Terephthalylchlorid	$C_8H_4Cl_2O_2$	$C_6H_4(COCl)_2$	203,03	Nadeln (Ligroir
1240	84	2-Aminobenzylalkohol	C_7H_9NO	$H_2N \cdot C_6H_4 \cdot CH_2OH$	123,15	Nadeln (Bzl.)
1241	84	Behensäure (Dokosansäure)	$C_{22}H_{44}O_2$	$CH_3 \cdot (CH_2)_{20} \cdot COOH$	340,57	Nadeln
1242	84	Fluorenon	$C_{13}H_8O$	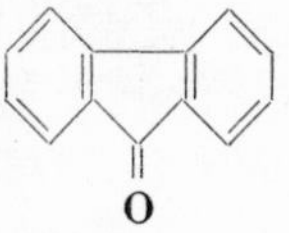	180,19	gelbe Krist.-Nadeln (A)
1243	84	Isoazoxybenzol	$C_{12}H_{10}N_2O$	$C_6H_5 \cdot N{:}\ddot{N} \cdot C_6H_5$ O	198,22	farblose Krist.
1244	84	p-Nitrosodiäthylanilin	$C_{10}H_{14}N_2O$	$ON \cdot C_6H_4 \cdot N(C_2H_5)_2$	178,23	grüne Prisme (Ae) Blättche (Aceton
1245	84	4-Hydroxydiphenyl-methan	$C_{13}H_{12}O$	$C_6H_5 \cdot CH_2 \cdot C_6H_4 \cdot OH$	184,23	Nadeln oder Blättche (A)
1246	84—85	β-Chloracrylsäure	$C_3H_3ClO_2$	$CHCl{:}CH \cdot COOH$	106,51	Blättche
1247	84—86	Sulfoessigsäure	$C_2H_4O_5S$	$HO_3S \cdot CH_2 \cdot COOH$	140,11	Krist.
1248	85	Acetessigsäureanilid	$C_{10}H_{11}NO_2$	$CH_3 \cdot CO \cdot CH_2 \cdot CO \cdot NH \cdot C_6H_5$	177,20	Blättche

Lfd. Nr.	Spez. Gewicht	Siedepunkt °C	Beilsteinzitat	Physikalische Konstanten und Eigenschaften	Löslichkeit	Reaktionen
	8	9	10	11	12	13
235	1,520[18°]	242	V 243	kryoskop. Konst. 10,9	unl. in W wl. in k. A ll. in sd. A, Ae, CS_2	
236			V 379		unl. in W ll. in A, Ae	
237		209 (18 mm)	XXV 315	giftig; sehr zerfließlich	ll. in W, A unl. in Ae wl. in k. Chlf.	+ Diazoreagens → rot bis orangerot, + HCl → gelborange Hydrochlorid *Fp* 240° Dipikrat *Fp* 234—235° Pikrolonat *Fp* 266° (Z.)
238			XVIII 302		wl. in W	beim Erhitzen → Phenylacetaldehyd
239		259	IX 844		l. in Ae, Bzl.	durch W und A Zers.
240		275	XIII 615		l. in W ll. in A l. in Ae	Pikrat *Fp* 110°
241		306 (60 mm)	II 391		swl. in W 0,10 A 17° 1,92 Ae 16°	Li-Salz *Fp* 192—196° Äthylester *Fp* 48—49° Amid *Fp* 111° Anilid *Fp* 101—102°
242		341,5	VII 465	langsam flüchtig mit Dampf; eutekt. Temp.: mit Azobenzol 53°, mit Benzil 55°	unl. in W ll. in A, Ae	Lösung in H_2SO_4 → hellviolett Oxim *Fp* 194°, hellgelbe Nadeln Phenylhydrazon *Fp* 151—153°, gelbe, gestreifte Prismen p-Nitrophenylhydrazon *Fp* 269° 2,4-Dinitrophenylhydrazon *Fp* 283° Phenylsemicarbazon *Fp* 222°
243			XVI 624		unl. in W ll. in A, Bzl.	
244	1,24		XII 684		wl. in W ll. in A, Ae l. in Bzl.	
245		320 bis 322	VI 675		wl. in h. W l. in A, Ae, Chlf., Alkali, Eg.	
246			II 400			
247		245 (Z.)	IV 21		l. in W ll. in A unl. in Ae	
248			XII 518	eutekt. Temp.: mit Azobenzol 63°, mit Benzil 66°	wl. in W l. in A, Ae, Chlf.	Dest. → N,N′-Diphenylharnstoff Oxim *Fp* 125° + $Fe(NO_3)_3$ → violett

Lfd. Nr.	*Fp*	Name	Summen-formel	Strukturformel	Mol.-Gewicht	Aggregat-zustand Farbe
1	2	3	4	5	6	7
1249	85	2-Aminophenanthren	$C_{14}H_{11}N$	$H_2N \cdot C_6H_3 \langle CH{:}CH \rangle C_6H_4$	193,24	Krist. (Ligroin)
1250	85	2,4-Dinitrophenetol	$C_8H_8N_2O_5$	$(O_2N)_2C_6H_3 \cdot OC_2H_5$	213,60	gelbe Nadeln
1251	85	Diphenylenoxyd	$C_{12}H_8O$	$C_6H_4 \langle O \rangle C_6H_4$	168,18	Blättchen (A)
1252	85	Indoxyl	C_8H_7NO	$C_6H_4 \langle C(OH), NH \rangle CH$	133,14	hellgelbe Prismen
1253	85	7-Methylindol	C_9H_9N		131,17	Tafeln (Lg.)
1254	85	p-Nitrosodimethyl-anilin	$C_8H_{10}N_2O$	$ON \cdot C_6H_4 \cdot N(CH_3)_2$	150,18	grüne Blättchen (A)
1255	85	Tetraacetylhydrazin	$C_8H_{12}N_2O_4$	$(CH_3CO)_2N \cdot N(COCH_3)_2$	194,14	Krist.
1256	85	p-Toluolsulfinsäure	$C_7H_8O_2S$	$CH_3 \cdot C_6H_4 \cdot SO_2H$	156,20	Tafeln oder Nadeln (W)
1257	85	4,4′,4″-Trianilino-triphenylcarbinol	$C_{37}H_{31}N_3O$	$(C_6H_5 \cdot NH \cdot C_6H_4)_3C \cdot OH$	533,64	farblose Nadeln (Bzl.)
1258	85–86	N,N′-Di-[p-allyloxy-phenyl]-äthenylamidin	$C_{20}H_{22}N_2O_2$		322,39	farblose Krist.
1259	85–86	Pentachlorbenzol	C_6HCl_5	C_6HCl_5	250,35	Nadeln (A)
1260	85,5	Myricylalkohol (Melissylalkohol)	$C_{31}H_{64}O$		452,82	krist. Pulver
1261	85,8	4,6-Dinitro-o-kresol (OH = 1)	$C_7H_6N_2O_5$	$CH_3 \cdot C_6H_2(NO_2)_2 \cdot OH$	198,13	gelbe Prismen (A)
1262	86	p-Aminobenzonitril	$C_7H_6N_2$	$H_2N \cdot C_6H_4 \cdot CN$	118,13	Prismen oder Tafeln

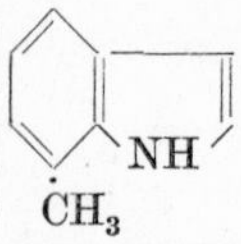

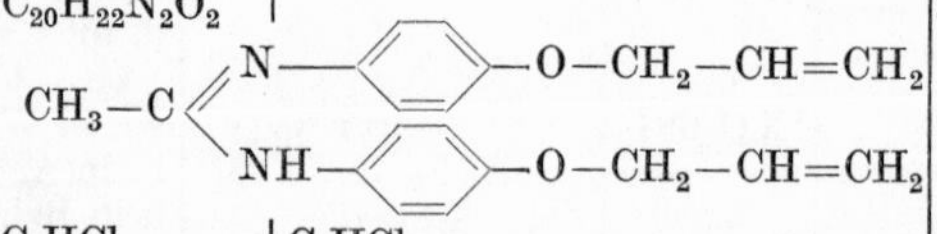

Lfd. Nr.	Spez. Gewicht	Siedepunkt °C	Beilsteinzitat	Physikalische Konstanten und Eigenschaften	Löslichkeit	Reaktionen
	8	9	10	11	12	13
249			XII 1336		wl. in W l. in A	
250			VI 254	eutekt. Temp.: mit Azobenzol 44°, mit Benzil 55°	sl. in W, Bzl.	
251		287	XVII 70	mit Dampf flüchtig; eutekt. Temp.: mit Azobenzol 42°, mit Benzil 54°	unl. in W l. in A ll. in Ae	1,3,5-Trinitrobenzolat *Fp* 96°
252			XXI 69	riecht fäkalartig	l. in W, A, Ae ll. in Aceton	Oxydation in alkohol. Lsg. → Indigo
253			E_2 XX 205	eutekt. Temp.: mit Azobenzol 45°, mit Benzil 45°	wl. in W ll. in A, Ae	Pikrat *Fp* 176°
254			XII 677	eutekt. Temp.: mit Azobenzol 49°, mit Benzil 55°	unl. in W l. in A, Ae	Pikrat *Fp* 140°
255				eutekt. Temp.: mit Azobenzol 57°, mit Benzil 61°		
256			XI 9		wl. in k. W ll. in A, Ae	an der Luft → p-Toluolsulfonsäure
257			XIII 760		ll. in A, Ae	
258					swl. in W sll. in A, Ae	Hydrochlorid (Diocain) *Fp* 152—153°
259	$1{,}8342^{16°}$	275 bis 277	V 205		unl. in W swl. in k. A l. in sd. A ll. in Ae, Bzl., CS_2	
260			E_1 I 222	geruch- u. geschmacklos	l. in organ. Lösungsmm.	Acetat *Fp* 70° Benzoat *Fp* 66° Phenylurethan *Fp* 96°
261			VI 368		wl. in W 12,2 A 15° ll. in Ae, Aceton	
262			XIV 425		ll. in A, Ae, sd. W swl. in Lg., CS_2, CCl_4, k. W	

Lfd. Nr.	*Fp*	Name	Summenformel	Strukturformel	Mol.-Gewicht	Aggregatzustand Farbe
1	2	3	4	5	6	7
1263	86	Benzoylcarbinol (ω-Hydroxyacetophenon)	$C_8H_8O_2$	$C_6H_5\cdot CO\cdot CH_2OH$	136,14	Tafeln (A oder Ae)
1264	86	*p*-Chinonchlorimid	C_6H_4ClNO	$O:C_6H_4:N\cdot Cl$	141,56	gelbe Krist. (Ligroin
1265	86	1-Methylanthracen	$C_{15}H_{12}$	$C_6H_4\left\{\begin{matrix}CH\\CH\end{matrix}\right\}C_6H_3\cdot CH_3$	192,25	Nadeln (Methanol)
1266	86	Montansäure	$C_{28}H_{56}O_2$	$C_{27}H_{55}\cdot COOH$	424,73	seidenglänzend Schuppe (Eg.)
1267	86	2-Hydroxybenzylalkohol (Saligenin)	$C_7H_8O_2$	$HO\cdot C_6H_4\cdot CH_2\cdot OH$	124,13	Tafeln und Nadeln (W)
1268	86	2-Phenylchinolin	$C_{15}H_{11}N$	$C_9H_6N\cdot C_6H_5$	205,25	Nadeln (verd. A
1269	86	Stearoxylsäure	$C_{18}H_{32}O_4$	$CH_3\cdot(CH_2)_7\cdot CO\cdot CO\cdot(CH_2)_7\cdot$ $\cdot COOH$	312,44	gelbe Krist.
1270	86	*p*-Xylolsulfonsäure-(2)	$C_8H_{10}O_3S$	$(CH_3)_2C_6H_3\cdot SO_3H$	186,23	Blättche (W)
1271	86—87	Cederncampher (Cedrol)	$C_{15}H_{26}O$	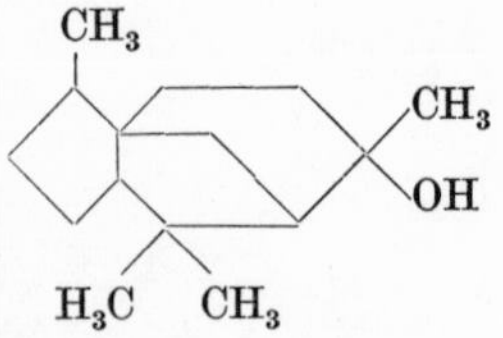	222,36	Nadeln (Methano
1272	86—87	Glykolid	$C_4H_4O_4$	$O\left\langle\begin{matrix}CH_2\cdot CO\\CO\cdot CH_2\end{matrix}\right\rangle O$	116,07	Blättche (A)
1273	86—87	2-Methylaminophenol	C_7H_9NO	$CH_3\cdot NH\cdot C_6H_4\cdot OH$	123,15	Blättche (Bzl. + PAe)
1274	86—88	Guajacolcarbonat (Duotal)	$C_{15}H_{14}O_5$	$(CH_3\cdot O\cdot C_6H_4\cdot O)_2CO$	274,26	weiße Krist.

fd. r.	Spez. Gewicht	Siedepunkt °C	Beilsteinzitat	Physikalische Konstanten und Eigenschaften	Löslichkeit	Reaktionen
	8	9	10	11	12	13
63	1,013	119 (11 mm)	VIII 90		l. in W sll. in A, Ae, Chlf.	
64		Z.	VII 619	mit Dampf flüchtig	wl. in k. W ll. in h. W, A, Ae l. in H_2SO_4	
65	$1{,}047^{99°}$		V 674		unl. in W wl. in A, Ae l. in Bzl.	Pikrat *Fp* 113—115°
66		Z.	II 395		ll. in Bzl., CCl_4	Chlorid *Fp* 67,5—68,5°, Blättchen Amid *Fp* 112° kristall. Plv. Methylester *Fp* 68,5°, Schuppen Äthylester *Fp* 67°, Nadeln
67	$1{,}161^{25°}$	subl.	VI 891	sublimiert leicht in Blättchen; verharzt über 100°; eutekt. Temp.: mit Azobenzol 62°, mit Benzil 67°	6,7 W 22° sll. in sd. W, A, Ae 1,9 Bzl. 18°	+ $FeCl_3$ → blau + H_2SO_4 → rot + 4 Tropfen 10%iges Nitrit + 4—5 Tropfen 50%ige Essigsäure + 1 Tropfen 1%ige $CuSO_4$-Lsg. auf dem W-Bad → bis 1:10000 rot, bis 1:100000 gelb Dibenzoat *Fp* 51°
68		363	XX 481		wl. in W swl. in k. A ll. in h. A, Ae	
69			III 761		unl. in W ll. in A, Bzl.	
70		149 (Vak.)	XI 127			Amid *Fp* 147—148°
71		291 bis 294	VI 104		l. in A swl. in W	
72			XIX 153		ll. in A wl. in Ae	+ sd. W → Glykolsäure
73			XIII 362			
74			VI 776	eutekt. Temp.: mit Azobenzol 53°, mit Benzil 64°; geruchlos, geschmacklos	unl. in W, Säuren, Laugen wl. in org. Lsgm.	Fe-H_2SO_4 löst farblos, beim Erwärmen wird Lsg. schwach violettrot

Lfd. Nr.	*Fp*	Name	Summenformel	Strukturformel	Mol.-Gewicht	Aggrega zustand Farbe
1	2	3	4	5	6	7
1275	86,9	*p*-Dibrombenzol	$C_6H_4Br_2$	$Br\cdot C_6H_4\cdot Br$	235,92	Tafeln (A oder Ligroin)
1276	87 (Z.)	Äthylnitrolsäure	$C_2H_4N_2O_3$	$CH_3\cdot C(:N\cdot OH)\cdot NO_2$	104,07	Krist. (W u. Ae)
1277	87	3-Aminobenzophenon	$C_{13}H_{11}NO$	$C_6H_5\cdot CO\cdot C_6H_4\cdot NH_2$	197,23	gelbe Nadeln (W)
1278	87	4-Chlor-2-nitrophenol	$C_6H_4ClNO_3$	$O_2N\cdot C_6H_3(Cl)\cdot OH$	173,56	gelbe Krist.
1279	87	3-Dimethylamino-phenol	$C_8H_{11}NO$	$(CH_3)_2N\cdot C_6H_4\cdot OH$	137,18	Nadeln (Ligroin)
1280	87	4-Methylaminophenol	C_7H_9NO	$CH_3\cdot NH\cdot C_6H_4\cdot OH$	123,15	Nadeln (Bzl.)
1281	87	Penicillsäure	$C_8H_{10}O_4$	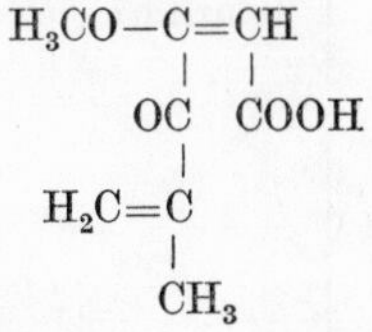	170,16	
1282	87	Pyrogallol-2-methyläther (1,3-Dihydroxy-2-methoxybenzol)	$C_7H_8O_3$	$(HO)_2C_6H_3\cdot OCH_3$	140,13	Krist.
1283	87	akt. Ribose	$C_5H_{10}O_5$	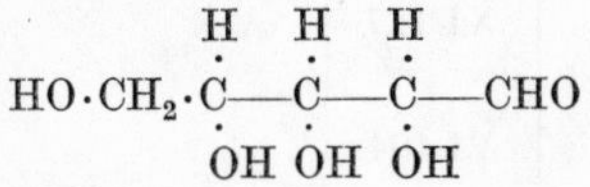	150,13	Platten (A)
1284	87—88	Acet-o-anisidid	$C_9H_{11}NO_2$	$CH_3\cdot CO\cdot NH\cdot C_6H_4\cdot O\cdot CH_3$	165,19	Krist. (W)
1285	87—88	*a*-Cocain	$C_{17}H_{21}NO_4$	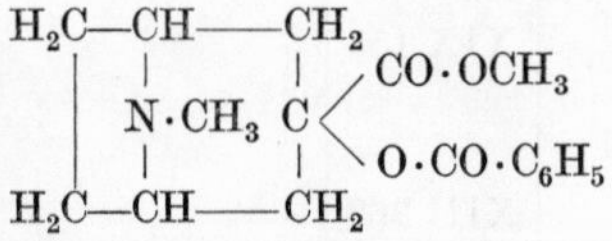	303,35	Prismen
1286	87—88	*l*-Talit	$C_6H_{14}O_6$	$HOCH_2\cdot (CHOH)_4\cdot CH_2OH$	182,17	Nadeln (A)
1287	87,5	3-Aminophenanthren	$C_{14}H_{11}N$	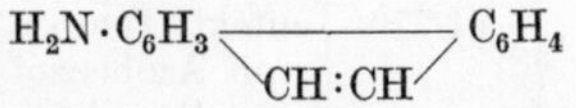	193,24	Krist. (Ligroin)
1288	87,7	1,2,3-Tribrombenzol	$C_6H_3Br_3$	$C_6H_3Br_3$	314,83	Tafeln (A)

Lfd. Nr.	Spez. Gewicht	Siedepunkt °C	Beilsteinzitat	Physikalische Konstanten und Eigenschaften	Löslichkeit	Reaktionen
	8	9	10	11	12	13
275	$2{,}261^{17°}$	219	V 211	Dampfdruck 50° 0,33 mm Hg, 100° 16,9 mm Hg; eutekt. Temp.: mit Azobenzol 44°, mit Benzil 61°	unl. in W 13,3 A 30° 61,3 Ae 20°	
276			II 189	rote explosible Salze	ll. in W, A, Ae	
277			XIV 81		wl. in W l. in A, Ae	Hydrochlorid *Fp* 187° Acetylderivat *Fp* 153° Benzoylderivat *Fp* 152°
278			VI 238	mit Dampf flüchtig	unl. in W l. in A ll. in Ae	
279		265 bis 268	XIII 405		wl. in h. W ll. in A, Ae l. in verd. Säuren u. Alkali	
280			XIII 441		l. in A, Ae	
281					ll. in W	Hydrat *Fp* 58–64°
282		155 (24 mm)	VI 1081			
283			I 859	$[\alpha]_D^{20}$ −21,5° (W)	l. in W ll. in A	p-Bromphenylhydrazon *Fp* 164° Ribosamin, $C_5H_{11}NO_4$, durch Auflösen in methylalkohol. NH_3, *Fp* 137–138° (Z.) Phenylosazon *Fp* 166°
284		305	XIII 371		sll. in h. W 55 A 21° l. in Ae	
285			XXII 198		wl. in W l. in A, Ae	Hydrochlorid *Fp* 180° (Z.) Pikrat *Fp* 195°
286			I 533	$[\alpha]_D^{20}$ −2,9 (W); süßer Geschmack		
287			XII 1337	fluoresziert violett	wl. in W ll. in A	
288	2,658		V 213		ll. in h. A	

Lfd. Nr.	*Fp*	Name	Summenformel	Strukturformel	Mol.-Gewicht	Aggregatzustand Farbe
1	2	3	4	5	6	7
1289	88	β-Benzalpropionsäure	$C_{10}H_{10}O_2$	$C_6H_5 \cdot CH:CH \cdot CH_2 \cdot COOH$	162,18	Nadeln (W)
1290	88	Campheroxalsäure	$C_{12}H_{16}O_4$	$H_2C \cdot C(CH_3)-CO$ / $C(CH_3)_2$ / $H_2C \cdot CH$——$CH \cdot CO \cdot COOH$	224,25	Prismen (Ae)
1291	88	2-Chloracetanilid	C_8H_8ClNO	$CH_3 \cdot CO \cdot NH \cdot C_6H_4 \cdot Cl$	169,61	Nadeln (Essigsäure)
1292	88	2-Chlor-1,3-dinitrobenzol	$C_6H_3ClN_2O_4$	$Cl \cdot C_6H_3(NO_2)_2$	202,56	gelbe Nadeln (A)
1293	88	1,8-Dichlornaphthalin	$C_{10}H_6Cl_2$	Cl Cl 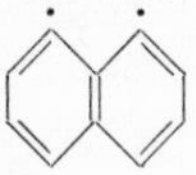	197,06	Krist. (A)
1294	88	Stearon	$C_{35}H_{70}O$	$(CH_3 \cdot [CH_2]_{16})_2CO$	506,91	Blättchen (Ligroin)
1295	88,5	3,4-Diaminotoluol (asymm.-o-Toluylendiamin)	$C_7H_{10}N_2$	$CH_3 \cdot C_6H_3(NH_2)_2$	122,17	Blättchen (Ligroin)
1296	89	4-Brom-2-nitrophenol	$C_6H_4BrNO_3$	$O_2N \cdot C_6H_3(Br) \cdot OH$	218,02	gelbe Nadeln oder Blättchen (Lg.)
1297	89	2,4-Dinitroanisol	$C_7H_6N_2O_5$	$(O_2N)_2C_6H_3 \cdot O \cdot CH_3$	198,13	Nadeln (A)
1298	89	Naphthol-(2)-sulfonsäure-(7) (F-Säure)	$C_{10}H_8O_4S$	$HO \cdot C_{10}H_6 \cdot SO_3H$	224,23	Nadeln (konz. HCl)
1299	89	asymm. Phthalylchlorid	$C_8H_4Cl_2O_2$	$C_6H_4\langle^{CCl_2}_{CO}\rangle O$	203,03	Prismen (Bzl.)
1300	89—90	3,6-Dinitro-o-xylol	$C_8H_8N_2O_4$	$(O_2N)_2C_6H_2(CH_3)_2$	196,16	Krist. (A)
1301	89—90	Paraldol	$C_8H_{16}O_4$	$(C_4H_8O_2)_2$	176,21	Prismen

d. r.	Spez. Gewicht	Siedepunkt °C	Beilstein-zitat	Physikalische Konstanten und Eigenschaften	Löslichkeit	Reaktionen
	8	9	10	11	12	13
89		302	IX 612		unl. in k. W ll. in A, Ae wl. in CS_2	Amid *Fp* 130°
90			X 796		unl. in k. W wl. in h. W, A ll. in Ae, Bzl.	Äthylester *Fp* 40,5°
91			XII 599		l. in A	
92			V 263	reizt Epidermis und Nasenschleimhaut	unl. in W l. in A, Ae	
93			V 544		unl. in W l. in A, Ae	
94	$0{,}7979^{89°}$		I 720		unl. in W wl. in sd. A, sd. Ae	
95		265	XIII 148	oxydiert in wss. Lsg. an der Luft	l. in W	
96		subl.	VI 243	mit Dampf flüchtig	swl. in k. W l. in A ll. in Ae	
297	$1{,}341^{20°}$	subl.	VI 254		0,016 W 15° 2,7 A 25° l. in Ae	
298		Z. 150	XI 285	Lsgg. der Salze fluoreszieren blau	ll. in W, A unl. in Ae, Bzl.	+ $FeCl_3$ → dunkelblau Natriumsalz goldgelbe Nadeln Anilinsalz *Fp* 249° p-Toluidinsalz *Fp* 237°
299	$1{,}4668^{20°}$		XVII 162		l. in Ae	dest. → Phthalylchlorid
300			V 369		unl. in W l. in A ll. in Ae	
301			I 825	subl. bei 1—2 mm Druck bei 73° ohne zu schmelzen	ll. in W l. in A	

Lfd. Nr.	Fp	Name	Summen-formel	Strukturformel	Mol.-Ge-wicht	Aggrega zustan Farbe
1	2	3	4	5	6	7
1302	89—90	Persedon (3,3-Diäthyl-2,4-dioxotetrahydro-pyridin	$C_9H_{13}NO_2$		167,20	Krist.
1303	89—90	2,3,4,6-Tetrachlor-anilin	$C_6H_3Cl_4N$	$Cl_4C_6H \cdot NH_2$	230,92	Krist.
1304	89,5	Isophthalaldehyd	$C_8H_6O_2$	$C_6H_4(CHO)_2^{(1,3)}$	134,13	Nadeln
1305	89,8	m-Dinitrobenzol	$C_6H_4N_2O_4$	$C_6H_4(NO_2)_2$	168,11	Tafeln
1306	90	2-Aminothiazol	$C_3H_4N_2S$	$\begin{array}{c} HC \cdot N \\ \parallel \quad \quad > C \cdot NH_2 \\ HC \cdot S \end{array}$	100,14	gelbe Krist. (A)
1307	90	Imidazol (Glyoxalin)	$C_3H_4N_2$	$\begin{array}{c} HC\!-\!\!-\!N \\ \parallel \quad \quad > CH \\ HC\!-\!NH \end{array}$	68,08	Prismer (Bzl.)
1308	90	α-Naphthalinsulfon-säure	$C_{10}H_8O_3S$	$C_{10}H_7 \cdot SO_3H$	208,23	gelb-braune Säulen
1309	90	dl-Terpenylsäure	$C_8H_{12}O_4$	$\begin{array}{c} H_2C\!-\!\!-\!\!-\!CH \cdot CH_2 \cdot COOH \\ \mid \quad \quad \mid \\ OC \cdot O \cdot C(CH_3)_2 \end{array}$	172,18	Blättche oder Prismen (W)
1310	90	d-Weinsäuremono-äthylester	$C_6H_{10}O_6$	$HOOC \cdot [CH(OH)]_2 \cdot CO \cdot OC_2H_5$	178,14	Prismen (zerfließl.
1311	90—91	Anästhesin (Benzocain, 4-Aminobenzoesäure-äthylester)	$C_9H_{11}NO_2$	$H_2N \cdot C_6H_4 \cdot CO \cdot OC_2H_5$	165,19	weiße Krist. (A oder Ae)
1312	90—91	Melissinsäure	$C_{30}H_{60}O_2$	$CH_3 \cdot (CH_2)_{28} \cdot COOH$	452,78	seiden-glänzende Schuppen (A)
1313	90—91	4-Methyldiazoamino-benzol	$C_{13}H_{13}N_3$	$CH_3 \cdot C_6H_4 \cdot N:N \cdot NH \cdot C_6H_5$	211,26	gelbe Blättche

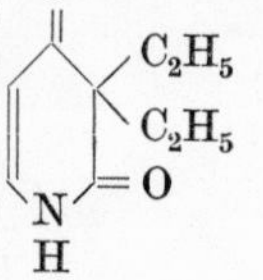

fd. Nr.	Spez. Gewicht	Siedepunkt °C	Beilsteinzitat	Physikalische Konstanten und Eigenschaften	Löslichkeit	Reaktionen
	8	9	10	11	12	13
02		subl.		eutekt. Temp.: mit Azobenzol 59 bis 60°, mit Benzil 68°; mit W-Dampf flüchtig	ll. in W, A, Ae, Chlf. wl. in Bzl., PAe l. in verd. Säuren	+ Neßlers Reagens erhitzen → grau
03			XII 630		ll. in A	
04			VII 675	mit Dampf flüchtig	wl. in W, Ae l. in A	Ag-Lsg. wird schwer reduziert
05	$1,575^{18°}$	297	V 258	mit Dampf flüchtig; Dampfdruck 150° 7,03 mm Hg; eutekt. Temp.: mit Azobenzol 44°, mit Benzil 53°	0,065 W 30° 0,32 sd. W 3,5 A 20° 32,4 Chlf. 18° 39,4 Bzl. 18°	
06		Z.	XXVII 155		ll. in h. W wl. in A, Ae	
07		256	XXIII 45	schwache Base; fischartiger Geruch	ll. in W, A wl. in Ae l. in Chlf.	Nitrat *Fp* 112°
08			XI 155		ll. in W, A wl. in Ae	Anilinsalz *Fp* 269° p-Toluidinsalz *Fp* 221° Chlorid *Fp* 68°, Blättchen Methylester *Fp* 78°, Tafeln Phenylester *Fp* 75° Anilid *Fp* 112°, Nadeln
09		subl. 130 bis 140	XVIII 384		zll. in k. W sll. in h. W	
10			III 512	durch sd. W zersetzt	ll. in W, A unl. in Ae	
11		~310	XIV 422	mit W-Dampf etwas flüchtig; eutekt. Temp.: mit Azobenzol 56°, mit Benzil 63°, mit Acetanilid 68°; Geschmack schwach bitter; geruchlos; langsam anästhesierend	wl. in W ll. in A, Ae, Bzl., Chlf., Säuren	+ HCl-haltiges W + einige Tropfen $NaNO_2$-Lsg. + etwas alkalische β-Naphthol-Lsg. → kirschrot mit Stich ins Blaue, nach Ansäuern mit HCl → orange Pikrat *Fp* 129–130°
12		Z. (140°)	II 396		ll. in A, Chlf., CS_2, Lg. unl. in Ae, Methanol, Bzl.	Chlorid *Fp* 60° Methylester *Fp* 74,5° Äthylester *Fp* 73° Amid *Fp* 116°
13			XVI 705		unl. in W l. in Bzl.	

Lfd. Nr.	Fp	Name	Summen-formel	Strukturformel	Mol.-Ge-wicht	Aggrega zustan Farbe
1	2	3	4	5	6	7
1314	90—91	5-Nitro-m-kresol (OH = 1)	$C_7H_7NO_3$	$CH_3 \cdot C_6H_3(NO_2) \cdot OH$	153,13	gelbe Krist.
1315	90—91	Phthalazin	$C_8H_6N_2$	$C_6H_4 \begin{array}{c} CH:N \\ \vert \\ CH:N \end{array}$	130,14	hellgelb Nadelr (Ae)
1316	90,5 bis 92	Lupulon (β-Hopfen-bittersäure)	$C_{26}H_{38}O_4$	OH … $(CH_3)_2C:CH \cdot CH_2$ — $CO \cdot CH_2 \cdot CH(CH_3)_2$ … $O=$ — OH … $(CH_3)_2C:CH \cdot CH_2$ $CH_2 \cdot CH:C(CH_3)_2$	415,56	Prisme (PAe)
1317	91	4,4′-Bis-[dimethyl-amino]-diphenyl-methan	$C_{17}H_{22}N_2$	$[(CH_3)_2N \cdot C_6H_4]_2CH_2$	254,36	Blättch oder Ta feln (A c Ligroin
1318	91	p-Bromjodbenzol	C_6H_4BrJ	$Br \cdot C_6H_4 \cdot J$	282,93	Tafeln oder Prisme (Ä—A
1319	91 Z.	Citraconsäure	$C_5H_6O_4$	$\begin{array}{c} CH_3 \cdot C \cdot COOH \\ \Vert \\ H \cdot C \cdot COOH \end{array}$	130,10	Nadel (Ae + I groin)
1320	91	2,5-Diphenylfuran	$C_{16}H_{12}O$	$\begin{array}{c} HC——CH \\ \Vert \quad \Vert \\ H_5C_6 \cdot C \cdot O \cdot C \cdot C_6H_5 \end{array}$	220,26	Blättch oder Nadel (verd. A
1321	91	β-Naphthalinsulfon-säure	$C_{10}H_8O_3S$	$C_{10}H_7 \cdot SO_3H$	208,23	Krist.
1322	91	Phenylglyoxal	$C_8H_6O_2$	$C_6H_5 \cdot CO \cdot CHO$	134,13	tiefgelbe Krist. + 1 H_2 (W)
1323	91	α-Stilbazol	$C_{13}H_{11}N$	$C_5H_4N \cdot CH:CH \cdot C_6H_5$	181,23	Krist. (A)
1324	91	rac. Stilbendiamin (α,α'-Diphenyläthylen-diamin)	$C_{14}H_{16}N_2$	$\begin{array}{c} C_6H_5 \cdot CH \cdot CH \cdot C_6H_5 \\ \vert \quad \vert \\ H_2N \quad NH_2 \end{array}$	212,28	Krist. (A)

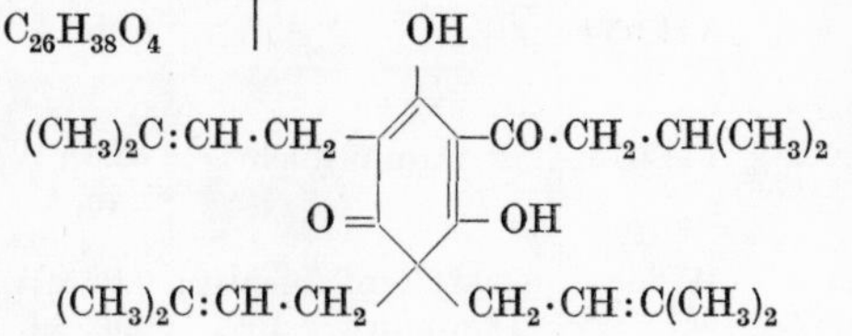

Lfd. Nr.	Spez. Gewicht	Siedepunkt °C	Beilsteinzitat	Physikalische Konstanten und Eigenschaften	Löslichkeit	Reaktionen
	8	9	10	11	12	13
314			VI 385		wl. in W sll. in A, Ae l. in Bzl.	
315		316 (Z.)	XXIII 174		ll. in W l. in A wl. in Ae	Pikrat *Fp* 208—210°
316				opt. inaktiv; geruch- u. geschmacklos	wl. in W ll. in organ. Lösungsmm.	+ $FeCl_3$ → rot + Fe-Oxalat → rotbraun
317		390	XIII 239		wl. in k. W ll. in Ae, Bzl., CS_2	+ Ozon in A → violett + Stickoxyde strohgelb
318			V 223		eutekt. Temp.: mit Azobenzol 40°, mit Benzil 63°	
319	1,617		II 768	hygroskopisch; mit Dampf flüchtig; eutekt. Temp.: mit Azobenzol 67°, mit Benzil 83°	360 W 25° wl. in Chlf. swl. in CS_2	Erhitzen → Citraconsäureanhydrid + H_2O; bei 120° → Itaconsäure; bei 180° → Mesaconsäure p-Nitrobenzylester *Fp* 71° Phenacylester *Fp* 108,5° Diamid *Fp* 185—187° Dianilid *Fp* 175°
320		343 bis 345	XVII 81		unl. in W ll. in A, Ae l. in H_2SO_4 grün	
321			XI 171		sll. in A, Ae	Chlorid *Fp* 79°, Blättchen Methylester *Fp* 56°, Tafeln Phenylester *Fp* 98—99°
322		142 (125mm)	VII 670	Dämpfe reizen zum Niesen	2,8 W 20° ll. in A, Ae	+ NaOH → Mandelsäure α-Oxim *Fp* 129° Dioxim *Fp* 168° α-Semicarbazon *Fp* 217° Bisphenylhydrazon *Fp* 152° Bis-p-nitrophenylhydrazon *Fp* 310°
323		325	XX 441		unl. in W l. in A ll. in Ae	
324		Z.	XIII 249	mit W-Dampf ziemlich schwer flüchtig	unl. in W l. in A	Diacetat *Fp* 256° Pikrat *Fp* 220°

Lfd. Nr.	*Fp*	Name	Summen-formel	Strukturformel	Mol.-Ge-wicht	Aggrega zustan Farbe
1	2	3	4	5	6	7
1325	**91—92**	Antipyrinsalicylat (Salipyrin)	$C_{18}H_{18}N_2O_4$	$C_{11}H_{12}N_2O \cdot C_7H_6O_3$	326,34	weiße Krist. sechs-eckige Tafeln
1326	**91—92**	α-Methyl-cis-zimtsäure	$C_{10}H_{10}O_2$	$H \cdot C \cdot C_6H_5$ ‖ $H_3C \cdot C \cdot COOH$	162,18	Krist. (PAe)
1327	**91—92**	8-Nitrochinolin	$C_9H_6N_2O_2$	$C_9H_6N \cdot NO_2$	174,15	Prisme (A)
1328	**91,5**	3-Nitro-o-toluidin ($NH_2 = 1$)	$C_7H_8N_2O_2$	$CH_3 \cdot C_6H_3(NO_2) \cdot NH_2$	152,15	gelbe Nadeln (W)
1329	**91,5**	1,2,4-Trijodbenzol	$C_6H_3J_3$	$C_6H_3J_3$	455,81	Nadeln (A)
1330	**92**	Äthylharnstoff	$C_3H_8N_2O$	$C_2H_5 \cdot NH \cdot CO \cdot NH_2$	88,11	Nadeln (A + A
1331	**92**	Isobrenzschleimsäure	$C_5H_4O_3$	$HC \cdot CH : C \cdot OH$ ‖ | $HC - O - CO$	112,08	Blättche (Chlf. o Bzl.)
1332	**92**	4-Jodphenol	C_6H_5JO	$J \cdot C_6H_4 \cdot OH$	220,01	Nadeln (W)
1333	**92—93**	Acenaphthylen	$C_{12}H_8$	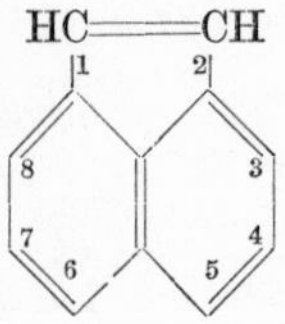	152,18	gelbe Prisme (Ae)
1334	**92**	Tribenzylamin	$C_{21}H_{21}N$	$(C_6H_5 \cdot CH_2)_3N$	287,39	Blättche (Ae)
1335	**92,5**	Tetrabromkohlenstoff	CBr_4	CBr_4	331,67	gelbe Krist.
1336	**92,6**	3,5-Dinitrotoluol	$C_7H_6N_2O_4$	$(O_2N)_2C_6H_3 \cdot CH_3$	182,13	gelbe Nadeln (Eg.)
1337	**93**	Benzalazin (Dibenzalhydrazin)	$C_{14}H_{12}N_2$	$C_6H_5 \cdot CH : N \cdot N : CH \cdot C_6H_5$	208,25	hellgelb Prisme
1338	**93**	cis-α-Dekalol	$C_{10}H_{18}O$	$H_2C \cdot CH_2 \cdot CH \cdot CH(OH) \cdot CH_2$ | | | $H_2C \cdot CH_2 \cdot CH — CH_2 — CH_2$	154,24	Nadeln (PAe)

Lfd. Nr.	Spez. Gewicht	Siedepunkt °C	Beilsteinzitat	Physikalische Konstanten und Eigenschaften	Löslichkeit	Reaktionen
	8	9	10	11	12	13
325			XXIV 33	eutekt. Temp.: mit Azobenzol 52°, mit Benzil 67°, mit Acetanilid 61°; schmeckt süßlich	wl. in k. W l. in sd. W l. in A wl. in Ae	3 mg in 1 ml W warm gelöst u. abgekühlt + wenig $Fe(NO_3)_3$-Lsg. → violett + mehr $Fe(NO_3)_3$ → rot wss. Lsg. + Gerbsäure-Lsg. + einige Tropfen rauchende HNO_3 → grün
326			E_1 IX 255		0,76 PAe 18° l. in H_2SO_4 dunkelviolett	
327			XX 373		wl. in k. W l. in A, Ae ll. in Bzl., verd. Säure	
328	$1{,}378^{15°}$	305 (Z.)	XII 848		1,3 sd. W ll. in A, Ae, Bzl.	Acetylderivat *Fp* 158° Benzoylderivat *Fp* 166° p-Toluolsulfonylderivat *Fp* 122°
329		subl.	V 228		unl. in W l. in A, Chlf.	
330	$1{,}213^{18°}$	Z.	IV 115		sll. in W, A unl. in Ae	
331		140 (65 mm)	XVII 438		4,5 W 0° sll. in h. W, A	
332	$1{,}1857^{112°}$	Z.	VI 208		wl. in W ll. in A, Ae	Acetat *Fp* 32° Benzoat *Fp* 119°
333	0,8988	270	V 625	eutekt. Temp.: mit Azobenzol 35°, mit Benzil 47°	sll. in A, Ae	
334	$0{,}991^{95°}$	380 bis 390	XII 1038	eutekt. Temp.: mit Azobenzol 44°, mit Benzil 64°	swl. in W wl. in k. A ll. in h. A, Ae	Pikrat *Fp* 190° Jodmethylat *Fp* 224°
335	$2{,}9609^{100°}$	189,5	I 68	subl. langsam bei gewöhnl. Temp.	0,024 W 30° l. in A, Ae, Chlf.	
336	$1{,}277^{111°}$	subl.	V 341	mit Dampf flüchtig	wl. in W l. in A ll. in Ae	
337		Z.	VII 225	eutekt. Temp.: mit Azobenzol 48°, mit Benzil 63°; mit W-Dampf wenig flüchtig	unl. in k. W zll. in h. A, Ae, Bzl., Chlf.	
338			VI 67			Phenylurethan *Fp* 118°

Lfd. Nr.	*Fp*	Name	Summenformel	Strukturformel	Mol.-Gewicht	Aggregatzustand Farbe
1	2	3	4	5	6	7
1339	93	2,2′-Diaminodiphenyldisulfid	$C_{12}H_{12}N_2S_2$	$H_2N\cdot C_6H_4\cdot S\cdot S\cdot C_6H_4\cdot NH_2$	248,36	gelbe Tafeln oder Nadeln (verd. A)
1340	93	4,4′-Diaminodiphenylmethan	$C_{13}H_{14}N_2$	$CH_2(C_6H_4\cdot NH_2)_2$	198,26	Blättchen oder Nadeln (W)
1341	93	Di-β-naphthylmethan	$C_{21}H_{16}$	$(C_{10}H_7)_2CH_2$	268,34	Nadeln (A)
1342	93	2,3-Dinitro-p-xylol	$C_8H_8N_2O_4$	$(O_2N)_2C_6H_2(CH_3)_2$	196,16	Krist. (A)
1343	93	α,β,β,β-Tetrachlor-α,α-bis-(p-chlorphenyl)-äthan	$C_{14}H_8Cl_6$	$Cl\cdot C_6H_4$ ﹥C﹤ Cl $Cl\cdot C_6H_4$ CCl_3	388,95	große tafelförmige Krist.
1344	93	2-Nitroacetanilid	$C_8H_8N_2O_3$	$CH_3\cdot CO\cdot NH\cdot C_6H_4\cdot NO_2$	180,16	Blättchen (verd. A)
1345	93	4-Nitrobenzylalkohol	$C_7H_7NO_3$	$O_2N\cdot C_6H_4\cdot CH_2OH$	153,13	Nadeln (W)
1346	93	α-Hydroxystearinsäure	$C_{18}H_{36}O_3$	$CH_3\cdot(CH_2)_{15}\cdot CH(OH)\cdot COOH$	300,46	Krist.
1347	93	4-Propenylphenol	$C_9H_{10}O$	$CH_3\cdot CH:CH\cdot C_6H_4\cdot OH$	134,17	Blättchen (W)
1348	93	Triphenylmethan (Tritan)	$C_{19}H_{16}$	$(C_6H_5)_3CH$	244,32	rhomb. Krist. (A)
1349	93—94	3(α)-Chlor-d-campher	$C_{10}H_{15}ClO$	C_8H_{14}﹤CO | CHCl	186,68	Tafeln (A + Ae)
1350	93—94	β-Naphthochinolin (5.6-Benzochinolin)	$C_{13}H_9N$	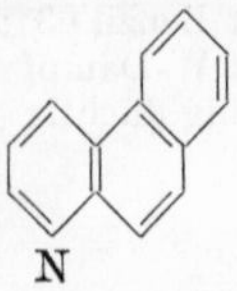	179,21	Blättchen (W)

Lfd. Nr.	Spez. Gewicht	Siedepunkt °C	Beilsteinzitat	Physikalische Konstanten und Eigenschaften	Löslichkeit	Reaktionen
	8	9	10	11	12	13
339			XIII 400		unl. in W ll. in sd. A	
340		257 (18 mm)	XIII 238		wl. in k. W ll. in A, Ae, Bzl.	Hydrochlorid *Fp* 288°
341			V 729		unl. in W l. in A, Ae	
342			V 387		unl. in W ll. in A	
343					unl. in W wl. in Ae l. in A, Bzl., Chlf., CCl_4	
344	$1,419^{15°}$		XII 691		0,22 k. W ll. in sd. W, KOH	
345		185 (12 mm)	VI 450		ll. in h. W wl. in k. W ll. in Ae	Acetat *Fp* 78°
346		Z (270 bis 280)	III 364		unl. in W wl. in A ll. in Bzl.	
347		250 (Z.) 139 (20 mm)	VI 566	schmeckt süß und brennend	wl. in sd. W ll. in A, Ae l. in KOH	
348	$1,014^{99°}$	359 214 (20 mm)	V 698	kryoskop. Konst. 12,45; Dampfdruck 180° 5,2 mm Hg; eutekt. Temp.: mit Azobenzol 47°, mit Benzil 61°	unl. in W wl. in k. A ll. in h. A, Ae, Chlf.	mit $SbCl_3$ in CCl_4 → grün Trinitrophenylcarbinol *Fp* 172°; mit sauren Red.-Mitteln fuchsinrot
349		244 bis 247 (Z.)	VII 117	$[\alpha]^{20}$ +96,2° (A); mit Dampf flüchtig	wl. in h. W 1,6 A 20° ll. in h. A, Ae	
350		350 (721mm)	XX 464	eutekt. Temp.: mit Azobenzol 47°, mit Benzil 58°; aromatischer Geruch	wl. in W ll. in A, Ae, Bzl. l. in verd. Säuren	Pikrat *Fp* 251–252° Reagens auf Cd

Lfd. Nr.	*Fp*	Name	Summenformel	Strukturformel	Mol.-Gewicht	Aggregatzustand Farbe
1	2	3	4	5	6	7
1351	93–96	N-Methyl-5-isopropyl-5-β-bromallyl-barbitursäure (Eunarcon)	$C_{11}H_{15}BrN_2O_3$	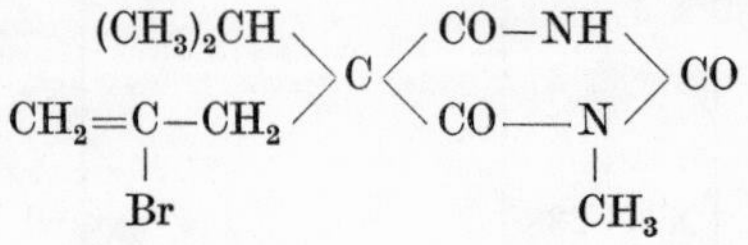	303,16	weiße Krist.
1352	94	p-Acetaminophenyl-allyläther (Allyl-phenacetin)	$C_{11}H_{13}NO_2$	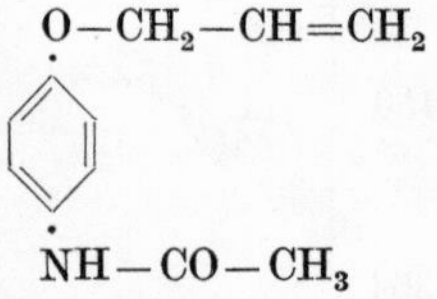	191,22	glänzend Blättchen
1353	94	p-tert.-Amylphenol	$C_{11}H_{16}O$	$CH_3 \cdot CH_2 \cdot C(CH_3)_2 \cdot C_6H_4 \cdot OH$	164,24	Nadeln (W oder PAe)
1354	94	β-Chlorcrotonsäure	$C_4H_5ClO_2$	$CH_3 \cdot CCl:CH \cdot COOH$	120,54	Krist. (CS_2)
1355	94	2,4′-Dinitrodiphenyl	$C_{12}H_8N_2O_4$	$O_2N \cdot C_6H_4 \cdot C_6H_4 \cdot NO_2$	244,20	Spieße
1356	94	4,6-Dinitro-m-xylol	$C_8H_8N_2O_4$	$(O_2N)_2C_6H_2(CH_3)_2$	196,16	Prismen (A)
1357	94	β-Phenylhydracryl-säure	$C_9H_{10}O_3$	$C_6H_5 \cdot CH(OH) \cdot CH_2 \cdot COOH$	166,17	Prismen (W)
1358	94	N-p-Tolylhydroxyl-amin	C_7H_9NO	$CH_3 \cdot C_6H_4 \cdot NHOH$	123,15	Blättchen (Bzl.)
1359	94–95	dl-Atrolactinsäure (α-Phenylmilchsäure)	$C_9H_{10}O_3$	$C_6H_5 \cdot C(CH_3)(OH) \cdot COOH$	166,17	Nadeln und Tafeln + $^1/_2H_2O$ (W)
1360	94,9	o-Xylylenbromid	$C_8H_8Br_2$	$C_6H_4(CH_2Br)_2$	263,98	Krist. (Chlf.)

Lfd. Nr.	Spez. Gewicht	Siedepunkt °C	Beilsteinzitat	Physikalische Konstanten und Eigenschaften	Löslichkeit	Reaktionen
8		9	10	11	12	13
51				bitterer Geschmack	swl. in W l. in Lauge	1. 1 mg Subst. + 10 mg α-Naphthol in 1 ml H_2SO_4 in sd. W-Bad → hellbraun; bei vorsichtiger Erhitzung über freier Flamme → tiefbraun → intensiv olivgrün u. gleiche Fluoreszenz 2. 2 mg Subst. in 1 ml W + 2—3 Tropfen 2n-Lauge + 2—3 Tropfen n/10 $KMnO_4$ → blau u. grün 3. 2—3 mg Subst. in 1 ml methylalkoh. $Co(NO_3)_2$-Lsg. + 20 mg Piperazin → rotviolett 4. 2 mg Subst. in 1 ml 1—2%ig. Pyridinlsg. in der Wärme gelöst. Zur wss. Lsg. tropfenweise 0,4%ige $CuSO_4$-Lsg. → blaßviolette Krist. 5. + 10—20 mg Paraform + 1 ml H_2SO_4 + Fe-H_3PO_4 warm → intensiv orangegrün fluoreszierend
52			E_1 XIII 161		l. in W ll. in A, Ae, Aceton	
53		265 bis 267	VI 548	eutekt. Temp.: mit Azobenzol 47°, mit Benzil 58°	ll. in A, Ae	
54		206 bis 211	II 415		2,25 W 13° ll. in A, Ae	Anilid *Fp* 124°
55	1,474		V 584		unl. in W ll. in h. A	
56			V 380		unl. in W wl. in k. A l. in Ae	
57		180 (Z.)	X 249		3,7 W 20° ll. in h. W swl. in Bzl.	Erhitzen über 180° → Zimtsäure
58			XV 15		ll. in A, Ae sl. in k. Bzl.	bei 115—120° → p,p'-Azoxytoluol *Fp* 75°
59			X 259		2,2 W 25°	Hydrat *Fp* 67—68°
60	1,988$^{0°}$	(Z.)	V 366		unl. in W ll. in A 20 Ae	

Lfd. Nr.	*Fp*	Name	Summenformel	Strukturformel	Mol.-Gewicht	Aggrega zustan Farbe
1	2	3	4	5	6	7
1361	**95**	Acenaphthen	$C_{12}H_{10}$	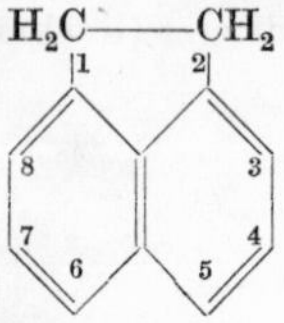	154,20	gelbe Nadel (A)
1362	**95**	Benzil	$C_{14}H_{10}O_2$	$C_6H_5\cdot CO\cdot CO\cdot C_6H_5$	210,22	Prisme (Ae)
1363	**95**	Chinin-O-carbonsäure-äthylester (Euchinin)	$C_{23}H_{28}N_2O_4$	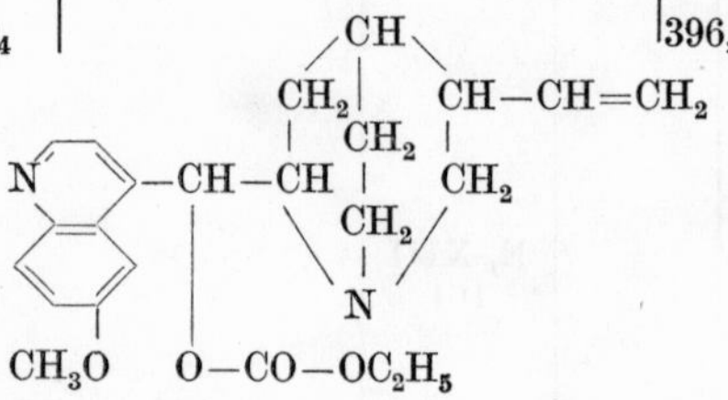	396,47	weiße Krist. Nadel
1364	**95**	4,4′-Dimethylbenzophenon	$C_{15}H_{14}O$	$(CH_3\cdot C_6H_4)_2CO$	210,26	Krist. (A)
1365	**95**	Glycin-p-phenetidid (Aminophenacetin, Phenokoll)	$C_{10}H_{14}N_2O_2$	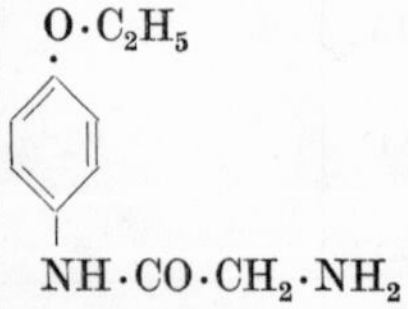	194,23	Krist. + 1 H
1366	**95**	Methylarsenmonoxyd	CH_3AsO	$CH_3\cdot As:O$	105,94	Würfe (CS_2)
1367	**95**	3-Methylindol (Skatol)	C_9H_9N	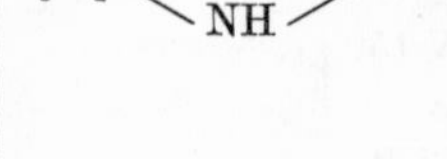	131,17	Blättch (W od Lauge
1368	**95**	*β*-Hydroxyglutarsäure	$C_5H_8O_5$	$HOOC\cdot CH_2\cdot CH(OH)\cdot CH_2$ │ COOH	148,11	Nadel (W)

Lfd. Nr.	Spez. Gewicht	Siedepunkt °C	Beilsteinzitat	Physikalische Konstanten und Eigenschaften	Löslichkeit	Reaktionen
	8	9	10	11	12	13
361	1,024[99°]	277,9 142 (15 mm)	V 586	eutekt. Temp.: mit Azobenzol 47°, mit Benzil 63°	4 A 20° 40,5 A 70° 33 Chlf. 20°	Mit Tetranitromethan → blutrot Pikrat *Fp* 162°, orangerote Prismen 1,3,5-Trinitrobenzolat *Fp* 168° Styphnat *Fp* 154°
362	1,084[102°] 1,230[20°]	346 bis 348 (geringe Z.) 183 (10 mm)	VII 747	ebullioskop. Konst. 10,5 eutekt. Temp.: mit Azobenzol 50°, mit Benzil 95°	unl. in W ll. in A, Ae	kochen mit C_2H_5ONa → purpurrot → Entfärbung Phenylhydrazon *Fp* 225° p-Nitrophenylhydrazon *Fp* 290° 2,4-Dinitrophenylhydrazon *Fp* 185°, orange Krist. Disemicarbazon *Fp* 243–244°, Blättchen syn. Dioxim *Fp* 237°, rhomb. Blättchen
363			XXIII 531	eutekt. Temp.: mit Azobenzol 47°, mit Benzil 63°	wl. in W ll. in A, Ae., Chlf.	
364		333 (725mm)	VII 451		unl. in W ll. in A, Ae, CS_2	Oxim *Fp* 163° p-Nitrophenylhydrazon *Fp* 100° 2,4-Dinitrophenylhydrazon *Fp* 229°
365			XIII 506			
366		Z.	IV 610			
367		266	XX 315	riecht fäkalartig; mit Dampf flüchtig	0,05 W 16° l. in A	+ konz. HCl → violett + h. H_2SO_4 rosa Färbung Fichtenspanreaktion → kirschrot → violett Subst. in Methanol mit verd. Fe(III)-Acetat enthaltender konz. H_2SO_4 unterschichten violetter Ring (E 1:1000000) Hydrochlorid *Fp* 167–168° Acetylderivat *Fp* 68°
368		Z	III 443		ll. in W, A unl. in Bzl.	

Lfd. Nr.	*Fp*	Name	Summenformel	Strukturformel	Mol.-Gewicht	Aggrega zustand Farbe
1	2	3	4	5	6	7
1369	**95**	4-Nitrobenzolsulfonsäure	$C_6H_5NO_5S$	$O_2N \cdot C_6H_4 \cdot SO_3H$	203,17	Krist.
1370	**95**	Salicylsäure-β-naphthylester (Betol)	$C_{17}H_{12}O_3$	$HO \cdot C_6H_4 \cdot COO \cdot C_{10}H_7$	264,27	Krist. (A)
1371	**95–96**	p-Hydroxybenzoesäurepropylester (Nipasol)	$C_{10}H_{12}O_3$	$HO \cdot C_6H_4 \cdot COO \cdot CH_2 \cdot CH_2 \cdot CH_3$	180,20	Prismen
1372	**95–96**	dl-Talit	$C_6H_{14}O_6$	$C_6H_{14}O_6$	182,17	Prismen
1373	**95–96**	2,4,6-Tribromphenol	$C_6H_3Br_3O$	$C_6H_2Br_3 \cdot OH$	330,83	gelbliche bis rötliche Nadeln
1374	**95–96** (Z.)	8-Aminonaphthol-(1)	$C_{10}H_9NO$	$H_2N \cdot C_{10}H_6 \cdot OH$	159,18	Nadeln (Bzl.)
1375	**96**	3-Aminoacetophenon	C_8H_9NO	$H_2N \cdot C_6H_4 \cdot CO \cdot CH_3$	135,16	Blättchen (verd. A)
1376	**96**	4,4′-Bisdimethylaminobenzhydrol	$C_{17}H_{22}N_2O$	$[(CH_3)_2N \cdot C_6H_4]_2CH \cdot OH$	270,36	Prismen (Bzl.)
1377	**96**	1,3-Naphthylendiamin	$C_{10}H_{10}N_2$	$H_2N \cdot C_{10}H_6 \cdot NH_2$	158,19	Blättche
1378	**96**	p-Nitrobenzoesäuremethylester	$C_8H_7NO_4$	$O_2N \cdot C_6H_4 \cdot CO \cdot OCH_3$	174,14	Blättche
1379	**96**	Önanthsäureamid	$C_7H_{15}NO$	$CH_3 \cdot (CH_2)_5 \cdot CO \cdot NH_2$	129,20	Blättchen (W) Nadeln(A
1380	**96**	Phenylquecksilberbenzoat	$C_{13}H_{10}HgO_2$	$C_6H_5 \cdot Hg \cdot O \cdot CO \cdot C_6H_5$	398,82	Blättchen (Propanol
1381	**96**	Semicarbazid	CH_5N_3O	$H_2N \cdot NH \cdot CO \cdot NH_2$	75,07	Prismen (A)

Lfd. Nr.	Spez. Gewicht	Siedepunkt °C	Beilstein-zitat	Physikalische Konstanten und Eigenschaften	Löslichkeit	Reaktionen
	8	9	10	11	12	13
369			XI 71	hygroskopisch		Chlorid *Fp* 60° Amid *Fp* 179–180°
370			X 80		unl. in W l. in A	
371				mit W-Dampf flüchtig; eutekt. Temp.: mit Azobenzol 48°, mit Benzil 56°; geruch- u. geschmacklos	unl. in k. W l. in h. W ll. in A	Lsg. + $Fe(NO_3)_3$ → Violettfärbung + Paraform-H_2SO_4 erwärmt → rotbraun + 2 Tropfen Eisen-H_3PO_4 → braun + 1 ml H_2SO_4 → grün + Paraform → violettrot + H_2O_2 → grün
372			I 533			
373	$2{,}50_{50^\circ}^{50^\circ}$	subl.	VI 203	eutekt. Temp.: mit Azobenzol 48°, mit Benzil 56°; phenolartiger Geruch; wirkt antiseptisch	unl. in W (0,007 W 15°) l. in Lauge ll. in A, Ae	3 mg in A + 1 Tropfen 2n NH_3 + $AgNO_3$ → tieforange gefärbte Gallerte Acetat *Fp* 82° Chloracetat *Fp* 200° Benzoat *Fp* 81° α-Naphthylurethan *Fp* 153°
374			XIII 671		ll. in h. W, HCl, Alkali	Lsgg. in A und Eg. sind blau Pikrat *Fp* 164° Acetylderiv. *Fp* 119° Benzoylderiv. *Fp* 207° p-Toluolsulfonylderiv. *Fp* 189°
375		289 bis 290	XIV 45			
376			XIII 698		unl. in W ll. in h. A, Ae, Bzl., h. Eg.	
377			XIII 200		l. in A	
378			IX 390	eutekt. Temp.: mit Azobenzol 51°, mit Benzil 63°		
379						
380	$0{,}8499^{112^\circ}$	250 bis 258	II 340		ll. in Ae, Bzl., Dioxan, Aceton	
381			III 98	durch Feuchtigkeit zersetzt	ll. in W, A unl. in Ae	Hydrochlorid *Fp* 175°, Prismen Sulfat *Fp* 145°, Prismen Pikrat *Fp* 166°, gelbe Nadeln Acetylderiv. *Fp* 165° Benzoylderiv *Fp* 225°

Lfd. Nr.	Fp	Name	Summen- formel	Strukturformel	Mol.- Ge- wicht	Aggreg. zustan Farbe
1	2	3	4	5	6	7
1382	96	4,4′-Bis-(diäthylamino)- benzophenon	$C_{21}H_{28}N_2O$	$[(C_2H_5)_2N \cdot C_6H_4]_2CO$	324,45	Blättch (A)
1383	96	4-Nitro-o-kresol (OH = 1) [stabile Form]	$C_7H_7NO_3$	$CH_3 \cdot C_6H_3(NO_2) \cdot OH$	153,13	farblos Tafeln (A)
1384	96	2,4,5-Trinitrophenol	$C_6H_3N_3O_7$	$(NO_2)_3C_6H_2 \cdot OH$	229,11	atlas- glänzen Nädel- chen oder Schüpp chen (W ode verd. A
1385	96—97	β-Benzoylacrylsäure	$C_{10}H_8O_3$	$C_6H_5 \cdot CO \cdot CH:CH \cdot COOH$	176,16	Blättche (W)
1386	96—97	2,7-Dimethylnaphthalin	$C_{12}H_{12}$	$C_{10}H_6(CH_3)_2$	156,22	Blättche (A)
1387	96—97	Glykolaldehyd	$C_2H_4O_2$	$HO \cdot CH_2 \cdot CHO$	60,05	Platter
1388	96—98	Tropinmandelsäureester (Homatropin)	$C_{16}H_{21}NO_3$		275,34	Prisme

$$\begin{array}{c} CH_2\!-\!CH\!\!-\!\!-\!\!-\!CH_2 \\ \quad | \qquad\qquad | \\ \quad\; N\!-\!CH_3 \;\; CH \cdot O \cdot CO \cdot CH(OH)\!\!-\!\!\bigcirc \\ \quad | \qquad\qquad | \\ CH_2\!-\!CH\!\!-\!\!-\!\!-\!CH_2 \end{array}$$

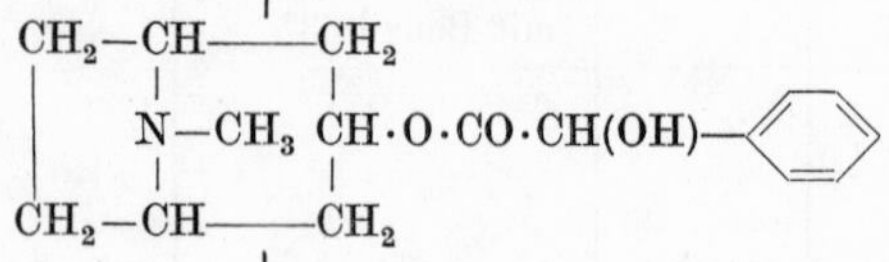

Lfd. Nr.	Spez. Gewicht	Siedepunkt °C	Beilsteinzitat	Physikalische Konstanten und Eigenschaften	Löslichkeit	Reaktionen
	8	9	10	11	12	13
382			XIV 98		unl. in W l. in A	
383			VI 366	eutekt. Temp.: mit Azobenzol 55°, mit Benzil 58°		vgl. Nr. 1227
384			VI 265		wl. in k. W zll. in h. W ll. in A, Ae, Bzl.	Verb. mit Naphthalin *Fp* 72 bis 73°
385			X 726		wl. in k. W ll. in A, Ae	Oxim *Fp* 168° (Z.)
1386		262	E_1 V 268		unl. in W wl. in k. A ll. in Bzl.	Pikrat *Fp* 136° 1,3,5-Trinitrobenzolat *Fp* 152° Styphnat *Fp* 159°
1387	$1{,}366^{100°}$		I 817	schmeckt süß	ll. in W, h. A wl. in Ae	Lsg. wird beim Erwärmen mit Alkalien gelb Phenylhydrazon *Fp* 162°, Schuppen p-Nitrophenylhydrazon *Fp* 177°, braunrote Nadeln
1388			XXI 23	eutekt. Temp.: mit Azobenzol 73°, mit Benzil 73°; schmeckt bitter	l. in A, Ae, Chlf.	erhitzen mit 1 Tropfen Fe-H_2SO_4 → Honiggeruch → Benzaldehydgeruch 1. Subst. + 1 Tropfen $HNO_3 \cdot H_2SO_4$ vorsichtig im W-Bad erhitzt → blau bis blaugrün 2. Subst. + H_2SO_4 in sd. W-Bad → schwach gelb + α-Naphthol → violettrot 3. Subst. + Paraform-H_2SO_4 gelinde erwärmt → grünstichig gelb, fluoresziert rötlich 4. Subst. + alkal. HgJ_2-Lsg. bei Zimmertemperatur klar, bei Kochen eigelbe Färbung Hydrobromid *Fp* 214—215°

Lfd. Nr.	*Fp*	Name	Summen-formel	Strukturformel	Mol.-Gewicht	Aggrega-zustand Farbe
1	2	3	4	5	6	7
1389	**96,1**	α-Naphthol	$C_{10}H_8O$	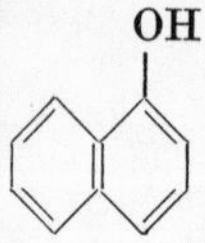	144,16	weißros. recht-eckige Krist.
1390	**97**	Aldehydammoniak	$C_6H_{21}N_3O_3$	$[C_2H_7NO]_3$	183,25	Krist.
1391	**97**	3-Nitrophenol	$C_6H_5NO_3$	$O_2N \cdot C_6H_4 \cdot OH$	139,11	gelbe Prismen (Ae)
1392	**97**	6-Nitro-o-toluidin ($NH_2 = 1$)	$C_7H_8N_2O_2$	$CH_3 \cdot C_6H_3(NO_2) \cdot NH_2$	152,15	orange Prismen (verd. A)
1393	**97**	Percain (Nupercain, α-Butoxycinchonin-säurediäthylamino-äthylamidhydro-chlorid)	$C_{20}H_{30}ClN_3O_2$	$CO \cdot NH \cdot CH_2 \cdot CH_2 \cdot N(C_2H_5)_2 \cdot HCl$ 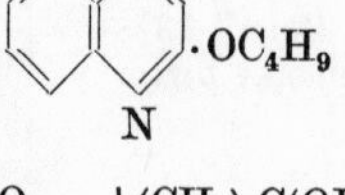	379,92	weiße Blättchen
1394	**97**	β,β,β-Trichlor-tert.-butylalkohol (Chlor-butal, Chloreton, Acetonchloroform)	$C_4H_7Cl_3O$	$(CH_3)_2C(OH) \cdot CCl_3$	177,47	Blättchen

Lfd. Nr.	Spez. Gewicht	Siedepunkt °C	Beilsteinzitat	Physikalische Konstanten und Eigenschaften	Löslichkeit	Reaktionen
	8	9	10	11	12	13
389	$1{,}0954^{99°}$ $1{,}224^{20°}$	278 bis 280	VI 596	$n_D^{98,7}$ 1,62064; $R_D^{98,7}$ 46,25 cm³; $n_F^{98,7}$ 323,9; eutekt. Temp.: mit Azobenzol 50°, mit Benzil 47°; mit Dampf flüchtig; schmeckt brennend; Staub reizt zum Niesen; giftig; rauchartiger Geruch; sublimiert in Nadeln	unl. in W wl. in h. W ll. in A, Ae l. in Lauge l. in CCl_4 (Trennung von β-Naphthol)	1. Subst. + $Fe(NO_3)_3$ → weiß, langsam violettroter Nd. 2. Subst. + Fe-H_2SO_4 → intensiv grün 3. Lsg. in Lauge + $CHCl_3$ — erwärmen grün + HCHO → grün → blau 4. 2 mg Subst. + 1 ml W + 2 Tropfen Formollsg. + 2—3 Tropfen 2 n-HCl — alkalisch machen mit Lauge → intensiv stahlblaue Lsg. beim Schütteln (Gegensatz zu β-Naphthol) 5. Subst. in wenig A + 10%ige $CuSO_4$-Lsg. + 1%ige KCN-Lsg. (frisch bereitet) → violetter Nd. (β-Naphthol → gelb) 6. 0,1 g Vanillin in 2 ml H_2SO_4 +0,1 g Subst. nach Schütteln → rot (β-Naphthol → grün) Pikrat *Fp* 190° Acetat *Fp* 49° Chloracetat *Fp* 192° Benzoat *Fp* 56° Phenylurethan *Fp* 178° α-Naphthylurethan *Fp* 152°
390		104	XXVI 7	färbt sich an Licht u. Luft gelbbraun	∞ in W l. in A wl. in Ae	
391	$1{,}485^{20°}$	194 (70 mm)	VI 222	eutekt. Temp.: mit Azobenzol 57°, mit Benzil 59°; mit W-Dampf nicht flüchtig	1,35 W 25° 13,3 W 90° 221 A 17° 143,7 Ae 16°	Acetat *Fp* 56° Benzoat *Fp* 95° Phenylurethan *Fp* 129° α-Naphthylurethan *Fp* 167°
392	1,190		XII 843		wl. in W ll. in A, Ae	Acetylderivat *Fp* 158° Benzoylderivat *Fp* 167°
393				sehr stark anästhesierend		5 mg Subst. in 1 ml W + 1 Tropfen $Fe(NO_3)_3$-Lsg. und einige Kriställchen Ferroammonsulfat sowie 5—6 Tropfen 0,06%ige H_2O_2-Lsg. → langsam olivgrün
394		166,4	I 382	n_D^{97} 1,4339; eutekt. Temp.: mit Azobenzol 33°, mit Benzil 35°; sublimierbar; mit Dampf flüchtig; brennender Geschmack; riecht campherartig; wirkt antiseptisch und anästhesierend	unl. in k. W l. in h. W ll. in A, Ae	+ H_2SO_4 erwärmen → gelbstichig, unangenehmer Geruch + alkal. Jodlsg. → Jodoform Hydrat *Fp* 78°, Blättchen

Lfd. Nr.	*Fp*	Name	Summen-formel	Strukturformel	Mol.-Ge-wicht	Aggrega zustand Farbe
1	2	3	4	5	6	7
1395	97–98	Furfurolphenyl-hydrazon	$C_{11}H_{10}N_2O$	$C_4H_3O \cdot CH{:}N \cdot NH \cdot C_6H_5$	186,21	Blättche
1396	97–98	dl-Phenylmilchsäure (α-Hydroxy-β-phenyl-propionsäure)	$C_9H_{10}O_3$	$C_6H_5 \cdot CH_2 \cdot CH(OH) \cdot CO_2H$	166,17	Prismen (W)
1397	97–98	Glutarsäure	$C_5H_8O_4$	$CH_2(CH_2 \cdot COOH)_2$	132,11	Prismen (W oder Bzl.)
1398	98	*l*-Cocain	$C_{17}H_{21}NO_4$	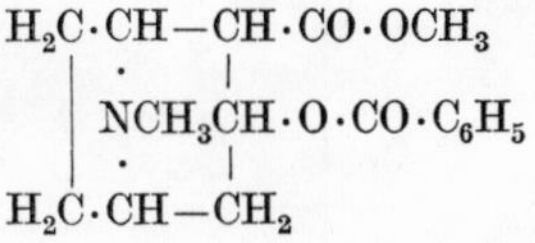	303,35	Prismen (A)
1399	98	p-Diäthylaminoazo-benzol	$C_{16}H_{19}N_3$	$(C_2H_5)_2N \cdot C_6H_4 \cdot N{:}N \cdot C_6H_5$	253,34	goldgelb Blättche (Ae) braun-orange Nadeln (A)
1400	98	Diazoaminobenzol	$C_{12}H_{11}N_3$	$C_6H_5 \cdot N{:}N \cdot NH \cdot C_6H_5$	197,23	gelbe Blättche (A)
1401	98	Dichloracetamid	$C_2H_3Cl_2NO$	$Cl_2CH \cdot CO \cdot NH_2$	127,97	Krist.
1402	98	Guajacolphosphat (Phosphorsäure-triguajacolester)	$C_{21}H_{21}O_7P$	$(CH_3 \cdot O \cdot C_6H_4 \cdot O)_3PO$	416,29	
1403	98	Nicotinsäuremethyl-esterchlormethylat (Pyridin-3-carbon-säuremethylester-chlormethylat, Cesol)	$C_8H_{10}ClNO_2$	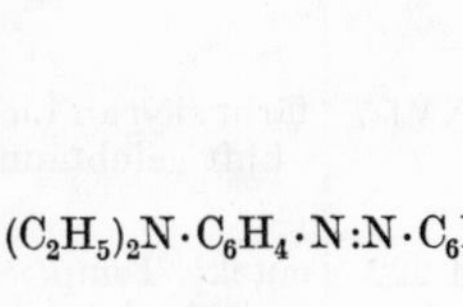	187,63	weiße hygro-skop. Krist.

d. r.	Spez. Gewicht	Siedepunkt °C	Beilstein-zitat	Physikalische Konstanten und Eigenschaften	Löslichkeit	Reaktionen
	8	9	10	11	12	13
)5			XVII 282		unl. in W ll. in A, Ae	
)6			X 256		∞ W ll. in A wl. in Bzl.	Acetat *Fp* 72° Amid *Fp* 111—112°
)7	1,429	302 bis 304 200 (20 mm)	II 631	eutekt. Temp.: mit Azobenzol 66°, mit Benzil 84°	83,3 W 14° ll. in A, Ae	Diamid *Fp* 176° Imid *Fp* 151—152° Anilid *Fp* 224° p-Nitrobenzylester *Fp* 69° Phenacylester *Fp* 104° p-Bromphenacylester *Fp* 137° p-Phenylphenacylester *Fp* 152°
)8			XXII 198	$[\alpha]_D^{20}$ −16,3° (Chlf.); eutekt. Temp.: mit Azobenzol 47°, mit Benzil 62°; wirkt anästhesierend; schmeckt schwach bitter; verursacht taubes Gefühl auf der Zunge	0,18 W 20° 20 A 25° 12 Ae 20° 31,9 CCl_4 20°	Verreibt man mit Glasstab auf einem Uhrglas 3 mg Subst. mit 1 Teil 5%iger K_2CrO_4-Lsg., so entstehen Kristalle; + 1 Tropfen konz. HCl verwandelt sie in ein orange gefärbtes Harz. Beim Verreiben mit 1 Tropfen n/10-$KMnO_4$-Lsg. entstehen gut ausgebildete Kristalle des Cocainpermanganats Hydrochlorid *Fp* 187° $HgCl_2$-Doppelsalz *Fp* 122,5 bis 125° Pikrat *Fp* 165—166°
)9			XVI 314		unl. in W l. in A, Bzl.	Hydrochlorid *Fp* 182° Sulfat *Fp* 137°
)0		Z.	XVI 687		swl. in W l. in h. A ll. in Ae	
01		233 (745mm)	II 205		swl. in h. W, A, Ae	
02			VI 782		l. in A, Chlf., Aceton	
03			XXII 39		ll. in W	

Lfd. Nr.	*Fp*	Name	Summenformel	Strukturformel	Mol.-Gewicht	Aggrega zustan Farbe
1	2	3	4	5	6	7
1404	**98**	5-Nitro-m-toluidin	$C_7H_8N_2O_2$	$CH_3 \cdot C_6H_3(NO_2) \cdot NH_2$	152,15	gelbrot Nadeln
1405	**98**	2-Hydroxy-4,6-dimethoxybenzophenon	$C_{15}H_{14}O_4$	$C_6H_5 \cdot CO \cdot C_6H_2(O \cdot CH_3)_2 \cdot OH$	258,26	hellgelb Nadeln (verd. A
1406	**98**	Phenylquecksilbermethylsalicylat	$C_{17}H_{12}HgO_3$	$C_{14}H_{12}O_3Hg$	428,85	Blättche (Methyl alkohol
1407	**98—99**	3-Benzalphthalid	$C_{15}H_{10}O_2$	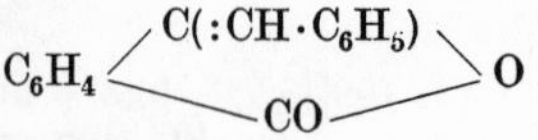	222,23	Prismen (A)
1408	**98—99**	Phenoxyessigsäure	$C_8H_8O_3$	$C_6H_5 \cdot O \cdot CH_2 \cdot COOH$	152,14	Nadeln (W)
1409	**98 bis 101**	Acetaldehydphenylhydrazon	$C_8H_{10}N_2$	$CH_3 \cdot CH : N \cdot NH \cdot C_6H_5$	134,18	
1410	**98 bis 101**	Mepyraminmaleat (Neoantergan, Neobridal, Maleinat des N,N-Dimethyl-N′-[2-pyridyl]-N′-[p-methoxybenzyl]-äthylendiamins)	$C_{21}H_{27}N_3O_5$	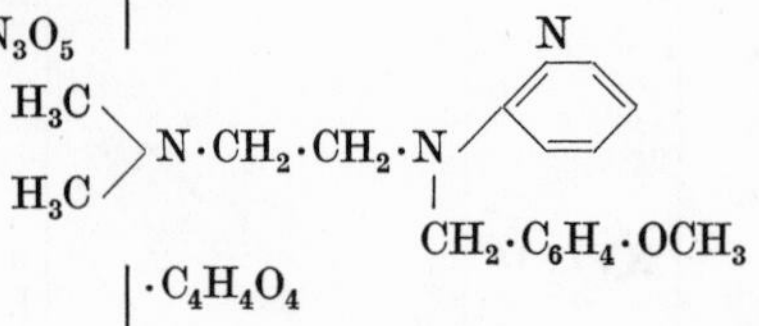	401,45	Krist.
1411	**98,5**	o-Phthalaldehydsäure bzw. 3-Hydroxyphthalid	$C_8H_6O_3$	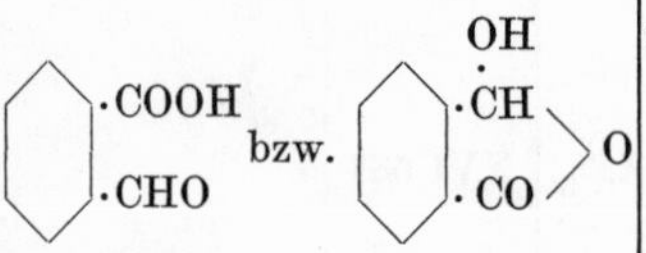	150,13	Krist.
1412	**98,5**	Benztriazol	$C_6H_5N_3$	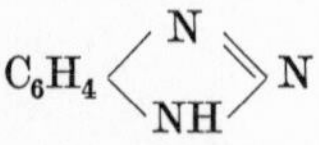	119,12	Nadeln (Chlf.)
1413	**98,5**	β-Methyl-trans-zimtsäure	$C_{10}H_{10}O_2$	$C_6H_5 \cdot C(CH_3) : CH \cdot COOH$	162,18	Nadeln (CS_2)
1414	**98,5**	1,2-Naphthylendiamin	$C_{10}H_{10}N_2$	$H_2N \cdot C_{10}H_6 \cdot NH_2$	158,20	Blättche (W)
1415	**98,5 bis 99**	Azulen	$C_{10}H_8$	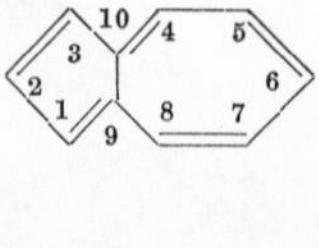	129,17	Krist.

Lfd. Nr.	Spez. Gewicht	Siedepunkt °C	Beilsteinzitat	Physikalische Konstanten und Eigenschaften	Löslichkeit	Reaktionen
	8	9	10	11	12	13
404			XII 419		swl. in k. W l. in A ll. in Ae	Acetylderivat *Fp* 187° Benzoylderivat *Fp* 177°
405			VIII 877		wl. in sd. W l. in A ll. in Ae sll. in Chlf. l. in Alkali gelb	
406					ll. in A, Bzl. swl. in Ae	
407			XVII 376		unl. in W wl. in k. A ll. in h. A	+ Na-Äthylat α,γ-Diketo-β-phenylhydrinden *Fp* 145°
408		285 (Z.)	VI 161	eutekt. Temp.: mit Azobenzol 72°, mit Benzil 55°; wirkt antiseptisch	1,24 W 10° ll. in A, Ae	Amid *Fp* 101° Anilid *Fp* 99° p-Bromphenacylester *Fp* 148°
409	1,18	236 (20 mm)	XV 127		l. in A	
410				Base ölig; eutekt. Temp. mit Benzanilid 78°	2 W 18°	+ konz. H_2SO_4 → intensiv rot + konz. HNO_3 → gelblich + Chloramin → grün + Phosphormolybdänsäure-Lsg. → gelber Nd. + Mandelins Reagens → rotviolett + Fröhdes Reagens → violett + Marquis Reagens → rot
411	1,404		X 666		ll. in W, A l. in Bzl.	
412			XXVI 38		unl. in W l. in A, Bzl.	
413		171 bis 174 (15 mm)	IX 614		unl. in W ll. in A, Ae 19,2 Bzl. 21° 2,08 PAe 21°	Amid *Fp* 119° Anilid *Fp* 121°
414		150 (0,5 mm)	XIII 196		wl. in W ll. in A, Ae, Chlf.	1,3,5-Trinitrobenzolat *Fp* 204° Acetylderivat *Fp* 234° Benzoylderivat *Fp* 291°
415						1,3,5-Trinitrobenzolat *Fp* 166,5 bis 167,5°

Lfd. Nr.	Fp	Name	Summen-formel	Strukturformel	Mol.-Ge-wicht	Aggregat zustand Farbe
1	2	3	4	5	6	7
1416	99	2,4-Diaminotoluol (asymm.-m-Toluylen-diamin)	$C_7H_{10}N_2$	$CH_3 \cdot C_6H_3(NH_2)_2$	122,17	Nadeln (W)
1417	99	2,5-Dihydroxybenz-aldehyd (Gentisinaldehyd)	$C_7H_6O_3$	$(HO)_2C_6H_3 \cdot CHO$	138,12	gelbe Nadeln (Bzl.)
1418	99	Flavon	$C_{15}H_{10}O_2$	$C_6H_4 \begin{array}{c} CO \cdot CH \\ \parallel \\ O-C \cdot C_6H_5 \end{array}$	222,23	Nadeln (Lg.)
1419	99	Phenanthren	$C_{14}H_{10}$		178,22	Tafeln (A)
1420	99	Reten (1-Methyl-7-isopropyl-phenanthren)	$C_{18}H_{18}$	$(CH_3)_2CH \cdot$ CH_3	234,32	Blättchen (A)
1421	99	symm.-Tetrazin	$C_2H_2N_4$	$CH \begin{array}{c} N-N \\ N=N \end{array} CH$	82,07	rote Säulen
1422	99,5	α-Chlorcrotonsäure	$C_4H_5ClO_2$	$CH_3 \cdot CH : CCl \cdot COOH$	120,54	Nadeln (W)
1423	100	l-Äpfelsäure	$C_4H_6O_5$	$HOOC \cdot CH_2 \cdot CH(OH) \cdot COOH$	134,09	zerfließ-liche Nadeln

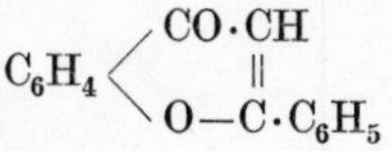

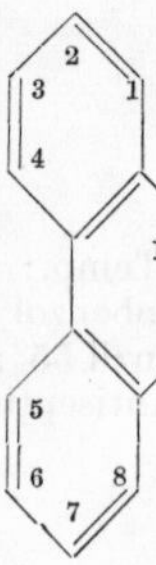

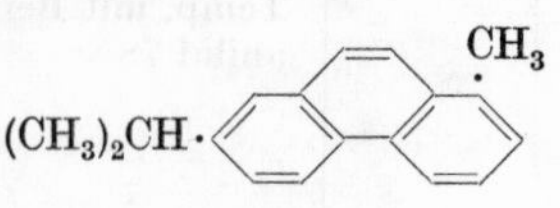

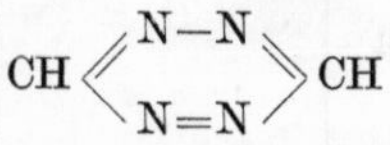

Lfd. Nr.	Spez. Gewicht	Siedepunkt °C	Beilsteinzitat	Physikalische Konstanten und Eigenschaften	Löslichkeit	Reaktionen
	8	9	10	11	12	13
416		280 151 (10 mm)	XIII 124	eutekt. Temp.: mit Azobenzol 62°, mit Benzil 66°	ll. in sd. W, A, Ae	Acetylderivat *Fp* 224° Benzoylderivat *Fp* 224° Benzolsulfonylderivat *Fp* 178° p-Toluolsulfonylderivat *Fp* 201°
417			VIII 244		ll. in W, A, Ae	wss. Lsg. + Alkalien → intensiv rot
418			XVII 373		unl. in W ll. in A, Ae	Lsgg. in H_2SO_4 fluoreszieren violettblau
419	1,063[101°]	340 192,9 (20 mm)	V 667	eutekt. Temp.: mit Azobenzol 46°, mit Benzil 60°; kryoskop. Konst. 12,0; subl. in Blättchen; zeigt auch in Lsg. blaue Fluoreszenz	unl. in W 2,62 A 16° 10,08 sd. A 8,93 Ae 15,5° 16,72 Bzl. 15,5° 33 Toluol 16° ll. in Chlf., CCl_4, Dioxan	Mit Mellitsäureanhydrid → rote Schmelze mit 0,5%iger Ammoniummolybdat-Lsg. in H_2SO_4 gibt 1 Tropfen alkohol. Phenanthren-Lsg. → intensive Blaufärbung, beim Erwärmen braunrot + NaOH orangerot 1—2 mg Subst. + 2 ml (1 Vol. $SbCl_5$ in 2 Vol. CCl_4) → braun Pikrat *Fp* 145° 1,3,5-Trinitrobenzolat *Fp* 164°
420	1,13	390	V 683	kryoskop. Konst. 12,16; sublimiert unter Siedepunkt; etwas mit Wasserdampf flüchtig	unl. in W 3 k. A 69 sd. A ll. in h. Ae, Bzl. sll. in sd. Eg.	Schmelzen mit Mellitsäureanhydrid → karminrot Pikrat *Fp* 123—124°, orangegelbe Nadeln 1,3,5-Trinitrobenzolat *Fp* 139 bis 140° Styphnat *Fp* 141°
421		subl.	XXVI 353	Z. im Licht	l. in W, A, Ae, CS_2	+ H_2SO_4 Verpuffung
422		212	II 414	eutekt. Temp.: mit Benzil 68°, mit Acetanilid 51°	2,01 W 13° ll. in A, Ae	
423	1,595[20°]	Z.	III 419		sll. in W, A 8,4 Ae 15°	wss. Lsg. + $Fe(NO_3)_3$-Lsg. zitronengelb 1 mg Subst. in eine Lsg. von 5 mg β-Naphthol in 1 ml konz. H_2SO_4 eingetragen beim Erhitzen im sd. W-Bad → gelb mit intensiv grüner Fluoreszens Monoamid *Fp* 102° Diamid *Fp* 156° Dianilid *Fp* 197° Bis-p-nitrobenzylester *Fp* 124° Diphenacylester *Fp* 106° Bis-p-bromphenacylester *Fp* 179°

Lfd. Nr.	*Fp*	Name	Summenformel	Strukturformel	Mol.-Gewicht	Aggrega zustand Farbe
1	2	3	4	5	6	7
1424	100 (Z.)	Benzol-1,3,5-trisulfonsäure	$C_6H_6O_9S_3$	$C_6H_3(SO_3H)_3$	318,31	Nadeln
1425	100 (Z.)	Phenol-2,4-disulfonsäure	$C_6H_6O_7S_2$	$HO \cdot C_6H_3(SO_3H)_2$	254,24	zerfließliche Nadeln
1426	100	Phloroglucincarbonsäure	$C_7H_6O_5$	$(HO)_3C_6H_2 \cdot COOH$	170,12	Krist. + $1H_2$(
1427	100	1,2,4-Triaminobenzol	$C_6H_9N_3$	$C_6H_3(NH_2)_3$	123,16	Blättche (Chlf.)
1428	100	p-Xylylenchlorid	$C_8H_8Cl_2$	$C_6H_4(CH_2Cl)_2$	175,06	Blättche (A)
1429	100 bis 101	2-Methoxybenzoesäure	$C_8H_8O_3$	$CH_3 \cdot O \cdot C_6H_4 \cdot COOH$	152,14	Tafeln (W)
1430	100 bis 120	Hämatoxylin	$C_{16}H_{14}O_6$	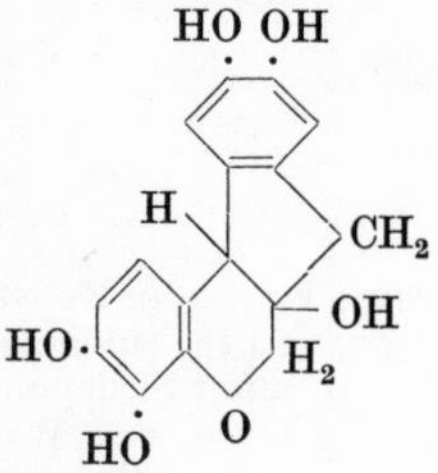	302,27	weiße, meist gelbe oder ros Krist. + $3H_2$((verd. H_2SO_3)
1431	100,5	Xanthen	$C_{13}H_{10}O$	$C_6H_4 \langle {}^{CH_2}_{O} \rangle C_6H_4$	182,21	Blättche (A)
1432	101	Capronamid	$C_6H_{13}NO$	$CH_3 \cdot (CH_2)_4 \cdot CO \cdot NH_2$	115,17	Tafeln (A
1433	101	2,5-Dinitro-m-xylol	$C_8H_8N_2O_4$	$(O_2N)_2C_6H_2(CH_3)_2$	196,16	Krist. (A)
1434	101	Novocainnitrat (p-Aminobenzoesäure-β-diäthylaminoäthylesternitrat)	$C_{13}H_{21}N_3O_5$	$C_6H_4 \langle {}^{NH_2}_{CO_2 \cdot C_2H_4 \cdot N(C_2H_5)_2}$; HNO_3	299,32	weiße Krist.
1435	101 bis 102	Acetyldiphenylamin (N,N-Diphenylacetamid)	$C_{14}H_{13}NO$	$CH_3 \cdot CO \cdot N(C_6H_5)_2$	211,25	Blättche (W)
1436	101 bis 102	Thiobenzanilid	$C_{13}H_{11}NS$	$C_6H_5 \cdot CS \cdot NH \cdot C_6H_5$	213,29	gelbe Tafeln (A)

Lfd. Nr.	Spez. Gewicht	Siedepunkt °C	Beilsteinzitat	Physikalische Konstanten und Eigenschaften	Löslichkeit	Reaktionen
	8	9	10	11	12	13
424			XI 227		l. in W	Trichlorid *Fp* 184°
425			XI 250		ll. in W, A unl. in Ae	
426			X 468		wl in k. W l. in A ll. in Ae unl. in Bzl.	+ sd. W → Phloroglucin
427		~340	XIII 294	bräunt sich an der Luft	ll. in w. A swl. in Ae	+ $FeCl_3$ → weinrot
428	1,417$^{0°}$	240 bis 245 (Z.)	V 384		unl. in W l. in A	
429	1,18	200 (Z.)	X 64		0,5 W 30° ll. in A, Ae	bei 245° Z.
430		Z.	XVII 219		wl. in k. W l. in A, Ae l. in NH_4OH und Na_2CO_3-Lsg. violettrot in Lauge violettblau	1 mg Subst. in 5 ml A 1. + 2 ml W + Barytwasser → blauer Nd. 2. + Mg-Salz + NH_3 → weiße, rasch violettstichig blau werdende Trübung
431		315	XVII 73	mit W-Dampf flüchtig	swl. in W wl. in k. A l. in A, Bzl., Chlf.	+ H_2SO_4 → gelb
432	0,999		II 324		l. in h. W, A, Ae	
433			V 380		unl. in W ll. in A, Ae	
434			E_1 XIV 568	eutekt. Temp.: mit Benzil 93°, mit Acetanilid 73°; Geschmack bitter; anästhesierend; geruchlos	l. in W, A	0,1 g Subst. in 1 ml konz. H_2SO_4 überschichten mit $FeSO_4$-Lsg., an Berührungsfläche → brauner Ring
435			XII 247	sublimiert in feinen Nadeln; eutekt. Temp.: mit Benzil 67°, mit Acetanilid 68°	wl. in W, Ae	
436			XII 269		swl. in sd. W ll. in A, NaOH sll. in Ae	Dest. → 2-Phenylbenzthiazol

Lfd. Nr.	Fp	Name	Summen-formel	Strukturformel	Mol.-Ge-wicht	Aggrega zustanc Farbe
1	2	3	4	5	6	7
1437	102	Adonit	$C_5H_{12}O_5$	$HO \cdot CH_2 \cdot (CHOH)_3 \cdot CH_2 \cdot OH$	152,15	Prismen (W)
1438	102	o-Aminoazotoluol (o-Toluol-azo-o-toluidin)	$C_{14}H_{15}N_3$	(Strukturformel)	225,28	rötlich-braunes Plv.
1439	102	l-Arabit	$C_5H_{12}O_5$	$HO \cdot CH_2 \cdot [CH(OH)]_3 \cdot CH_2 \cdot OH$	152,15	Krist.
1440	102	4,4'-Bis-dimethylamino-triphenylmethan (Leukomalachitgrün)	$C_{23}H_{26}N_2$	$C_6H_5 \cdot CH[C_6H_4 \cdot N(CH_3)_2]_2$	330,45	Nadeln (Bzl.)
1441	102	cis-Chinit	$C_6H_{12}O_2$	$HO \cdot HC \underset{CH_2 \cdot CH_2}{\overset{CH_2 \cdot CH_2}{<\quad>}} CH \cdot OH$	116,16	Prismen (Aceton
1442	102	Cinnamalacetophenon	$C_{17}H_{14}O$	$C_6H_5 \cdot CH:CH \cdot CH:CH \cdot CO \cdot C_6H_5$	234,28	gelbe Nadeln (A)
1443	102	Cumaranon	$C_8H_6O_2$	$C_6H_4 \underset{O}{\overset{CO}{<\quad>}} CH_2$	134,13	Nadeln (A)
1444	102	Methylharnstoff	$C_2H_6N_2O$	$CH_3 \cdot NH \cdot CO \cdot NH_2$	74,08	Prismen (W od. A
1445	102	O-Methylisatin (2-Methoxy-3-oxo-indolenin)	$C_9H_7NO_2$	$C_6H_4 \underset{N}{\overset{CO}{<\quad>}} C \cdot O \cdot CH_3$	161,15	blutrote Prismen (Bzl.)
1446	102	3-Nitro-d-campher	$C_{10}H_{15}NO_3$	$C_8H_{14} \underset{CH \cdot NO_2}{\overset{CO}{<|}}$	197,23	Prismen (Bzl.)
1447	102	2-Phenylnaphthalin	$C_{16}H_{12}$	$C_{10}H_7 \cdot C_6H_5$	204,26	Blättche (A)
1448	102 bis 103	Larodon (1-Phenyl-2,3-dimethyl-4-iso-propyl-5-pyrazolon)	$C_{14}H_{18}N_2O$	$(CH_3)_2CH \cdot C = C \cdot CH_3$ $O:C \quad N \cdot CH_3$ N C_6H_5	230,30	farbloses Pulver
1449	102 bis 103	p-Brombenzolsulfon-säure	$C_6H_5BrO_3S$	$Br \cdot C_6H_4 \cdot SO_3H$	237,08	Nadeln

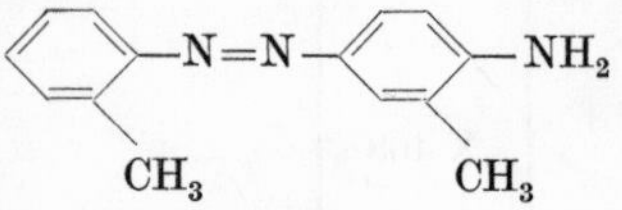

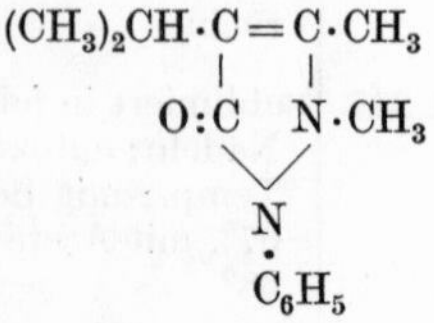

Lfd. Nr.	Spez. Gewicht	Siedepunkt °C	Beilsteinzitat	Physikalische Konstanten und Eigenschaften	Löslichkeit	Reaktionen
	8	9	10	11	12	13
437			I 530	eutekt. Temp.: mit Benzil 94°, mit Acetanilid 100°	sll. in W ll. in h. A unl. in Ae, Lg.	
438					unl. in W ll. in A, Ae	Hydrochlorid orangegelbe Tafeln Diacetylverbindung (Pellidol) *Fp* 75°, blaßrotgelbes Plv.
439			I 531	in W inaktiv in Boraxlsg. linksdrehend	sll. in W 2,18 90%ig. A 12°	
440			XIII 275		unl. in W l. in A ll. in Ae, Bzl. wl. in Lauge	
441		subl.	VI 741		ll. in W, A swl. in Ae, Chlf.	
442			VII 499		unl. in W l. in A, Ae	
443		152 bis 154 (16 mm)	XVII118	riecht nach Hyazinthen	wl. in W ll. in A, Ae l. in NaOH	
444	1,204	Z.	IV 64	eutekt. Temp.: mit Benzil 82°, mit Acetanilid 72°	ll. in W, A unl. in Ae	
445			XXI 583		unl. in W wl. in A ll. in Ae, Bzl., Aceton	
446			VII 128		unl. in W l. in A, Ae ll. in Bzl., Chlf.	
447		345 bis 346	V 687	mit Dampf flüchtig	unl. in W l. in A, Ae ll. in Bzl.	
448				geruchlos; schmeckt bitter	wl. in W ll. in A, Ae	
449		155 (Vak.)	XI 57			Salz mit Anilin *Fp* 238° Salz mit p-Toluidin *Fp* 216° Anilid *Fp* 119°

Lfd. Nr.	Fp	Name	Summen-formel	Strukturformel	Mol.-Ge-wicht	Aggregat zustand Farbe
1	2	3	4	5	6	7
1450	102 bis 103	Maltose	$C_{12}H_{22}O_{11}$	$HO \cdot CH_2 \cdot CH \cdot CH(OH) \cdot CH(OH) \cdot CH(OH) \cdot CH$ $\lfloor$——— O ———$\rfloor$ O $OH \cdot CH_2 \cdot CH \cdot CH \cdot CH(OH) \cdot CH(OH) \cdot CH \cdot OH$ $\lfloor$——— O ———$\rfloor$	342,30	Nadeln (W)
1451	102 bis 103	Santal-Campher (Hydroxydihydro-eremophilon)	$C_{15}H_{24}O_2$		236,34	Prismen (Me-thanol)
1452	102 bis 104	d-Fructose (Lävulose)	$C_6H_{12}O_6$	$HO \cdot CH_2 \cdot \overset{H}{\underset{OH}{C}} \cdot \overset{H}{\underset{OH}{C}} \cdot \overset{OH}{\underset{H}{C}} \cdot CO \cdot CH_2 \cdot OH$	180,16	weiße Nadeln $+ \frac{1}{2}H_2O$ (W)
1453	102 bis 104	N-Methylacetanilid (Exalgin)	$C_9H_{11}NO$	$C_6H_5 \cdot N(CH_3) \cdot CO \cdot CH_3$	149,19	Blättche. (Lg.)
1454	102,5	N,N'-Dimethylharn-stoff	$C_3H_8N_2O$	$CH_3 \cdot NH \cdot CO \cdot NH \cdot CH_3$	88,11	Prismen (Chlf. + Ae)
1455	102,5	Mekonin (6,7-Dimeth-oxyphthalid)	$C_{10}H_{10}O_4$		194,18	Nadeln (W)
1456	103	Chloralurethan	$C_5H_8Cl_3NO_3$	$CCl_3 \cdot CH \cdot NH \cdot CO_2 \cdot C_2H_5$ $\quad\;\; OH$	236,49	weiße Krist.
1457	103	1-Nitronaphthol-(2)	$C_{10}H_7NO_3$	$O_2N \cdot C_{10}H_6 \cdot OH$	189,16	gelbe Nadeln od. Blätt chen (A)
1458	103	2-Phenylbenzoxazol	$C_{13}H_9NO$	$C_6H_4 \underset{O}{\overset{N}{\langle\quad\rangle}} C \cdot C_6H_5$	195,21	Nadeln (verd. A)

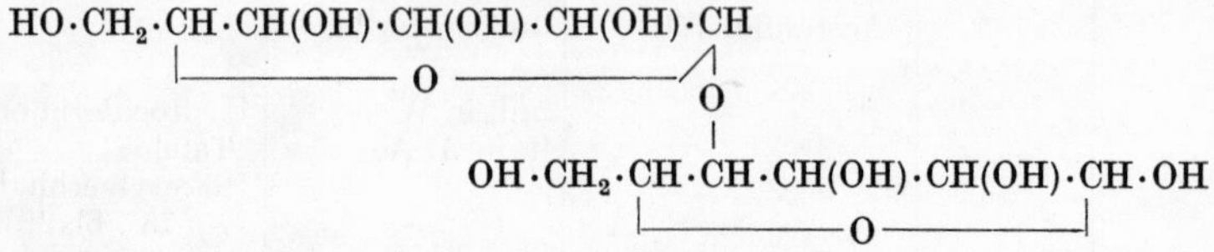

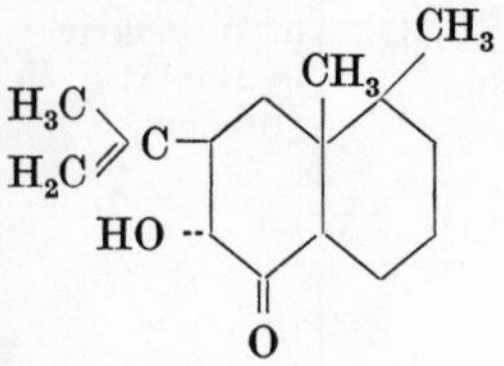

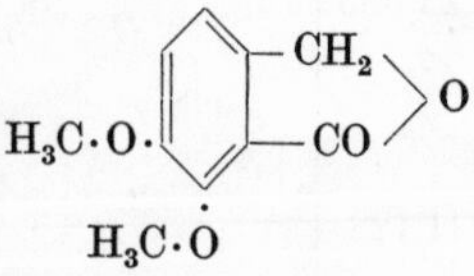

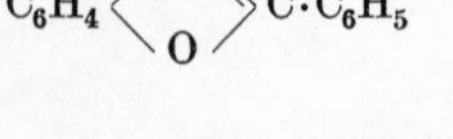

Lfd. Nr.	Spez. Gewicht	Siedepunkt °C	Beilsteinzitat	Physikalische Konstanten und Eigenschaften	Löslichkeit	Reaktionen
	8	9	10	11	12	13
450	1,540		XXXI 386	$[\alpha]_D^{20}$ +129° (W) Spaltung → Glucose; süßer Geschmack	79 W 21° 140 W 50° 569 W 96° wl. in A, Ae	reduziert Fehlingsche Lsg. Phenylosazon *Fp* 208°, hellgelbe Nadeln Oktaacetat *Fp* 159—160°
451				$[\alpha]_D$ +90,6° (Chlf.)		
452	1,669[18°]		I 918	$[\alpha]_D^{20}$ −133,5; süßer Geschmack	355 W 20° 8,3 A 18° l. in Ae	wss. Lsg. + Lauge beim Erhitzen → gelb ammoniakal. Silbernitratlsg. wird reduziert 50 mg Subst. in 1 ml W. + 0,5 ml 20%ige HCl 5 Min. in W-Bad erhitzen → stark blau Phenylosazon *Fp* 205°
453	0,977[120°]	245	XII 245	eutekt. Temp.: mit Benzil 63°, mit Acetanilid 59°	wl. in W l. in A	
454	1,142	268 bis 270	IV 65	eutekt. Temp.: mit Benzil 79°, mit Acetanilid 60°	ll. in W, A swl. in Ae	
455		subl.	XVIII 89		0,14 W 15° 4,5 sd. W l. in A, Ae	+ H_2SO_4 kalt → farblos; warm → purpur
456			III 24	eutekt. Temp.: mit Benzil 75°, mit Acetanilid 65°; geruch- und geschmacklos	wl. in W	+ starke Säure — erhitzen → Geruch nach Chloralhydrat + $AgNO_3$ — erhitzen + 1 Tropfen 2n-NH_3 → scheidet Ag ab alkohol. HgJ_2-Lsg. beim Erhitzen → rotbrauner Nd.
457			VI 653		l. in A	Acetat *Fp* 61° Benzoat *Fp* 142°
458		314 bis 317	XXVII 72	mit Dampf flüchtig	unl. in k. W l. in A, Ae	

Lfd. Nr.	*Fp*	Name	Summenformel	Strukturformel	Mol.-Gewicht	Aggrega zustan Farbe
1	2	3	4	5	6	7
1459	**103**	1,2,3-Triaminobenzol	$C_6H_9N_3$	$C_6H_3(NH_2)_3$	123,16	Krist.
1460	**103** bis **104**	Acrifolin	$C_{16}H_{23}NO_2$		261,35	Krist. (A)
1461	**103** bis **104**	Benzoylessigsäure	$C_9H_8O_3$	$C_6H_5 \cdot CO \cdot CH_2 \cdot COOH$	164,15	Nadeln (Bzl. + PAe
1462	**103** bis **104**	1,2-Dihydroxy-naphthalin	$C_{10}H_8O_2$	$C_{10}H_6(OH)_2$	160,16	Nadeln (CS$_2$)
1463	**103,8**	o-Phenylendiamin (1,2-Diaminobenzol)	$C_6H_8N_2$	$H_2N \cdot C_6H_4 \cdot NH_2$	108,14	Blättche (Chlf.)
1464	**104**	Äthandisulfon-säure-(1,2)	$C_2H_6O_6S_2$	$HO_3S \cdot CH_2 \cdot CH_2 \cdot SO_3H$	190,19	Nadeln (Eg.)
1465	**104**	Atophanguajacolester (Guphen)	$C_{23}H_{17}NO_3$	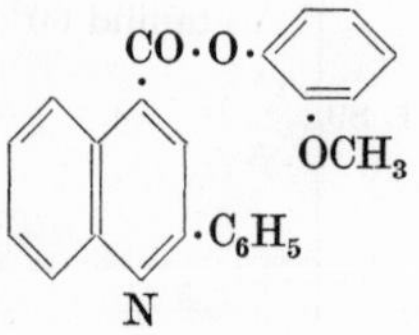	355,37	weiße Krist.
1466	**104**	2,3-Dimethylnaphthalin (Guajen)	$C_{12}H_{12}$	$C_{10}H_6(CH_3)_2$	156,22	Blättche (A)
1467	**104**	α,α'-Dinaphthylketon	$C_{21}H_{14}O$	$C_{10}H_7 \cdot CO \cdot C_{10}H_7$	282,32	Krist.
1468	**104**	Phenanthridin	$C_{13}H_9N$	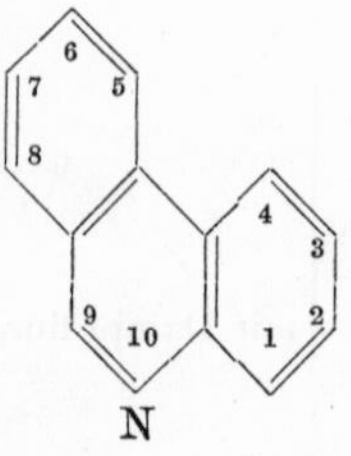	179,21	Nadeln (verd. A

Lfd. Nr.	Spez. Gewicht	Siedepunkt °C	Beilsteinzitat	Physikalische Konstanten und Eigenschaften	Löslichkeit	Reaktionen
	8	9	10	11	12	13
459		336	XIII 294		sll. in W, A, Ae	+ H_2SO_4 + Spur HNO_3 → blau
460				$[\alpha]_D^{20}$ −250° (Essigester)	wl. in W ll. in A, Ae, Chlf., Aceton, Essigester	Hydrojodid *Fp* 258−259° (Z.) Nitrat *Fp* 236° (Z.) Perchlorat *Fp* 260° Jodmethylat *Fp* 249−250° (Z.)
461			X 672		l. in h. W ll. in A, Ae	Erhitzen über *Fp* 104° → CO_2 + Acetophenon + $Fe(NO_3)_3$ → violett
462			VI 975		wl. in W l. in A, Ae l. in Alkalien gelb, an der Luft grün	Diacetat *Fp* 104−106°
463		256 bis 258	XIII 6	sublimierbar eutekt. Temp.: mit Benzil 57°, mit Acetanilid 79°	4,22 W 35° ll. in A, Ae, Chlf.	+ $FeCl_3$ + HCl → rote Nadeln (Hydrochlorid des 2,3-Diaminophenazins) + Acetylaceton in saurer Lsg. → intensiv violett Pikrat *Fp* 208° Diacetylderivat *Fp* 185 bis 186°, Nadeln N.N′-Dibenzolsulfonylderivat *Fp* 186° N.N′-Di-p-toluolsulfonylderivat *Fp* 201−202°
464			IV 11		ll. in A	
465				geruch- und geschmacklos	unl. in W, Säure, Laugen l. in A	in wenig A unter Erwärmen gelöst + verd. HCl bleibt Lsg. klar + 1 n-Jodlsg. → braunes amorphes Perjodid
466			V 571	mit Dampf flüchtig; eutekt. Temp.: mit Benzil 65°, mit Acetanilid 90°	unl. in W wl. in A l. in Ae	Pikrat *Fp* 123°
467			VII 539		sll. in A, Bzl.	+ H_2SO_4 → orangerot
468		>360	XX 466	schmeckt pfefferartig; Dampf reizt zum Niesen	0,03 k. W ll. in A, Ae	

Lfd. Nr.	*Fp*	Name	Summen-formel	Strukturformel	Mol.-Ge-wicht	Aggrega zustan Farbe
1	2	3	4	5	6	7
1469	**104**	Piperazin	$C_4H_{10}N_2$	$HN\langle{}^{CH_2 \cdot CH_2}_{CH_2 \cdot CH_2}\rangle NH$	83,14	Blättche (A)
1470	**104**	2,4,5-Trinitrotoluol	$C_7H_5N_3O_6$	$(O_2N)_3C_6H_2 \cdot CH_3$	227,13	gelbe Tafeln (Aceton
1471	**104** bis **105**	Benzoylperoxyd (Lucidol)	$C_{14}H_{10}O_4$	$C_6H_5 \cdot CO \cdot O \cdot O \cdot CO \cdot C_6H_5$	242,22	Prismen
1472	**104** bis **105**	4-Methylresorcin	$C_7H_8O_2$	$CH_3 \cdot C_6H_3(OH)_2$	124,13	Krist. (Bzl. + PAe)
1473	**104** bis **107**	Stilböstroldipropionat (p,p′-Dipropionoxy-α,β-diäthylstilben, Cyren B)	$C_{24}H_{28}O_4$	$C_2H_5 \cdot CO \cdot O \cdot C_6H_4 \cdot C \cdot C_2H_5$ ‖ $C_2H_5 \cdot CO \cdot O \cdot C_6H_4 \cdot C \cdot C_2H_5$	380,46	farblose Krist.
1474	**105**	Acetophenonphenyl hydrazon	$C_{14}H_{14}N_2$	$CH_3 \cdot C(:N \cdot NH \cdot C_6H_5) \cdot C_6H_5$	210,27	Nadeln (A)
1475	**105**	Allylmalonsäure	$C_6H_8O_4$	$CH_2:CH \cdot CH_2 \cdot CH(COOH)_2$	144,11	Krist.
1476	**105**	n-Butylmalonsäure	$C_7H_{12}O_4$	$CH_3 \cdot (CH_2)_3 \cdot CH(COOH)_2$	160,16	Prismen (W)
1477	**105**	4-Aminophenanthren	$C_{14}H_{11}N$	$H_2N \cdot C_6H_3\langle{}_{CH:CH}\rangle C_6H_4$	193,24	graue Krist. (Lg.)

Lfd. Nr.	Spez. Gewicht	Siedepunkt °C	Beilsteinzitat	Physikalische Konstanten und Eigenschaften	Löslichkeit	Reaktionen
	8	9	10	11	12	13
469		145 bis 146	XXIII 4	hygroskopisch; stark alkalisch; absorbiert O_2	ll. in W, A unl. in Ae	Jodlsg. fällt gelbes Perjodid, das sich in einigen Tropfen 2n-Säure löst mit HCl ansäuern + Jodkalium-Wismutjodid-Lsg. auf 50° erwärmen, abkühlen → granatrotes Pulver Pikrat *Fp* 280° Acetylderivat *Fp* 134° Benzoylderivat *Fp* 191° Benzolsulfonylderivat *Fp* 282° p-Toluolsulfonylderivat *Fp* 173°
470		290 (Z.)	V 347		wl. in k. A ll. in Ae	
471			IX 179	eutekt. Temp.: mit Benzil 67°, mit Acetanilid 90°; verpufft beim Erhitzen über den *Fp*	swl. in W wl. in k. A l. in Ae 2,53 CS_2 15°	scheidet aus mit H_2SO_4 angesäuerter KJ-Lsg. Jod aus + H_2SO_4 → weiße Dämpfe + 1 Tropfen Formalin → blutrot → braun
472		267 bis 270	VI 872		ll. in W, A, Ae wl. in Bzl.	
473				geruch- u. geschmacklos	unl. in W wl. in A l. in Ae, Bzl., Chlf., Aceton	0,01 g Subst. + 1 ml H_2SO_4 → orangegelb, beim Erwärmen im W-Bad → braun 0,01 g Subst. + 0,01 g Vanillim im Porzellantiegel mit einigen Tropfen H_2SO_4 auf dem W-Bad erwärmen → rötlichbraun mit schwach violettem Rand. Nach Erkalten + 2 ml A → violett
474			XV 139		wl. in W, k. A ll. in Ae	
475			II 776		ll. in W, A, Bzl.	entfärbt $KMnO_4$ sofort
476			II 673	eutekt. Temp.: mit Benzil 77°, mit Acetanilid 46°	ll. in A, Ae	bei 150° → CO_2 u. Capronsäure
477			E_1 XII 555		unl. in W ll. in A, Ae	

Lfd. Nr.	*Fp*	Name	Summen-formel	Strukturformel	Mol.-Ge-wicht	Aggrega zustand Farbe
1	2	3	4	5	6	
1478	105	Brenzcatechin (o-Dihydroxybenzol)	$C_6H_6O_2$	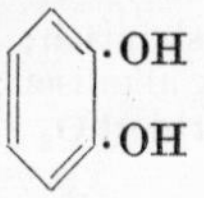	110,11	weiße bi blaßbla violette Nadeln (W), Blättche (Bzl.)
1479	105	cis-β-Dekalol I	$C_{10}H_{18}O$	$H_2C \cdot CH_2 \cdot CH \cdot CH_2 \cdot CH \cdot OH$ / $H_2C \cdot CH_2 \cdot CH \cdot CH_2 \cdot CH_2$	154,24	Nadeln (PAe)
1480	105	2,6-Diaminotoluol (vic.-m-Toluylen-diamin)	$C_7H_{10}N_2$	$CH_3 \cdot C_6H_3(NH_2)_2$	122,17	Prismen (W)
1481	105	Dicyandiamidin	$C_2H_6N_4O$	$H_2N \cdot C(:NH) \cdot NH \cdot CO \cdot NH_2$	102,10	Prismen (A)
1482	105	Dihydroresorcin	$C_6H_8O_2$	$H_2C \cdot CH_2 \cdot CO$ / $H_2C \cdot CO \cdot CH_2$ oder $H_2C \cdot CH_2 \cdot C \cdot OH$ / $H_2C \cdot CO \cdot CH$	112,12	Prismen (Bzl.)
1483	105	Koprosterin [Koprostanol-(3β)]	$C_{27}H_{48}O$	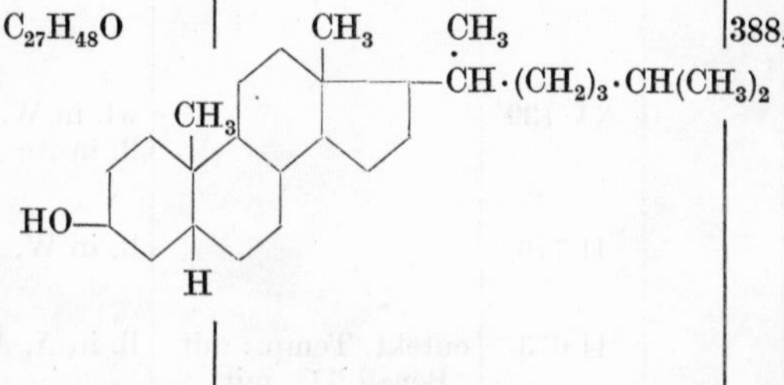	388,66	lange Nadeln (verd. A
1484	105	β-Methylglucosid	$C_7H_{14}O_6$	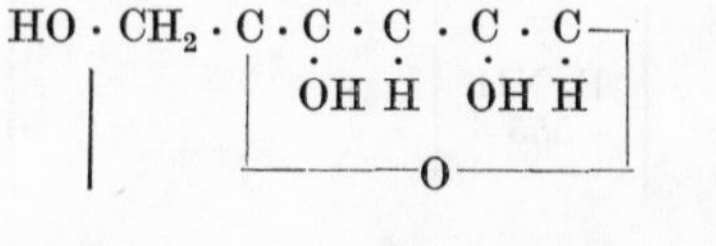	194,18	Tafeln (A)

Lfd. Nr.	Spez. Gewicht	Siedepunkt °C	Beilsteinzitat	Physikalische Konstanten und Eigenschaften	Löslichkeit	Reaktionen
	8	9	10	11	12	13
178	1,344	240	VI 759	eutekt. Temp.: mit Benzil 61°, mit Acetanilid 37°; kryoskop. Konst. 7,13; mit Dampf flüchtig; giftig; bittererGeschmack; geruchlos; sublimierbar	45,14 W 20° l. in A, Ae	wss. Lsg. + Lauge (durchschütteln) → grün, bei Ruhe → braun, wieder schütteln → grün mit Na_2CO_3 geschüttelte Lsg. → grün + sehr verd. $Fe(NO_3)_3$-Lsg. → intensiv grün + Hexamethylentetramin → blauviolett wss. Lsg. + 10%ige $NaNO_2$-Lsg. mit H_2SO_4 unterschichten: oberer Ring → blau unterer Ring → grün Bis-phenylurethan *Fp* 165°
179		243 (746mm)	VI 67	eutekt. Temp.: mit Azobenzol 62°, mit Benzil 66°		Phenylurethan *Fp* 134° Benzoat *Fp* 57–58°
180			XIII 148		ll. in h. W, A	
181		160 Z.	III 89		ll. in W wl. in k. A unl. in Ae	Cu-Salz + $2H_2O$ → rosenrote Nädelchen Ni-Salz + $2H_2O$ → gelber kristalliner Nd. Pikrat *Fp* 265°
182			VII 554		ll. in W, A swl. in Ae, CS_2	+ $Fe(NO_3)_3$ → violettrot
183				$[\alpha]_D^{20}$ +24° (A); eutekt. Temp.: mit Benzil 80°, mit Acetanilid 88°	l. in A, Ae, Chlf.	Acetat *Fp* 88–90° Butyrat *Fp* 98–100° Dinitrobenzoat *Fp* 214–215°
184			I 899	$[\alpha]_D$ −32° (W)	58 W 17° 1,5 A 4,2 90%ig. A 17° unl. in Ae	

Lfd. Nr.	*Fp*	Name	Summen-formel	Strukturformel	Mol.-Ge-wicht	Aggrega zustan Farbe
1	2	3	4	5	6	7
1485	**105**	Physostigmin (Eserin)	$C_{15}H_{21}N_3O_2$	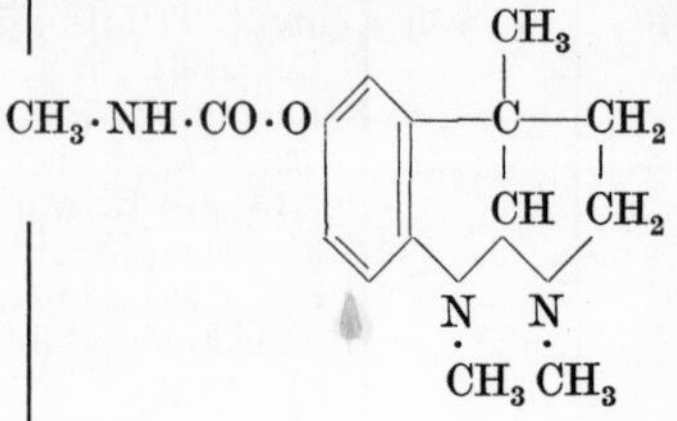	275,34	Prisme (Bzl.)
1486	**105**	Pimelinsäure	$C_7H_{12}O_4$	$HOOC \cdot (CH_2)_5 \cdot COOH$	160,17	mono-kline Tafeln(W
1487	**105**	Propionanilid	$C_9H_{11}NO$	$C_2H_5 \cdot CO \cdot NH \cdot C_6H_5$	149,19	Blättch (verd. A
1488	**105**	cis-Terpin	$C_{10}H_{20}O_2$	$CH_3 \cdot (OH)C\langle{}^{CH_2 \cdot CH_2}_{CH_2 \cdot CH_2}\rangle CH \cdot C(CH_3)_2 \cdot OH$	172,26	Krist.
1489	**105**	o-Toluylsäure	$C_8H_8O_2$	$CH_3 \cdot C_6H_4 \cdot COOH$	136,14	Spieße (W)
1490	**105** bis **106**	2-Aminobenzophenon	$C_{13}H_{11}NO$	$C_6H_5 \cdot CO \cdot C_6H_4 \cdot NH_2$	197,23	hellgelb Blättch (A)
1491	**105** bis **106**	Dichlordiphenyltri-chloräthan (DDT, Gesarol, Gesapon, Neocid, Duolit)	$C_{14}H_9Cl_5$	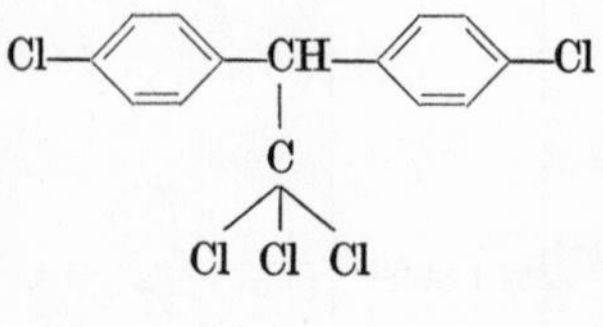	354,50	weiße verfilzt Krist.-Nadel

Lfd. Nr.	Spez. Gewicht	Siedepunkt °C	Beilsteinzitat	Physikalische Konstanten und Eigenschaften	Löslichkeit	Reaktionen
8	8	9	10	11	12	13
85				eutekt. Temp.: mit Benzil 72°, mit Acetanilid 71°; optisch linksdrehend; hygroskopisch; geschmacklos; reagiert alkalisch	wl. in W ll. in A, Ae, Chlf., Bzl., CS_2	+ selenige Säure + H_2SO_4 (0,5:100) in der Kälte bräunlichgelb, in der Hitze braunrot + Dimethylaminobenzaldehyd + H_2SO_4 (2:6) bei stärkerem Erhitzen → laubgrün + Ferrichlorid + Ferricyankalium wird reduziert → Berliner Blau + Titansäure-H_2SO_4 erwärmen → gelbbraun, stärkere Erhitzung → rotbraun; bei Erkalten farblos, neue Erwärmung → obige Farbänderung
86	$1,329^{15°}$	341,6 272 (100mm)	II 670	eutekt. Temp.: mit Benzil 82°, mit Acetanilid 69°; sublimiert unzersetzt	2,5 W 13° 4,2 W 20° ll. in A, Ae	Dipikrat *Fp* 166° Diphenacylester *Fp* 72,4° Di-p-bromphenacylester *Fp* 137° Di-p-phenylphenacylester *Fp* 145—148° Monoanilid *Fp* 113—114° Dianilid *Fp* 155° Di-p-toluidid *Fp* 206° Dihydrazid *Fp* 182°
87	1,175		XII 250		0,42 W 24° ll. in A, Ae	
88		258	VI 745	an der Luft → Terpinhydrat		
89	$1,062^{115°}$	259	IX 462	mit Dampf leicht flüchtig	0,12 W 25° ll. in A	4-Nitrobenzylester *Fp* 90,7° p-Bromphenacylester *Fp* 57° p-Phenylphenacylester *Fp* 94,5° Amid *Fp* 147° Anilid *Fp* 125°
90			XIV 76		l. in A	Hydrochlorid *Fp* 179—180° (Z.) Acetylderivat *Fp* 72° Benzoylderivat *Fp* 80,5°
91				geruchlos	unl. in W ll. in CCl_4 40,9 Ae 21° 77,0 Bzl. 21° 54,0 Chlf. 21° 89,9 Toluol 21° 64,2 Aceton 21° 1,8 A (94%) 21° 2,6 Methanol 21° l. in CS_2 wl. in Eg.	

Lfd. Nr.	*Fp*	Name	Summen-formel	Strukturformel	Mol.-Ge-wicht	Aggrega zustand Farbe
1	2	3	4	5	6	7
1492	**106**	4-Aminoacetophenon	C_8H_9NO	$H_2N \cdot C_6H_4 \cdot CO \cdot CH_3$	135,16	Krist. (verd. A
1493	**106**	d-Campholsäure	$C_{10}H_{18}O_2$	$H_2C \cdot C(CH_3)(COOH)$ | H_2C——$CH(CH_3)$ > $C(CH_3)_2$	170,24	Prismen (A)
1494	**106**	4-Nitrobenzaldehyd	$C_7H_5NO_3$	$O_2N \cdot C_6H_4 \cdot CHO$	151,12	Prismen (W)
1495	**106**	3-Hydroxybenzaldehyd	$C_7H_6O_2$	$HO \cdot C_6H_4 \cdot CHO$	122,12	Nadeln (W)
1496	**106**	Valeriansäureamid	$C_5H_{11}NO$	$CH_3 \cdot (CH_2)_3 \cdot CO \cdot NH_2$	101,15	Tafeln (A)
1497	**106 bis 107**	Atropasäure (α-Phenylacrylsäure)	$C_9H_8O_2$	$C_6H_5 \cdot C(:CH_2) \cdot COOH$	148,15	Nadeln (W)
1498	**106 bis 107**	1-Naphthol-8-sulfon-säure	$C_{10}H_8O_4S$	$HO \cdot C_{10}H_6 \cdot SO_3H$	224,23	Krist.
1499	**106,5**	Azelainsäure	$C_9H_{16}O_4$	$HOOC \cdot (CH_2)_7 \cdot COOH$	188,22	Blättche oder Nadeln
1500	**107**	ω,ω,ω′,ω′-Tetrabrom-m-xylol	$C_8H_6Br_4$	$C_6H_4(CHBr_2)_2$	421,79	Nadeln (A)

fd. Nr.	Spez. Gewicht	Siedepunkt °C	Beilsteinzitat	Physikalische Konstanten und Eigenschaften	Löslichkeit	Reaktionen
	8	9	10	11	12	13
492		293 bis 295	XIV 46	mit Dampf nicht flüchtig; eutekt. Temp.: mit Benzil 74°, mit Acetanilid 76°	ll. in sd. W, A, Ae	2,4-Dinitrophenylhydrazon *Fp* 259° Acetylderivat *Fp* 167° Benzoylderivat *Fp* 205° Benzolsulfonylderivat *Fp* 128° p-Toluolsulfonylderivat *Fp* 203°
493		253 bis 255	IX 34	$[\alpha]_D^{15}$ +49,8 (A)	0,02 W 19° 64,5 80%ig. A 15°	
494		subl.	VII 256		wl. in k. W ll. in A zwl. in Ae	Oxim *Fp* 129° Hydrazon *Fp* 134° Phenylhydrazon *Fp* 159° p-Nitrophenylhydrazon *Fp* 249° 2,4-Dinitrophenylhydrazon *Fp* 320° Semicarbazon *Fp* 220° 4-Phenylsemicarbazon *Fp* 234°
495		240	VIII 58	mit Dampf nicht flüchtig	2,8 W 43° ll. in A, Ae 67 Bzl. 61°	Oxim *Fp* 88° Phenylhydrazon *Fp* 147° p-Nitrophenylhydrazon *Fp* 222° 2,4-Dinitrophenylhydrazon *Fp* 260° Semicarbazon *Fp* 199° Acetat *Fp* 76° Benzoat *Fp* 38° Phenylurethan *Fp* 158—160°
496	1,023		II 301		ll. in W, A, Ae	
497		267 (Z.) 202 (75 mm)	IX 610	mit Dampf flüchtig	0,13 k. W l. in A	
498			XI 275	bei 180° wasserfrei	sll. in W	+ $FeCl_3$ → dunkelgrün → gelb → rot Ammoniumsalz Blättchen
499	$1{,}029^{111°}$	286,5 (100mm)	II 707		0,21 W 22° 1,65 W 55° ∞ sd. W ll. in A 2,68 Ae 15°	Diamid *Fp* 175—176° Dianilid *Fp* 185° Di-p-toluidid *Fp* 200° Di-p-nitrobenzylester *Fp* 44° Diphenacylester *Fp* 69,7° Di-p-bromphenacylester *Fp* 130,6° Di-p-phenylphenacylester *Fp* 141°
500			V 375	eutekt. Temp.: mit Benzil 68°, mit Acetanilid 87°	ll. in Bzl., Eg., Chlf. l. in Lg.	

Lfd. Nr.	*Fp*	Name	Summen-formel	Strukturformel	Mol.-Gewicht	Aggrega zustand Farbe
1	2	3	4	5	6	7
1501	**107**	4,4′-Bis-dimethylamino-triphenylcarbinol	$C_{23}H_{26}N_2O$	$C_6H_5 \cdot C(OH)[C_6H_4 \cdot N(CH_3)_2]_2$	346,45	farblos Krist. (Ae ode Bzl.)
1502	**107**	4-Bromphenylhydrazin	$C_6H_7BrN_2$	$Br \cdot C_6H_4 \cdot NH \cdot NH_2$	187,05	Nadeln (W ode A)
1503	**107**	1,5-Dichlornaphthalin	$C_{10}H_6Cl_2$	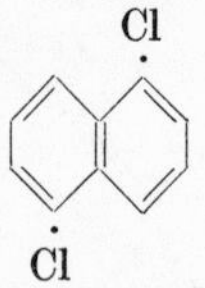	197,06	Blättche (A)
1504	**107**	3,5-Dimethylpyrazol	$C_5H_8N_2$	HC——C·CH_3 ‖ ‖ H_3C·C·NH·N	96,13	Krist.
1505	**107**	5-Nitro-o-toluidin ($NH_2 = 1$) (4-Nitro-2-amino-toluol)	$C_7H_8N_2O_2$	$CH_3 \cdot C_6H_3(NO_2) \cdot NH_2$	152,15	gelbe Prismen (A)
1506	**107**	2-Hydroxypyridin (α-Pyridon)	C_5H_5NO	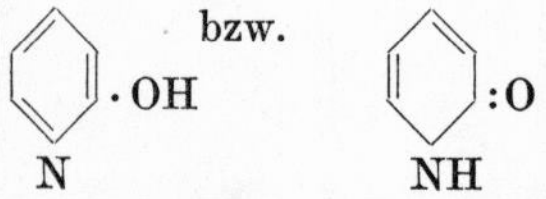	95.10	Nadeln (Bzl.)
1507	**107 bis 108**	2,4-Dichlornaphthol	$C_{10}H_6Cl_2O$	$Cl_2C_{10}H_5 \cdot OH$	213,06	Nadeln (verd. A
1508	**107 bis 108**	5-Methylresorcin (Orcin)	$C_7H_8O_2$	$CH_3 \cdot C_6H_3(OH)_2$	124,13	Blättche (Chlf.)
1509	**107,5 bis 108,5**	Thioacetamid	C_2H_5NS	$CH_3 \cdot CS \cdot NH_2$	75,13	Krist.
1510	**108**	Acetbromamid	C_2H_4BrNO	$CH_3 \cdot CO \cdot NHBr$	137,98	Blättchen (Bzl.)

Lfd. Nr.	Spez. Gewicht	Siedepunkt °C	Beilsteinzitat	Physikalische Konstanten und Eigenschaften	Löslichkeit	Reaktionen
	8	9	10	11	12	13
501		200 (Z.)	XIII 743		l. in A, Ae	
502			XV 434		l. in A, Ae	
503		subl.	V 543		unl. in W l. in A, Ae	
504		218 (758,5 mm)	XXIII 74	mit W-Dampf flüchtig	l. in W ll. in A, Ae, Bzl.	
505	$1,365^{15°}$		XII 844	eutekt. Temp.: mit Benzil 67°, mit Acetanilid 79°; schmeckt süß	wl. in W l. in A, Ae	Acetylderivat *Fp* 150° Benzoylderivat *Fp* 178°
506		280 bis 281	XXI 43	eutekt. Temp.: mit Benzil 79°, mit Acetanilid 69°	ll. in W, A l. in Ae, Bzl.	+ $Fe(NO_3)_3$ → rot
507		180 (Z.)	VI 612	mit Dampf flüchtig	unl. in W ll. in A, Ae	Acetat *Fp* 75°
508	(Hydrat) 1,289	287 bis 290	VI 882	eutekt. Temp.: mit Benzil 67°; schmeckt süß	ll. in W, A, Ae	+ einige ml (0,5 g Dimethylaminobenzaldehyd in 8,5 g konz. H_2SO_4 u. 8,5 g W) → rosa → rotviolett 1 mg Subst. + 1 Tropfen $Fe(NO_3)_3$-Lsg. → blaßblauviolett + 3 Tropfen 2n HCl entfärbt + 1 Tropfen Nitritlsg. blaßgrün oder gelb + NH_4OH tiefgrün Diacetat *Fp* 25° Bis-chloracetat *Fp* 217° Dibenzoat *Fp* 88° Bis-phenylurethan *Fp* 154° Bis-α-naphthylurethan *Fp* 160°
509			II 232		sll. in W ll. in A l. in Ae	
510			II 181		sll. in W, Ae	

Lfd. Nr.	Fp	Name	Summen-formel	Strukturformel	Mol.-Ge-wicht	Aggrega-zustand Farbe
1	2	3	4	5	6	7
1511	108	Benzoesäure-β-naph-thylester	$C_{17}H_{12}O_2$	$C_{10}H_7 \cdot O \cdot CO \cdot C_6H_5$	248,27	sehr leic tes weiß Pulver
1512	108	4,4′-Diaminodiphenyl-sulfid	$C_{12}H_{12}N_2S$	$(H_2N \cdot C_6H_4)_2S$	216,30	Nadeln (W)
1513	108	9,10-Dihydroanthracen	$C_{14}H_{12}$	$C_6H_4 \left\langle \begin{array}{c} CH_2 \\ CH_2 \end{array} \right\rangle C_6H_4$	180,24	Tafeln (A)
1514	108	2,5-Dinitrophenol	$C_6H_4N_2O_5$	$(O_2N)_2C_6H_3 \cdot OH$	184,11	gelblich Nadeln (W)
1515	108	2,3-Dihydroxybenz-aldehyd	$C_7H_6O_3$	$(HO)_2C_6H_3 \cdot CHO$	138,12	gelbe Nadeln
1516	108	4-Hydroxyacetophenon	$C_8H_8O_2$	$HO \cdot C_6H_4 \cdot CO \cdot CH_3$	136,14	Nadeln (Ae od.
1517	108	Phenyl-β-naphthylamin	$C_{16}H_{13}N$	$C_{10}H_7 \cdot NH \cdot C_6H_5$	219,27	Nadeln (Metha nol)
1518	108	Pyramidon (1-Phenyl-2,3-di-methyl-4-dimethyl-amino-pyrazolon-5)	$C_{13}H_{17}N_3O$	$\begin{array}{c} O = \!\!\!-\!\!\!- N \cdot C_6H_5 \\ \quad\qquad | \\ (CH_3)_2N \!\!-\!\! \quad N \cdot CH_3 \\ \qquad\quad \overset{\cdot}{C}H_3 \end{array}$	231,29	Blättche (Lsg.)
1519	108	Thiocarbamidsäure-S-äthylester (Thiourethan)	C_3H_7NOS	$H_2N \cdot CO \cdot S \cdot C_2H_5$	105,16	Tafeln
1520	108 bis 109	2,2′-Dimethylbenzidin (m-Tolidin)	$C_{14}H_{16}N_2$	$H_2N \cdot C_6H_3(CH_3) \cdot C_6H_3(CH_3) \cdot NH_2$	212,28	Prismex (W)
1521	108 bis 109	5-Methylbrenzschleim-säure	$C_6H_6O_3$	$\begin{array}{c} HC\!\!-\!\!-\!\!CH \\ \| \qquad \| \\ H_3C \cdot C \cdot O \cdot C \cdot COOH \end{array}$	126,11	Tafeln oder Nadeln (W)
1522	108 bis 111	Thioglykolsäure-β-naphthylamid (Thionalid)	$C_{12}H_{11}NOS$	$C_{10}H_7 \cdot NH \cdot CO \cdot CH_2 \cdot SH$	217,28	matt glänzend Krist.
1523	108,5 bis 109	1,8-Dibromnaphthalin	$C_{10}H_6Br_2$	Br Br	285,98	Schupp (Eg.)

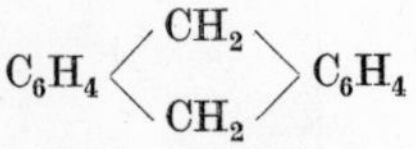

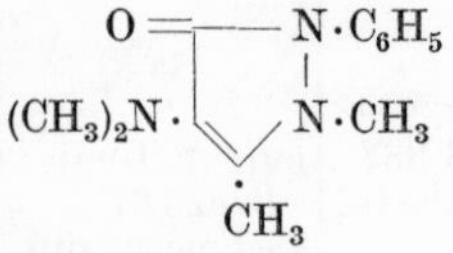

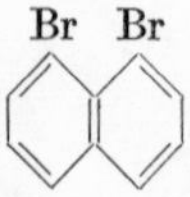

Lfd. Nr.	Spez. Gewicht	Siedepunkt °C	Beilsteinzitat	Physikalische Konstanten und Eigenschaften	Löslichkeit	Reaktionen
	8	9	10	11	12	13
511			VII 207		unl. in W l. in A	1 g Subst. mit 2 g CaO erhitzen, Dämpfe in W leiten, Geruch nach Bzl. + verd. $FeCl_3$ → schwach grün + NH_3 → bläuliche Fluoreszenz
512		Z.	XIII 535		wl. in h. W ll. in A, Ae	> 108° → Anilin + H_2S
513		305	V 641	mit Dampf flüchtig	unl. in W ll. in A, Ae, Bzl.	
514			VI 256	mit Dampf flüchtig; eutekt. Temp.: mit Benzil 67°, mit Acetanilid 75°	wl. in W, k. A ll. in h. A, Ae	
515		235 (Z.)	VIII 240	reizt die Schleimhäute	wl. in W ll. in A l. in Alkali rot	
516	$1{,}109^{109°}$	147 bis 148 (3 mm)	VIII 87	$n_\alpha^{109°}$ 1,55773	1 W 22° ll. in A, Ae	
517		395	XII 1275	eutekt. Temp.: mit Benzil 65°, mit Acetanilid 85°	wl. in k. A, Ae	Lsgg. fluoreszieren blau 1,3,5-Trinitrobenzolat *Fp* 116° Acetylderivat *Fp* 93° Benzoylderivat *Fp* 148°
1518			XXV 452	eutekt. Temp.: mit Benzil 68°, mit Acetanilid 60°; wirkt antipyretisch und schmerzstillend; bitter	5 W 15° ll. in A, Bzl. wl. in Ae	+ $Fe(NO_3)_3$ → blau → blauviolett; bei Erwärmen blumiger Geruch
1519		subl.	III 138		unl. in k. W l. in h. W ll. in A, Ae	
1520			XIII 255		l. in h. W ll. in A, Ae	N,N′-Diacetylderivat *Fp* 281°
1521		subl.	XVIII 294		1,89 W 20° ll. in W, A, Ae	
1522				eutekt. Temp.: mit Benzil 76°, mit Acetanilid 78°	l. in W, A, Essigester, Mineralsäuren	durch Luft-O_2 → Dithionalid, *Fp* 195—198° Reagens für Cu, Bi, Pt, Pd
1523			V 549			

Lfd. Nr.	*Fp*	Name	Summen-formel	Strukturformel	Mol.-Ge-wicht	Aggregat-zustand Farbe
1	2	3	4	5	6	7
1524	108,5	*l*-Hyoscyamin	$C_{17}H_{23}NO_3$	$H_2C \cdot CH\underline{\quad}CH_2$ $N \cdot CH_3 \ CH \cdot O \cdot CO \cdot CH(C_6H_5) \cdot CH_2OH$ $H_2C \cdot CH\underline{\quad}CH_2$	289,36	Nadeln (verd. A
1525	109	Acetylbromdiäthyl-acetylharnstoff (Abasin)	$C_9H_{15}BrN_2O_3$	$(C_2H_5)_2\overset{\cdot}{C} \cdot CO \cdot NH \cdot CO \cdot NH$ $Br \qquad\qquad \overset{\cdot}{CO}$ $\overset{\cdot}{CH_3}$	279,14	weißes Krist.-Pulver
1526	109	Äthylaminhydrochlorid	C_2H_8ClN	$C_2H_5 \cdot NH_2 + HCl$	81,55	zerfließ-liche Krist. (A + Ae
1527	109	Dehydracetsäure	$C_8H_8O_4$	$CH_3 \cdot CO \cdot HC \cdot CO \cdot CH$ $\quad\quad | \quad\quad ‖$ $\quad O:C \cdot O \cdot C \cdot CH_3$	168,14	Nadeln oder Tafeln (W)
1528	109	Dimethylsulfon	$C_2H_6O_2S$	$(CH_3)_2SO_2$	94,13	Krist.
1529	109	Di-α-naphthylmethan	$C_{21}H_{16}$	$(C_{10}H_7)_2CH_2$	268,34	Prismen (A)
1530	109	o,o'-Diphenol	$C_{12}H_{10}O_2$	$HO \cdot C_6H_4 \cdot C_6H_4 \cdot OH$	186,20	Blättche (W)
1531	109	6-Nitro-m-toluidin ($NH_2 = 1$)	$C_7H_8N_2O_2$	$CH_3 \cdot C_6H_3(NO_2) \cdot NH_2$	152,15	gelbe Blättche (A)
1532	109 bis 110	Patulin (Clavazin, Claviform, Expansin)	$C_7H_6O_4$	$O - C:O$ CH $O - OH$	154,12	
1533	109,5	2,4,6-Trinitro-m-kresol	$C_7H_5N_3O_7$	$CH_3 \cdot C_6H(NO_2)_3 \cdot OH$	243,13	gelbe Nadeln (A + W)
1534	110	Acetchloramid	C_2H_4ClNO	$CH_3 \cdot CO \cdot NHCl$	93,52	Blättchen (Bzl.)
1535	110	Acet-o-toluidid	$C_9H_{11}NO$	$CH_3 \cdot CO \cdot NH \cdot C_6H_4 \cdot CH_3$	149,19	Nadeln

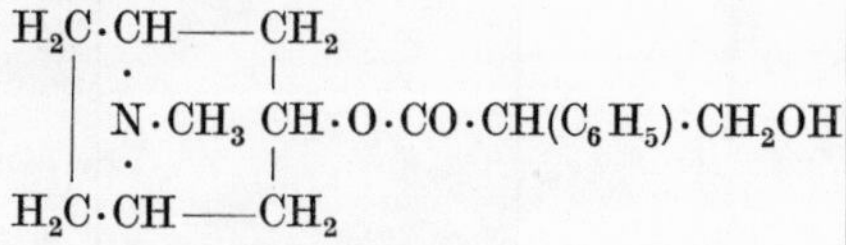

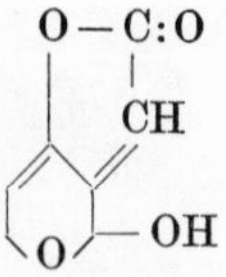

Lfd. Nr.	Spez. Gewicht	Siedepunkt °C	Beilsteinzitat	Physikalische Konstanten und Eigenschaften	Löslichkeit	Reaktionen
	8	9	10	11	12	13
524			XXI 24	$[\alpha]_D^{15} = -20{,}3°$ (abs. A); $-22{,}0°$ (50%iger A) eutekt. Temp.: mit Benzil 77°, mit Acetanilid 84°	1,89 W 20° ll. in h. W, A, Chlf. wl. in Ae, Bzl.	wenige mg Subst. in Porzellanschale mit HNO_3 (rauch.) auf W-Bad eindampfen + wenig alkohol. KOH → rotviolett Chloroaurat *Fp* 160—162° Chloroplatinat *Fp* 206° Pikrat *Fp* 161—163°
525				eutekt. Temp.: mit Benzil 76°, mit Acetanilid 77°	swl. in W ll. in A, Ae, Chlf., Aceton, Essigester	1. + alkalische HgJ_2-Lsg. → gelb → langsam orange 2. 10 mg Subst. in 1 ml 50%iger H_2SO_4 erhitzen → Fettsäuregeruch; + 1 Tropfen A nochmals erhitzt Geruch nach Essigsäureäthylester
526		270 (Z.)	IV 91		279,9 W 25° ll. in A unl. in Ae 0,17 Chlf. 25°	
527		270	XVII 559	eutekt. Temp.: mit Benzil 66°, mit Acetanilid 81°	l. W 60° ll. in h. W, Ae wl. in k. A	
528		238	I 289			
529		270 (14 mm)	V 728		unl. in W 0,83 k. A 6,67 sd. A ll. in Ae	
530	1,342	326	VI 989	eutekt. Temp.: mit Benzil 64°, mit Acetanilid 46°	wl. in W ll. in A, Ae l. in Soda-Lsg.	+ $FeCl_3$ → rotviolett Diacetat *Fp* 95°
531			XII 876		wl. in W ll. in A, Ae	Acetylderivat *Fp* 86—87°
532						
533		explodiert 150°	VI 387		0,22 W 20° 0,81 sd. W ll. in A, Ae, Bzl.	
534			II 181		sll. in W, A	
535	$1{,}168^{15°}$	296	XII 792	eutekt. Temp.: mit Benzil 77°, mit Acetanilid 74°	0,86 W 19° l. in A, Eg.	

Lfd. Nr.	*Fp*	Name	Summen-formel	Strukturformel	Mol.-Ge-wicht	Aggrega zustan Farbe
1	2	3	4	5	6	7
1536	110	Acridin	$C_{13}H_9N$	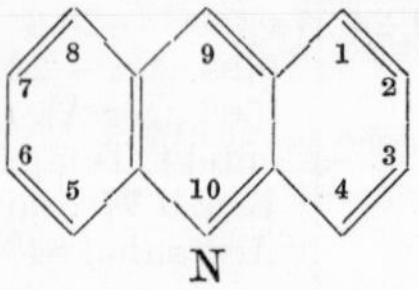	179,21	Säulen (verd. A
1537	110	3-Aminocampher	$C_{10}H_{17}NO$	C_8H_{14} < CO / CH·NH_2	167,24	Wachs
1538	110	Benzolsulfanilid	$C_{12}H_{11}NO_2S$	$C_6H_5 \cdot SO_2 \cdot NH \cdot C_6H_5$	233,28	Prisme (A)
1539	110	Caprylsäureamid	$C_8H_{17}NO$	$CH_3 \cdot (CH_2)_6 \cdot CO \cdot NH_2$	143,22	Blättche
1540	110	Dibenzhydryläther (Benzhydroläther)	$C_{26}H_{22}O$	$[(C_6H_5)_2CH]_2O$	350,44	Krist. (Bzl.)
1541	110	Fluoranthen (Idryl)	$C_{16}H_{10}$	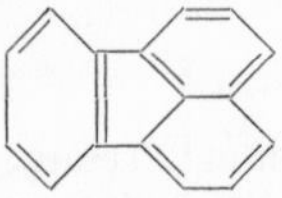	202,24	Nadeln (A)
1542	110 (Z.)	d-Glucosamin	$C_6H_{13}NO_5$	$HO \cdot CH_2 \cdot [CH(OH)]_3 \cdot CH \cdot NH_2$ (CH–CHO)	179,17	Nadeln (Metha-nol)
1543	110	Hydrobenzamid	$C_{21}H_{18}N_2$	$C_6H_5 \cdot CH(N{:}CH \cdot C_6H_5)_2$	298,37	Krist. (A oder Ae
1544	110	3-Methoxybenzoesäure	$C_8H_8O_3$	$CH_3 \cdot O \cdot C_6H_4 \cdot COOH$	152,14	Nadeln (W)
1545	110	2-Nitrobenzonitril	$C_7H_4N_2O_2$	$O_2N \cdot C_6H_4 \cdot CN$	148,12	Nadeln (W)
1546	~110	d-Sorbit (Sionon)	$C_6H_{14}O_6$	$HO \cdot CH_2 \cdot [CH(OH)]_4 \cdot CH_2 \cdot OH$	182,17	Nadeln
1547	~110	5-Sulfosalicylsäure	$C_7H_6O_6S$	$HO \cdot C_6H_3(COOH) \cdot SO_3H$	218,18	Nadeln + $2H_2C$ (W)
1548	110	m-Toluylsäure	$C_8H_8O_2$	$CH_3 \cdot C_6H_4 \cdot COOH$	136,14	Prismen (W)

Lfd. Nr.	Spez. Gewicht	Siedepunkt °C	Beilsteinzitat	Physikalische Konstanten und Eigenschaften	Löslichkeit	Reaktionen
	8	9	10	11	12	13
1536		345 bis 346	XX 459	eutekt. Temp.: mit Benzil 67°, mit Acetanilid 83°; subl. bei 100°; reizt Schleimhäute u. Epidermis; mit Dampf flüchtig	wl. in sd. W ll. in A, Ae, CS_2	Quecksilbersalz *Fp* 325°, Nadeln Pikrat *Fp* 208° 1,3,5-Trinitrobenzolat *Fp* 115° Jodmethylat *Fp* 224°
1537		243 bis 245	XIV 10	mit Dampf flüchtig; riecht fischartig	unl. in W l. in A, Ae	Hydrochlorid *Fp* 226—228° (Z.) Phenylhydrazon *Fp* 107°
1538			XII 565		wl. in W ll. in A, Ae	
1539		>200 (Z.)	II 349		0,45 sd. W ll. in A, Ae	
1540		267 (15 mm)	VI 679		wl. in sd. W ll. in Bzl.	Zers. bei 300°
1541		217 (30 mm) 250 bis 251 (60 mm)	V 685	subl. in flachen Nadeln; eutekt. Temp.: mit Benzil 63°, mit Acetanilid 85°	unl. in W wl. in k. A ll. in Ae, Bzl., Eg. l. in h. H_2SO_4 blau	mit Mellitsäureanhydrid braunrote Schmelze Pikrat *Fp* 183°, rötlichgelbe Nadeln Styphnat *Fp* 151° 1,3,5-Trinitrobenzolat *Fp* 207°
1542			IV 328	$[\alpha]_D$ +48,64 (W)	ll. in W wl. in A unl. in Ae	Oxalat *Fp* 153° (Z.), Nadeln Oxim *Fp* 127°, prismatische Kristalle Semicarbazon *Fp* 165°, Nadeln
1543			VII 215		unl. in W ll. in A, Ae	bei 120° → Amarin *Fp* 133°
1544		170 bis 172 (10 mm)	X 137		wl. in k. W ll. in h. W, A, Ae	p-Nitrobenzylester *Fp* 132° Phenacylester *Fp* 134° p-Bromphenacylester *Fp* 152° Anilid *Fp* 169° p-Toluidid *Fp* 186°
1545			IX 374		ll. in sd. W, A, Eg.	
1546			I 533	$[\alpha]_D$ −1,7° (W), +1,4° (Boraxlösung); eutekt. Temp.: mit Azobenzol 67°, mit Benzil 92°; schmeckt süß	sll. in W swl. in k. A ll. in h. A	mit wenig $CuSO_4$-Lsg. versetzte wss. Lsg. + 2n-Lauge → blau; + einige Tropfen n/10-$KMnO_4$-Lsg. → tiefgrün → Braunfärbung; bei gelindem Erwärmen → rotes Kupferoxydul Hexaacetat *Fp* 99°
1547			XI 411	saurer Geschmack	∞ in W, A, Ae	+ $Fe(NO_3)_3$-Lsg. → violettrot
1548	$1{,}054^{112°}$	263	IX 475	sublimierbar; mit Dampf leicht flüchtig	0,085 W 15° 1,7 W 100° ll. in A, Ae	4-Nitrobenzylester *Fp* 86,6° Amid *Fp* 97°, Nadeln Anilid *Fp* 125° p-Toluidid *Fp* 118° p-Phenylphenacylester *Fp* 136,5°

Lfd. Nr.	Fp	Name	Summen-formel	Strukturformel	Mol.-Ge-wicht	Aggrega zustan Farbe
1	2	3	4	5	6	7
1549	110 bis 111	2,6-Dimethylnaphthalin	$C_{12}H_{12}$	$C_{10}H_6(CH_3)_2$	156,22	Blättch (A)
1550	110 bis 111	6-Phenylchinolin	$C_{15}H_{11}N$	$C_9H_6N \cdot C_6H_5$	205,25	Tafeln (A)
1551	110 bis 112	1-Phenyl-2,3-dimethyl-pyrazolon-(5) (Anti-pyrin)	$C_{11}H_{12}N_2O$	$\begin{array}{c} HC = C \cdot CH_3 \\ \mid \qquad \mid \\ O:C \quad N \cdot CH_3 \\ \diagdown \diagup \\ N \\ \cdot \\ C_6H_5 \end{array}$	188,22	Blättch (Ae.)
1552	110,7	Resorcin (1,3-Dihydro-xybenzol)	$C_6H_6O_2$	$HO \cdot \langle \bigcirc \rangle \cdot OH$	110,11	weiße Tafeln oder Säulen (W, A, Ae)
1553	111	2-Chlor-4-nitrophenol	$C_6H_4ClNO_3$	$O_2N \cdot C_6H_3Cl \cdot OH$	173,56	Nadeln (W)
1554	111	Hexahydrosalicylsäure	$C_7H_{12}O_3$	$\begin{array}{c} CH_2 \cdot CH(OH) \\ H_2C \diagup \qquad\qquad \diagdown CH \cdot COOH \\ CH_2 \text{——} CH_2 \diagup \end{array}$	144,17	Prismen (Ae)
1555	111	Anetholtrithion (5-[p-Methoxy-phenyl]-1,2-dithiol-3-thion)	$C_{10}H_8OS_3$	$\begin{array}{c} S \\ \parallel \\ \diagup \diagdown \\ S\text{—}S \end{array}\text{—}\langle \bigcirc \rangle\text{—} OCH_3$	240,36	orange Prismen (Butyl-acetat)

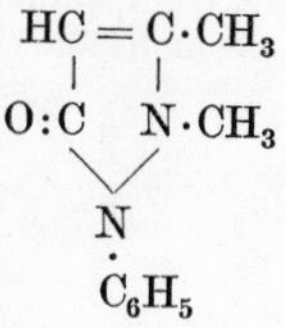

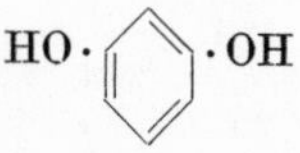

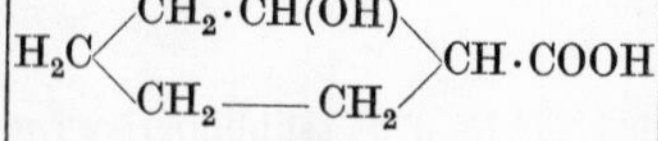

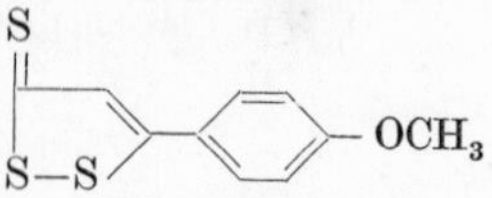

Lfd. Nr.	Spez. Gewicht	Siedepunkt °C	Beilsteinzitat	Physikalische Konstanten und Eigenschaften	Löslichkeit	Reaktionen
	8	9	10	11	12	13
49		261 bis 262	V 570	mit Dampf flüchtig; eutekt. Temp.: mit Benzil 72°, mit Acetanilid 95°	unl. in W wl. in A	Pikrat *Fp* 142° Styphnat *Fp* 159° 1,3,5-Trinitrobenzolat *Fp* 156°
50	1,195^20°^	260 (77 mm)	XX 483		swl. in W ll. in A wl. in Ae	
51		349 211 bis 212 (10 mm) 319 (174mm)	XXIV 27	eutekt. Temp.: mit Benzil 68°, mit Acetanilid 51°; schwach bitter; kühlend; wirkt antipyretisch	134 W 20° 74 A 20° 2 Ae 20° l. in Chlf.	wss. Lsg. + 1 Tropfen $Fe(NO_3)_3$-Lsg. → orange + 4–5 Tropfen $Fe(NO_3)_3$-Lsg. → intensiv orange Subst. + 2 Tropfen konz. HNO_3 → farblos; 5–10 Sek. Erhitzen im W-Bad → rot + H_2O → violettrot + p-Dimethylaminobenzaldehyd erwärmen → dunkelgelb + 1 Tropfen W → rot 0,02 g Subst. in 2–3 ml W + einige Tropfen verd. H_2SO_4 + 1 Körnchen $NaNO_2$ → grün + PbO_2 schütteln → purpurrot in soda-alkal. Lsg. + J_2 → kristalline Fällung von Jodantipyrin *Fp* 160°
52	1,2717^15°^	276,5 178 (16 mm)	VI 796	Dampfdruck 100° 2,80 mm Hg; kryoskop. Konst. 6,5; eutekt. Temp.: mit Benzil 66°; schmeckt sehr süß; fast geruchlos	147 W 12° 229 W 30° 144 A 9° ll. in Ae wl. in Chlf.	Lsg. + Lauge → farblos; erhitzen → grün, + Chlf. u. erhitzen → violettrot 1 mg Subst. + 1 Tropfen Eisennitratlsg. → blaßblauviolett + 3 Tropfen 2n HCl → entfärbt + 1 Tropfen Nitritlösung langsam blaßgrün oder gelb, + NH_3 nach 1 Min. → tiefgrün + Formaldehyd (3 Tropfen in 3 ml HCl) amorpher Nd., erwärmen → rot (1:100000) Dibenzoat *Fp* 117° Di-p-nitrobenzoat *Fp* 182° Bis-phenylurethan *Fp* 164° Bis-diphenylurethan *Fp* 129–130°
53			VI 240		wl. in W ll. in A, Ae	
54			X 5		ll. in W, A, Ae wl. in Bzl.	
55				schmeckt sehr bitter	unl. in W l. in Pyridin, Bzl., Dioxan, CS_2 wl. in A, Ae, Aceton	

Lfd. Nr.	Fp	Name	Summen-formel	Strukturformel	Mol.-Ge-wicht	Aggrega zustan Farbe
1	2	3	4	5	6	7
1556	111	α,α-Dichlor-β,β-bis-(p-chlorphenyl)-äthan	$C_{14}H_{10}Cl_4$	$CHCl_2$ $Cl \cdot C_6H_4 \cdot CH \cdot C_6H_4 \cdot Cl$	320,05	lange Nadeln (A, Bzl.
1557	111	2,4,6-Tribromresorcin (1,3-Dihydroxy-2,4,6-tribrombenzol)	$C_6H_3Br_3O_2$	$(HO)_2C_6HBr_3$	346,83	Nadeln (W)
1558	111 bis 112	1,4-Diäthylendisulfid (Dithian)	$C_4H_8S_2$	$S\!\!\left\langle\begin{array}{c}CH_2 \cdot CH_2\\CH_2 \cdot CH_2\end{array}\right\rangle\!\!S$	120,23	Prismen (CS_2)
1559	111 bis 112	Dipyridyl-(4,4')	$C_{10}H_8N_2$	N⟨⟩⟨⟩N	156,18	Nadeln (W)
1560	111,5	Äthylmalonsäure	$C_5H_8O_4$	$C_2H_5 \cdot CH(COOH)_2$	132,11	Prismen (W)
1561	112	Benzoyl-dl-milchsäure	$C_{10}H_{10}O_4$	$C_6H_5 \cdot CO \cdot O \cdot CH \cdot COOH$ CH_3	194,18	Krist.
1562	112	dl-Brenzweinsäure (Methylbernstein-säure)	$C_5H_8O_4$	$HOOC \cdot CH(CH_3) \cdot CH_2 \cdot COOH$	132,11	Krist.
1563	112	N,N'-Diäthylharnstoff	$C_5H_{12}N_2O$	$C_2H_5 \cdot NH \cdot CO \cdot NH \cdot C_2H_5$	116,16	Nadeln (A)
1564	112	Dibenzalaceton (Distyrylketon)	$C_{17}H_{14}O$	$(C_6H_5 \cdot CH : CH)_2CO$	234,38	gelbe Blättche (A)
1565	112	1-Methylnaphthol-(2)	$C_{11}H_{10}O$	$CH_3 \cdot C_{10}H_6 \cdot OH$	158,19	Nadeln (W)
1566	112	β-Naphthylamin	$C_{10}H_9N$	$C_{10}H_7 \cdot NH_2$	143,18	perl-mutter glänzend Blättche (W)

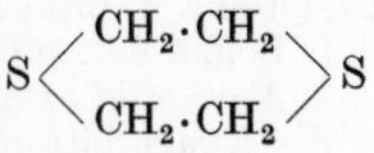

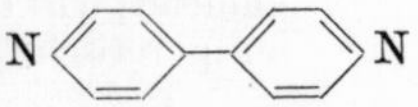

Lfd. Nr.	Spez. Gewicht	Siede-punkt °C	Beilstein-zitat	Physikalische Konstanten und Eigenschaften	Löslichkeit	Reaktionen
	8	9	10	11	12	13
556					unl. in W l. in A, Bzl.	
557			VI 822		l. in W ll. in A	Monomethyläther *Fp* 99° Diäthyläther *Fp* 68–69° Monoacetat *Fp* 114° Diacetat *Fp* 108°
558		200	XIX 3	mit Dampf flüchtig	wl. in W l. in A, Ae, CS_2	+ $AuCl_3$ → gelber Nd.
559		304,8	XXIII 200	schmeckt bitter	wl. in W sll. in A ll. in Ae, Bzl., Chlf.	
560		160 Z.	II 643	eutekt. Temp.: mit Benzil 86°, mit Acetanilid 50°	ll. in W, A, Ae	bei 160° → CO_2 + Buttersäure Di-p-nitrobenzylester *Fp* 75° Diamid *Fp* 216° Dianilid *Fp* 150° Dihydrazid *Fp* 168°
561			IX 167	zerfällt langsam beim Kochen mit W	sll. in W, A unl. in Bzl.	
562	1,411°	200 (Z.)	II 637	bei 200° W-Abspaltung	66,7 W 20° ll. in A, Ae 0,35 Chlf. 18°	Diamid *Fp* 225° Diphenacylester *Fp* 101,5° Anhydrid *Fp* 31,5–32°
563	1,042°	263	I 679	eutekt. Temp.: mit Benzil 81°, mit Acetanilid 63°	ll. in W, A, Ae	
564		Z.	VII 500	Lsgg. fluoreszieren blaugrün	unl. in W swl. in k. A wl. in Ae	Lsg. in konz. H_2SO_4 → rot Oxim *Fp* 142–144° Semicarbazon *Fp* 190° Phenylhydrazon *Fp* 146,5° bis 147,5° p-Nitrophenylhydrazon *Fp* 173° 2,4-Dinitrophenylhydrazon *Fp* 180°
565		subl.	VI 664		wl. in W ll. in A, Ae l. in H_2SO_4 rotgelb	
566	$1,061^{98°}$	306,1	XII 1265	geruchlos; mit Dampf flüchtig; Lsg. fluoresziert stark blau; sublimierbar	ll. in h. W, A, Ae	Pikrat *Fp* 195° Phenylthioharnstoff *Fp* 157° Acetylderivat *Fp* 134–136° Benzoylderivat *Fp* 162–163° Benzolsulfonylderivat *Fp* 102° p-Toluolsulfonylderivat *Fp* 133°

Lfd. Nr.	*Fp*	Name	Summenformel	Strukturformel	Mol.-Gewicht	Aggregatzustand Farbe
1	2	3	4	5	6	7
1567	**112**	1-Nitrosonaphthol-(2)	$C_{10}H_7NO_2$	$HO \cdot C_{10}H_6 \cdot NO$	173,16	orange Blättchen oder Prismen (A, Ae oder Bz
1568	**112**	N-Phenylbenzamidin	$C_{13}H_{12}N_2$	$C_6H_5 \cdot NH \cdot C(:NH) \cdot C_6H_5$ oder $C_6H_5 \cdot N:C(NH_2) \cdot C_6H_5$	196,24	Nadeln (A)
1569	**112**	Sulfanilid	$C_{12}H_{12}N_2O_2S$	$(C_6H_5 \cdot NH)_2SO_2$	248,30	Nadeln (W)
1570	**112**	2,3,4-Trinitrotoluol	$C_7H_5N_3O_6$	$(O_2N)_3C_6H_2 \cdot CH_3$	227,13	Prismen (A)
1571	**112**	Triphenylchlormethan	$C_{19}H_{15}Cl$	$(C_6H_5)_3C \cdot Cl$	278,77	Krist. (Bzl.)
1572	**112** bis **112,5**	Aphyllidin	$C_{15}H_{22}N_2O$	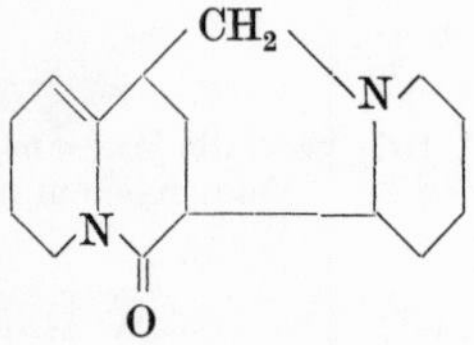	246,34	Krist. (Aceton, PAe)
1573	**112** bis **113**	γ-Benzolhexachlorid (γ-Hexachlorcyclohexan, Hexanchloran, Gammexan, 666-Wirkstoff)	$C_6H_6Cl_6$	$C_6H_6Cl_6$	290,85	breite Nadeln (Ae)
1574	**112** bis **113**	Mannithexanitrat	$C_6H_8N_6O_{18}$	$O_2N \cdot O \cdot CH_2 \cdot [CH(O \cdot NO_2)]_4 \cdot CH_2 \cdot O \cdot NO_2$	452,17	Nadeln
1575	**112** bis **113**	1,2,5-Trinitronaphthalin	$C_{10}H_5N_3O_6$	$C_{10}H_5(NO_2)_3$	263,16	Nadeln (A)
1576	**112** bis **113**	p-Xylylenglykol	$C_8H_{10}O_2$	$C_6H_4(CH_2 \cdot OH)_2$	138,16	Nadeln
1577	**112** bis **114**	(−)-Dihydrokodein (Base des Paracodins)	$C_{18}H_{23}NO_3$	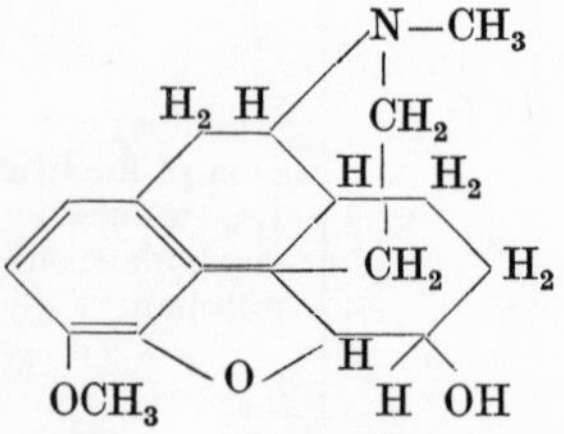	301,37	

Lfd. Nr.	Spez. Gewicht	Siedepunkt °C	Beilsteinzitat	Physikalische Konstanten und Eigenschaften	Löslichkeit	Reaktionen
	8	9	10	11	12	13
567			VII 712	mit Dampf flüchtig; eutekt. Temp.: mit Benzil 62°, mit Acetanilid 79°	0,02 W 20° 2,4 A 13° ll. in h. A, Ae	+ NaOH → olivgrün → grünes Na-Salz
568		Z.	XII 264		wl. in W sll. in A, Ae	Erhitzen → Anilin + Benzonitril
569		Z. ~ 170	XII 579	schmeckt unangenehm beißend	0,7 sd. W ll. in A, Ae	
570		290 Z.	V 349		wl. in k. A ll. in Ae	
571		230 bis 235 (20 mm)	V 700		ll. in Ae, Bzl., Chlf. l. in fl. SO_2 gelb	+ W → HCl + Triphenylcarbinol
572				$[\alpha]_D$ +5,57° (Methanol)	l. in A, Methanol	Jodmethylat *Fp* 225—227° (Z.)
573			E_1 V 8	mit Dampf flüchtig	unl. in W l. in Ae, Aceton, A, Chlf., Dioxan, Eg.	+ alkohol. KOH → 1,2,4-Trichlorbenzol, 1,3,5-Trichlorbenzol, wenig 1,2,3-Trichlorbenzol und HCl
574	1,604°°		I 543	verpufft bei starkem Erhitzen	unl. in W l. in h. A, Ae	
575			V 563		l. in A	
576			VI 919		ll. in W, A, Ae	Diacetat *Fp* 47°
577			E_2 XXVII 103	$[\alpha]_D^{30}$ −146,7° (A)		Dihydrat *Fp* 87—88° Hydrochlorid *Fp* 256° saures Tartrat (Paracodin) *Fp* 192° (Z., sintert bei 120 bis 125°) Verb. mit 5,5-Diallylbarbitursäure *Fp* 95°

Lfd. Nr.	Fp	Name	Summen-formel	Strukturformel	Mol.-Ge-wicht	Aggrega zustan Farbe
1	2	3	4	5	6	7
1578	112 bis 114	Trasentin (Hydro-chlorid d. Diphenyl-essigsäureesters d. Diäthylaminoätha-nols)	$C_{20}H_{26}ClNO_2$	$(C_6H_5)_2CH \cdot CO \cdot O(CH_2)_2N(C_2H_5)_2$ $\cdot HCl$	347,87	Krist.
1579	112,5	Benzhydrazid (Benzoylhydrazin)	$C_7H_8N_2O$	$C_6H_5 \cdot CO \cdot NH \cdot NH_2$	136,15	Tafeln (W)
1580	113	Ammoniumacetat	$C_2H_7NO_2$	$CH_3 \cdot COO \cdot NH_4$	77,08	hygrosko Nadeln
1581	113	Syringaaldehyd	$C_9H_{10}O_4$	CHO $CH_3O \cdot$ ⬡ $\cdot OCH_3$ OH	182,17	bräunlich Krist.
1582	113	l-Bornylen	$C_{10}H_{16}$	$H_2C \cdot C(CH_3) - CH$ $\quad\mid \;\; C(CH_3)_2 \;\parallel$ $H_2C \cdot CH \!\!-\!\!-\!\!-\!\! CH$	136,23	Krist. (Metha-nol)
1583	113	4-Nitrodiphenyl	$C_{12}H_9NO_2$	$C_6H_5 \cdot C_6H_4 \cdot NO_2$	199,20	Nadeln (A)
1584	113	Pentaacetyl-α-d-glucose	$C_{16}H_{22}O_{11}$	$C_6H_7O(O \cdot CO \cdot CH_3)_5$	390,34	Nadeln (A)
1585	113	2-Phenoxybenzoesäure	$C_{13}H_{10}O_3$	$C_6H_5 \cdot O \cdot C_6H_4 \cdot COOH$	214,21	Blättche (verd. A
1586	113	p-Hydroxybenzoesäure-benzylester	$C_{14}H_{12}O_3$	$HO \cdot C_6H_4 \cdot CO \cdot O \cdot CH_2 \cdot C_6H_5$	228,24	Prismen (Ae)
1587	113 bis 114	β-Benzilmonoxim	$C_{14}H_{11}NO_2$	$C_6H_5 \cdot CO \cdot C(:N \cdot OH) \cdot C_6H_5$	225,24	Nadeln (Bzl.)
1588	113 bis 114	2-Brom-4-nitrophenol	$C_6H_4BrNO_3$	$O_2N \cdot C_6H_3Br \cdot OH$	218,02	Nadeln (verd. A.
1589	113 bis 116	Bikhaconitin	$C_{35}H_{51}NO_{11}$	$C_{36}H_{51}NO_{11} \cdot H_2O$	673,88	Krist. (A)
1590	113,6	4-Nitrophenol	$C_6H_5NO_3$	$O_2N \cdot C_6H_4 \cdot OH$	139,11	gelbliche Prismen

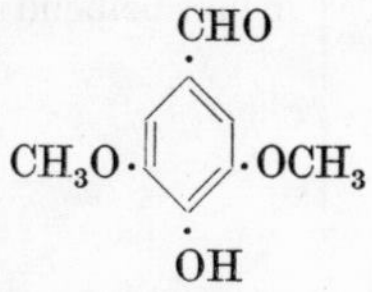

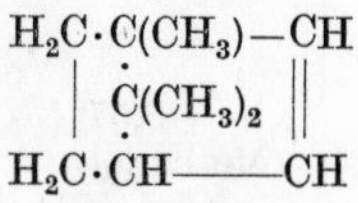

Lfd. Nr.	Spez. Gewicht	Siedepunkt °C	Beilsteinzitat	Physikalische Konstanten und Eigenschaften	Löslichkeit	Reaktionen
	8	9	10	11	12	13
1578				eutekt. Temp.: mit Benzil 67°, mit Acetanilid 51°; Geschmack bitter; anästhesierend, geruchlos		1 mg + 10—20 mg Paraform + 1 ml konz. H_2SO_4 → gelb → violettrot + Fe-Phosphorsäure → braunviolettrot + Salpeter-Schwefelsäure → olivstichig-hellbraun
1579			IX 319		zll. in W, A wl. in Ae	
1580	$1{,}771^{25°}$		II 107		ll. in W l. in A	
1581			VIII 391	riecht nach Vanille	sl. in W ll. in A	Erhitzen mit Acetanhydrid u. Na-Acetat → Sinapinsäure, *Fp* 192°, u. Acetylsinapinsäure *Fp* 181°
1582		146 (750mm)	V 155	$[\alpha]_D^{20}$ — 22,3° (Chlf.); sehr flüchtig	l. in A, Bzl.	
1583	1,328	340	V 583		unl. in W wl. in k. A ll. in Ae, Chlf.	
1584		subl.	II 159		0,15 W 18,5° ~ 1,3 Ae 19° 2,7 Ae 15°	
1585		355 (Z.)	X 65		unl. in k. W wl. in sd. W ll. in A, Ae	
1586				eutekt. Temp.: mit Benzil 75°, mit Acetanilid 66°	unl. in W ll. in A, Ae	+ $Fe(NO_3)_3$ → violett Erwärmen mit Millons Reagens → rot
1587		Z.	VII 758		swl. in W ll. in A, Ae wl. in Lauge	über *Fp* 113—114° → Benzoesäure + Benzonitril
1588			VI 244		2,2 sd. W ll. in A, Ae	
1589					unl. in W, PAe ll. in A, Ae, Chlf.	
1590	$1{,}2809^{114°}$		VI 226	mit W-Dampf nicht flüchtig; eutekt. Temp.: mit Benzil 64°, mit Acetanilid 30°	1,52 W 25° 29,1 W 90° 150,9 A 14° 130,4 Ae 14°	Pikrat *Fp* 92° Acetat *Fp* 82° Benzoat *Fp* 142° Phenylurethan *Fp* 154° α-Naphthylurethan *Fp* 160°

Lfd. Nr.	*Fp*	Name	Summen-formel	Strukturformel	Mol.-Ge-wicht	Aggrega zustan Farbe
1	2	3	4	5	6	7
1591	**114**	Acetanilid (Antifebrin)	C_8H_9NO	$CH_3 \cdot CO \cdot NH \cdot C_6H_5$	135,16	Blättche (W)
1592	**114**	6-Aminochinolin	$C_9H_8N_2$	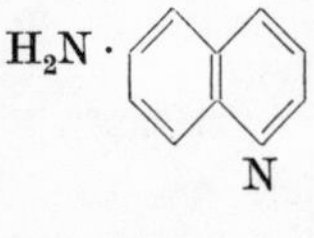	144,17	
1593	**114**	2-Benzylbenzoesäure	$C_{14}H_{12}O_2$	$C_6H_5 \cdot CH_2 \cdot C_6H_4 \cdot COOH$	212,24	Nadeln (verd. A
1594	**114**	Biliverdinsäure	$C_8H_9NO_4$	$HOOC \cdot CH_2 \cdot CH_2 \cdot C = C \cdot CH_3$ $OC \cdot NH \cdot CO$	183,16	Nadeln (W)
1595	**114**	2,7-Dichlornaphthalin	$C_{10}H_6Cl_2$	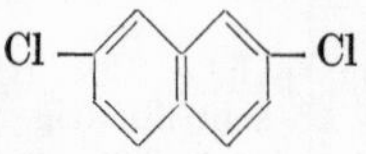	197,06	Tafeln
1596	**114**	2,4-Dinitrophenol	$C_6H_4N_2O_5$	$(O_2N)_2C_6H_3 \cdot OH$	184,11	gelbe Tafeln oder Nadeln (W, A, Ae)
1597	**114**	p-Chlor-m-xylenol (2-Chlor-5-hydroxy-1,3-dimethylbenzol)	C_8H_9ClO	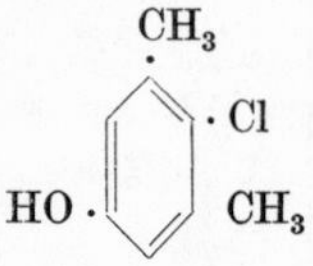	156,61	Krist.
1598	**114**	Diphenyl-2-carbon-säure	$C_{13}H_{10}O_2$	$C_6H_5 \cdot C_6H_4 \cdot COOH$	198,21	Krist. (W)
1599	**114**	3-Nitroanilin	$C_6H_6N_2O_2$	$O_2N \cdot C_6H_4 \cdot NH_2$	138,12	gelbe Nadeln (W)
1600	**114**	2-Phenylbenzothiazol	$C_{13}H_9NS$	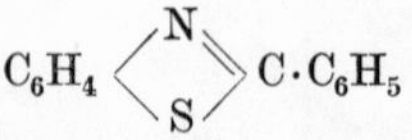	211,27	Nadeln (A)
1601	**114**	2,3,4,5-Tetramethyl-pyrrol	$C_8H_{13}N$	$H_3C \cdot C — C \cdot CH_3$ $\Vert \quad \Vert$ $H_3C \cdot C \cdot NH \cdot C \cdot CH_3$	123,19	Krist.
1602	**114** bis **115**	Acetophenon-2-carbon-säure	$C_9H_8O_3$	$CH_3 \cdot CO \cdot C_6H_4 \cdot COOH$	164,15	Krist. (W)

Lfd. Nr.	Spez. Gewicht	Siedepunkt °C	Beilsteinzitat	Physikalische Konstanten und Eigenschaften	Löslichkeit	Reaktionen
	8	9	10	11	12	13
591	1,2105[4°]	301,5 (725mm)	XII 237	Flammpunkt 165°; kryoskop. Konst. 6,93; eutekt Temp.: mit Benzil 78°; geruchlos; schwach brennender Geschmack	0,54 W 25° 3,5 W 80° 21,3 A 20°	0,2 g Subst. + 25—30 Tropfen HCl 2 Min. kochen, + 1 Tropfen fl. Phenol + 1 bis 2 ml Chlorkalklsg. → schmutziggrauviolett + NH_3 → indigoblau
592		187 (11 mm)	XXII 447	sublimierbar	unl. in W ll. in A l. in Bzl.	
593		subl.	IX 676		wl. in k. W l. in A, Ae, Chlf.	
594		Z.	XXII 333	bei Zers. → CO_2-Abspaltung	4 k. W ll. in h. W, h. A 6 Ae	
595			V 544		unl. in W ll. in sd. A	
596	1,683[20°]		VI 251	mit Dampf flüchtig; eutekt. Temp.: mit Benzil 62°, mit Acetanilid 79°	0,50 W 18° 4,76 sd. W 3,95 A 20° 3,07 Ae 15°	Acetat *Fp* 72° Benzoat *Fp* 132°
597			E_2 VI 463	sublimierbar; mit W-Dampf flüchtig; riecht schwach phenolartig; leicht brennender Geschmack	wl. in W ll. in A, Ae, Chlf., Bzl., PAe, CCl_4, Ameisen- u. Essigsäure	Subst. in absol. A: 1. + $FeCl_3$ → dunkelgrün 2. + Resorcin + H_2SO_4 → kirsch- bis violettrot 3. + Äthylnitrit (wenig) mit H_2SO_4 unterschichten → gelbbrauner Ring
598	1,458	343 bis 344	IX 669		unl. in k. W wl. in h. W ll. in A, Bzl., Eg.	
599	1,398[18°]	>285	XII 698	mit Dampf flüchtig	0,114 W 20° 7,5 A 20° 7,89 Ae 20° 2,45 Bzl. 20°	Pikrat *Fp* 143° Acetylderivat *Fp* 154—156° Benzoylderivat *Fp* 155° Benzolsulfonylderivat *Fp* 136°
600		>360	XXVII 74	riecht beim Erwärmen nach Teerosen und Geranien	unl. in W l. in A, Ae	
601			E_1 XX 49	mit Dampf flüchtig; riecht fäkalartig; zersetzt sich an der Luft und im Licht	ll. in A, Ae, Bzl.	
602			X 690	schmeckt süß	l. in h. W	

Lfd. Nr.	Fp	Name	Summen-formel	Strukturformel	Mol.-Ge-wicht	Aggregat zustand Farbe
1	2	3	4	5	6	7
1603	114 bis 115	Formamidoxim (,,Isuretin")	CH_4N_2O	$H_2N \cdot CH : NOH$	60,06	Säulen (A)
1604	114 bis 115	cis-2,5-Dimethyl-piperazin	$C_6H_{14}N_2$	$HN \Big\langle \begin{matrix} CH_2 \cdot CH(CH_3) \\ CH(CH_3) \cdot CH_2 \end{matrix} \Big\rangle NH$	114,19	Tafeln oder Prismen (Chlf.)
1605	114 bis 115 (Z)	Dihydroxyweinsäure (Tetrahydroxybern-steinsäure)	$C_4H_6O_8$	$HOOC \cdot C(OH)_2 \cdot C(OH)_2 \cdot COOH$	182,09	Krist.
1606	114 bis 115	Linolsäuretetrabromid	$C_{18}H_{32}Br_4O_2$	$H_2C \Big\langle \begin{matrix} (CHBr)_2 \cdot (CH_2)_4 \cdot CH_3 \\ (CHBr)_2 \cdot (CH_2)_7 \cdot COOH \end{matrix}$	600,10	Blättchen (Eg.)
1607	114 bis 117	3-Hydroxyazobenzol	$C_{12}H_{10}N_2O$	$C_6H_5 \cdot N : N \cdot C_6H_4 \cdot OH$	198,22	gelbe Stäbchen (Bzl.)
1608	115	5-Äthyl-5-crotylbar-bitursäure (Kalypnon)	$C_{10}H_{14}N_2O_3$	$O=C \Big\langle \begin{matrix} NH \cdot CO \\ NH \cdot CO \end{matrix} \Big\rangle C \Big\langle \begin{matrix} C_2H_5 \\ CH_2 \cdot CH : CH \cdot CH_3 \end{matrix}$	210,23	weißes krist. Pulver
1609	115	Atropin	$C_{17}H_{23}NO_3$	$\begin{matrix} H_2C-CH\!-\!\!-\!\!-CH_2 \\ \quad \mid \qquad \mid \\ N \cdot CH_3 \; CH \cdot O \cdot CO \cdot CH(C_6H_5) \cdot CH_2OH \\ \quad \mid \qquad \mid \\ H_2C-CH\!-\!\!-\!\!-CH_2 \end{matrix}$	289,36	Nadeln (verd. A)
1610	115	Di-α-naphthylamin	$C_{20}H_{15}N$	$(C_{10}H_7)_2NH$	269,33	Blättchen (A)
1611	115	3,3-Diphenylphthalid (Phthalophenon)	$C_{20}H_{14}O_2$	$C_6H_4 \Big\langle \begin{matrix} C(C_6H_5)_2 \\ CO \end{matrix} \Big\rangle O$	286,31	Blättchen (A)

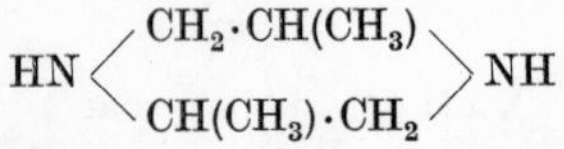

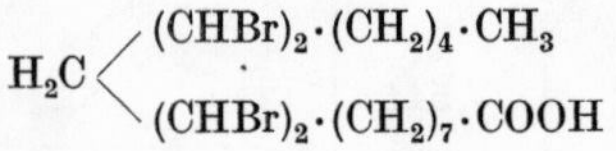

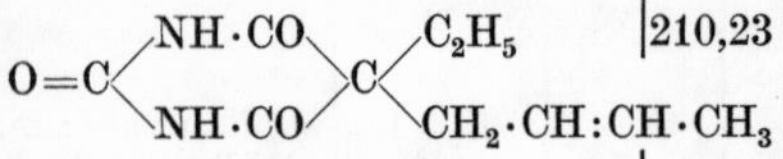

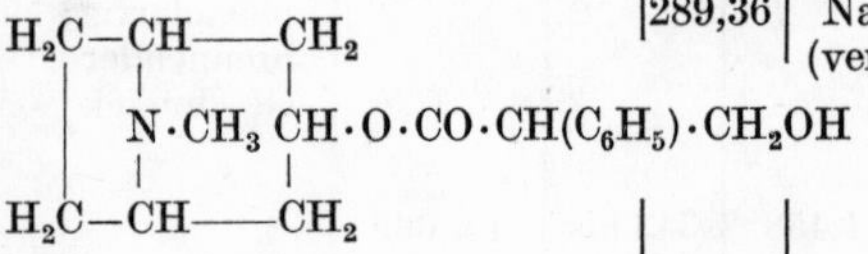

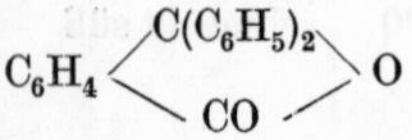

fd. Nr.	Spez. Gewicht	Siedepunkt °C	Beilsteinzitat	Physikalische Konstanten und Eigenschaften	Löslichkeit	Reaktionen
	8	9	10	11	12	13
603			II 91		ll. in W sl. in absol. A u. Ae unl. in Bzl.	Methyläther *Fp* 40—40,5°
604		162	XXIII 21		ll. in W, A swl. in Ae	
605			III 830		ll. in W	+ h. W → Tartronsäure + CO_2
606			II 386		unl. in W ll. in A, Ae, Chlf.	
607			XVI 94		0,002 W 25° l. in A, Ae	
608				geruchlos; schwach bitterer Geschmack	wl. in W	
609		subl.	XXI 27	opt. inaktiv; eutekt. Temp.: mit Benzil 82°, mit Acetanilid 89°; starkes Gift; wirkt mydriatisch	0,16 W 18° ll. in A 2,2 Ae 20° 68 Chlf. 20°	Hydrochlorid *Fp* 170° Sulfat *Fp* 183° (Z.) Chloroaurat *Fp* 138° Chloroplatinat *Fp* 207—208° Pikrat *Fp* 176° 1. + Vanadinschwefelsäure löst rot → hellrot 2. + p-Dimethylaminobenzaldehyd in H_2SO_4 bei schwachem Erwärmen → rot → kirschrot → violettrot 3. + etwas rauchende HNO_3, auf W-Bad eintrocknen lassen + 1 Tropfen alkohol. KOH → violettrot → rot
610		312 (15 mm)	XII 1226		unl. in W l. in A ll. in Ae	Pikrat *Fp* 173°
611		419 bis 428 Z.	XVII 391		unl. in W l. in A	+ H_2SO_4 → grüngelb

Lfd. Nr.	*Fp*	Name	Summen-formel	Strukturformel	Mol.-Gewicht	Aggregatzustand Farbe
1	2	3	4	5	6	7
1612	115	Fluoren	$C_{13}H_{10}$	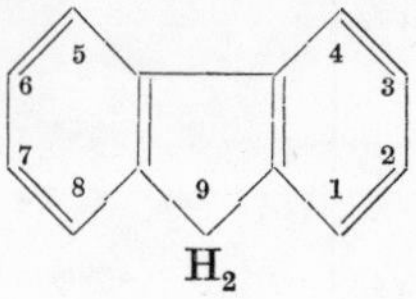	166,21	Blättchen (A)
1613	115	Oxamidsäureäthylester	$C_4H_7NO_3$	$H_2N \cdot CO \cdot COO \cdot C_2H_5$	117,10	Blättchen (A)
1614	115	2,4,5-Triphenyloxazol (Benzilam)	$C_{21}H_{25}NO$	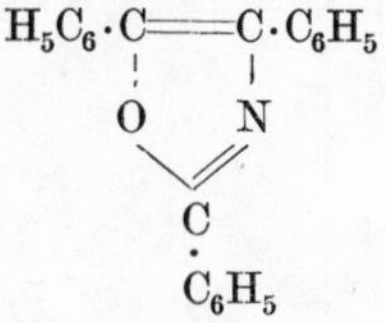	307,42	farblose Krist.
1615	115 bis 116	α-Bromdiäthylacetyl-harnstoff (Adalin)	$C_7H_{13}BrN_2O_2$	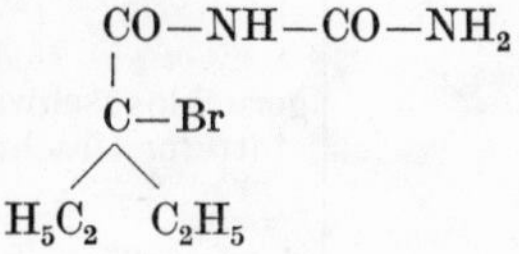	237,11	weiße Krist. (verd. A
1616	115 bis 116	Buttersäureamid	C_4H_9NO	$C_2H_5 \cdot CH_2 \cdot CO \cdot NH_2$	87,12	Blättchen (Bzl.)
1617	115 bis 116	4,5-Dinitro-o-xylol	$C_8H_8N_2O_4$	$(O_2N)_2C_6H_2(CH_3)_2$	196,16	Nadeln (A)
1618	115 bis 116	*l*-β-Phenyl-β-milchsäure *l*-(β-Hydroxy-β-phenylpropionsäure)	$C_9H_{10}O_3$	$C_6H_5 \cdot CH(OH) \cdot CH_2 \cdot COOH$	166,17	Krist.
1619	115 bis 116	Thiobenzamid	C_7H_7NS	$C_6H_5 \cdot CS \cdot NH_2$	137,20	Nadeln (W)

Lfd. Nr.	Spez. Gewicht	Siedepunkt °C	Beilsteinzitat	Physikalische Konstanten und Eigenschaften	Löslichkeit	Reaktionen
	8	9	10	11	12	13
612		293 bis 295 164,1 (20 mm)	V 625	leicht sublimierbar; eutekt. Temp.: mit Benzil 68°, mit Acetanilid 93°	unl. in W wl. in k. A ll. in Ae	löst sich in H_2SO_4 beim Erwärmen → blau Pikrat *Fp* 84°, rote bis braunrote Prismen Styphnat *Fp* 134° 1,3,5-Trinitrobenzolat *Fp* 105° 2,7-Dinitrofluoren *Fp* 199 bis 201°, Nadeln Fluorennatrium (mit Natriumamid oder Na u. NH_3) → braungelbe kristalline Masse (Unterschied von Phenanthrenchinon u. Anthrachinon)
613			II 544		l. in W, A, Ae swl. in Bzl.	
614			XXVII 88		unl. in W l. in A	+ CS_2 → blutrot
615			E_1 III 29	sublimierbar; mit W-Dampf flüchtig; eutekt. Temp.: mit Acetanilid 89°, mit Phenacetin 102°	swl. in W ll. in A, Aceton, Lauge wl. in PAe, k. Lg.	1. + alkal. HgJ_2-Lsg. → gelber, langsam orange werdender Nd. 2. 10 mg Subst. in 1 ml 50%iger H_2SO_4 beim Schütteln Fettsäuregeruch 3. 0,01—0,02 g Subst. + 0,01 bis 0,02 g α-Naphthol + 0,2 ml A u. 0,5 ml konz. H_2SO_4 → hellrosa → zwiebelrot → violettrot (im UV-Licht gelblichgrün), mit β-Naphthol → grün → blaugrün (im UV-Licht leuchtend blau)
616	1,032	216	II 275		ll. in W l. in A	
617			V 369		wl. in h. W., k. A ll. in Ae	
618			X 248		ll. in W, A	erwärmen mit HCl → Zimtsäure
619			IX 424		l. in A	

Lfd. Nr.	*Fp*	Name	Summen-formel	Strukturformel	Mol.-Ge-wicht	Aggrega-zustand Farbe
1	2	3	4	5	6	7
1620	**115 bis 120**	1,2(β)-Naphthochinon	$C_{10}H_6O_2$	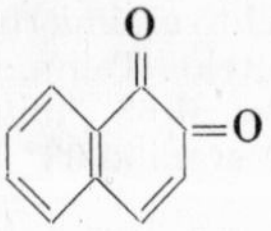	158,15	rote Nadeln (Ae)
1621	**115,5 bis 117**	Actidion	$C_{15}H_{23}NO_4$	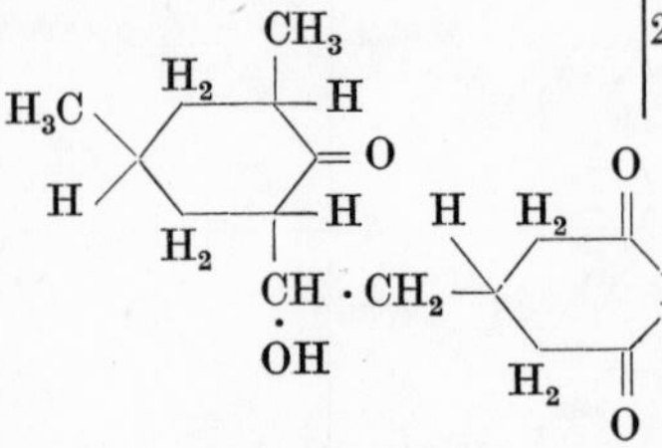	281,34	Krist. (30%ig. Me-thanol)
1622	**115,7**	p-Chinon (Benzochinon-1,4)	$C_6H_4O_2$	CH:CH OC CO CH:CH	108,09	gelbe Prismen (W)
1623	**116**	4-Aminotriphenyl-carbinol	$C_{19}H_{17}NO$	$H_2N\cdot C_6H_4\cdot C(C_6H_5)_2\cdot OH$	275,33	Krist. (Ae + Lg.
1624	**116**	β-Benzoylpropionsäure	$C_{10}H_{10}O_2$	$C_6H_5\cdot CO\cdot CH_2\cdot CH_2\cdot COOH$	178,18	Nadeln oder Blättche (W.)
1625	**116**	2,6-Dimethylbenzoe-säure	$C_9H_{10}O_3$	$(CH_3)_2C_6H_3\cdot COOH$	150,17	Nadeln (Lg.)
1626	**116**	Fumigatin (3-Hydroxy-4-methoxy-2,5-tolu-chinon)	$C_8H_8O_4$	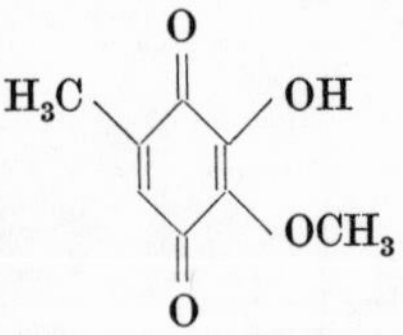	168,14	
1627	**116**	2-Nitro-p-toluidin (NH_2 = 1)	$C_7H_8N_2O_2$	$CH_3\cdot C_6H_3(NO_2)\cdot NH_2$	152,15	rote Blättcher (verd. A)
1628	**116**	4-Hydroxybenzaldehyd	$C_7H_6O_2$	$HO\cdot C_6H_4\cdot CHO$	122,12	Nadeln (W)

Lfd. Nr.	Spez. Gewicht	Siedepunkt °C	Beilsteinzitat	Physikalische Konstanten und Eigenschaften	Löslichkeit	Reaktionen
	8	9	10	11	12	13
20			VII 709	mit Dampf nicht flüchtig; geruchlos	wl. in Ae, Bzl. l. in H_2SO_4 grün	Lsg. in H_2SO_4 → grün Semicarbazon *Fp* 184°, goldgelbe Blättchen Oxim *Fp* 169° Phenylhydrazon *Fp* 138°
21				$[\alpha]_D^{25}$ −3° (Methanol)	unl. in W l. in A	Oxim *Fp* 203—204° Semicarbazon *Fp* 182—183° Acetat *Fp* 148—149°
22	1,318	subl.	VII 609	mit Dampf flüchtig; riecht chlorähnlich; Dämpfe reizen Schleimhaut; färbt die Haut braun; eutekt. Temp.: mit Benzil 67°, mit Acetanilid 80°	wl. in k. W ll. in A, Ae	+ Jodjodkalium und wenig Lauge → kirschrot + schwefelsaure $FeSO_4$- und NH_4CNS-Lsg. → intensiv rot Monoxim *Fp* 114°, Nadeln Monosemicarbazon *Fp* 165 bis 166°, gelbe Nadeln
23			XIII 740		l. in A, Ae	
24			X 696		wl. in k. W ll. in h. W, A, Ae, Bzl., Chlf.	Amid *Fp* 125° Anilid *Fp* 150°
25			IX 531		l. in A, Ae	
26					l. in W, Chlf.	
27	$1{,}312^{17°}$		XII 1000	mit Dampf flüchtig; eutekt. Temp.: mit Benzil 67°, mit Acetanilid 76°	swl. in h. W ll. in A, Ae	Acetylderivat *Fp* 93° Benzoylderivat *Fp* 143° Benzolsulfonylderivat *Fp* 99°
28	$1{,}129^{130°}$	subl.	VIII 64	subl. unzersetzt; mit Dampf nicht flüchtig	wl. in k. W 1,3 W 30° ll. in A, Ae 3,8 Bzl. 65°	Oxim *Fp* 72° Phenylhydrazon *Fp* 177—178° p-Nitrophenylhydrazon *Fp* 266° 2,4-Dinitrophenylhydrazon *Fp* 280° (Z.) Semicarbazon *Fp* 224° Thiosemicarbazon *Fp* 224° Benzoat *Fp* 90° Phenylurethan *Fp* 136°

Lfd. Nr.	*Fp*	Name	Summen-formel	Strukturformel	Mol.-Ge-wicht	Aggrega zustand Farbe
1	2	3	4	5	6	7
1629	**116**	Terephthalaldehyd	$C_8H_6O_2$	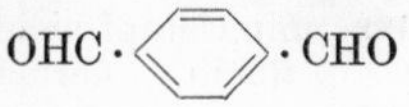	134,13	Nadeln (W)
1630	**116**	1,2,3-Trijodbenzol	$C_6H_3J_3$	$C_6H_3J_3$	455,81	Nadeln (A)
1631	**116**	p-Hydroxybenzoesäure-äthylester (Nipagin A)	$C_9H_{10}O_3$	$HO \cdot C_6H_4 \cdot CO \cdot OC_2H_5$	166,17	weiße Krist.
1632	**116 bis 117**	Cuminsäure	$C_{10}H_{12}O_2$	$(CH_3)_2CH \cdot C_6H_4 \cdot COOH$	164,20	Tafeln (A)
1633	**116 bis 117**	Hydrastinin	$C_{11}H_{13}NO_3$	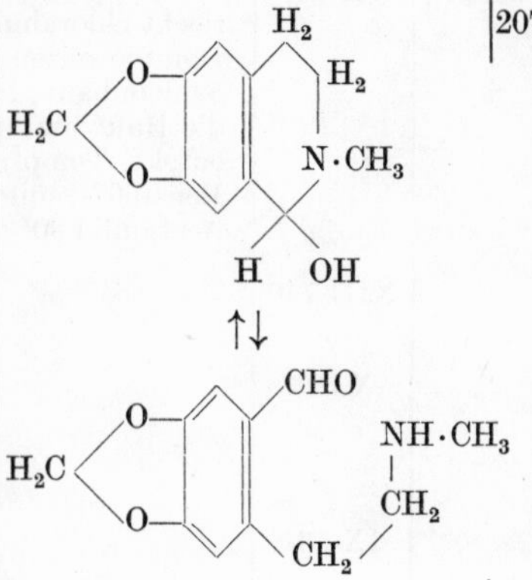	207,22	Nadeln (Lg.)
1634	**116 bis 117**	Isovanillin	$C_8H_8O_3$	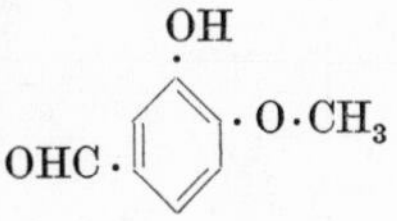	152,14	Säulen oder Ta-feln (W)
1635	**116 bis 117**	α-Naphthylhydrazin	$C_{10}H_{10}N_2$	$C_{10}H_7 \cdot NH \cdot NH_2$	158,20	Blättche (W)
1636	**116 bis 117**	Vitamin D_2 (Calciferol)	$C_{28}H_{44}O$	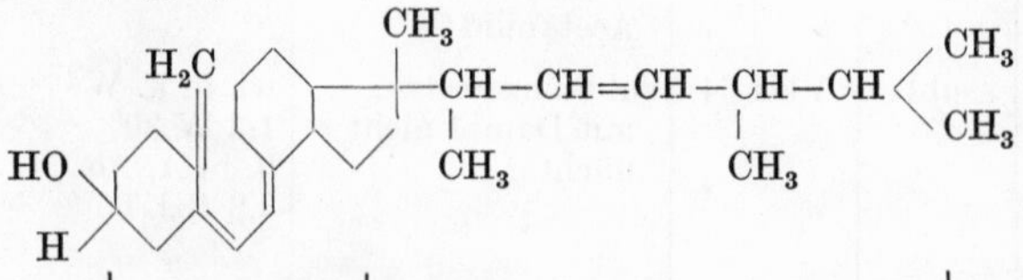		farblose Nadeln oder Prismen
1637	**117**	4-Dimethylaminazo-benzol	$C_{14}H_{15}N_3$	$C_6H_5 \cdot N{:}N \cdot C_6H_4 \cdot N(CH_3)_2$	225,28	gelbe Blättche (A)

Lfd. Nr.	Spez. Gewicht	Siedepunkt °C	Beilsteinzitat	Physikalische Konstanten und Eigenschaften	Löslichkeit	Reaktionen
	8	9	10	11	12	13
629		245	VII 675	riecht nach Flieder	1,7 sd. W l. in Alkali ll. in A, Ae	Oxim *Fp* 200°
630			V 228	sublimierbar	unl. in W ll. in A, Ae	
631		297 bis 298	X 159	eutekt. Temp.: mit Benzil 76°, mit Acetanilid 73°; geruchlos; kratzender Geschmack	swl. in W ll. in A, Ae	+ Millons Reagens → rot + $Fe(NO_3)_3$ → violettrot
632	1,162		IX 546		swl. in k. W ll. in A, Ae	
633			XXVII 465	wirkt blutdrucksteigernd; schmeckt sehr bitter	wl. in W ll. in A, Ae	Oxim *Fp* 145–150° Hydrochlorid *Fp* 210° (Z.) Pikrat *Fp* 170–172° 1. H_2SO_4-Lsg. fluoresziert blaugrün 2. + HCl + Neßlers Reagens sofort schwarzer Nd. 3. Subst. mit $K_3[Fe(CN)_6]$ verreiben + etwas Wasser → rotgrüne Fällung 4. Subst. mit $K_4[Fe(CN)_6]$ verreiben + etwas Wasser → permutterartige Kristallfärbung 5. Lsg. in H_2SO_4 + 1 Tropfen $HNO_3 \cdot H_2SO_4$ → violettrot → leuchtend orange
634	1,196	179 (15 mm)	VIII 254		l. in W ll. in A, Bzl.	
635		203 (20 mm)	XV 561		swl. in k. W wl. in Ae ll. in h. A	
636				$[\alpha]_D^{20}$ +103° (0,33% in A); $[\alpha]_D^{21}$ +79,5 bis 83,5° (in Aceton); Absorptionsmaximum 260–265 mμ; eutekt. Temp. mit Acetanilid 94–96°; geruch- u. geschmacklos	unl. in W l. in A, fetten Ölen ll. in absol. A, Ae, Chlf.	+ $SbCl_3$ in Chlf. → orangegelb Lsg. von einigen Krist. Subst. in 2 ml Chlf. + 5 Tropfen Essigsäureanhydrid und 2 Tropfen H_2SO_4 → rot → violett → blau → grün 3,5-Dinitrobenzoat *Fp* 147 bis 149°
637			XVI 312	eutekt. Temp.: mit Benzil 73°, mit Acetanilid 95°	l. in A, sd. HCl, Essigester	Jodmethylat *Fp* 174°

Lfd. Nr.	*Fp*	Name	Summen-formel	Strukturformel	Mol.-Gewicht	Aggrega zustan Farbe
1	2	3	4	5	6	7
1638	117	Furfuramid	$C_{15}H_{12}N_2O_3$	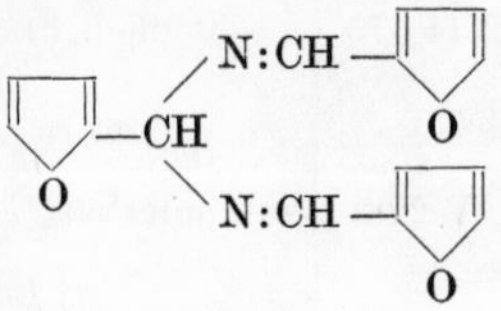	268,26	Krist.
1639	117	o-Phenanthrolin	$C_{12}H_8N_2$	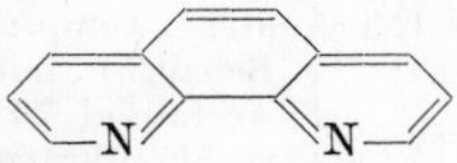	180,20	Krist.
1640	117	Pyromekonsäure	$C_5H_4O_3$	HC·CO·C·OH ‖ ‖ HC—O—CH	112,08	Prisme (W od.
1641	117 bis 118	2,3,6-Trinitrophenol	$C_6H_3N_3O_7$	$(O_2N)_3C_6H_2\cdot OH$	229,11	Nadel
1642	117 bis 118	p-Lactylphenetidin (Lactophenin)	$C_{11}H_{15}NO_3$	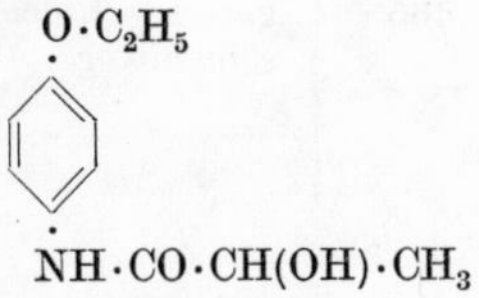	209,24	farblos Nadel
1643	117 bis 118	3-Nitrobenzonitril	$C_7H_4N_2O_2$	$O_2N\cdot C_6H_4\cdot CN$	148,12	Nadel (W)
1644	117 bis 118	Tetrabromthiophen	C_4Br_4S	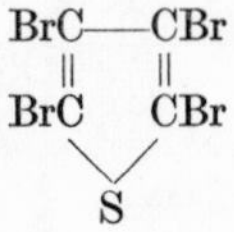	399,77	Nadel (A)
1645	117 bis 118	dl-Tropasäure	$C_9H_{10}O_3$	$HO\cdot CH_2\cdot CH(C_6H_5)\cdot COOH$	166,17	Tafeln (W)
1646	117,5	2,4-Chrysoidin (2,4-Diaminobenzol)	$C_{12}H_{12}N_4$	$C_6H_5\cdot N{:}N\cdot C_6H_3(NH_2)^{(2,4)}$	212,25	gelbe Nadel (W)
1647	117,5	4,6-Dibrom-2-nitrophenol	$C_6H_3Br_2NO_3$	$O_2N\cdot C_6H_2Br_2\cdot OH$	296,92	gelbe Prisme (A, Ae
1648	117,5	1,7-Naphthylendiamin	$C_{10}H_{10}N_2$	$H_2N\cdot C_{10}H_6\cdot NH_2$	158,19	Krist.
1649	118	Azoxybenzol-2-carbonsäure	$C_{13}H_{10}N_2O_3$	$C_6H_5\cdot N{:}N(\to O)\cdot C_6H_4\cdot COOH$	242,22	gelbe Krist.
1650	118	o-Dinitrobenzol	$C_6H_4N_2O_4$	$C_6H_4(NO_2)_2$	168,11	gelblich Nadel (W) Tafeln (A)

Lfd. Nr.	Spez. Gewicht	Siedepunkt °C	Beilsteinzitat	Physikalische Konstanten und Eigenschaften	Löslichkeit	Reaktionen
	8	9	10	11	12	13
38			XVII 281		unl. in W ll. in A, Ae l. in Bzl.	
39			XXIII 227		l. in W ll. in A	+ $FeSO_4$-Lsg. → gelbrot färbt Wolle und Seide fleischrot
40		227 bis 228	XVII 435		ll. in W, A wl. in Ae	+ $Fe(NO_3)_3$ → rot
41			VI 265		wl. in W ll. in A l. in Bzl.	
42			XIII 491	eutekt. Temp.: mit Benzil 83°, mit Acetanilid 82°; geruchlos; schwach bitter	l. in k. W 1:330 l. in h. W 1:55 l. in A 1:8,5	0,1 g Subst. mit 1—2 ml konz. HCl kochen + 10 ml W, filtrieren; zu Filtrat 3 Tropfen Chromsäurelsg. (3:100) → rubinrot
43		subl.	IX 385		l. in h. W, A ll. in Ae	
44		326 170 bis 173 (13 mm)	XVII 34		unl. in W	
45		160 (Z.)	X 261		1,98 W 20° ll. in h. W l. in A, Ae wl. in k. Bzl.	+ $KMnO_4$ → Benzaldehyd bzw. Benzoesäure Amid *Fp* 169°
46			XVI 383	Salze rot	wl. in sd. W ll. in A, Ae, Bzl., Chlf.	
47	2,433	subl.	VI 346	mit Dampf flüchtig	swl. in W wl. in A, Ae	
48			XIII 204		wl. in W ll. in A, Ae, Bzl., Lg.	+ $FeCl_3$ in W → violett
49		Z.	XVI 644		sll. in W ll. in A, Ae	+ H_2SO_4 → dunkelrot
50	$1{,}565^{17°}$	318,1 185,6 (20 mm)	V 257	mit Dampf flüchtig; eutekt. Temp.: mit Benzil 72°, mit Acetanilid 86°	0,01 k. W 0,38 sd. W 3,8 A 25° 33 sd. A 27,1 Chlf. 18° 5,66 Bzl. 18°	

Lfd. Nr.	*Fp*	Name	Summen-formel	Strukturformel	Mol.-Gewicht	Aggrega zustan Farbe
1	2	3	4	5	6	7
1651	**118**	Hordenin (β-[p-Hydroxy-phenyl]-α-dimethyl-aminoäthan)	$C_{10}H_{15}NO$	$HO \cdot C_6H_4 \cdot CH_2 \cdot CH_2 \cdot N(CH_3)_2$	165,23	Prisme (A)
1652	**118**	9-Methylacridin	$C_{14}H_{11}N$	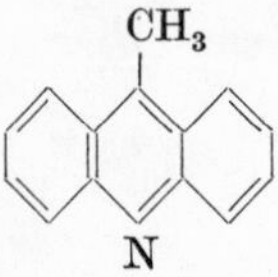	193,24	Krist. (A)
1653	**118**	5-Nitro-o-kresol (OH = 1)	$C_7H_7NO_3$	$CH_3 \cdot C_6H_3(NO_2) \cdot OH$	153,13	gelbe Nadelı (Lg.)
1654	**118 bis 119**	trans-2,5-Dimethyl-piperazin	$C_6H_{14}N_2$	$HN\langle{CH_2 \cdot CH(CH_3) \atop CH(CH_3) \cdot CH_2}\rangle NH$	114,19	Tafeln (Bzl.) Prisme (Chlf.)
1655	**118 bis 119**	1-Amino-5-nitronaph-thalin	$C_{10}H_8N_2O_2$	$O_2N \cdot C_{10}H_6 \cdot NH_2$	188,18	rote Krist.
1656	**118,5**	Cyanacetamid	$C_3H_4N_2O$	$NC \cdot CH_2 \cdot CO \cdot NH_2$	84,08	Nadelı (A)
1657	**119**	d-Campheroxim	$C_{10}H_{17}NO$	$C_8H_{14}\langle{C:N \cdot OH \atop CH_2}$	167,24	Nadelı (verd. A
1658	**119**	dl-Citramalsäure	$C_5H_8O_5$	$CH_3 \cdot C(OH) \cdot COOH$ / $CH_2 \cdot COOH$	148,11	zerfließ liche Krist. (Essig-ester)
1659	**119**	Jodoform	CHJ_3	CHJ_3	393,78	gelbe Tafeln (Acetoı
1660	**119**	Methylthioharnstoff	$C_2H_6N_2S$	$CH_3 \cdot NH \cdot CS \cdot NH_2$	90,14	Prisme
1661	**119**	Phenanthrol-(3)	$C_{14}H_{10}O$	$HO \cdot C_6H_3 - C_6H_4$ (verbunden durch $CH:CH$)	194,22	Nadelı (verd. A
1662	**119 bis 120**	Triphenylstibinsulfid (Sulfoform)	$C_{18}H_{15}SSb$	$(C_6H_5)_3SbS$	385,13	weiße Krist.

fd. Nr.	Spez. Gewicht	Siede-punkt °C	Beilstein-zitat	Physikalische Konstanten und Eigenschaften	Löslichkeit	Reaktionen
	8	9	10	11	12	13
51		173 (11 mm)	XIII 626		l. in W ll. in A, Ae	
52		360	XX 470	mit W-Dampf schwer flüchtig	wl. in W l. in A	Pikrat *Fp* 220°
53			VI 365	eutekt. Temp.: mit Benzil 52°, mit Acetanilid 66°	wl. in k. W ll. in A, Ae, Bzl.	
54		162	XXIII 19		ll. in W, A wl. in Ae	
55			XII 1260		ll. in W	
56		Z.	II 589		15,4 k. W 1,8 k. A	
57	1,011$^{116°}$	249 bis 254 (geringe Z.)	VII 112	$[\alpha]_D^{20}$ —42,4° (A)	unl. in W ll. in A, Ae	
58		Z.	III 444		ll. in A, Aceton unl. in Bzl.	erhitzen → Citraconsäure-anhydrid
59	4,008$^{17°}$		I 73	mit Dampf flüchtig; durch Licht zersetzt; Geruch durchdringend, safranartig süßlich; eutekt. Temp.: mit Acetanilid 101°, mit Phenacetin 114°	unl. in W 1,5 90%iger A 18° 11 sd. A 18,5 Ae l. in Eg.	Subst. (1—3 Tropfen alkohol. Lsg.) mit geringer Menge Phenol und NaOH vorsichtig über kleiner Flamme erwärmen. Nach Vertreiben des A bildet sich roter Beschlag, der in wenig verd. A karminrot löslich ist
60			IV 70		ll. in W, A wl. in Ae	
61			VI 705		wl. in W ll. in A, Ae	Pikrat *Fp* 159°
62			XVI 894	färbt die Flamme fahlblau	unl. in W, Lauge, Säure	+ Paraform-H_2SO_4 + Fe-H_3PO_4 beim Erwärmen langsam rötlichbraun mit brauner Fluoreszenz

Lfd. Nr.	Fp	Name	Summen-formel	Strukturformel	Mol.-Ge-wicht	Aggregat-zustand Farbe
1	2	3	4	5	6	7
1663	119 bis 122	3,4-Bis-[p-acetoxy-phenyl]-2,4-hexadien (Dienöstroldiacetat, Foragynol)	$C_{22}H_{22}O_4$	CH_3 | CH || $CH_3CO \cdot O \cdot C_6H_4 \cdot C — C \cdot C_6H_4 \cdot O \cdot COCH_3$ || CH | CH_3	350,40	farblose Krist.
1664	120	Anthrachinon-1,7-disulfonsäure	$C_{14}H_8O_8S_2$		368,34 Krist.	gelbes Krist.-Plv. (Eg)
1665	120	Bernsteinsäureanhydrid	$C_4H_4O_3$	$H_2C——CH_2$ | | $OC \cdot O \cdot CO$	100,07	Nadeln (A)
1666	120	Conhydrin	$C_8H_{17}NO$		143,22	Blättchen (Ae)
1667	120	Cyclohexen-(1)-di-carbonsäure-(1,2)	$C_8H_{10}O_4$	$H_2C \cdot CH_2 \cdot C \cdot COOH$ | || $H_2C \cdot CH_2 \cdot C \cdot COOH$	170,16	Blättchen (W)
1668	120	2,3-Dichlornaphthalin	$C_{10}H_6Cl_2$	$C_{10}H_6Cl_2$	197,06	Blättchen
1669	120	Erythrit (Phycit, Erythroglucin)	$C_4H_{10}O_4$	$HO \cdot CH_2 \cdot (CHOH)_2 \cdot CH_2 \cdot OH$	122,12	tetra-gonale Prismen
1670	120	Lycopodin	$C_{16}H_{25}NO$		247,37	farblose Krist.

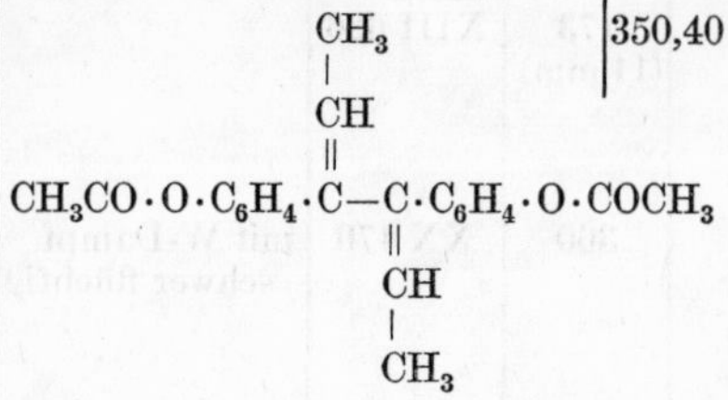

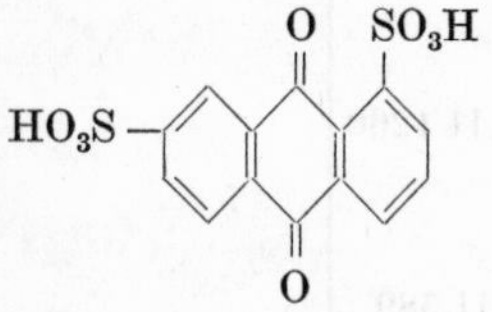

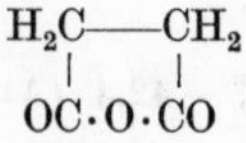

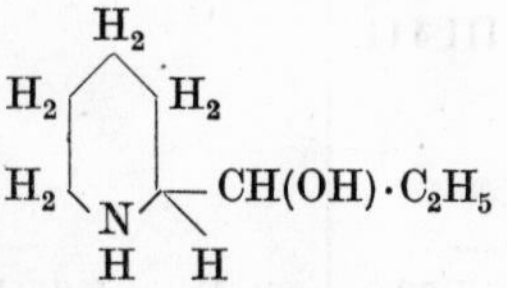

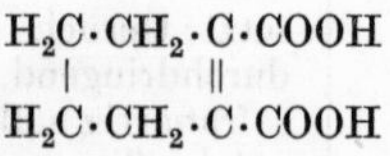

Lfd. Nr.	Spez. Gewicht	Siedepunkt °C	Beilsteinzitat	Physikalische Konstanten und Eigenschaften	Löslichkeit	Reaktionen
	8	9	10	11	12	13
663				geruch- u. geschmacklos	unl. in W wl. in A u. fetten Ölen l. in Ae, Bzl., Chlf., Aceton	1. 0,001 g Subst. in 5 ml Essigsäure lösen + 0,2 ml Bromessigsäure, nach 20 Sek. 1 Tropfen fl. Phenol zusetzen und 2 Min. in sd. W-Bad erwärmen → schwach hellgrün. Nach Zugabe von einigen Kristallen Zucker u. Erhitzen im W-Bad → rosa → rot → burgunderrot 2. Je 0,005 g Subst. u. Vanillin in Porzellantiegel mit 10 Tropfen H_2SO_4 versetzen und 1 Min. unter Umschwenken auf W-Bad erwärmen → grünlichbraun mit bläulichem Rand. Nach Erkalten + 2 ml A → eosinrot
664			XI 340	hygroskopisch ohne zu zerfließen	ll. in W, A, Eg.	Dichlorid *Fp* 231—232°, Tafeln Dianilid *Fp* 237—238°, Prismen Natriumsalz, gelbe Nadeln
665	1,503	261	XVII 407	kryoskop. Konst. 6,3; eutekt. Temp.: mit Acetanilid 87°, mit Phenacetin 103°	unl. in W wl. in A swl. in Ae l. in Chlf.	
666		226	XXI 5	$[\alpha]_D$ +10,0° (A)	l. in W ll. in A, Ae	Chloroaurat *Fp* 133—134°
667			IX 770		ll. in W	>120° → Anhydrid *Fp* 74°
668			V 544		unl. in W wl. in A ll. in Ae	
669	1,451	329 bis 331	I 525	eutekt. Temp.: mit Benzil 93°, mit Acetanilid 108°	61 W 20° wl. in A l. in Pyridin unl. in Ae	Diformalerythrit *Fp* 97—98°, Nadeln Tetranitrat *Fp* 61°, große Blätter
670				$[\alpha]_D^{18}$ −20,8° (Aceton)		Nitrat *Fp* 268—270° (Z.) Pikrat *Fp* 205—207° Reineckat *Fp* 247—248° Jodmethylat *Fp* 295—296° (Z.)

Lfd. Nr.	*Fp*	Name	Summenformel	Strukturformel	Mol.-Gewicht	Aggrega zustand Farbe
1	2	3	4	5	6	7
1671	120	Naphthylendiamin-(1,4)	$C_{10}H_{10}N_2$	$H_2N \cdot C_{10}H_6 \cdot NH_2$	158,20	Nadeln (W)
1672	120	cis-Terpinhydrat	$C_{10}H_{20}O_2 + H_2O$	vgl. Nr. 1488	190,28	weiße Krist.
1673	120	2,4,6-Tribromanilin	$C_6H_4Br_3N$	$Br_3C_6H_2 \cdot NH_2$	329,85	Nadeln (Bzl.)
1674	120	1,3,5-Tribrombenzol	$C_6H_3Br_3$	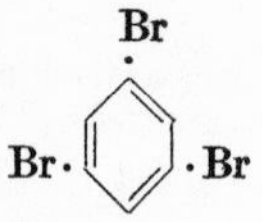	314,83	Nadeln (A)
1675	120 bis 121	cis-α-Bromzimtsäure	$C_9H_7BrO_2$	$C_6H_5 \cdot CH{:}CBr \cdot COOH$	227,06	Blättche (W)
1676	120 bis 122	p-Amino-m-hydroxy-benzoesäuremethylester	$C_8H_9NO_3$	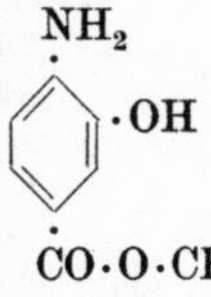	167,16	Nadeln
1677	120 bis 130 (Z)	Chinolin-2,3-dicarbonsäure (Acridinsäure)	$C_{11}H_7NO_4$	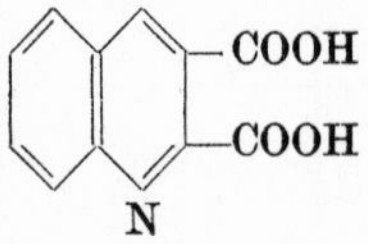	217,17	
1678	120,5	dl-Mandelsäure (dl-α-Hydroxyphenylessigsäure)	$C_8H_8O_3$	$C_6H_5 \cdot CH(OH) \cdot COOH$	152,14	Tafeln (W)

Lfd. Nr.	Spez. Gewicht	Siedepunkt °C	Beilsteinzitat	Physikalische Konstanten und Eigenschaften	Löslichkeit	Reaktionen
	8	9	10	11	12	13
671			XIII 201		wl. in W ll. in A, Ae, Chlf.	1,3,5-Trinitrobenzolat *Fp* 218° N.N′-Diacetylderivat *Fp* 303° N.N′-Dibenzoylderivat *Fp* 280° Bis-p-toluolsulfonylderivat *Fp* 188°
672		258	VI 745	eutekt. Temp.: mit Benzil 82°, mit Acetanilid 78°; Geschmack würzig; etwas bitter; subl. in feinen Nadeln	0,4 W 15° 3,1 sd. W 10 A 20° 50 sd. A wl. in Ae	beim Erhitzen mit verd. Säuren → angenehm fliederartiger Geruch Subst. + konz. H_2SO_4 → gelb + W → Fliedergeruch
673	$2{,}35^{20°}_{20°}$	300	XII 663	eutekt. Temp.: mit Acetanilid 97°, mit Phenacetin 109°	unl. in W wl. in k. A ll. in h. A, Ae	1,3,5-Trinitrobenzolat *Fp* 111° Acetylderivat *Fp* 232° Benzoylderivat *Fp* 198°
674		271	V 213		unl. in W wl. in sd. A	
675			IX 600		ll. in sd. W, A 6,9 Bzl. 19°	
676			XIV 577		wl. in W ll. in A, Ae	
677		Z.	XXII169		sll. in W ll. in A	+ $FeSO_4$ in W → rotgelb
678	1,361	Z.	X 197	eutekt. Temp.: mit Benzil 84,° mit Acetanilid 56°; Geruch nach bitteren Mandeln	15,97 W 20° 20,85 W 24° ll. in A, Ae	1. + H_2SO_4 → violett 2. + $Fe(NO_3)_3$-Lsg. → zitronengelb + einige Krist. Ferroammonsulfat und einige Tropfen 0,06%iger H_2O_2-Lsg. → olivgrün 3. + Paraform-H_2SO_4 → gelb → braun 4. 1 mg Subst. + Lsg. von 5 mg β-Naphthol in 1 ml konz. H_2SO_4 beim Erhitzen in sd. W-Bad → violette Lsg.; mit α-Naphthol → orangerot p-Nitrobenzylester *Fp* 124° Phenacylester *Fp* 85° Amid *Fp* 133° Anilid *Fp* 151°

Lfd. Nr.	Fp	Name	Summen-formel	Strukturformel	Mol.-Ge-wicht	Aggregat zustand Farbe
1	2	3	4	5	6	7
1679	121	Chloracetamid	C_2H_4ClNO	$ClCH_2 \cdot CO \cdot NH_2$	93,52	Krist.
1680	121	Cinnamoylcocain	$C_{19}H_{23}NO_4$	$H_2C-CH\underline{\quad\quad}CH \cdot COOCH_3$ $N \cdot CH_2 \ CH \cdot O \cdot CO \cdot CH:CH \cdot C_6H_5$ $H_2C-CH\underline{\quad\quad}CH_2$	329,38	Nadeln (Bzl.-Lg.)
1681	121	N,N'-Di-[p-äthoxy-phenyl]-acetamidin (Holocain)	$C_{18}H_{22}N_2O_2$	CH_3-C $N\underline{\quad} O-C_2H_5$ $NH\underline{\quad} O-C_2H_5$	298,37	weiße Nadeln
1682	121	2,6-Diaminopyridin	$C_5H_7N_3$	$H_2N\underline{\quad}NH_2$ N	109,13	Nadeln
1683	121	2,6-Dichlorchinon	$C_6H_2Cl_2O_2$	$O:C_6H_2Cl_2:O$	176,99	gelbe Prismen
1684	121	2,4-Dinitroacetanilid	$C_8H_7N_3O_5$	$CH_3 \cdot CO \cdot NH \cdot C_6H_3(NO_2)_2$	225,16	Nadeln (A)
1685	121	Isohydrobenzoin	$C_{14}H_{14}O_2$	OH H $C_6H_5 \cdot C\underline{\quad}C \cdot C_6H_5$ H OH	214,25	Krist. (W)
1686	121	Mesoxalsäure	$C_3H_2O_5$	$HOOC \cdot CO \cdot COOH$	118,05	zerfließ-liche Krist.
1687	121	Palustrin	$C_{17}H_{29}N_3O_2$		307,43	
1688	121	Progesteron (Proluton, Δ^4-Preg-nen-3,20-dion)	$C_{21}H_{30}O_2$		314,45	Nadeln (verd. A)
1689	121	Rhamnit	$C_6H_{14}O_5$	$CH_3 \cdot [CH(OH)]_4 \cdot CH_2OH$	166,17	Prismen (Aceton)
1690	121	Thionaphthenchinon	$C_8H_4O_2S$	$C_6H_4 \underset{S}{\overset{CO}{\diagdown}} CO$	164,18	gelbe Nadeln (W)

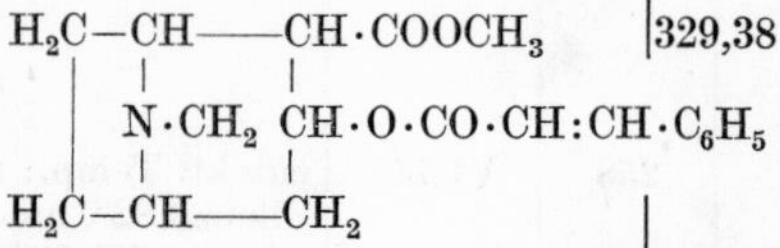

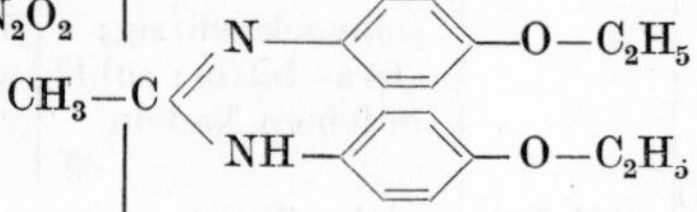

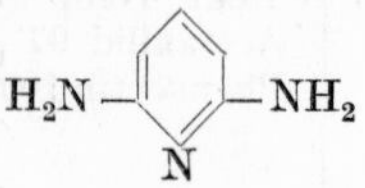

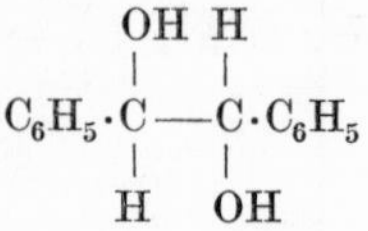

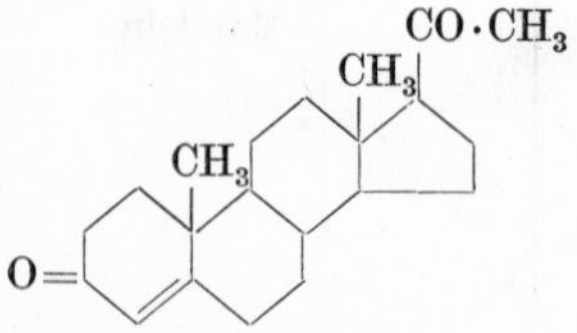

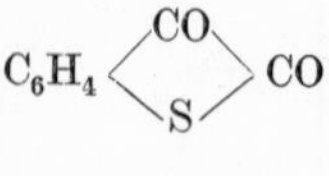

fd. Nr.	Spez. Gewicht	Siedepunkt °C	Beilsteinzitat	Physikalische Konstanten und Eigenschaften	Löslichkeit	Reaktionen
	8	9	10	11	12	13
679		224 (743mm)	II 199	eutekt. Temp.: mit Benzil 87°, mit Acetanilid 87°	10 W 24° 9,5 A 24° swl. in Ae	
680				$[\alpha]_D^{15}$ −4,7° (Chlf.)	wl. in W ll. in A, Ae, Bzl.	
681			XIII 468		unl. in W ll. in A, Ae, Bzl. wl. in Ligroin	
682			E_1 XXII 647	eutekt. Temp.: mit Acetanilid 84°, mit Phenacetin 98°	unl. in PAe zwl. in W sl. in Bzl.	
683		subl. < 120°	VII 633	mit Dampf flüchtig	wl. in sd. W, k. A ll. in h. W l. in Chlf.	
684			XII 754		unl. in k. W sll. in sd. A	
685		133 (0,02 mm)	VI 1004		0,19 W 15° 1,25 sd. W ll. in A, Ae	
686			III 766		ll. in W l. in A, Ae	+ KOH bei 150° → Oxalsäure, Ameisensäure Phenylhydrazon *Fp* 164° (Z.), hellgelbe Nadeln Ag-Salz, gelbliche Nadeln
687				$[\alpha]_D$ +15,8° (W)		Hydrochlorid *Fp* 188−190° (Z.) Chloroplatinat *Fp* 221−223° (Z.) Pikrat *Fp* 150−150,5° (Z.)
1688		*Fp* d. wieder-erstarr-ten Schmelze 128,5°		$[\alpha]_D^{20}$ +192° (A); eutekt. Temp.: mit Acetanilid 73°, mit Phenacetin 94°; geruch- u. geschmacklos	unl. in W l. in A, Aceton, Dioxan ll. in Ae, Chlf.	Dioxim *Fp* 244° (Z.) Semicarbazon *Fp* 280° (Z.)
1689			I 532	$[\alpha]_D^{20}$ +10,7° (W); schmeckt süß	ll. in W, A unl. in Ae	
1690		~247	XVII 467		wl. in W ll. in A, Eg. l. in verd. NaOH orangegelb	

Lfd. Nr.	Fp	Name	Summen-formel	Strukturformel	Mol.-Ge-wicht	Aggreg. zustan. Farbe
1	2	3	4	5	6	7
1691	121	1,2,4-Triazol	$C_2H_3N_3$	$\begin{array}{l}HC\!=\!N \\ \mid\quad\mid\quad\text{bzw.} \\ HN\cdot N\!:\!CH\end{array}\quad\begin{array}{l}HC\!-\!NH \\ \parallel\quad\mid \\ N\cdot N\!:\!CH\end{array}$	69,07	Prisme (W) Nadeln (A, Ae)
1692	121 bis 122	Magnesiumpalmitat	$C_{32}H_{62}MgO_4$	$(CH_3\cdot[CH_2]_{14}\cdot COO)_2Mg$	535,14	Krist.
1693	121 bis 122	Natriumpantothenat	$C_9H_{16}NNaO_5$	$\begin{array}{c}CH_3 \\ \mid \\ HO\cdot CH_2\cdot C\cdot CH(OH)\cdot CO\cdot NH \\ \mid\qquad\qquad\qquad\mid \\ CH_3\qquad\quad CH_2\cdot CH_2 \\ \mid \\ COONa\end{array}$	241,22	weißes krist. Pulver
1694	121,3 bis 122,6	Testosteronpropionat (Testoviron, Δ⁴-Androsten-17β-ol-3-onpropionat)	$C_{22}H_{32}O_3$		344,48	farblose Krist.
1695	121,5	2-Aminotriphenyl-carbinol	$C_{19}H_{17}NO$	$H_2N\cdot C_6H_4\cdot C(C_6H_5)_2OH$	275,33	Tafeln (Ae)
1696	121,7	Benzoesäure	$C_7H_6O_2$	$C_6H_5\cdot COOH$	122,12	Nadeln oder Blätter
1697	121,8	Quecksilberdiphenyl	$C_{12}H_{10}Hg$	$(C_6H_5)_2Hg$	354,81	Nadeln (Bzl.)
1698	122	4,6-Dichlor-2-nitro-phenol	$C_6H_3Cl_2NO_3$	$O_2N\cdot C_6H_2Cl_2\cdot OH$	208,01	gelbe Blättchen (A)
1699	122	2,4-Dimethylfuran-carbonsäure-(3)	$C_7H_8O_3$	$\begin{array}{c}CH_3\cdot C\!-\!C\cdot COOH \\ \parallel\quad\parallel \\ HC\cdot O\cdot C\cdot CH_3\end{array}$	140,13	Nadeln (W)
1700	122	3,5-Dinitrophenol	$C_6H_4N_2O_5$	$(O_2N)_2C_6H_3\cdot OH$	184,11	Blättchen
1701	122	p,p'-Ditolyl	$C_{14}H_{14}$	$CH_3\cdot C_6H_4\cdot C_6H_4\cdot CH_3$	182,25	Krist. (Ae)

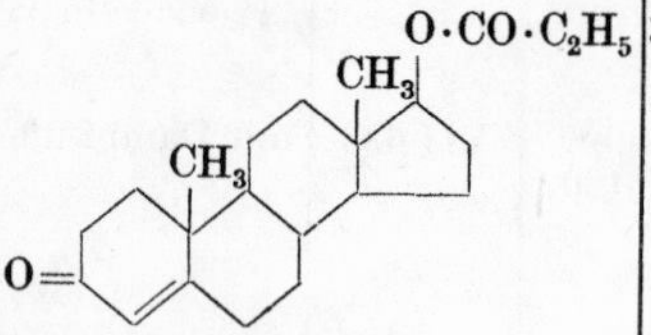

Lfd. Nr.	Spez. Gewicht	Siedepunkt °C	Beilsteinzitat	Physikalische Konstanten und Eigenschaften	Löslichkeit	Reaktionen
	8	9	10	11	12	13
691		260	XXVI 13		l. in W, A, Bzl. wl. in Ae	
692			II 372		unl. in W 0,487 A 20°	
693				sehr hyroskopisch	ll. in W	
694				$[\alpha]_D$ + 97° ± 2° (Chlf.); eutekt. Temp.: mit Acetanilid 70°, mit Phenacetin 90°; geruch- u. geschmacklos	unl. in W ll. in A, Ae, Chlf., Dioxan	0,001 g Subst. + 1 ml H_2SO_4 → gelblich, + 1 ml W → gelb mit grüner Fluorescenz
695			XIII 738		ll. in A l. in Ae	erhitzen → 9-Phenylacridin
696	$1{,}2659^{15°}$	249	IX 92	kryoskop. Konst. 8,79; eutekt. Temp.: mit Acetanilid 76°, mit Phenacetin 88°; subl. bei 100°; mit Dampf leicht flüchtig	0,16 W 0° 0,27 W 17° 2,19 W 75° 46,71 A 15° 31,34 Ae 15°	3—5 mg in 0,5 ml W + 1 Tropfen $Fe(NO_3)_3$ → weiße → blaßrötliche Trübung; + 1 ml H_2O, erhitzen auf 30—40° + 1—2 Tropfen 0,06%ige H_2O_2-Lsg. → schwach violett (Salicylsäure) → braun Äthylester *Fp* 211,3—211,5° p-Nitrobenzylester *Fp* 89° Phenacylester *Fp* 119° p-Bromphenacylester *Fp* 119° Amid *Fp* 128° Anilid *Fp* 160° p-Toluidid *Fp* 158°
697	2,318	> 300 (Z.)	XIV 946		unl. in W wl. in k. A l. in Ae ll. in Bzl., Chlf.	
698	$1{,}822^{19°}$	subl. < 100	VI 241		wl. in W ll. in A, Ae	
699		subl.	XVIII 296		ll. in h. W, A, Ae	
1700	1,702		VI 258		ll. in A, Ae	
1701	1,102	295	V 610		unl. in W l. in A, Ae	

Lfd. Nr.	Fp	Name	Summen-formel	Strukturformel	Mol.-Ge-wicht	Aggrega zustand Farbe
1	2	3	4	5	6	7
1702	**122**	Nicotinsäureamid (Niacinamid, β-Pyri-dincarbonsäureamid)	$C_6H_6N_2O$	[pyridine ring]—$CONH_2$	122,12	farblose Nadeln
1703	**122**	Psychotrin	$C_{28}H_{36}N_2O_4$	$C_{28}H_{36}N_2O_4$	464,58	gelbe Krist. (h. A)
1704	**122**	1,3,5-Trinitronaphthalin	$C_{10}H_5N_3O_6$	$C_{10}H_5(NO_2)_3$	263,16	Krist. (Chlf.)
1705	**122** bis **123**	3-Aminophenol	C_6H_7NO	$H_2N \cdot C_6H_4 \cdot OH$	109,12	Prismen (Toluol)
1706	**122** bis **123**	Furancarbonsäure-(3)	$C_5H_4O_3$	HC——C·COOH ‖ ‖ HC·O·CH	112,08	Blättchen (W)
1707	**122** bis **123**	Indoxylsäure	$C_9H_7NO_3$	$C_6H_4 \Big\langle \substack{C(OH) \\ NH} \Big\rangle C \cdot COOH$	177,15	Krist.
1708	**122** bis **124**	Diäthylstilböstrol-dimethyläther (4,4'-Dimethoxy-α,β-diäthylstilben)	$C_{20}H_{24}O_2$	CH_3 | CH_2 | $CH_3O \cdot$[ring]$\cdot C=C \cdot$[ring]$\cdot OCH_3$ | CH_2 | CH_3	297,39	farblose Kristalle
1709	**122** bis **126**	l-Rhamnose	$C_6H_{12}O_5$	OH OH H H | | | | $CH_3 \cdot C—C—C—C—CHO$ | | | | H H OH OH	164,16	Säulen + 1 H_2O (W od. A)

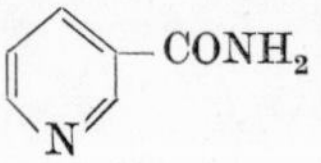

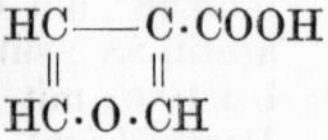

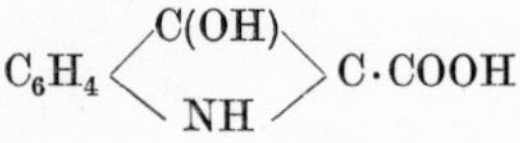

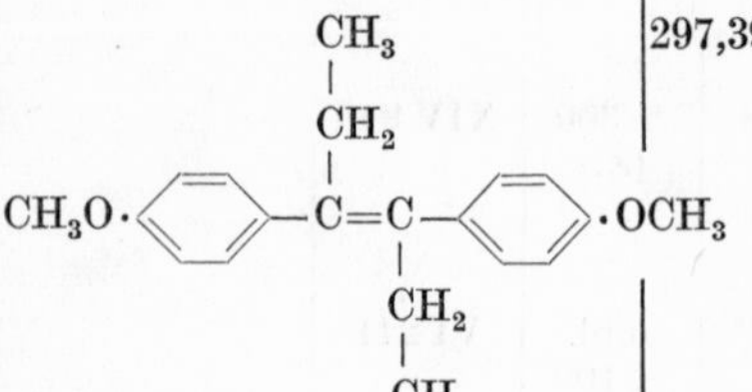

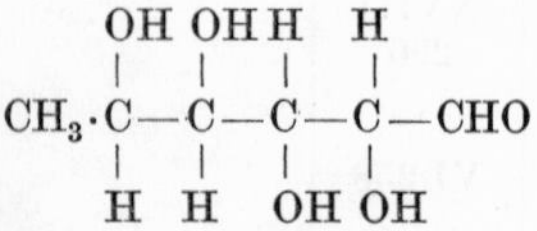

fd. Nr.	Spez. Gewicht	Siedepunkt °C	Beilsteinzitat	Physikalische Konstanten und Eigenschaften	Löslichkeit	Reaktionen
	8	9	10	11	12	13
'02			XXII 40	eutekt. Temp.: mit Acetanilid 89°, mit Phenacetin 106°; fast geruchlos; schmeckt schwach bitter	ll. in W, A, Bzl. l. in Chlf. wl. in Ae	1. 10 mg Subst. + 20 mg 1,2,4-Chlordinitrobenzol in Röhrchen erhitzen, nach Abkühlen + 2 ml 1%ige alkoh. KOH → dunkelrot 2. 0,05 g Subst. mit 1 ml n-KOH in Porzellanschale eindampfen → NH_3 3. 0,01 g Subst. mit 1 g getrocknetem Na_2CO_3 erhitzen → Pyridingeruch Hydrochlorid *Fp* 227—228° N'-Methojodid *Fp* 207—209°
'03				$[\alpha]_D^{15}$ +69,3°; schmeckt stark bitter	ll. in Chlf.-A, Aceton unl. in Ae l. in H_2SO_4 (farblos)	alkohol. Lsg. + wenig $FeCl_3$ → braunrot → blauschwarze Fällung Chlorkalk-Lsg. → gelb
'04			V 563		unl. in W ll. in A, Eg.	
'05			XIII 401		ll. in h. W, A, Ae	Hydrochlorid *Fp* 229° Hydrobromid *Fp* 224° N-Acetylderivat *Fp* 148—149° N-Benzoylderivat *Fp* 174°
'06		80 (0,3 mm)	E_1 XVIII 439	mit Dampf flüchtig	wl. in k. W ll. in h. W, A	
'07			XXII 226		wl. in W	Oxydation → Isatin oder Indigo Erhitzen über *Fp* → Indoxyl
'08				geruch- u. geschmacklos	unl. in W wl. in A l. in Ae, Chlf., Bzl., Aceton	0,005 g Subst. u. 0,005 g Vanillin in Porzellantiegel mit 10 Tropfen H_2SO_4 1 Min. unter Umschwenken auf dem W-Bad erwärmen → braunrot; nach Erkalten + 2 ml A → schmutzigrot
'09	1,471[20°]	subl.	I 870	$[\alpha]_D^{20}$ −7,7° bis +8,9°; schmeckt anfangs sehr süß, dann bitter	57 W 19° 109 W 40° l. in A wl. in Ae	β-Naphthylhydrazon *Fp* 192 bis 193°, Täfelchen p-Nitrophenylhydrazon *Fp* 190 bis 191°, orangegelbe Krist. Phenylhydrazon *Fp* 160°, Blättchen Osazon *Fp* 182°

Lfd. Nr.	Fp	Name	Summen-formel	Strukturformel	Mol.-Ge-wicht	Aggrega zustan Farbe
1	2	3	4	5	6	7
1710	122,5	Pikrinsäure (2,4,6-Tri-nitrophenol)	$C_6H_3N_3O_7$		229,11	gelbe Blättche (W) Säulen (Ae)
1711	123	2,2'-Diaminostilben	$C_{14}H_{14}N_2$	$H_2N \cdot C_6H_4 \cdot CH{=}CH \cdot C_6H_4 \cdot NH_2$	210,27	rote Nadeln (W)
1712	123	β-Naphthol	$C_{10}H_8O$	$C_{10}H_7 \cdot OH$	144,16	Tafeln
1713	123	1,3,5-Trinitrobenzol	$C_6H_3N_3O_6$	$C_6H_3(NO_2)_3$	213,11	gelbe Blättche (W)
1714	123 (Z.)	Xanthydrol	$C_{13}H_{10}O_2$	$C_6H_4 {<}^{CH(OH)}_{O} {>} C_6H_4$	198,21	Nadeln (verd. A
1715	123 bis 124	m,m'-Diphenol	$C_{12}H_{10}O_2$	$HO \cdot C_6H_4 \cdot C_6H_4 \cdot OH$	186,20	Nadeln (W)
1716	123 bis 124	3-[α-Hydroxyisopropyl]-benzoesäure	$C_{10}H_{12}O_3$	$HO \cdot C(CH_3)_2 \cdot C_6H_4 \cdot COOH$	180,20	Krist.
1717	124	4-Aminobenzophenon	$C_{13}H_{11}NO$	$C_6H_5 \cdot CO \cdot C_6H_4 \cdot NH_2$	197,23	Blättche (verd. A

Strukturformel 1710:

$$\underset{NO_2}{\overset{OH}{O_2N \cdot \bigcirc \cdot NO_2}}$$

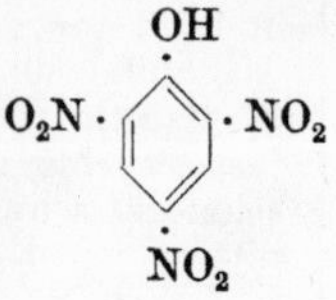

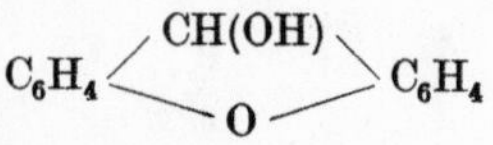

fd. Nr.	Spez. Gewicht	Siedepunkt °C	Beilsteinzitat	Physikalische Konstanten und Eigenschaften	Löslichkeit	Reaktionen
	8	9	10	11	12	13
10	$1{,}767^{19°}$	subl.	VI 265	eutekt. Temp.: mit Acetanilid 71°, mit Phenacetin 87°; explodiert bei raschem Erhitzen; färbt Wolle u. Seide gelb (Baumwolle nicht); reagiert sauer; schmeckt bitter	1,2 W 20° 7,2 sd. W 6,23 A 20° 66,2 sd. A 2,1 Ae 20°	+ KCN + NaOH → rot Nitronpikrat zitronengelbe Nadeln (E 1:250000) Acetylderivat *Fp* 76°
11			XIII 267	vgl. Nr. 2381		
12	1,217	285 bis 286 161,1 (20 mm)	VI 627	kryoskop. Konst. 11,25; eutekt. Temp.: mit Acetanilid 59°, mit Phenacetin 69°; schmeckt brennend; Staub reizt zum Niesen; subl. in Blättchen; alkalische Lsg. fluoresziert violett	0,075 W 25° ll. in A, Ae l. in Lauge swl. in CCl_4	+ $Fe(NO_3)_3$ → Grünfärbung → weiße Flocken; Lsg. in Lauge wird beim Kochen mit Chlf. → grün bis blau 0,1 g Subst. + 0,1 g Vanillin in 2 ml H_2SO_4 → chlorophyllgrün (α-Naphthol → rot) Subst. in verd. A lösen + 10%ige $CuSO_4$-Lsg. + 10%ige frisch bereitete KCN-Lsg. → gelber Nd. (α-Naphthol → violett) Acetat *Fp* 72° Chloracetat *Fp* 154° Benzoat *Fp* 107° 3,5-Dinitrobenzoat *Fp* 210° Phenylurethan *Fp* 155° α-Naphthylurethan *Fp* 157° Pikrat *Fp* 156°
13	$1{,}4775^{152°}$	subl.	V 271	eutekt. Temp.: mit Acetanilid 79°, mit Phenacetin 99°	0,04 k. W 1,9 A 16° 1,5 Ae 17° 6,2 Bzl. 16°	+ Alkoholate → tiefdunkelrote Salze
14			XVII 129		l. in H_2SO_4 gelb	Oxydation → Xanthon
15		247 (18 mm)	VI 991		unl. in k. W l. in h. W, Alkali ll. in A, Ae	Diacetat *Fp* 82,5° + $FeCl_3$ → blaue Färbung
16			X 271	mit W-Dampf nicht flüchtig	l. in W	
17			XIV 81		wl. in k. W ll. in h. W sll. in A, Ae, Eg.	Acetylderivat *Fp* 153° Benzoylderivat *Fp* 152°

Lfd. Nr.	*Fp*	Name	Summen-formel	Strukturformel	Mol.-Gewicht	Aggregatzustand Farbe
1	2	3	4	5	6	7
1718	**124**	Chloralformamid	$C_3H_4Cl_3NO_2$	$HCO \cdot NH \cdot CH(OH) \cdot CCl_3$	192,44	Schuppe
1719	**124**	2,6-Dinitro-p-xylol	$C_8H_8N_2O_4$	$(O_2N)_2C_6H_2(CH_3)_2$	196,16	Nadeln (A)
1720	**124**	1,3-Dihydroxynaphthalin (Naphthoresorcin)	$C_{10}H_8O_2$	$C_{10}H_6(OH)_2$	160,16	Blättche
1721	**124**	3-Fluorbenzoesäure	$C_7H_5FO_2$	$F \cdot C_6H_4 \cdot COOH$	140,11	Blättche (W)
1722	**124** (Z.)	4-Nitrosophenol	$C_6H_5NO_2$	$ON \cdot C_6H_4 \cdot OH$	123,11	Nadeln (W)
1723	**124**	Pikrolonsäure (1-[p-Nitrophenyl]-3-methyl-4-nitro-5-pyrazolon)	$C_{10}H_8N_4O_5$	$O_2N \cdot HC$ —— $C \cdot CH_3$ | ‖ $OC \cdot N(C_6H_4 \cdot NO_2) \cdot N$	264,20	gelbe Nadeln (A)
1724	**124**	Stilben (α,β-Diphenyläthylen)	$C_{14}H_{12}$	$H \cdot C \cdot C_6H_5$ ‖ $C_6H_4 \cdot C \cdot H$	180,24	Blättche (A)
1725	**124**	β,β,β-Trichlormilchsäure	$C_3H_3Cl_3O_3$	$CCl_3 \cdot CH(OH) \cdot COOH$	193,43	Prisme
1726	**124** bis **125**	2-Methylhydrochinon	$C_7H_8O_2$	$CH_3 \cdot C_6H_3(OH)_2$	124,13	Blättche (Bzl.)
1727	**124** bis **125**	β-Naphthylhydrazin	$C_{10}H_{10}N_2$	$C_{10}H_7 \cdot NH \cdot NH_2$	158,20	Blättche (W)
1728	**125**	Diäthylmalonsäure	$C_7H_{12}O_4$	$HOOC \cdot C(C_2H_5)_2 \cdot COOH$	160,17	Prisme (W)
1729	**125**	N-Dibrompropyl-C,C-diäthylbarbitursäure (Diogenal)	$C_{11}H_{16}Br_2N_2O_3$	$(C_2H_5)_2C \langle {CO \cdot NH \atop CO \cdot N} \rangle CO$ $CH_2 \cdot CHBr \cdot CH_2Br$	384,09	weiße Krist.
1730	**125**	2,6-Dichlor-4-nitrophenol	$C_6H_3Cl_2NO_2$	$O_2N \cdot C_6H_2Cl_2 \cdot OH$	208,01	Nadeln (W)

Lfd. Nr.	Spez. Gewicht	Siedepunkt °C	Beilsteinzitat	Physikalische Konstanten und Eigenschaften	Löslichkeit	Reaktionen
	8	9	10	11	12	13
18			II 27	eutekt. Temp.: mit Acetanilid 79°, mit Phenacetin 92°	l. in W	1. beim Erwärmen mit Lauge und Orcin bzw. Resorcin → schwach gelbe, grün fluoreszierende oder violettrote Lösung 2. mit α-Naphthol + konz. H_2SO_4 beim Erwärmen → grüne bis blaue Lösung 3. beim Erwärmen mit Na_2S-Lsg. → gelbe bis braune Lsg.
19			V 388		unl. in W wl. in k. A	
20			VI 978	eutekt. Temp.: mit Acetanilid 47°, mit Phenacetin 56°	ll. in W, A, Ae	Diacetat *Fp* 56° 1,3,5-Trinitrobenzolat *Fp* 175°
21	$1{,}474^{25°}$		IX 333		0,15 W 25°	
22			VII 622		l. in W ll. in A, Ae l. in Alkali, rotbraun	
23			XXIV 51	eutekt. Temp.: mit Benzil 88°, mit Acetanilid 99°	0,9 W 17° 4,8 A 17° 0,5 Ae 17°	
24	$0{,}954^{125°}$	306 bis 307 166,5 (12 mm)	V 630	eutekt. Temp.: mit Phenacetin 108°, mit Acetanilid 97°; kryoskop. Konst. 8,38; mit Dampf flüchtig; sublimierbar	unl. in W 0,88 A 17° 7,88 Ae 14° ll. in Bzl.	Dibromid *Fp* 237°, Nadeln Nitrosit *Fp* 195—197°, Kristallmehl Pikrat *Fp* 94—95° 1,3,5-Trinitrobenzolat *Fp* 120°
25		160 (45 mm)	III 286		ll. in W, A, Ae	Amid *Fp* 145° Anilid *Fp* 164°
26		163	VI 875		ll. in W, A, Ae	
27		Z.	XV 568		wl. in h. W ll. in h. A wl. in Ae	
28			II 686	eutekt. Temp.: mit Acetanilid 94°, mit Phenacetin 108°		Diamid *Fp* 224°, lange Nadeln p-Nitrobenzylester *Fp* 91,2°
29					unl. in W l. in Lauge	$AgNO_3$-Lsg. fällt beim Erwärmen AgBr + 1 Tropfen 2n NH_3 → Gallerte
30			VI 241		swl. in W wl. in k. A ll. in Ae, Chlf.	

Lfd. Nr.	*Fp*	Name	Summen- formel	Strukturformel	Mol.- Ge- wicht	Aggrega zustand Farbe
1	2	3	4	5	6	7
1731	125	4,6-Dimethylresorcin	$C_8H_{10}O_2$	$(CH_3)_2C_6H_2(OH)_2$	138,16	Platten (W)
1732	125	2,2'-Dinitrodiphenyl	$C_{12}H_8N_2O_4$	$O_2N \cdot C_6H_4 \cdot C_6H_4 \cdot NO_2$	244,20	gelbe Nadeln (A)
1733	125	2,5-Dihydroxybenzo- phenon	$C_{13}H_{10}O_3$	$C_6H_5 \cdot CO \cdot C_6H_3(OH)_2$	214,21	gelbe Nadeln (verd. A
1734	125	Lactid	$C_6H_8O_4$	$O \big\langle {}^{CO \cdot CH(CH_3)}_{CH(CH_3)CO} \big\rangle O$	144,12	Krist. (A)
1735	125	Naphthol-(2)-sulfon- säure-(6) (Schäffersche Säure)	$C_{10}H_8O_4S$	$HO \cdot C_{10}H_6 \cdot SO_3H$	224,23	Blättche
1736	125	3-Hydroxy-4-äthoxy- benzaldehyd (Iso- bourbonal)	$C_9H_{10}O_3$	$C_2H_5O \cdot \underset{}{\overset{OH}{\bigcirc}} \cdot CHO$	180,20	Nadeln
1737	125	Pentamethylphenol	$C_{11}H_{16}O$	$(CH_3)_5C_6 \cdot OH$	164,24	Nadeln
1738	125	p-Hydroxybenzyl- alkohol	$C_7H_8O_2$	$HO \cdot C_6H_4 \cdot CH_2 \cdot OH$	124,13	Nadeln (W)
1739	125	p-Xylochinon	$C_8H_8O_2$	$O : C_6H_2(CH_3)_2 : O$	136,14	gelbe Nadeln (A)
1740	126	4-Aminoazobenzol	$C_{12}H_{11}N_3$	$C_6H_5 \cdot N : N \cdot C_6H_4 \cdot NH_2$	197,23	gelbe Nadeln (A)
1741	126	Benzhydroxamsäure	$C_7H_7NO_2$	$C_6H_5 \cdot CO \cdot NH \cdot OH$ bzw. $C_6H_5 \cdot C(: N \cdot OH) \cdot OH$	137,13	Blättche
1742	126	p-Chinon-bis-chlorimid	$C_6H_4Cl_2N_2$	$Cl \cdot N : C_6H_4 : N \cdot Cl$	175,02	Nadeln (W)
1743	126	5-Butyl-5-äthylbarbi- tursäure (Soneryl, Neonal)	$C_{10}H_{16}N_2O_3$	${}^{C_4H_9}_{C_2H_5} \big\rangle C \big\langle {}^{CO \cdot NH}_{CO \cdot NH} \big\rangle CO$	212,24	Nadeln
1744	126	2,4-Dimethylbenzoe- säure	$C_9H_{10}O_2$	$(CH_3)_2C_6H_3 \cdot COOH$	150,17	Nadeln (W)
1745	126	2,3'-Dihydroxybenzo- phenon	$C_{13}H_{10}O_3$	$HO \cdot C_6H_4 \cdot CO \cdot C_6H_4 \cdot OH$	214,21	gelblich Krist. (Ae + Bzl.)

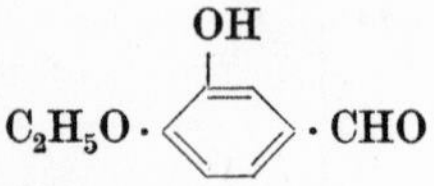

Lfd. Nr.	Spez. Gewicht	Siedepunkt °C	Beilsteinzitat	Physikalische Konstanten und Eigenschaften	Löslichkeit	Reaktionen
	8	9	10	11	12	13
1731		276 bis 279	VI 912		ll. in W, A, Ae	
1732	1,45		V 583		unl. in W l. in k. A, Ae ll. in sd. A	
1733			VIII 312		unl. in k. W ll. in A, Ae, Bzl.	
1734		255	XIX 154		swl. in A wl. in Ae	+ W → Milchsäure
1735			XI 282	wss. Lsg. der Salze fluoresziert schwach blau	ll. in W, A	+ $FeCl_3$ → schwach grüne Färbung Ammoniumsalz, lange Prismen Anilinsalz *Fp* 264° p-Toluidinsalz *Fp* 248°
1736		170 bis 175 (18 mm)	E_2 VIII 282	riecht nach Vanillin	l. in A, Bzl., Xylol, Toluol	
1737		267	VI 551		l. in A, Bzl.	keine Färbung mit $FeCl_3$
1738			VI 897		ll. in W, A, Ae wl. in Bzl.	
1739		subl. 225 (12 mm)	VII 658	eutekt. Temp.: mit Acetanilid 85°, mit Phenacetin 97°	wl. in h. W, k. A ll. in h. A, Ae, Bzl.	
1740			XVI 307		swl. in h. W l. in h. A, Ae	reduziert alkohol.-ammoniakal. Ag-Lsg. Acetylderivat *Fp* 145° Benzoylderivat *Fp* 211°
1741		Z.	IX 301		2,25 W 6° ll. in h. W sll. in A wl. in Ae	+ $FeCl_3$ → roter Niederschlag
1742			VII 621		wl. in k. W ll. in h. A, Ae l. in H_2SO_4	
1743			E_2 XXIV 285	eutekt. Temp.: mit Acetanilid 80°, mit Phenacetin 99°	wl. in W l. in A	
1744		267 (727mm)	IX 531		swl. in k. W wl. in h. W l. in Bzl., Chlf. ll. in h. A	Amid *Fp* 179° Anilid *Fp* 141°
1745			VIII 315			

Lfd. Nr.	*Fp*	Name	Summenformel	Strukturformel	Mol.-Gewicht	Aggregatzustand Farbe
1	2	3	4	5	6	7
1746	**126**	2-Fluorbenzoesäure	$C_7H_5FO_2$	$F \cdot C_6H_4 \cdot COOH$	**140,11**	Krist. (W)
1747	**126**	Isatin-α-anil	$C_{14}H_{10}N_2O$	$C_6H_4 \langle {CO \atop NH} \rangle C:N \cdot C_6H_5$	**222,24**	violette Nadeln (Bzl.) orange-rote Blättchen (A)
1748	**126**	ω-Isonitrosoacetophenon	$C_8H_7NO_2$	$C_6H_5 \cdot CO \cdot CH:N \cdot OH$	**149,14**	Prismen (verd. A)
1749	**126**	1,4-Naphthochinon (α-Naphthochinon)	$C_{10}H_6O_2$	$C_6H_4 \langle {CO \cdot CH \atop CO \cdot CH} \rangle$ (CH=CH)	**158,15**	gelbe Nadeln (A)
1750	**126**	Oxindol	C_8H_7NO	$C_6H_4 \langle {CH_2 \atop NH} \rangle CO$	**133,14**	Nadeln (W)
1751	**126**	3-Hydroxypyridin	C_5H_5NO	$C_5H_4N \cdot OH$	**95,10**	Nadeln (Bzl.)
1752	**126**	Succinimid	$C_4H_5NO_2$	H_2C—CH_2 / $OC \cdot NH \cdot CO$	**99,09**	Tafeln (A)
1753	**126 bis 127**	4-Brom-1-nitrobenzol	$C_6H_4BrNO_2$	$Br \cdot C_6H_4 \cdot NO_2$	**202,02**	Prismen
1754	**126 bis 127**	N,N′-Diphenylhydrazin (Hydrazobenzol)	$C_{12}H_{12}N_2$	$C_6H_5 \cdot NH \cdot NH \cdot C_6H_5$	**184,23**	Tafeln (A + Ae)
1755	**126 bis 127**	1-Nitronaphthylamin-(2)	$C_{10}H_8N_2O_2$	$O_2N \cdot C_{10}H_6 \cdot NH_2$	**188,18**	orange Nadeln (A)
1756	**126 bis 127**	Guajacolcamphorat (Guacamphol)	$C_{24}H_{28}O_6$	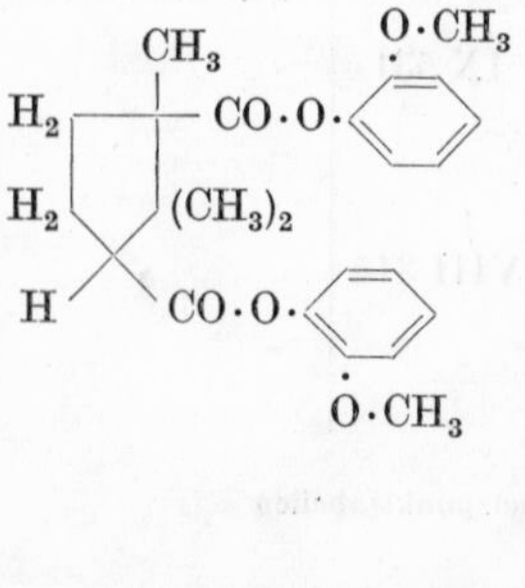	**412,46**	weiße Krist.

fd. Nr.	Spez. Gewicht	Siedepunkt °C	Beilsteinzitat	Physikalische Konstanten und Eigenschaften	Löslichkeit	Reaktionen
	8	9	10	11	12	13
46	1,460[25°]		IX 333		0,72 W 25° ll. in A, Ae	
47			XXI 439		unl. in W ll. in A gelbbraun; in CS_2 rot	
48		Z.	VII 671	eutekt. Temp.: mit Acetanilid 77°, mit Phenacetin 88°	wl. in k. W l. in A, Ae, Bzl.	+ Natronlauge → gelb
49		subl.	VII 724	mit Dampf flüchtig; subl. unter 100°	swl. in k. W l. in A ll. in Ae	Oxim *Fp* 207° Semicarbazon *Fp* 247° Phenylhydrazon *Fp* 206° 2,4-Dinitrophenylhydrazon *Fp* 278°
50		227 (73 mm)	XXI 282		ll. in h. W l. in A, Ae, H_2SO_4 ll. in Alkali	
51		subl.	XXI 46		ll. in W, A wl. in Ae, Bzl.	+ $FeCl_3$ → rote Färbung
52		287 (Z.) 173 (20 mm)	XXI 369	Dampfdruck bei 150° 6,51 mm Hg	24,3 W 21° 5,4 A 24° sll. in Ae	
53	1,563[132°]	255 bis 256	V 248	kryoskop. Konst. 11,53	1,75 k. A	
54	1,158[16°]		XV 123	eutekt. Temp.: mit Acetanilid 88°, mit Phenacetin 101°	swl in W. 5,3 A 16°	
55			XII 1313		l. in sd. W, Bzl. ll. in A	Acetylderivat *Fp* 124° Benzoylderivat *Fp* 168° Benzolsulfonylderivat *Fp* 156° p-Toluolsulfonylderivat *Fp* 159°
56			IX 753	riecht schwach nach Campher; Geschmack bitter; mit Wasserdampf nicht flüchtig	unl. in W l. in H_2SO_4 grün	Lsg. in H_2SO_4 + 1 Tropfen Eisen-Phosphorsäure → grüne Fluoreszenz Subst. + 1 Tropfen Fe-H_3PO_4 → grauviolett → olivgrün → stahlblau; vorsichtig erwärmen → graugrün, intensiv grüne Fluoreszenz

Lfd. Nr.	*Fp*	Name	Summenformel	Strukturformel	Mol.-Gewicht	Aggrega zustan Farbe
1	2	3	4	5	6	7
1757	126 bis 127	p-Hydroxybenzoesäuremethylester (Nipagin M)	$C_8H_8O_3$	$HO\cdot C_6H_4\cdot CO\cdot O\cdot CH_3$	152,14	weiße Krist.
1758	127	1-Aminoanthracen	$C_{14}H_{11}N$	$C_6H_4\left\{\begin{matrix}CH\\CH\end{matrix}\right\}C_6H_3\cdot NH_2$	193,24	gelbe Nadel (A)
1759	127	α,α'-Azoxynaphthalin	$C_{20}H_{14}N_2O$	$C_{10}H_7\cdot N{=}\underset{\underset{O}{\Vert}}{N}\cdot C_{10}H_7$	298,33	gelbrot Krist.
1760	127	Benzidin (p,p'-Diaminodiphenyl)	$C_{12}H_{12}N_2$	$NH_2\cdot C_6H_4\cdot C_6H_4\cdot NH_2$	184,23	perlmutter glänzend Blättche
1761	127	2-Benzoylbenzoesäure (Benzophenon-o-carbonsäure)	$C_{14}H_{10}O_3$	$C_6H_5\cdot CO\cdot C_6H_4\cdot COOH$	226,22	Prisme (W)
1762	127	2-Carbäthoxyaminobenzoesäure	$C_{10}H_{11}NO_4$	$C_2H_5O\cdot CO\cdot NH\cdot C_6H_4\cdot COOH$	209,20	farblos Krist.
1763	127	N-Phenylglycin (Phenylaminoessigsäure)	$C_8H_9NO_2$	$C_6H_5\cdot NH\cdot CH_2\cdot COOH$	151,16	Krist.
1764	127	1-Phenyl-3-methylpyrazolon-(5)	$C_{10}H_{10}N_2O$	$\begin{array}{lcl}H_2C & \text{———} & C\cdot CH_3\\ \vert & & \Vert\\ OC\cdot N(C_6H_5)N & & \end{array}$	174,20	Prisme (W)

fd. Nr.	Spez. Gewicht	Siedepunkt °C	Beilsteinzitat	Physikalische Konstanten und Eigenschaften	Löslichkeit	Reaktionen
	8	9	10	11	12	13
757			E_1 X 73	mit W-Dampf flüchtig; eutekt. Temp.: mit Acetanilid 74°, mit Phenacetin 87°; geruchlos; kratzender Geschmack	swl. in W l. in Lauge ll. in A, Ae, Aceton	+ $Fe(NO_3)_3$ → Violettfärbung Lsg. + Paraform-H_2SO_4 erwärmt → intensiv rotbraun Lsg. + Eisen-Phosphorsäure + 1 ml H_2SO_4 → schwach grün + Paraform + H_2O_2 → Grünfärbung (Brenzcatechinderivat)
758			XII 1335		l. in A gelbbraun grün fluoreszierend l. in Ae	Acetylderivat *Fp* 212° Chromat tiefblaue Nadeln Pikrat *Fp* 190°
759			XVI 632		unl. in W l. in A, Ae	+ H_2SO_4 → blauviolett → blau
760	1,251	400 bis 401 (740mm)	XIII 214	eutekt. Temp.: mit Acetanilid 88°, mit Phenacetin 98°	wl. in k. W ~ 1 in sd. W l. in A 2,2 Ae	+ Bromwasser und CS_2: wss. Schicht → blau, dann dunkelgrün → farblos; CS_2-Schicht → dunkelrot Subst. + konz. HNO_3 → gelb Subst. + $Fe(NO_3)_3$ → gelbgrün → braungrün → hellblau alkohol. Lsg. + 10 mg α-Naphthol 1. + konz. NH_3 → violett 2. + KOH → orange → lachsrot N,N′-Diacetylderivat *Fp* 317° N,N′-Dibenzoylderivat *Fp* 352° N,N′-Dibenzolsulfonylderivat *Fp* 235° N,N′-Di-p-toluolsulfonylderivat *Fp* 243°
761			X 747		l. in h. W, A, Bzl.	erhitzen → Anthrachinon Methylester *Fp* 52° p-Nitrobenzylester *Fp* 100° Amid *Fp* 165° Anilid *Fp* 195°
762			XIV 345	subl. im Vakuum > 100°	l. in A, Bzl.	
763		Z.	XII 468		l. in A, Ae swl. in Bzl.	Kalischmelze → Indigo Benzoylderivat *Fp* 63° löst Oxyde von Pb u. Zn
764		287 (265mm)	XXIV 20	eutekt. Temp.: mit Acetanilid 82°, mit Phenacetin 95°	swl. in k. W l. in h. W, Säuren u. Alkali ll. in A swl. in Ae	1,3,5-Trinitrobenzolat *Fp* 92°

Lfd. Nr.	Fp	Name	Summen-formel	Strukturformel	Mol.-Ge-wicht	Aggreg zustan Farbe
1	2	3	4	5	6	7
1765	127	γ-Stilbazol	$C_{13}H_{11}N$	$C_5H_4N \cdot CH : CH \cdot C_6H_5$	181,23	Blättch (A)
1766	127	o-Thymotinsäure	$C_{11}H_{14}O_3$	CH_3 $\cdot COOH$ $\cdot OH$ $CH(CH_3)_2$	194,22	Nadel (W)
1767	127	Triphenylamin	$C_{18}H_{15}N$	$(C_6H_5)_3N$	245,31	Tafeln (Ae)
1768	127 bis 128	d-Camphocarbonsäure	$C_{11}H_{16}O_3$	$H_2C \cdot C(CH_3) - CO$ $C(CH_3)_2$ $H_2C \cdot CH \underline{\quad\quad} CH \cdot COOH$	196,24	Prisme (W ode Ae ode verd. A
1769	127 bis 128	Diäthylsulfondimethyl-methan (Sulfonal)	$C_7H_{16}O_4S_2$	$(CH_3)_2C(SO_2 \cdot C_2H_5)_2$	228,33	Prisme (A), farnblä terartig Krist.
1770	127 bis 129	sek.-Butyl-β-bromallyl-barbitursäure (Pernocton)	$C_{11}H_{15}BrN_2O_3$	CH_3 $CH_3 \cdot CH_2 \cdot CH$ $H_2C : C \cdot CH_2$ Br $\Big\rangle C \Big\langle \begin{matrix} CO - NH \\ CO - NH \end{matrix} \Big\rangle CO$	303,16	weiße Krist.
1771	127,5	1,2,3-Trinitrobenzol	$C_6H_3N_3O_6$	$C_6H_3(NO_2)_3$	213,11	grünlich Prismer (A)
1772	128	Benzamid	C_7H_7NO	$C_6H_5 \cdot CO \cdot NH_2$	121,13	Tafeln und Nadeln (W)
1773	128	N-Acetyl-N-phenyl-hydrazin	$C_8H_{10}N_2O$	$C_6H_5 \cdot N(COCH_3) \cdot NH_2$	150,18	Krist.

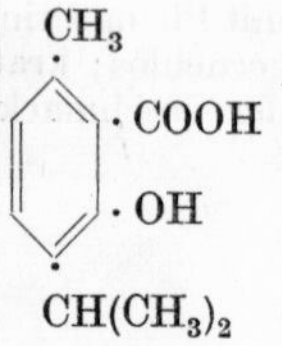

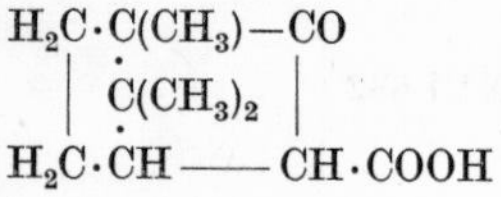

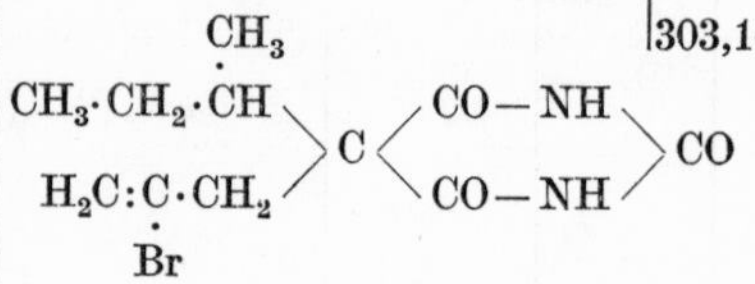

Lfd. Nr.	Spez. Gewicht	Siedepunkt °C	Beilsteinzitat	Physikalische Konstanten und Eigenschaften	Löslichkeit	Reaktionen
	8	9	10	11	12	13
1765			XX 442		unl. in W l. in A, Ae	
1766			X 280	mit Dampf flüchtig	0,01 k. W l. in A, Ae, Bzl.	
1767		347 bis 348	XII 181		wl. in k. A ll. in Ae, Bzl.	+ H_2SO_4 → violett → dunkelgrün
1768			X 642		wl. in k. W ll. in A, Ae, Chlf. wl. in k. Bzl.	beim Schmelzpunkt CO_2-Abspaltung
1769		300	I 662	geruch- und geschmacklos	0,2 W 15° 6,7 sd. W 1,54 A 15° 50 sd. A 0,75 Ae 15°	kochen mit alkal. HgJ_2-Lsg. → gelbstichiger Nd. im trockenen Probierrohr mit Holzkohle geglüht → Mercaptangeruch
1770				bitterer Geschmack; eutekt. Temp.: mit Acetanilid 81°, mit Phenacetin 101°	swl. in W l. in Lauge	2 mg Subst. in 1 ml W und 2 bis 3 Tropfen 2 n-Lauge + 2 bis 3 Tropfen n/10-$KMnO_4$ → langsam blau und grün 2–3 mg Subst. in 1 ml methylalkohol.$Co(NO_3)_2$-Lsg. + 20 mg Piperazin → rotviolett 2 mg Subst. in 1 ml 1- bis 2%iger Pyridinlsg. in Hitze gelöst, tropfenweise 0,4%ige $CuSO_4$-Lsg. → blaßviolette Krist. (siedende Lsg.) 1 mg Subst. + 10 mg α-Naphthol in 1 ml H_2SO_4 in sd. W-Bad → schwach violettrot Subst. + 10–20 mg Paraform + 1 ml H_2SO_4 + Fe-H_3PO_4 warm → intensiv orange, grüne Fluoreszenz
1771			E_1 V 140		wl. in sd. A	
1772	1,341		IX 195	eutekt. Temp.: mit Acetanilid 82°, mit Phenacetin 98°	1,35 W 25° 17,04 A 25° wl. in Ae ll. in sd. Bzl.	
1773			XV 236		l. in W sl. in A, Bzl. sll. in Ae, Ligroin	

Lfd. Nr.	*Fp*	Name	Summen-formel	Strukturformel	Mol.-Gewicht	Aggregatzustand Farbe
1	2	3	4	5	6	7
1774	128	5-[p-Toluolazo]-2-aminotoluol	$C_{14}H_{15}N_3$	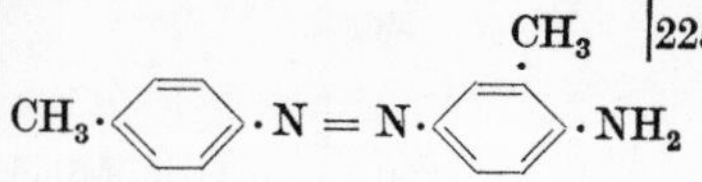	225,29	orange-gelbe Nädelchen (Lg.)
1775	128	2-Nitronaphthol-(1)	$C_{10}H_7NO_3$	$O_2N \cdot C_{10}H_6 \cdot OH$	189,16	gelbe Blätter (A)
1776	128	2-Hydroxymethyl-benzoesäure	$C_8H_8O_3$	$HO \cdot CH_2 \cdot C_6H_4 \cdot COOH$	152,14	Nadeln
1777	128	akt.-2-Phenylhydracryl-säure (akt. α-Tropa-säure	$C_9H_{10}O_3$	$HO \cdot CH_2 \cdot CH(C_6H_5) \cdot COOH$	166,17	farblose Krist.
1778	128	4-Phenylsemicarbazid	$C_7H_9N_3O$	$C_6H_5 \cdot NH \cdot CO \cdot NH \cdot NH_2$	151,17	Blättchen (W)
1779	128	Phthalsäureanhydrid	$C_8H_4O_3$	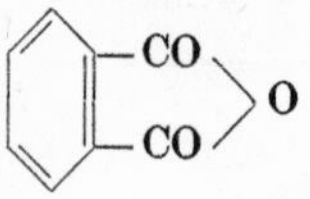	148,11	lange Nadeln (A)
1780	128	Succinylobernstein-säurediäthylester	$C_{12}H_{16}O_6$	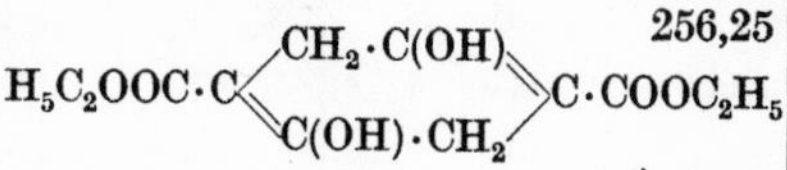	256,25	Nadeln (Ae)
1781	128	Thioxanthen	$C_{13}H_{10}S$	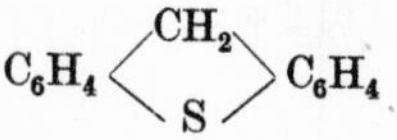	198,28	Nadeln oder Säulen (A + Chlf.)
1782	128 bis 129	Diphenylsulfon	$C_{12}H_{10}O_2S$	$(C_6H_5)_2SO_2$	218,27	Blättchen (A)
1783	128 bis 130	β-Benzaldoxim	C_7H_7NO	$C_6H_5 \cdot CH{:}N \cdot OH$	121,13	Tafeln oder Nadeln (Ae)
1784	129	β-Acetylphenylhydrazin	$C_8H_{10}N_2O$	$C_6H_5 \cdot NH \cdot NH \cdot CO \cdot CH_3$	150,18	Prismen
1785	129	2-Aminochinolin	$C_9H_8N_2$	$C_9H_6N \cdot NH_2$	144,17	Blättchen (W)
1786	129	3-Amino-o-kresol (OH = 1)	C_7H_9NO	$CH_3 \cdot C_6H_3(OH) \cdot NH_2$	123,15	Nadeln

fd. Nr.	Spez. Gewicht	Siedepunkt °C	Beilsteinzitat	Physikalische Konstanten und Eigenschaften	Löslichkeit	Reaktionen
	8	9	10	11	12	13
74			XVI 345		l. in A, Lg.	
75			VI 615	mit Dampf flüchtig	swl. in W wl. in A	Acetat *Fp* 118°
76			X 218		wl. in W l. in Bzl. ll. in A	
77		Z.	X 261	$[\alpha]_D^{20}$ 71,4° (W)	wl. in W, Bzl. l. in A	
78		140 Z.	XII 378		wl. in h. W ll. in A unl. in Ae	
79	1,527	285,1	XVII 469	sublimiert leicht	l. in A, Bzl.	+ W → Zers. 0,1 g Subst. mit 0,1 g Resorcin u. 1 ml konz. H_2SO_4 erhitzen bis SO_2-Dämpfe auftreten. Nach Erkalten in 500 ml mit NaOH alkalisch gemachtes W gießen → gelbgrüne Fluorescenz (Fluorescein)
80	1,4		X 894		unl. in k. W swl. in h. W ll. in h. A 1,7 Ae 20°	
81		340 (730mm)	XVII 74		unl. in W wl. in k. A l. in Ae sll. in Chlf. l. in H_2SO_4 gelb	
82		379	VI 300		unl. in k. W wl. in sd. W	
83	$1{,}114^{128°}$		VII 221		wl. in k. W, k. Bzl.	
84			XV 241		wl. in k. W ll. in h. W, A wl. in Ae	
85		subl.	XXII 443		ll. in h. W, A, Ae, Chlf. wl. in Laugen	Pikrat *Fp* 256° Jodmethylat *Fp* 247°
86			XIII 579		wl. in k. W, Ae	

Lfd. Nr.	*Fp*	Name	Summen-formel	Strukturformel	Mol.-Gewicht	Aggregatzustand Farbe
1	2	3	4	5	6	7
1787	**129**	Dodecandisäure (Dekamethylendicarbonsäure)	$C_{12}H_{22}O_4$	$HOOC \cdot (CH_2)_{10} \cdot COOH$	230,30	Krist.
1788	**129**	ω-Diäthylamino-2,6-dimethylacetanilid (Xylocain)	$C_{14}H_{22}N_2O$	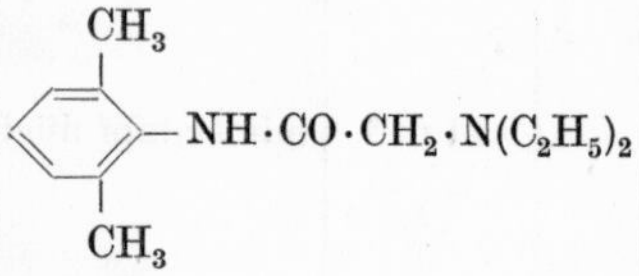	234,33	weißes krist. Pulver
1789	**129**	p-Dijodbenzol	$C_6H_4J_2$	$C_6H_4J_2$	329,91	Blättch (A)
1790	**129**	3,3′-Dimethylbenzidin (o-Tolidin)	$C_{14}H_{16}N_2$	$H_2NC_6H_3(CH_3) \cdot C_6H_3(CH_3)NH_2$	212,28	Blättch
1791	**129**	dl-α,α′-Dimethylbernsteinsäure	$C_6H_{10}O_4$	$HOOCCH(CH_3) \cdot (CH_3)CHCOOH$	146,14	Prismen (W)
1792	**129**	Hexaäthylbenzol	$C_{18}H_{30}$	$C_6(C_2H_5)_6$	246,42	Prismen (A)
1793	**129**	5-Allyl-5-butylbarbitursäure (Idobutal)	$C_{11}H_{16}N_2O_3$	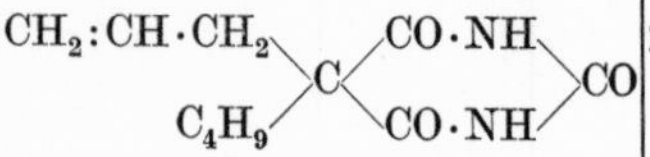	224,25	farblos Krist.
1794	**129**	4-Nitro-m-kresol (OH = 1)	$C_7H_7NO_3$	$CH_3 \cdot C_6H_3(NO_2) \cdot OH$	153,13	Nadeln (W)
1795	**129**	4-Hydroxyhydrozimtsäure (Phloretinsäure)	$C_9H_{10}O_3$	$HO \cdot C_6H_4 \cdot CH_2 \cdot CH_2 \cdot COOH$	166,17	Säulen (Ae)
1796	**129**	2-Thiophensäure (Thiophen-2-carbonsäure)	$C_5H_4O_2S$	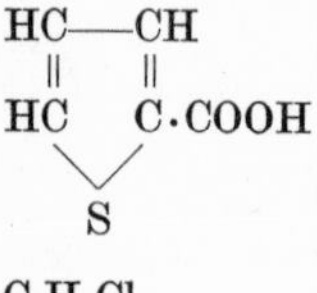	128,15	Nadeln (W)
1797	**129 bis 132**	δ-Benzolhexachlorid	$C_6H_6Cl_6$	$C_6H_6Cl_6$	290,85	Krist. (A)
1798	**129,5**	Piperin	$C_{17}H_{19}NO_3$ 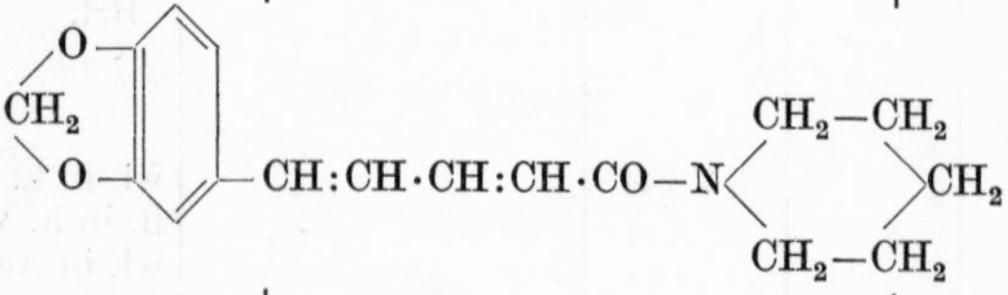		285,33	Säulen (A) oder Prismen (A)
1799	**130**	Biguanid	$C_2H_7N_5$	$[H_2N \cdot C(:NH)]_2NH$	101,12	Prismen (A)

Lfd. Nr.	Spez. Gewicht	Siedepunkt °C	Beilsteinzitat	Physikalische Konstanten und Eigenschaften	Löslichkeit	Reaktionen
	8	9	10	11	12	13
1787			II 729	eutekt. Temp.: mit Acetanilid 95°, mit Phenacetin 107°	l. in W, A	
1788						
1789		subl. 285	V 227	eutekt. Temp.: mit Acetanilid 99°, mit Phenacetin 112°	ll. in A, Ae	
1790			XIII 256		wl. in W ll. in A, Ae	Monoacetylderivat *Fp* 103° N,N'-Diacetylderivat *Fp* 306° Pikrat *Fp* 185°
1791	1,349	Z.	II 667	bei Zers. H_2O-Abspaltung	3 W 14° ll. in A, Ae	
1792	0,8305 $_{130°}$	298	V 471		unl. in W wl. in k. A l. in sd. A ll. in Ae, Bzl.	
1793			E_2 XXIV 292	eutekt. Temp.: mit Acetanilid 85°, mit Phenacetin 89°	unl. in W ll. in A	
1794			VI 386		swl. in k. W ll. in A, Ae, Chlf.	
1795			X 244		wl. in k. W ll. in h. W, A, Ae, unl. in CS_2	
1796		260	XVIII 289		0,75 W 25° ll. in h. W, A, Ae	
1797			E_1 V 8		unl. in W l. in A ll. in Ae	
1798			XX 79	eutekt. Temp.: mit Acetanilid 82°, mit Phenacetin 101°; geschmacklos; alkohol. Lsg. schmeckt brennend, pfefferartig	unl. in k. W ll. in A wl. in Ae	+ H_2SO_4 → rotbraun → braunschwarz → grünlich + konz. HNO_3 → harzartig + KOH → blutrot + Furfurol-H_2SO_4 → hellgrün → meergrün → blaugrün → indigoblau + $HgCl_2$ in wss. Lsg. gelbe Krist. $(C_{17}H_{19}NO_3HCl)_2 \cdot HgCl_2$ Chloroplatinat $(C_{17}H_{19}NO_3 \cdot HCl)_2PtCl_4$ rote rhombische Krist.
1799			III 93		sll. in W l. in A, Ae	

Lfd. Nr.	*Fp*	Name	Summenformel	Strukturformel	Mol.-Gewicht	Aggregatzustand Farbe
1	2	3	4	5	6	7
1800	**130**	5-Jod-2-aminopyridin	$C_5H_5JN_2$	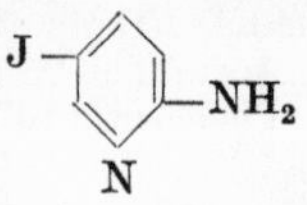	220,03	hellgelbe Blättchen (W)
1801	**130**	2,6-Dihydroxy-4-methoxybenzophenon	$C_{14}H_{12}O_4$	$C_6H_5 \cdot CO \cdot C_6H_2(OH)_2 \cdot O \cdot CH_3$	244,24	hellgelbe Nadeln oder Blättchen (W)
1802	**130**	Maleinsäure	$C_4H_4O_4$	$H \cdot C \cdot COOH$ ‖ $H \cdot C \cdot COOH$	116,07	Prismen (W od. A)
1803	**130**	4-Nitro-o-toluidin ($NH_2 = 1$)	$C_7H_8N_2O_2$	$CH_3 \cdot C_6H_3(NO_2) \cdot NH_2$	152,15	Krist. (W od. A)
1804	**130**	2-Hydroxyphenoxyessigsäure (Guajacetinsäure	$C_8H_8O_4$	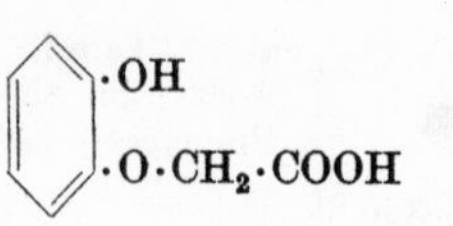	168,14	weiße Krist.
1805	**130**	Tetryl	$C_7H_5N_5O_8$	$^{2,4,6}(O_2N)_3C_6H_2 \cdot N \cdot CH_3$ (N: NO_2)	287,15	gelbe Krist. (A)
1806	**130** bis **131**	dl-Äpfelsäure	$C_4H_6O_5$	$HOOC \cdot CH_2 \cdot CH(OH) \cdot COOH$	134,09	rhomb. Krist.
1807	**130** bis **132**	Acet-p-anisidid	$C_9H_{11}NO_2$	$CH_3 \cdot CO \cdot NH \cdot C_6H_4 \cdot O \cdot CH_3$	165,19	Tafeln (W)
1808	**131**	1,2-Dihydroxyanthracen	$C_{14}H_{10}O_2$	$C_6H_4 \left\{ \begin{matrix} CH \\ CH \end{matrix} \right\} C_6H_2(OH)_2$	210,22	grüngelbe Blätter
1809	**131**	Hämopyrrolcarbonsäure	$C_9H_{13}NO_2$	$HOOC \cdot CH_2 \cdot CH_2 \cdot C$ —— $C \cdot CH_3$ ‖ ‖ $HC \cdot NH \cdot C \cdot CH_3$	167,20	Nadeln (W)
1810	**131**	2-Nitro-4-aminophenol	$C_6H_6N_2O_3$	$H_2N \cdot C_6H_3(NO_2) \cdot OH$	154,12	rote Tafeln oder Nadeln (W od. A)

Lfd. Nr.	Spez. Gewicht	Siedepunkt °C	Beilsteinzitat	Physikalische Konstanten und Eigenschaften	Löslichkeit	Reaktionen
	8	9	10	11	12	13
1800			E_2 XXII 334	eutekt. Temp.: mit Acetanilid 90°, mit Phenacetin 101°	sl. in W	Pikrat *Fp* 240°
1801			VIII 419		wl. in k. W ll. in A, Ae, h. Bzl. l. in Alkali	
1802	1,590	160 (Z.)	II 748		78,8 W 25° 392,6 W 97,5° 69,9 95%ig. A 30° 8,2 Ae 25°	bei Belichten oder > 135° → Fumarsäure *Fp* 285—287° bei 160° H_2O-Abspaltung Phenacylester *Fp* 128—129° p-Nitrobenzylester *Fp* 89,3° p-Phenylphenacylester *Fp* 168° Monoamid *Fp* 172—173° Monoanilid *Fp* 187° Di-p-toluidid *Fp* 142°
1803	1,366$^{15°}$		XII 846		swl. in h. W ll. in A	Acetylderivat *Fp* 196—197° Benzoylderivat *Fp* 183° Benzolsulfonylderivat *Fp* 172°
1804			VI 778	säuerlicher Geschmack; geruchlos		wss. Lsg. + 2n-Lauge beim Durchschütteln schwach violettrot wss. Lsg. + $Fe(NO_3)_3$-Lsg. → tiefblau, anschließend erhitzt → braun u. trüb + Fe-H_2SO_4 kalt grauviolett, heiß braun
1805	1,57$^{19°}$	186 (Z.)	XII 770		0,007 W 15° 0,162 W 97° wl. in k. A l. in Bzl.	
1806	1,601$^{20°}$	Z.	III 435	eutekt. Temp.: mit Acetanilid 85°, mit Phenacetin 104°	144,8 W 26° 411,5 W 79°	
1807			XIII 461	eutekt. Temp.: mit Acetanilid 86°, mit Phenacetin 112°	0,19 W 15° 12,7 A 21°	
1808			VI 1032		unl. in W l. in A, Ae l. in NaOH rot	Diacetat *Fp* 145°
1809		223 (20 mm)	E_1 XXII 499		l. in W, Ae ll. in A	
1810			XIII 520			

Lfd. Nr.	*Fp*	Name	Summenformel	Strukturformel	Mol.-Gewicht	Aggregatzustand Farbe
1	2	3	4	5	6	7
1811	**131**	Pinolhydrat	$C_{10}H_{18}O_2$	$CH_3\cdot C\langle\begin{matrix}CH(OH)-CH_2\\CH - CH_2\end{matrix}\rangle CH\cdot C(CH_3)_2\cdot OH$	170,24	Tafeln oder Nadeln
1812	**131**	N,N,N′-Triphenylguanidin	$C_{19}H_{17}N_3$	$(C_6H_5)_2N\cdot C(:NH)\cdot NH\cdot C_6H_5$ oder $(C_6H_5)_2N\cdot C(:N\cdot C_6H_5)\cdot NH_2$	287,35	Tafeln
1813	**131** bis **132**	trans-α-Bromzimtsäure	$C_9H_7BrO_2$	$C_6H_5\cdot CH:CBr\cdot COOH$	227,06	Nadeln (W)
1814	**131** bis **133**	Benzylmorphin (Base von Peronin)	$C_{24}H_{25}NO_3$	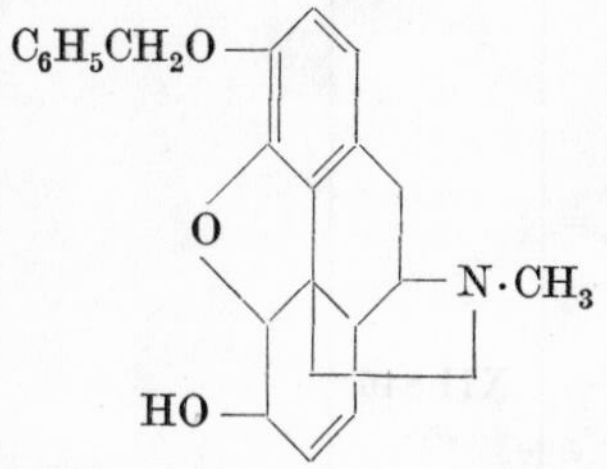	375,45	weiße Nadeln (W)
1815	**131,5**	β-Methyl-cis-zimtsäure	$C_{10}H_{10}O_2$	$C_6H_5\cdot C(CH_3):CH\cdot COOH$	162,18	Platten (CS_2)
1816	**132**	Benzoyldisulfid	$C_{14}H_{10}O_2S_2$	$C_6H_5\cdot CO\cdot S-S\cdot OC\cdot C_6H_5$	274,35	Tafeln (A)
1817	**132**	Bornylchlorid	$C_{10}H_{17}Cl$	$H_2C\cdot C(CH_3)-CHCl$ / $C(CH_3)_2$ / $H_2C\cdot CH - CH_2$	172,69	Blättchen
1818	**132**	2,5-Dimethylbenzoesäure	$C_9H_{10}O_2$	$(CH_3)_2C_6H_3\cdot COOH$	150,17	Nadeln (A)
1819	**132**	4,5-Dinitro-m-xylol	$C_8H_8N_2O_4$	$(O_2N)_2C_6H_2(CH_3)_2$	196,16	Krist. (A)
1820	**132**	N,N′-Diphenylacetamidin	$C_{14}H_{14}N_2$	$CH_3\cdot C(:N\cdot C_6H_5)\cdot NH\cdot C_6H_5$	210,27	Nadeln (A)
1821	**132**	3,3′-Dithienyl	$C_8H_6S_2$	HC—C——C—CH / ‖ ‖ ‖ ‖ / HC CH HC CH / S S	166,25	Blättchen (Ligroin)

.d. r.	Spez. Gewicht	Siede-punkt °C	Beilstein-zitat	Physikalische Konstanten und Eigenschaften	Löslichkeit	Reaktionen
	8	9	10	11	12	13
11	1,131	270 bis 271	VI 752		3,3 W 15° ll. in A, Ae	
12			XII 430		ll. in A, Ae wl. in Bzl.	+ H_2SO_4 erwärmen → violett
13			IX 594		swl. in W ∞ in A l. in Ae 5,2 Bzl. 20°	+ Alkali → HBr-Abspaltung Amid *Fp* 119°
14				bitterer Geschmack	wl. in W, A, Chlf. l. in Methanol	1. Subst. + 1 ml H_2SO_4 + Fe-H_2SO_4 → hellbraun + Paraform → intensiv braun → violettrot + HNO_3-H_2SO_4 → intensiv violettrot → braunoliv 2. Subst. + 10–20 mg Paraform + 1 ml H_2SO_4 → intensiv violettrot + Fe-H_3PO_4 → intensiv blauviolett + HNO_3-H_2SO_4 → grau → violettrot → langsam intensiv braun
5		170 bis 172 (14 mm)	IX 614		7,85 Bzl. 21° 0,89 PAe 20°	Amid *Fp* 94–95°
6		Z.	IX 424		unl. in W wl. in sd. A, sd. Ae ll. in sd. CS_2	
7		207 bis 208	V 94	$[\alpha]_D \pm 34°$ (Aceton); sehr flüchtig; riecht wie Campher; schmeckt gewürzhaft	unl. in W ll. in A l. in Ae	
8		268	IX 534		swl. in h. W sll. in A	Amid *Fp* 186° Anilid *Fp* 140°
9			V 380		unl. in W l. in A, Ae	
0			XII 248		wl. in k. A ll. in h. A l. in Ae	
1			XIX 33	mit Dampf flüchtig	wl. in k. A ll. in Ae	

Lfd. Nr.	*Fp*	Name	Summen-formel	Strukturformel	Mol.-Ge-wicht	Aggreg zustan Farbe
1	2	3	4	5	6	7
1822	**132**	Hydrastin	$C_{21}H_{21}NO_6$	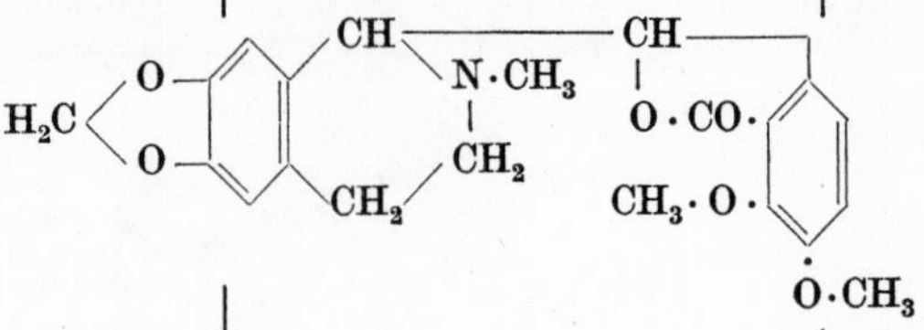	383,39	Prisme
1823	**132**	Kaliumstearat	$C_{18}H_{35}KO_2$	$CH_3\cdot(CH_2)_{16}\cdot COOK$	322,56	Blättch
1824	**132**	d-Mannose	$C_6H_{12}O_6$	H H OH OH $HO\cdot CH_2\cdot C\cdot C\cdot C\cdot C\cdot CHO$ OH OH H H	180,16	Prisme
1825	**132**	Thiodiglykolsäure	$C_4H_6O_4S$	$HOOC\cdot CH_2\cdot S\cdot CH_2\cdot COOH$	150,15	rhom Nadel
1826	**132** bis **133**	4-Butylaminobenzoe-säure-β-dimethyl-aminoäthylester-nitrat (Pantocainnitrat)	$C_{15}H_{25}N_3O_5$	$C_4H_9\cdot NH\cdot C_6H_4\cdot CO\cdot O$ $(CH_3)_2N\cdot CH_2\cdot CH_2$ $\cdot HNO_3$	327,37	weiß Krist
1827	**132** bis **133**	7-Nitrochinolin	$C_9H_6N_2O_2$	$C_9H_6N\cdot NO_2$	174,15	Tafel oder Nadel (W od.
1828	**132** bis **134**	Triacetylgallussäure-äthylester (Etelen)	$C_{15}H_{16}O_8$	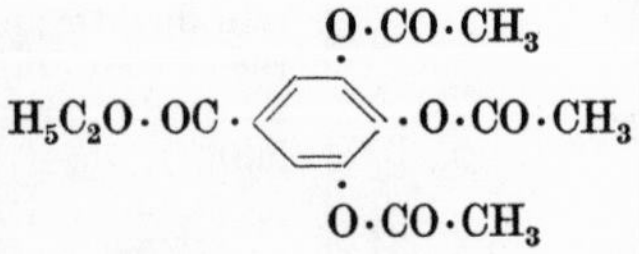	324,28	weiß Krist
1829	**132** bis **134**	Tetrabenzylthiuram-disulfid	$C_{30}H_{28}N_2S_4$	$[(C_6H_5\cdot CH_2)_2N\cdot CS\cdot S\cdot]_2$	544,78	gelbe Krist
1830	**132,7**	Harnstoff (Carbamid)	CH_4N_2O	$H_2N\cdot CO\cdot NH_2$	60,06	Prism (W od.

Lfd. Nr.	Spez. Gewicht	Siedepunkt °C	Beilsteinzitat	Physikalische Konstanten und Eigenschaften	Löslichkeit	Reaktionen
	8	9	10	11	12	13
822	1,1		XXVII 544	$[\alpha]_D$ −67,8° (Chlf.); eutekt. Temp.: mit Phenacetin 99°, mit Benzanilid 111°; geschmacklos	swl. in W 0,8 A 15° 0,8 Ae 18° l. in Chlf., Bzl.	Subst. + Vanadin-H_2SO_4 → orangerot Subst. + Molybdän-H_2SO_4 → grün → allmählich braun + HNO_3 → orangegelb Subst. in verd. H_2SO_4 + einige Tropfen $KMnO_4$ → violette Farbe, wird sofort zerstört, Flüssigkeit nimmt intensiv blaue Fluoreszenz an Hydrochlorid *Fp* 148—150°
823			II 379	fühlt sich fettig an	∞ 10 W 100° 0,43 k. A 10 93%iger A 66°	
824	$1{,}539^{20°}$		I 905	$[\alpha]_D^{20}$ −16,5° (+14,5° W) $[\alpha]_D^{30}$ +14,7° (+48,1° W)	248 W 17° wl in A unl. in Ae	alkalische HgJ_2-Lsg. oder ammoniakalische $AgNO_3$-Lsg. werden reduziert wss. Lsg. gibt mit basischem Bleiacetat allmählich eine weiße Trübung Phenylhydrazon *Fp* 199° Osazon *Fp* 205°
825			III 253	eutekt. Temp.: mit Acetanilid 77°, mit Phenacetin 93°; widerlicher Geruch	ll. in A l. in W	Anhydrid *Fp* 102°
826				eutekt. Temp.: mit Acetanilid 85°, mit Phenacetin 104°; bitterer Geschmack; geruchlos; anästhesierend	l. in W	
827		subl.	XX 372		swl. in k. W, k. A ll. in Ae, Chlf.	Jodmethylat *Fp* 231°
828				geruchlos, geschmacklos	unl. in W wl. in k. A, Toluol	
829					unl. in W ll. in A, Ae	
830	1,33		III 42	eutekt. Temp.: mit Acetanilid 102°, mit Phenacetin 122°; kryoskop. Konst. 5,14; Geschmack kühlend, salpeterähnlich	77,9 W 5° 109,4 W 21° 5,32 A 20° 7,24 A 40° swl. in Ae	5 mg Subst. im Rohr erhitzen → NH_3-Geruch, Rückstand + 2 ml W 1. + $AgNO_3$ → weißer flockiger Nd. 2. + 1 Tropfen $CuSO_4$-Lsg. + Lauge → violette Färbung — Biuret-Rk. Nitrat *Fp* 163°

Lfd. Nr.	*Fp*	Name	Summen-formel	Strukturformel	Mol.-Gewicht	Aggregat-zustand Farbe
1	2	3	4	5	6	7
1831	133	Amarin	$C_{21}H_{18}N_2$	$C_6H_5\cdot HC—N$ $C_6H_5\cdot HC\cdot NH$ $>C\cdot C_6H_5$	298,37	Prismen
1832	133	Benzoin	$C_{14}H_{12}O_2$	$C_6H_5\cdot CH(OH)\cdot CO\cdot C_6H_5$	212,24	Säulen (A)
1833	133 (Z.)	Cotarnin	$C_{12}H_{15}NO_4$	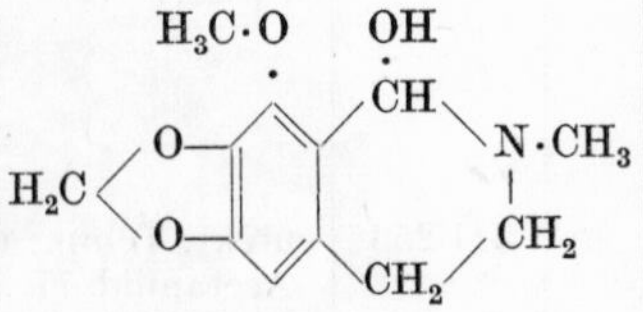	237,25	Nadeln (Bzl.)
1834	133	hochschm. ϑ,ι-Dihydr-oxystearinsäure	$C_{18}H_{36}O_4$	$CH_3\cdot(CH_2)_7\cdot CH\cdot OH$ $HOOC\cdot(CH_2)_7\cdot CH\cdot OH$	316,47	Blättchen (A)
1835	133	o-Cumaraldehyd	$C_9H_8O_2$	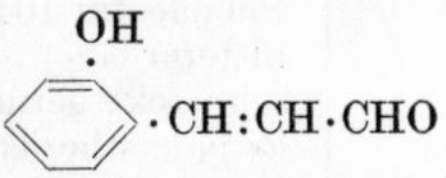	148,15	Nadeln
1836	133	4-Nitrodiphenylamin	$C_{12}H_{10}N_2O_2$	$C_6H_5\cdot NH\cdot C_6H_4\cdot NO_2$	214,22	gelbe Nadeln
1837	133	Pyocyanin	$C_{13}H_{10}N_2O$	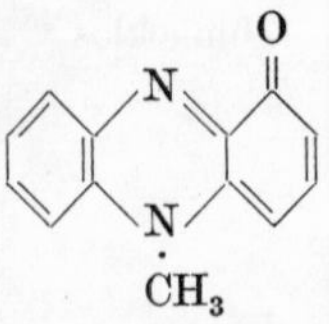	210,22	dunkel-blaue Nadeln (Chlf. + PAe)
1838	133 bis 134	Brenzschleimsäure (Furan-α-carbon-säure)	$C_5H_4O_3$	$HC—CH$ $\Vert\quad\Vert$ $HC\cdot O\cdot C\cdot COOH$	112,08	Blättchen (W)
1839	133 bis 134	N,N′-Di-p-tolyl-hydrazin (p,p′-Hydr-azotoluol)	$C_{14}H_{16}N_2$	$CH_3\cdot C_6H_4\cdot NH\cdot NH\cdot C_6H_4\cdot CH_3$	212,28	mono-kline prismat. Krist.

Lfd. Nr.	Spez. Gewicht	Siedepunkt °C	Beilsteinzitat	Physikalische Konstanten und Eigenschaften	Löslichkeit	Reaktionen
	8	9	10	11	12	13
31			XXIII 304		swl. in W ll. in A, Ae	
32	1,079[134°]	343 (768mm) 194 (12 mm)	VIII 167	eutekt. Temp.: mit Acetanilid 96°, mit Phenacetin 110°	0,03 W 25° l. in sd. A wl. in Ae	alkohol. Lsg. + wss. KOH → violett, beim Kochen tief purpur Oxim *Fp* 151° Semicarbazon *Fp* 206° (Z.) Phenylhydrazon *Fp* 106° 2,4-Dinitrophenylhydrazon *Fp* 245° Methyläther *Fp* 49—50° Acetat *Fp* 83° p-Nitrobenzoat *Fp* 123° Phenylurethan *Fp* 163° p-Nitrophenylurethan *Fp* 183° α-Naphthylurethan *Fp* 140°
33			XXVII 475	wirkt blutstillend	wl. in W ll. in A, Ae	
34			III 406		0,59 A 19° 0,19 Ae 18°	Methylester *Fp* 105—106,5° Äthylester *Fp* 98,8—100°
35			VIII 129		ll. in A, Ae wl. in k. W	wss. Lsg. + $FeCl_3$ → schmutzig roter Nd.
36			XII 715		unl. in W ll. in A, Eg. l. in H_2SO_4 violett	
37			E_2 XXIII 361		wl. in k. W, Bzl., Ae, PAe ll. in h. W., h. A, Chlf., Pyridin	+ SO_2 → rötlichbraun + HNO_3 → blaßgrün
38		230 bis 232	XVIII 272	sublimierbar in Nadeln; eutekt. Temp.: mit Acetanilid 67°, mit Phenacetin 86°	2,7 W 0° 8,85 W 15° l. in A 25 sd. W ll. in Ae	+ $FeCl_3$ → rotgelber Nd. Amid 142—143°, Krist.-Warzen Anilid *Fp* 123,5°, Blätter oder Nadeln
39			XV 511		ll. in A, Bzl.	

Lfd. Nr.	Fp	Name	Summen-formel	Strukturformel	Mol.-Ge-wicht	Aggrega zustand Farbe
1	2	3	4	5	6	7
1840	**133** bis **134**	Pyrogallol (1,2,3-Trihydroxy-benzol)	$C_6H_6O_3$	OH · OH · OH	126,11	weiße Blättche und Nadelr
1841	**134**	Acetyl-β-naphthylamin	$C_{12}H_{11}NO$	$C_{10}H_7 \cdot NH \cdot CO \cdot CH_3$	185,22	Blättche (W od. A
1842	**134**	Aluminiumäthylat	$C_6H_{15}AlO_3$	$(C_2H_5O)_3Al$	162,16	
1843	**134**	p,p′-Azoxyanisol	$C_{14}H_{14}N_2O_3$	$ON_2(C_6H_4 \cdot O \cdot CH_3)_2$	258,27	gelbe Säulen (A)
1844	**134**	2,2′-Diaminoazobenzol	$C_{12}H_{12}N_4$	$H_2N \cdot C_6H_4 \cdot N:N \cdot C_6H_4 \cdot NH_2$	212,25	rote Blättche (A ode Bzl.)
1845	**134**	Dibenzylsulfoxyd	$C_{14}H_{14}OS$	$(C_6H_5 \cdot CH_2)_2SO$	230,32	Blättche (W od. A
1846	**134**	3,4-Dinitrophenol	$C_6H_4N_2O_5$	$(O_2N)_2C_6H_3 \cdot OH$	184,11	Nadeln (W)
1847	**134**	2,4-Dihydroxybenzo-phenon-2′-carbon-säureäthylester (Resaldol)	$C_{16}H_{14}O_5$	HO· —CO— OH CO·OC₂H₅	286,27	leicht gelblich Krist.
1848	**134**	Pentaacetyl-β-d-glucose	$C_{16}H_{22}O_{11}$	$C_6H_7O(O \cdot CO \cdot CH_3)_5$	390,34	Nadeln (A)
1849	**134**	N-Methylisatin	$C_9H_7NO_2$	$C_6H_4 < \begin{matrix} CO \\ N \\ CH_3 \end{matrix} > CO$	161,15	rote Krist.
1850	**134**	Sebacinsäure	$C_{10}H_{18}O_4$	$HOOC \cdot (CH_2)_8 \cdot COOH$	202,24	Blättche

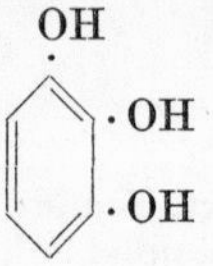

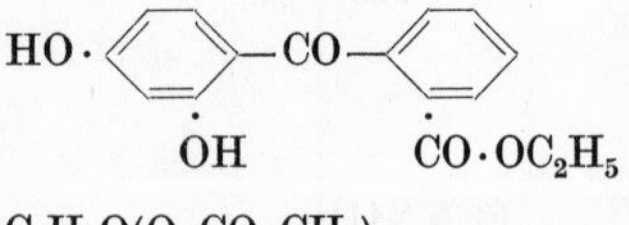

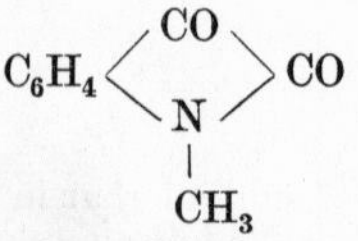

Lfd. Nr.	Spez. Gewicht	Siedepunkt °C	Beilsteinzitat	Physikalische Konstanten und Eigenschaften	Löslichkeit	Reaktionen
	8	9	10	11	12	13
340	1,453	309 182,4 (20 mm)	VI 1071	Dampfdruck 150° 6,45 mm Hg; eutekt. Temp.: mit Acetanilid 49°, mit Phenacetin 71°; schmeckt bitter; geruchlos; Blutgift; unzersetzt sublimierbar	44 W 13° ll. in A, Ae wl. in Chlf., Bzl., CS_2	wss. Lsg. + Lauge an Luft → orangebraun; + $FeCl_3$ → blau → grünbraun + $(CH_2)_6N_4$ → intensiv blauviolett + Formaldehyd und HCl schwach erwärmen → rubinrot Triacetat *Fp* 165° Tribenzoat *Fp* 90° Phenylurethan *Fp* 173° Diphenylurethan *Fp* 211,5 bis 212,5° Trimethyläther *Fp* 45°
341			XII 1284		wl. in k. W, k. A	
342	$1{,}1423^{20°}_{0°}$	320	I 313		swl. in A wl. in Ae l. in Bzl.	+ H_2O Zers.
343	$1{,}17^{115°}$		XVI 637			
344			XVI 303		swl. in W l. in A ll. in Ae, Aceton	
345		210 (Z.)	VI 456	eutekt. Temp.: mit Acetanilid 79°, mit Phenacetin 99°	unl. in k. W l. in h. W wl. in k. A, k. Ae	
346	1,672		VI 257	mit Dampf nicht flüchtig	ll. in A, Ae	
347				geruchlos; geschmacklos	swl. in W l. in h. W (1:480)	
348		subl.	II 160	eutekt. Temp.: mit Acetanilid 96°, mit Phenacetin 112°	0,09 W 18,5° 0,82 A 19° 2,1 Ae 15° ∞ in Chlf.	
349			XXI 446		l. in A	
350		295 (100mm)	II 718	sublimierbar; eutekt. Temp.: mit Acetanilid 91°, mit Phenacetin 106°	0,1 W 17° 2 W 100° ll. in A, Ae	Dimethylester *Fp* 38° p-Nitrobenzylester *Fp* 72° Phenacylester *Fp* 80,4° p-Bromphenacylester *Fp* 147° Diamid *Fp* 210° Dihydrazid *Fp* 184—185° Anilid *Fp* 198° p-Toluidid *Fp* 201°

Lfd. Nr.	*Fp*	Name	Summenformel	Strukturformel	Mol.-Gewicht	Aggrega zustand Farbe
1	2	3	4	5	6	7
1851	**134** bis **135**	Acetyl-*l*-äpfelsäure	$C_6H_8O_6$	$CH_3 \cdot CO \cdot O \cdot CH \cdot COOH$ $\vert$ $CH_2 \cdot COOH$	176,12	Krist.
1852	**134** bis **135**	2,2′-Diaminobenzophenon	$C_{13}H_{12}N_2O$	$CO(C_6H_4 \cdot NH_2)_2$	212,24	hellgelb Blättche (verd. A
1853	**134** bis **135**	Salicylanilid (2-Hydroxybenzoesäureanilid)	$C_{13}H_{11}NO_2$	$C_6H_5 \cdot NH \cdot CO \cdot C_6H_4 \cdot OH$	213,23	Krist.
1854	**134** bis **135**	o-Sulfobenzoesäure	$C_7H_6O_5S$	$HO_3S \cdot C_6H_4 \cdot COOH$	202,18	Nadeln
1855	**134,5**	Sorbinsäure	$C_6H_8O_2$	$CH_3 \cdot CH{:}CH \cdot CH{:}CH \cdot COOH$	112,12	Nadeln (verd. A
1856	**135** (Z.)	Acetondicarbonsäure	$C_5H_6O_5$	$CO(CH_2 \cdot COOH)_2$	146,10	Nadeln (Essigester)
1857	**135**	2-Amino-p-kresol (OH = 1)	C_7H_9NO	$CH_3 \cdot C_6H_3(OH) \cdot NH_2$	123,15	Blättche (Bzl. od (Ae)
1858	**135**	4,4′-Bisdimethylaminobenzhydrylamin	$C_{17}H_{23}N_3$	$[(CH_3)_2N \cdot C_6H_4]_2 \cdot CH \cdot NH_2$	269,38	Krist. (A)
1859	**135**	trans-*β*-Bromzimtsäure	$C_9H_7BrO_2$	$C_6H_5 \cdot CBr{:}CH \cdot COOH$	227,06	Nadeln oder Blättche (W)
1860	**135**	d-Corydalin	$C_{22}H_{27}NO_4$	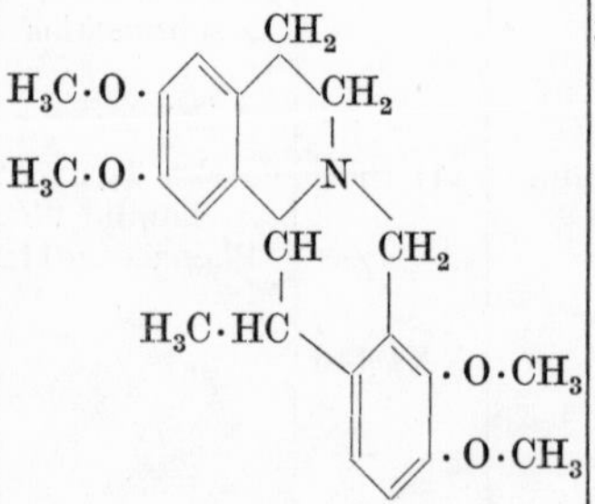	369,44	Prisme (A)
1861	**135**	Cyanursäuretrimethylester	$C_6H_9N_3O_3$	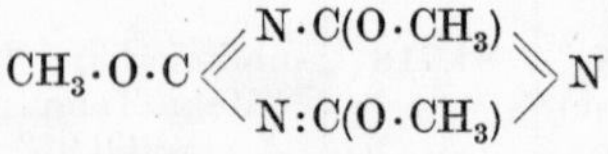	171,16	Prisme (Ae)
1862	**135**	2,5-Dimethylfurancarbonsäure-(3) (Uvinsäure)	$C_7H_8O_3$	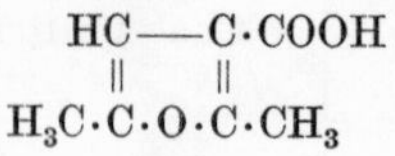	140,13	Nadeln (W)

Lfd. Nr.	Spez. Gewicht	Siedepunkt °C	Beilsteinzitat	Physikalische Konstanten und Eigenschaften	Löslichkeit	Reaktionen
	8	9	10	11	12	13
1851		Z.	III 429		l. in A	+ H_2O → Zers.
1852			XIV 87		unl. in W l. in A	
1853			XII 500		ll. in A, Bzl.	alkohol. Lsg. + $FeCl_3$ → violett
1854			XI 369	eutekt. Temp. mit Phenacetin 127°	ll. in W, A	Anhydrid *Fp* 128° o-Sulfobenzamid *Fp* 193—194°
1855		228 (Z.)	II 483	mit W-Dampf flüchtig; eutekt. Temp.: mit Acetanilid 77°, mit Phenacetin 100°	swl. in k. W l. in h. W ll. in A, Ae	p-Bromphenacylester *Fp* 129°
1856			III 789	beim Schmelzen Z. in CO_2 und Aceton	ll. in W, A wl. in Ae unl. in Bzl.	Anilid *Fp* 135°
1857		subl.	XIII 601		swl. in k. W ll. in A, Ae, Chlf.	HCl-Lsg. + $FeCl_3$ → rot N-Acetylderivat *Fp* 159—160° Benzoylderivat *Fp* 191° Benzolsulfonylderivat *Fp* 183°
1858			XIII 307		swl. in W wl. in A	
1859			IX 597		wl. in h. W ll. in A 1,6 Bzl. 14°	
1860			XXI 217	$[\alpha]_D^{20}$ +311° (A)	unl. in k. W swl. in sd. W l. in A ll. in Ae	Chloroplatinat *Fp* 227°
1861		265	XXVI 126		l. in W, A	durch Kochen bildet sich Isocyanursäuretrimethylester
1862		subl.	XVIII 297	mit Dampf flüchtig	unl. in k. W 0,25 sd. W l. in A ll. in Ae l. in H_2SO_4	

Lfd. Nr.	*Fp*	Name	Summen-formel	Strukturformel	Mol.-Gewicht	Aggregat-zustand Farbe
1	2	3	4	5	6	7
1863	**135**	2,6-Dimethyl-γ-pyron	$C_7H_8O_2$	HC · CO · CH ‖ ‖ CH_3·C—O—C·CH_3	124,13	Nadeln
1864	**135**	1,2′-Dinaphthylketon	$C_{21}H_{14}O$	$C_{10}H_7 \cdot CO \cdot C_{10}H_7$	282,32	Krist.
1865	**135**	2,4-Dihydroxybenz-aldehyd (Resorcinaldehyd)	$C_7H_6O_3$	$(HO)_2C_6H_3 \cdot CHO$	138,12	Nadeln (Ae + Lg.)
1866	**135**	Furoin	$C_{10}H_8O_4$	HC——CH HC——CH ‖ ‖ ‖ ‖ HC·O·C·CO·CH(OH)·C·O·CH	192,16	Prismen (Toluol + A)
1867	**135**	Isovaleriansäureamid	$C_5H_{11}NO$	$(CH_3)_2CH \cdot CH_2 \cdot CO \cdot NH_2$	101,15	Blättchen (A)
1868	**135** (Z.)	Methylmalonsäure (Isobernsteinsäure)	$C_4H_6O_4$	$CH_3 \cdot CH(COOH)_2$	118,09	Nadeln (Essig-ester)
1869	**135**	4-Nitro-m-toluidin (NH_2 = 1)	$C_7H_8N_2O_2$	$CH_3 \cdot C_6H_3(NO_2) \cdot NH_2$	152,15	gelbe Nadeln (W)
1870	**135**	4-Hydroxybenzo-phenon	$C_{13}H_{10}O_2$	$C_6H_5 \cdot CO \cdot C_6H_4 \cdot OH$	198,21	Blättchen (verd. A)
1871	**135**	Phenacetin (4-Acetaminophenyl-äthyläther)	$C_{10}H_{13}NO_2$	$CH_3 \cdot CO \cdot NH \cdot C_6H_4 \cdot O \cdot C_2H_5$	179,21	Tafeln (verd. A)
1872	**135**	2-Piperonylchinolin-4-carbonsäuremethyl-ester (Synthalin)	$C_{18}H_{13}NO_4$	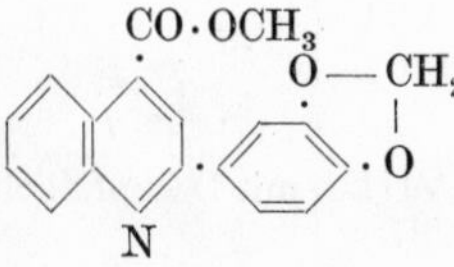	307,29	grünlich-gelbes Krist.-Plv.
1873	**135**	Tribromessigsäure	$C_2HBr_3O_2$	$CBr_3 \cdot COOH$	296,78	

d. r.	Spez. Gewicht	Siede-punkt °C	Beilstein-zitat	Physikalische Konstanten und Eigenschaften	Löslichkeit	Reaktionen
	8	9	10	11	12	13
63		248 bis 250	XVII 291	eutekt. Temp.: mit Acetanilid 68°, mit Phenacetin 91°	sll. in W, A zl. in Ae	
64		subl.	VII 539		l. in Ae ll. in A, Bzl.	
65		224 (22 mm)	VIII 241		ll. in W, A, Ae	wss. Lsg. + $FeCl_3$ → rotbraun
66			XIX 204		wl. in h. W l. in h. A wl. in Ae	Oxydation → Furil *Fp* 165° Oxim *Fp* 161° Phenylhydrazon *Fp* 80° 2,4-Dinitrophenylhydrazon *Fp* 216°
67	0,965	230 bis 232	II 315		l. in A	
68	1,455		II 627		66,7 W 15° ll. in A, Ae swl. in sd. Bzl.	Diamid *Fp* 216—217° Dihydrazid *Fp* 172—173° p-Nitrobenzylester *Fp* 75° Anilid *Fp* 182°
69			XII 877		wl. in k. W ll. in A, Ae	Acetylderivat *Fp* 103° Benzoylderivat *Fp* 83° Benzolsulfonylderivat *Fp* 138°
70			VIII 158		wl. in k. W ll. in A, Ae, Eisessig	Kalischmelze → Bzl. und 4-Hydroxybenzoesäure Oxime *Fp* 81° bzw. 152°
71			XIII 461	eutekt. Temp. mit Acetanilid 90°	0,05 W 14° 0,11 W 25° 6,64 A 25° 1,57 Ae 25°	Subst. mit 2 ml konz. HCl kochen + 20 ml W + einige Tropfen Chromsäure-Lsg. → rubinrot Subst. kochen mit verd. HNO_3 → gelb bis orangerot, nach Erkalten → Nitrophenacetin *Fp* 103°, gelbe Nadeln
72					unl. in W l. in Ae, Bzl. ll. in Methanol unl. in Alkali swl. in Ae	
73		245 (Z.)	II 220		ll. in W, A, Ae wl. in k. Ligroin	

Lfd. Nr.	*Fp*	Name	Summen-formel	Strukturformel	Mol.-Ge-wicht	Aggreg zustan Farbe
1	2	3	4	5	6	7
1874	**135 bis 136**	(trans)-Zimtsäure	$C_9H_8O_2$	$C_6H_5 \cdot C \cdot H$ ‖ $H \cdot C \cdot COOH$	148,15	Blättch (stabil Nadel (meta-stabil) (A)
1875	**135,6**	Malonsäure (Methan-dicarbonsäure)	$C_3H_4O_4$	$HOOC \cdot CH_2 \cdot COOH$	104,06	Nadel
1876	**136**	Auramin	$C_{17}H_{21}N_3$	$[(CH_3)_2N \cdot C_6H_4]_2C:NH$	267,36	Blättch (A)
1877	**136**	Bortriphenyl	$C_{18}H_{15}B$	$(C_6H_5)_3B$	242,12	Säule (Ae)
1878	**136** (Z.)	Carminsäure	$C_{22}H_{20}O_{13}$	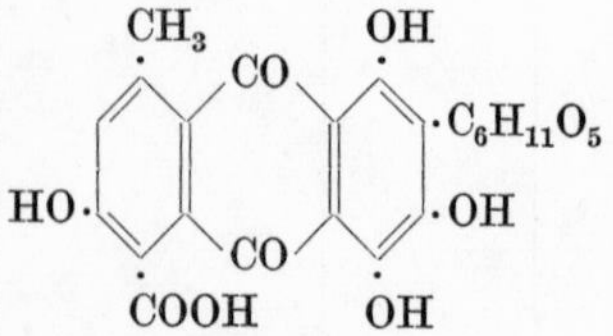	492,38	rote Prisme
1879	**136**	2,6-Dichlornaphthalin	$C_{10}H_6Cl_2$	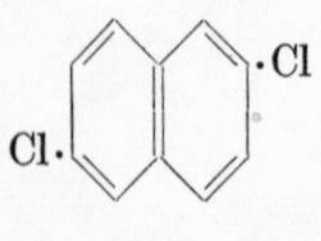	197,06	Nadel (A) Tafeln (Ae)

Lfd. Nr.	Spez. Gewicht	Siedepunkt °C	Beilsteinzitat	Physikalische Konstanten und Eigenschaften	Löslichkeit	Reaktionen
	8	9	10	11	12	13
874	1,2475	300	IX 573	eutekt. Temp.: mit Acetanilid 84°, mit Phenacetin 98°; geruchlos; geschmacklos; mit Dampf flüchtig; Dämpfe riechen zimtartig	0,04 W 18° 23,8 A 20° sll. in Ae 5,9 Chlf. 17°	1. + $AgNO_3$ + 1 Tropfen 2n-NH_3 → weiße Flocken, lösl. in H_2SO_4; erhitzen mit 2 bis 3 Tropfen n/10-$KMnO_4$-Lsg. → Benzaldehydgeruch 2. neutralisierte wss. Lsg. + $Fe(NO_3)_3$-Lsg. → eigelber Nd. 3. mit α-Naphthol u. konz. H_2SO_4 erhitzte Subst. → gelbe, grün fluoreszierende Lsg. p-Nitrobenzylester *Fp* 116° Phenacylester *Fp* 141° p-Bromphenacylester *Fp* 145° Amid *Fp* 147° Anilid *Fp* 153° p-Toluidid *Fp* 168°
875	$1,631^{15°}$	subl. im Vakuum (8 bis 10 mm)	II 566	eutekt. Temp.: mit Acetanilid 62°, mit Phenacetin 84°; bei 140—150° CO_2-Abspaltung; Geschmack sauer; geruchlos	139,4 W 15° l. in A 8,7 Ae 15° wl. in Pyridin	mit $Fe(NO_3)_3$ nicht verändert wss. Lsg. mit $AgNO_3$-Lsg. → klar + 1 Tropfen 2n-NH_3 → pulvriger Nd. → feine Nadeln hochverdünnte J_2-Lsg. wird entfärbt + KJ wird Jod wieder abgeschieden kochen mit Essigsäureanhydrid → gelbe, intensiv grün fluoreszierende Lsg. p-Nitrobenzylester *Fp* 85° p-Phenylphenacylester *Fp* 175° Amid *Fp* 170° Anilid *Fp* 224° p-Toluidid *Fp* 252° Bis-[β-phenylhydrazid] *Fp* 187°
876			XIV 91		7,2 in 96%ig. A 20° 3,2 in Ae 20°	Hydrochlorid *Fp* 267°
877		203 (75 mm)		raucht an der Luft; leicht oxydierbar	l. in Ae ll. in Bzl.	
878			V 689		ll. in W l. in A swl. in Ae l. in H_2SO_4, Alkali	
879		285	V 544		unl. in W wl. in A ll. in Ae, Bzl.	

Lfd. Nr.	*Fp*	Name	Summen-formel	Strukturformel	Mol.-Ge-wicht	Aggrega zustand Farbe
1	2	3	4	5	6	7
1880	**136**	Zimtsäureanhydrid	$C_{18}H_{14}O_3$	$(C_6H_5\cdot CH{:}CH\cdot CO)_2O$	278,29	Nadeln (Bzl. ode A)
1881	**136**	Diäthylbarbitursaures Chinin (Chineonal)	$C_{28}H_{36}N_4O_5$	$C_8H_{12}N_2O_3\cdot C_{20}H_{24}N_2O_2$	508,47	nadel-förmige Krist.
1882	**136** bis **137**	Acetylsalicylsäure (Aspirin)	$C_9H_8O_4$	$CH_3CO\cdot O\cdot C_6H_4\cdot COOH$	180,15	weiße Nadeln (W)
1883	**136** bis **137**	4,4′,4″-Tris-[diäthyl-amino]-triphenyl-carbinol	$C_{31}H_{43}N_3O$	$[(C_2H_5)_2N\cdot C_6H_4]_3C\cdot OH$	473,67	Krist. (Lg.)
1884	**137**	Acetonylacetondioxim	$C_6H_{12}N_2O_2$	$CH_3\cdot C({:}NOH)\cdot CH_2$ | $CH_3\cdot C({:}NOH)\cdot CH_2$	144,17	Blätter (Bzl.)
1885	**137**	Benzalmilchsäure	$C_{10}H_{10}O_3$	$C_6H_5\cdot CH{:}CH\cdot CH(OH)\cdot COOH$	178,18	Nadeln
1886	**137**	Benzophenonphenyl-hydrazon	$C_{19}H_{16}N_2$	$(C_6H_5)_2C{:}N\cdot NH\cdot C_6H_5$	272,33	Nadeln (A)
1887	**137**	2,5-Dinitroanilin	$C_6H_5N_3O_4$	$(O_2N)_2C_6H_3\cdot NH_2$	183,12	orange-gelbe Nadeln(A
1888	**137**	o-Dianisidin	$C_{14}H_{16}N_2O_2$	$[^{(3)}CH_3\cdot O\cdot C_6H_3(NH_2)^{(4)}-]_2$	244,28	Blättchen
1889	**137**	Phenylpropiolsäure	$C_9H_6O_2$	$C_6H_5\cdot C{:}C\cdot COOH$	146,14	Nadeln (W)
1890	**137**	Pyridincarbonsäure-(2) (Picolinsäure)	$C_6H_5NO_2$	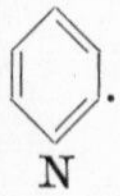 $\cdot COOH$	123,11	Nadeln (W od. A)
1891	**137** bis **138**	Benzfuroin	$C_{12}H_{10}O_3$	 $-CO\cdot CH(OH)\cdot C_6H_5$	202,20	Prismen (A)
1892	**137** bis **138**	9-Aminophenanthren	$C_{14}H_{11}N$	H_4C_6 — $C(NH_2){:}CH$ — C_6H_4	193,24	gelbe Prismen (Ae)

fd. Nr.	Spez. Gewicht	Siedepunkt °C	Beilsteinzitat	Physikalische Konstanten und Eigenschaften	Löslichkeit	Reaktionen
	8	9	10	11	12	13
380			IX 586		unl. in W swl. in k. A ll. in h. Bzl.	
381			E_1 XXIV 417		ll. in A, Ae, Chlf., Aceton sl. in Bzl., Lg., k. W	
382			X 67	eutekt. Temp.: mit Acetanilid 81°, mit Phenacetin 97°; geruchlos; säuerlicher Geschmack	0,25 W 15° 5 Ae 18° swl. in Bzl.	neutralisierte Lsg. + $Fe(NO_3)_3$-Lsg. → gelblicher fleischfarbener Nd., lösl. in 2n-HNO_3, erhitzen violett p-Nitrobenzylester *Fp* 90° Phenacylester *Fp* 113° Amid *Fp* 138° Anilid *Fp* 136°
383			XIII 759			
384			I 789		swl. in h. Bzl. ll. in h. W, A, Ae ll. in Säuren u. Alkalien	
385			XV 134		wl. in k. W, Ae unl. in Bzl.	
386			XV 148		swl. in k. A ll. in Ae, Bzl.	
387			XII 757		ll. in A, Ae	
388			XIII 807		ll. in A, Ae, Bzl. l. in Eg.	N,N′-Diacetylderiv. *Fp* 242 bis 243° N,N′-Dibenzoylderiv. *Fp* 236° Pikrat *Fp* 225° 1,3,5-Trinitrobenzolat *Fp* 144°
389		subl.	IX 633		wl. in W ll. in A, Ae	p-Nitrobenzylester *Fp* 83° Amid *Fp* 102° Anilid *Fp* 125° p-Toluidid *Fp* 142°
390		subl.	XXII 33	subl. in glänzenden Nadeln; geruchlos; fader saurer Geschmack	ll. in W 9,5 A 20° swl. in Ae	Amid *Fp* 107°, Säulen oder Täfelchen + $FeCl_3$ → rotgelb Hydrochlorid *Fp* 214–216°, rhomb. Krist.
391			XVIII 43		ll. in h. A, Chlf. u. Bzl. wl. in W u. Ligroin	
392		subl.	XII 1338		wl. in W ll. in Ae	

Lfd. Nr.	Fp	Name	Summen-formel	Strukturformel	Mol.-Ge-wicht	Aggrega zustand Farbe
1	2	3	4	5	6	7
1893	137 bis 138	α-Benzilmonoxim	$C_{14}H_{11}NO_2$	$C_6H_5 \cdot CO \cdot C(:N \cdot OH) \cdot C_6H_5$	225,24	Blättchen (verd. A
1894	137 bis 138	1,6-Dihydroxynaph-thalin	$C_{10}H_8O_2$	$C_{10}H_6(OH)_2$	160,16	Prismen (Bzl.)
1895	137 bis 138	α-Phenyl-cis-zimtsäure	$C_{15}H_{12}O_2$	$H \cdot C \cdot C_6H_5$ $\|$ $H_5C_6 \cdot C \cdot COOH$	224,25	Blättchen (Eg.)
1896	137,5	p-Toluolsulfamid	$C_7H_9NO_2S$	$CH_3 \cdot C_6H_4 \cdot SO_2 \cdot NH_2$	171,22	Blättchen (W od. A)
1897	138	Benzthiazolon bzw. 2-Hydroxybenz-thiazol	C_7H_5NOS	$C_6H_4 \diagdown_{S}^{NH} \diagup CO$ bzw. $C_6H_4 \diagdown_{S}^{N} \diagup C \cdot OH$	151,18	Prismen (verd. A
1898	138	2,6-Dinitroanilin	$C_6H_5N_3O_4$	$(O_2N)_2C_6H_3 \cdot NH_2$	183,12	gelbe Nadeln (A)
1899	138	2,4-Dinitronaphthol-(1)	$C_{10}H_6N_2O_5$	$(O_2N)_2C_{10}H_5 \cdot OH$	234,16	gelbe Nadeln (A)
1900	138	N,N′-Diphenylform-amidin	$C_{13}H_{12}N_2$	$C_6H_5 \cdot N:CH \cdot NH \cdot C_6H_5$	196,24	Nadeln (Bzl.)
1901	138	Glutaconsäure	$C_5H_6O_4$	$HOOC \cdot CH_2 \cdot CH:CH \cdot COOH$	130,10	Nadeln (Ae)
1902	138	Glycerinaldehyd (α,β-Dihydroxypro-pionaldehyd)	$C_3H_6O_3$	$HO \cdot CH_2 \cdot CH(OH) \cdot CHO$	90,08	Nadeln (verd. A
1903	138	Hydrobenzoin	$C_{14}H_{14}O_2$	$C_6H_5 \cdot \overset{OH}{\underset{H}{C}} — \overset{OH}{\underset{H}{C}} \cdot C_6H_5$	214,25	Blättchen (W)
1904	138 bis 139	2-Methylimidazol (2-Methylglyoxalin)	$C_4H_6N_2$	$\begin{matrix} HC—N \\ \| \quad\quad \diagdown \\ HC \cdot NH \end{matrix} C \cdot CH_3$	82,10	Nadeln (W, A oder Bzl
1905	138 bis 140	Bufotenin (N,N-Di-methylserotonin, 3-[β-Dimethylamino-äthyl]-5-hydroxy-indol)	$C_{12}H_{16}N_2O$	$HO—\diagdown\diagup—CH_2 \cdot CH_2 \cdot N(CH_3)_2$ ... NH	204,26	Prismen (Aceton + Ae)
1906	138 bis 140	Pentaerythrittetra-nitrat	$C_5H_8N_4O_{12}$	$C(CH_2 \cdot O \cdot NO_2)_4$	316,13	Prismen (Aceton u. A)

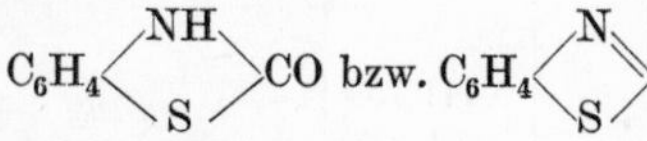

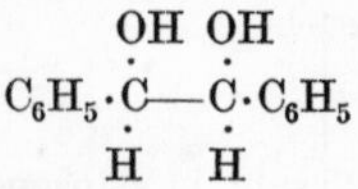

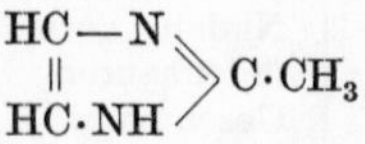

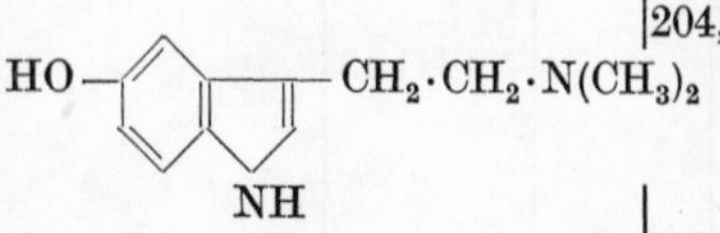

d. r.	Spez. Gewicht	Siede-punkt °C	Beilstein-zitat	Physikalische Konstanten und Eigenschaften	Löslichkeit	Reaktionen
	8	9	10	11	12	13
)3		Z. >200	VII 757		ll. in A, Ae, Chlf. swl. in Ligroin	erhitzen über 200° → Benzoesäure und Benzonitril bildet mit Metallen Komplexsalze
)4		subl.	VI 981		wl. in W, k. A ll. in Ae	Diacetat *Fp* 73°
)5			IX 693		l. in W 0,05 PAe 15°	Amid *Fp* 167—168° Anilid *Fp* 179°
)6			XI 104		0,32 W 25° 7,4 A 5°	
)7		360	XXVII 182		unl. in W l. in A ll. in Ae	Acetylderivat *Fp* 60°
)8			XII 758		unl. in W 0,52 A 21° l. in h. Bzl.	Acetylderivat *Fp* 197°
)9			VI 617	eutekt. Temp.: mit Acetanilid 93°, mit Phenacetin 109°	unl. in W wl. in A, Ae	Benzoat *Fp* 174°
)0		~250	XII 236		wl. in k. A ll. in Ae sll. in Chlf.	
)1			II 758		ll. in W, A, Ae	Ag-Salz Krist. Zn-Salz in heißem W schwerer löslich als im kalten Monoanilid *Fp* 167° Dianilid *Fp* 228°
)2			I 845	geschmacklos	l. in W wl. in A, Ae	Methylphenylhydrazon *Fp* 120°, Nadeln Diphenylhydrazon *Fp* 133°, prismatische Nadeln p-Nitrophenylosazon *Fp* 311°, Nadeln
)3	$0{,}927^{134°}$	>300	VI 1003		1,25 W 15° 0,25 sd. W ll. in h. A	
)4	1,036	267 bis 268	XXIII 65		ll. in W, A, Bzl.	+ HNO_3 Nadeln *Fp* 154°
)5		320 (0,1mm)			ll. in A wl. in Ae	Dipikrat *Fp* 176—177° Methojodid *Fp* 214—215° (Z.)
)6			I 528		sl. in A, Bzl. ll. in Aceton	reduziert Fehlingsche Lsg. nicht

Lfd. Nr.	Fp	Name	Summen-formel	Strukturformel	Mol.-Ge-wicht	Aggreg zustan Farb
1	2	3	4	5	6	7
1907	**138** bis **140**	5-[Cyclopenten-(2′)-yl]-5-allylbarbitursäure (Cyclopal)	$C_{12}H_{14}N_2O_3$	$\begin{array}{l}\text{NH—CO} \quad\quad\quad \text{CH}=\text{CH}\\ \quad\text{CO} \quad\text{C}\!\!\big\langle\text{CH}\big\langle\begin{array}{l}\\ \text{CH}_2\cdot\text{CH}_2\end{array}\\ \text{NH—CO}\quad\text{CH}_2\cdot\text{CH}:\text{CH}_2\end{array}$	234,25	Nadel
1908	**138,4**	3-Thiophensäure	$C_5H_4O_2S$	$\begin{array}{l}\text{HC——C}\cdot\text{COOH}\\ \text{HC}\quad\text{CH}\\ \quad\quad\text{S}\end{array}$	128,15	Nadel (W)
1909	**139**	trans-Chinit	$C_6H_{12}O_2$	$\text{HO}\cdot\text{CH}\big\langle\begin{array}{l}\text{CH}_2\cdot\text{CH}_2\\ \text{CH}_2\cdot\text{CH}_2\end{array}\big\rangle\text{CH}\cdot\text{OH}$	116,16	Tafel (Aceto
1910	**139**	4,4′-Diaminotriphenyl-methan	$C_{19}H_{18}N_2$	$C_6H_5\cdot\text{CH}(C_6H_4\cdot\text{NH}_2)_2$	274,35	Krist. (Ae)
1911	**139** (Z.)	Mesoxalsäureoxim	$C_3H_3NO_5$	$\begin{array}{l}\text{HOOC}\\ \quad\quad\big\rangle\text{C}=\text{N}\cdot\text{OH}\\ \text{HOOC}\end{array}$	133,06	Nadel
1912	**139**	1,2,4,5-Tetrachlorbenzol	$C_6H_2Cl_4$		215,90	Nadel (Ae, Bz
1913	**139**	4-Nitrozimtsäureäthyl-ester	$C_{11}H_{11}NO_4$	$O_2N\cdot C_6H_4\cdot\text{CH}:\text{CH}\cdot\text{CO}\cdot\text{OC}_2H_5$	221,21	hellgelb Blättche
1914	**139** bis **140**	Milchsäurephenylure-than	$C_{10}H_{11}NO_4$	$\begin{array}{l}\text{HOOC}\cdot\text{CH}\cdot\text{O}\cdot\text{CO}\cdot\text{NH}\cdot C_6H_5\\ \quad\quad\text{CH}_3\end{array}$	209,20	Nadel (Chlf.)
1915	**139** bis **140**	5-Allyl-5-isobutylbarbi-tursäure (Sandoptal)	$C_{11}H_{16}N_2O_3$	$\begin{array}{l}\quad\quad\quad\text{CH}_3\\ \text{CH}_3-\text{CH}-\text{CH}_2\\ \quad\quad\quad\quad\quad\big\rangle\text{C}\big\langle\begin{array}{l}\text{CO—NH}\\ \text{CO—NH}\end{array}\big\rangle\text{CO}\\ \text{CH}_2=\text{CH}-\text{CH}_2\end{array}$	224,25	weiße Krist.

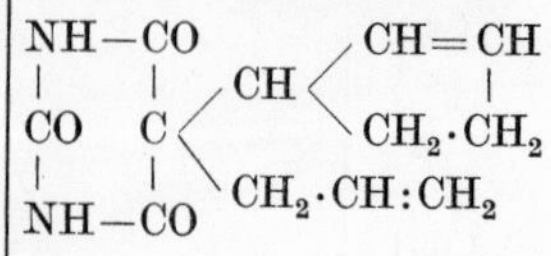

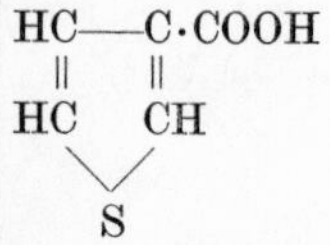

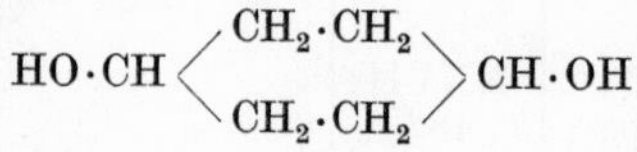

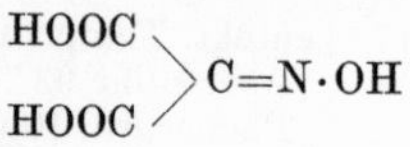

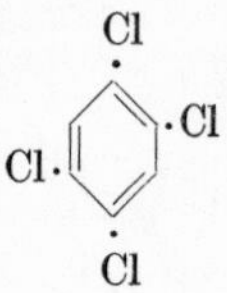

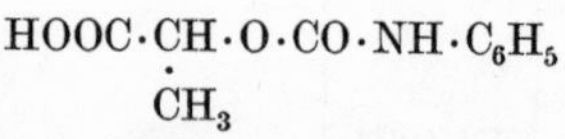

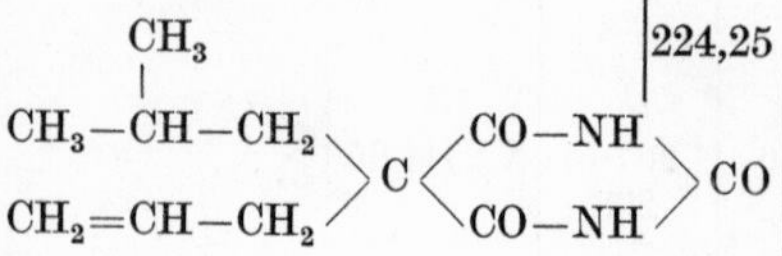

Lfd. Nr.	Spez. Gewicht	Siedepunkt °C	Beilsteinzitat	Physikalische Konstanten und Eigenschaften	Löslichkeit	Reaktionen
	8	9	10	11	12	13
1907		subl.			unl. in W l. in A	+ Zwickers Reagens → hellviolett Eisenjodid-Salz → orangerot
1908		subl.	XVIII 292	mit Dampf flüchtig	0,43 W 25°	
1909			VI 741		ll. in W, A swl. in Ae, Chlf.	
1910			XIII 274		swl. in W ll. in A, Ae	
1911			III 767		ll. in W	
1912	$1{,}734^{10°}$	243 bis 246	V 205		unl. in k. A wl. in sd. A l. in Ae, CS_2, Bzl.	
1913			IX 607	eutekt. Temp.: mit Acetanilid 97°, mit Phenacetin 111°	unl. in W l. in Bzl. ll. in A, Ae	
1914			XII 340		sll. in A, Ae swl. in k. W, Chlf.	
1915				eutekt. Temp.: mit Acetanilid 94°, mit Phenacetin 107°; bitterer Geschmack	swl. in W ll. in Lauge	Lsg. in Paraform-H_2SO_4 beim Erwärmen → orange mit grüner Fluoreszenz Lsg. in verd. NaOH + 2 bis 3 Tropfen n/10-$KMnO_4$ → sofort intensiv grün 2—3 mg Substanz in 1 ml methylalkoholischer $Co(NO_3)_2$-Lsg. + 20 mg Piperazin → rotviolett 2 mg Subst. in 1 ml 1 bis 2%iger Pyridin-Lsg. in Hitze gelöst. Zur sd. Lsg. tropfenweise 0,4%ige $CuSO_4$-Lsg. → blaßviolettrote Krist.

Lfd. Nr.	Fp	Name	Summen-formel	Strukturformel	Mol.-Ge-wicht	Aggregat-zustand Farbe
1	2	3	4	5	6	7
1916	**139** bis **140**	2,3,5-Trinitro-p-xylol	$C_8H_7N_3O_6$	$(O_2N)_3C_6H(CH_3)_2$	241,16	Nadeln (A)
1917	**139** bis **141**	5-Allyl-5-isopropyl-barbitursäure (Numal)	$C_{10}H_{14}N_2O_3$	$\begin{array}{c} CH_3 \\ | \\ CH_3-CH \\ CH_2=CH-CH_2 \end{array}\!\!\Big\rangle C\!\Big\langle\!\begin{array}{c} CO-NH \\ CO-NH \end{array}\!\!\Big\rangle CO$	210,23	weiße Krist.
1918	**139** bis **141**	Colchicein	$C_{21}H_{23}NO_6$	$C_{16}H_{11}NO_2(CO\cdot CH_3)(OCH_3)_3$ $+\, {}^1/_2\, H_2O$	394,41	glänzende Nadeln
1919	**139,7**	p-Phenylendiamin (1,4-Diaminobenzol)	$C_6H_8N_2$	$H_2N\cdot C_6H_4\cdot NH_2$	108,14	Tafeln (Ae)
1920	**140**	Brommaleinsäure	$C_4H_3BrO_4$	$HOOC\cdot CH:CBr\cdot COOH$	194,98	Nadeln oder Prismen
1921	**140**	2-Chlorbenzoesäure	$C_7H_5ClO_2$	$Cl\cdot C_6H_4\cdot COOH$	156,57	Prismen (W)
1922	**140**	cis-Cyclopentandi-carbonsäure-(1,2)	$C_7H_{10}O_4$	$H_2C\!\Big\langle\!\begin{array}{c} CH_2\cdot CH\cdot COOH \\ | \\ CH_2\cdot CH\cdot COOH \end{array}$	158,15	Nadeln (W)
1923	**140**	Cyclopropandicarbon-säure-(1,1)	$C_5H_6O_4$	$\begin{array}{c} H_2C \\ | \\ H_2C \end{array}\!\!\Big\rangle C(COOH)_2$	130,10	Nadeln (Chlf.) Prismen (Ae)

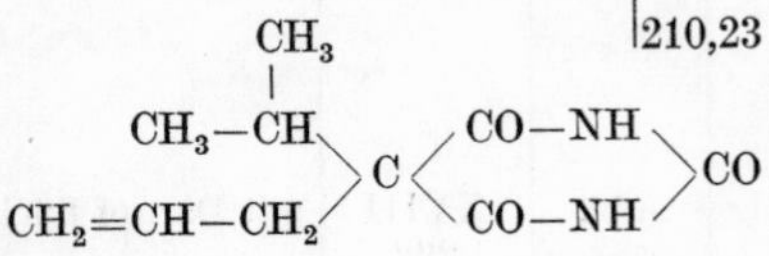

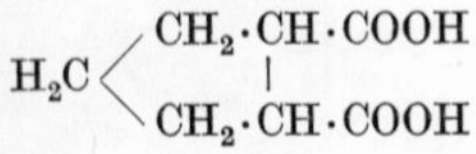

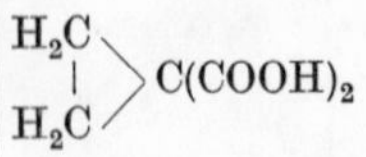

Lfd. Nr.	Spez. Gewicht	Siedepunkt °C	Beilsteinzitat	Physikalische Konstanten und Eigenschaften	Löslichkeit	Reaktionen
	8	9	10	11	12	13
1916	$1{,}59^{19°}$		V 389			
1917				eutekt. Temp.: mit Acetanilid 108°, mit Phenacetin 123°; bitterer Geschmack	swl. in W ll. in A, Lauge sll. in Ae	Lsg. in Paraform-H_2SO_4 beim Erwärmen → orange mit grüner Fluoreszenz Lsg. in verd. NaOH + 2 bis 3 Tropfen n/10-$KMnO_4$ → sofort intensiv grün 2—3 mg Subst. in 1 ml methylalkoholischer $Co(NO_3)_2$-Lsg. + 20 mg Piperazin → rotviolett 2 mg Subst. in 1 ml 1—2%iger Pyridin-Lsg. in Hitze gelöst. Zur sd. Lsg. tropfenweise 0,4%ige $CuSO_4$-Lsg. → blaßviolette Krist.
1918			E_1 XIV 519	eutekt. Temp.: mit Phenacetin 95°, mit Benzanilid 105°	wl. in k. W l. in h. W sll. in A, Chlf. unl. in Ae, Bzl. l. in Alkalien, NH_3 u. Alkalicarbonaten u. Säuren gelb	+ rauch. HNO_3 und $FeCl_3$ → schmutzig schwarzgrüne Färbung wss. Lsg. + Bleiacetat und Kupferacetat → weißer → gelbgrüner Nd.
1919		267	XIII 61	eutekt. Temp.: mit Acetanilid 109°, mit Phenacetin 123°; giftig; sublimierbar	3,85 W 24° ll. in A, Ae	auf Holz → rote Färbung + Spur Anilinhydrochlorid + $FeCl_3$ → intensiv blaugrün + HCl + Chlorkalk-Lsg. → Nd. von Chinondichlorimin (sehr empfindlich) Diacetylderivat *Fp* 302° N,N′-Dibenzolsulfonylderivat *Fp* 247° N,N′-Di-p-toluolsulfonylderivat *Fp* 266°
1920		Z.	II 754		ll. in W, A, Ae	über 140° Z., H_2O-Abspaltung
1921	$1{,}544^{20°}$	subl.	IX 334	eutekt. Temp.: mit Acetanilid 73°, mit Phenacetin 90°	0,21 W 25° ll. in h. W, A, Ae	p-Nitrobenzylester *Fp* 106° Phenacylester *Fp* 83° p-Bromphenacylester *Fp* 106° Amid *Fp* 139° Anilid *Fp* 114° p-Toluidid *Fp* 131°
1922			IX 728		ll. in W	bei 150° → Anhydrid
1923		Z.	IX 721		ll. in W, Ae l. in Chlf.	über 140° → Cyclopropancarbonsäure und Butyrolacton

Lfd. Nr.	Fp	Name	Summen-formel	Strukturformel	Mol.-Ge-wicht	Aggregat-zustand Farbe
1	2	3	4	5	6	7
1924	140	2,4-Diaminobenzoe-säure	$C_7H_8N_2O_2$	$(H_2N)_2C_6H_3 \cdot COOH$	152,15	Krist.
1925	140	1,8-Dihydroxynapthalin	$C_{10}H_8O_2$	$C_{10}H_6(OH)_2$	160,16	Nadeln oder Blätter (W)
1926	140	Korksäure	$C_8H_{14}O_4$	$HOOC \cdot (CH_2)_6 \cdot COOH$	174,19	Nadeln (W)
1927	140	Lapachol	$C_{15}H_{14}O_3$	$C_6H_4 \Big\langle \begin{array}{l} CO \cdot C \cdot CH_2 \cdot CH : C(CH_3)_2 \\ \quad \parallel \\ CO \cdot C \cdot OH \end{array}$	242,26	gelbe Prismen (Ae)
1928	140	Mesoweinsäure	$C_4H_6O_6$	$HOOC \cdot CH(OH) \cdot CH(OH) \cdot COOH$	150,09	Tafeln $+ \frac{1}{2}H_2O$ (W)
1929	140	d-Ornithin	$C_5H_{12}N_2O_2$	$H_2N \cdot (CH_2)_3 \cdot CH(NH_2) \cdot COOH$	132,16	Krist.-Plv.
1930	140	Salicylsäureamid (Algamon)	$C_7H_7NO_2$	$HO \cdot C_6H_4 \cdot CO \cdot NH_2$	137,13	Blättchen (W)
1931	140	Sparteinsulfat	$C_{15}H_{28}N_2O_4S$	N CH$_2$ N $\cdot H_2SO_4$	332,46	weiße Krist.
1932	140	1-[3′,4′-Dihydroxy-phenyl]-2-methyl-aminoäthan-1-ol-hydrochlorid (Supra-reninhydrochlorid	$C_9H_{14}ClNO_3$	$HO \cdot$ ⬡ $\cdot CH(OH) \cdot CH_2 \cdot NH \cdot CH_3$; HCl $HO \cdot$	219,67	
1933	140 (Z.)	Tetrajodkohlenstoff	CJ_4	CJ_4	519,69	dunkel-rote Krist.
1934	140	Thymohydrochinon	$C_{10}H_{14}O_2$	$(CH_3)_2CH \cdot C_6H_2(OH)_2 \cdot CH_3$	166,21	Prismen

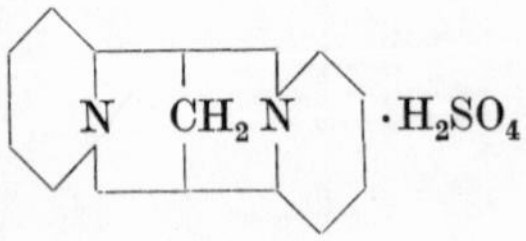

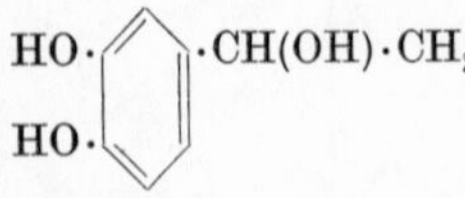

Lfd. Nr.	Spez. Gewicht	Siedepunkt °C	Beilsteinzitat	Physikalische Konstanten und Eigenschaften	Löslichkeit	Reaktionen
	8	9	10	11	12	13
1924			XIV 448		ll. in h. W sll. in A	
1925			VI 981		wl. in W ll. in Ae	Diacetat *Fp* 147–148°
1926		279 (100mm) 230 (15 mm)	II 691	eutekt. Temp.: mit Acetanilid 109°, mit Phenacetin 128°	0,14 W 15° 0,81 Ae 15°	Silbersalz, pulveriger Nd. Diamid *Fp* 216–217° Phenacylester *Fp* 102,4° p-Bromphenacylester *Fp* 144° Anilid *Fp* 187° p-Toluidid *Fp* 219°
1927			VIII 326		unl. in W ll. in sd. A l. in Ae l. in Alkali → rot	
1928	$1{,}666^{20°}$		III 528		l. in A	bei 250° → teilweise d,l-Weinsäure fällt Gips-Lsg. nicht (Unterschied von Traubensäure und dl-Weinsäure) Dimethylester *Fp* 114°
929			IV 419	spermaähnlicher Geruch; zerfließlich	ll. in A wl. in Ae	Monopikrat *Fp* 208°, orangegelbe Nadeln Dipikrat *Fp* 208°, gelbe, rhombische Prismen Monosulfat *Fp* 234° (Z.) Acetat *Fp* 161–162°
930		270 (Z.)	X 87	geruchlos; Geschmack bitter, brennend	wl. in k. W l. in A, Ae l. in W	
931			E_1 X 43			wss. Lsg. + Lauge → ölige Base, schwacher eigentümlicher Geruch; wasserdampfflüchtig Subst. + alkalische HgJ_2-Lsg. → gelber Nd., der beim Erhitzen orange wird
932			XIII 830		ll. in W	
933	$4{,}32^{20°}$	subl. 96–100 Vak.	I 74		unl. in W	
934		290	VI 945		swl. in k. W ll. in A, Ae	

Lfd. Nr.	Fp	Name	Summen-formel	Strukturformel	Mol.-Ge-wicht	Aggregat-zustand Farbe
1	2	3	4	5	6	7
1935	140 bis 141	11-Desoxycorticosteron [21-Hydroxypro-gesteron, Δ^4-Pregnen-ol-(21)-dion-(3,20)]	$C_{21}H_{30}O_3$		330,45	
1936	140 bis 141	d-Galaktonsäure	$C_6H_{12}O_7$	$HO \cdot CH_2 \cdot [CH(OH)]_4 \cdot COOH$	196,16	Nadeln
1937	140 bis 141	d-Glucosephenylhydra-zon (β-Form)	$C_{12}H_{18}N_2O_5$	$C_6H_{12}O_5 : N \cdot NH \cdot C_6H_5$	270,28	Nadeln
1938	140 bis 141	3-Nitrobenzoesäure (m-Nitrobenzoesäure)	$C_7H_5NO_4$	$O_2N \cdot C_6H_4 \cdot COOH$	167,12	Blättchen (W)
1939	140 bis 141	2,3,4-Trihydroxybenzo-phenon	$C_{13}H_{10}O_4$	$C_6H_5 \cdot CO \cdot C_6H_2(OH)_3$	230,21	gelbe Nadeln (W)
1940	140 bis 142	Agaricinsäure (Cetyl-citronensäure)	$C_{22}H_{40}O_7$	$C_{16}H_{33} \cdot CH \cdot COOH$ $C{<}^{OH}_{COOH}$ CH_2COOH	416,54	weißes lockeres Pulver oder perl-mutter-artige Blättchen
1941	140 bis 150	2,4-Dinitronaphthol-(1)sulfonsäure-(7)	$C_{10}H_6N_2O_8S$	$HO \cdot C_{10}H_4(NO_2)_2 \cdot SO_3H$	314,23	hellgelbe Nadeln $+ 3 H_2O$ (W)
1942	140 bis 150 (Z.)	2,3,4,5-Tetrajodpyrrol	C_4HJ_4N	$\begin{array}{c} JC{-}CJ \\ \| \quad \| \\ JC \quad CJ \\ \diagdown \diagup \\ NH \end{array}$	570,70	gelbe Nadeln oder Blätter (A)
1943	140,8	Terephthalsäure-dimethylester	$C_{10}H_{10}O_4$	$C_6H_4(CO \cdot O \cdot CH_3)_2$	194,18	Tafeln oder Prismen (A)
1944	141	3,4-Dihydroxyphenyl-äthanolaminhydro-chlorid (Arterenol-hydrochlorid)	$C_8H_{12}ClNO_3$	$(OH)_2C_6H_3 \cdot CHOH \cdot CH_2 \cdot NH_2 ;$ HCl	202,64	weißes feinkörn-ges Kristall-mehl

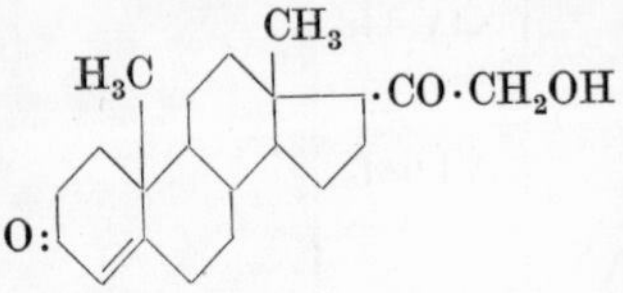

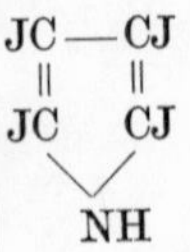

Lfd. Nr.	Spez. Gewicht	Siedepunkt °C	Beilsteinzitat	Physikalische Konstanten und Eigenschaften	Löslichkeit	Reaktionen
	8	9	10	11	12	13
1935				$[\alpha]_D$ +223° (A)	wl. in W l. in A, Ae, Chlf.	Acetat *Fp* 160°
1936			III 549		l. in W	in h. wss. Lsg. → d-Galaktonsäure-γ-lacton
1937			XV 222		wl. in k. W, k. A swl. in Ae	
1938	1,494		IX 376		0,31 W 20° 3,14 A 12° 2,52 Ae 10° 0,57 Chlf. 10° swl. in Bzl.	p-Nitrobenzylester *Fp* 141° Phenacylester *Fp* 106° p-Bromphenacylester *Fp* 132° Amid *Fp* 142° Anilid *Fp* 153° p-Toluidid *Fp* 162°
1939			VIII 417		wl. in k. W ll. in A, Ae wl. in Bzl. l. in H_2SO_4 und Alkali gelb	
1940					swl. in k. W l. in Lauge (schäumend)	quillt beim Erhitzen mit Wasser gallertartig erwärmen mit konz. H_2SO_4 → Gasentwicklung + Paraform → orange Lösung mit grüner Fluoreszenz
1941			IX 275		ll. in W. A	
1942			XX 168	wird am Licht dunkel	0,02 W 5,8 90%igen A 15° 50 Ae ll. in Eg., Chlf.	
1943		subl.	IX 843	mit Dampf flüchtig	0,33 h. W wl. in k. A l. in Ae	
1944				schwach anästhesierender Geschmack	ll. in W	0,05 g Subst. in 2 ml W + $FeCl_3$ → smaragdgrün + etwas NH_4OH → karminrot

Lfd. Nr.	*Fp*	Name	Summen-formel	Strukturformel	Mol.-Gewicht	Aggregat-zustand Farbe
1	2	3	4	5	6	7
1945	141	β-[Furyl-(2)]-acrylsäure	$C_7H_6O_3$	HC——CH ‖ ‖ HC·O·C·CH:CH·COOH	138,12	Nadeln (W)
1946	141	Hydroxyhydrochinon (1,2,4-Trihydroxy-benzol)	$C_6H_6O_3$	$C_6H_3(OH)_3$(1,2,4)	126,11	Blättchen (Ae)
1947	141	Salicylsäurechininester (Salochin, Salochinin)	$C_{27}H_{28}N_2O_4$	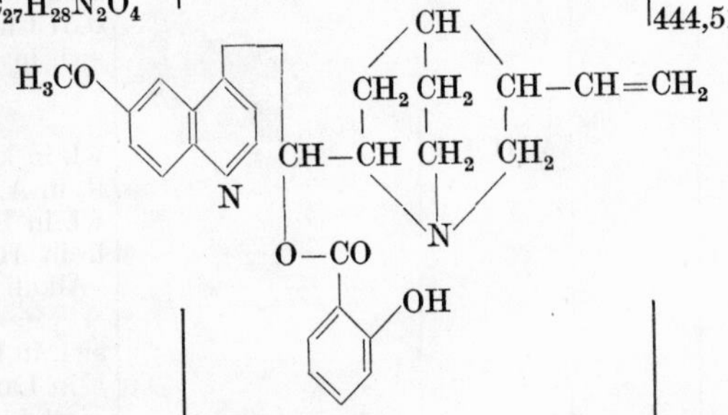	444,51	farblose Krist.
1948	141	m-Sulfobenzoesäure	$C_7H_6O_5S$	$HO_3S·C_6H_4·COOH$	202,18	Krist. (W)
1949	141	Tetronsäure	$C_4H_4O_3$	HO·C══CH, H_2C·O·CO (ringförmig verbunden)	100,07	Tafeln (A + Ligroin)
1950	141	Trichloracetamid	$C_2H_2Cl_3NO$	$CCl_3·CO·NH_2$	162,41	Tafeln (W)
1951	141 bis 142	N-Acetylisatin	$C_{10}H_7NO_3$	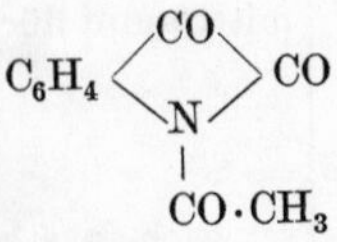	189,16	gelbe Nadeln (Bzl.)
1952	141 bis 142	2-Nitrophenolsulfon-säure-(4)	$C_6H_5NO_6S$	$HO·C_6H_3(NO_2)·SO_3H$	219,17	Nadeln + $3H_2O$ (W)

Lfd. Nr.	Spez. Gewicht	Siedepunkt °C	Beilsteinzitat	Physikalische Konstanten und Eigenschaften	Löslichkeit	Reaktionen
	8	9	10	11	12	13
45		255 bis 265	XVIII 300	mit Dampf flüchtig	0,2 k. W l. in A ll. in Ae l. in konz. HCl → grün	Amid *Fp* 168°
46			VI 1087	sublimierbar	ll. in W, A, Ae swl. in Bzl., Chlf.	+ konz. H_2SO_4 → grün → violett + sehr verd. $FeCl_3$ → bräunlich + Na_2CO_3 → blau → rot Krist. + 10%ige Phosphormolybdänsäure-Lsg. → schwarzblau + NH_3 → blau Triacetat *Fp* 96,5–97°
47			XXIII 533		unl. in W, Benzin ll. in A, Ae, Bzl., Chlf.	salicylsaures Salochin = Rheumatin *Fp* 183–184°
48			XI 384		ll. in W, A (wasserfrei ll. in Ae) unl. in Bzl.	
949			XVII 403	starke einbasische Säure	ll. in W, h. A wl. in Ae	+ $FeCl_3$ → rot
950		239	II 211	eutekt. Temp.: mit Acetanilid 96°, mit Phenacetin 113°; würziger Geruch	swl. in W ll. in A, Ae	
951			XXI 447		ll. in A swl. in k. W	
952			XI 245		ll. in W sll. in A	

Lfd. Nr.	*Fp*	Name	Summenformel	Strukturformel	Mol.-Gewicht	Aggrega[t]zustan[d] Farbe
1	2	3	4	5	6	7
1953	**141 bis 143**	m-Amino-p-hydroxy-benzoesäuremethylester (Orthoform Neu)	$C_8H_9NO_3$	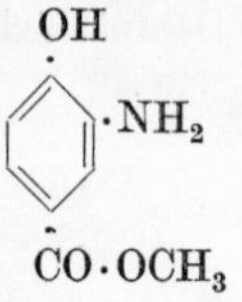	167,16	weiße Krist.
1954	**141 bis 143,5**	7-Dehydrocholesterin (Provitamin D_3)	$C_{27}H_{44}O$	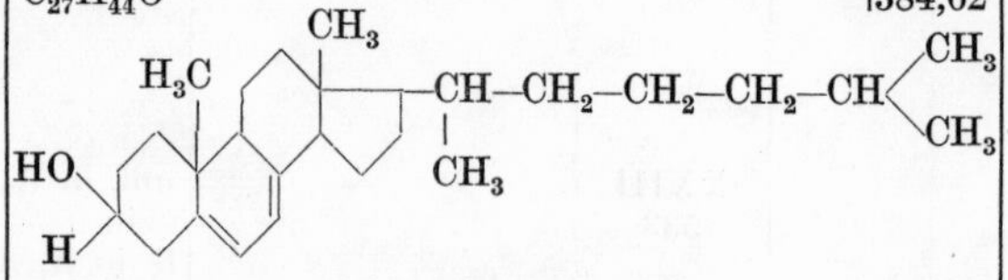	384,62	Täfelch[en] (A-Ae)
1955	**141 bis 147**	Diphenylthiocarbazon (Dithizon)	$C_{13}H_{12}N_4S$	$S{=}C\langle^{NH\cdot NH\cdot C_6H_5}_{N{=}N\cdot C_6H_5}$	256,32	blau-schwarz Krist.
1956	**142**	α,α-Dimethylbernsteinsäure	$C_6H_{10}O_4$	$HOOC\cdot C(CH_3)_2\cdot CH_2\cdot COOH$	146,14	Krist.
1957	**142**	Guajacolcinnamat (Styracol)	$C_{16}H_{14}O_3$	$CH_3O\cdot C_6H_4\cdot OCO\cdot CH{:}CH\cdot C_6H_5$	254,27	weiße Krist.
1958	**142**	Hexanitroäthan	$C_2N_6O_{12}$	$(NO_2)_3C\cdot C(NO_2)_3$	300,07	Krist. (Ae)
1959	**142** (Z.)	p-Aminosalicylat des 1-Phenyl-1-pyridyl-(2′)-3-dimethylaminopropans (Avil)	$C_{23}H_{27}N_3O_3$	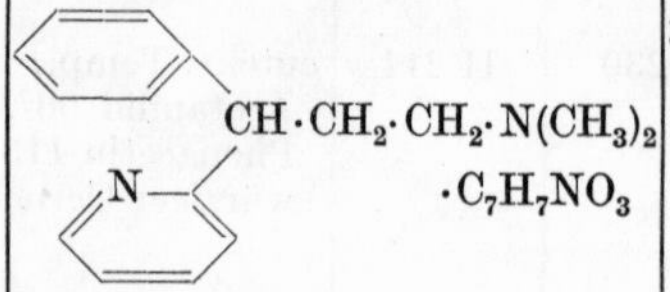	393,47	farblos[e] Nadeln (Aceton)
1960	**142 bis 143**	4-Nitro-2-aminophenol	$C_6H_6N_2O_3$	$H_2N\cdot C_6H_3(NO)\cdot OH_2$	154,12	orange Prismen (+1 H_2[O])
1961	**142 bis 144**	Disulfanilmethylamid (Neouliron, Diseptal B)	$C_{13}H_{15}N_3O_4S_2$	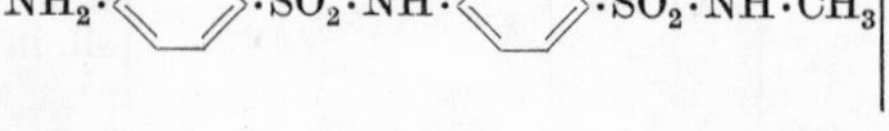	341,41	weiße Krist.

Lfd. Nr.	Spez. Gewicht	Siedepunkt °C	Beilsteinzitat	Physikalische Konstanten und Eigenschaften	Löslichkeit	Reaktionen
	8	9	10	11	12	13
953			XIV 594	eutekt. Temp.: mit Acetanilid 105°, mit Phenacetin 120°	wl. in W, A, Ae ll. in Laugen und Säuren	+ $Fe(NO_3)_3$ → violettrot → grün und trübe + H_2SO_4 keine Farbrk. + konz. HNO_3 → tiefblau → rot + Alkohol + α-Naphthol + NH_3 → intensiv violettrot + Eisen-Phosphorsäure → sofort tief grün + alkalische HgJ_2-Lsg. in der Wärme → schokoladenbrauner Nd.
954				$[\alpha]_D^{19}$ −113,6° (2,5% in Chlf.)		Acetat *Fp* 130° Benzoat *Fp* 183° m-Dinitrobenzoat *Fp* 207°
955			XVI 26	eutekt. Temp.: mit Phenacetin 95°, mit Brenzanilid 105°	wl. in A, Ae l. in Chlf.	in CCl_4-Lsg. grün + alkal. Pb-Lsg. → rot (E 1:1250000)
956	1,323		II 661		7,52 W 14° ll. in h. W, A swl. in Ae	
957			IX 585	geruchlos; geschmacklos	unl. in W, Lauge und Säuren	+ Fe-H_2SO_4 → sofort gelb → graugrün → grauviolett → Erwärmen: braun → Abkühlen: grün Subst. + 1 Tropfen Eisen-Phosphorsäure + 1 ml-konz. H_2SO_4 → Lsg. intensiv grün → Erwärmen: graugrünbraun; Abkühlen: grün
1958			E_1 I 33		unl. in W wl. in k. A ll. in Ae	
1959				eutekt. Temp. mit Phenacetin 115°	10 W 20° wl. in Ae, Aceton, Essigester ll. in A	
1960			XIII 388	eutekt. Temp.: mit Acetanilid 86°, mit Phenacetin 111°	wl. in k. W ll. in A, Ae	
1961				eutekt. Temp.: mit Phenacetin 109°, mit Benzanilid 126°; geruchlos; bitterer Geschmack	swl. in k. W l. in Lauge, Säuren ll. in Aceton	Perjodid in saurer Lsg. (Unterschied von Prontalbin) Indophenol-Rk. in 50%igem A.

Lfd. Nr.	*Fp*	Name	Summen-formel	Strukturformel	Mol.-Gewicht	Aggrega zustand Farbe
1	2	3	4	5	6	7
1962	**142** bis **144**	p-Hydroxydiphenyl-methancarbamin-säureester (Butolan)	$C_{14}H_{13}NO_2$	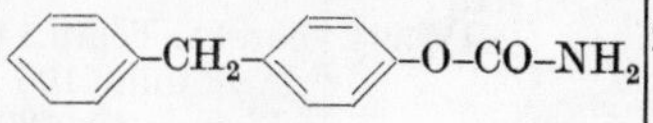	227,25	weiße Krist.
1963	**142** bis **147**	Barbaloin (Aloin)	$C_{21}H_{22}O_9$	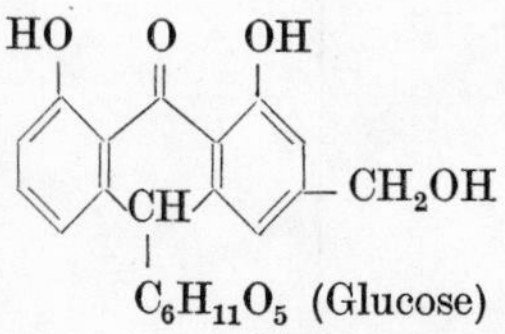	418,39	hellgelbe Nadeln (Methanol)
1964	**143**	Acetondiessigsäure	$C_7H_{10}O_5$	$CO(CH_2 \cdot CH_2 \cdot COOH)_2$	174,15	Tafeln
1965	**143**	Anhydroformaldehyd-anilin	$C_{21}H_{21}N_3$	$H_2C\langle N(C_6H_5) \cdot CH_2 ; N(C_6H_5) \cdot CH_2 \rangle N \cdot C_6H_5$	315,40	Prismen (Ae)
1966	**143**	3,4-Dihydroxyphenan-thren	$C_{14}H_{10}O_2$	$(HO)_2C_6H_2$—C_6H_4 ; CH:CH	210,22	Nadeln
1967	**143**	3-Nitrobenzamid	$C_7H_6N_2O_3$	$O_2N \cdot C_6H_4 \cdot CO \cdot NH_2$	166,13	gelbe Krist.
1968	**143**	4-Nitrosodiphenylamin	$C_{12}H_{10}N_2O$	$C_6H_5 \cdot NH \cdot C_6H_4 \cdot NO$	198,22	grüne Tafeln (Bzl.) blaue Prismen (Ae + W)
1969	**143**	Prostigmin (Dimethyl-carbaminsäureester des m-Hydroxy-phenyltrimethyl-ammoniumsulfats)	$C_{13}H_{22}N_2O_6S_2$	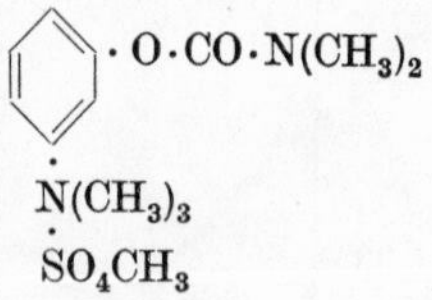	366,44	weiße Krist.
1970	**143,5**	p-Xylylenbromid	$C_8H_8Br_2$	$C_6H_4(CH_2Br)_2$	263,98	Krist. (Bzl.)
1971	**143,5** bis **144,5**	Benzophenonoxim	$C_{13}H_{11}NO$	$(C_6H_5)_2C{:}N \cdot OH$	197,23	Krist. (Ligroin)
1972	**143,7**	2,6-Dichlorbenzoesäure	$C_7H_4Cl_2O_2$	$Cl_2C_6H_3 \cdot COOH$	191,02	Nadeln (A)
1973	**144**	Aconin	$C_{25}H_{41}NO_9$		499,59	farblose Krist.
1974	**144**	2,6-Dibrom-4-nitro-phenol	$C_6H_3Br_2NO_3$	$O_2N \cdot C_6H_2Br_2 \cdot OH$	296,92	Blättchen (A)
1975	**144**	2,3-Dimethylbenzoe-säure	$C_9H_{10}O_2$	$(CH_3)_2C_6H_3 \cdot COOH$	150,17	Prismen (A)

Lfd. Nr.	Spez. Gewicht	Siedepunkt °C	Beilsteinzitat	Physikalische Konstanten und Eigenschaften	Löslichkeit	Reaktionen
	8	9	10	11	12	13
962				eutekt. Temp.: mit Phenacetin 91°, mit Benzanilid 117°; geruch- u. geschmacklos	wl. in k. W, Lauge u. Säure l. in h. Lauge ll. in h. A, Bzl., Essigester	Lsg. + h. Lauge + alkalische HgJ_2-Lsg. → gelbe, allmählich orange Trübung
963						
964			III 804		l. in h. W, A wl. in Ae	Anhydrid *Fp* 69°
965			XXVI 3		swl. in W, A wl. in Ae ll. in Chlf.	
966		subl.	VI 1034	leicht oxydabel	l. in A, Ae	
967		312	IX 381		l. in A, Ae	
968			XII 207		unl. in W l. in A, Ae, Bzl., Chlf. l. in H_2SO_4 → rot in k. H_2SO_4 → violett l. in NaOH	
969						
970	2,012	245	V 385		unl. in W l. in A 2,65 Ae 20°	
971			VII 416	zersetzt sich beim Aufbewahren	swl. in k. W l. in A, Alkali ll. in Ae	
972		subl.	IX 343	mit Dampf flüchtig	ll. in sd. W	
973					ll. in W, A l. in Bzl.	Hydrochlorid *Fp* 170°
974		> 144 Z.	VI 247	mit Dampf flüchtig	swl. in W ll. in h. A, Ae	
975			IX 531	mit Dampf flüchtig	swl. in h. W l. in A, Ae	

Lfd. Nr.	*Fp*	Name	Summen-formel	Strukturformel	Mol.-Ge-wicht	Aggrega zustand Farbe
1	2	3	4	5	6	7
1976	**144**	1,3-Dinitronaphthalin	$C_{10}H_6N_2O_4$	$C_{10}H_6(NO_2)_2$	218,16	gelbe Nadeln (A)
1977	**144**	2,3-Dinitrophenol	$C_6H_4N_2O_5$	$(O_2N)_2C_6H_3\cdot OH$	184,11	gelbe Nadeln (W)
1978	**144**	2,4-Dihydroxybenzo-phenon	$C_{13}H_{10}O_3$	$C_6H_5\cdot CO\cdot C_6H_3(OH)_2$	214,21	Nadeln (W)
1979	**144**	3-Nitrosalicylsäure	$C_7H_5NO_5$	$HO\cdot C_6H_3(NO_2)\cdot COOH$	183,12	Nadeln (W)
1980	**144**	Rhodeose	$C_6H_{12}O_5$	$CH_3\cdot[CH(OH)]_4\cdot CHO$	164,16	Nadeln
1981	**144**	$\alpha,\alpha,\alpha,\beta$-Tetraphenyl-äthan	$C_{26}H_{22}$	$(C_6H_5)_3C\cdot CH_2\cdot C_6H_5$	334,44	Krist. (Ae + PAe)
1982	**144**	2,4,5-Trimethoxy-benzoesäure (Asaronsäure)	$C_{10}H_{12}O_5$	$(CH_3\cdot O)_3C_6H_2\cdot COOH$	212,20	Nadeln (A)
1983	**144**	N,N′,N″-Triphenyl-guanidin	$C_{19}H_{17}N_3$	$C_6H_5\cdot N{:}C(NH\cdot C_6H_5)_2$	287,35	Prismen (A)
1984	**144 bis 145**	Visnagin	$C_{13}H_{10}O_4$	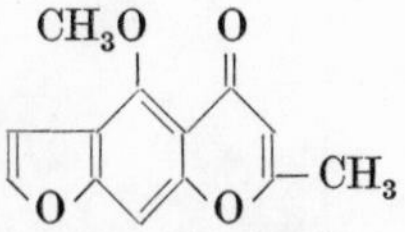	230,21	Nadeln (W)
1985	**144 bis 145**	2-Aminobenzoesäure (Anthranilsäure)	$C_7H_7NO_2$	$^{(2)}H_2N\cdot C_6H_4\cdot COOH$	137,13	weiße Blättche (A)

Lfd. Nr.	Spez. Gewicht	Siede-punkt °C	Beilstein-zitat	Physikalische Konstanten und Eigenschaften	Löslichkeit	Reaktionen
	8	9	10	11	12	13
1976		subl.	V 557		unl. in W l. in A	
1977	1,681[20°]		VI 251		wl. in k. W ll. in h. A, Ae	
1978			VIII 312		unl. in k. W ll. in A, Ae wl. in k. Bzl.	
979			X 114		0,13 W 16° ll. in A, Ae, Bzl., Chlf.	Amid *Fp* 145°
980			I 875	süßer Geschmack		p-Bromphenylhydrazon *Fp* 144° Acetylphenylhydrazon *Fp* 193° Diphenylhydrazon *Fp* 198°, Nadeln Oxim *Fp* 188–189°
981		277 (21 mm)	V 740		unl. in W wl. in A, Ae	
982		~300	X 468		wl. in k. W l. in h. W, A, Bzl., Lauge	
983	1,163[15°]	Z.	XII 451		swl. in sd. W 6,23 A 25°	
984					wl. in W l. in A, Ae, Chlf.	+ wss. KOH → Visnaginon *Fp* 109–111°
985	1,412	subl.	XIV 310	eutekt. Temp.: mit Phenacetin 98°, mit Benzanilid 122°; geruchlos; saurer Geschmack; wss. Lsg. fluoresziert schwach blau	0,35 W 14° 10,7 A (90%) 9,6° 16 Ae 7°	+ $Fe(NO_3)_3$ → violettrot → braun; beim Erwärmen entstehen dunkle Flocken in schmutzig violetter Lsg. + konz. HNO_3 → gelb → grün → warm: rot + α-Naphthol und NH_3 → intensiv orangerot violettrot Hydrochlorid *Fp* 191° Sulfat *Fp* 188° p-Nitrobenzylester *Fp* 205° Phenacylester *Fp* 182° Acetylderivat *Fp* 185° Benzoylderivat *Fp* 177° Benzolsulfonylderivat *Fp* 214° Anilid *Fp* 126° p-Toluidid *Fp* 151°

Lfd. Nr.	*Fp*	Name	Summenformel	Strukturformel	Mol.-Gewicht	Aggregatzustand Farbe
1	2	3	4	5	6	7
1986	**145**	p,p′-Azotoluol	$C_{14}H_{14}N_2$	$CH_3 \cdot C_6H_4 \cdot N:N \cdot C_6H_4 \cdot CH_3$	210,27	orange-gelbe Nadeln (Ligroin)
1987	**145**	Berberin	$C_{20}H_{19}NO_5$	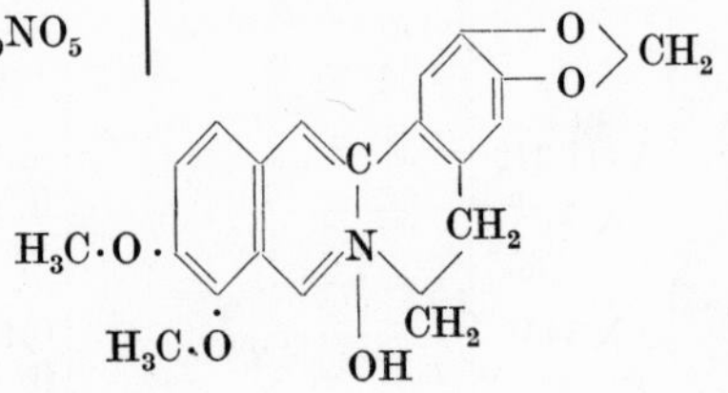	353,36	gelbe Nadeln (Ae) trikline Tafeln (Chlf.)
1988	**145**	5-Methylhydantoin (Lactylharnstoff)	$C_4H_6N_2O_2$	$OC\langle\begin{matrix} NH \cdot CH \cdot CH_3 \\ \vert \\ NH \cdot CO \end{matrix}$	114,10	Prismen (mit $1H_2O$) oder Nadeln (W)
1989	**145**	Dimethylparabansäure	$C_5H_6N_2O_3$	$\begin{matrix} OC \cdot N(CH_3) \\ \vert \\ OC \cdot N(CH_3) \end{matrix}\rangle CO$	142,11	Blättchen (W)
1990	**145**	3,4-Dihydroxybenzophenon	$C_{13}H_{10}O_3$	$C_6H_5 \cdot CO \cdot C_6H_3(OH)_2$	214,21	Prismen (W)
1991	**145**	5,5-Dipropylbarbitursäure (Proponal)	$C_{10}H_{16}N_2O_3$	$\begin{matrix} CH_3 \cdot CH_2 \cdot CH_2 \\ CH_3 \cdot CH_2 \cdot CH_2 \end{matrix}\rangle C \langle\begin{matrix} CO-NH \\ CO-NH \end{matrix}\rangle CO$	212,24	weiße Krist. (W)
1992	**145**	Fucose	$C_6H_{12}O_5$	$CH_3 \cdot [CH(OH)]_4 \cdot CHO$	164,16	Nadeln (abs. A

d. Nr.	Spez. Gewicht	Siedepunkt °C	Beilsteinzitat	Physikalische Konstanten und Eigenschaften	Löslichkeit	Reaktionen
	8	9	10	11	12	13
86			XVI 66		unl. in W ll. in h. A, Ae	
87			XXVII 496	eutekt. Temp.: mit Phenacetin 110°, mit Benzanilid 101°; optisch inaktiv; Geschmack stark bitter; zersetzt sich > 150°	wl. in W swl. in Ae wl. in Chlf. 4,5 W 21° ll. in h. W, h. A	+ konz. H_2SO_4 → olivgrün → gelb konz HNO_3 → rotbraun fl. H_3PO_4 → intensiv braun + Paraform → intensiv olivgrün + $HNO_3 \cdot H_2SO_4$ → braun → intensiv rot → rosa Erdmanns Reagens → olivgrün → gelbbraun rauchende HCl + H_2O_2 → violettrot m-Dinitrobenzoesäure → Nadeln (E 1:1000) $KMnO_4$ → dunkelviolette Nadeln (1:1000) Pikrinsäure → hellgelber Nd. Phosphorwolframsäure → gelber Nd. Goldchlorid → orangeroter Nd.
88			XXIV 279		ll. in Aceton, A, W wl. in Ae	
89		~275 bis 277	XXIV 453		wl. in k. W sll. in h. W l. in A, Ae	
90			VIII 315		swl. in k. W ll. in A	+ $FeCl_3$ in A → grün
91			XXIV 492	eutekt. Temp.: mit Phenacetin 109°, mit Benzanilid 123°; bitterer Geschmack; geruchlos	0,06 W 20° 0,7 sd. W ll. in A, Ae, Chlf. l. in Alkali	1. 2—3 mg Subst. in 1 ml methylalkohol. $Co(NO_3)_2$-Lsg. + 20 mg Piperazin → rotviolett 2. 2 mg Subst. in 1 ml 1 bis 2%iger Pyridin-Lsg. in Hitze gelöst. Zur sd.-heißen Lsg. tropfenweise 0,4%ige $CuSO_4$-Lsg. → blaßviolette Krist.
92			I 875			p-Nitrophenylhydrazon *Fp* 211°, braungelbe Tafeln Phenylosazon *Fp* 177,5°, bräunliche Krist. p-Bromphenylosazon *Fp* 204°, gelbe Krist. Diphenylhydrazon *Fp* 198°, Nädelchen Oxim *Fp* 188—189°

Lfd. Nr.	*Fp*	Name	Summen-formel	Strukturformel	Mol.-Ge-wicht	Aggrega zustan Farbe
1	2	3	4	5	6	7
1993	**145** (Z.)	Fulminursäure	$C_3H_3N_3O_3$	$NC \cdot CH(NO_2) \cdot CO \cdot NH_2$	129,08	Prisme (A)
1994	**145**	5-[Δ^1-Cyclohexenyl]-1,5-dimethylbarbitursäure (Evipan, Hexobarbital)	$C_{12}H_{16}N_2O_3$	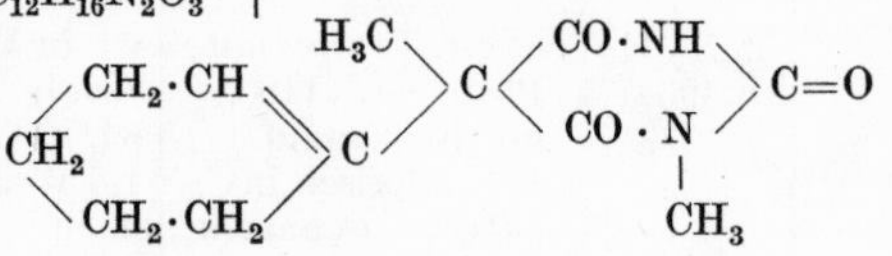	236,26	weiße Nadel
1995	**145**	3-Nitro-o-kresol (OH = 1)	$C_7H_7NO_3$	$CH_3 \cdot C_6H_3(NO_2) \cdot OH$	153,13	Nadel (W)
1996	**145**	Phthalonsäure	$C_9H_6O_5$	$HOOC \cdot C_6H_4 \cdot CO \cdot COOH$	194,14	Prisme (Bzl. +
1997	**145**	d-Xylose	$C_5H_{10}O_5$	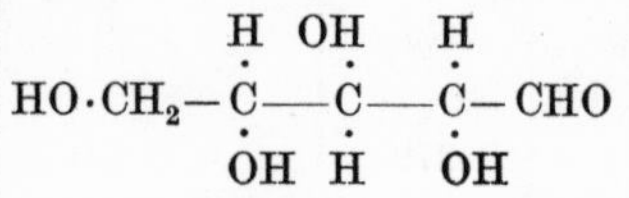	150,13	Nadel
1998	**145** bis **146**	Äthinylöstradiol (17α-Äthinyl-$\Delta^{1,3,5(10)}$-östratrien-3,17β-diol)	$C_{20}H_{24}O_2$	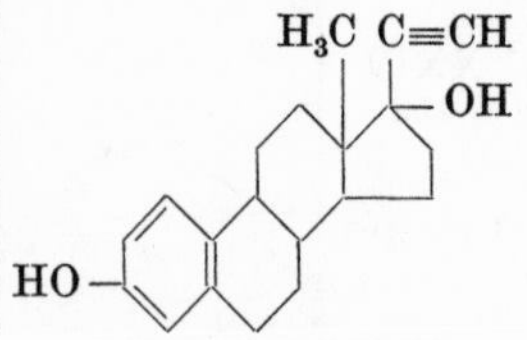	296,39	kleine nadel-förmig Krist.
1999	**145** bis **146**	3-Hydroxy-o-toluylsäure	$C_8H_8O_3$	$HO \cdot C_6H_3(CH_3) \cdot COOH$	152,14	Krist. (W)
2000	**145** bis **147**	Triphenylmethyl	$C_{19}H_{15}$	$(C_6H_5)_3C-$	243,31	farblos Krist.
2001	**145** bis **150**	9-Aminoanthracen	$C_{14}H_{11}N$	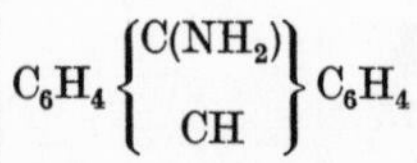	193,24	gelbe Blättch (verd.
2002	**146**	5-Äthyl-5-propyl-barbitursäure	$C_9H_{14}N_2O_3$	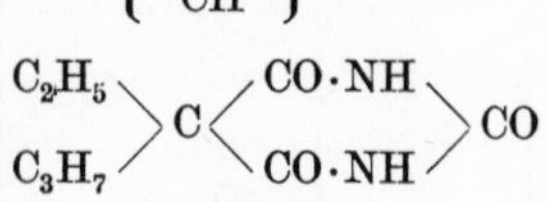	198,22	Nadel (W)
2003	**146**	Cyanurchlorid	$C_3Cl_3N_3$	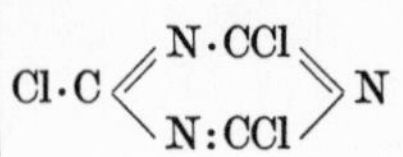	184,42	Krist. (Ae)

Lfd. Nr.	Spez. Gewicht	Siedepunkt °C	Beilsteinzitat	Physikalische Konstanten und Eigenschaften	Löslichkeit	Reaktionen
	8	9	10	11	12	13
1993			II 598		ll. in W, A swl. in Ae unl. in Bzl.	
1994				bitterer Geschmack	swl. in W ll. in Laugen l. in Säuren	+ H_2SO_4 → farblos; erhitzen in sd. W-Bad → orange + α-Naphthol + konz. H_2SO_4 → intensiv rot mit grüner Fluoreszenz 2—3 mg Subst. in 1 ml methylalkohol. $Co(NO_3)_2$-Lsg. + 20 mg Piperazin → rotviolett + H_2SO_4 + 10—20 mg Paraform + Fe-H_3PO_4 (warm) → intensiv orange mit grüner Fluoreszenz
1995			VI 366	schmeckt sehr süß	swl. in k. W ll. in A, Ae	
1996			X 856		115 W 15° ll. in A, Ae, Bzl. wl. in Chlf.	Monoanilid *Fp* 176° Dianilid *Fp* 208°
1997	1,525		I 865	$[\alpha]_D^{20}$ +92° 19°; eutekt. Temp.: mit Phenacetin 130°, mit Benzanilid 140°; hygroskopisch; sehr süßer Geschmack	117 W 20°	Bromphenylhydrazon *Fp* *Fp* 169,5° m-Nitrophenylhydrazon *Fp* 163° Phenylosazon *Fp* 163° Acetat *Fp* 141°
1998				$[\alpha]_D^{20}$ +1° (Dioxan); geruch- u. geschmacklos	unl. in W wl. in absol. A, Ae, Aceton l. in Chlf., Dioxan	3-Benzoat *Fp* 200—202° 3-Acetat *Fp* 136—142° Diacetat *Fp* 68—70°
1999			X 214		l. in W ll. in A, Ae	Äthylester *Fp* 69°
2000		Z.	V 715		swl. in A ll. in Chlf., CS_2	
2001			VII 474		ll. in A, Ae, Bzl.	
2002			XXIV 492	eutekt. Temp.: mit Phenacetin 108°, mit Benzanilid 124°		
2003	1,32	190	XXVI 35		l. in A, Ae	+ W → Cyanursäure

Lfd. Nr.	*Fp*	Name	Summenformel	Strukturformel	Mol.-Gewicht	Aggregatzustand Farbe
1	2	3	4	5	6	7
2004	**146**	d-Glucose (Dextrose, Traubenzucker)	$C_6H_{12}O_6$	$HO\cdot CH_2\cdot \underset{OH}{\overset{H}{C}}\cdot \underset{OH}{\overset{H}{C}}\cdot \underset{H}{\overset{OH}{C}}\cdot \underset{OH}{\overset{H}{C}}\cdot CHO$	180,16	monokline Tafeln (W)
2005	**146**	9-Nitroanthracen	$C_{14}H_9NO_2$	$C_6H_4\left\{\begin{matrix}C(NO_2)\\ CH\end{matrix}\right\}C_6H_4$	223,22	gelbe Nadeln (A)
2006	**146 bis 148**	Acetylcholinchlorid	$C_7H_{16}ClNO_2$	$CH_3\cdot CO\cdot O\cdot C_2H_4\cdot N(CH_3)_3Cl$	181,66	weiße Krist.
2007	**146 bis 148**	Sulfanilylharnstoff (p-Aminobenzolsulfonylharnstoff, Euvernil)	$C_7H_9N_3O_3S$	$H_2N\cdot C_6H_4\cdot SO_2\cdot NH\cdot CO\cdot NH_2$	215,23	Krist. (W)
2008	**146,5**	Jodcyan	CJN	$J\cdot C\vdots N$	152,94	weiße Prismen oder Tafeln (Ae)
2009	**147**	Benzol-1,3,5-trisulfonsäuretriäthylester	$C_{12}H_{18}O_9S_3$	$C_6H_3(SO_3\cdot C_2H_5)_3$	402,44	farblose Krist.
2010	**147**	Benzylharnstoff	$C_8H_{10}N_2O$	$C_6H_5\cdot CH_2\cdot NH\cdot CO\cdot NH_2$	150,18	Nadeln (A)
2011	**147**	2,4-Dihydroxyacetophenon	$C_8H_8O_3$	$(HO)_2C_6H_3\cdot CO\cdot CH_3$	152,14	Blättchen oder Nadeln
2012	**147**	N.N′-Diphenylguanidin	$C_{13}H_{13}N_3$	$HN:C(NH\cdot C_6H_5)_2$ oder $C_6H_5\cdot N:C(NH_2)\cdot NH\cdot C_6H_5$	211,26	Nadeln (A)
2013	**147**	2-Hydroxyphenylessigsäure	$C_8H_8O_3$	$HO\cdot C_6H_4\cdot CH_2\cdot COOH$	152,14	Nadeln (Ae oder Chlf.)

fd. Nr.	Spez. Gewicht	Siedepunkt °C	Beilsteinzitat	Physikalische Konstanten und Eigenschaften	Löslichkeit	Reaktionen
	8	9	10	11	12	13
04	1,544[25°]	> 200 (Z.)	I 879	$[\alpha)_D$ + 52,5° (W); Geschmack süß; eutekt. Temp.: mit Phenacetin 133°, mit Benzanilid 145°	54,32 W 0,5° 120,5 W 30° 243,8 W 50° l. in A unl. in Ae	wss. Lsg. mit Lauge erwärmt → gelb alkalische HgJ_2-Lsg. oder ammoniakalische $AgNO_3$-Lsg. werden reduziert Phenylosazon *Fp* 210°, lichtgelbe Nadeln p-Nitrophenylhydrazon *Fp* 190°, orangegelbe Krist.
05		> 300	V 666		wl. in A sll. in Bzl., CS_2	
06			E_1 IV 728	hygroskopisch		Erhitzen mit Lauge → Trimethylamin
07				fast geschmacklos	unl. in Ae, Chlf. wl. in A, W 20° ll. in CCl_4, sd. W	0,05 g β-Naphthol in 5 ml 10%ig. Na_2CO_3-Lsg. + einige Tropfen (0,1 g Subst. in 2 ml n-HCl) + einige Körnchen $NaNO_2$ → hellrot 0,01 g Subst. unter Erwärmen in 1 ml Essigsäure lösen + 1 ml Furylessigsäure → rotgelb, nach 2 Min. 1 Tropfen H_2SO_4 → tiefrot Monohydrat *Fp* 125—127°
08		subl.	III 41	Dampfdichte 5,3; riecht stechend; sehr giftig; *Fp* im geschlossenen Rohr	wl. in k. W ll. in h. W, A, Ae	+ HJ → HCN + J_2
09			XI 227		unl. in W l. in A, Ae	
10		200 (Z.)	XII 1050		1,7 W 45° 0,05 Ae 22° 0,05 Bzl. 44°	
11	1,180[114°]	Z.	VIII 266		wl. in W	+ $FeCl_3$ → rote Färbung
12		170 (Z)	XII 369		wl. in k. W 9,1 90%igem A 21° wl. in Ae	
13		240 bis 243	X 187		l. in W ll. in Ae wl. in Chlf.	erhitzen → Lacton

Lfd. Nr.	*Fp*	Name	Summen-formel	Strukturformel	Mol.-Ge-wicht	Aggrega zustand Farbe
1	2	3	4	5	6	7
2014	147	Papaverin	$C_{20}H_{21}NO_4$	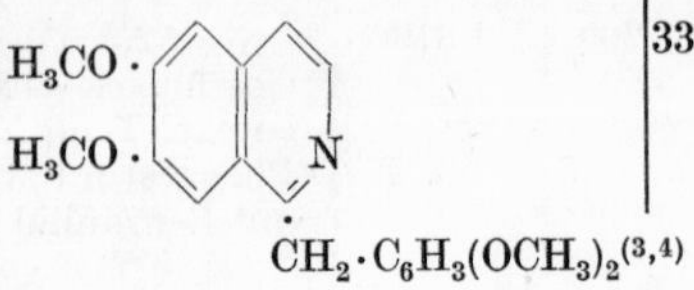	339,38	Prisme (A + Ae
2015	147	Phenylharnstoff	$C_7H_8N_2O$	$C_6H_5 \cdot NH \cdot CO \cdot NH_2$	136,15	Tafeln (A) Nadeln oder Blätte (W)
2016	147	Salicylosalicylsäure (Diplosal)	$C_{14}H_{10}O_5$	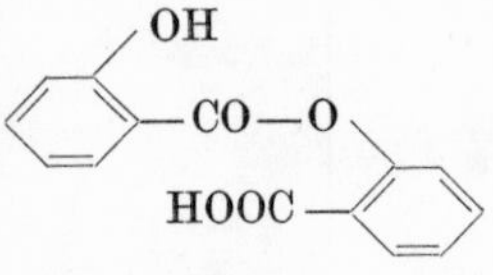	258,22	weiße Nadeln
2017	147	Sarkosinanhydrid (1,4-Dimethyl-2,5-dioxo-piperazin)	$C_6H_{10}N_2O_2$	$CH_3 \cdot N \langle \begin{matrix} CH_2 \cdot CO \\ CO \cdot CH_2 \end{matrix} \rangle N \cdot CH_3$	142,16	Tafeln oder Prisme (A)
2018	147 bis 148	Dimethyldihydro-resorcin [1,1-Di-methylcyclohexandi-on-(3,5), Dimedon, Methon]	$C_8H_{12}O_2$	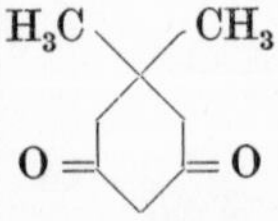	140,18	Prisme (A, Ae
2019	147 bis 148	2,4-Dinitroresorcin	$C_6H_4N_2O_6$	$(O_2N)_2C_6H_2(OH)_2$	200,11	gelbe Blättch
2020	147 bis 148	2,5-Dinitro-p-xylol	$C_8H_8N_2O_4$	$(O_2N)_2C_6H_2(CH_3)_2$	196,16	gelbe Nadel (A)
2021	147 bis 148	9,10-Dihydroxyphen-anthren	$C_{14}H_{10}O_2$	$\begin{matrix} C_6H_4 \cdot C \cdot OH \\ \vert \quad\quad \Vert \\ C_6H_4 \cdot C \cdot OH \end{matrix}$	210,23	Nadel
2022	147 bis 148	9-Phenylfluoren	$C_{19}H_{14}$	$\begin{matrix} C_6H_4 \\ \vert \\ C_6H_4 \end{matrix} \rangle CH \cdot C_6H_5$	242,30	Nadel (A)

Lfd. Nr.	Spez. Gewicht	Siedepunkt °C	Beilsteinzitat	Physikalische Konstanten und Eigenschaften	Löslichkeit	Reaktionen
	8	9	10	11	12	13
014	1,33		XXI 220	optisch inaktiv; eutekt. Temp.: mit Phenacetin 116°, mit Benzanilid 122°	swl. in sd. W 1,16 A 15° 0,39 Ae 10° ll. in Bzl., h. A, Chlf.	+ konz. HNO_3 → dunkelrot + Vanadin-H_2SO_4 → blaugrün → blau Erdmanns Reagens → grünblau → dunkelrot + Paraform-H_2SO_4 → weinrot → gelb → schmutzig braunrot → tieforange + H_2O_2 + H_2SO_4 → orangerot → purpurrot + Jodjodkalium aus salzsaurer Lsg. → Perjodid-Nd. $C_{20}H_{21}NO_4 \cdot HJ \cdot J_2$ charakteristische Krist., purpurrot Hydrochlorid *Fp* 210—211° Chloroplatinat *Fp* 196° Pikrat *Fp* 220°
015	1,302	160 (Z.)	XII 346	eutekt. Temp.: mit Phenacetin 105°, mit Benzanilid 124°	wl. in k. W, Ae l. in sd. W ll. in A	
016			X 84	eutekt. Temp.: mit Phenacetin 102°, mit Benzanilid 121°	unl. in W l. in Laugen ll. in A, Ae	heiß bereitete Lsg. + $Fe(NO_3)_3$ → schwach violett
017			XXIV 265	eutekt. Temp.: mit Phenacetin 100°, mit Benzanilid 106°	sll. in W ll. in A, Ae	+ Bromwasser rote Prismen
018			VII 559	eutekt. Temp.: mit Phenacetin 109°, mit Benzanilid 123°	ll. in W, A, Essigester	
019		subl.	VI 827		wl. in W l. in A, Ae	
020			V 388		unl. in W wl. in k. A, k. Ae	
021			VI 1035		l. in h. W ll. in A, Ae	
022			V 720		unl. in W wl. in k. A, Ae	

Lfd. Nr.	Fp	Name	Summen-formel	Strukturformel	Mol.-Ge-wicht	Aggregat-zustand Farbe
1	2	3	4	5	6	7
2023	147 bis 149	α-Bromisovalerianyl-harnstoff (Bromural, Bromisoval, Leuner-val)	$C_6H_{11}BrN_2O_2$	CO—NH—CO—NH$_2$ │ CH—Br │ CH H$_3$C⟍CH$_3$	223,08	weiße Nadeln (Toluol)
2024	147,5	4-Nitroanilin	$C_6H_6N_2O_2$	$O_2N \cdot C_6H_4 \cdot NH_2$	138,12	gelbe Nadeln (W)
2025	148	trans-Cyclohexan-dicarbonsäure-(1,3)	$C_8H_{12}O_4$	$H_2C \langle \begin{smallmatrix} CH_2 \cdot CH(COOH) \\ CH_2 \cdot CH(COOH) \end{smallmatrix} \rangle CH_2$	174,19	Nadeln (W)
2026	148	Dibenzamid	$C_{14}H_{11}NO_2$	$(C_6H_5 \cdot CO)_2NH$	225,24	Krist. (Bzl. ode (Chlf.)
2027	148	Dehydroisoandrosteron [$\varDelta^5$-Androstenol-(3β)-on-(17)]	$C_{19}H_{28}O_2$		288,41	Nadeln (Bzl.-Bzn.)
2028	148	2,5-Dihydroxyphenyl-essigsäure (Homogen-tisinsäure)	$C_8H_8O_4$	$(HO)_2C_6H_3 \cdot CH_2 \cdot COOH$	168,14	Prismen (W) Blättche (A+Chlf.
2029	148	Diphenylessigsäure	$C_{14}H_{12}O_2$	$(C_6H_5)_2CH \cdot COOH$	212,22	Nadeln (W) Blättcher (A)
2030	148	Indazol	$C_7H_6N_2$	$C_6H_4 \langle \begin{smallmatrix} CH \\ NH \end{smallmatrix} \rangle N$	118,13	Nadeln (W)
2031	148	2-Nitrobenzoesäure (o-Nitrobenzoesäure)	$C_7H_5NO_4$	$O_2N \cdot C_6H_4 \cdot COOH$	167,12	gelbliche weiße Nadeln (W)
2032	148	4-Hydroxyphenylessig-säure	$C_8H_8O_3$	$HO \cdot C_6H_4 \cdot CH_2 \cdot COOH$	152,14	Nadeln (W)
2033	148 bis 149	3-Acetaminophenol	$C_8H_9NO_2$	$CH_3 \cdot CO \cdot NH \cdot C_6H_4 \cdot OH$	151,16	Nadeln (W)
2034	148 bis 149	Zimtsäureamid	C_9H_9NO	$C_6H_5 \cdot CH:CH \cdot CO \cdot NH_2$	147,17	Nadeln (Bzl.)

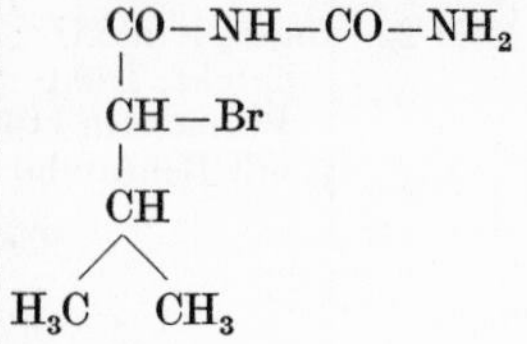

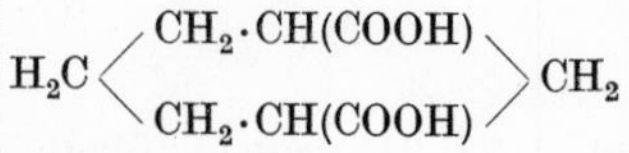

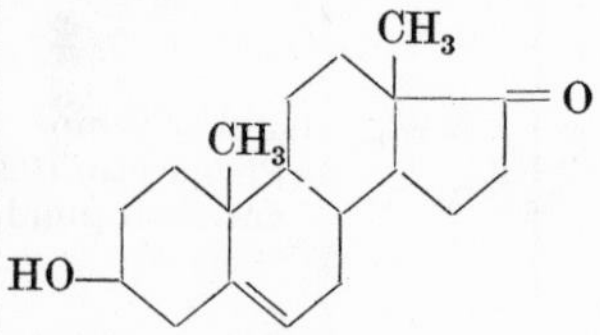

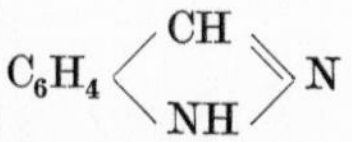

Lfd. Nr.	Spez. Gewicht	Siedepunkt °C	Beilsteinzitat	Physikalische Konstanten und Eigenschaften	Löslichkeit	Reaktionen
	8	9	10	11	12	13
023		subl.	III 63	bitterer Geschmack; eutekt. Temp.: mit Phenacetin 111°, mit Benzanilid 126°	swl. in k. W ll. in Lauge ll. in h. W, A, Ae	+ alkohol. HgJ_2-Lsg. bei Zimmertemperatur klar, bei Erwärmen braunorange Nd. 2 mg Subst. + 3 Tropfen konz. H_2SO_4 bis zur schwachen Verfärbung + 0,5 ml W baldrianähnlicher Geruch, + 1 Tropfen Alkohol erhitzt → Geruch apfelartig
024	1,424		XII 711	mit Dampf nicht flüchtig; eutekt. Temp.: mit Phenacetin 105°, mit Benzanilid 120°	0,077 W 20° 2,2 W 100° 5,84 A 20° 6,10 Ae 20° 1,98 Bzl. 20°	Pikrat *Fp* 100° Acetylderivat *Fp* 214° Benzoylderivat *Fp* 199° Benzolsulfonylderivat *Fp* 139° p-Tolylsulfonylderivat *Fp* 191°
025			IX 733		ll. in h. W	
026		Z.	IX 213		0,12 W 15° wl. in sd. W ll. in A, Ae	>148° → Benzonitril und Benzoesäure
027				$[\alpha]_D^{25}$ + 11° (A)	l. in A, Chlf.	Acetat *Fp* 171° Benzoat *Fp* 257—260° Oxim *Fp* 192—194°
028			X 407		ll. in W, A, Ae unl. in Bzl., Chlf.	
029			IX 673		ll. in h. W, A, Ae	p-Nitrobenzylester *Fp* 104° Anilid *Fp* 180° p-Toluidid *Fp* 172°
030		270 (473mm)	XXIII 122	mit Dampf flüchtig	wl. in k. W ll. in h. W, A, Ae	
031	1,575		IX 370	schmeckt sehr süß	0,65 W 20° 2,82 A 11° 2,16 Ae 11° 0,05 Chlf. 11° swl. in Bzl.	p-Nitrobenzylester *Fp* 112° Phenacylester *Fp* 125° p-Bromphenacylester *Fp* 101° Anilid *Fp* 155°
032		subl.	X 190		l. in W ll. in h. W, A, Ae	
033			XIII 415		ll. in W, A wl. in Ae	
034			IX 587		swl. in k. W wl. in sd. W ll. in A, Ae	

Lfd. Nr.	*Fp*	Name	Summen-formel	Strukturformel	Mol.-Ge-wicht	Aggrega zustand Farbe
1	2	3	4	5	6	7
2035	**148 bis 167**	2,6-Dihydroxybenzoe-säure (γ-Resorcylsäure)	$C_7H_6O_4$	$(HO)_2C_6H_3\cdot COOH$	154,12	Nadeln (W)
2036	**148,5**	4-Hydroxypyridin (γ-Pyridon)	C_5H_5NO	$C_5H_4N\cdot OH$	95,10	Nadeln (A) Tafeln (W)
2037	**148,5**	Phthalamidsäure	$C_8H_7NO_3$	$HOOC\cdot C_6H_4\cdot CO\cdot NH_2$	165,14	Prismen
2038	**149**	Cholesterin	$C_{27}H_{46}O$	H_3C $CH(CH_3)\cdot[CH_2]_3\cdot CH(CH_3)_2$ 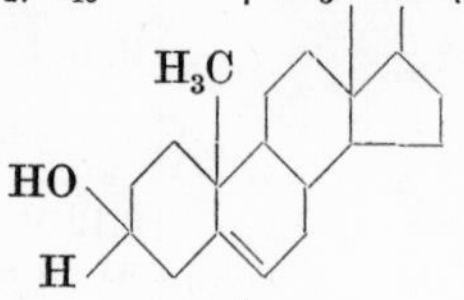	386,64	Spieße (verd. A) Blättchen
2039	**149**	4-Nitrobenzonitril	$C_7H_4N_2O_2$	$O_2N\cdot C_6H_4\cdot CN$	148,12	gelbe Blättchen (A)
2040	**149 bis 150**	2,3-Dibrombenzoesäure	$C_7H_4Br_2O_2$	$Br_2C_6H_3\cdot COOH$	279,93	Nadeln (W)
2041	**149 bis 150**	Pantocainhydrochlorid (p-n-Butylamino-benzoesäure-β-di-methylaminoäthyl-esterhydrochlorid)	$C_{15}H_{25}ClN_2O_2$	$NH\cdot C_4H_9$ $\cdot HCl$ 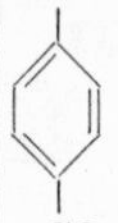 $CO\cdot O\cdot CH_2\cdot CH_2\cdot N(CH_3)_2$	300,82	weiße Krist.
2042	**149 bis 150**	Pyren	$C_{16}H_{10}$	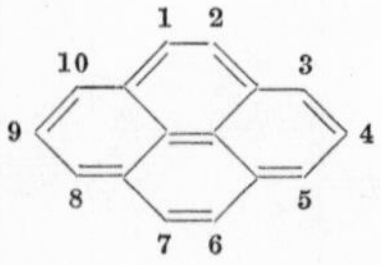	202,24	hellgelbe Tafeln
2043	**149 bis 153**	D-threo-1-[p-Nitro-phenyl]-2-dichloracet-amino-1,3-propandiol (Chloromycetin, Chloramphenicol)	$C_{11}H_{12}Cl_2N_2O_5$	$O_2N\cdot C_6H_4\cdot CH(OH)\cdot CH\cdot CH_2OH$ / $Cl_2CH\cdot CO\cdot NH$	323,14	gelblich-weiße nadel-förmige Krist.

Lfd. Nr.	Spez. Gewicht	Siedepunkt °C	Beilsteinzitat	Physikalische Konstanten und Eigenschaften	Löslichkeit	Reaktionen
	8	9	10	11	12	13
035			X 388		ll. in h. W, A, Ae	beim Erhitzen → Resorcin + CO_2
036		>350 (Z.)	XXI 48		~ 100 W 15° ll. in A unl. in Ae, Bzl.	+ $FeCl_3$ → gelb
037			IX 809		l. in k. W wl. in Ae unl. in Laugen	+ sd. W → phthalsaures Ammonium bei 155° → Phthalimid
038	$1{,}067^{20°}$	360 (Z.)		geruchlos; geschmacklos	0,26 W 20° 1,08 A 17° 11 sd. A 18 Ae	+ konz. H_2SO_4 → rot Spuren Subst. lösen in 1 ml Essigsäureanhydrid + tropfenweise mit konz. H_2SO_4 → violett → blau → grün Dibromid *Fp* 124—125° Acetat *Fp* 114° Propionat *Fp* 98° Benzoat *Fp* 145,5—151°
039		subl.	IX 397	mit Dampf flüchtig	wl. in W, k. A ll. in h. A, Eg.	
040			IX 357		wl. in h. W swl. in Lauge	
041				schmeckt schwach bitter; geruchlos; anästhesierend	l. in W	+ NH_3 → ölige Lsg. → Krist. *Fp* 42—43° 10 ml wss. Lsg. (1 + 99) + 0,5 g Na-Acetat + 1 ml NH_4CNS-Lsg. → Krist. *Fp* 130—132° 0,01 g in 1 ml Essigsäure unter Erwärmen lösen + 1 ml Furfurol-Essigsäure → schwach bräunlich (Unterschied von Anästhesin, Larocain u. Novocain)
2042		>360 260 (60 mm)	V 693	eutekt. Temp.: mit Phenacetin 110°, mit Benzanilid 125°; Lsgg. fluorescieren blau	unl. in W 1,37 A 16° 3,08 sd. A ll. in Ae 16,54 Toluol 18°	mit Tetranitromethan dunkelviolettrote Blättchen Pikrat *Fp* 222° Styphnat *Fp* 191° 1,3,5-Trinitrobenzolat *Fp* 245°
2043				$[\alpha]_D$ +21,5° (5%ig. A); bitterer Geschmack	swl. in W l. in Ae ll. in A, Methanol unl. in Bzl., PAe	

Lfd. Nr.	*Fp*	Name	Summen-formel	Strukturformel	Mol.-Ge-wicht	Aggrega zustanc Farbe
1	2	3	4	5	6	7
2044	149,5	Oxanilsäure	$C_8H_7NO_3$	$HOOC \cdot CO \cdot NH \cdot C_6H_5$	165,14	Nadeln (W)
2045	150	Benzilsäure	$C_{14}H_{12}O_3$	$(C_6H_5)_2C(OH) \cdot COOH$	228,24	Nadeln (W)
2046	150	Benzolsulfamid	$C_6H_7NO_2S$	$C_6H_5 \cdot SO_2 \cdot NH_2$	157,19	Nadeln (W) Blättche (A)
2047	150	2-Brombenzoesäure	$C_7H_5BrO_2$	$Br \cdot C_6H_4 \cdot COOH$	201,03	Nadeln (W)
2048	150	4-Chlorphthalsäure	$C_8H_5ClO_4$	$Cl \cdot C_6H_3(COOH)_2$	200,58	Nadeln (A)
2049	150	Orcein	$C_{28}H_{24}N_2O_7$		500,49	braun-rotes Plv
2050	150	Diglykolsäure	$C_4H_6O_5$	$O(CH_2 \cdot COOH)_2$	134,09	rhomb. Krist.
2051	150	Opiansäure	$C_{10}H_{10}O_5$	$H_3C \cdot O \cdot \overset{COOH}{\underset{H_3C \cdot O \cdot}{\bigcirc}} \cdot CHO$	210,18	Nadeln (W)
2052	150	Phthalimidin	C_8H_7NO	$C_6H_4 \underset{CO}{\overset{CH_2}{\diagup\diagdown}} NH$	133,14	Nadeln (W)
2053	150	2,4,5-Trimethylbenzoe-säure (Durylsäure, Cumylsäure)	$C_{10}H_{12}O_2$	$(CH_3)_3C_6H_2 \cdot COOH$	164,20	Nadeln (Bzl.)
2054	150 bis 151	2,4′-Dihydroxybenzo-phenon	$C_{13}H_{10}O_3$	$HO \cdot C_6H_4 \cdot CO \cdot C_6H_4 \cdot OH$	214,21	hellgelbe Blättchen (W)
2055	150 bis 151	Mekonsäure (β-Hydroxypyron-α,α′-dicarbonsäure)	$C_7H_4O_7$	$\begin{matrix} HC \cdot CO \cdot C \cdot OH \\ \parallel \quad\quad \parallel \\ HOOC \cdot C - O - C \cdot COOH \end{matrix} + 3 H_2O$	200,10	weiße Krist.

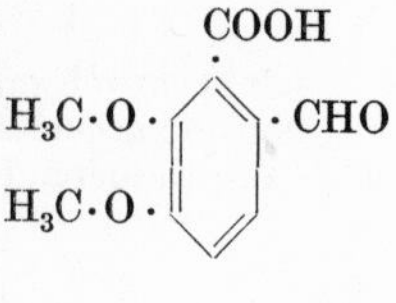

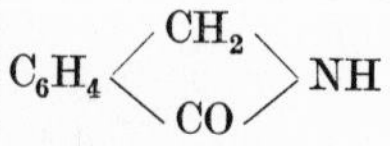

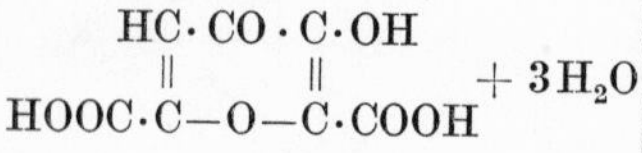

Lfd. Nr.	Spez. Gewicht	Siedepunkt °C	Beilstein-zitat	Physikalische Konstanten und Eigenschaften	Löslichkeit	Reaktionen
	8	9	10	11	12	13
44			XII 281		l. in h. W ll. in A, Ae	
45		180 (Z.)	X 342	eutekt. Temp.: mit Phenacetin 94°, mit Benzanilid 115°; schmeckt bitter	wl. in k. W ll. in h. W, A, Ae	+ H_2SO_4 → rot p-Nitrobenzylester *Fp* 99° Phenacylester *Fp* 125° p-Bromphenacylester *Fp* 152° Amid *Fp* 154° Anilid *Fp* 175°
46			XVI 39		0,43 W 16° ll. in h. A, Ae	
47	1,929[20°]	subl.	IX 347		wl. in k. W l. in h. W ll. in A, Ae, Chlf.	p-Nitrobenzylester *Fp* 110° Phenacylester *Fp* 83° p-Bromphenacylester *Fp* 102° Amid *Fp* 155° Anilid *Fp* 141°
48			IX 816		l. in W, A	
49			VI 885		unl. in W, Ae l. in A	carminrote Lsg. in A + Alkalien → blauviolett
50		Z	III 234		ll. in W, A	
51		160 (Z.)	X 990	Geschmack schwachsauer, zusammenziehend; geruchlos	0,25 k. W 1,7 h. W l. in A, Ae	2 mg Subst. + 5 mg α-Naphthol in 1 ml konz. H_2SO_4 → intensiv violettrot Methylester *Fp* 82—84°, Nadeln Benzoylhydrazon *Fp* 227°, Krist. Semicarbazon *Fp* 187° Phenacylester *Fp* 112°
52		336	XXI 285		l. in W ll. in A, Ae, Chlf.	
53			IX 554	mit W-Dampf flüchtig	swl. in sd. W ll. in A, Ae	
54			VIII 315		wl. in h. W ll. in h. A, Ae, Bzl. l. in Alkali	Kalischmelze → Phenol + Hydroxybenzoesäure
55			XVIII 503	geruchlos, saurer Geschmack		wss. Lsg. + $Fe(NO_3)_3$-Lsg. → violettrot wss. Lsg. + einige Tropfen 2n-Lauge → gelb

Lfd. Nr.	*Fp*	Name	Summen- formel	Strukturformel	Mol.- Ge- wicht	Aggreg zustan Farb
1	2	3	4	5	6	7
2056	**150 bis 151**	p-Aminosalicylsäure (2-Hydroxy-4-amino-benzoesäure, PAS)	$C_7H_7NO_3$	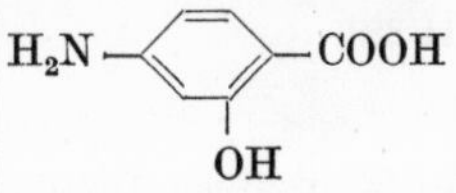	153,13	gelblic weiße Nadel
2057	**150 bis 151**	„Novaspirin" (Methylencitrylsalicylsäure, Anhydromethylencitronensäuredisalicylester)	$C_{21}H_{16}O_{11}$	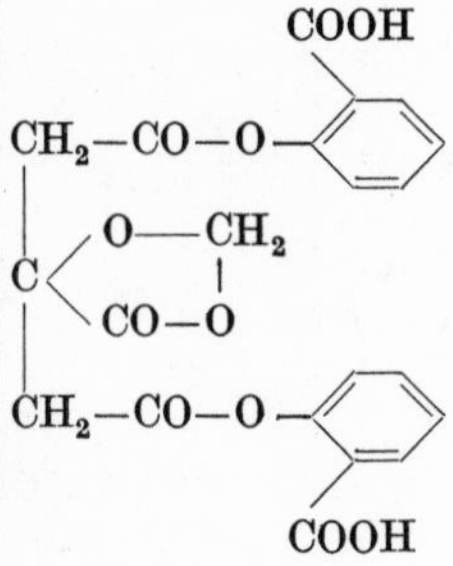	444,34	weiße geruc loses P
2058	**150 bis 152**	1-Nitrosonaphthyl-amin-(2)	$C_{10}H_8N_2O$	$H_2N\cdot C_{10}H_6\cdot NO$	172,18	grüne Nadel (Bzl.)
2059	**150 bis 152,5**	7-Dehydrostigmasterin	$C_{29}H_{46}O$	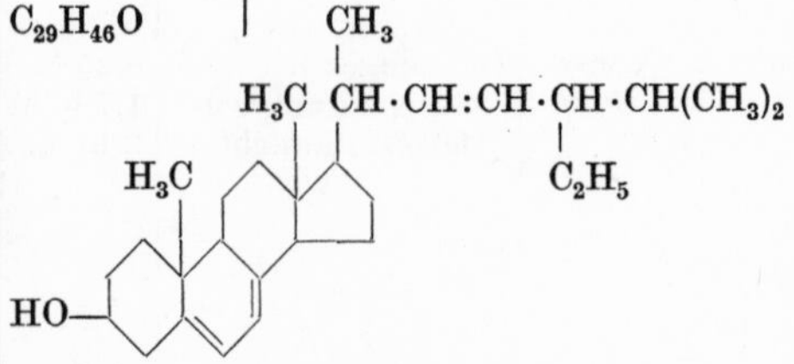	410,67	Krist.
2060	**150 bis 153**	1-Hydroxyanthracen	$C_{14}H_{10}O$	$C_6H_4\left\{\begin{matrix}CH\\CH\end{matrix}\right\}C_6H_3\cdot OH$	194,22	braun Nadel od. Blä chen (.
2061	**150 bis 155**	Benzophenondicarbon-säure-(2,2′)	$C_{15}H_{10}O_5$	$CO(C_6H_4\cdot COOH)_2$	207,23	Krist.
2062	**150,5**	2,6-Dibrombenzoesäure	$C_7H_4Br_2O_2$	$Br_2C_6H_3\cdot COOH$	279,93	Nadel (W)
2063	**151**	Adipinsäure	$C_6H_{10}O_4$	$HOOC\cdot(CH_2)_4\cdot COOH$	146,14	Blättch (Essig ester)

Lfd. Nr.	Spez. Gewicht	Siedepunkt °C	Beilsteinzitat	Physikalische Konstanten und Eigenschaften	Löslichkeit	Reaktionen
	8	9	10	11	12	13
056			XIV 579	geruchlos; schwach säuerlicher Geschmack	swl. in W wl. in Ae l. in A ll. in NaOH, NH_3 unl. in verd. HCl	0,05 g Subst. in 3 ml n/10-NaOH + 2 ml W + 3 Tropfen verd. $FeCl_3$ (1:19) → rotviolett 0,01 g Subst. in 1 ml Essigsäure unter Erwärmen lösen + 1 ml Furfurol-Essigsäure → rotgelb + 1 Tropfen H_2SO_4 nach 2 Min. → tiefrot Hydrochlorid *Fp* 228° (Z.) Äthylester *Fp* 114—115° Amid *Fp* 162°
057					unl. in W ll. in A, Aceton, Essigester wl. in Ae, Bzl., Chlf.	
058			VII 717		wl. in h. W ll. in A l. in Ae l. in Alkali rot	
059				$[\alpha]_D^{20}$ — 113,15° (Bzl.)		Acetat *Fp* 172° Benzoat *Fp* 180°
060			VI 702		unl. in W sll. in A, Ae l. in H_2SO_4	
061			X 881		wl. in k. W l. in A, Ae	
062		209 bis 210 (16 mm)	IX 358	mit Dampf flüchtig	l. in h. W ll. in A, Ae, Chlf.	
063		393,9 223,1 (20 mm)	II 649	eutekt. Temp.: mit Phenacetin 113°, mit Benzanilid 134°	1,44 W 15° ll. in A 0,63 Ae 19°	Ag-Salz, Blättchen Phenylester *Fp* 87,6° p-Nitrobenzylester *Fp* 106° p-Bromphenacylester *Fp* 154° Amid *Fp* 220° Anilid *Fp* 235° p-Toluidid *Fp* 241°

Lfd. Nr.	Fp	Name	Summen-formel	Strukturformel	Mol.-Ge-wicht	Aggrega zustand Farbe
1	2	3	4	5	6	7
2064	151	Dibenzylsulfon	$C_{14}H_{14}O_2S$	$(C_6H_5 \cdot CH_2)_2SO_2$	246,31	Nadeln (A + Bzl.)
2065	151	6-Hydroxy-m-toluyl-säure	$C_8H_8O_3$	$HO \cdot C_6H_3(CH_3) \cdot COOH$	152,14	Nadeln (W)
2066	151 bis 152	α-Benzoinoxim (Cupron)	$C_{14}H_{13}NO_2$	$\underset{\overset{\|}{NOH}}{C_6H_5 \cdot C} \cdot CH(OH) \cdot C_6H_5$	227,25	weißes Kristall pulver
2067	151 bis 152	Pentamethylanilin	$C_{11}H_{17}N$	$(CH_3)_5C_6 \cdot NH_2$	163,25	prismat Krist. (A)
2068	152	Anthranol	$C_{14}H_{10}O$	$C_6H_4 \left\{ \begin{array}{c} C(OH) \\ CH \end{array} \right\} C_6H_4$	194,22	gelbrote Blättche (verd. A
2069	152	Carbohydrazid	CH_6N_4O	$H_2N \cdot NH \cdot CO \cdot NH \cdot NH_2$	90,09	Nadeln (verd. A
2070	152	4-Hydroxyazobenzol	$C_{12}H_{10}N_2O$	$C_6H_5 \cdot N:N \cdot C_6H_4 \cdot OH$	198,22	orange Prismer (A)
2071	152	2,4,6-Trimethylbenzoe-säure	$C_{10}H_{12}O_2$	$(CH_3)_3C_6H_2 \cdot COOH$	164,20	Krist.
2072	152	Triphenylbrommethan	$C_{19}H_{15}Br$	$(C_6H_5)_3C \cdot Br$	323,23	hellgelb Krist. (CS_2)
2073	152 bis 153	N,N′-Di-[p-allyloxy-phenyl]-acetamidin-hydrochlorid (Diocain)	$C_{20}H_{23}ClN_2O_2$	$H_3C-C \begin{array}{c} N- \cdots \cdot O \cdot CH_2 \cdot CH:CH_2 \\ NH- \cdots \cdot O \cdot CH_2 \cdot CH:CH_2 \end{array} \cdot HCl$	358,86	Krist.
2074	152 bis 153	Kojisäure (5-Hydroxy-2-hydroxymethyl-γ-pyron)	$C_6H_6O_4$	(Struktur)	142,11	Nadeln oder Prismer (Aceton
2075	152 bis 153	Phenanthrol-(9)	$C_{14}H_{10}O$	$H_4C_6 \overbrace{\qquad}^{} C_6H_4$ $C(OH):CH$	194,22	Nadeln (Bzl.)
2076	152 bis 153	9-Phenylanthracen	$C_{20}H_{14}$	$C_6H_4 \left\{ \begin{array}{c} C(C_6H_5) \\ CH \end{array} \right\} C_6H_4$	254,31	Blättche (A)
2077	153	Acet-p-toluidid	$C_9H_{11}NO$	$CH_3 \cdot CO \cdot NH \cdot C_6H_4 \cdot CH_3$	149,19	Krist. (A)

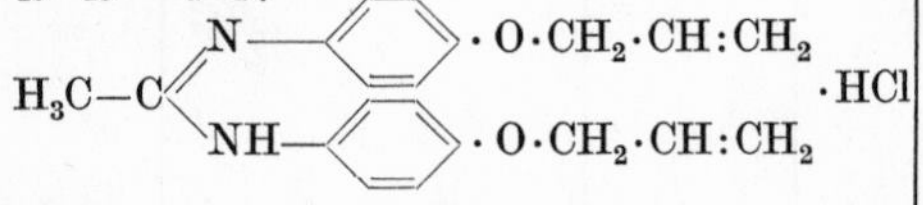

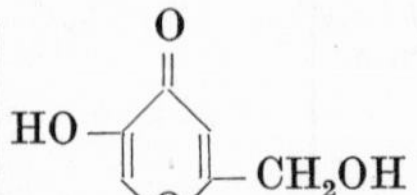

Lfd. Nr.	Spez. Gewicht	Siedepunkt °C	Beilsteinzitat	Physikalische Konstanten und Eigenschaften	Löslichkeit	Reaktionen
	8	9	10	11	12	13
2064		290 (Z.)	VI 456		unl. in W wl. in A l. in Eg.	
2065		Z.	X 227	eutekt. Temp.: mit Phenacetin 92°, mit Benzanilid 120°; mit Dampf flüchtig	wl. in k. W ll. in A, Ae	+ $FeCl_3$ → blau Äthylester Kp. 251°
2066			VIII 175	eutekt. Temp.: mit Phenacetin 113°, mit Benzanilid 133°	ll. in A, Bzl., Essigester	Reagens auf Cu (E 1:500000)
2067		278 bis 280	XII 1182		unl. in W ll. in A	
2068			VII 473	geht beim Aufbewahren in Anthron über *Fp* 154 bis 155°	ll. in A, Ae mit blauer Fluoreszenz l. in Alkali	Lsg. in wenig rauch. HNO_3 beim Verdünnen → orange Nd. alkohol. Lsg. + Lauge → prachtvoll violett
2069			III 121		unl. in Bzl., Ae, Chlf.	
2070		220 bis 230 (20 mm)	XVI 96		0,002 W 25° l. in A, Ae	+ H_2SO_4 → gelb
2071			IX 553		ll. in A, Ae, Chlf.	Amid *Fp* 188°
2072		230 (15 mm)	V 704		l. in flüss. SO_2 gelb	+ sd. W → Triphenylcarbinol + HBr
2073					swl. in W ll. in A unl. in Ae	
2074			E_1 XVIII 343		ll. in W, A sl. in Ae unl. in Bzl.	+ $FeCl_3$ → weinrot
2075			VI 706		unl. in W ll. in A, Ae l. in Alkali grün l. in H_2SO_4 orangerot	Pikrat *Fp* 185° Acetat *Fp* 77°
2076		417	V 725		ll. in h. A, h. Ae, h. Bzl.	
2077	$1,212^{15°}$	306	XII 920		0,12 W 25° 11 sd. W 10,2 A 25° l. in Ae, Eg.	

Lfd. Nr.	*Fp*	Name	Summenformel	Strukturformel	Mol.-Gewicht	Aggregatzustand Farbe
1	2	3	4	5	6	7
2078	**153**	Citronensäure	$C_6H_8O_7$	$HO\cdot C(CH_2\cdot COOH)_2\cdot COOH$	192,12	rhomb. Krist. + 1 H_2O (W)
2079	**153**	2,5-Dibrombenzoesäure	$C_7H_4Br_2O_2$	$Br_2C_6H_3\cdot COOH$	279,93	Nadeln (A oder W)
2080	**153** (Z.)	Thiuramdisulfid	$C_2H_4N_2S_4$	$H_2N\cdot CS\cdot S-S\cdot SC\cdot NH_2$	184,33	Blättchen (Aceton + Chlf.)
2081	**153** bis **154**	3,4-Dihydroxybenzaldehyd (Protocatechualdehyd	$C_7H_6O_3$	$(HO)_2C_6H_3\cdot CHO$	138,12	Krist. (W)
2082	**153** bis **154**	6-Nitrochinolin	$C_9H_6N_2O_2$	$C_9H_6N\cdot NO_2$	174,15	Nadeln (W oder A)
2083	**153** bis **156**	Eucupin	$C_{24}H_{34}N_2O_2$		382,53	Nadeln
2084	**154**	4-Aminochinolin	$C_9H_8N_2$	$C_9H_6N\cdot NH_2$	144,17	Nadeln + 1 H_2O (W od. A)
2085	**154** (Z.)	N-Benzylphthalaminsäure (Akineton)	$C_{15}H_{13}NO_3$	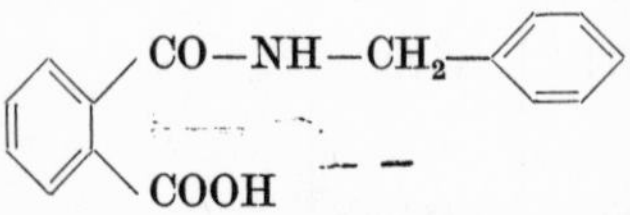	255,26	Nadeln (30%ig. A)
2086	**154**	5-Butyl-5-propylbarbitursäure	$C_{11}H_{18}N_2O_3$	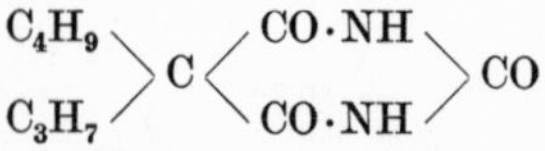	226,27	

Lfd. Nr.	Spez. Gewicht	Siede-punkt °C	Beilstein-zitat	Physikalische Konstanten und Eigenschaften	Löslichkeit	Reaktionen
	8	9	10	11	12	13
078	1,542		III 556	eutekt. Temp.: mit Phenacetin 108°, mit Benzanilid 146°; wirkt bakterizid	73,3 W 20° 75,91 A 15° 2,26 Ae 15°	+ $Fe(NO_3)_3$ → zitronengelb erhitzen mit Essigsäureanhydrid → violettrot (E 1:3000) + Anthrachinon + H_2SO_4 → orangegelb → blutrot 3 mg Subst. + 2 Tropfen konz. H_2SO_4 20 Sek. in sd. W-Bad, abkühlen + 1 ml W + 2 ml NH_3 + 1 Krist. Nitroprussidnatrium — durchschütteln → violett → intensiv blau → grün und graublau Tris-p-nitrobenzylester *Fp* 102° Triphenacylester *Fp* 104—105° Tris-p-bromphenacylester *Fp* 148° Triamid *Fp* 210°
079			IX 358	mit Dampf flüchtig	wl. in k. W ll. in A, Ae	
080			III 219		unl. in W l. in sd. A (Z.) unl. in Ae	
081		Z.	VIII 246	eutekt. Temp.: mit Phenacetin 98°, mit Benzanilid 125°	5 k. W 33 sd. W 126 sd. W ll. in Ae	+ $FeCl_3$ → grün + Na_2CO_3 → violett → rot 5 ml einer 5%igen Lsg. + 2 ml 2%ig. Isopropylalkohol + 10 ml konz. H_2SO_4 → grün, + Wasser → blau an Stelle Isopropylalkohol — Aceton → rot; verd. purpur → grün Oxim *Fp* 157° Phenylhydrazon *Fp* 175—176° 2,4-Dinitrophenylhydrazon *Fp* 275°
082			XX 372		wl. in k. W, Ae ll. in h. W, A ll. in Bzl.	Styphnat *Fp* 190° Jodmethylat *Fp* 245°
083				eutekt. Temp.: mit Phenacetin 122°, mit Benzanilid 132°		
084			XXII 444		l. in W ll. in A, Ae, Chlf. swl. in Laugen	Pikrat *Fp* 274° Acetylderivat *Fp* 176°
085						
086			E_2 XXIV 287	eutekt. Temp.: mit Phenacetin 112°, mit Benzanilid 129°	unl. in W l. in A	

Lfd. Nr.	*Fp*	Name	Summen-formel	Strukturformel	Mol.-Ge-wicht	Aggrega zustand Farbe
1	2	3	4	5	6	7
2087	**154**	1,2,5,8-Tetrahydroxy-naphthalin	$C_{10}H_8O_4$	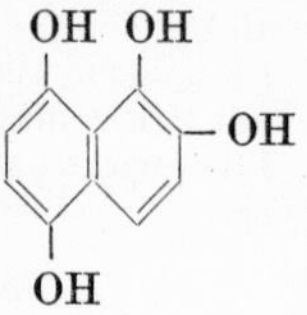	192,16	Nadeln oder Täfelche (A)
2088	**154**	3-Nitro-4-aminophenol	$C_6H_6N_2O_3$	$H_2N \cdot C_6H_3(NO_2) \cdot OH$	154,12	rote, grü schim-mernde Prismer (Ae)
2089	**154**	5-Hydroxynaphtho-chinon-(1,4) (Juglon)	$C_{10}H_6O_3$	$HO \cdot C_6H_3 \langle$ CO·CH ‖ CO·CH	174,15	gelbrote Nadeln (Chlf.)
2090	**154**	Phenylthioharnstoff	$C_7H_8N_2S$	$C_6H_5 \cdot NH \cdot CS \cdot NH_2$	152,22	Nadeln (W) Prismer (A)
2091	**154**	1,4,5-Trinitronaphthalin	$C_{10}H_5N_3O_6$	$C_{10}H_5(NO_2)_3$	263,16	Krist. (Chlf.)
2092	**154 bis 155**	Anthron	$C_{14}H_{10}O$	$C_6H_4 \langle$ CO, CH_2 $\rangle C_6H_4$	194,22	Nadeln (Bzl. + Benzin)
2093	**154 bis 155**	N,N′-Diphenylthioharn-stoff	$C_{13}H_{12}N_2S$	$C_6H_5 \cdot NH \cdot CS \cdot NH \cdot C_6H_5$	228,31	Blättche (A)
2094	**154 bis 155**	Gallussäureäthylester	$C_9H_{10}O_5$	$(HO)_3C_6H_2 \cdot CO \cdot OC_2H_5$	198,17	Prismen + $2^1/_2$ H_2O (W)
2095	**154 bis 155**	Khellin (Visammin)	$C_{14}H_{12}O_5$	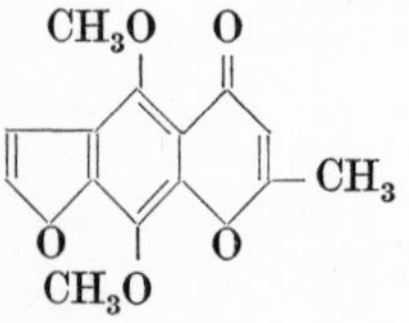	260,24	weiße Nadeln (W)
2096	**154 bis 155**	Phenylbrenztrauben-säure	$C_9H_8O_3$	$C_6H_5 \cdot CH_2 \cdot CO \cdot COOH$	164,15	Blättche (Chlf.

lfd. Nr.	Spez. Gewicht	Siedepunkt °C	Beilsteinzitat	Physikalische Konstanten und Eigenschaften	Löslichkeit	Reaktionen
	8	9	10	11	12	13
87			VI 1162		swl. in W zll. in A, Bzl.	
88			XIII 521		l. in W, A, orange l. in Ae l. in Alkali violett	
89		Z.	VIII 308	mit W-Dampf etwas flüchtig	unl. in W wl. in k. A, Ae ll. in h. Eg.	
90	1,33	Z.	XII 388	eutekt. Temp.: mit Phenacetin 111°, mit Benzanilid 133°	0,26 W 18° 5,93 sd. W 3,6 A 25° l. in Alkali	
91			V 563		unl. in W 0,11 90%ig. A 18° 0,38 Ae 18° 1 Bzl. 18°	
92			VII 473		l. in A, Bzl. unl. in Alkali	geht beim Schmelzen und in sd. NaOH in Anthranol über, *Fp* 152° Lsg. in rauch. HNO_3 bei Verd. → oranger Nd. + A + Lauge → violett
93	1,321	Z.	XII 394	eutekt. Temp.: mit Phenacetin 116°, mit Benzanilid 133°; schmeckt bitter	swl. in W ll. in A, Ae l. in Alkali, CS_2	Erhitzen Z. → N,N′,N″-Triphenylguanidin
94		subl.	X 484		wl. in k. W ll. in h. W, A, Ae wl. in sd. Chlf.	
95				*Fp* im geschlossenen Rohr	wl. in W ll. in A, Ae, Chlf., Methanol	+ H_2SO_4 → intensiv gelb + festes KOH, erwärmen → rosa; Spaltung mit wss. KOH → Khellinon *Fp* 99—100°
96			X 682		wl. in sd. W ll. in A, Ae, h. Bzl., h. Chlf.	Erhitzen >155° → CO_2-Abspaltung

Lfd. Nr.	*Fp*	Name	Summenformel	Strukturformel	Mol.-Gewicht	Aggregatzustand Farbe
1	2	3	4	5	6	7
2097	**154 bis 156**	α-Naphthoflavon (2-Phenyl-7,8-benzochromon)	$C_{19}H_{12}O_2$	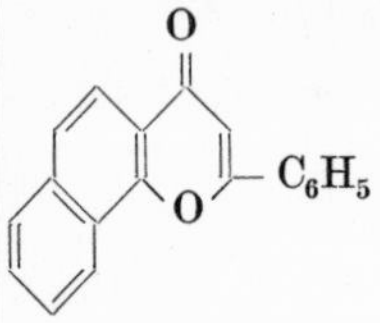	272,79	rosafarbenes Plv.
2098	**154 bis 156**	3-Nitroacetanilid	$C_8H_8N_2O_3$	$CH_3 \cdot CO \cdot NH \cdot C_6H_4 \cdot NO_2$	180,16	Blättche (A)
2099	**154,5**	Cytisin	$C_{11}H_{14}N_2O$	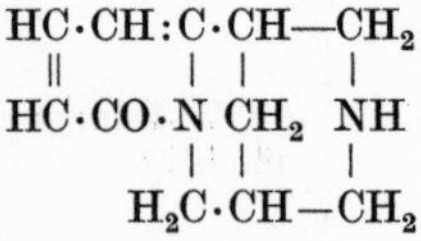	190,24	Krist. (A)
2100	**154,5**	2,5-Dichlorbenzoesäure	$C_7H_4Cl_2O_2$	$Cl_2C_6H_3 \cdot COOH$	191,02	Nadeln (W)
2101	**155**	N-[p-Äthoxyphenyl]-succinimid (Phenosuccin, Pyrantin)	$C_{12}H_{13}NO_3$	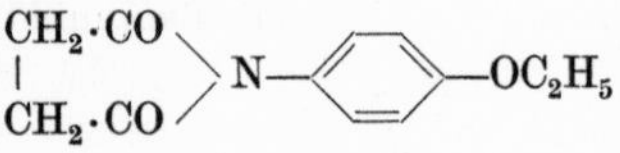	219,23	Nadeln (A od. W
2102	**155**	Benzalphenylhydrazin	$C_{13}H_{12}N_2$	$C_6H_5 \cdot CH:N \cdot NH \cdot C_6H_5$	196,24	Nadeln
2103	**155**	3-Brombenzoesäure	$C_7H_5BrO_2$	$Br \cdot C_6H_4 \cdot COOH$	201,03	Nadeln
2104	**155**	Codein	$C_{18}H_{21}NO_3$	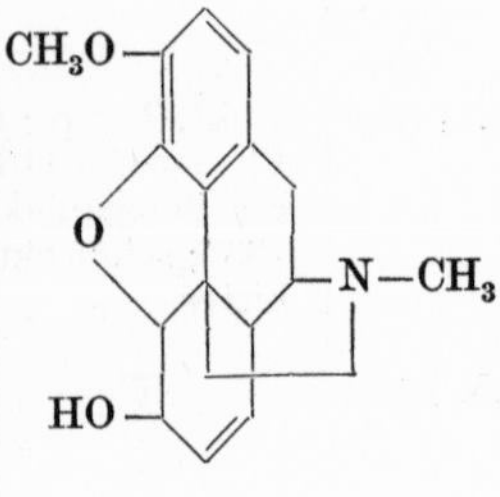	299,36	weiße Krist. +1 H_2O

Lfd. Nr.	Spez. Gewicht	Siedepunkt °C	Beilsteinzitat	Physikalische Konstanten und Eigenschaften	Löslichkeit	Reaktionen
	8	9	10	11	12	13
2097			XVII 390	eutekt. Temp.: mit Phenacetin 116°, mit Benzanilid 120°	l. in A ll. in Essigester wl. in W	+ H_2SO_4 → grüngelb, leuchtend grüne Fluorescenz + Cl_2 in W → blau + $Na_2S_2O_3$ → violett → rosa
2098			XII 703		l. in Chlf. unl. in KOH ll. in A wl. in W	
2099		218 (2 mm)	XXIV 134	$[\alpha]_D^{17°}$ −119,57° (1,99%ige Lsg.); sehr giftig	78,1 W 16° 30,1 A 8° 47,7 Chlf. 15° ll. in Bzl.	+ $FeCl_3$ → rot + konz. HNO_3 → rotgelb + Kaliumwismutjodid → braunroter Nd.
2100		301	IX 342	mit W-Dampf flüchtig	0,084 W 11°	Amid *Fp* 155°
2101			XXI 377		ll. in h. A 84 W 100° unl. in Ae	
2102			XV 134		ll. in h. A wl. in Ae ll. in Bzl.	über 200° Z.
2103	$1{,}845^{20°}$	>280	IX 344		wl. in W l. in A, Ae	p-Nitrobenzylester *Fp* 105° Phenacylester *Fp* 113° p-Bromphenacylester *Fp* 126° Amid *Fp* 155° Anilid *Fp* 146°
2104	$1{,}315^{14°}$		XXVII 131	$[\alpha]_D$ −137,75° (A); eutekt. Temp.: mit Phenacetin 117°, mit Benzanilid 126°; geruchlos; schmeckt bitter	0,84 W 20° 1,7 W 80° 63,7 92%ig. A 25° 8 Ae 25° 1,328 CCl_4	1. + Fe-H_2SO_4 beim Erwärmen → blau + Paraform → graublau → graugrün + HNO_3-H_2SO_4 → violettrot → orangerot 2. + 10—20 mg Paraform + 1 ml H_2SO_4 → orange → violettrot → intensiv blauviolett + Fe-H_3PO_4 → intensiv blau + HNO_3-H_2SO_4 → intensiv grün → langsam gelbgrün und hellbraun 3. konz. HNO_3 → braunrot 4. $FeCl_3$ + H_2SO_4 → blau → tiefrot bei Zusatz von 1 Tropfen HNO_3, wenn erkaltet 5. Benzaldehyd-H_2SO_4 → gelb bis blutrot 6. p-Dimethylaminobenzaldehyd-H_2SO_4 → hellrot

Lfd. Nr.	*Fp*	Name	Summen-formel	Strukturformel	Mol.-Gewicht	Aggregatzustand Farbe
1	2	3	4	5	6	7
2105	**155**	Colchicin	$C_{22}H_{25}NO_6$	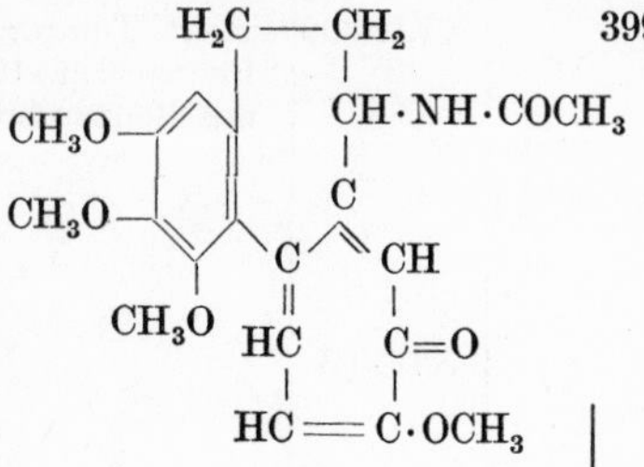	399,43	Nadeln (Essig-ester)
2106	**155**	Testosteron (Δ^4-Androsten-17β-ol-3-on)	$C_{19}H_{28}O_2$	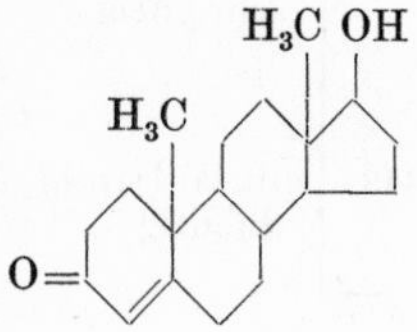	288,41	prismat. Nadeln (A)
2107	**155**	Veratridin (Veratroylcevin)	$C_{36}H_{51}NO_{11}$	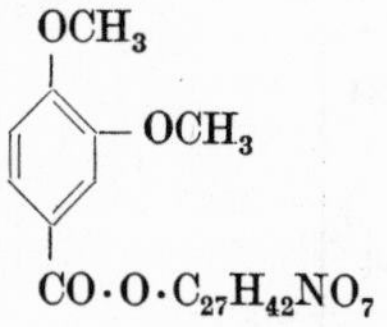	673,78	Krist.
2108	**155** bis **156**	1-Methyl-4-[3′-hydroxyphenyl]-piperidyl-4-äthylketon (Cliradon, Hoechst 10720, Ketobemidon)	$C_{15}H_{21}NO_2$	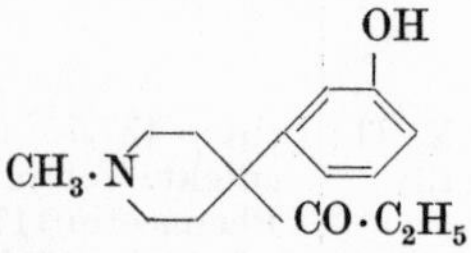	247,33	Nadeln
2109	**155** bis **156**	4-[α-Hydroxyisopropyl]-benzoesäure	$C_{10}H_{12}O_3$	$HO\cdot C(CH_3)_2\cdot C_6H_4\cdot COOH$	180,20	Prismen (W)
2110	**155** bis **156**	Salicylsäure (o-Hydroxybenzoesäure)	$C_7H_6O_3$	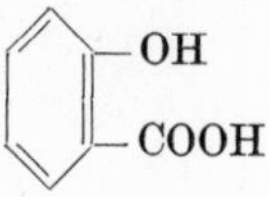	138,12	weiße Nadeln (W)
2111	**155** bis **157**	Ergocristin	$C_{35}H_{39}N_5O_5$	$C_{35}H_{39}N_5O_5$	609,70	

Lfd. Nr.	Spez. Gewicht	Siedepunkt °C	Beilsteinzitat	Physikalische Konstanten und Eigenschaften	Löslichkeit	Reaktionen
	8	9	10	11	12	13
05			E_1 XIV 520	$[\alpha]_D^{22}$ −122° (Chlf.); Geruch schwach aromatisch; Geschmack sehr bitter	ll. in W, A sll. in Ae l. in H_2SO_4	konz. H_2SO_4 + Spur HNO_3 → gelbgrün → grün → blaugrün → blau → violett → weinrot → gelb + konz. HNO_3 → violett → braunrot + W → gelb
06		subl. ab 130°		$[\alpha]_D^{20}$ +109° (A); geruch- u. geschmacklos	unl. in W l. in A ll. in Ae, Chlf., Aceton, Dioxan	Oxim *Fp* 222—223° Propionat *Fp* 118—122° Benzoat *Fp* 194—196° 1 mg Subst. + 1 ml H_2SO_4 → gelblich + 1 ml W → gelb → rotbraun mit intensiver grüner Fluorescenz
07				eutekt. Temp. mit Phenacetin 104°	unl. in W l. in A	+ konz. H_2SO_4 → grüngelb → rot
08						Hydrochlorid *Fp* 197,5—199° Hydrobromid *Fp* 194—196° Pikrat *Fp* 184—186°
09			X 272		wl. in W l. in Bzl. ll. in A, Ae	
10	1,443	75(Vak.) subl.	X 43	eutekt. Temp.: mit Phenacetin 91°, mit Acetanilid 78°, mit Benzanilid 120°; Geschmack süßlich-sauer und kratzend; geruchlos; subl. unterhalb des *Fp*; mit Dampf flüchtig	0,18 W 20° 1,32 W 70° 49,6 A 15° 50,5 Ae 15° ll. in Chlf.	bei 200° Z. + $FeCl_3$ → violettblau + Paraform-H_2SO_4 in der Wärme → violett + Millons Reagens beim Erwärmen → rot p-Nitrobenzylester *Fp* 96° Phenacylester *Fp* 110° p-Bromphenacylester *Fp* 140° Amid *Fp* 139° Anilid *Fp* 134°
11				$[\alpha]_D^{20}$ −183°	unl. in W, PAe l. in A, Ae	

Lfd. Nr.	*Fp*	Name	Summen-formel	Strukturformel	Mol.-Gewicht	Aggreg zustan Farb
1	2	3	4	5	6	7
2112	**156**	p-Aminobenzoesäure-β-diäthylaminoäthyl-esterhydrochlorid (Jenacain, Novocain, Procain)	$C_{13}H_{21}ClN_2O_2$	NH_2 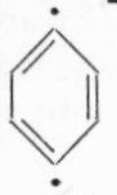 $CO \cdot O \cdot CH_2 \cdot CH_2 \cdot N(C_2H_5)_2$, HCl	272,77	Nadel (A)
2113	**156**	5-Isoamyl-5-äthyl-barbitursäure (Amytal)	$C_{11}H_{18}N_2O_3$	C_5H_{11}, C_2H_5 > C < $CO \cdot NH$, $CO \cdot NH$ > CO	226,27	Nadel (50%i Essig säure
2114	**156**	3,3′-Diaminoazobenzol	$C_{12}H_{12}N_4$	$H_2N \cdot C_6H_4 \cdot N:N \cdot C_6H_4 \cdot NH_2$	212,25	orange rote Krist (verd.
2115	**156**	Fluorenol	$C_{13}H_{10}O$	C_6H_4 | C_6H_4 > $CH \cdot OH$	182,21	Nadel (W)
2116	**156**	2-Nitrofluoren	$C_{13}H_9NO_2$	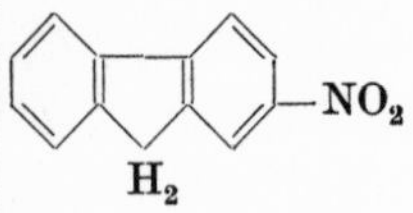	211,21	Krist
2117	**156**	Phenazon	$C_{12}H_8N_2$	C_6H_4——C_6H_4 (N:N)	180,20	grünge Nadel (verd.
2118	**156**	Phenoxazin	$C_{12}H_9NO$	C_6H_4 < NH, O > C_6H_4	183,20	Blättch (Bzl.
2119	**156**	Tetrazol	CH_2N_4	HC=N | N=N > NH	70,06	Blättch (A)
2120	**156**	o-Toluolsulfamid	$C_7H_9NO_2S$	$CH_3 \cdot C_6H_4 \cdot SO_2 \cdot NH_2$	171,22	Prism (A)
2121	**156**	Triphenylphosphinoxyd	$C_{18}H_{15}OP$	$(C_6H_5)_3P:O$	278,28	Prism + 1 H (Bzl. + PA
2122	**156** bis **157**	Camphan	$C_{10}H_{18}$	$H_2C—C(CH_3)—CH_2$ | $C(CH_3)_2$ | $H_2C—CH——CH_2$	138,24	Tafel (A)

Lfd. Nr.	Spez. Gewicht	Siedepunkt °C	Beilsteinzitat	Physikalische Konstanten und Eigenschaften	Löslichkeit	Reaktionen
	8	9	10	11	12	13
112			XIV 424	eutekt. Temp.: mit Phenacetin 114°, mit Acetanilid 94°, mit Benzanilid 129°; Geschmack schwach bitter; geruchlos; anästhesierend	1 W 12,5 A swl. in Ae, Chlf.	0,1 g Subst. in 5 ml W + 2 Tropfen verd. HCl + 2 Tropfen $NaNO_2$-Lsg. in alkal. β-Naphthol-Lsg. → scharlachroter Nd. 0,01 g Subst. in 1 ml Essigsäure unter Erwärmen lösen + 1 ml Furfurol-Essigsäure → rot 2 ml wss. Lsg. (1 + 99) + 3 Tropfen verd. H_2SO_4 u. 5 Tropfen $KMnO_4$-Lsg. → Entfärbung (Unterschied von Cocain) Pikrat *Fp* 148—152°
113			E_2 XXIV 286	eutekt. Temp.: mit Phenacetin 112°, mit Benzanilid 128°; geruchlos; bitterer Geschmack	wl. in W l. in A ll. in Ae	+ Kobaltnitrat in W-freiem Methanol + einige Tropfen Piperidin → blau Lsg. + Paraform-H_2SO_4 beim Erwärmen → orange
114			XVI 305		wl. in W l. in A, Bzl.	
115			VI 691		wl. in W l. in A, Ae ll. in Bzl.	an der Luft → Fluorenon Acetat *Fp* 75°
116			V 628		unl. in W l. in A, Bzl.	
117		>360	XXIII 222		swl. in W ll. in A, Ae, Chlf.	Pikrat *Fp* 194°
118		subl.	XXVII 62	in A u. Bzl. violette Fluorescenz	ll. in A, Ae	N-Acetylderivat *Fp* 142°
119		subl.	XXVI 346		ll. in W, A wl. in Ae	
120			XI 86		0,16 W 25° 3,6 A 5°	Oxydation in neutraler Lsg. → Saccharin
121	$1{,}212^{22°}$	>360	XVI 783		wl. in h. W ll. in A wl. in Ae	
122		~160°	V 93	kryoskop. Konst. 29,5; mit Dampf flüchtig; subl.	unl. in W l. in A ll. in Ae	

Lfd. Nr.	*Fp*	Name	Summen-formel	Strukturformel	Mol.-Gewicht	Aggregat-zustand Farbe
1	2	3	4	5	6	7
2123	**156 bis 157**	2-Nitro-3-aminobenzoesäure	$C_7H_6N_2O_4$	$H_2N \cdot C_6H_3(NO_2) \cdot COOH$	182,12	goldgelbe Nadeln (W od. A
2124	**156 bis 157** (Z.)	2-Hydroxynaphthoesäure-(1)	$C_{11}H_8O_3$	$HO \cdot C_{10}H_6 \cdot COOH$	188,17	Nadeln (verd. A)
2125	**156,5 bis 157,5**	p-Acetylaminothiolsalicylsäureäthylester	$C_{11}H_{13}NO_3S$	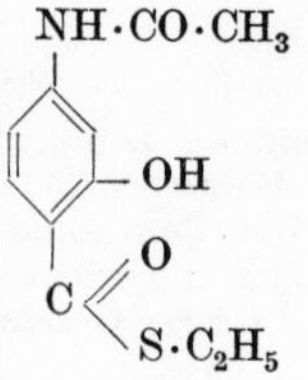	239,29	flache Nadeln (A)
2126	**157**	3-Amino-p-kresol (OH = 1)	C_7H_9NO	$CH_3 \cdot C_6H_3(OH) \cdot NH_2$	123,15	Krist. (W od. Ae
2127	**157** (Z.)	δ-Aminovaleriansäure	$C_5H_{11}NO_2$	$H_2N \cdot (CH_2)_4 \cdot COOH$	117,15	Blättchen
2128	**157**	α-Benzolhexachlorid	$C_6H_6Cl_6$	ClCH<(CHCl·CHCl)(CHCl·CHCl)>CHCl	290,85	Krist.
2129	**157**	Chinolincarbonsäure-(2) (Chinaldinsäure)	$C_{10}H_7NO_2$	$C_9H_6N \cdot COOH$	173,16	Nadeln $+ 2 H_2O$ (W)
2130	**157**	Kaliumformiat	$CHKO_2$	$H \cdot CO \cdot OK$	84,12	Säulen
2131	**157** (Z.)	4-Nitrophenylhydrazin	$C_6H_7N_3O_2$	$O_2N \cdot C_6H_4 \cdot NH \cdot NH_2$	153,14	orangerote Blättchen oder Nadeln (A)
2132	**157** (Z.)	2-Nitrophenylpropiolsäure	$C_9H_5NO_4$	$O_2N \cdot C_6H_4 \cdot C{:}C \cdot COOH$	191,14	Nadeln oder Blättchen (W)
2133	**157**	Succinamidsäure	$C_4H_7NO_3$	$HOOC \cdot CH_2 \cdot CH_2 \cdot CO \cdot NH_2$	117,10	Tafeln und Nadeln (W)

Lfd. Nr.	Spez. Gewicht	Siedepunkt °C	Beilsteinzitat	Physikalische Konstanten und Eigenschaften	Löslichkeit	Reaktionen
	8	9	10	11	12	13
123		Z.	XIV 414		wl. in W ll. in Ae	Acetylderivat *Fp* 240—241° (Z.)
124		Z.	X 328		swl. in W ll. in A, Ae, Bzl., Chlf.	beim Erhitzen → β-Naphthol + CO_2 Methylester *Fp* 80°; Subst. in alkohol. Lsg. + $FeCl_3$ → dunkelblau Methyläther *Fp* 176°, Prismen Acetat *Fp* 138°
125				geruch- u. geschmacklos	wl. in Ae ll. in A, Aceton, Dioxan	
126		subl.	XIII 598		wl. in k. W	Acetylderivat *Fp* 145° Benzoylderivat *Fp* 191°
127			IV 418		∞ in W swl. in A unl. in Ae	erhitzen Z. → Piperidon-(2) + H_2O
128	$1{,}87^{20°}$	218 (348mm)	V 23		unl. in W l. in A, Ae 4,38 Chlf. 15° 6,5 Bzl. 18°	+ alkohol. KOH → 1,2,4-Trichlorbenzol, etwas 1,2,3- und 1,3,5-Trichlorbenzol und KCl
129		Z.	XXII 71	eutekt. Temp.: mit Phenacetin 110°, mit Benzanilid 126°	wl. in k. W ll. in h. W, h. Bzl.	Amid *Fp* 133°, silberglänzende Nadeln + $FeSO_4$ → rotgelb Methylester *Fp* 78° Pikrat gelbe Nadeln
130	1,908		II 14		331 W 18° 657 W 90° l. in A unl. in Ae	
131			XV 468	eutekt. Temp.: mit Phenacetin 114°, mit Benzanilid 130°	l. in h. W ll. in h. A, Ae, Chlf.	Acetylderivat *Fp* 205° Benzoylderivat *Fp* 193°
132			IX 636		l. in k. W ll. in h. W swl. in Chlf.	durch H_2O Zers.
133		200 (Z.)	II 613		l. in W swl. in A unl. in Bzl.	erhitzen H_2O-Abspaltung

Lfd. Nr.	*Fp*	Name	Summen-formel	Strukturformel	Mol.-Ge-wicht	Aggrega zustand Farbe
1	2	3	4	5	6	7
2134	**157 bis 158**	4-Benzylbenzoesäure	$C_{14}H_{12}O_2$	$C_6H_5 \cdot CH_2 \cdot C_6H_4 \cdot COOH$	212,24	Nadeln (W)
2135	**157 bis 158**	Diphenylcarbazon	$C_{13}H_{12}N_4O$	$O{=}C\langle^{NH \cdot NH \cdot C_6H_5}_{N{=}N \cdot C_6H_5}$	240,26	orange-rote Nadeln
2136	**157 bis 159**	6-Amino-m-kresol (OH = 1)	C_7H_9NO	$CH_3 \cdot C_6H_3(OH) \cdot NH_2$	123,15	Nadeln (Bzl.)
2137	**158**	4-Aminopyridin	$C_5H_6N_2$	$C_5H_4N \cdot NH_2$	94,11	Nadeln (Bzl.)
2138	**158**	*l*-Camphoronsäure	$C_9H_{14}O_6$	$(CH_3)_2C \cdot C(CH_2)_2 \cdot CH_2$ (HOOC, COOH, COOH)	218,20	Nadeln (W)
2139	**158**	Chinuclidin	$C_7H_{13}N$	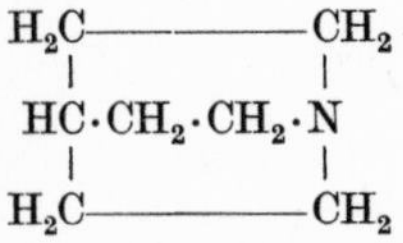	111,18	Krist.
2140	**158**	3-Chlorbenzoesäure	$C_7H_5ClO_2$	$Cl \cdot C_6H_4 \cdot COOH$	156,57	Prismen
2141	**158**	4,4′-Diaminodiphenyl-amin	$C_{12}H_{13}N_3$	$H_2N \cdot C_6H_4 \cdot NH \cdot C_6H_4 \cdot NH_2$	199,25	Blätter (W)
2142	**158**	4,4′-Dihydroxydi-phenylmethan	$C_{13}H_{12}O_2$	$CH_2(C_6H_4OH)_2$	200,23	Blättche oder Nadeln
2143	**158**	1-[3′,4′-Methylendioxy-benzyl]-3-methyl-6,7-methylendioxyiso-chinolinhydrochlorid (Eupaverinhydro-chlorid)	$C_{19}H_{16}ClNO_4$	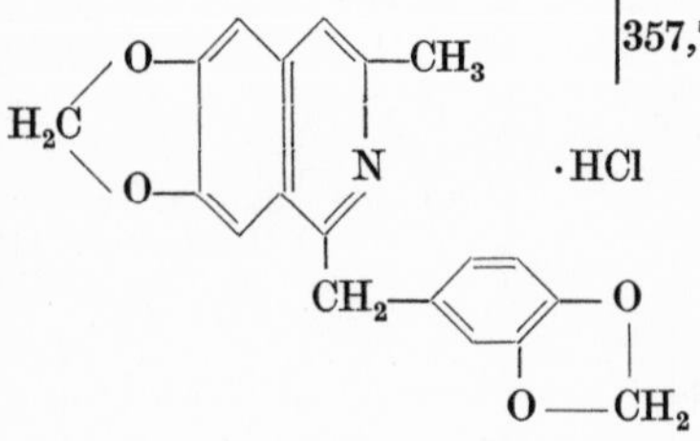	357,78	weiße filzige Nadeln

d. r.	Spez. Gewicht	Siedepunkt °C	Beilsteinzitat	Physikalische Konstanten und Eigenschaften	Löslichkeit	Reaktionen
	8	9	10	11	12	13
34		subl.	IX 677		wl. in k. W l. in A, Ae, Chlf.	
35			XVI 24		unl. in W wl. in A, Ae, Chlf. ll. in sd. Essigester	+ Hg-Lsgg. → blau Spuren von Hg-Salzen + Subst. in essigsaurer Lsg. + Na-Acetat → rotviolett
36			XIII 590		wl. in W ll. in A, Ae	
37			XXII 433		ll. in W, A wl. in Ae	
38		195 bis 210 (13 mm)	II 837	$[\alpha]_D^{19}$ −26,9° W	12,5 W 16° 75,8 A 16° 7,4 Ae 16° wl. in Chlf. unl. in Bzl.	
39			XX 144		ll. in W, A, Ae	Pikrat *Fp* 275—276°
40	$1,496^{25°}$	subl.	IX 337	mit Dampf flüchtig	0,04 W 0° ll. in h. W, A, Ae	+ $FeCl_3$ → dunkelgrün p-Nitrobenzylester *Fp* 107° Phenacylester *Fp* 116° p-Bromphenacylester *Fp* 117° Amid *Fp* 134° Anilid *Fp* 122°
41		Z.	XIII 110		swl. in W	
42			VI 995		l. in A ll. in Ae	
43				geschmacklos	wl. in W	1. + 1 ml konz. H_2SO_4 → grauviolett → grünblau → langsam zartgrün + Fe-H_3PO_4 → intensiv grün → langsam intensiv blau + Paraform → graugrün oder graublau + HNO_3-H_2SO_4 → braun → violettrot 2. + 10—20 mg Paraform + 1 ml. H_2SO_4 → intensiv blauviolett + Fe-H_3PO_4 → langsam intensiv blau + HNO_3-H_2SO_4 → graublau → grauviolett → langsam braun

Lfd. Nr.	*Fp*	Name	Summenformel	Strukturformel	Mol.-Gewicht	Aggreg. zustan. Farbe
1	2	3	4	5	6	7
2144	**158**	Phenylphosphonsäure	$C_6H_7O_3P$	$C_6H_5 \cdot P(O)(OH)_2$	158,14	Krist.
2145	**158**	2,4,6-Trijodphenol	$C_6H_3J_3O$	$J_3C_6H_2 \cdot OH$	471,81	Nadel (verd.
2146	**158 bis 159**	2-Aminozimtsäure	$C_9H_9NO_2$	$H_2N \cdot C_6H_4 \cdot CH:CH \cdot COOH$	163,17	gelbe Nadel
2147	**158 bis 159**	Nicotinsäurehydrazid	$C_6H_7N_3O$	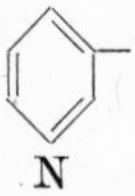 — $CO \cdot NH \cdot NH_2$	137,13	Nadel (verd.
2148	**158 bis 160**	Chininhydrochlorid	$C_{20}H_{25}ClN_2O_2 + 2H_2O$	vgl. Nr. 2367	396,90	Nadel
2149	**158,6** (Z.)	Nitroharnstoff	$CH_3N_3O_3$	$O_2N \cdot NH \cdot CO \cdot NH_2$	105,06	Krist. (Ae u. Bzl.)
2150	**159**	5-Allyl-5-phenylbarbitursäure (Alphenal)	$C_{13}H_{12}N_2O_3$	$(H_2C:CH \cdot CH_2)(C_6H_5)C<(CO \cdot NH)_2>C:O$	244,24	Nadel
2151	**159**	Acetyl-α-naphthylamin	$C_{12}H_{11}NO$	$C_{10}H_7 \cdot NH \cdot CO \cdot CH_3$	185,22	Krist. (A)
2152	**159**	*l*-Arabinose	$C_5H_{10}O_5$	$HO \cdot CH_2 \cdot CH(OH) \cdot CH(OH) \cdot CH(OH) \cdot CHO$ (OH OH H / H H OH)	150,13	Nadel
2153	**159**	2,4-Dinitrodiphenylamin	$C_{12}H_9N_3O_4$	$C_6H_5 \cdot NH \cdot C_6H_3(NO_2)_2$	259,22	gelbrot Nadel (A)
2154	**159**	d-Galakturonsäure	$C_6H_{10}O_7$	$OHC \cdot [CH(OH)]_4 \cdot COOH$	194,14	Nadel
2155	**159**	Maltol	$C_6H_6O_3$	$HC \cdot CO \cdot C \cdot OH$ ‖ ‖ $HC—O—C \cdot CH_3$	126,11	Krist. (Chlf.)
2156	**159**	Thianthren	$C_{12}H_8S_2$	$C_6H_4<(S)(S)>C_6H_4$	216,32	Prisme oder Tafeln (A)

Lfd. Nr.	Spez. Gewicht	Siedepunkt °C	Beilsteinzitat	Physikalische Konstanten und Eigenschaften	Löslichkeit	Reaktionen
	8	9	10	11	12	13
144	1,475	Z.	XVI 803		l. in W, A unl. in Bzl.	
145		Z.	VI 211	riecht unangenehm; anhaftend	unl. in W 2 in 95%ig. A l. in Ae	Chloracetylderivat *Fp* 224° (Z.)
146			XIV 517		wl. in k. W l. in h. W; A, Ae	Äthylester *Fp* 77—78° Acetylderivat *Fp* 251° Benzoylderivat *Fp* 193°
147			XXII 41		ll. in W, A	Dihydrochlorid *Fp* 227° + HCl, Kühlung auf 0° + $NaNO_2$-Lsg. → Nicotinsäureazid *Fp* 48°
148			XXIII 521	$[\alpha]_D^{15}$ —142,7° (W)	2,5 W 10° 0,1 Ae ll. in Chlf.	
149			III 125		wl. in k. W ll. in A, Ae	
150				eutekt. Temp.: mit Phenacetin 109°, mit Benzanilid 130°	wl. in W l. in A ll. in Ae	+ $Co(NO_3)_2$ in W-freiem Methanol + einige Tropfen Piperidin → blau + Paraform-H_2SO_4 → orange
151			XII 1230		l. in h. W 4,02 A 25° wl. in Ae	
152	1,60		I 860	$[\alpha]_D$ + 191 bis 105,5° (W) eutekt. Temp.: mit Phenacetin 112°, mit Benzanilid 152°	59,4 W 10° 0,42 in 90%ig. A 9° unl. in Ae	Phenylhydrazon *Fp* 152 bis 153°, Nädelchen p-Bromphenylhydrazon *Fp* 162°, Nädelchen Diphenylhydrazon *Fp* 204—205°, Nädelchen o-Nitrophenylhydrazon *Fp* 183°, orangerote Nadeln Osazon *Fp* 166°
153			XII 751		wl. in A 4 Aceton 22°	
154			E_1 III 306	$[\alpha]_D$ +53,4°		
155			XVII 444		ll. in h. W l. in A wl. in Ae l. in NaOH	+ $FeCl_3$ → rotviolett
156	1,706[18°]	353 (Z.)	XIX 45		unl. in W wl. in k. A ll. in Ae, Chlf., Bzl. l. in H_2SO_4 → violett	

Lfd. Nr.	*Fp*	Name	Summenformel	Strukturformel	Mol.-Gewicht	Aggrega zustand Farbe
1	2	3	4	5	6	7
2157	159 bis 160	Adermin (Pyridoxin, Vitamin B_6)	$C_8H_{11}NO_3$	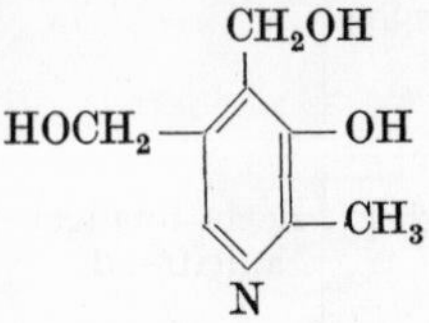	169,17	Krist.
2158	159 bis 160	cis-β-Bromzimtsäure	$C_9H_7BrO_2$	$C_6H_5 \cdot CBr{:}CH \cdot COOH$	227,06	Tafeln (A)
2159	159 bis 160	Pentabrombenzol	C_6HBr_5	C_6HBr_5	472,65	Nadeln (A, Eg.
2160	159 bis 161	5-Amino-o-kresol (OH = 1)	C_7H_9NO	$CH_3 \cdot C_6H_3(OH) \cdot NH_2$	123,15	Blättche oder Nadeln (W)
2161	159,4	5-Äthyl-5-allylbarbitursäure (Dormin)	$C_9H_{12}N_2O_3$	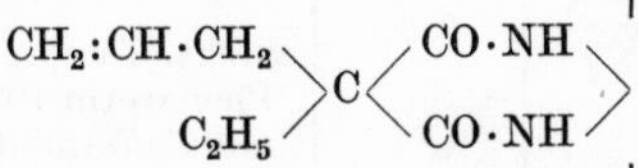 $\begin{matrix} CH_2{:}CH \cdot CH_2 \\ C_2H_5 \end{matrix} \rangle C \langle \begin{matrix} CO \cdot NH \\ CO \cdot NH \end{matrix} \rangle C{:}O$	196,20	Krist. (W ode verd. A)
2162	159,5	Äthylaminhydrobromid	C_2H_8BrN	$C_2H_5 \cdot NH_2 + HBr$	126,01	Krist.
2163	160	Antipyrinkakodylat	$C_{13}H_{19}AsN_2O_3$	$C_{11}H_{12}N_2O \cdot C_2H_7AsO_2$	326,21	weißes Krist.-Pulver
2164	160	p,p′-Azophenetol	$C_{16}H_{18}N_2O_2$	$N \cdot C_6H_4 \cdot O \cdot C_2H_5$ ‖ $N \cdot C_6H_4 \cdot O \cdot C_2H_5$	270,32	gelbe Blättche rote Krist.
2165	160	11-Desoxycorticosteronacetat (21-Hydroxyprogesteronacetat, Cortiron)	$C_{23}H_{32}O_4$	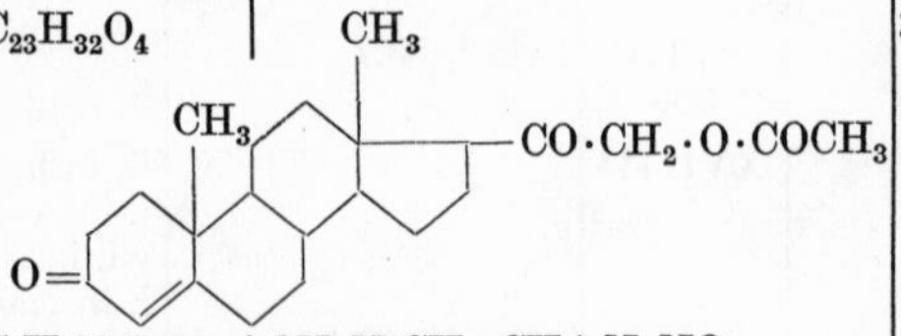	372,49	Nadeln (Aceton PAe)
2166	160	Dinitrosopiperazin	$C_4H_8N_4O_2$	$ON \cdot N(CH_2 \cdot CH_2)_2N \cdot NO$	144,14	hellgelb Blättche (W)
2167	160	d-Glucosephenylhydrazon (α-Form)	$C_{12}H_{18}N_2O_5$	$C_6H_{12}O_5{:}N \cdot NH \cdot C_6H_5$	270,28	Blättche

Lfd. Nr.	Spez. Gewicht	Siedepunkt °C	Beilsteinzitat	Physikalische Konstanten und Eigenschaften	Löslichkeit	Reaktionen
	8	9	10	11	12	13
157		subl.		opt. inaktiv	ll. in W wl. in Aceton	+ $FeCl_3$ → orangerot + Folin-Denis-Reagens → tiefblau Hydrochlorid *Fp* 205–206° Hydrobromid *Fp* 193°
158			IX 598		wl. in h. W, k. A 0,86 Bzl. 14°	
159			V 215		unl. in W wl. in A, Ae l. in Chlf., Bzl.	
160		subl.	XIII 574		wl. in k. W l. in h. W ll. in A, Ae	Benzoylderivat *Fp* 194°
161			E_2 XXIV 290	eutekt. Temp.: mit Phenacetin 115°, mit Benzanilid 134°; geruchlos; bitterer Geschmack	wl. in W l. in A ll. in Ae	+ $Cd(NO_3)_2$ in wasserfreiem Methanol + einige Tropfen Piperidin → blau Lsg. + Paraform-H_2SO_4 beim Erwärmen → orange
162			IV 91		ll. in W, A 0,11 Chlf. 14°	
163				schwach bitter; widerlicher Geruch; Flammenfärbung: fahlblau		
164			XVI 112		l. in h. A ll. in Ae	
165				eutekt. Temp.: mit Phenacetin 111°, mit Benzanilid 115°	ll. in A, Aceton, Bzl., Dioxan swl. in W, PAe	
166			XXIII 14	eutekt. Temp.: mit Phenacetin 117°, mit Benzanilid 127°	l. in W ll. in A	
167			XV 221		ll. in W swl. in A, Ae	

Lfd. Nr.	*Fp*	Name	Summen-formel	Strukturformel	Mol.-Gewicht	Aggregatzustand Farbe
1	2	3	4	5	6	7
2168	**160**	[6,7-Dihydroxycumarin]-[β-d-glucopyranosid]-(6) (Aesculin, Polychrom, Aesculinsäure)	$C_{15}H_{16}O_9$ $+ 1^1/_2 H_2O$	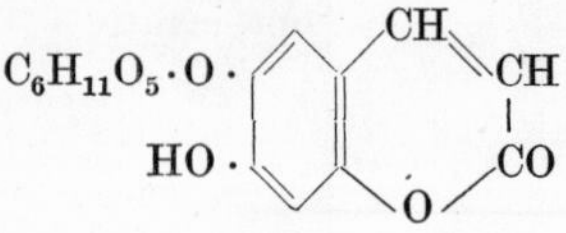	340,28	weiße bis schwach hellgelbe Krist.
2169	**160**	Jodantipyrin (Jodopyrin)	$C_{11}H_{11}JN_2O$	JC ═══ C·CH_3 | | OC·N(C_6H_5)N·CH_3	314,13	weiße Krist.
2170	**160**	Phenylarsonsäure	$C_6H_7AsO_3$	$C_6H_5 \cdot AsO(OH)_2$	202,02	Säulen (W)
2171	**160** (Z.)	Tannin (Gallusgerbsäure)				gelbliche Krist.
2172	**160** bis **161**	dl-Brombernsteinsäure	$C_4H_5BrO_4$	$HOOC \cdot CH_2 \cdot CHBr \cdot COOH$	197,00	Krist.
2173	**160** bis **161**	2,3-Dihydroxynaphthalin	$C_{10}H_8O_2$	$C_{10}H_6(OH)_2$	160,16	Blättchen (W)
2174	**160** bis **161**	Methanarsonsäure (Methylarsinsäure)	CH_5AsO_3	$CH_3 \cdot As \cdot O(OH)_2$	139,96	Tafeln (A)
2175	**160** bis **161**	Naphthylendiamin-(2,7)	$C_{10}H_{10}N_2$	$H_2N \cdot C_{10}H_6 \cdot NH_2$	158,20	Blättchen (W)
2176	**160** bis **161**	Teraconsäure	$C_7H_{10}O_4$	$(CH_3)_2C:C(COOH) \cdot CH_2 \cdot COOH$	158,15	Krist. (Ae)
2177	**160,5**	6-Acetoxyveratrumsäure	$C_{11}H_{12}O_6$	$(CH_3O)_2C_6H_2(O \cdot COCH_3) \cdot COOH$	240,20	Krist. (Aceton + Bzl.)
2178	**160,5**	Dinaphthyl-(1,1′)	$C_{20}H_{14}$	$C_{10}H_7 \cdot C_{10}H_7$	254,31	Blättchen (A)

fd. Nr.	Spez. Gewicht	Siedepunkt °C	Beilsteinzitat	Physikalische Konstanten und Eigenschaften	Löslichkeit	Reaktionen
	8	9	10	11	12	13
168			XXXI 246	geruchlos, schwach bitter; eutekt. Temp.: mit Phenacetin 123°, mit Benzanilid 140°	wl. in k. W, k. A ll. in h. W, h. A	wss. Lsg. fluoresziert blau; Lauge verstärkt Fluoreszenz → leicht gelbfarbig + $Fe(NO_3)_3$ → schwach blaugrün Lsg. in konz. H_2SO_4 → schwach blau fluoreszierend + α-Naphthol gelinde erwärmen → intensiv violettrot
169			XXIV 34	eutekt. Temp.: mit Phenacetin 107°, mit Benzanilid 115°	swl. in W	+ 2n H_2SO_4 + Zinkstaub beim Kochen → Joddämpfe Filtrat + $AgNO_3$ → gelbes Ag, die darüberstehende Flüssigkeit + 1 Tropfen Nitrit-Lsg. → grün
170	1,76		XVI 868		3,25 W 28° 24 W 84° 15,5 in 95%ig. A 26° 55,4 in 95%ig. A 68°	Erhitzen → Anhydrid
171				geruchlos; Geschmack herb zusammenziehend	ll. in W wl. in A unl. in Ae	wss. Lsg. + Lauge + Luftzutritt → kirschrot, dann braunrot Lsg. mit Na_2CO_3 und Luft geschüttelt → grünstichig gelb, dann braun + $FeCl_3$ → blauschwarz + H_2SO_4 → gelbbrauner Nd.
172	2,073		II 621			Bis-p-nitrobenzylester *Fp* 147°
173			VI 982		wl. in W ll. in A, Ae	Diacetat *Fp* 105° Dibenzoat *Fp* 152°
174			IV 613	starke Säure	ll. in W l. in A	
175			XIII 208			Diacetylderivat *Fp* 261° Dibenzoylderivat *Fp* 267°
176		Z.	II 786		l. in W, Ae ll. in h. A wl. in Bzl.	
177						
178		>360 (244° bei 12 mm	V 725		unl. in W wl. in k. A l. in h. A ll. in Ae	Pikrat *Fp* 145°

Lfd. Nr.	*Fp*	Name	Summen-formel	Strukturformel	Mol.-Gewicht	Aggrega zustan Farbe
1	2	3	4	5	6	7
2179	**160,5 bis 161**	N-Benzoylguanidin	$C_8H_9N_3O$	$H_2N \cdot C(=NH) \cdot NH \cdot CO \cdot C_6H_5$	163,18	Krist. (A)
2180	**161**	Benzanilid	$C_{13}H_{11}NO$	$C_6H_5 \cdot CO \cdot NH \cdot C_6H_5$	197,23	Blättche (A)
2181	**161**	trans-Cyclopentan-dicarbonsäure-(1,2)	$C_7H_{10}O_4$	$H_2C<(CH_2 \cdot CH \cdot COOH)(CH_2 \cdot CH \cdot COOH)$	158,15	Krist. (W)
2182	**161**	Dibenzhydroxam-säure	$C_{14}H_{11}NO_3$	$C_6H_5 \cdot CO \cdot NH \cdot O \cdot CO \cdot C_6H_5$	241,24	Nadeln
2183	**161**	3,5-Dinitroanilin	$C_6H_5N_3O_4$	$(NO_2)_2C_6H_3 \cdot NH_2$	183,12	gelbe Nadeln (W)
2184	**161**	α-Naphthoesäure	$C_{11}H_8O_2$	$C_{10}H_7 \cdot COOH$	172,17	Nadeln (verd. A
2185	**161** (Z.)	3-Hydroxyphthalsäure	$C_8H_6O_5$	$HO \cdot C_6H_3(COOH)_2$	182,13	Nadeln (W)
2186	**161**	Tyramin (β-[p-Hydroxyphenyl]-äthylamin)	$C_8H_{11}NO$	$(^4)HO \cdot C_6H_4 \cdot CH_2 \cdot CH_2 \cdot NH_2$	137,18	Blättche oder Nadeln (Bzl.)
2187	**161 bis 162**	cis-Cyclohexandicarbon-säure-(1,4)	$C_8H_{12}O_4$	$HOOC \cdot HC<(CH_2 \cdot CH_2)(CH_2 \cdot CH_2)>CH \cdot COOH$	172,18	Blättche (W)
2188	**161 bis 162**	Diphenylcarbon-säure-(3)	$C_{13}H_{10}O_2$	$C_6H_5 \cdot C_6H_4 \cdot COOH$	198,21	Blättche (A)
2189	**161 bis 162**	Itaconsäure (Methylenbernstein-säure)	$C_5H_6O_4$	$CH_2{:}C(COOH) \cdot CH_2 \cdot COOH$	130,10	rhom-bische Krist.
2190	**161,6**	Chinasäure	$C_7H_{12}O_6$	$HO \cdot HC—CH_2—C(OH) \cdot COOH$ / $HO \cdot HC \cdot CH(OH) \cdot CH_2$ (ringförmig verbunden)	192,17	Prismen (W)
2191	**162**	4-Aminoacetanilid	$C_8H_{10}N_2O$	$H_2N \cdot C_6H_4 \cdot NH \cdot CO \cdot CH_3$	150,18	Nadeln (W)
2192	**162**	N-tert.-Amyl-harnstoff	$C_6H_{14}N_2O$	$CH_3 \cdot CH_2 \cdot C(CH_3)_2 \cdot NH \cdot CO \cdot NH_2$	130,19	Prismen
2193	**162**	2-Benzhydrylbenzoe-säure	$C_{20}H_{16}O_2$	$(C_6H_5)_2CH \cdot C_6H_4 \cdot COOH$	288,33	Nadeln (A)

Lfd. Nr.	Spez. Gewicht	Siedepunkt °C	Beilsteinzitat	Physikalische Konstanten und Eigenschaften	Löslichkeit	Reaktionen
	8	9	10	11	12	13
2179			E_1 IX 106			Hydrochlorid *Fp* 207°
2180	1,321	118 (10 mm)	XII 262	kryoskop. Konst. 9,65; eutekt. Temp. mit Phenacetin 114°	unl. in W 4 A 30°	+ H_2SO_4 und $K_2Cr_2O_7$ → violett
2181			IX 728		l. in W ll. in A wl. in Ae	
2182		Z.	IX 303		swl. in W wl. in k. A swl. in Ae	
2183			XII 759		ll. in A, Ae	
2184			IX 647		swl. in k. W ll. in h. A	p-Bromphenacylester *Fp* 135° Amid *Fp* 205° Hydrazid *Fp* 166° Anilid *Fp* 163°
2185			X 498		ll. in W, A, Ae l. in Bzl.	erhitzen → Anhydrid + $FeCl_3$ in W → kirschrot
2186		210 (55 mm)	XIII 625	riecht süßlich; schmeckt bitter	1,05 W 15° 10 sd. A	
2187			IX 733		sll. in h. W ll. in A, Ae, Chlf.	
2188			IX 671		wl. in W ll. in A, Ae, Bzl., Eg.	
2189	1,537	subl.	II 760		8,3 W 20° l. in A wl. in Ae	erhitzen → Citraconsäureanhydrid Diamid *Fp* 192° Phenacylester *Fp* 79,5° p-Bromphenacylester *Fp* 117° p-Nitrobenzylester *Fp* 91°
2190	1,637	200 (Z.)	X 535	$[\alpha]_D$ −44° (W); eutekt. Temp.: mit Phenacetin 131°, mit Benzanilid 159°	40 W 9° l. in Eg.	erhitzen → H_2O-Abspaltung + Fe-H_2SO_4 beim Erwärmen im sd. W-Bad → grün → blau
2191			XIII 94	eutekt. Temp.: mit Phenacetin 119°, mit Benzanilid 134°	6,95 W 57° ll. in A, Ae	Acetylderivat *Fp* 304°
2192			IV 179	eutekt. Temp.: mit Phenacetin 114°, mit Benzanilid 132°	l. in W, A	
2193		subl.	IX 714		unl. in W l. in A, Ae	

Lfd. Nr.	*Fp*	Name	Summenformel	Strukturformel	Mol.-Gewicht	Aggregatzustand Farbe
1	2	3	4	5	6	7
2194	**162**	3-Benzoylbenzoesäure	$C_{14}H_{10}O_3$	$C_6H_5 \cdot CO \cdot C_6H_4 \cdot COOH$	226,24	Nadeln (W) Blättchen (verd. A)
2195	**162**	1-Chloranthrachinon	$C_{14}H_7ClO_2$	$C_6H_4 \langle (CO)(CO) \rangle C_6H_3Cl$	242,65	gelbe Nadeln (A)
2196	**162**	o,p′-Diphenol	$C_{12}H_{10}O_2$	$HO \cdot C_6H_4 \cdot C_6H_4 \cdot OH$	186,20	Nadeln
2197	**162**	Isophthalonitril	$C_8H_4N_2$	$C_6H_4(CN)_2$	128,14	Nadeln (Essigester + PAe)
2198	**162**	2-Jodbenzoesäure	$C_7H_5JO_2$	$J \cdot C_6H_4 \cdot COOH$	248,02	Nadeln (W)
2199	**162**	Phenolblau	$C_{14}H_{14}N_2O$	$(CH_3)_2N \cdot C_6H_4 \cdot N : C_6H_4 : O$	226,27	blaue Nadeln (A)
2200	**162**	Pyroxanthin [1,3-Difurfuryliden-cyclopentanon-(2)]	$C_{15}H_{12}O_3$	H_2C—CH_2 $C_4H_3O \cdot CH : C \cdot CO \cdot C : CH \cdot C_4H_3O$	240,25	gelbe Nadeln (A)
2201	**162** bis **163**	Alloxansäure	$C_4H_4N_2O_5$	$OC \langle (NH \cdot C(OH) \cdot COOH)(NH \cdot CO) \rangle$	160,09	Prismen (Ae)
2202	**162** bis **163**	sek.-Amyl-*β*-bromallyl-barbitursäure (Rectidon)	$C_{12}H_{17}BrN_2O_3$	$CH_3 \cdot CH_2 \cdot CH_2 \cdot CH(CH_3)$ und $H_2C : C(Br) \cdot CH_2$ an $C \langle (CO-NH)(CO-NH) \rangle CO$	317,19	weiße Krist.
2203	**162** bis **163**	cis-Cyclohexan-1,3-dicarbonsäure	$C_8H_{12}O_4$	$H_2C \langle (CH_2 \cdot CH(COOH))(CH_2 \cdot CH(COOH)) \rangle CH_2$	172,18	Nadeln

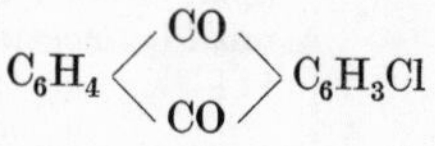

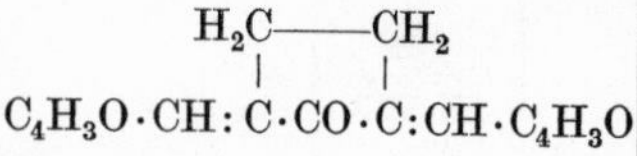

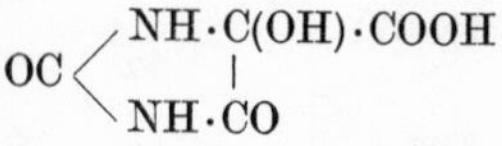

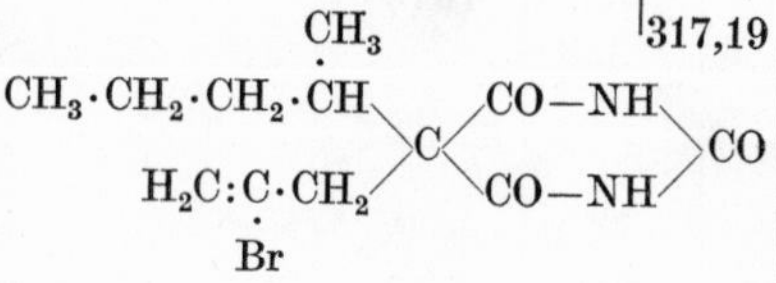

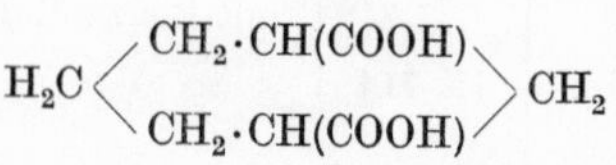

fd. Nr.	Spez. Gewicht	Siede-punkt °C	Beilstein-zitat	Physikalische Konstanten und Eigenschaften	Löslichkeit	Reaktionen
	8	9	10	11	12	13
94		subl.	X 752		swl. in k. W ll. in A, Ae	Methylester *Fp* 62°
95			VII 787		wl. in A ll. in Bzl., Eg.	
96		342	VI 990		wl. in sd. W ll. in A, Ae	Diacetat *Fp* 94°
97		subl.	IX 836		l. in W ll. in h. A, Ae, Chlf.	
98	$2{,}249^{200°}$		IX 363		swl. in k. W ll. in A, Ae	Amid *Fp* 184° Anilid *Fp* 142° p-Nitrobenzylester *Fp* 111° Phenacylester *Fp* 116° p-Bromphenacylester *Fp* 110°
99			XIII 88		wl. in k. W, k. A	
)00			XIX140		unl. in W swl. in k. A ll. in sd. A zwl. in Ae	+ konz. H_2SO_4 → blau + konz. HCl → rot
)01			III 772		ll. in W 20 A 0,4 sd. Ae	Zers. durch sd. W
)02				bitterer Geschmack	swl. in W l. in Lauge	1 mg Subst. + 10 mg α-Naphthol in 1 ml H_2SO_4 erwärmen in sd. W-Bad → braun; bei vorsichtigem Erhitzen auf freier Flamme → tiefbraun mit intensiv grüner Fluoreszenz, bei weiterem Erhitzen → olivgrün + 10 mg Paraform + 1 ml H_2SO_4 + Fe-H_3PO_4 warm → intensiv orange, grün fluoreszierend
)03			IX 732		ll. in h. W, A l. in Ae wl. in Ligroin	

Lfd. Nr.	*Fp*	Name	Summen-formel	Strukturformel	Mol.-Ge-wicht	Aggrega zustan Farbe
1	2	3	4	5	6	7
2204	**162 bis 163**	Ergometrin	$C_{19}H_{23}N_3O_2$	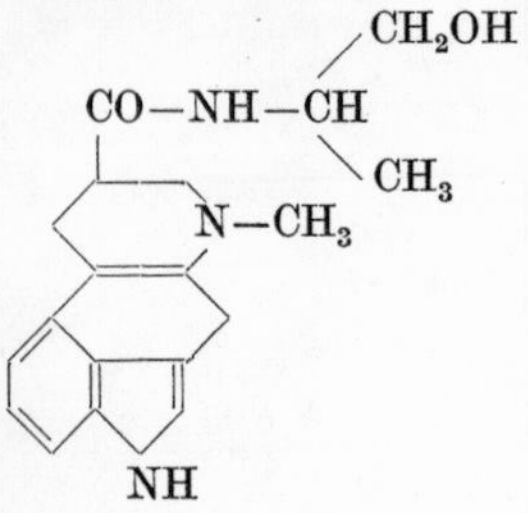	325,40	
2205	**162 bis 164**	2-Nitrosonaphthol-(1)	$C_{10}H_7NO_2$	$HO \cdot C_{10}H_6 \cdot NO$	173,16	gelbe Nadel (W)
2206	**162,5**	Triphenylcarbinol	$C_{19}H_{16}O$	$(C_6H_5)_3C \cdot OH$	260,32	Tafeln (A)
2207	**163**	Acetaldehydsemicarba-zon	$C_3H_7N_3O$	$CH_3 \cdot CH{:}N \cdot NH \cdot CO \cdot NH_2$	101,11	Nadel (W od.
2208	**163**	Arecolinhydrochlorid	$C_8H_{14}ClNO_2$	$H_2C—CH{=}C \cdot CO \cdot OCH_3$ / $H_2C—N—CH_2 \cdot HCl$ / CH_3 (ring)	191,66	Prisme
2209	**163**	d-Bornylamin	$C_{10}H_{19}N$	$H_2C \cdot C(CH_3)—CH \cdot NH_2$ / $C(CH_3)_2$ / $H_2C—CH——CH_2$ (ring)	153,26	Krist.
2210	**163**	2,4-Dimethylphloro-glucin	$C_8H_{10}O_3$	$(CH_3)_2C_6H(OH)_3$	154,16	Prisme (Chlf.)
2211	**163**	2,5-Dimethylresorcin	$C_8H_{10}O_2$	$(CH_3)_2C_6H_2(OH)_2$	138,16	Säulen (W) Nadeln (Bzl.)
2212	**163**	Ergosterin (Provitamin D_2)	$C_{28}H_{44}O$	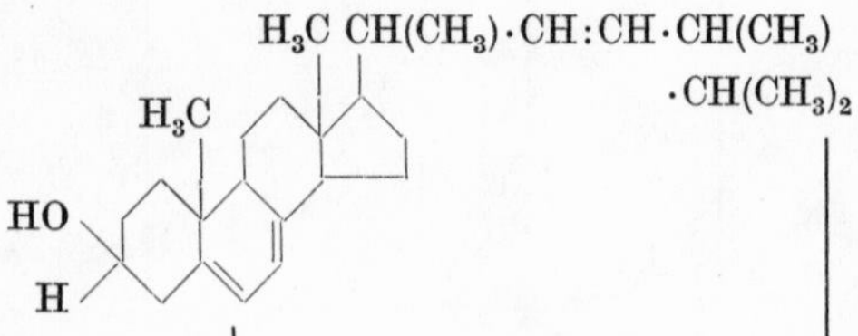	396,63	Krist.-Nadeln (Ae) oder silber-glänzend Blättche (A)

Lfd. Nr.	Spez. Gewicht	Siedepunkt °C	Beilsteinzitat	Physikalische Konstanten und Eigenschaften	Löslichkeit	Reaktionen
	8	9	10	11	12	13
204				$[\alpha]_D^{20}$ —16° (Chlf.)	l. in W, A, Ae unl. in PAe	
205			VII 715		swl. in k. W ll. in A, Ae	+ H_2SO_4 → rot
206	1,188	380	VI 713	eutekt. Temp.: mit Phenacetin 117°, mit Benzanilid 133°	unl. in W ll. in A, Ae, Bzl.	+ H_2SO_4 → gelb
207			III 101		3 W 17°	
208			XXII 15	eutekt. Temp.: mit Phenacetin 100°, mit Benzanilid 116°; geruchlos; salziger Geschmack	ll. in W, A l. in Ae	
209		subl.	XII 45	$[\alpha]_D$ +47,2 (A)	unl. in W ll. in A, Ae	
210			VI 1116		l. in W, A ll. in Ae	
211		277 bis 280	VI 918		ll. in h. W, A, Ae	
212				$[\alpha]_D^{20}$ —132° (1—2% in Chlf.); färbt sich an der Luft gelb	unl. in W l. in A, Ae, Chlf.	Acetat *Fp* 181° Benzoat *Fp* 169—171° p-Nitrobenzoat *Fp* 182° Subst. in Chlf. gelöst + H_2SO_4 unterschichten Säureschicht tiefschmutzigrot, Chlf. farblos + $SbCl_3$ in Chlf. → rot Subst. in Chlf. (10 ml) + 5 ml Olivenöl, + 1 ml Eg. + 2,5 ml 10%ige Bromlösung in Chlf. Nach Umschütteln → grün nach 10 Min. Empfindlichkeit 0,5—1 mg

Lfd. Nr.	Fp	Name	Summen-formel	Strukturformel	Mol.-Ge-wicht	Aggrega zustan Farbe
1	2	3	4	5	6	7
2213	**163**	Hydrocarbostyril	C_9H_9NO	$C_6H_4\big\langle\begin{smallmatrix}CH_2\cdot CH_2\\|\\NH\cdot CO\end{smallmatrix}$	147,17	Prisme (A ode Ae)
2214	**163**	Methylatropinium-nitrat (Eumydrin)	$C_{18}H_{26}N_2O_6$	$CH_2-CH-\!\!-\!\!-CH_2$ $N\langle\begin{smallmatrix}CH_3\\CH_3\\NO_3\end{smallmatrix}\ \ CH-O-CO-CH-C_6H_5$ CH_2OH $CH_2-CH-\!\!-\!\!-CH_2$	366,40	weiße Krist.
2215	**163**	4-Nitrodimethylanilin	$C_8H_{10}N_2O_2$	$O_2N\cdot C_6H_4\cdot N(CH_3)_2$	166,18	gelbe Nadeln (A)
2216	**163**	Rotenon (Tubain, Tubatoxin)	$C_{23}H_{22}O_6$		394,40	Krist. (A)
2217	**163**	2,3,5-Trichlorbenzoe-säure	$C_7H_3Cl_3O_2$	$Cl_3C_6H_2\cdot COOH$	225,47	Nadeln (W)
2218	**163**	2,4,5-Trichlorbenzoe-säure	$C_7H_3Cl_3O_2$	$Cl_3C_6H_2\cdot COOH$	225,47	Nadeln (W)
2219	**163** bis **164**	Ammoniumsalz des Phenylnitrosohydro-xylamins (Cupferron)	$C_6H_9N_3O_2$	$C_6H_5\cdot N\big\langle\begin{smallmatrix}NO\\ONH_4\end{smallmatrix}$	155,16	silber-weiße Nädelche (A)
2220	**163** bis **164**	Abietinsäure	$C_{20}H_{30}O_2$		302,44	gelb, amorph
2221	**163** bis **165**	p-Carboxybenzolsulfon-säuredi-n-butylamid (Butacid, Longacid)	$C_{15}H_{23}NO_4S$	$HOOC\cdot\!\!\!\bigcirc\!\!\!-SO_2\cdot N\langle\begin{smallmatrix}C_4H_9\\C_4H_9\end{smallmatrix}$	313,40	weiße glänzende Blättche
2222	**163** bis **165**	2-Hydroxy-m-toluyl-säure	$C_8H_8O_3$	$HO\cdot C_6H_3(CH_3)\cdot COOH$	152,14	Nadeln (W)
2223	**163** bis **165** (Z.)	Alliin	$C_6H_{11}NO_3S$ $\cdot\frac{1}{2}H_2O$	$H_2C\!:\!CH\cdot CH_2\cdot\underset{O}{\overset{\|}{S}}\cdot CH_2\cdot\underset{NH_2}{\overset{\|}{CH}}\cdot COOH$	177,22	zu Büscheln vereinigte Nadeln

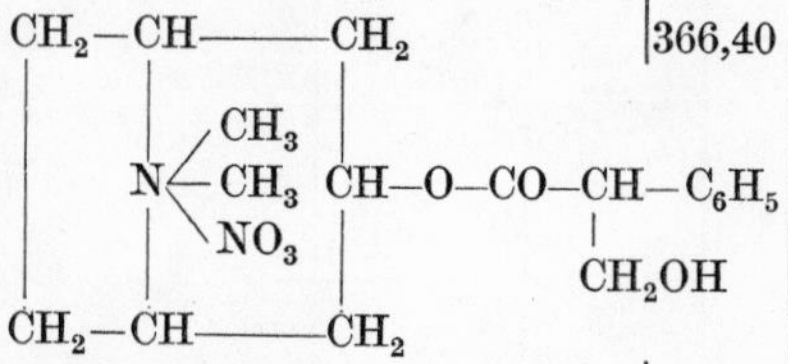

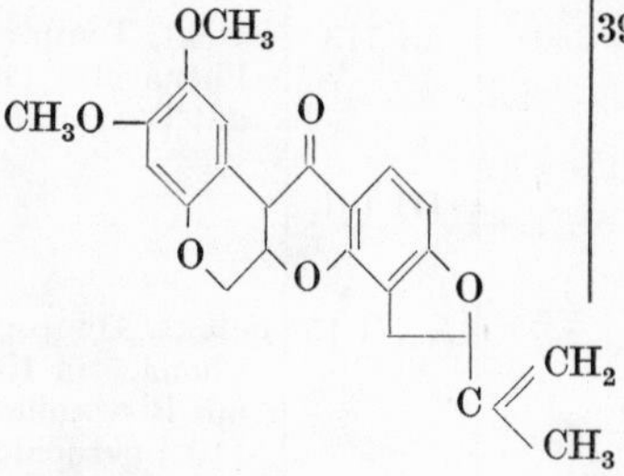

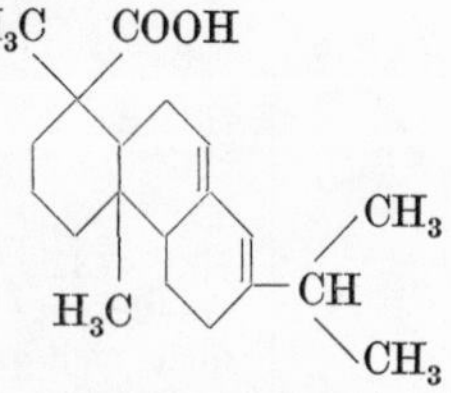

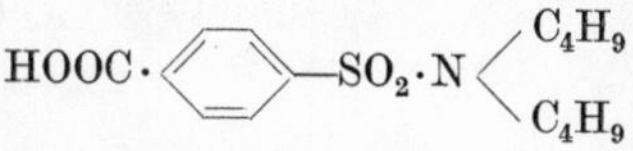

Lfd. Nr.	Spez. Gewicht	Siedepunkt °C	Beilsteinzitat	Physikalische Konstanten und Eigenschaften	Löslichkeit	Reaktionen
8		9	10	11	12	13
213			XXI 288		swl. in W, sd. NaOH ll. in A, Ae	
214				geruchlos; bitterer Geschmack	ll. in W, A swl. in Ae, Aceton, Chlf.	wss. Lsg. → öliges Perjodid alkohol. HgJ_2-Lsg. → gelblicher, käsiger Nd., bei Erhitzen gelöst, bei Erkalten → Nd.
215			XII 714		unl. in W l. in h. A	Pikrat *Fp* 103° 1,3,5-Trinitrobenzolat *Fp* 112°
216		Z.	E_2 XIX 438	$[\alpha]_D^{20}$ −233° (Bzl.)	unl. in W wl. in A, Ae ll. in Chlf., Bzl.	+ $NaNO_2$ + H_2SO_4 → violett essigsaure Lsg. + rauchende HNO_3 → rot → dunkelrot + W → zitronengelb → gelbbraun + NH_3 → grün
217			IX 345		wl. in k. W ll. in A, Ae	
218		subl.	IX 345		unl. in k. W ll. in A	
219		Z.	XVI 669		ll. in W, Methanol, NH_4OH	zersetzt sich unter Bildung von Nitrosobenzol Reagens auf Cu und Fe
220					unl. in W ll. in A, Ae l. in Eg., Bzl.	
221				geruchlos; bitterer Geschmack	unl. in W	
222			X 187		wl. in k. W ll. in A, Ae	+ KOH + PbO_2 → 2-Hydroxyisophthalsäure Äthylester Kp. 242°
223				opt. inaktiv; geruchlos	sll. in W	

Lfd. Nr.	*Fp*	Name	Summenformel	Strukturformel	Mol.-Gewicht	Aggregatzustand Farbe
1	2	3	4	5	6	7
2224	**164**	Aconsäure	$C_5H_4O_4$	H_2C——$C\cdot COOH$ $\vert$ $\Vert$ $OC\cdot O\cdot CH$	128,08	Blättchen (Ae)
2225	**164**	2,4-Dichlorbenzoesäure	$C_7H_4Cl_2O_2$	$Cl_2C_6H_3\cdot COOH$	191,02	Nadeln (W oder Bzl.)
2226	**164**	4-Nitronaphthol-(1)	$C_{10}H_7NO_3$	$O_2N\cdot C_{10}H_6\cdot OH$	189,16	Nadeln (W)
2227	**164**	2,4,6-Trichlorbenzoesäure	$C_7H_3Cl_3O_2$	$Cl_3C_6H_2\cdot COOH$	225,47	Krist. (W)
2228	**164 bis 165**	γ-Benzildioxim	$C_{14}H_{12}N_2O_2$	$C_6H_5\cdot C-C\cdot C_6H_5$ $\Vert$ $\Vert$ HON NOH	240,25	Nadeln (A)
2229	**164 bis 165**	Thiosalicylsäure	$C_7H_6O_2S$	$HS\cdot C_6H_4\cdot COOH$	154,18	gelbe Nadeln oder Tafeln (A)
2230	**164 bis 165**	2,2'-Dinaphthylketon	$C_{21}H_{14}O$	$C_{10}H_7\cdot CO\cdot C_{10}H_7$	282,32	Krist.
2231	**165**	Acetylsemicarbazid	$C_3H_7N_3O_2$	$CH_3\cdot CO\cdot NH\cdot NH\cdot CO\cdot NH_2$	117,11	Krist.
2232	**165**	Acetylthioharnstoff	$C_3H_6N_2OS$	$CH_3\cdot CO\cdot NH\cdot CS\cdot NH_2$	118,15	Prismen (W)
2233	**165**	Isophthalaldehydsäure (3-Aldehydobenzoesäure)	$C_8H_6O_3$	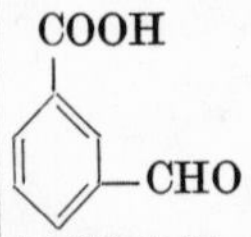	150,13	Nädelchen
2234	**165**	3,4-Dinitrobenzoesäure	$C_7H_4N_2O_6$	$(O_2N)_2C_6H_3\cdot COOH$	212,12	Nadeln
2235	**165**	N,N'-Di-o-tolylthioharnstoff	$C_{15}H_{16}N_2S$	$(CH_3\cdot C_6H_4\cdot NH)_2CS$	256,36	Nadeln (A)
2236	**165**	p-Aminophenylsulfonamid (Prontosil album, Sulfanilamid, Prontalbin, Diseptyl)	$C_6H_8N_2O_2S$	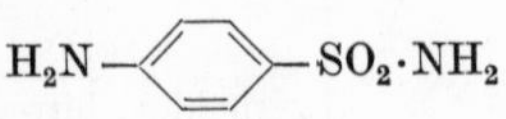	172,20	weiße Krist.
2237	**165**	Furil	$C_{10}H_6O_4$	HC — CH HC — CH $\Vert$ $\Vert$ $\Vert$ $\Vert$ $HC\cdot O\cdot C\cdot CO-OC\cdot C\cdot O\cdot CH$	190,15	gelbe Nadeln

d. r.	Spez. Gewicht	Siede-punkt °C	Beilstein-zitat	Physikalische Konstanten und Eigenschaften	Löslichkeit	Reaktionen
	8	9	10	11	12	13
24			XVIII 395		18 W 15° l. in A, Ae	
25		subl.	IX 342		ll. in sd. W, A, Ae	
26			VI 615	mit Dampf nicht flüchtig	l. in sd. W ll. in A, Eg.	
27			IX 345		ll. in A, Ae, Chlf.	
28			VII 763		unl. in W, Lg. sll. in A, Ae l. in konz. NaOH	bei *Fp* → β-Dioxim
29		subl.	X 125	oxydiert an der Luft	wl. in h. W ll. in A, Eg.	
30			VII 539		unl. in W l. in A	
31			III 115		ll. in W, A unl. in Ae	
32			III 191		ll. in W, A	
33			X 671		unl. in W l. in A	+ Cu-Salz → grünblaue Nadeln
34	1,674	subl.	IX 413		0,67 W 25° ll. in A, Ae	
35		216 bis 218	XII 807	mit Dampf flüchtig	unl. in W ll. in h. A unl. in Ae	
36				eutekt. Temp.: mit Phenacetin 118°, mit Benzanilid 143°; geruchlos; schwach bitterer Geschmack	swl. in k. W l. in Lauge, Säuren ll. in A, Aceton unl. in Ae, Chlf.	gibt Rkk. der Sulfanilsäure alkalische HgJ_2-Lsg. gibt blaßgelben, nach dem Erhitzen zitronengelben, flockigen Nd. 0,1 g Subst. unter Erwärmen in 1 ml Essigester lösen + 1 ml Furfurol-Essigsäure (2%ig) → rotgelb + 1 Tropfen H_2SO_4 → tiefrot
37			XIX 160		unl. in W wl. in k. A, Ae ll. in Chlf.	Bisphenylhydrazon *Fp* 184° Bis-2,4-dinitrophenylhydrazon *Fp* 215°

Lfd. Nr.	Fp	Name	Summen-formel	Strukturformel	Mol.-Ge-wicht	Aggregat-zustand Farbe
1	2	3	4	5	6	7
2238	165	d-Galaktose	$C_6H_{12}O_6$	$\begin{array}{c}\text{H \ OH OH H}\\ \text{| \ \ | \ \ | \ \ |}\\ \text{HO}\cdot\text{CH}_2\cdot\text{C}\cdot\text{C}\cdot\text{C}\cdot\text{C}\cdot\text{CHO}\\ \text{| \ \ | \ \ | \ \ |}\\ \text{OH H \ H \ OH}\end{array}$	180,16	Prismen $+1\,H_2O$ (W) Tafeln (A)
2239	165	o,o′-Hydrazotoluol (N,N′-Di-o-tolyl-hydrazin)	$C_{14}H_{16}N_2$	$CH_3\cdot C_6H_4\cdot NH\cdot NH\cdot C_6H_4\cdot CH_3$	212,28	Krist.
2240	165	p-Hydroxydiphenyl	$C_{12}H_{10}O$	$C_6H_5\cdot C_6H_4\cdot OH$	170,20	weiße Krist.
2241	165	4-Nitrophthalsäure	$C_8H_5NO_6$	$O_2N\cdot C_6H_3(COOH)_2$	211,13	gelbliche Nadeln (Ae)
2242	165	Pyrogalloltriacetat (Lenigallol)	$C_{12}H_{12}O_6$	$C_6H_3(O\cdot CO\cdot CH_3)_3$	251,22	weiße Krist.-Plv.
2243	165	Pyrazolon	$C_3H_4N_2O$	$\begin{array}{cc}\text{HC———CO}&\text{H}_2\text{C———CO}\\ \text{‖ \ \ \ \ |}&\text{‖ \ \ \ \ |}\\ \text{HC}\cdot\text{NH}\cdot\text{NH}&\text{HC:N}\cdot\text{NH}\end{array}$ oder	84,08	Nadeln (W)
2244	165	Sorbose (Sorbinose, Sorbin)	$C_6H_{12}O_6$	$\begin{array}{c}\text{OH H \ OH}\\ \text{| \ \ | \ \ |}\\ \text{HO}\cdot\text{CH}_2\cdot\text{C}\cdot\text{C}\cdot\text{C}\cdot\text{CO}\cdot\text{CH}_2\cdot\text{OH}\\ \text{| \ \ | \ \ |}\\ \text{H \ OH H}\end{array}$	180,16	farblose Krist.
2245	165	N,N,N′,N′-Tetraäthyl-rhodamin	$C_{28}H_{30}N_2O_3$	$\begin{array}{c}\text{CO}\\ (C_2H_5)_2N\cdot H_3C_6 \diagup C \diagdown O\\ H_4C_6 \ C_6H_3\cdot N(C_2H_5)_2\\ \text{O}\end{array}$	442,54	grüne Blättchen $+4\,H_2O$ farblose Prismen (A)
2246	165	1,2,3,5-Tetrahydroxy-benzol	$C_6H_6O_4$	$C_6H_2(OH)_4$	142,11	Nadeln (W)
2247	165	2,4,6-Trihydroxybenzo-phenon	$C_{13}H_{10}O_4$	$C_6H_5\cdot CO\cdot C_6H_2(OH)_3$	230,21	gelbliche Nadeln $+1H_2O$ (W)
2248	165 bis 166	Methyltestosteron (17α-Methyl-Δ^4-androsten-17β-ol-3-on)	$C_{20}H_{30}O_2$	*(Strukturformel Steroid)*	302,44	weißes krist. Pulver
2249	165 bis 167	Benzoesäure-o-sulfamid	$C_7H_7NO_4S$	$H_2N\cdot SO_2\cdot C_6H_4\cdot COOH$	201,20	Tafeln (W)

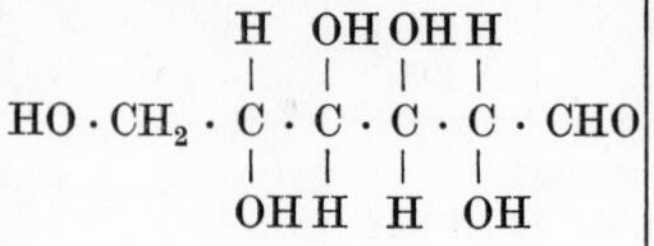

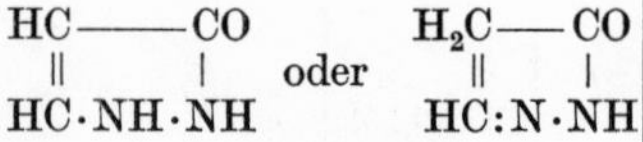

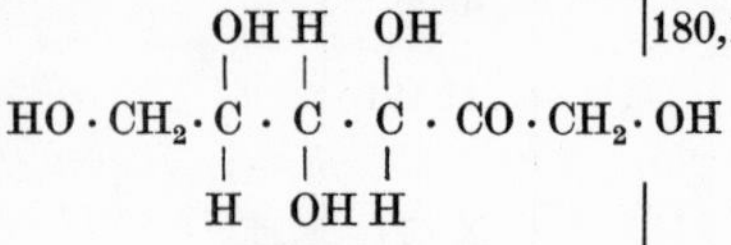

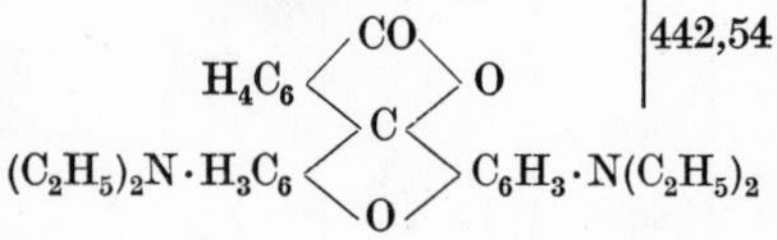

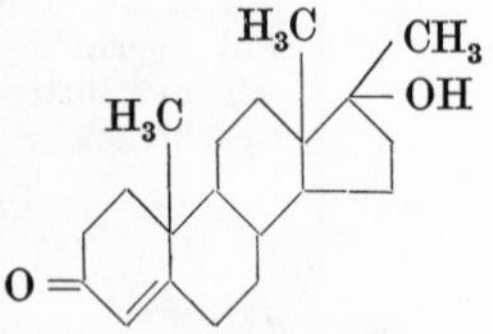

Lfd. Nr.	Spez. Gewicht	Siedepunkt °C	Beilsteinzitat	Physikalische Konstanten und Eigenschaften	Löslichkeit	Reaktionen
	8	9	10	11	12	13
238			I 909	$[\alpha]_D^{20}$ α-Form +140 → +80,5° (W); süß schmeckend	10,3 W 0° 68 W 25°	wss. Lsg. + Lauge → gelb beim Erwärmen Oxim *Fp* 175—176° p-Tolylhydrazon *Fp* 168°, Stäbchen Phenylhydrazon *Fp* 158°, Nadeln m-Nitrophenylhydrazon *Fp* 181°, orangegelbe Tafeln
239		Z.	XV 497		l. in A	starkes Erhitzen → o-Toluidin + o,o′-Azotoluol
240		305 bis 308	VI 674		wl. in W ll. in A	
241			IX 828		ll. in W, A wl. in Ae unl. in Chlf., Bzl.	Diamid *Fp* 200° Monoanilid *Fp* 192° Mono-p-toluidid *Fp* 172°
242			VI 1083	geruchlos, geschmacklos	unl. in W, Lauge, Säure l. in A, Ae	mit Lauge erhitzte Suspension rasch braun Lsg. in 1 ml A + 1 Tropfen Jodlösung + 5 Tropfen 2n-Lauge → leuchtend violettrot
243		subl. (Z.)	XXIV 13		l. in W, A swl. in Ae	
244	1,654		I 927	eutekt. Temp.: mit Acetanilid 113°, mit Phenacetin 131°; süßer Geschmack wie Rohrzucker	ll. in W wl. in A l. in Bzl. unl. in Ae	erwärmen mit 10%igem Diphenylamin → blau Phenylosazon *Fp* 164°
245			XIX 344		l. in W, A, rot, grün fluoreszierend l. in Ae	
246			VI 1154		ll. in W, A unl. in Chlf., Bzl.	
247			E_1 VIII 701		0,3 W 22° 40 sd. W ll. in A, Ae l. in Alkali → rot	
248				$[\alpha]_D^{20}$ +79° bis +85° (Dioxan); geruch- u. geschmacklos	unl. in W l. in A, Ae, Chlf., Dioxan	0,01 g Subst. in 1 ml H_2SO_4 → gelblich + 1 ml W → dunkelgelb Acetat *Fp* 176°
249			XI 376		ll. in W, A, Ae	

Lfd. Nr.	*Fp*	Name	Summen-formel	Strukturformel	Mol.-Ge-wicht	Aggregat-zustand Farbe
1	2	3	4	5	6	7
2250	**166**	6,7-Benzoisochinolin („β-Anthrapyridin“)	$C_{13}H_9N$	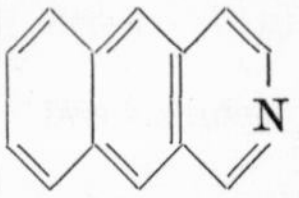	179,21	schwach rötliche Krist.
2251	**166**	Cinnamalessigsäure	$C_{11}H_{10}O_2$	$C_6H_5\cdot CH:CH\cdot CH:CH\cdot COOH$	174,19	Tafeln (A)
2252	**166**	2,3-Dichlorbenzoesäure	$C_7H_4Cl_2O_2$	$Cl_2C_6H_3\cdot COOH$	191,02	Nadeln
2253	**166**	3,4-Dimethylbenzoe-säure	$C_9H_{10}O_2$	$(CH_3)_2C_6H_3\cdot COOH$	150,17	Prismen (A)
2254	**166**	3,5-Dimethylbenzoe-säure (Mesitylensäure)	$C_9H_{10}O_2$	$(CH_3)_2C_6H_3\cdot COOH$	150,17	Nadeln W)
2255	**166**	Hexamethylbenzol	$C_{12}H_{18}$	$C_6(CH_3)_6$	162,26	Tafeln (A)
2256	**166**	d-Mannit	$C_6H_{14}O_6$	$HO\cdot CH_2\cdot[CH(OH)]_4\cdot CH_2\cdot OH$	182,17	Nadeln
2257	**166**	α-Methylglucosid	$C_7H_{14}O_6$	H H OH H H $HO\cdot CH_2\cdot C\cdot C\cdot C\cdot C\cdot C$— OH H OH $O\cdot CH_3$ O (ring bridge)	194,18	Krist. (W)
2258	**166**	Tricarballylsäure	$C_6H_8O_6$	$HOOC\cdot CH\cdot CH_2\cdot COOH$ | $CH_2\cdot COOH$	176,12	Prismen (W od. Ae)
2259	**166 bis 167**	Acetamidinhydro-chlorid	$C_2H_7ClN_2$	$CH_3\cdot C(:NH)\cdot NH_2\cdot HCl$	94,55	Prismen (A)
2260	**166 bis 167**	dl-Dibrombernstein-säure	$C_4H_4Br_2O_4$	$HOOC\cdot(CHBr)_2\cdot COOH$	275,90	Krist. (W)
2261	**166 bis 167**	1,6-Dinitronaphthalin	$C_{10}H_6N_2O_4$	$C_{10}H_6(NO_2)_2$	218,16	Krist. (Eg.)
2262	**166 bis 169**	β-Dimethylaminoäthyl-benzhydryläther-hydrochlorid (Dabylen, Benadryl)	$C_{17}H_{22}ClNO$	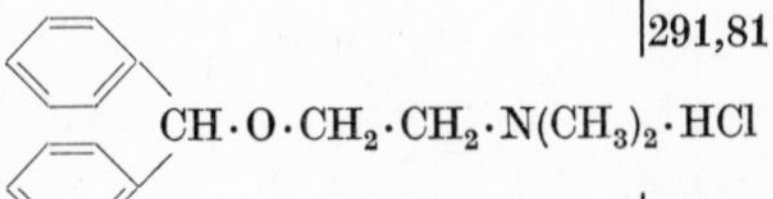	291,81	Blättchen

Lfd. Nr.	Spez. Gewicht	Siedepunkt °C	Beilsteinzitat	Physikalische Konstanten und Eigenschaften	Löslichkeit	Reaktionen
	8	9	10	11	12	13
2250			XX 459	Lsg. fluoresciert blau — blaugrün	sll. in W ll. in A, Ae	
2251		subl.	IX 638		ll. in A wl. in Ae	
2252			IX 342			
2253		subl.	IX 535		swl. in h. W ll. in A	Amid *Fp* 130° Anilid *Fp* 104°
2254		subl.	IX 536	mit Dampf flüchtig	swl. in h. W ll. in A	Amid *Fp* 133°
2255		265	V 450		unl. in W 0,2 A 0° ll. in Bzl.	Pikrat *Fp* 170° 1,3,5-Trinitrobenzolat *Fp* 174°
2256	1,489	290 (3 mm)	I 534	$[\alpha]_D^{25}$ −0,49° (W); bei Gegenwart von Borax rechtsdrehend; eutekt. Temp.: mit Phenacetin 133°, mit Benzanilid 161°; schmeckt süß	15,6 W 18° 0,07 A 14° unl. in Ae	Hexaacetat *Fp* 120° Hexabenzoat *Fp* 149° Triformalderivat *Fp* 237°
2257		200 (0,2 mm)	I 898	$[\alpha]_D^{20}$ +158,9° (W)	63 W 17° 0,5 A 1,6 in 90%ig. A 17° unl. in Ae	
2258		subl.	II 895	eutekt. Temp.: mit Phenacetin 108°, mit Benzanilid 138°	40,52 W 14 l. in A l. in Ae 18°	Triamid *Fp* 205—207°, Prismen Tri-p-chlorphenacylester *Fp* 125,6° Tri-p-bromphenacylester *Fp* 186° Trihydrazid *Fp* 195—196°
2259			II 185		ll. in W, A	
2260		180 (Z.)	II 625		ll. in W	durch sd. W Z. >189° Kp. → Bromfumarsäure + HBr
2261			V 559			
2262				eutekt. Temp.: mit Benzanilid 116°; Base ölig	1 W 18°	+ konz. H_2SO_4 → gelb → rötlichbraun + konz. HNO_3 → violett → braun + Mandelins Reagens → gelb + Fröhdes Reagens → bräunlich

Lfd. Nr.	Fp	Name	Summen-formel	Strukturformel	Mol.-Ge-wicht	Aggregat-zustand Farbe
1	2	3	4	5	6	7
2263	167 (Z.)	Oxanthron (10-Hydr-oxy-9-oxo-9,10-dihydroanthracen)	$C_{14}H_{10}O_2$	$C_6H_4 \diagdown^{CH(OH)}_{CO} \diagup C_6H_4$	210,22	schwach gelbe Nadeln (Bzl.)
2264	167	Phenylbernsteinsäure	$C_{10}H_{10}O_4$	$HOOC \cdot CH_2 \cdot CH(C_6H_5) \cdot COOH$	194,18	Nadeln (W)
2265	167	3,4,5-Trijodnitrobenzol	$C_6H_2J_3NO_2$	$J_3C_6H_2 \cdot NO_2$	500,84	gelbe Stäbchen
2266	167 bis 168 (Z.)	3,4-Diaminophenol	$C_6H_8N_2O$	$(H_2N)_2C_6H_3 \cdot OH$	124,14	Krist.
2267	167 bis 168	Septurit (Mol.-Verb. des Sulfanilsäureamids mit Hexamethylen-tetramin)	$C_{12}H_{20}N_6O_2S$	$C_6H_8N_2O_2S + (CH_2)_6N_4$	312,39	weiße Krist.
2268	167 bis 168	β,β'-Azoxynaphthalin	$C_{20}H_{14}N_2O$	$C_{10}H_7 \cdot N : N \cdot C_{10}H_7$ $\overset{\parallel}{O}$	298,33	gelbliche Nädel-chen (A oder Eg.)
2269	167 bis 168	Diäthanolaminsalz des Benzaldehyd-4-car-bonsäurethiosemi-carbazons (Solvoteben)	$C_{13}H_{20}N_4O_4S$	$H_2N \cdot CS \cdot NH \cdot N : CH$ $HOCH_2 \cdot CH_2$ $NH \cdot HOOC$ $HOCH_2 \cdot CH_2$	328,38	hellgelbes krist. Pulver
2270	167 bis 169 (Z.)	Äthan-$\alpha,\alpha,\beta,\beta$-tetra-carbonsäure	$C_6H_6O_8$	$(HO_2C)_2CH \cdot CH(CO_2H)_2$	206,11	Nadeln oder Täfelchen (Ae)
2271	167 bis 169	Neoabietinsäure	$C_{20}H_{30}O_2$		302,43	Nadeln (W)

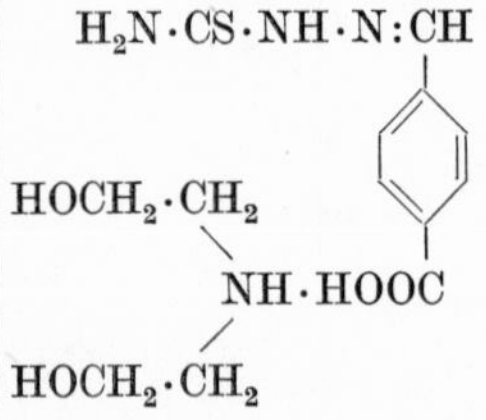

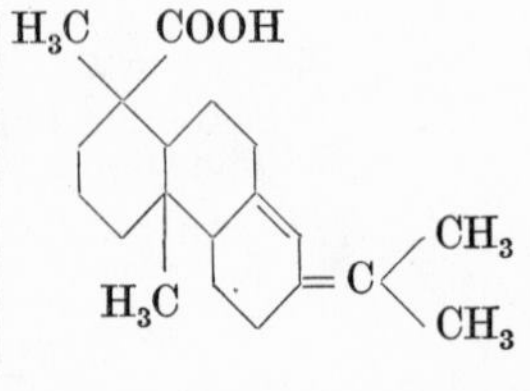

Lfd. Nr.	Spez. Gewicht	Siedepunkt °C	Beilsteinzitat	Physikalische Konstanten und Eigenschaften	Löslichkeit	Reaktionen
	8	9	10	11	12	13
263		Z.	E_1 VIII 578		l. in A, Bzl.	Acetat *Fp* 108—109°
264			IX 865		swl. in k. W l. in h. W ll. in A, Ae, Eg. unl. in Bzl.	Anilid *Fp* 222°
265				eutekt. Temp.: mit Phenacetin 122°, mit Benzanilid 135°	l. in A, Bzl.	
266			XIII 564			
267				geruchlos; Geschmack schwach bitter	swl. in W l. in Lauge, Säure	gibt Rkk. der beiden Komponenten → helles Perjodid und pulv. Silbersalz in neutraler Lsg. — Hexamethylentetramin → fleckiges Silbersalz in Ggw. von NH_3 — Prontalbin + Fe-H_3PO_4 → intensiv violett und braun
268			XVI 633		unl. in W sl. in A, Ae ll. in Bzl., Chlf., sd. Eg.	
269					ll. in W	
270			II 857		ll. in W, A, Ae sl. in Bzl., Essigsäure	beim Erhitzen oder beim Kochen mit W → CO_2 + Bernsteinsäure
271			E_2 IX 433	$[\alpha]_D^{24}$ +159°	wl. in W l. in A	Methylester *Fp* 61,5—62°

Lfd. Nr.	Fp	Name	Summen-formel	Strukturformel	Mol.-Ge-wicht	Aggregat-zustand Farbe
1	2	3	4	5	6	7
2272	**168**	1,2-Benzanthrachinon	$C_{18}H_{10}O_2$		258,26	gelbe Prismen
2273	**168**	Fuchson	$C_{18}H_{14}O$	$(C_6H_5)_2C\big\langle{CH:CH \atop CH:CH}\big\rangle CO$	246,20	orange, violett schimmernde Nadeln (Bzl. + Ae)
2274	**168**	6-Hydroxy-o-toluyl-säure	$C_8H_8O_3$	$HO\cdot C_6H_3(CH_3)\cdot COOH$	152,14	Nadeln (W)
2275	**168**	Citrinin (4,6-Dihydro-8-hydroxy-3,4,5-tri-methyl-6-oxo-3H-2-benzopyran-7-carbonsäure)	$C_{13}H_{14}O_5$		250,24	goldgelbe Nadeln oder Prismen (A)
2276	**168** bis **169**	Calamendiol (Calameon)	$C_{15}H_{26}O_2$		238,36	Krist. (Methanol)
2277	**168** bis **169**	4-Acetaminophenol	$C_8H_9NO_2$	$CH_3\cdot CO\cdot NH\cdot C_6H_4\cdot OH$	151,16	Krist. (W od. A)
2278	**168** bis **170**	Furfurylisopropyl-barbitursäure (Dormovit)	$C_{12}H_{14}N_2O_4$		250,26	weiße Krist.

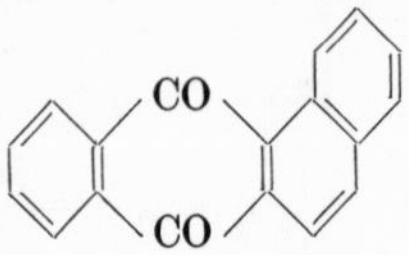

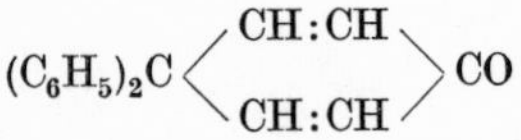

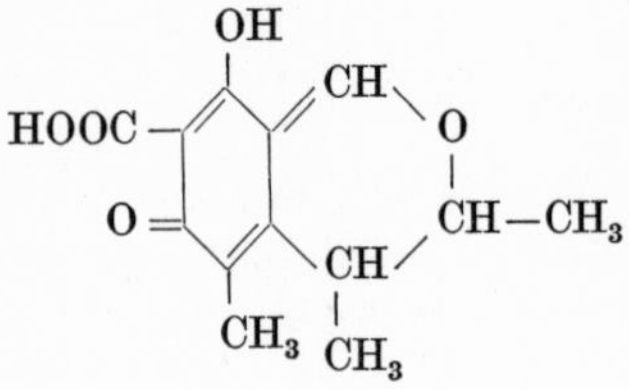

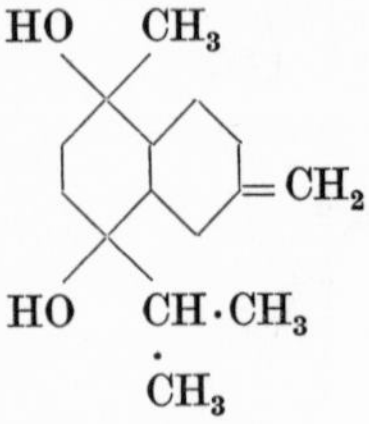

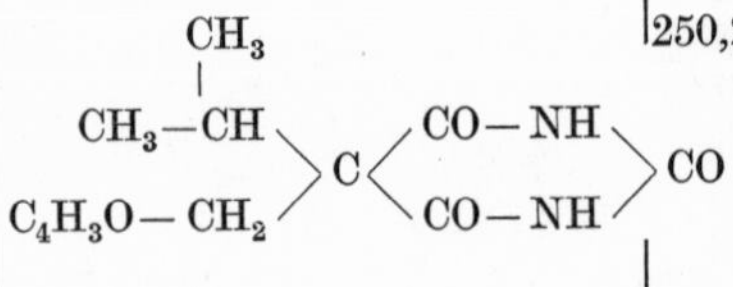

Lfd. Nr.	Spez. Gewicht	Siedepunkt °C	Beilsteinzitat	Physikalische Konstanten und Eigenschaften	Löslichkeit	Reaktionen
	8	9	10	11	12	13
272		subl.	VII 826		unl. in W wl. in A, Ae ll. in Bzl., Chlf.	
273			VII 520		unl. in W swl. in Ae ll. in Chlf., Eg.	
274			X 217	mit Dampf flüchtig	0,14 W 25° ll. in h. W, A, Ae	
275				$[\alpha]_D^{18}$ −37,4° (A)	unl. in W wl. in h. Ae ll. in Chlf., Aceton	+ $FeCl_3$-Lsg. → dunkler braungelber Nd., im Überschuß → intensiv jodblau
276				$[\alpha]_D^{26}$ −4,4° (A)	l. in A	
277	$1{,}293^{21°}$		XIII 460		swl. in k. W sll. in h. W, A	
278				eutekt. Temp.: mit Benzanilid 137°, mit Salophen 154°; bitterer Geschmack	swl. in W ll. in Lauge, A l. in Säure	+ H_2SO_4 → gelb, beim Erwärmen → orangerot bis braunrot + β-Naphthol + konz. H_2SO_4 gelinde erwärmt → rötlichgelb mit grüner Fluoreszenz, erhitzen → braun → intensiv violett + α-Naphthol → rot mit intensiv grüner Fluoreszenz 2—3 mg Substanz in 1 ml 1—2%iger Pyridinlsg. in Hitze gelöst. Zur sd. Lsg. tropfenweise 0,4%ige $CuSO_4$-Lsg. → blaßviolette Krist. + Paraform → intensiv orange, grün fluoreszierend + HNO_3-H_2SO_4 → orange, grün fluoreszierend

Lfd. Nr.	*Fp*	Name	Summen-formel	Strukturformel	Mol.-Gewicht	Aggregatzustand Farbe
1	2	3	4	5	6	7
2279	**168 bis 170**	β-Indolylessigsäure (Heteroauxin)	$C_{10}H_9NO_2$	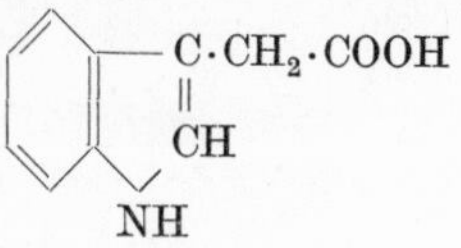	175,18	Blättche (Bzl.)
2280	**168 bis 171**	Chinasaures Piperazin (Sidonal)	$C_{11}H_{22}N_2O_6$	$C_7H_{12}O_6 \cdot C_4H_{10}N_2$	268,30	weiße Krist.
2281	**169**	9,10-Dihydroacridin (Acridan)	$C_{13}H_{11}N$	$C_6H_4\langle{CH_2 \atop NH}\rangle C_6H_4$	181,23	Säulen (A)
2282	**169**	Ferulasäure (4-Hydroxy-3-methoxyzimtsäure)	$C_{10}H_{10}O_4$	${HO \atop H_3CO}\rangle C_6H_3 \cdot CH:CH \cdot COOH$	194,18	Nadeln (W)
2283	**169**	Kryptoxanthin (Caricaxanthin)	$C_{40}H_{56}O$	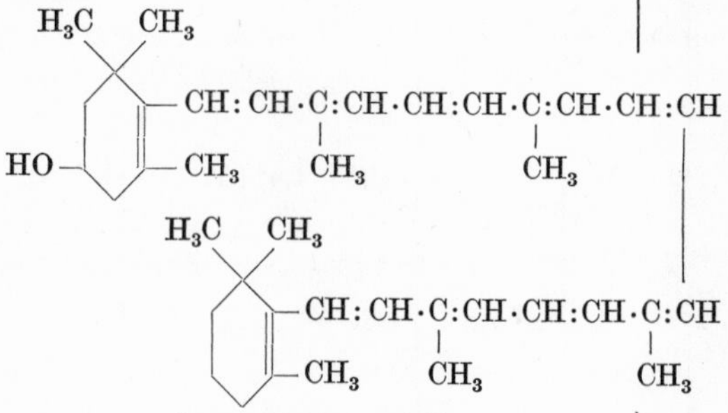	552,85	rot-violette Prismen
2284	**169**	8-Hydroxynaphthoesäure-(1)	$C_{11}H_8O_3$	$HO \cdot C_{10}H_6 \cdot COOH$	188,17	Nadeln (Ae)
2285	**169**	Phenanthrol-(2)	$C_{14}H_{10}O$	$HO \cdot C_6H_3 \overline{\quad} C_6H_4$, $\backslash CH:CH /$	194,22	Blättche (verd. A)
2286	**169**	Phthalanilsäure	$C_{14}H_{11}NO_3$	$HOOC \cdot C_6H_4 \cdot CO \cdot NH \cdot C_6H_5$	241,24	Prismen (A)
2287	**169**	Benzoesäure-[α,α-bis-(dimethylamino-methyl)-n-propyl]-esterhydrochlorid (Alypin)	$C_{16}H_{27}ClN_2O_2$	$C_2H_5-C(CH_2-N(CH_3)_2)_2-O-CO-C_6H_5$, HCl	314,85	weiße Krist.
2288	**169 bis 170**	Trichlorchinon	$C_6HCl_3O_2$	$O:C_6HCl_3:O$	211,44	gelbe Blättche (A)
2289	**169 bis 170**	3,4,5-Trimethoxy-benzoesäure	$C_{10}H_{12}O_5$	$(CH_3 \cdot O)_3C_6H_2 \cdot COOH$	212,20	Nadeln (W)

Lfd. Nr.	Spez. Gewicht	Siedepunkt °C	Beilsteinzitat	Physikalische Konstanten und Eigenschaften	Löslichkeit	Reaktionen
	8	9	10	11	12	13
79			XXII 66	eutekt. Temp.: mit Phenacetin 103°, mit Benzanilid 130°; unangenehmer Geruch	ll. in A, Ae swl. in W	
80				Geschmack salzig; geruchlos		wss. Lsg. + $Fe(NO_3)_3$ → zitronengelb
81		subl.	XX 443		unl. in W ll. in h. A, Ae l. in Bzl.	
82			X 436		unl. in k. W l. in sd. W ll. in A l. in Ae, H_2SO_4 wl. in Bzl.	+ Alkali → gelb
83				opt. inaktiv		
84			X 331		ll. in h. W, A, Ae	+ $FeCl_3$ → violetter Nd. Lacton *Fp* 108°
85			VI 704		wl. in W ll. in A, Ae	Pikrat *Fp* 156°
86			XII 311		wl. in h. W, k. A unl. in Ae	+ $FeCl_3$ → rotviolett
87			IX 175	bitterer Geschmack; geruchlos; anästhesierend		5 mg Subst. auf Uhrglas mit Glasstab mit 1 Tropfen n/10 $KMnO_4$-Lsg. → schimmernde Blättchen; nach einiger Zeit scheidet sich MnO_2 ab
88		subl.	VII 634		unl. in k. W ll. in h. A, Ae	
89		225 bis 227 (10 mm)	X 481		swl. in W ll. in A, Ae, Chlf.	

Lfd. Nr.	*Fp*	Name	Summen-formel	Strukturformel	Mol.-Gewicht	Aggrega zustand Farbe
1	2	3	4	5	6	7
2290	**169 bis 171**	trans-4,4′-Dihydroxy-α,β-diäthylstilben (Stilböstrol, Diäthylstilböstrol)	$C_{18}H_{20}O_2$	C_2H_5 $HO \cdot C_6H_4 \cdot C{:}C \cdot C_6H_4 \cdot OH$ C_2H_5	268,34	Platten (Bzl.)
2291	**169,5**	Sarkosinhydrochlorid	$C_3H_8ClNO_2$	$CH_3 \cdot NH \cdot CH_2 \cdot COOH + HCl$	125,56	Nadeln (A)
2292	**170**	Äthylmorphinhydrochlorid (Dionin)	$C_{19}H_{24}ClNO_3$	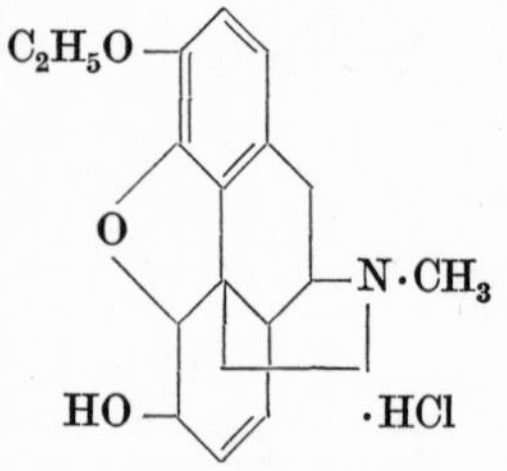	349,85	weiße Nadeln
2293	**170** (Z.)	5-Aminonaphthol-(1)	$C_{10}H_9NO$	$H_2N \cdot C_{10}H_6 \cdot OH$	159,18	Krist.
2294	**170**	2-Aminophenol	C_6H_7NO	$H_2N \cdot C_6H_4 \cdot OH$	109,12	Tafeln oder Nadeln
2295	**170**	Anthraceno-[2′,1′:2,3]-pyridin („β-Anthrachinolin“)	$C_{17}H_{11}N$	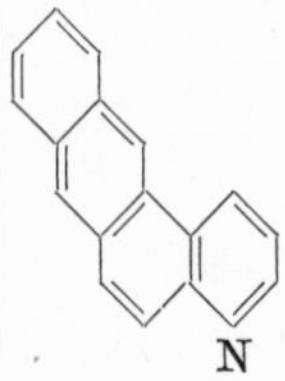	229,27	Krist.

Lfd. Nr.	Spez. Gewicht	Siedepunkt °C	Beilsteinzitat	Physikalische Konstanten und Eigenschaften	Löslichkeit	Reaktionen
	8	9	10	11	12	13
90				geruch- u. schmacklos	unl. in W l. in A, Ae, Aceton, Chlf., fetten Ölen	0,01 g Subst. in 1 ml H_2SO_4 → orange, beim Erwärmen im Wasserbad → braun 0,01 g Subst. und 0,01 g Vanillin im Porzellantiegel mit einigen Tropfen H_2SO_4 auf dem Wasserbad erhitzen → blutrot mit violettem Rand, nach Erkalten + 2 ml A → violett Diacetat *Fp* 121—124° Dipropionat (Cyren B) *Fp* 104° Dibenzoat *Fp* 210—211°
91			IV 345		ll. in W wl. in A, Ae	
92				eutekt. Temp.: mit Phenacetin 96°, mit Benzanilid 106°; bitterer Geschmack	l. in W, A unl. in Ae, Chlf.	1. + Fe-H_3PO_4 → blau + Paraform → graublau, graugrün + HNO_3-H_2SO_4 → violettrot, orangerot 2. + 10—20 mg Paraform + 1 ml H_2SO_4 → orange → violettrot → intensiv blaurot + Fe-H_3PO_4 → blau → intensiv grün + HNO_3-H_2SO_4 → gelbgrau → hellbraun
93		subl.	XIII 670		wl. in W, A l. in Ae	Benzoylderivat *Fp* 276°
94		subl.	XIII 354	färbt sich an der Luft braun	1,7 W 0° 4,4 A 0° ll. in Ae	10 mg Subst. mit 3 ml konz. H_2SO_4 2 Min. auf 180° erhitzen, vorsichtig mit W verdünnen und mit NaOH alkalisch machen + etwas Resorcin und einige Tropfen Jodtinktur → hellviolett → weinrot → braun N-Acetylderivat *Fp* 209° O,N-Diacetylderivat *Fp* 123—124° N-Benzoylderivat *Fp* 169°
95		446	XX 506	leicht sublimierbar	unl. in W ll. in A, Ae	

Lfd. Nr.	Fp	Name	Summen-formel	Strukturformel	Mol.-Gewicht	Aggrega zustan Farbe
1	2	3	4	5	6	7
2296	**170**	Benzanthron	$C_{17}H_{10}O$	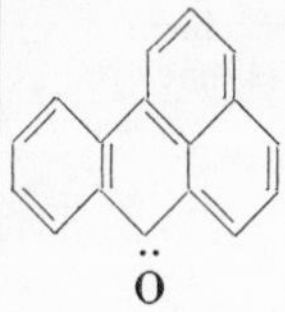	230,25	gelbe Nadeln (A)
2297	**170** (Z.)	Benzidindicarbon-säure-(2,2′)	$C_{14}H_{12}N_2O_4$	$[H_2N \cdot C_6H_3(COOH)-]_2$	272,25	Nadeln $+ 1^1/_2 H_2$ (W)
2298	**170** (Z.)	Benzidindisulfon-säure-(2,2′)	$C_{12}H_{12}N_2O_6S_2$	$[H_2N \cdot C_6H_3(SO_3H)-]_2$	344,35	Prismen $+ 3 H_2O$ (W)
2299	**170**	Benzimidazol	$C_7H_6N_2$	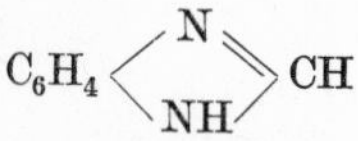	118,13	Krist. (A)
2300	**170**	Methylmercurichlorid	CH_3ClHg	$CH_3 \cdot HgCl$	251,10	weiße Krist.
2301	**170**	3,4-Dioxo-2-phenyl-chroman (Flavonol)	$C_{15}H_{10}O_3$	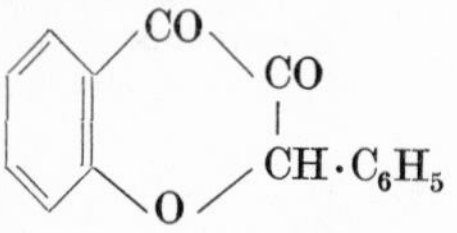	238,23	hellgelbe Nadeln (A)
2302	**170**	Dioxindol	$C_8H_7NO_2$	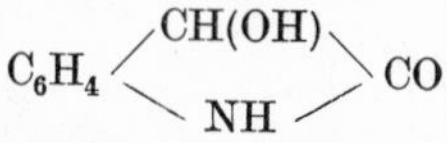	149,14	Krist. (A)
2303	**170**	3,3′-Dihydroxybenzo-phenon	$C_{13}H_{10}O_3$	$HO \cdot C_6H_4 \cdot CO \cdot C_6H_4 \cdot OH$	214,21	Nadeln (W)
2304	**170**	Isocamphoronsäure	$C_9H_{14}O_6$	$(CH_3)_2 \cdot C(COOH) \cdot CH(CH_2 \cdot COOH)_2$	218,20	Prismen (W)
2305	**170**	Malonamid	$C_3H_6N_2O_2$	$CH_2(CO \cdot NH_2)_2$	102,09	Prismen (W)
2306	**170** (Z.)	Naphthol-(1)-sulfon-säure-(4)	$C_{10}H_8O_4S$	$HO \cdot C_{10}H_6 \cdot SO_3H$	224,23	Tafeln (W)
2307	**170**	Narcein (Trihydrat)	$C_{23}H_{27}NO_8$	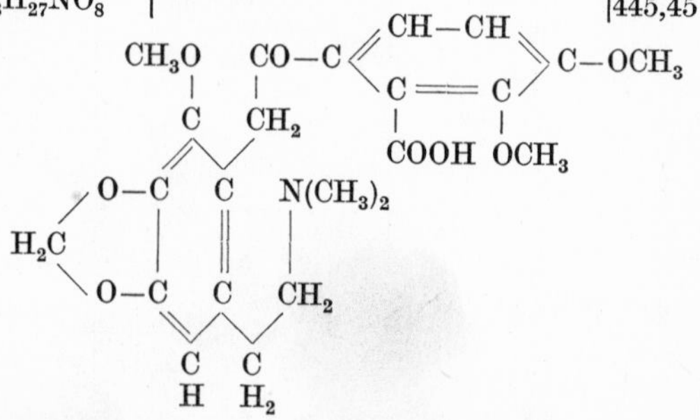	445,45	feine Nadeln oder Prismen (W + A)

fd. r.	Spez. Gewicht	Siedepunkt °C	Beilstein-zitat	Physikalische Konstanten und Eigenschaften	Löslichkeit	Reaktionen
	8	9	10	11	12	13
96			VII 518	eutekt. Temp.: mit Benzanilid 134°, mit Salophen 153°	l. in A, Ae	+ H_2SO_4 → orangerot, grün fluoreszierend
97			XIV 567		wl. in W, A swl. in Ae	
98			XIV 794		0,08 W 25° swl. in A, Ae	
99		> 360	XXIII 131		wl. in k. W sll. in A wl. in Ae	Kupferbenzimidazol → ziegelrot Pikrat *Fp* 223°
00	4,063			riecht unangenehm		
01			XVII 527		unl. in W l. in Bzl. ll. in A	
02		195 (Z.)	XXI 578		2 W 25° 10 sd. A l. in Ae, konz. HCl	
03			VIII 315		l. in W, A	
04			II 835		l. in W ll. in h. A, Ae	
05			II 582		8,3 W 8° unl. in A, Ae	
06			XI 271		ll. in W	Salz mit Anilin *Fp* 187° Salz mit p-Toluidin *Fp* 196°
07			XIX 370	eutekt. Temp.: mit Phenacetin 112°, mit Benzanilid 126°	0,08 W 13° wl. in A, Chlf. unl. in Ae, Bzl. ll. in h. W, h. A 0,011 CCl_4	konz. H_2SO_4 → graubraun → blutrot + Chlorwasser, + NH_3 → tiefrot Ammoniumpersulfat + H_2SO_4 → violett $(CH_2)_6N_4 \cdot H_2SO_4$ → safrangelb Paraform-H_2SO_4 → gelb → rotbraun → orange

Lfd. Nr.	*Fp*	Name	Summen-formel	Strukturformel	Mol.-Gewicht	Aggreg.-zustand Farbe
1	2	3	4	5	6	7
2308	**170** (Z.)	Nitranilsäure	$C_6H_2N_2O_8$	$OC\langle\begin{matrix}C(NO_2):C(OH)\\C(OH):C(NO_2)\end{matrix}\rangle CO$	230,09	gelbe Tafel
2309	**170** (Z.)	Phloridzin	$C_{21}H_{24}O_{10}$	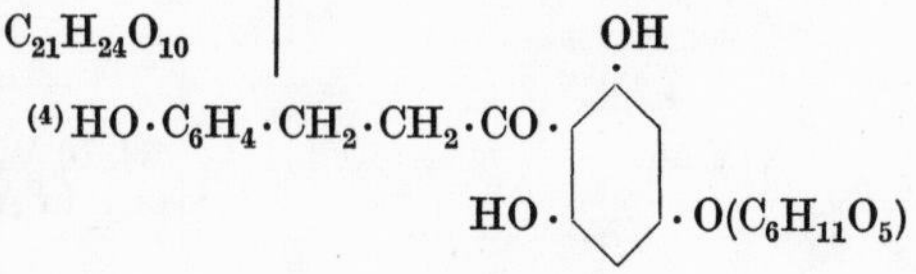	436,40	Nadel
2310	**170**	k-Strophanthin	$C_{36}H_{54}O_{15}$		726,79	weiße Krist.
2311	**170**	Santonin	$C_{15}H_{18}O_3$	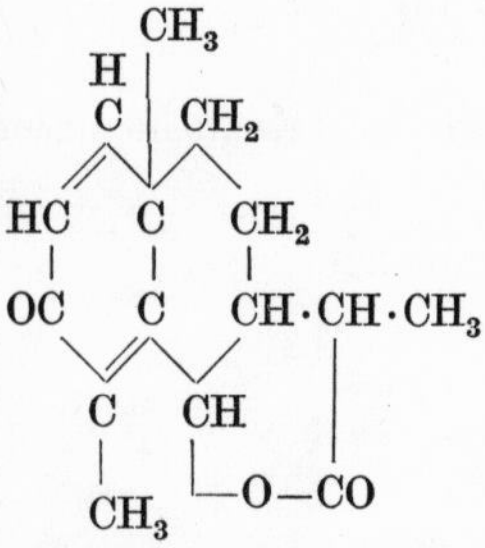	246,29	Krist. (W, A Ae)
2312	**170**	Stigmasterin	$C_{29}H_{48}O$	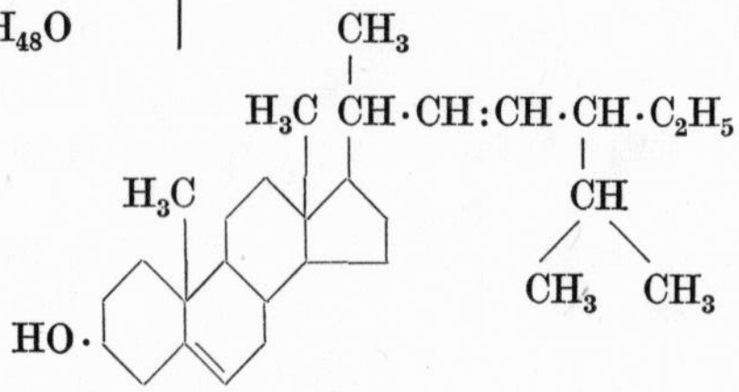	412,67	pris-matisch Nadel + 1 H_2 (A)
2313	**170**	akt.-Weinsäure	$C_4H_6O_6$	HOOC·CH(OH)—CH(OH)·COOH	150,09	Säulen (W)

Lfd. Nr.	Spez. Gewicht	Siedepunkt °C	Beilsteinzitat	Physikalische Konstanten und Eigenschaften	Löslichkeit	Reaktionen
	8	9	10	11	12	13
2308			VIII 384		ll. in W, A unl. in Ae	
2309					1,58 W 60° 4,58 W 100° 25 A swl. in Ae	
2310				geruchlos; Geschmack sehr bitter	ll. in W, verd. A unl. in Ae, Chlf., Bzl.	erhitzen mit α-Naphthol in konz. H_2SO_4 → violettrot, intensiv grün fluoreszierend
2311	1,187[26°]	subl.	XVII499	$[\alpha]_D^{15}$ −171,7° (Methanol); eutekt. Temp.: mit Benzanilid 122°, mit Salophen 143°, mit Dicyandiamid 162°; geruchlos; schmeckt schwach bitter	0,02 W 17° 0,4 W 100° 1,6 A 24° 2,4 sd. Ae	Lsg. in 1 ml Fe-H_2SO_4 gibt bei vorsichtigem Überschichten mit H_2O oben violetten, unten grünen Ring, beim Durchschütteln rotviolett ein Plätzchen KOH oder NaOH mit A befeuchten, Kriställchen Subst. darauf setzen → roter Fleck
2312				$[\alpha]_D^{21}$ −45,01° (Chlf.); eutekt. Temp.: mit Phenacetin 128°, mit Benzanilid 147°		2—3 mg Subst. in 2 ml Chlf. mit 3—5 ml konz. H_2SO_4 unterschichten → Chlf.-Lsg. orange 2—3 mg Subst. in 2—3 ml Chlf. lösen + 10 Tropfen Acetanhydrid und 2—3 Tropfen H_2SO_4 → blau → grün Acetat *Fp* 141° Propionat *Fp* 112° Benzoat *Fp* 160°
2313	1,759[18°]		III 481 bzw. 520	$[\alpha]_D^{20}$ 15°	139,4 W 20° 343,4 W 100° 25,6 A 15° 0,39 Ae 15°	wss. Lsg. + $Fe(NO_3)_3$ → zitronengelb 1 mg Subst. in eine Lsg. von 5 mg β-Naphthol in 1 ml H_2SO_4 eintragen, beim Erhitzen in sd. W-Bad grün, bei starker Beleuchtung blau fluoreszierende Fl. Phenacylester *Fp* 130° p-Bromphenacylester *Fp* 216° p-Phenylphenacylester *Fp* 203 bis 204° p-Nitrobenzylester *Fp* 163° Amid *Fp* 195° Anilid *Fp* 180°

Lfd. Nr.	Fp	Name	Summen-formel	Strukturformel	Mol.-Ge-wicht	Aggregat-zustand Farbe
1	2	3	4	5	6	7
2314	170 bis 171	Pikraminsäure (2-Amino-4,6-dinitrophenol)	$C_6H_5N_3O_5$	$O_2N \cdot \underset{NO_2}{\overset{OH}{\bigcirc}} \cdot NH_2$	199,13	schoko-laden-braune Prismen
2315	170 bis 172	1-Phenyl-2-methyl-aminopropanhydro-chlorid (Pervitin, Isophen)	$C_{10}H_{16}ClN$	$C_6H_5 \cdot CH_2 \cdot \underset{NH \cdot CH_3}{CH} \cdot CH_3 \quad \cdot HCl$	185,69	weißes Kristall-Pulver
2316	170,3	Hydrochinon (1,4-Dihydroxyben-zol)	$C_6H_6O_2$	$HO \cdot \bigcirc \cdot OH$	110,11	weiße seidige Nadeln (W)
2317	170,5	Arecolinhydrobromid	$C_8H_{14}BrNO_2$	$\underset{H_2C \cdot N(CH_3) \cdot CH_2}{\overset{H_2C - CH}{\vert}} = \underset{\vert}{C} \cdot CO \cdot OCH_3 \quad \cdot HBr$	236,12	weiße Krist.

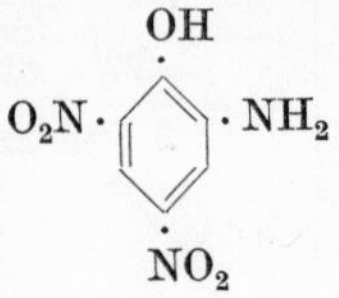

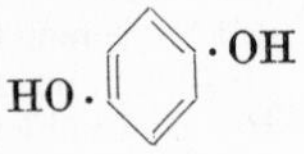

Lfd. Nr.	Spez. Gewicht	Siedepunkt °C	Beilsteinzitat	Physikalische Konstanten und Eigenschaften	Löslichkeit	Reaktionen
	8	9	10	11	12	13
2314			XIII 394	eutekt. Temp.: mit Benzanilid 134°, mit Salophen 141°; giftig	wl. in W, Ae l. in A, Bzl., Anilin	
2315				$[\alpha]_D^{20}$ + 17 bis 21°; brennender, bitterer Geschmack	ll. in W, A, Chlf. wl. in Aceton unl. in Ae	
2316	1,33	285 (730mm)	VI 836	eutekt. Temp.: mit Benzanilid 125°, mit Salophen 139°; geruchlos; schwach süßlicher Geschmack; sublimierbar (10°)	6,16 W 15° ll. in A, Ae 0,02 Bzl.	wss. Lsg. mit Luft und Lauge rasch rot und braun $Fe(NO_3)_3$ → hellgrün, Lsg. kurz erwärmt chlorähnlicher Geruch von Chinon in Wärme 10 mg Subst. in 0,5 ml W lösen, abkühlen + 1 Tropfen $Fe(NO_3)_3$ → rötlichbraun → Abscheidung feiner dunkler Nadeln mit grünem Glanz (Chinhydron) Fe-H_2SO_4 löst intensiv gelb, beim Erwärmen orange mit violetter Fluoreszenz, stärker erhitzen gelb mit grüner Fluoreszenz Subst. + einige Tropfen konz. H_2SO_4 vorsichtig erhitzt, tiefgrüne Lsg. + W + Lauge → intensiv blauviolette Fluoreszenz Phenylurethan *Fp* 205–207°, Prismen α-Naphthylurethan *Fp* 169° Diacetat *Fp* 123° Dibenzoat *Fp* 205°
2317			XXII 15	eutekt. Temp.: mit Benzanilid 129°, mit Salophen 144°; Geschmack salzig bitter; geruchlos	wl. in W l. in A, Ae	wss. Lsg. + Lauge → klar; beim Erwärmen schwacher eigentümlicher Geruch. Nach dem Erkalten + einige Tropfen n/10-$KMnO_4$-Lsg. → reduziert zu grünen Manganat

Lfd. Nr.	Fp	Name	Summen-formel	Strukturformel	Mol.-Ge-wicht	Aggregat-zustand Farbe
1	2	3	4	5	6	7
2318	170,5	5,5-Diallylbarbitursäure (Dial, Curral)	$C_{10}H_{12}N_2O_3$	$\begin{array}{l}CH_2=CH-CH_2\\CH_2=CH-CH_2\end{array}\rangle C\langle\begin{array}{l}CO-NH\\CO-NH\end{array}\rangle CO$	208,21	weiße Blättchen (W)
2319	170,5	Di-β-naphthylamin	$C_{20}H_{15}N$	$(C_{10}H_7)_2NH$	296,33	Blättchen (Bzl.)
2320	171	2-Benzyl-4,5-imida-zolinydrochlorid (Priscol)	$C_{10}H_{13}ClN_2$	$\begin{array}{l}H_2-\!\!\begin{array}{c}NH\\N\end{array}\!\!\cdot CH_2C_6H_5\end{array}\cdot HCl$	196,68	weiße Krist.
2321	171	N-Benzoylthioharnstoff	$C_8H_8N_2OS$	$C_6H_5\cdot CO\cdot NH\cdot CS\cdot NH_2$	180,15	Prismen (verd. A)
2322	171	Deguelin	$C_{23}H_{22}O_6$	(Strukturformel) R=H	394,41	hellgrüne Krist.
2323	171	Chinhydron	$C_{12}H_{10}O_4$	$C_6H_4O_2\cdot C_6H_4(OH)_2$	218,20	rotbraun Nadeln

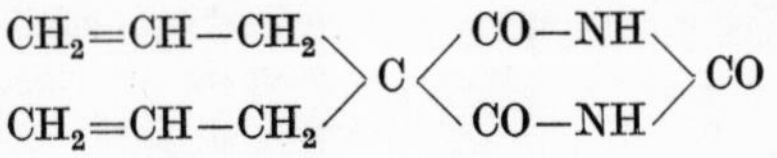

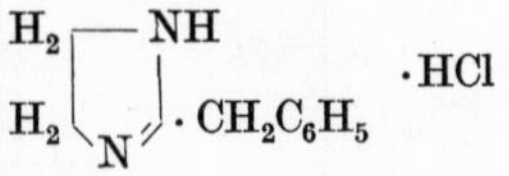

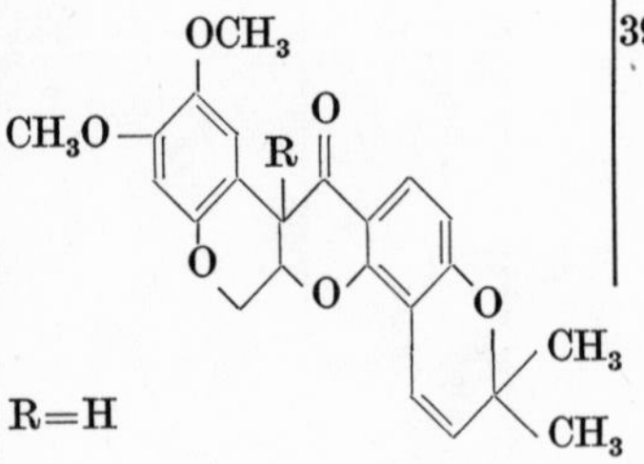

Lfd. Nr.	Spez. Gewicht	Siedepunkt °C	Beilsteinzitat	Physikalische Konstanten und Eigenschaften	Löslichkeit	Reaktionen
	8	9	10	11	12	13
318			E_1 XXIV 422	eutekt. Temp.: mit Benzanilid 142°, mit Salophen 156°; schmeckt bitter	swl. in W (k.) l. in A, Ae ll. in Aceton, Essigester, Lauge, h. W wl. in Bzl.	1. erwärmen mit konz. H_2SO_4 → gelbstichig blauviolett fluoreszierend. + Paraform-H_2SO_4 beim Erwärmen im sd. W-Bad → orange, grün fluoreszierend 2. Lsg. in verd. Lauge + 2—3 Tropfen n/10-$KMnO_4$-Lsg. intensiv grün 3. 2—3 mg Subst. in 1 ml methylalkohol. $Co(NO_3)_2$-Lsg. + 20 mg Piperazin → rotviolett 4. 2 mg Subst. in 1 ml 1 bis 2%iger Pyridinlsg. in Hitze gelöst. Zur sd. Lsg. tropfenweise 0,4%ige $CuSO_4$-Lsg. → blaßviolette Krist. 5. + 10—20 mg Paraform + 1 ml H_2SO_4 + Fe-H_3PO_4 warm → intensiv orange, grün fluoreszierend
319		471	XII 1278		unl. in W wl. in h. A ll. in sd. Eg. 1,07 Bzl. 15°	Lsg. fluoresziert blau Pikrat *Fp* 165° 1,3,5-Trinitrobenzolat *Fp* 174°
320				geruchlos, bitterer Geschmack		Lsg. in Chlorwasser → langsam trübe, erwärmt man gelinde, setzt Phenol und NH_3 zu und erwärmt nochmals → grüne, bald stahlblaue Lsg.
321			IX 219	schmeckt sehr bitter	wl. in W l. in A, Ae unl. in Bzl.	Zerfällt mit W bei 140—150° in Benzoesäure, NH_3, CO_2 und H_2S
322				$[\alpha]_D$ —23,2° (Bzl.)	unl. in W wl. in A, Ae ll. in Bzl.	+ $NaNO_2$ + H_2SO_4 → rötlichviolett
323	$1{,}402^{20°}$	subl.	VII 617		wl. in k. W ll. in h. W., A, Ae gelb l. in NH_4OH grün	

Lfd. Nr.	*Fp*	Name	Summen-formel	Strukturformel	Mol.-Gewicht	Aggregat-zustand Farbe
1	2	3	4	5	6	7
2324	171	Dimethylaminhydro-chlorid	C_2H_8ClN	$(CH_3)_2NH + HCl$	81,55	Nadeln und Tafeln (A)
2325	171	Phenazin	$C_{12}H_8N_2$	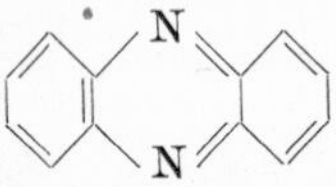	180,20	hellgelbe Nadeln (A)
2326	171,4	Isonicotinsäurehydrazid (INH, Isoniacid, Neoteben, Rimifon)	$C_6H_7N_3O$	$CO\cdot NH\cdot NH_2$ 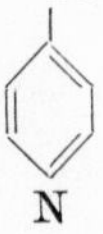	137,14	Krist. (A)
2327	171 bis 173	Hydantoinsäure	$C_3H_6N_2O_3$	$H_2N\cdot CO\cdot NH\cdot CH_2\cdot COOH$	118,09	Krist.
2328	171 bis 173,5	Dehydroabietinsäure	$C_{20}H_{28}O_2$	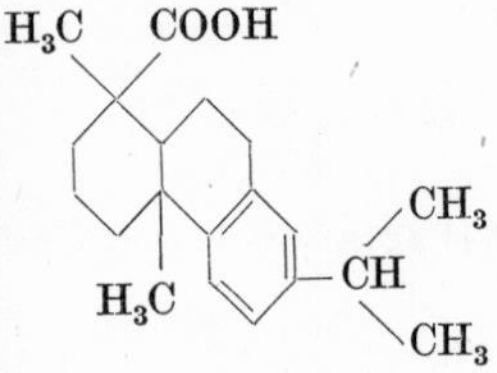	300,42	Krist. (verd. A)
2329	171,5 bis 172 (Z.)	Sulfathioharnstoff (Badional)	$C_7H_9N_3O_2S_2$	$H_2N\cdot$  $\cdot SO_2\cdot NH\cdot CS\cdot NH_2$	231,30	weißes krist. Plv.
2330	172	o.o′-Azophenol	$C_{12}H_{10}N_2O_2$	$HO\cdot C_6H_4\cdot N{:}N\cdot C_6H_4\cdot OH$	214,22	goldgelbe Blättchen
2331	172	5-Chlorsalicylsäure	$C_7H_5ClO_3$	$HO\cdot C_6H_3Cl\cdot COOH$	172,57	Nadeln (W od. A)
2332	172	p-Dinitrobenzol	$C_6H_4N_2O_4$	$C_6H_4(NO_2)_2$	168,11	Nadeln (A)
2333	172	1,8-Dinitronaphthalin	$C_{10}H_6N_2O_4$	$C_{10}H_6(NO_2)_2$	218,16	Tafeln (Chlf.)
2334	172	Hydrochinin	$C_{20}H_{26}N_2O_2$	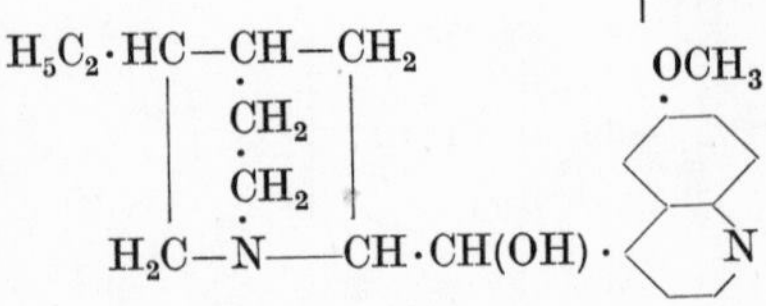	326,42	Nadeln (Ae)

Lfd. Nr.	Spez. Gewicht	Siede-punkt °C	Beilstein-zitat	Physikalische Konstanten und Eigenschaften	Löslichkeit	Reaktionen
	8	9	10	11	12	13
2324			IV 41		208 W ll. in A unl. in Ae 27 Chlf. 19°	
2325		>360	XXIII 223		swl. in W 2 k. A wl. in Ae, Bzl. l. in H_2SO_4 rot	Pikrat *Fp* 181°
2326					14 W 25° 26 W 40° unl. in Ae, Bzl.	reduziert Fehlingsche Lsg. und ammoniakalische Silberlösung
2327			IV 359		3 W 20° 0,5 A 20° swl. in Ae	
2328				$[\alpha]_D^{24}$ +62° (A)	wl. in W l. in A	
2329				geruch- u. geschmacklos		0,05 g β-Naphthol in 5 ml 10%ige Na_2CO_3-Lsg. + einige Tropfen (0,1 g Subst. in 2 ml n-HCl + einige Körnchen $NaNO_2$) → hellrot
2330		subl.	XVI 91		unl. in W l. in A, Bzl.	
2331			X 102		0,09 W 20° 1,2 W 100° ll. in A, Ae, Chlf., Bzl.	
2332	1,625$^{18°}$	299 (777mm)	V 261	eutekt. Temp.: mit Benzanilid 132°, mit Salophen 146°; sublimiert; mit Dampf flüchtig	0,08 W (k.) 0,18 sd. W 0,4 A 20° 1,82 Chlf. 18° 2,56 Bzl. 18°	
2333			V 559		unl. in W 0,189 80%ig. A 0,72 Bzl. 19°	
2334			XXIII 494		wl. in W ll. in A, Ae, Chlf.	fluoresziert in H_2SO_4-Lsg. blau Thalleiochin-Rk. positiv

Lfd. Nr.	*Fp*	Name	Summenformel	Strukturformel	Mol.-Gewicht	Aggregatzustand Farbe
1	2	3	4	5	6	7
2335	172	Methergin	$C_{20}H_{25}N_3O_2$		339,42	
2336	172	Paraform	$[CH_2O]_x$			weißes Plv.
2337	172	1-Phenylsemicarbazid	$C_7H_9N_3O$	$C_6H_5 \cdot NH \cdot NH \cdot CO \cdot NH_2$	151,17	Blättchen (W)
2338	172	α-Phenyl-trans-zimtsäure	$C_{15}H_{12}O_2$	$C_6H_5 \cdot C \cdot H$ ‖ $C_6H_5 \cdot C \cdot COOH$	224,25	Nadeln (verd. A)
2339	172	1,3,5-Triphenylbenzol	$C_{24}H_{18}$	$C_6H_3(C_6H_5)_3$	306,38	Tafeln (A) Nadeln (Eg.)
2340	172	ω,ω,ω′,ω′-Tetrabrom-p-xylol	$C_8H_6Br_4$	$C_6H_4(CHBr_2)_2$	421,79	Prismen (Chlf.)
2341	172,5	Chinidin (Conchinin)	$C_{20}H_{24}N_2O_2$	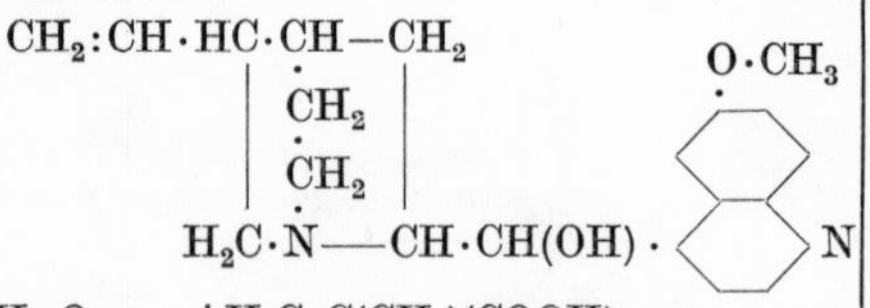	324,41	Blättchen + aq. (W) Krist. (Bzl.)
2342	172,5	*l*-Isocamphersäure	$C_{10}H_{16}O_4$	$H_2C \cdot C(CH_3)(COOH)$ / H_2C — $CH(COOH)$ > $C(CH_3)_2$	200,23	Krist. (verd. A)
2343	173	5-(Δ^1-Cyclohexenyl)-5-äthylbarbitursäure (Phanodorm)	$C_{12}H_{16}N_2O_3$	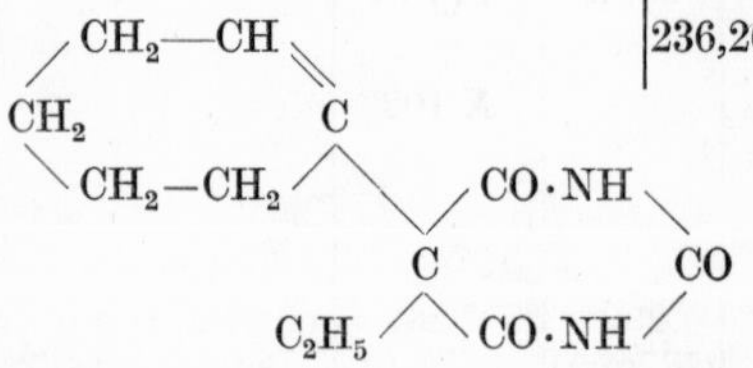	236,26	weiße Blättchen (W)
2344	173	2,4-Dibrombenzoesäure	$C_7H_4Br_2O_2$	$Br_2C_6H_3 \cdot COOH$	279,93	Blättchen (W)
2345	173	3,5-Dinitrosalicylsäure	$C_7H_4N_2O_7$	$HO \cdot C_6H_2(NO_2)_2 \cdot COOH$	228,12	Tafeln, Nadeln (+ 1 H_2O) (W)

Lfd. Nr.	Spez. Gewicht	Siedepunkt °C	Beilsteinzitat	Physikalische Konstanten und Eigenschaften	Löslichkeit	Reaktionen
	8	9	10	11	12	13
2335				$[\alpha]_D^{20}$ −45° (A)	l. in W, A, Ae	
2336			I 566	geschmacklos; nach Formaldehyd riechend	unl. in W l. in Lauge	
2337			XV 287		ll. in h. W; A wl. in Ae	
2338		subl.	IX 691		wl. in k. W ll. in A, Ae 0,02 PAe 15°	Amid *Fp* 127° Anilid *Fp* 141°
2339	1,205		V 737		l. in A, Ae ll. in Bzl.	
2340			V 386	eutekt. Temp.: mit Benzanilid 138°, mit Salophen 155°	unl. in W ll. in Bzl.	
2341			XXIII 506	$[\alpha]_D^{17}$ +275° (A + Chlf.)	0,02 W 20° 2,8 A 25° 0,78 Ae 20° ll. in Chlf.	fluoresziert in H_2SO_4 → blau Kalischmelze grasgrün H_2O_2 + $CuSO_4$ + H_2SO_4-Lsg. v. Subst. → intensiv himbeerrot → blauviolett → blau → grün (E 1:10000)
2342	1,243		IX 762		0,34 W 20° 47,5 A 20°	
2343				eutekt. Temp.: mit Benzanilid 137°, mit Salophen 153°	swl. in W ll. in A, Ae, Lauge l. in Säure	1. + α-Naphthol + konz. H_2SO_4 → intensiv rot, grün fluoreszierend 2. 2 mg Subst. in 1 ml methylalkohol. $Co(NO_3)_2$-Lsg. + 20 mg Piperazin → rotviolett 3. + H_2SO_4 → rötlichgelb → orangegelb + Fe-H_3PO_4 → rötlich + Paraform → gelb mit grüner Fluoreszenz + HNO_3 + H_2SO_4 → orangegelb, grün fluoreszierend
2344		subl.	IX 358	mit Dampf flüchtig	wl. in h. W	
2345			X 122		ll. in W, A, Ae	

Lfd. Nr.	*Fp*	Name	Summenformel	Strukturformel	Mol.-Gewicht	Aggregatzustand Farbe
1	2	3	4	5	6	7
2346	**173**	Heroin (Diacetylmorphin)	$C_{21}H_{23}NO_5$	vgl. Nr. 3004	369,40	weißes Krist.-Plv.; Prismen (Essigester)
2347	**173**	4-Hydroxy-m-toluylsäure	$C_8H_8O_3$	$HO \cdot C_6H_3(CH_3) \cdot COOH$	152,14	Nadeln (+$^1/_2H_2O$) (W)
2348	**173**	2,3,4-Trihydroxyacetophenon	$C_8H_8O_4$	$(HO)_3C_6H_2 \cdot CO \cdot CH_3$	168,14	Nadeln Blättchen (W)
2349	**173 bis 174**	4-Äthoxyphenylharnstoff (Dulcin)	$C_9H_{12}N_2O_2$	$H_2N \cdot CO \cdot NH \cdot C_6H_4 \cdot O \cdot C_2H_5$	180,20	Blättchen (verd. A)
2350	**173 bis 174**	5-($\Delta^{1,2}$-Cycloheptenyl)-5-äthylbarbitursäure (Heptabarbital, Medomin)	$C_{13}H_{18}N_2O_3$	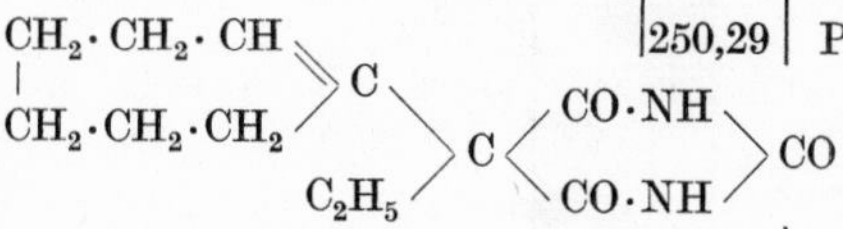	250,29	Platten
2351	**173 bis 174**	4-Nitrosoanilin	$C_6H_6N_2O$	$ON \cdot C_6H_4 \cdot NH_2$	122,12	blaue Nadeln (Bzl.)
2352	**173 bis 174**	5-Phenyl-5-äthylbarbitursäure (Luminal)	$C_{12}H_{12}N_2O_3$	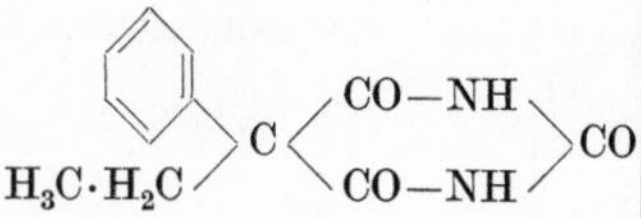	232,23	weiße Krist.-Blättchen
2353	**173 bis 174**	N-(2-Phenylcinchonoyl)-äthylurethan (Fantan)	$C_{19}H_{16}N_2O_3$	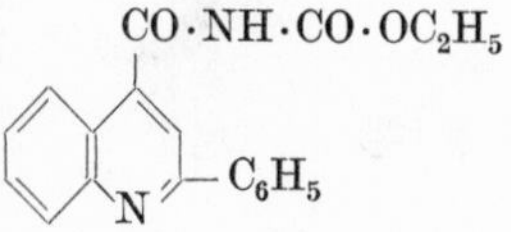	320,15	gelblich-weißes Kristallpulver

Lfd. Nr.	Spez. Gewicht	Siedepunkt °C	Beilsteinzitat	Physikalische Konstanten und Eigenschaften	Löslichkeit	Reaktionen
	8	9	10	11	12	13
46				eutekt. Temp.: mit Benzanilid 135°, mit Salophen 122°; geruchlos; bitterer Geschmack; alkal. Rk.	unl. in W ll. in verd. Säuren l. in A, Methanol ll. in Bzl., Chlf.	Jodjodkaliumlsg. ruft mit 0,000001 g Subst. Trübung hervor + HNO_3 → gelb, beim Erwärmen → rot + Bromalhydrat → hellgelbgrün → violett + Furfurol-H_2SO_4 → rot, beim Erwärmen violett Hydrochlorid *Fp* 230–231°
47			X 225		wl. in k. W ll. in h. W, A, Ae	Äthylester *Fp* 98–99°
48			VIII 393		ll. in h. W, A	
49			XIII 480	eutekt. Temp.: mit Benzanilid 138°, mit Salophen 153°; schmeckt sehr süß	0,125 W 15° 2 sd. W 4 k. 90%ig. A l. in Ae	0,02 g Subst. mit 4 Tropfen fl. Phenol und 4 Tropfen konz. H_2SO_4 zum Sieden erhitzen, abkühlen + 10 ml W, unterschichten mit KOH → blaue Zone
50				schmeckt etwas bitter	wl. in W l. in A, Ae	+ Zwikkers Reagens → hellvioletter Nd.
51			VII 625		l. in W grün l. in A	
52			E_1 XXIV 423	eutekt. Temp.: mit Benzanilid 137°, mit Salophen 153°; bitterer Geschmack	swl. in k. W wl. in h. W; Ae ll. in A, Aceton, Essigester swl. in Bzl., Chlf. ll. in Lauge	1. 2–3 mg Subst. in 1 ml methylalkohol. $Co(NO_3)_2$-Lsg. + 20 mg Piperazin → rotviolett 2. 2 mg Subst. in 1 ml 1–2%-iger Pyridinlsg. in Hitze ge löst. Zur sd. Lsg. tropfenweise 0,4%ige $CuSO_4$-Lsg. → blaßviolette Krist. 3. + 10–20 mg Paraform + 1 ml H_2SO_4 + Fe-H_3PO_4 → intensiv violettrot, rote Fluoresz.
53				geruch- u. geschmacklos	unl. in W swl. in A wl. in Ae, Bzl., Aceton, Xylol l. in Chlf.	1 g Subst. in 10 ml HCl + 10 ml W + Bromwasser → orangegelber Nd.

Lfd. Nr.	*Fp*	Name	Summen-formel	Strukturformel	Mol.-Ge-wicht	Aggrega zustand Farbe
1	2	3	4	5	6	7
2354	**173 bis 175**	4,4′-Diaminotriphenyl-carbinol	$C_{19}H_{18}N_2O$	$C_6H_5 \cdot C(OH)(C_6H_4 \cdot NH_2)_2$	290,35	farblose Prismen (wss. Py ridin) Tafeln (A + Aceton)
2355	**173 bis 175**	Zimtsäure-o-carbon-säure	$C_{10}H_8O_4$	$HOOC \cdot C_6H_4 \cdot CH:CH \cdot COOH$	192,16	Nadeln (Ae)
2356	**173,5**	3-Aminobenzoesäure	$C_7H_7NO_2$	$H_2N \cdot C_6H_4 \cdot COOH$	137,13	Nadeln (W)
2357	**174**	4,4′-Bis-dimethylamino-benzophenon	$C_{17}H_{20}N_2O$	$[(CH_3)_2N \cdot C_6H_4]_2CO$	268,35	Blättche (A)
2358	**174**	4-Chloracetanilid	C_8H_8ClNO	$CH_3 \cdot CO \cdot NH \cdot C_6H_4 \cdot Cl$	169,61	Nadeln (Essig-säure)
2359	**174**	4-Jod-1-nitrobenzol	$C_6H_4JNO_2$	$J \cdot C_6H_4 \cdot NO_2$	249,01	gelbe Nadeln
2360	**174**	Xanthon	$C_{13}H_8O_2$	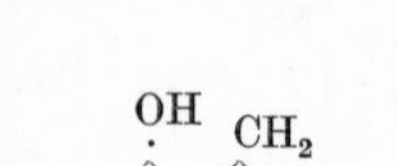	196,19	Nadeln (A)
2361	**174 bis 175**	4-Amino-o-kresol (OH = 1)	C_7H_9NO	$CH_3 \cdot C_6H_3(OH) \cdot NH_2$	123,15	Blätter (Bzl.)
2362	**174 bis 175**	d-Catechin	$C_{15}H_{14}O_6$	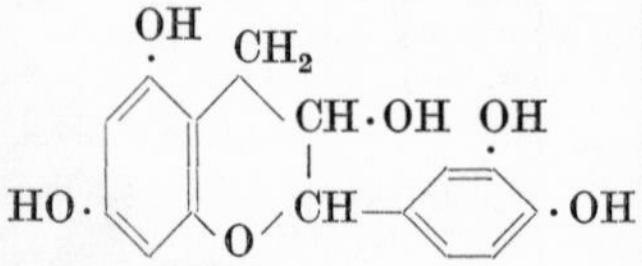	290,26	Nadeln (W)
2363	**174 bis 177**	N[1],N[3]-Bis-(p-methoxy-phenyl)-N[2]-(p-äthoxy-phenyl)-guanidin-hydrochlorid (Acoin)	$C_{23}H_{26}ClN_3O_3$	$CH_3O \cdot C_6H_4 \cdot NH$ / $CH_3O \cdot C_6H_4 \cdot NH$ > $C:N \cdot C_6H_4 \cdot OC_2H_5 \cdot HCl$	427,94	Krist.

fd. Nr.	Spez. Gewicht	Siedepunkt °C	Beilsteinzitat	Physikalische Konstanten und Eigenschaften	Löslichkeit	Reaktionen
	8	9	10	11	12	13
354			XIII 742		wl. in h. W, Ae l. in A	
355			IX 898		swl. in W, Ae ll. in A unl. in Bzl.	Diamid *Fp* 200—201°
356	1,511	subl.	XIV 383	wss. Lsg. färbt sich an der Luft bräunlich	0,59 W 15° 2,2 A 10° 1,8 Ae 7° unl. in Bzl.	Acetylderivat *Fp* 248° Benzoylderivat *Fp* 248° Anilid *Fp* 129° Sulfat *Fp* 225°
357		> 360 (Z.)	XIV 89		0,04 W 20° l. in A wl. in Ae ll. in h. Bzl.	Pikrat *Fp* 156°
358	$1{,}385^{22°}$		XII 611		ll. in A, Ae, CS_2	
359	$1{,}809^{155°}$	subl. 289 (772mm)	V 253		unl. in W ll. in h. A sll. in Ae	
360		350 (730mm)	XVII 354	eutekt. Temp.: mit Benzanilid 131°, mit Salophen 148°	wl. in h. W 0,7 k. A 8,5 sd. A wl. in Ae l. in H_2SO_4	Lsg. in H_2SO_4 gelb, hellblau fluoreszierend Oxim *Fp* 161° Phenylhydrazon *Fp* 152°
361		subl.	XIII 576		wl. in W ll. in A, Ae wl. in Bzl.	
362		> 205 (Z.)	XVII 210	$[\alpha]_{578}$ + 17,1° (50% Aceton); in 96%igem A inaktiv	wl. in k. W ll. in h. W, A wl. in Ae unl. in Bzl.	+ $FeCl_3$ → grün
363				eutekt. Temp.: mit Benzanilid 106°, mit Salophen 124°	l. in W	

Lfd. Nr.	*Fp*	Name	Summenformel	Strukturformel	Mol.-Gewicht	Aggregatzustand Farbe
1	2	3	4	5	6	7
2364	174 bis 178	β-Östradiol ($\Delta^{1,3,5(10)}$-östratrien 3,17β-diol, Dihydrofollikelhormon)	$C_{18}H_{24}O_2$	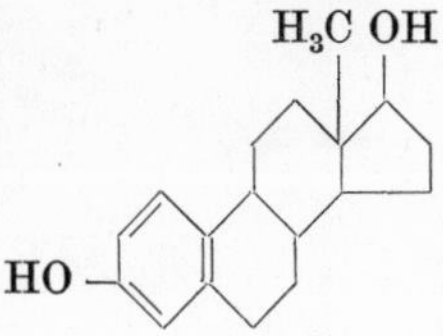	272,37	Prismen (80%ig. A)
2365	175	p-Aminoephetonin (Ephetonal)	$C_{10}H_{16}N_2O$	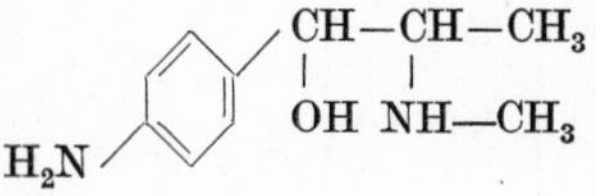	180,24	weiße schwach rötlich-gelbe Krist.
2366	175	Blei(IV)-acetat	$C_8H_{12}O_8Pb$	$(CH_3COO)_4Pb$	443,39	Krist.
2367	175	Chinin	$C_{20}H_{24}N_2O_2$	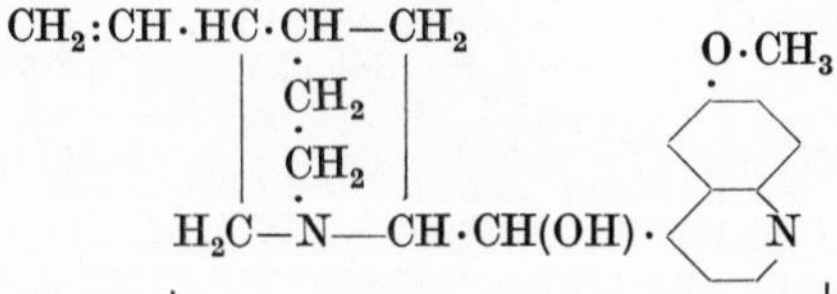	324,41	Krist. (A seiden-glänzende Nadeln

Lfd. Nr.	Spez. Gewicht	Siedepunkt °C	Beilsteinzitat	Physikalische Konstanten und Eigenschaften	Löslichkeit	Reaktionen
	8	9	10	11	12	13
364		subl.		$[\alpha]_D^{20}$ +76 bis +83° (Dioxan); eutekt. Temp.: mit Benzanilid 135°, mit Salophen 151°, mit Dicyandiamid 166°; geruch- und geschmacklos	unl. in W l. in A, Aceton, Dioxan	0,002 g Subst. in 2 ml H_2SO_4 → grünlichgelb + 1 Tropfen Ferriammoniumsulfat-Lsg. → grün + W → rot 3-Methyläther *Fp* 97—98° 3-Acetat *Fp* 137° 17-Acetat *Fp* 215—217° Diacetat *Fp* 125—126° 3-Propionat *Fp* 125° 17-Propionat *Fp* 199—200° Dipropionat *Fp* 104—105° 3-Benzoat *Fp* 191—196° 17-Benzoat *Fp* 92,5—94° Dibenzoat *Fp* 169,5—170,5°
365					l. in W	1. + konz. HNO_3 → violettrot 2. + Fe-H_3PO_4 → violettrot 3. + 1 Tropfen HNO_3-H_2SO_4 gelinde erwärmt → braunorange → grün + 1 ml konz. H_2SO_4 → gelb + Paraform → violettrot
366	$2{,}228^{17°}$		II 117		ll. in h. Eg., W, A	
367		subl.	XX III 551	$[\alpha]_D^{17}$ −167° (A); eutekt. Temp.: mit Benzanilid 142°, mit Salophen 155°; schmeckt sehr bitter	0,05 W 15° 0,1 sd. W 62 A 17° ~3 Ae 20° 21,7 sd. Bzl. ll. in Chlf., CS_2	in H_2SO_4-Lsg. blau fluoreszierend + Chromsäure 1:100 → gelben Nd. + Furfurol-H_2SO_4 → dunkelgrünbraun, beim Erwärmen → grün → braun Jod fällt braunrot wss. Lsg. von Chinin + Chlorwasser + NH_3 → smaragdgrüne Lsg. oder dunkelgrüner Nd. (Thalleiochin) zu 10 ml Chininlsg. von 0,05% setzt man 1 ml Bromwasser, überschichtet vorsichtig mit NH_4OH → an Berührungsstelle grüner Ring, darunter roter Ring, Lsg. bleibt gelb (E 1:20000) + Perhydrol-H_2SO_4 zu kleinsten Mengen Chinin → zitronen-kanariengelb Hydrochlorid *Fp* 146—154°

Lfd. Nr.	*Fp*	Name	Summenformel	Strukturformel	Mol.-Gewicht	Aggrega[tzustand] Farbe
1	2	3	4	5	6	7
2368	**175**	5-Chlor-7-jod-8-hydroxychinolin (Vioform)	C_9H_5ClJNO	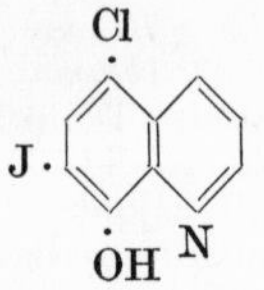	305,52	graues Pulver
2369	**175**	Benzoyl-2-dimethylaminomethylbutanol-(2)-hydrochlorid (Stovain)	$C_{14}H_{22}ClNO_2$	$CH_2-N(CH_3)_2$ an $C_2H_5-C(CH_3)-O-CO-C_6H_5$, HCl	271,78	sehr fei[ne] Nadeln oder glänzen[de] Blättch[en] (abs. A[...])
2370	**175**	4,5-Dihydroxyphthalsäure	$C_8H_6O_6$	$(HO)_2C_6H_2(COOH)_2$	198,13	Prisme[n] (W)
2371	**175**	1,5-Diphenylcarbohydrazid	$C_{13}H_{14}N_4O$	$(C_6H_5 \cdot NH \cdot NH)_2CO$	242,27	Krist. (A)
2372	**175**	5-Propyl-5-isopropylbarbitursäure	$C_{10}H_{16}N_2O_3$	$CH_3 \cdot CH_2 \cdot CH_2$, $(CH_3)_2CH$ > C < $CO \cdot NH$, $CO \cdot NH$ > CO	212,24	Nadel[n]
2373	**175**	Naphthalindicarbonsäure-(1,2)	$C_{12}H_8O_4$	$C_{10}H_6(COOH)_2$	216,18	Krist.
2374	**175**	Semicarbazidhydrochlorid	CH_6ClN_3O	$H_2N \cdot NH \cdot CO \cdot NH_2 + HCl$	111,54	Prisme[n] (verd. [...])
2375	**175**	Styphninsäure (2,4,6-Trinitroresorcin)	$C_6H_3N_3O_8$	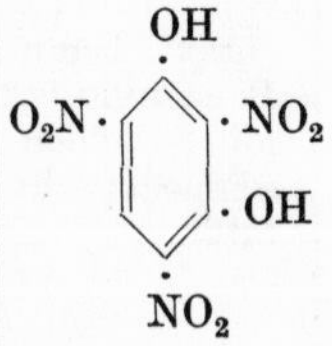	245,11	gelbe Krist. (verd. [...])
2376	**175**	Terebinsäure	$C_7H_{10}O_2$	H_2C——$CH \cdot COOH$ / $OC-O-C(CH_3)_2$	158,15	Krist. (A)
2377	**175**	Tetraphenylfuran	$C_{28}H_{20}O$	$C_6H_5 \cdot C$——$C \cdot C_6H_5$ / ‖ ‖ / $C_6H_5 \cdot C \cdot O \cdot C \cdot C_6H_5$	372,44	Nadeln Blättch[en] (A)
2378	**175**	4,4′,4″-Tris-[dimethylamino]-triphenylmethan (Leukokristallviolett)	$C_{25}H_{31}N_3$	$[(CH_3)_2N \cdot C_6H_4)_3CH$	373,52	Blättch[en] (A)
2379	**175 bis 176**	4-Aminozimtsäure	$C_9H_9NO_2$	$H_2N \cdot C_6H_4 \cdot CH:CH \cdot COOH$	163,17	gelbe Nadel[n]

Lfd. Nr.	Spez. Gewicht	Siede-punkt °C	Beilstein-zitat	Physikalische Konstanten und Eigenschaften	Löslichkeit	Reaktionen
	8	9	10	11	12	13
2368				eutekt. Temp.: mit Benzanilid 144°, mit Salophen 163°; geruch- und geschmacklos	unl. in W l. in Lauge gelb	+ 2n HNO_3 + Jodlösung kochen → Geruch nach Jod alkohol. Lsg. erwärmt + $Fe(NO_3)_3$ → intensiv grün alkohol. Lsg. + $AgNO_3$ → eigelber Nd. Lsg. in Lauge + NH_3 + $CuSO_4$-Lsg. → eigelber Nd.
2369			E_1 IX 91		sll. in W ll. in Methanol swl. in k. Aceton	Pikrat *Fp* 115—116,5°
2370			X 552		ll. in W, A wl. in Ae	
2371			XV 292		wl. in h. W ll. in h. A, Eg. unl. in Ae	
2372			E_2 XXIV 286	eutekt. Temp.: mit Benzanilid 143°, mit Salophen 160°	wl. in W l. in A ll. in Ae	
2373			IX 917		l. in h. W ll. in A, Ae, Eg. wl. in Chlf.	Anhydrid *Fp* 168—169°, Nädelchen Diamid *Fp* 265°, Tafeln Dimethylester *Fp* 80°
2374			III 100		ll. in W unl. in A, Ae	
2375	1,829		VI 830	eutekt. Temp.: mit Benzanilid 122°, mit Salophen 132°; Salze verpuffen beim Erhitzen	0,64 W 14° 1,14 W 88° ll. in A, Ae	
2376		Z.	XVIII 377		wl. in k. W ll. in h. A 1,7 Ae 10°	
2377		220	XVII 99		unl. in W 0,59 sd. A 1,92 Ae 17°	
2378			XIII 325		unl. in k. W wl. in k. A ll. in Ae	
2379			XIV 521	leicht zersetzlich	wl. in k. W ll. in h. W; A, Ae	Äthylester *Fp* 68—69° Acetylderivat *Fp* 260° Benzoylderivat *Fp* 274°

Lfd. Nr.	*Fp*	Name	Summenformel	Strukturformel	Mol.-Gewicht	Aggregatzustand Farbe
1	2	3	4	5	6	7
2380	**175 bis 178**	Diacetyl-1,2,7-trihydroxyanthrachinon (Purgatin)	$C_{18}H_{12}O_7$	$(O:)_2C_{14}H_5(OH)(O\cdot CO\cdot CH_3)_2$	340,28	grüngelbe glänzende Schüppchen
2381	**176**	2,2′-Diaminostilben (hochschm. Form)	$C_{14}H_{14}N_2$	$H_2N\cdot C_6H_4\cdot CH:CH\cdot C_6H_4\cdot NH_2$	210,27	goldgelbe Prismen (A, Ae od. Bzl.)
2382	**176** (Z.)	Dilitursäure	$C_4H_3N_3O_5$	$O_2N\cdot HC\langle{CO\cdot NH \atop CO\cdot NH}\rangle CO$	173,09	Prismen oder Blättchen $+ 3H_2O$ (W)
2383	**176**	2,4-Dinitroanilin	$C_6H_5N_3O_4$	$(O_2N)_2C_6H_3\cdot NH_2$	183,12	gelbe Nadeln
2384	**176**	N,N′-Di-p-tolylthioharnstoff	$C_{15}H_{16}N_2S$	$(CH_3\cdot C_6H_4\cdot NH)_2CS$	256,36	Säulen
2385	**176**	Isocyanursäuretrimethylester	$C_6H_9N_3O_3$	$CH_3\cdot N\langle{CO\cdot N(CH_3) \atop CO\cdot N(CH_3)}\rangle CO$	171,16	Krist. (W oder A)
2386	**176**	N-Methyl-5-phenyl-5-äthylbarbitursäure (Prominal)	$C_{13}H_{14}N_2O_3$	${C_6H_5 \atop C_2H_5}\rangle C\langle{CO\cdot NH \atop CO\cdot N(CH_3)}\rangle CO$	246,26	weiße Krist.
2387	**176** (Z.)	Orsellinsäure	$C_8H_8O_4$	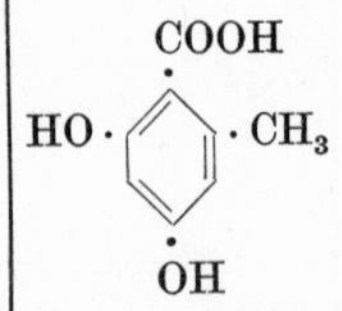	168,14	Nadeln $+ 1H_2O$ (Essigsäure)
2388	**176**	Narcotin	$C_{22}H_{23}NO_7$	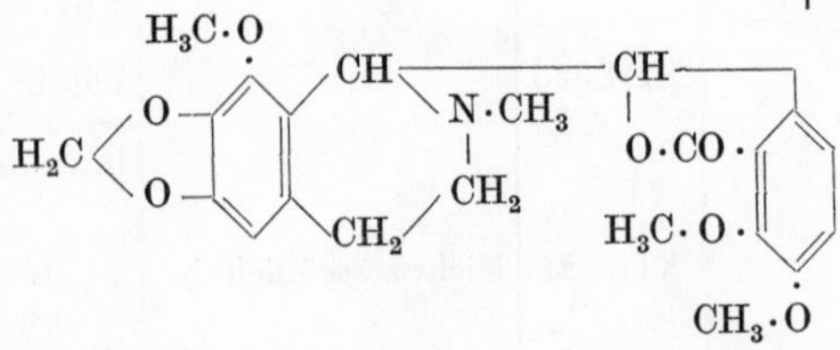	413,41	Nadeln (A)

Lfd. Nr.	Spez. Gewicht	Siedepunkt °C	Beilsteinzitat	Physikalische Konstanten und Eigenschaften	Löslichkeit	Reaktionen
	8	9	10	11	12	13
380			VIII 517		wl. in A ll. in h. Eg.	
381			XIII 267	vgl. Nr. 1711	l. in A, Ae	
382			XXIV 474		0,09 W 26° ll. in h. W l. in A unl. in Ae	
383	$1{,}615^{14°}$		XII 747	eutekt. Temp.: mit Benzanilid 134°, mit Salophen 148°	unl. in k. W swl. in sd. W 0,76 A 21° wl. in h. HCl	Acetylderivat *Fp* 121° Benzoylderivat *Fp* 220° p-Toluolsulfonylderivat *Fp* 219°
384			XII 948		unl. in W swl. in k. A	
385		274	XXVI 249		unl. in k. W wl. in h. W l. in A	
386				eutekt. Temp.: mit Benzanilid 138°, mit Salophen 157°; schmeckt bitter	swl. in W l. in A ll. in Lauge	1. 2–3 mg Subst. in 1 ml methylalkohol. $Co(NO_3)_2$-Lsg. + 20 mg Piperazin → rotviolett 2. 2 mg Subst. in 1 ml 1 bis 2%iger Pyridinlsg. in Hitze gelöst. Zur sd. Lsg. tropfenweise 0,4%ige $CuSO_4$-Lsg. → blaßviolette Krist. 3. 1 ml H_2SO_4 + Paraform warm → blaßgelb → intensiv violettrot → rot + HNO_3-H_2SO_4 → orange
387			X 412		ll. in A 22,2 Ae 20°	
388	1,374	(Z)	XXVII 547	$[\alpha]_D^{22,5}$ – 185° (A); eutekt. Temp.: mit Benzanilid 131°, mit Salophen 152°	swl. in W wl. in k. A 0,6 Ae 16° ll. in sd. A, Bzl., Chlf., CS_2, Essigester, Aceton	+ konz. H_2SO_4 → grünlichgelb → rotgelb → kirschrot + $(CH_2)_6N_4$ in H_2SO_4 (5%ig) → goldgelb + Formaldehyd-H_2SO_4 → blauviolett, → violett → sepia → gelb → blutrot + konz. HNO_3 → gelbgrün + Perhydrol-H_2SO_4 → orangerot → purpurrot → farblos

Lfd. Nr.	*Fp*	Name	Summen-formel	Strukturformel	Mol.-Ge-wicht	Aggrega zustand Farbe
1	2	3	4	5	6	7
2389	**176 bis 177**	α-Campheramidsäure	$C_{10}H_{17}NO_3$	$H_2C\cdot C(CH_3)(COOH)$ | $H_2C\cdot CH(CO\cdot NH_2)$ > $C(CH_3)_2$	199,24	Blättche (W)
2390	**176 bis 177**	Dichinolyl-(2,3′)	$C_{18}H_{12}N_2$	$C_9H_6N\cdot C_9H_6N$	256,29	Blättche (A)
2391	**176 bis 180**	Succinylsalicylsäure (Diaspirin)	$C_{18}H_{14}O_8$	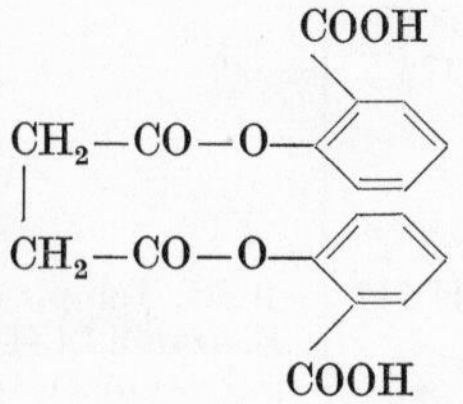	358,29	weiße Nadeln
2392	**176,6**	2-Nitrobenzamid	$C_7H_6N_2O_3$	$O_2N\cdot C_6H_4\cdot CO\cdot NH_2$	166,13	Krist.
2393	**177**	9-Methyl-2,6,8-trichlorpurin	$C_6H_3Cl_3N_4$	N—C·Cl ‖ ‖ Cl·C C——N | | > C·Cl N=C·N(CH$_3$)	237,49	Krist. (A)
2394	**177**	2,5-Dinitrobenzoesäure	$C_7H_4N_2O_6$	$(O_2N)_2C_6H_3\cdot COOH$	212,12	Krist. (W)
2395	**177**	2-Methylanthrachinon	$C_{15}H_{10}O_2$	C_6H_4 <CO / CO> $C_6H_3\cdot CH_3$	222,23	Nadeln (A)
2396	**177**	2-Hydroxy-p-toluylsäure	$C_8H_8O_3$	$HO\cdot C_6H_3(CH_3)\cdot COOH$	152,14	Nadeln (W)
2397	**177 (Z.)**	Triäthanolamin-hydrochlorid	$C_6H_{16}ClNO_3$	$(HO\cdot CH_2\cdot CH_2)_3N\cdot HCl$	185,65	derbe Nadeln (verd. A
2398	**177 bis 178**	4-Hydroxy-o-toluylsäure	$C_8H_8O_3$	$HO\cdot C_6H_3(CH_3)\cdot COOH$	152,14	Nadeln + $^1/_2$ H$_2$ (W)
2399	**177 bis 178**	3,4,5-Trihydroxybenzophenon	$C_{13}H_{10}O_4$	$C_6H_5\cdot CO\cdot C_6H_2(OH)_3$	230,21	Blättche + 1 H$_2$O (W)
2400	**178**	Acetylendicarbonsäure	$C_4H_2O_4$	HOOC·C⋮C·COOH	114,06	Krist.
2401	**178**	5-Phenylhydantoin	$C_9H_8N_2O_2$	$C_6H_5\cdot CH$—NH | > CO CO—NH	176,18	Blättche mit 1 H$_2$ (W)

Lfd. Nr.	Spez. Gewicht	Siedepunkt °C	Beilsteinzitat	Physikalische Konstanten und Eigenschaften	Löslichkeit	Reaktionen
	8	9	10	11	12	13
389			IX 755	$[\alpha]_D$ +45° (A)	l. in W, A swl. in Ae	
390		>400	XXIII 293		unl. in W ll. in h. A l. in Ae, Bzl., Chlf.	
391				geruchlos, geschmacklos	swl. in W wl. in k. A, k. Essigester	
392		317	IX 373		ll. in h. W, A	
393			XXVI 357		sl. in Aceton u. h. W	
394			IX 412		wl. in k. W ll. in A, Ae	+ NH_3 + $(NH_4)_2S$ → blutrot, erhitzen → braungelb
395			VII 809		wl. in A, Ae ll. in Bzl., Eg.	
396		subl.	X 233		l. in W ll. in A, Ae	+ $FeCl_3$ → violett Äthylester Kp. 245°
397	$1{,}4242^{20°}$	Z.	IV 285	n_D^{20} 1,4824	wl. in A, Ae	Base $Kp._{150}$ 277—279° Chloroplatinat *Fp* 116—117°
398			X 214	eutekt. Temp.: mit Benzanilid 133°, mit Salophen 145°	wl. in k. W ll. in A, Ae	Äthylester *Fp* 98°
399			VIII 422		wl. in k. W ll. in h. W, A, Ae	
400	1,278		II 801		ll. in W, A, Ae	
401			XXIV 384		ll. in A, h. W, Alkalien	

Lfd. Nr.	*Fp*	Name	Summenformel	Strukturformel	Mol.-Gewicht	Aggregatzustand Farbe
1	2	3	4	5	6	7
2402	178	Brucin	$C_{23}H_{26}N_2O_4$	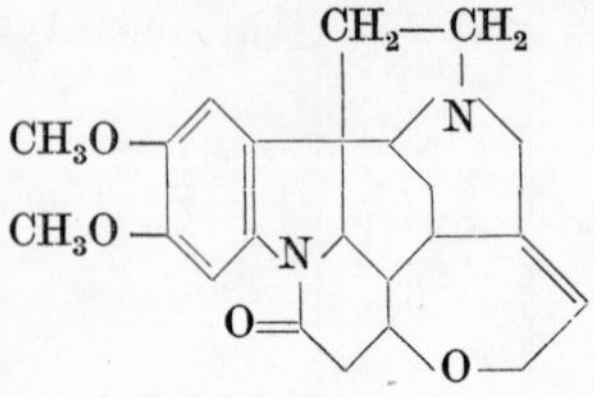	394,45	weiße Prismen (A)
2403	178	γ-Carotin	$C_{40}H_{56}$	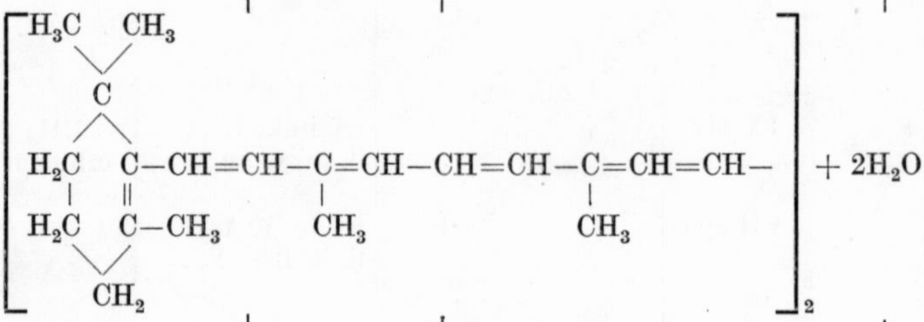	536,85	rote Blättche
2404	178	1,7-Dihydroxynaphthalin	$C_{10}H_8O_2$	$C_{10}H_6(OH)_2$	160,16	Nadeln (W)
2405	178	4,4′-Dichlorstilben	$C_{14}H_{10}Cl_2$	$Cl\cdot C_6H_4\cdot CH:CH\cdot C_6H_4\cdot Cl$	249,13	Blättche (Chlf. + A)
2406	178	1-[3′,4′-Dihydroxyphenyl]-2-aminopropanol-(1)-hydrochlorid (Corbasil)	$C_9H_{14}ClNO_3$	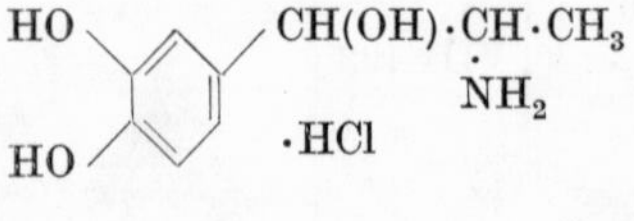	219,67	weiße Krist.
2407	178	Glyoxim	$C_2H_4N_2O_2$	$HO\cdot N:CH\cdot CH:N\cdot OH$	88,07	Tafeln (W)

fd. r.	Spez. Gewicht	Siede-punkt °C	Beilstein-zitat	Physikalische Konstanten und Eigenschaften	Löslichkeit	Reaktionen
	8	9	10	11	12	13
02				$[\alpha]_D$ —119 bis —127° (Chlf.); eutekt. Temp.: mit Benzanilid 127°, mit Salophen 149°; stark bitter; sehr giftig	0,1 W 20° 0,67 sd. W 82,4 A 25° 0,8 Ae 20° 13,1 Chlf. 25° l. in Säuren	+ verd. HNO_3 → blaßviolettrot, kurzes Erhitzen → orange → gelb 1. + 1 ml H_2SO_4 → rosa + Fe-H_3PO_4 → zart violettrot + $HNO_3 \cdot H_2SO_4$ → intensiv orange → sehr langsam gelb 2. + 10—20 mg Paraform + 1 ml H_2SO_4 → rosa + Fe-H_3PO_4 → zart violettrot + $HNO_3 \cdot H_2SO_4$ → intensiv orange → langsam heller + Bromwasser → violett + Bromw. → gelber Nd. + Jodjodkalium → Nd. (E 1:50000) + $AuCl_3$ → Nd. (E 1:20000) Subst. in H_2SO_4-H_2O (1:9) + stark verd. $K_2Cr_2O_7$-Lsg. → himbeerrot → orangerot → braunrot (E 1:10000)
03				opt. inakt.		+ $SbCl_3$ in Chlf. → blau
04			VI 981		ll. in h. W, A, Ae	Diacetat *Fp* 108°
05			E_1 V 304			Dibromid *Fp* 226—227°
06				geruchlos; bitterer Geschmack		wss. Lsg. beim Schütteln mit Lauge → rötlichgelb bis orange 1—2 mg Subst. in 1 ml W lösen + 0,5 ml verd. $Fe(NO_3)_3$-Lsg. → grün + Hexamethylentetramin → intensiv blauviolett
07		subl.	I 761		ll. in h. W, A, Ae	

Lfd. Nr.	*Fp*	Name	Summenformel	Strukturformel	Mol.-Gewicht	Aggrega zustand Farbe
1	2	3	4	5	6	7
2408	178	Inulin	$C_{12}H_{20}O_{10}$		324,28	hygroskop. Krist. 1 H_2O
2409	178	5-Isopropyl-5-(β-bromallyl)-barbitursäure (Noctal)	$C_{10}H_{13}BrN_2O_3$	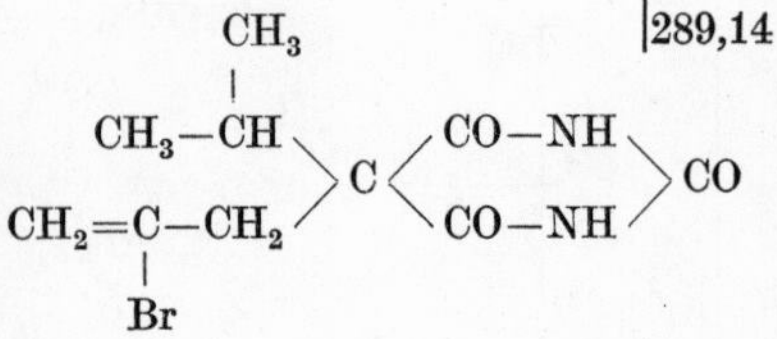	289,14	weiße Krist.
2410	178	Lobelinhydrochlorid	$C_{22}H_{28}ClNO_2$	$C_{22}H_{27}NO_2 + HCl$	373,91	weißes Krist.-Plv.
2411	178 bis 179	4-Amino-m-kresol (OH = 1)	C_7H_9NO	$CH_3 \cdot C_6H_3(OH) \cdot NH_2$	123,15	Warzen (Bzl.)
2412	178 bis 180	1,8-Dihydroxyanthranol (Cignolin)	$C_{14}H_{10}O_3$	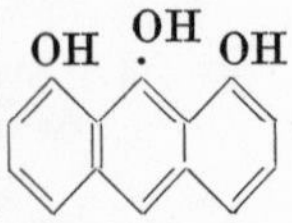	226,22	

Lfd. Nr.	Spez. Gewicht	Siedepunkt °C	Beilsteinzitat	Physikalische Konstanten und Eigenschaften	Löslichkeit	Reaktionen
	8	9	10	11	12	13
408	$1{,}35^{20°}$			$[\alpha]_D$ −40°; eutekt. Temp. mit Salophen 182°	0,01 W 0° 0,02 A 16°	Hydrolyse → Fructose
409				eutekt. Temp.: mit Benzanilid 142°, mit Salophen 158°	unl. in W l. in A, Ae, Lauge	1. + 1 ml W + 2—3 Tropfen 2n-Lauge + 2 bis 3 Tropfen n/10-$KMnO_4$-Lsg. → blau bis grün + 2n HNO_3 → klar und farblos + $AgNO_3$ → AgBr 2. 1 mg Subst. + 10 mg α-Naphthol in 1 ml konz. H_2SO_4 im sd. W-Bad → schwach grün, bei Erhitzen über freier Flamme → intensiv grün 3. 2—3 mg Subst. in 1 ml methylalkoholischer $Co(NO_3)_2$-Lsg. + 20 mg Piperazin → rotviolett 4. 2 mg Subst. in 1 ml 1—2%ig. Pyridinlsg. in Hitze gelöst. Zur sd. Lsg. tropfenweise 0,4%ige $CuSO_4$-Lsg. → blaßviolette Krist.
410				$[\alpha]_D^{20}$ −42,51° (W); eutekt. Temp.: mit Benzanilid 136°, mit Salophen 145°; schmeckt bitter	40 W 10 A ll. in Chlf.	beim Kochen der wss. Lsg. → Geruch nach Acetophenon 1. + 1 ml konz. H_2SO_4 + Fe-H_3PO_4 → rosa, warm violettrot + Paraform → violettrot und grau + HNO_3-H_2SO_4 → braun und violettrot, Fluoreszenz 2. 0,01 g Subst. in 1 ml H_2SO_4 lösen (HCl-Entwicklung) + 1 Tropfen Formaldehyd-H_2SO_4 → kirschrot
411			XIII 593			Benzoylderivat *Fp* 163°
412			E_1 VIII 647	eutekt. Temp.: mit Benzanilid 140°, mit Salophen 156°		

Lfd. Nr.	*Fp*	Name	Summen-formel	Strukturformel	Mol.-Gewicht	Aggregatzustand Farbe
1	2	3	4	5	6	7
2413	**178,5**	d-Campher	$C_{10}H_{16}O$	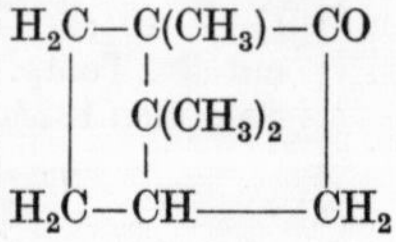	152,23	Tafeln (A)
2414	**179**	1-Acetyl-5-äthyl-5-phenylhydantoin (Acetylnirvanol)	$C_{13}H_{14}N_2O_3$	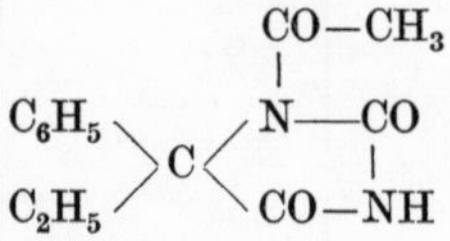	246,26	farblose Krist.
2415	**179**	N-Methylanthranil-säure	$C_8H_9NO_2$	$CH_3 \cdot NH \cdot C_6H_4 \cdot COOH$	151,16	Blättchen (A)
2416	**179** bis **180**	Isobenzamaron	$C_{35}H_{28}O_2$	$C_6H_5 \cdot CH[CH(C_6H_5) \cdot CO \cdot C_6H_5]_2$	480,57	farblose Krist.
2417	**179** bis **181**	Marbadal (Badionalsaures Marfanil)	$C_{14}H_{19}N_5O_4S_3$	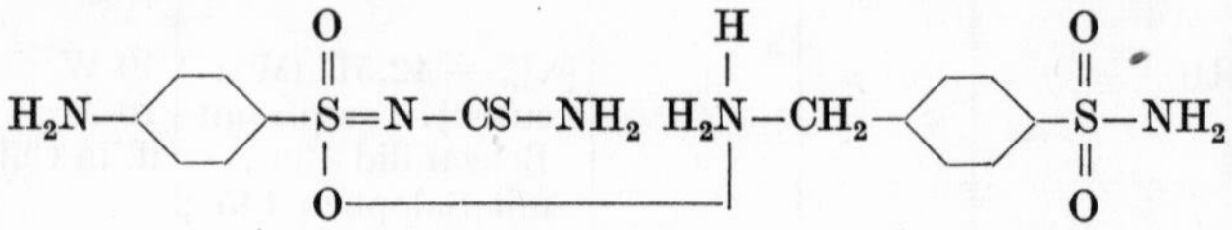	417,53	farblos
2418	**180**	4,4′-Dimethylstilben	$C_{16}H_{16}$	$H_3C \cdot C_6H_4 \cdot CH:CH \cdot C_6H_4 \cdot CH_3$	208,29	Blättchen (Chlf.-A)
2419	**180**	Fluoran	$C_{20}H_{12}O_3$	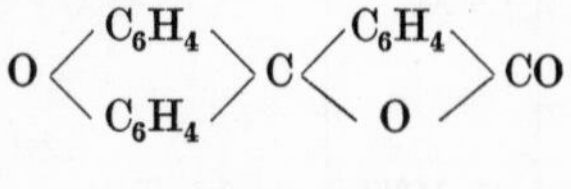	300,30	Nadeln + 2 C_2H_5OH (A)
2420	**180**	Indican (Pflanzen-indican)	$C_{14}H_{17}NO_6$	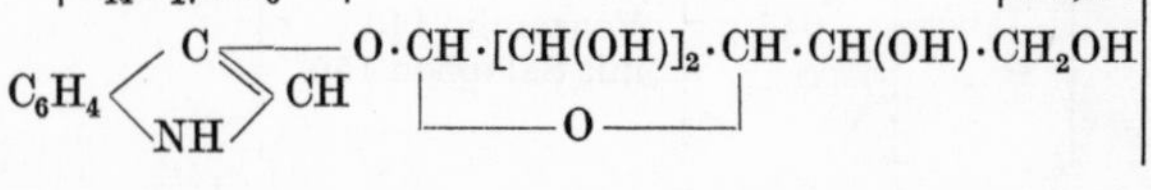	295,28	braune Krist. + 3 H_2O

fd. Nr.	Spez. Gewicht	Siedepunkt °C	Beilsteinzitat	Physikalische Konstanten und Eigenschaften	Löslichkeit	Reaktionen
	8	9	10	11	12	13
13	$1{,}000^{0°}$ $0{,}9999^{9°}$	subl. 209,1	VII 10	$[\alpha]_D^{20}$ +44,3° (A); ebulliosk. Konst. 6,09; kryoskop. Konst. 40,0; riecht durchdringend; schmeckt scharf, etwas bitter, kühlend; mit Wasserdampf flüchtig	0,15 k. W 120 A 12° ll. in Ae, Bzl., Chlf., Eg.	Lsg. in Paraform-H_2SO_4 beim Erwärmen → orangerot, intensiv grüne Fluoreszenz Oxim *Fp* 120° Phenylhydrazon *Fp* 233° p-Bromphenylhydrazon *Fp* 104° p-Nitrophenylhydrazon *Fp* 217° 2,4-Dinitrophenylhydrazon *Fp* 177° Semicarbazon *Fp* 247 bis 248° Camphersäure *Fp* 187° (synthetische Säure *Fp* 203 bis 205°)
14					l. in W ll. in A, Ae	
15			XIV 323		0,2 k. W 0,4 sd. W ll. in A, Ae	
16			VII 851		l. in Bzl.	
17					0,78 W ll. in verd. HCl l. in verd. NaOH, NH_3 wl. in A, Aceton unl. in Ae	+ Bromwasser → gelblichweißer Nd. + p-Dimethylaminobenzaldehyd in verd. HCl → orange Subst. in alkoh. Lsg. + 1 Tropfen HCl auf Zeitungspapier → braunrot Subst. in alkoh. Lsg. + HNO_3 + $AgNO_3$ → weißer Nd. + NH_3 → schwarz + $FeCl_3$-Lsg. → schmutziggrünlichbrauner Nd. + Jodjodkalium → blaßgelbgelbbrauner Nd. Subst. in NH_3 + ammoniakal. $AgNO_3$-Lsg. schwarzer Nd.
18		304 bis 305	V 648		ll. in CS_2, Ae, h. A	Dibromid *Fp* 208;
19			XIX 146		unl. in W l. in A l. in H_2SO_4, gelb	
20					ll. in W, A l. in Ae	

Lfd. Nr.	Fp	Name	Summen- formel	Strukturformel	Mol.- Ge- wicht	Aggrega zustand Farbe
1	2	3	4	5	6	7
2421	**180** (Z.)	α-Isatinchlorid	C_8H_4ClNO	$C_6H_4 \diagdown \!\! \begin{array}{c} CO \\ N \end{array} \!\! \diagup CCl$	165,58	braune Nadeln
2422	**180**	α-Jodisovalerianylharn- stoff (Jodival)	$C_6H_{11}JN_2O_2$	$\begin{array}{c} H_3C \\ H_3C \end{array} \!\! \diagup CH-CH-CO \cdot NH \cdot CO \cdot NH_2 \\ \qquad\qquad \underset{J}{\vert}$	270,07	weiße Krist.
2423	**180**	N-Methyl-N′-acetyl- harnstoff	$C_4H_8N_2O_2$	$CH_3 \cdot NH \cdot CO \cdot NH \cdot CO \cdot CH_3$	116,12	Krist. (W)
2424	**180**	Homatropinmethyl- bromid (Novatropin)	$C_{17}H_{24}BrNO_3$	$C_{16}H_{21}NO_3 \cdot CH_3Br$ vgl. Nr. 1388	370,29	weiße Krist.
2425	**180**	Benzyläther-3,3′-di- carbonsäure	$C_{16}H_{14}O_5$	$O(\cdot CH_2 \cdot C_6H_4 \cdot COOH)_2$	286,27	
2426	**180**	Phenthiazin	$C_{12}H_9NS$	$C_6H_4 \diagdown \!\! \begin{array}{c} NH \\ S \end{array} \!\! \diagup C_6H_4$	199,27	gelbe Blättchen (A)
2427	**180**	p-Toluylsäure	$C_8H_8O_2$	$CH_3 \cdot C_6H_4 \cdot COOH$	136,14	Nadeln (W)

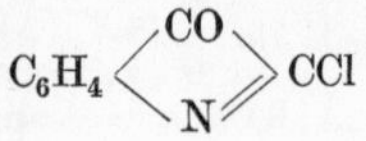

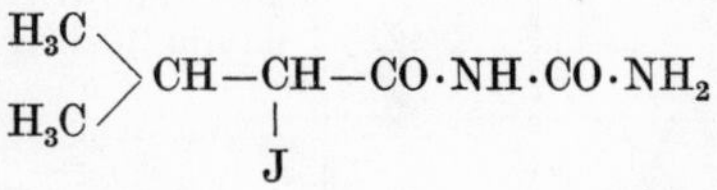

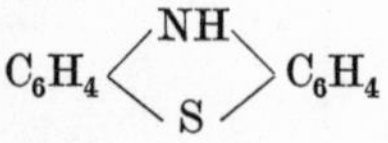

Lfd. Nr.	Spez. Gewicht	Siedepunkt °C	Beilsteinzitat	Physikalische Konstanten und Eigenschaften	Löslichkeit	Reaktionen
	8	9	10	11	12	13
421			XXI 302		unl. in W ll. in A, Ae, Eg.	Lsgg. sind blau Reduktion → Indigo
422				eutekt. Temp.: mit Benzanilid 141°, mit Salophen 162°; Geschmack schwach bitter	wl. in W ll. in Lauge	Lsg. in konz. H_2SO_4 farblos + tropfenweise $HNO_3 \cdot H_2SO_4$ → vorübergehend violettrot + 1 ml H_2SO_4 + $HNO_3 \cdot H_2SO_4$ → violettrot → braunorange → farblos + alkal. HgJ_2-Lsg. bei Zimmertemperatur klar, beim Erwärmen braunoranger Nd.
423		Z.	IV 66		ll. in W l. in A wl. in Ae	
424				bitter		+ 1 Tropfen $HNO_3 \cdot H_2SO_4$ vorsichtig auf W-Bad erhitzt → blau → blaugrün + H_2SO_4 in W-Bad → schwach gelb + α-Naphthol → violettrot + Paraform-H_2SO_4 gelinde erwärmt → grünstichig gelb mit rötlicher Färbung + alkal. HgJ_2-Lsg. → gelblicher, käsiger Nd.
425			X 232		sl. in Ae, Chlf., Bzl.	
426		370	XXVII 63	färbt sich an der Luft grün	swl. in W wl. in A, Ae l. in Bzl.	
427		274 bis 275	IX 483	sublimierbar; mit Dampf flüchtig	0,04 W 25° ll. in A, Ae	Phenylester *Fp* 83° p-Nitrobenzylester *Fp* 148,5° Phenacylester *Fp* 103° p-Bromphenacylester *Fp* 153° p-Phenylphenacylester *Fp* 165° Amid *Fp* 158° Anilid *Fp* 140° p-Toluidid *Fp* 160°

Lfd. Nr.	*Fp*	Name	Summenformel	Strukturformel	Mol.-Gewicht	Aggregatzustand Farbe
1	2	3	4	5	6	7
2428	180	Thioharnstoff	CH_4N_2S	$H_2N \cdot CS \cdot NH_2$	76,12	Krist. (A)
2429	180 bis 181	Linolensäurehexabromid (9,10, 12, 13,-15,16-Hexabromoctadecansäure)	$C_{18}H_{30}Br_6O_2$	CH_2 ⟨ $(CHBr)_2 \cdot CH_2 \cdot (CHBr)_2 \cdot C_2H_5$ / $(CHBr)_2 \cdot (CH_2)_7 \cdot COOH$	757,92	Nadeln (Bzl.)
2430	180 bis 182	Corticosteron (Δ^4-Pregnen-11β.21-diol-3,20-dion)	$C_{21}H_{30}O_4$	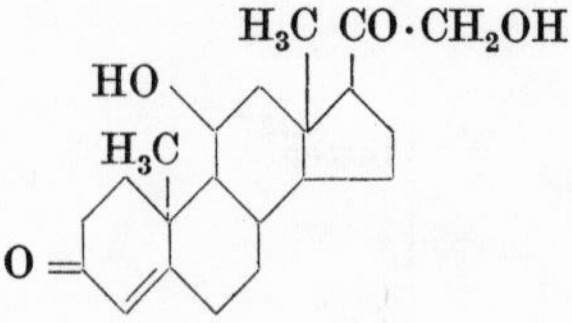	346,45	Platten (Aceton)
2431	180 bis 182 (Z.)	9-Nitrofluoren	$C_{13}H_9NO_2$	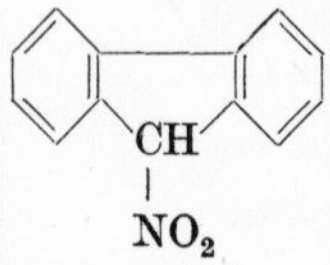	211,21	farblose Krist.
2432	180 bis 190	4,5-Dimethoxyphthalsäure	$C_{10}H_{10}O_6$	$(CH_3O)_2C_6H_2(COOH)_2$	226,18	Prismen $+H_2O$ (W)
2433	180 bis 200	Azodicarbonamid	$C_2H_4N_4O_2$	$H_2N \cdot CO \cdot N:N \cdot CO \cdot NH_2$	116,08	orange Krist.
2434	181	4-Hydroxymethylbenzoesäure	$C_8H_8O_3$	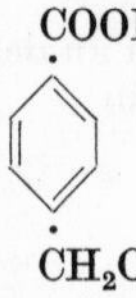	152,14	Blättchen oder Nadeln
2435	181	2-Benzaminobenzoesäure	$C_{14}H_{11}NO_3$	$C_6H_5 \cdot CO \cdot NH \cdot C_6H_4 \cdot COOH$	241,24	Nadeln (A oder Bzl.)
2436	181	Dichinolyl-(6,6′)	$C_{18}H_{12}N_2$	$C_9H_6N \cdot C_9H_6N$	256,29	Blättchen (A) Nadeln (verd. A)

Lfd. Nr.	Spez. Gewicht	Siedepunkt °C	Beilsteinzitat	Physikalische Konstanten und Eigenschaften	Löslichkeit	Reaktionen
	8	9	10	11	12	13
428	1,405		VI 180		9 k. W swl. in k. A wl. in Ae	bei 160° → Ammoniumrhodanid wss. Lsg. + $AgNO_3$ → weiße Flocken, die sich braun verfärben, + NH_3 → Ag_2S verd. Jodlösung wird entfärbt + alkalische HgJ_2-Lsg. gelben → orangen, beim Erwärmen schwarzen Nd. 1 Krist. Thioharnstoff in gelinde erwärmter Lsg. aus 1 ml H_2O, 2 Tropfen $K_3Fe(CN)_6$ + 2 Tropfen 2n-Essigsäure → rasch blau und trüb + Nitroprussidnatrium in alkalischer Lsg. → gelb
429			II 387		swl. in A, Chlf., Eg. l. in h. Bzl., h. Xylol	Äthylester *Fp* 151,5—152,5°
430				$[\alpha]_D^{15}$ +223° (A)	unl. in W l. in A, Ae	+ konz. H_2SO_4 → grüne Fluoreszenz 21-Acetat *Fp* 145° 21-Benzoat *Fp* 201—202°
431			V 628		unl. in W l. in A, Bzl. ll. in Chlf., Aceton	
432			X 552		wl. in W	190° → Anhydrid *Fp* 175°
433			III 323		swl. in h. W unl. in A	zersetzt sich beim Erhitzen in Cyanursäure und NH_3
434					sll. in Ae, h. W	
435			XIV 340		unl. in W ll. in A, Ae	
436			XXIII 295		unl. in W l. in A, Ae ll. in Bzl.	

Lfd. Nr.	*Fp*	Name	Summenformel	Strukturformel	Mol.-Gewicht	Aggregatzustand Farbe
1	2	3	4	5	6	7
2437	181	Homophthalsäure (2-Carboxyphenylessigsäure)	$C_9H_8O_4$	$HOOC \cdot C_6H_4 \cdot CH_2 \cdot COOH$	180,15	Blättchen oder Prismen (W)
2438	181	4-Nitrophenylpropiolsäure	$C_9H_5NO_4$	$O_2N \cdot C_6H_4 \cdot C{:}C \cdot COOH$	191,14	Nadeln (A od. Ae)
2439	181	4-Hydroxynaphthaldehyd	$C_{11}H_8O_2$	$HO \cdot C_{10}H_6 \cdot CHO$	172,17	gelbe Nadeln (W)
2440	181	9-Phenylacridin	$C_{19}H_{13}N$	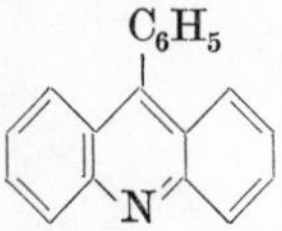	255,30	gelbe Prismen (A)
2441	181	Veratrumsäure (3,4-Dimethoxybenzoesäure)	$C_9H_{10}O_4$	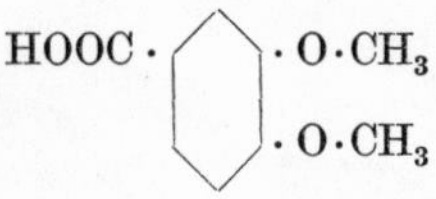	182,17	Krist. (W)
2442	181,5	Vitamin-A_1-säure	$C_{20}H_{28}O_2$	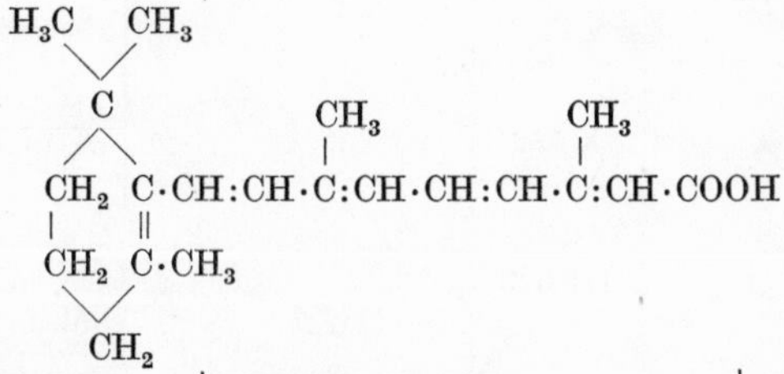	300,42	gelbe Platten (Methanol) Nadeln (Ae)
2443	181 bis 183	Thiosemicarbazid	CH_5N_3S	$H_2N \cdot NH \cdot CS \cdot NH_2$	91,14	Nadeln (W)
2444	182	3-Aminozimtsäure	$C_9H_9NO_2$	$H_2N \cdot C_6H_4 \cdot CH{:}CH \cdot COOH$	163,17	gelbe Nadeln (W)
2445	182	β-Benzpinakolin (ω,ω,ω-Triphenylacetophenon)	$C_{26}H_{20}O$	$(C_6H_5)_3C \cdot CO \cdot C_6H_5$	348,42	Nadeln (A)

Lfd. Nr.	Spez. Gewicht	Siedepunkt °C	Beilsteinzitat	Physikalische Konstanten und Eigenschaften	Löslichkeit	Reaktionen
	8	9	10	11	12	13
437			IX 857		l. in h. W ll. in A wl. in Ae unl. in Chlf., Bzl.	beim Erhitzen → Anhydrid
438			IX 637		wl. in W ll. in h. A; Ae wl. in Chlf.	durch sd. W. Zers.
439			VIII 146		unl. in k. W l. in A, Ae	
440		403 bis 404	XX 514	Lsgg. in Säuren fluoreszieren grün	unl. in W wl. in A l. in Ae ll. in Bzl.	
441		subl.	X 393		0,05 W 14° 0,6 sd. W ll. in A, Ae	+ $FeCl_3$ → gelb Amid *Fp* 164° Anilid *Fp* 154°
442				λ_{max} 353 (in A)		
443			III 195			Hydrochlorid *Fp* 186—190°
444			XIV 520		wl. in k. W ll. in A, Ae	Äthylester *Fp* 63—64° Acetylderivat *Fp* 237° Benzoylderivat *Fp* 229°
445		Z.	VII 544		unl. in W wl. in k. A 1,2 sd. 95%ig. A l. in Ae ll. in Bzl., Chlf.	

Lfd. Nr.	Fp	Name	Summen-formel	Strukturformel	Mol.-Gewicht	Aggregatzustand Farbe
1	2	3	4	5	6	7
2446	**182**	Cocainhydrochlorid	$C_{17}H_{22}ClNO_4$	$H_2C-CH—CH\cdot CO\cdot OCH_3$ $N\cdot CH_3CH\cdot O\cdot CO\cdot C_6H_5 + HCl$ $H_2C-CH—CH_2$	339,81	weiße glänzen Blättche
2447	**182**	N,N-Dimethylharnstoff	$C_3H_8N_2O$	$(CH_3)_2N\cdot CO\cdot NH_2$	88,11	Säulen (A)
2448	**182**	2,4,6-Trinitro-m-xylol	$C_8H_7N_3O_6$	$(O_2N)_3C_6H(CH_3)_2$	241,16	gelbe Blättche (Bzl. + A)
2449	**182 bis 183**	2,4-Dinitrobenzoesäure	$C_7H_4N_2O_6$	$(O_2N)_2C_6H_3\cdot COOH$	212,12	Nadeln oder Tafeln (W)
2450	**182 bis 183**	4-Hydroxynaphthoe-säure-(2)	$C_{11}H_8O_3$	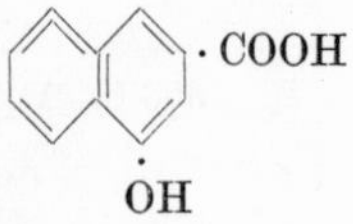	188,17	Büsche kleiner Nadeln (W)
2451	**182,6**	4-Fluorbenzoesäure	$C_7H_5FO_2$	$F\cdot C_6H_4\cdot COOH$	140,11	Prisme (W)
2452	**183**	4-Amino-1,1′-azo-naphthalin	$C_{20}H_{15}N_3$	$C_{10}H_7\cdot N:N\cdot C_{10}H_6\cdot NH_2$	297,34	braunro Nadeln (Xylol)
2453	**183**	Curcumin	$C_{21}H_{20}O_6$	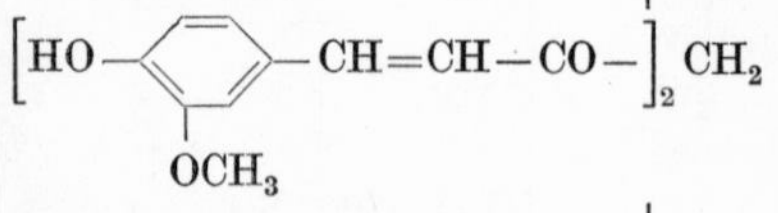	368,37	rote Nadeln oder ziegelro Prisme (Methyl-alkohol)
2454	**183**	Euphthalmin (Mandelsäureester des N,α,α′,α′-Tetra-methyl-γ-hydroxy-hexahydropyridin-hydrochlorids)	$C_{17}H_{26}ClNO_3$	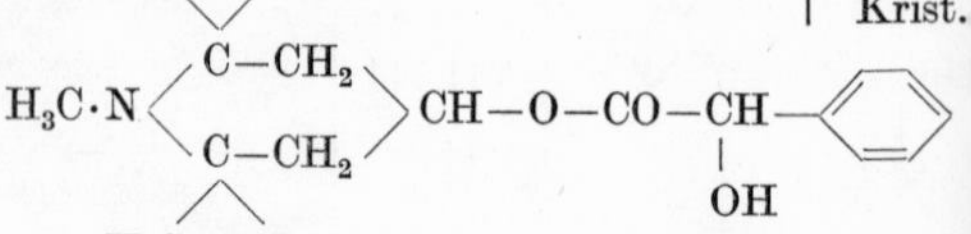	327,84	weiße Krist.

Lfd. Nr.	Spez. Gewicht	Siedepunkt °C	Beilsteinzitat	Physikalische Konstanten und Eigenschaften	Löslichkeit	Reaktionen
	8	9	10	11	12	13
446			XXII 200	$[\alpha]_D$ −71,9 (W); eutekt. Temp.: mit Salophen 155°, mit Dicyandiamid 138°; schwach bitter; anästhesierend	250 W 25° 38,4 A 25° unl. in Ae	+ 1 Tropfen Fe-H_3PO_4 erhitzt → Geruch von Benzoesäuremethylester 3 mg Substanz mit 1 Tropfen 5%iger $K_2Cr_2O_7$-Lsg. auf Uhrglas mit Glasstab verreiben → gelbe Krist., + 1 Tropfen konz. HCl → orange gefärbtes Harz, das hart wird oder in feinen Nadeln kristallisiert beim Verreiben mit 1 Tropfen n/10-$KMnO_4$-Lsg. → Krist. von Cocainpermanganat + Harnstoff + H_2SO_4 → beim Erwärmen blau + Jodlösung → brauner Nd.
447	1,255		IV 73		l. in W wl. in k. A swl. in Ae	
448	$1{,}604^{19°}$		V 381		0,04 A 20°	
449	1,672	subl.	IX 411		1,85 W 25° l. in A 0,71 Bzl. 30°	
450			X 328		l. in W, A	mit $FeCl_3$ gibt die wss. alkohol. Lsg. goldgelbe Trübung Acetylderivat *Fp* 167—168°, Nadeln
451	$1{,}479^{25°}$		IX 333	mit Dampf flüchtig; schmeckt eigentümlich süß	0,12 W 25° l. in A, Ae	Amid *Fp* 154°
452			XVI 365		unl. in W l. in A, Ae	+ H_2SO_4 → dunkelgrün
453			VIII 554	in Ae grüne Fluoreszenz	unl. in W wl. in A, Ae 0,05 Bzl. l. in Alkali rotbraun	
454				salzig-bitterer Geschmack	l. in A	+ alkal. HgJ_2-Lsg. → gelber Nd.; kochen → orange bis braunorange Nd.

Lfd. Nr.	*Fp*	Name	Summenformel	Strukturformel	Mol.-Gewicht	Aggregatzustand Farbe
1	2	3	4	5	6	7
2455	**183**	Methylrot	$C_{15}H_{15}N_3O_2$	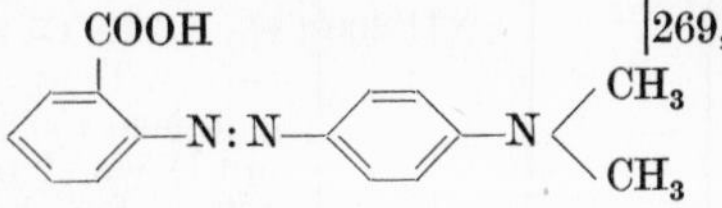	269,29	violette Krist. (Toluol)
2456	**183**	Tetraphenylharnstoff	$C_{25}H_{20}N_2O$	$(C_6H_5)_2N \cdot CO \cdot N(C_6H_5)_2$	364,42	Krist.
2457	**183 bis 184** (Z.)	4-Hydroxynaphthoesäure-(1)	$C_{11}H_8O_3$	$HO \cdot C_{10}H_6 \cdot COOH$	188,17	gelbe Nadeln (A + Ligroin)
2458	**183 bis 184**	5-Hydroxy-o-toluylsäure	$C_8H_8O_3$	$HO \cdot C_6H_3(CH_3) \cdot COOH$	152,14	Nadeln (W)
2459	**183 bis 185**	Thebainhydrochlorid	$C_{19}H_{22}ClNO_3$	vgl. Nr. 2574	347,83	weiße Krist. $+ H_2O$ (Prismen)
2460	**183,5**	β-Carotin	$C_{40}H_{56}$ 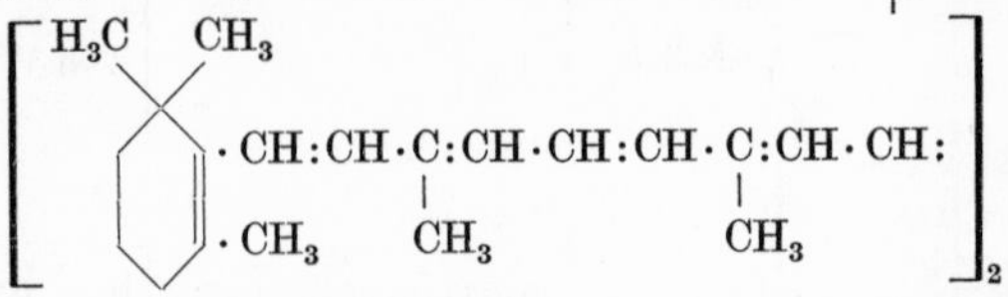		536,85	rote Tafeln
2461	**184**	Benzol-1,3,5-trisulfonsäuretrichlorid	$C_6H_3Cl_3O_6S_3$	$C_6H_3(SO_2Cl)_3$	373,63	Nadeln (Chlf.)
2462	**184**	4-Jodacetanilid	C_8H_8JNO	$CH_3 \cdot CO \cdot NH \cdot C_6H_4 \cdot J$	261,06	Tafeln (W)
2463	**184**	6-Nitro-2-aminobenzoesäure (6-Nitroanthranilsäure)	$C_7H_6N_2O_4$	$H_2N \cdot C_6H_3(NO_2) \cdot COOH$	182,12	gelbe Blättchen (W)
2464	**184**	N-Phenylanthranilsäure	$C_{13}H_{11}NO_2$	$C_6H_5 \cdot NH \cdot C_6H_4 \cdot COOH$	213,23	Nadeln (A)
2465	**184**	Phloroglucit [Cyclohexantriol-(1,3,5)]	$C_6H_{12}O_3$	$H_2C \langle {CH(OH) \cdot CH_2 \atop CH(OH) \cdot CH_2} \rangle CH \cdot OH$	132,16	Krist. (A)
2466	**184**	Tartronsäure (Hydroxymalonsäure)	$C_3H_4O_5$	$HO \cdot CH(COOH)_2$	120,06	Prismen $+ {}^1/_2 H_2O$ (W)

Lfd. Nr.	Spez. Gewicht	Siedepunkt °C	Beilsteinzitat	Physikalische Konstanten und Eigenschaften	Löslichkeit	Reaktionen
	8	9	10	11	12	13
2455			XVI 329		unl. in W ll. in A	alkalische u. neutrale Lsgg. → schwach gelb
2456	1,222	subl.	XII 429		ll. in sd. A	
2457			E_1 X 144		ll. in A, Ae wl. in Chlf., Bzl.	+ sd. W → CO_2-Abspaltung + $FeCl_3$ in wss. Lsg. schokoladenfarbenen Nd. Äthylester *Fp* 134°, farblose Krist.
2458		subl.	X 215	mit Dampf flüchtig	l. in W ll. in A, Ae	Äthylester *Fp* 67°
2459					wl. in W l. in A	+ konz. HCl → intensiv orange 1. + 1 ml konz. H_2SO_4 → intensiv orangerot + HNO_3-H_2SO_4 → intensiv orange 2. 10—20 mg Paraform + 1 ml H_2SO_4 → intensiv orangerot + HNO_3-H_2SO_4 → intensiv rotbraun → grün → oliv → braun
2460				optisch inaktiv; Absorption in CS_2 bei 520, 484, 452 mμ		+ $SbCl_3$ in Chlf. → blau
2461		subl.	XI 227		unl. in W wl. in A l. in Bzl.	
2462	$1{,}989^{18°}$		XII 671	eutekt. Temp.: mit Benzanilid 135°, mit Salophen 155°	wl. in k. W 6,4 A 20,5°	
2463			XIV 378	schmeckt intensiv süß	l. in W, Bzl. ll. in A	
2464			XIV 327		swl. in k. W l. in h. A swl. in Ae	+ H_2SO_4 → Acridon
2465			VI 1068	schmeckt süß	ll. in W, A unl. in Ae, Bzl.	
2466		subl. 110°	III 415		ll. in W, A wl. in Ae	

Lfd. Nr.	*Fp*	Name	Summenformel	Strukturformel	Mol.-Gewicht	Aggregatzustand Farbe
1	2	3	4	5	6	7
2467	184	1,3,5-Trijodbenzol	$C_6H_3J_3$	$C_6H_3J_3$	455,81	Nadeln (Eisessig)
2468	184	β-(3,4,5-Trimethoxyphenyl)-äthylaminhydrochlorid (Mezcalinhydrochlorid)	$C_{11}H_{18}ClNO_3$	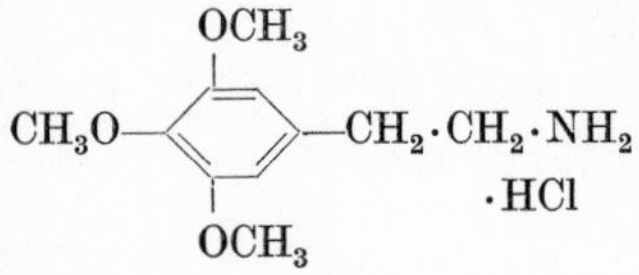	247,72	Krist. (A)
2469	184	Sulfacetamid (p-Aminobenzolsulfonacetamid, Albucid)	$C_8H_{10}N_2O_3S$	$H_2N \cdot C_6H_4 \cdot SO_2 \cdot NH \cdot CO \cdot CH_3$	214,24	weißes krist. Pulver
2470	184	2,4,6-Trimethylphloroglucin	$C_9H_{12}O_3$	$(CH_3)_3C_6(OH)_3$	168,19	Nadeln (Eisessig)
2471	184 bis 186	N-Diäthylaminoäthylphenothiazinhydrochlorid (Casantin, Thiantan)	$C_{18}H_{23}ClN_2S$	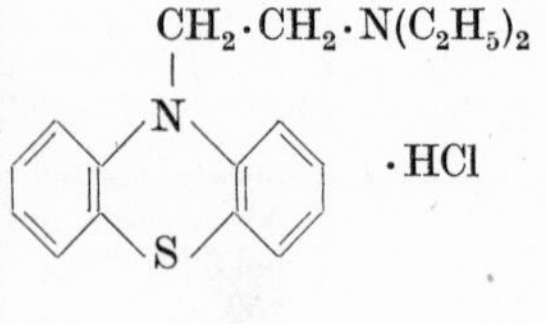	334,90	weißes feinkrist Pulver
2472	184 bis 186	Biebricher Scharlach-R	$C_{24}H_{20}N_4O$	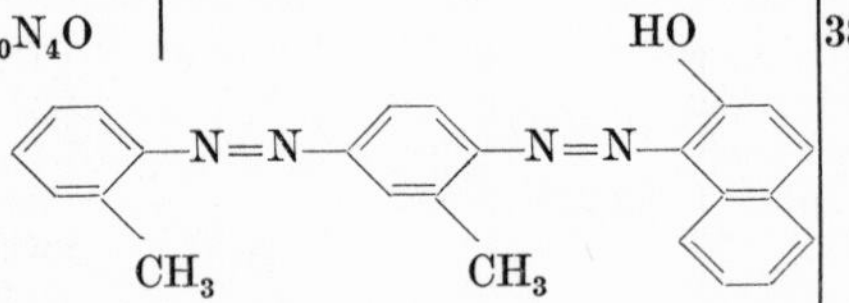	380,43	vierseitige tiefrote Prismen mit intensiv grünem Metallglanz oder rotbraunes Plv.
2473	184 bis 186	Ustin	$C_{19}H_{15}Cl_3O_5$		429,68	Krist. (Toluol)
2474	184 bis 187	Sulfaäthylthiodiazol [2-(p-Aminobenzolsulfonamido)-5-äthyl-1,3,4-thiodiazol, Globucid]	$C_{10}H_{12}N_4O_2S_2$	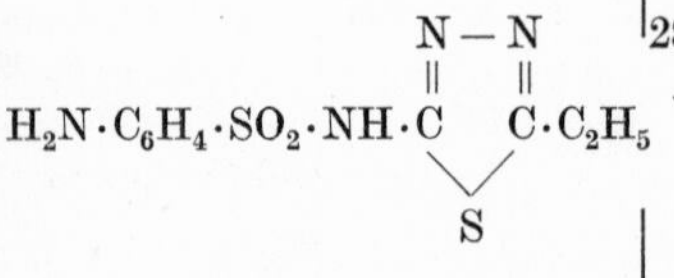	284,35	derbes weißes krist. Pulver

Lfd. Nr.	Spez. Gewicht	Siedepunkt °C	Beilsteinzitat	Physikalische Konstanten und Eigenschaften	Löslichkeit	Reaktionen
	8	9	10	11	12	13
2467		subl.	V 228		unl. in W wl. in k. A, Ae l. in sd. Eg.	
2468					l. in W, A	
2469				eutekt. Temp.: mit Benzanilid 142°, mit Salophen 161°; schwach salziger Geschmack	wl. in W l. in sd. W, A, Aceton unl. in Ae	0,05 g β-Naphthol in 5 ml 10%iger Na_2CO_3-Lsg. + einige Tropfen (0,1 g Subst. in 2 ml n-HCl) + einige Körnchen $NaNO_2$ → hellrot 0,01 g Subst. unter Erwärmen in 1 ml Essigsäure lösen + 1 ml 2%ige Furfurol-Essigsäure → rotgelb + 1 Tropfen H_2SO_4 → tiefrot
2470			VI 1125		ll. in sd. W, A swl. in Bzl.	
2471				eutekt. Temp.: mit Dicyandiamid 117°; geruchlos; scharfer, brennender Geschmack	30 W 18° l. in A, Chlf. unl. in Ae	wss. Lsg. (1 + 99) + H_2SO_4 → rot + 1 Tropfen $FeCl_3$ → braunrot + 1 ml Chloramin-Lsg. → blauvioletter Nd. + Fröhdes Reagens → dunkelviolett
2472					unl. in W wl. in Bzl., A, Aceton ll. in Chlf.	
2473					l. in Ae, Eg., Toluol	Monomethylderivat *Fp* 174° Dimethylderivat *Fp* 147° Acetylderivat *Fp* 212°
2474				schwach bitterer Geschmack	swl. in W wl. in A l. in Aceton	0,05 g β-Naphthol in 5 ml 10%iger Na_2CO_3-Lsg. + einige Tropfen (0,1 g Subst. in 2 ml n-HCl) + einige Körnchen $NaNO_2$ → hellrot 0,01 g Subst. unter Erwärmen in 1 ml Essigsäure lösen + 1 ml Furfurol-Essigsäure (2%ig) → rotgelb + 1 Tropfen H_2SO_4 → tiefrot

Lfd. Nr.	Fp	Name	Summen-formel	Strukturformel	Mol.-Ge-wicht	Aggregat-zustand Farbe
1	2	3	4	5	6	7
2475	184,2	4-Methoxybenzoesäure (Anissäure)	$C_8H_8O_3$	$^{(4)}CH_3 \cdot O \cdot C_6H_4 \cdot COOH$	152,14	Nadeln (W)
2476	184,5	2-Nitroanthrachinon	$C_{14}H_7NO_4$	$C_6H_4 \langle \begin{smallmatrix} CO \\ CO \end{smallmatrix} \rangle C_6H_3 \cdot NO_2$	253,20	gelbe Nadeln (A)
2477	185	2-Acetaminobenzoe-säure	$C_9H_9NO_3$	$CH_3 \cdot CO \cdot NH \cdot C_6H_4 \cdot COOH$	179,17	Nadeln (Eisessig)
2478	185	Bernsteinsäure	$C_4H_6O_4$	$HOOC \cdot CH_2 \cdot CH_2 \cdot COOH$	118,09	Prismen
2479	185	d-Glutamin	$C_5H_{10}N_2O_3$	$H_2N \cdot CO \cdot (CH_2)_2 \cdot CH \cdot NH_2$ $COOH$	146,15	Nadeln (W)
2480	185	Isozuckersäure	$C_6H_8O_7$	$HO \cdot CH - CH \cdot OH$ $HOOC \cdot CH \cdot O \cdot CH \cdot COOH$	192,12	Rhomben
2481	185	β-Naphthoesäure	$C_{11}H_8O_2$	$C_{10}H_7 \cdot COOH$	172,17	Nadeln (Ligroin)
2482	185	Saccharose	$C_{12}H_{22}O_{11}$	(Strukturformel)	342,30	mono-kline Krist.

Saccharose Strukturformel:

$$HO \cdot CH_2 \cdot \underset{\underset{OH}{|}}{\overset{\overset{H}{|}}{C}} \cdot \underset{\underset{H}{|}}{\overset{\overset{H}{|}}{C}} \cdot \underset{\underset{H}{|}}{\overset{\overset{OH}{|}}{C}} \cdot \overset{\overset{OH}{|}}{C} \cdot CH - O - \underset{\underset{HO \cdot H_2C}{|}}{C} \cdot \underset{\underset{OH}{|}}{\overset{\overset{H}{|}}{C}} \cdot \underset{\underset{H}{|}}{\overset{\overset{OH}{|}}{C}} \cdot C - CH_2 \cdot OH$$

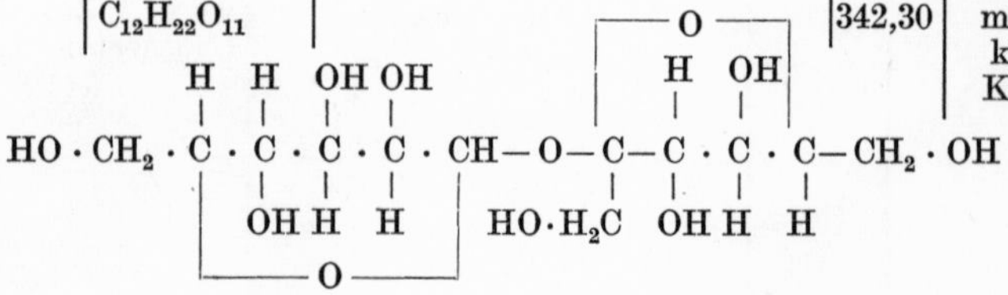

Lfd. Nr.	Spez. Gewicht	Siedepunkt °C	Beilsteinzitat	Physikalische Konstanten und Eigenschaften	Löslichkeit	Reaktionen
	8	9	10	11	12	13
2475	1,385	275 bis 280	X 154	eutekt. Temp.: mit Benzanilid 143°, mit Salophen 157°; schwacher Geruch; geschmacklos	0,04 W 18° ll. in W 100° ll. in A, Ae, Lauge	erhitzen mit 2 Tropfen Fe-H_3PO_4 bis zur leichten Verfärbung → Geruch nach Anis. Die nach Erkalten mit Paraform und konz. H_2SO_4 aufgenommene Lsg. wird violettrot p-Nitrobenzylester *Fp* 132° Phenacylester *Fp* 134° p-Bromphenacylester *Fp* 152° Amid *Fp* 162° Anilid *Fp* 168° p-Toluidid *Fp* 186°
2476		subl. 156 bis 157 (2 mm)	VII 792		unl. in W wl. in A, Ae	
2477			XIV 337		wl. in k. W ll. in h. W, A, Ae	
2478	$1{,}564^{15°}$	235	II 601	eutekt. Temp.: mit Benzanilid 150°, mit Salophen 161°; Geschmack sauer; geruchlos; subl. bei 120°	6,84 W 20° 60,37 W 75° 7,54 A 15° 0,35 Ae 15°	$>$235° Anhydridbildung wss. Lsg. + $Fe(NO_3)_2$-Lsg. → blaßrötlichgelb Monoamid *Fp* 157° Diamid *Fp* 242—243° Dianilid *Fp* 228° p-Nitrobenzylester *Fp* 90° Phenacylester *Fp* 148° p-Bromphenacylester *Fp* 211°
2479			IV 491		3,61 W 18° swl. in A unl. in Ae	+ $Hg(NO_3)_2$ → flockiger Nd.
2480			XVIII 364	$[\alpha]_D^{20}$ +46° (W)	ll. in W, A wl. in Ae	
2481		$>$300	IX 656		wl. in h. W ll. in A, Ae	+ alkal. $KMnO_4$ → Trimellitsäure Amid *Fp* 195°
2482	$1{,}5860^{30°}$			$[\alpha]_D^{20}$ +66,5°; eutekt. Temp.: mit Benzanilid 163°, mit Salophen 183°; süßer Geschmack	204 W 20° 487 W 100° 0,9 A unl. in Ae	Spaltung → Glucose + Fructose wss. Lsg. beim Erhitzen mit Lauge nicht gelb + konz. H_2SO_4 → langsam gelb Fehlingsche Lsg. wird nach Inversion reduziert + $Co(NO_3)_2$-Lsg. + Alkali → amethystblau

Lfd. Nr.	*Fp*	Name	Summen-formel	Strukturformel	Mol.-Gewicht	Aggregat-zustand Farbe
1	2	3	4	5	6	7
2483	**185** (Z.)	Terramycin (Hydroxy-tetracyclin)	$C_{22}H_{24}N_2O_9 \cdot H_2O$	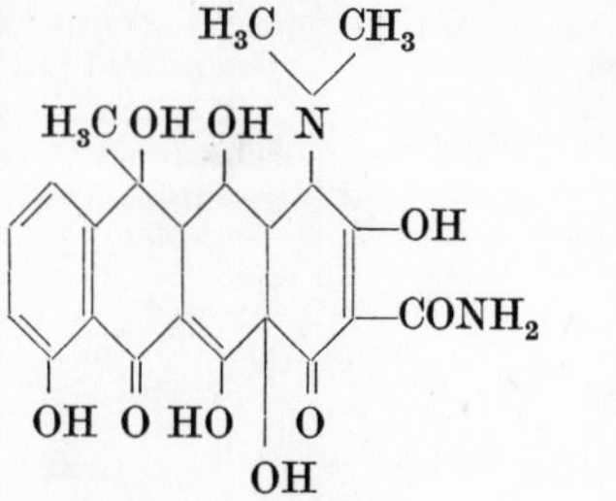	496,48	Nadeln (W)
2484	**185** bis **185,5**	Androsteron (Andro-stan-3α-ol-17-on)	$C_{19}H_{30}O_2$	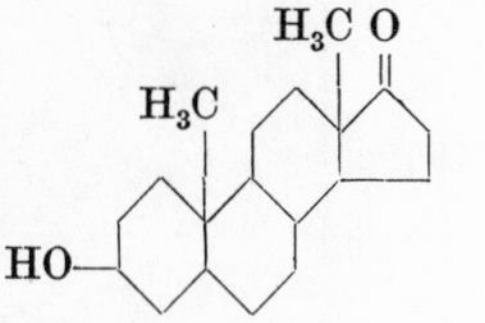	290,43	Plättchen
2485	**185** bis **186**	Chinamin	$C_{19}H_{24}N_2O_2$	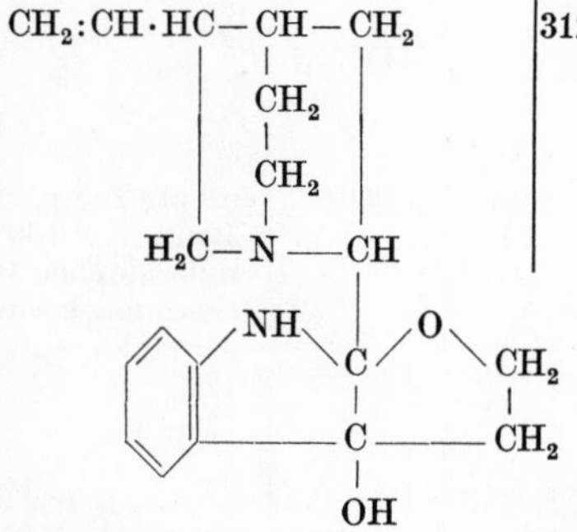	312,40	Prismen (Bzl.)
2486	**185** bis **186**	Bromfumarsäure	$C_4H_3BrO_4$	HOOC·CH:CBr·COOH	194,98	Blättchen (W)
2487	**185** bis **186**	N,N′-Diacetyl-o-phenylendiamin	$C_{10}H_{12}N_2O_2$	$C_6H_4(NH \cdot CO \cdot CH_3)_2$	192,21	Nadeln (W)
2488	**185** bis **186**	2-Methoxyzimtsäure	$C_{10}H_{10}O_3$	$CH_3O \cdot C_6H_4 \cdot CH:CH \cdot COOH$	178,18	Prismen (A)
2489	**185** bis **186**	7-Hydroxy-4-methyl-cumarin (β-Methyl-umbelliferon)	$C_{10}H_8O_3$	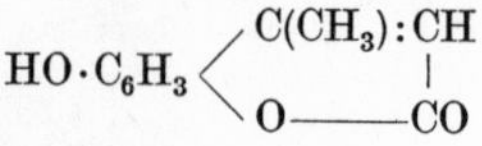	176,16	weiße Krist.
2490	**185** bis **186**	Salvarsan (3,3′-Diami-no-4,4′-dihydroxy-arsenobenzoldihydro-chlorid)	$C_{12}H_{14}As_2Cl_2 \cdot N_2O_2$	$As \cdot C_6H_3(OH) \cdot NH_2$ ‖ $As \cdot C_6H_3(OH) \cdot NH_2$ + 2HCl	438,98	gelbe Krist.
2491	**186**	5-Aminonaphthol-(2)	$C_{10}H_9NO$	$H_2N \cdot C_{10}H_6 \cdot OH$	159,18	Nadeln (W)

Lfd. Nr.	Spez. Gewicht	Siedepunkt °C	Beilsteinzitat	Physikalische Konstanten und Eigenschaften	Löslichkeit	Reaktionen
	8	9	10	11	12	13
483				$[\alpha]_D^{25}$ −196° (W)	wl. in W l. in A, Aceton, Methanol unl. in Ae, PAe	
484				$[\alpha]_D$ +96°; eutekt. Temp.: mit Benzanilid 133°, mit Salophen 154°	l. in Chlf.	Oxim *Fp* 217—218° Semicarbazon *Fp* 276° Acetat *Fp* 165° Propionat *Fp* 151—152° Benzoat *Fp* 178°
485			E_2XXVII 667	$[\alpha]_D$ +104°	unl. in W wl. in A	Erhitzen mit amylalkoholischer KOH → Isochinamin, *Fp* 211 bis 213°, gelbe Krist., $[\alpha]_D$ −424°
486		Z.	II 745		l. in W, A	
487		Z.	XIII 20		ll. in sd. W, A swl. in Ae	>186° → Zers. → 2-Methylbenzimidazol
488			X 289	polymerisiert beim Aufbewahren	l. in A	
489			XVII 493	eutekt. Temp.: mit Benzaldehyd 138°, mit Salophen 155°; geruch- und geschmacklos	swl. in W	+ Lauge → violettblaue Fluoreszenz, beim Kochen → rötlichgelb; + Chlf. nochmals erhitzt → violettrot
490			E_1 XVI 507		ll. in W wl. in A swl. in Ae	
491			XIII 682		ll. in A, Ae	Pikrat *Fp* 170° Acetylderivat *Fp* 187° Benzoylderivat *Fp* 223°

Lfd. Nr.	*Fp*	Name	Summen-formel	Strukturformel	Mol.-Gewicht	Aggregat-zustand Farbe
1	2	3	4	5	6	7
2492	**186**	4-Aminophenol	C_6H_7NO	$H_2N \cdot C_6H_4 \cdot OH$	109,12	Blättchen
2493	**186** (Z.)	Benzpinakon (Tetraphenyläthylenglykol, α,β-Dihydroxy-α,α,β,β-tetraphenyläthan)	$C_{26}H_{22}O_2$	$(C_6H_5)_2C(OH) \cdot C(OH)(C_6H_5)_2$	366,43	Prismen
2494	**186**	3-Chlorphthalsäure	$C_8H_5ClO_4$	$Cl \cdot C_6H_3(COOH)_2$	200,58	Nadeln (W)
2495	**186** (Z.)	4,4′,4″-Triamino-3-methyltriphenylcarbinol	$C_{20}H_{21}N_3O$	$(H_2N \cdot C_6H_4)_2C(OH) \cdot C_6H_3(CH_3)NH_2$	319,39	farblose Nadeln oder Tafeln (W)
2496	**186 bis 187**	4-Aminobenzoesäure (Vitamin H′)	$C_7H_7NO_2$	$H_2N \cdot C_6H_4 \cdot COOH$	137,13	Krist.
2497	**186 bis 188**	3,4-Dimethoxyphthalsäure (Hemipinsäure)	$C_{10}H_{10}O_6$	$(CH_3O)_2C_6H_2(COOH)_2$	226,18	Krist. + H_2O (W)
2498	**186 bis 188**	1-Hydroxynaphthoesäure-(2)	$C_{11}H_8O_3$	$HO \cdot C_{10}H_6 \cdot COOH$	188,17	Nadeln (A od. Ae
2499	**186 bis 188**	dl-1-Phenyl-2-methylaminopropanol-(1)-hydrochlorid (Ephetonin, Racedrin)	$C_{10}H_{16}ClNO$	$C_6H_5 \cdot CH(OH) \cdot CH(NH \cdot CH_3) \cdot CH_3 \cdot HCl$	201,69	weißes krist. Pulver
2500	**186,7**	2,3,4-Trichlorbenzoesäure	$C_7H_3Cl_3O_2$	$Cl_3 \cdot C_6H_2 \cdot COOH$	225,47	Nadeln
2501	**187**	d-Camphersäure	$C_{10}H_{16}O_4$	$H_2C \cdot C(CH_3)(COOH)$ / H_2C—$CH(COOH)$ > $C(CH_3)_2$	200,23	Blättchen (W)

d. r.	Spez. Gewicht	Siede- punkt °C	Beilstein- zitat	Physikalische Konstanten und Eigenschaften	Löslichkeit	Reaktionen
	8	9	10	11	12	13
92		subl.	XIII 427	eutekt. Temp.: mit Benzanilid 146°, mit Salophen 159°	1,1 W 0° 4,5 A 0°	alkal. Lsg. an der Luft → violett + Chromsäure → p-Chinon Hydrochlorid *Fp* 183° Acetylderivat *Fp* 150° Benzoylderivat *Fp* 234°
93			VI 1058		2,5 sd. 99,5%ig. A ll. in Ae	
94			IX 816		2,16 W 14° ll. in A, Ae	
95			XIII 763	färbt sich an der Luft rot	swl. in W wl. in A unl. in Ae	
96			XIV 418	eutekt. Temp.: mit Benzanilid 140°, mit Salophen 183°	0,34 W 13° 11,3 A 10° 8,2 Ae 6° 0,06 Bzl. 11°	Methylester *Fp* 110° Acetylderivat *Fp* 250,5° Benzoylderivat *Fp* 278° p-Tolylsulfonylderivat *Fp* 223° + rauch. HNO_3 → Pikrinsäure *Fp* 122°
97			X 543		wl. in k. W l. in A 0,69 Ae 0,05 Bzl.	bei 180° → Anhydrid *Fp* 169°
98		Z.	X 331		swl. in h. W ll. in A, Ae, Bzl.	+ $FeCl_3$ → grünlichblau Methylester *Fp* 78°, Tafeln Chlorid *Fp* 85—86°, gelbe Nadeln Amid *Fp* 202°, Nadeln
99				eutekt. Temp.: mit Benzanilid 150°, mit Salophen 162°	2 W 40 A	Base *Fp* 73—75° mit Lauge u. $CuSO_4$ verd. Lsg. → violett
00			IX 345		wl. in k. W ll. in A, Ae	
01	1,186		IX 745	$[\alpha]_D^{20}$ +47,7° (A); eutekt. Temp.: mit Salophen 160°, mit Dicyandiamid 163°	0,62 W 12° 3,2 W 80° ll. in A, Ae l. in Aceton unl. in Chlf.	heiß bereitete, abgekühlte wss. Lsg. + $Fe(NO_3)_3$ langsam gelbliche Gallerte Lsg. in Paraform-H_2SO_4 bei gelindem Erwärmen → orange bis rot mit intensiver grüner Fluoreszenz Diamid *Fp* 192—193° Dianilid *Fp* 203° p-Nitrobenzylester *Fp* 66°

Lfd. Nr.	*Fp*	Name	Summen-formel	Strukturformel	Mol.-Ge-wicht	Aggregatzustand Farbe
1	2	3	4	5	6	7
2502	187	α-Carotin	$C_{40}H_{56}$	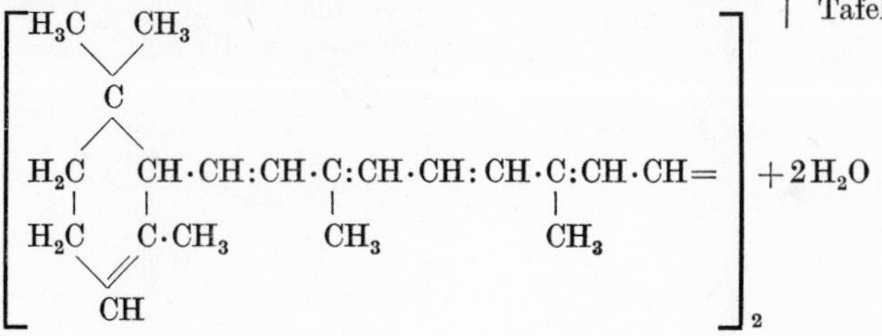	572,85	rote Tafeln
2503	187	Hexachloräthan	C_2Cl_6	$CCl_3 \cdot CCl_3$	236,76	Tafeln (A + Ae
2504	187	5-Methylisatin (2,3-Dioxo-5-methyl-indolin)	$C_9H_7NO_2$	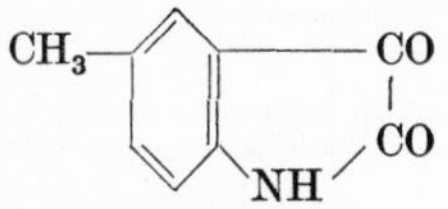	161,15	rote Blättche
2505	187	2-Phenylindol	$C_{14}H_{11}N$	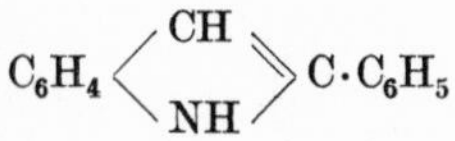	193,24	Blättche (A ode Bzl.)
2506	187	Tetrajodäthylen	C_2J_4	$CJ_2:CJ_2$	531,70	gelbe Blättche (Eg.)
2507	187 bis 188	3-Jodbenzoesäure	$C_7H_5JO_2$	$J \cdot C_6H_4 \cdot COOH$	248,02	Krist. (Aceton
2508	187 bis 188	1-Methyl-4-phenyl-piperidin-4-carbon-säureäthylesterhydro-chlorid (Dolantin)	$C_{15}H_{22}ClNO_2$	$CH_2 \cdot CH_2 \cdot C(C_6H_5) \cdot CO \cdot OC_2H_5$ $CH_3 \cdot N \cdot CH_2 \cdot CH_2$ $\cdot HCl$	283,79	weiße Krist.
2509	187 bis 188	g-Strophanthin (Ouabain)	$C_{30}H_{46}O_{12} + 9H_2O$		760,81	weiße Krist.
2510	187,8	Dinaphthyl-(2,2′)	$C_{20}H_{14}$	$C_{10}H_7 \cdot C_{10}H_7$	254,31	Tafeln

d. r.	Spez. Gewicht	Siedepunkt °C	Beilsteinzitat	Physikalische Konstanten und Eigenschaften	Löslichkeit	Reaktionen
	8	9	10	11	12	13
02				$[\alpha]_D$ +380° (Bzl.); Absorption in CS_2 bei 511, 478, 446 mμ	unl. in absol. A wl. in Ae ll. in Bzl., Chlf., CS_2	+ $SbCl_3$ in Chlf. → blau + $AsCl_3$ → rot → blau + H_2SO_4 → tiefkornblumenblau
03	2,091	185,5 (777mm)	I 87	*Fp* im geschlossenen Rohr; subl. Umwandlung: rhomb. $\xrightarrow{46°}$, triklin. $\xrightarrow{71°}$ regulär	unl. in W l. in A, Ae	
04			XXI 509		sl. in k. W ll. in A	+ Alkalien → violett
05		>360	XX 467		wl. in h. W 2,6 in 94%ig. A 14° ll. in Ae 2,1 Bzl. 14° l. in konz. Säuren	
06	$2{,}983^{20°}$	subl.	I 195	eutekt. Temp.: mit Salophen 178°, mit Dicyandiamid 186°	unl. in W wl. in k. A ll. in CS_2	
07	$2{,}171^{20°}$	subl.	IX 365		wl. in W ll. in A	p-Nitrobenzylester *Fp* 121° Phenacylester *Fp* 116° p-Bromphenacylester *Fp* 128°
08				geruchlos; Geschmack bitter; anästhesierend		+ 10%ige KCNS-Lsg. → blaßrosa Pikrat *Fp* 188—191°
09				$[\alpha]_D^{20}$ −30° (W); eutekt. Temp.: mit Benzanilid 146°; geruchlos; sehr bitterer Geschmack	l. in k. W ll. in h. W wl. in Ae, Chlf.	erhitzen mit α-Naphthol in konz. H_2SO_4 → violettrote, intensiv grün fluoreszierende Lösung + 5 ml NaOH + 3 ml alkal. Kupfertartratlsg. → roter Nd.
10		452 (753mm)	V 727		unl. in W wl. in k. A, Ae ll. in sd. Bzl.	Pikrat *Fp* 184°

Lfd. Nr.	Fp	Name	Summen-formel	Strukturformel	Mol.-Ge-wicht	Aggrega zustan Farbe
1	2	3	4	5	6	7
2511	188 (Z.)	n-Amylpenicilin-Natrium	$C_{14}H_{21}N_2Na \cdot O_4S$		336,38	Nadeln (Aceto)
2512	188	1-Bromanthrachinon	$C_{14}H_7BrO_2$	$C_6H_4 \left\langle \begin{matrix} CO \\ CO \end{matrix} \right\rangle C_6H_3Br$	287,11	gelbe Nadeln (Bzl.)
2513	188	3,5-Dichlorbenzoesäure	$C_7H_4Cl_2O_2$	$Cl_2 \cdot C_6H_3 \cdot COOH$	191,02	Nadeln (A)
2514	188	4,5-Dichlorphthal-säureanhydrid	$C_8H_2Cl_2O_3$		217,01	Tafeln oder Prisme (h.Tuo)
2515	188	d-Manno-α-heptit	$C_7H_{16}O_7$	$HO \cdot CH_2 \cdot [CH(OH)]_5 \cdot CH_2 \cdot OH$	212,20	Nadeln
2516	188	4-Methoxyzimtsäure	$C_{10}H_{10}O_3$	$CH_3O \cdot C_6H_4 \cdot CH:CH \cdot COOH$	178,18	Nadeln (A)
2517	188	2,4,6-Trinitroanilin (Pikramid)	$C_6H_4N_4O_6$	$(O_2N)_3C_6H_2 \cdot NH_2$	228,12	gelbe Tafeln (Eg.)
2518	188	6,7,3',4'-Tetraäthoxy-1-benzylisochinolin-hydrochlorid (Perparin)	$C_{24}H_{30}ClNO_4$		431,94	zitrone gelbe Krist.

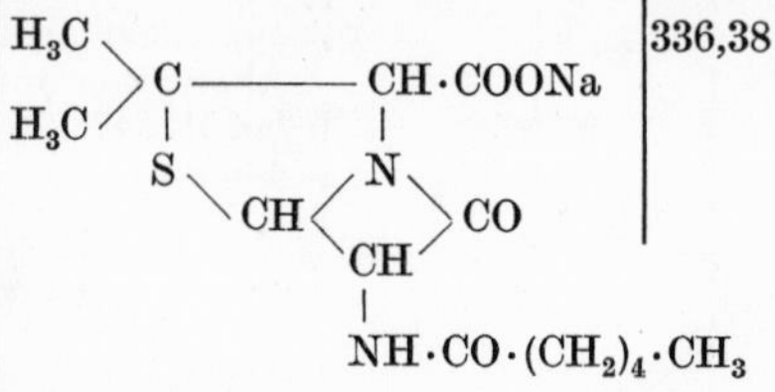

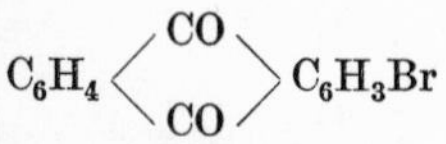

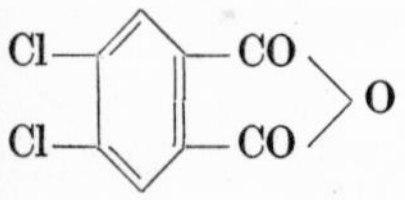

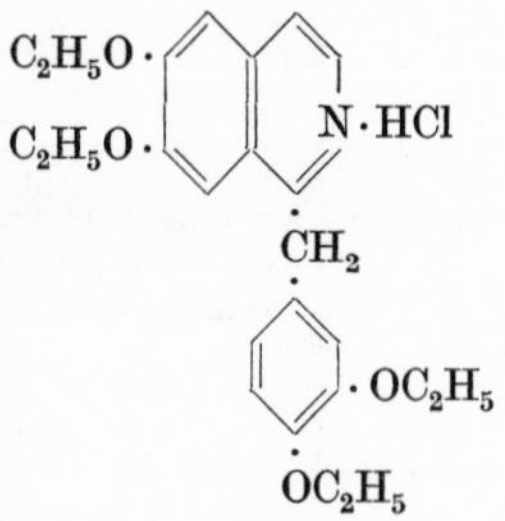

Lfd. Nr.	Spez. Gewicht	Siedepunkt °C	Beilsteinzitat	Physikalische Konstanten und Eigenschaften	Löslichkeit	Reaktionen
	8	9	10	11	12	13
511				$[\alpha]_D^{23}$ +319° (W); hygroskopisch	ll. in W	
512		subl.	VII 789			
513		subl.	IX 344		swl. in k. W ll. in A	
514		313	XVII 483		sl. in k. Bzl. ll. in h. Bzl. u. Toluol	
515			I 548	$[\alpha]_D^{20}$ +4,5° (wss. Borax-Lsg.)	5,4 W 18° swl. in k. A	
516			X 298		swl. in k. W l. in h. W, A, h. Eg.	
517	$1{,}762^{14°}$		XII 763		wl. in A, Ae ll. in Bzl.	Benzoylderivat *Fp* 196° Benzolsulfonylderivat *Fp* 211°
518				geruchlos, geschmacklos	wl. in W	Lsg. in Fe-H_2SO_4 → bei Zimmertemp. langsam blaßgrün oder blaßblau; beim Erwärmen im W-Bad rasch violettstichig grün 1. + 1 ml H_2SO_4 + Fe-H_3PO_4 → blaßgrün + Paraform → zart blau +HNO_3-H_2SO_4 → blauviolett → rotviolett → violettrot und braun 2. 10—20 mg Paraform + 1 ml H_2SO_4 → gelb → farblos → langsam violett + Fe-H_3PO_4 → langsam blau → graublau → graugrün + HNO_3-H_2SO_4 → blauviolett → violettrot und braun

Lfd. Nr.	*Fp*	Name	Summen-formel	Strukturformel	Mol.-Gewicht	Aggreg zustan Farbe
1	2	3	4	5	6	7
2519	**188** bis **189** (Z.)	Nitron (1,4-Diphenyl-3,5-endoanilino-1,2,4-triazolin)	$C_{20}H_{16}N_4$	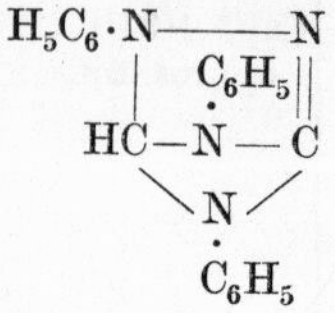	312,36	gelbe Blättch (A)
2520	**188** bis **190**	N-Methyl-β-[3,4-di-hydroxyphenyl]-äthylamin (Epinin)	$C_9H_{13}NO_2$	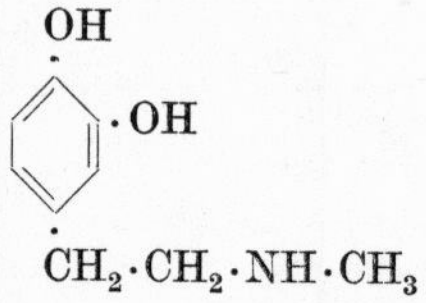	167,20	farblos Krist.
2521	**188** bis **190**	N-Methyl-β-hydroxy-β-[p-hydroxyphenyl]-äthylamintartrat (Sympathol)	$C_{22}H_{32}N_2O_{10}$	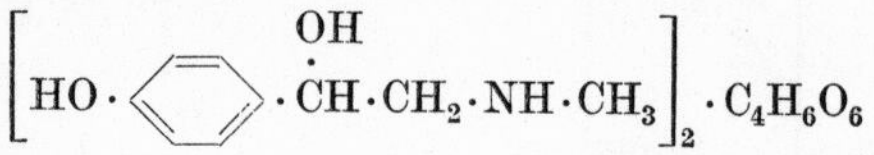	484,49	weißes Krist.-Plv.
2522	**188** bis **192**	Ascorbinsäure (Vitamin C, Cebion, Redoxon)	$C_6H_8O_6$	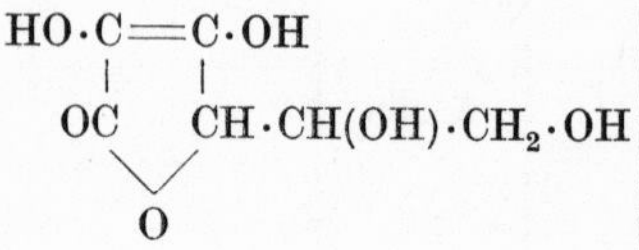	176,12	weiße Krist. (Dioxan
2523	**188** bis **192**	Narceinhydrochlorid	$C_{23}H_{28}ClNO_8$	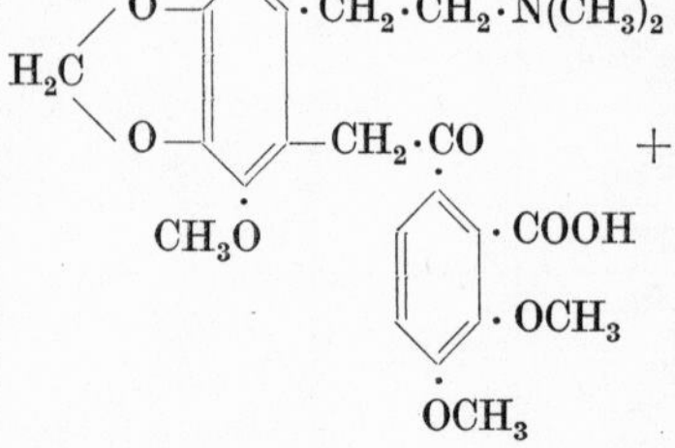	481,92	weiße Krist. + $5^1/_2$ H_2O (W)

Lfd. Nr.	Spez. Gewicht	Siedepunkt °C	Beilsteinzitat	Physikalische Konstanten und Eigenschaften	Löslichkeit	Reaktionen
	8	9	10	11	12	13
519			XXVI 349		wl. in k. A, Ae, Essigester ll. in Essigsäure, Chlf. unl. in W	Hydrochlorid *Fp* 242° Nitrat *Fp* >260° Pikrat *Fp* 259° Reagens auf NO_3', NO_2', J′. Br′, CNS′, ClO_4'
520						
521				geruchlos; bitterer Geschmack	ll. in W wl. in A unl. in Ae, Chlf.	+ Eisennitrat → zitronengelb, H_2O_2 oxydiert zum racem. Adrenalin 1 mg Subst. + 2 Tropfen Fe-H_3PO_4 bis zur Grünfärbung erhitzt und nach Erkalten 1 ml konz. H_2SO_4 zugesetzt → blaßgrüne Lsg., + Paraform erhitzt → intensiv grün 2 ml wss. Lsg. (1 + 49) + 1 ml $CuSO_4$-Lsg. + 1 ml NaOH → tief ultramarinblau
522				$[\alpha]_D^{20}$ + 23° (W); eutekt. Temp.: mit Benzanilid 159°, mit Salophen 174°; saurer Geschmack; geruchlos	ll. in W, A unl. in PAe, Ae, Chlf. wl. in Aceton	wss. Lsg. red. Ferrisalzlsgg., verd. Jodlsg. wird entfärbt, die mit Lauge versetzte wss. Lösung beim Erwärmen violettrot eine mit Methylrot angefärbte wss. Lsg. beim Erhitzen fast farblos + Molybdänphosphorwolframsäure → blauviolett wss. Lsg. (1 + 19) + $KMnO_4$ → entfärbt 2 ml wss. Lsg. + 2—3 Tropfen Na_2CO_3-Lsg. + einige Kristalle $FeSO_4$ → violett + HCl → entfärbt
523				bitterer Geschmack	unl. in W l. in Säuren und Laugen	1. + 1 ml H_2SO_4 → braunorange → orangegelb → grüngelb + Fe-H_3PO_4 → oliv → grüngelb + Paraform → intensiv orangerot → rosa + HNO_3-H_2SO_4 → intensiv braunorange → langsam orange 2. 10—20 mg Paraform + 1 ml H_2SO_4 → intensiv orange → rosa + HNO_3-H_2SO_4 → braun → rot

Lfd. Nr.	*Fp*	Name	Summen-formel	Strukturformel	Mol.-Ge-wicht	Aggrega zustand Farbe
1	2	3	4	5	6	7
2524	**188,5**	Dulcit	$C_6H_{14}O_6$	$HO \cdot CH_2 \cdot [CH(OH)]_4 \cdot CH_2 \cdot OH$	182,17	Prismen
2525	**189**	p-Aminobenzolsulfonyl-guanidin (Sulfaguani-din, Resulfon, Ruocid)	$C_7H_{10}N_4O_2S$	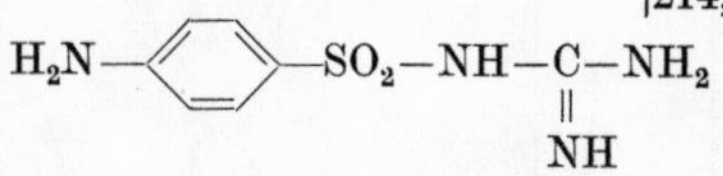	214,25	farblos bis schwach gelblich
2526	**189**	Dichinincarbonat (Aristochin)	$C_{41}H_{46}N_4O_5$	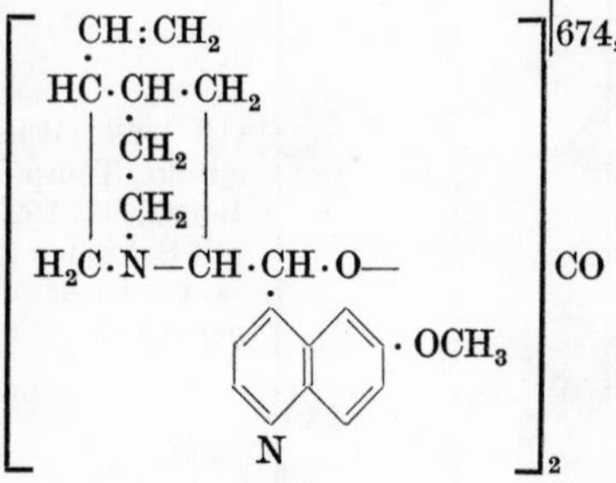	674,81	weißes Krist.-Plv.
2527	**189**	N,N-Diphenylharnstoff	$C_{13}H_{12}N_2O$	$H_2N \cdot CO \cdot N(C_6H_5)_2$	212,24	rhomb. Tafeln
2528	**189,5**	Naphthylen-1,5-diamin	$C_{10}H_{10}N_2$	$H_2N \cdot C_{10}H_6 \cdot NH_2$	158,20	Prismen (Ae)
2529	**189,5**	Oxalsäure	$C_2H_2O_4$	$HOOC \cdot COOH$	90,04	mono-kline Krist. (W)

Lfd. Nr.	Spez. Gewicht	Siedepunkt °C	Beilsteinzitat	Physikalische Konstanten und Eigenschaften	Löslichkeit	Reaktionen
	8	9	10	11	12	13
524	$1{,}466^{15°}$	290 (3 mm)	I 544	eutekt. Temp.: mit Benzanilid 162°, mit Salophen 174°; schmeckt schwach süß	3,2 W 15° 59 sd. W 0,073 A 15° unl. in Ae	Dibenzaldulcit *Fp* 215—220°, Nadeln Diacetondulcit *Fp* 98° Hexaphenylurethan *Fp* 315°, unl. mikroskopische Nadeln
525				geschmacklos	wl. in A, h. W, Aceton unl. in Ae swl. in NaOH, NH_3 ll. in verd. HCl, HNO_3	salzsaure Lsg. + salzsaure Lsg. von Dimethylaminobenzaldehyd → orange Nd. erhitzen NH_3-Entwicklung, rotlila → dunkellila 0,01 g Subst. unter Erwärmen in 1 ml Essigsäure lösen + 1 ml Furfurol-Essigsäure (2%ig) → rotgelb + 1 Tropfen H_2SO_4 → tiefrot 0,1 g Subst. in 3 ml W + 5 Tropfen verd. HCl unter Erwärmen lösen + 3 Tropfen $NaNO_2$-Lsg. + 3 Tropfen (0,01 g β-Naphthol in 5 ml verd. NaOH [1 : 2]) → dunkelrot
526			E_1 XXIII 171	eutekt. Temp.: mit Benzanilid 146°, mit Salophen 167°	unl. in W l. in A, Chlf. wl. in PAe, Ae	
527	1,276	Z.	XII 429		swl. in W l. in Chlf.	
528		subl.	XIII 203		swl. in k. W ll. in h. A; Ae	+ $FeCl_3$ in wss. Suspension → blau Acetylderivat *Fp* 360°
529	$1{,}653^{18°}$	subl.	II 502	eutekt. Temp.: mit Salophen 132°, mit Dicyandiamid 177°	9,5 W 20° 120 W 90° 23,7 A 15° 23,6 Ae l. in starker Säure	wird in wss. Lsg. durch Luftsauerstoff oxydiert 5 ml mit etwas Resorcin erwärmen. Nach Lösen und Erkalten + 5 ml konz. H_2SO_4 unterschichten → blauer Ring p-Nitrobenzylester *Fp* 204,5° Phenylphenacylester *Fp* 165,5° p-Bromphenacylester *Fp* 242° (Z.) Anilid *Fp* 246° p-Toluidid *Fp* 268°

Lfd. Nr.	Fp	Name	Summen-formel	Strukturformel	Mol.-Ge-wicht	Aggregat zustand Farbe
1	2	3	4	5	6	7
2530	190	1,1′-Azonaphthalin	$C_{20}H_{14}N_2$	$C_{10}H_7 \cdot N:N \cdot C_{10}H_7$	282,33	rote, grünlich schimmernde Nadeln (Eg.)
2531	190	1,2,3-Benzoltricarbonsäure (Hemimellitsäure)	$C_9H_6O_6$	$C_6H_3(COOH)_3$	210,14	Tafeln $+ 2 H_2O$ (W)
2532	190 (Z.)	Bleiformiat	$C_2H_2O_4Pb$	$(H \cdot CO \cdot O)_2Pb$	297,25	Säulen oder Nadeln
2533	190 (Z.)	Dimethylmalonsäure	$C_5H_8O_4$	$(CH_3)_2C(COOH)_2$	132,11	Prismen (Bzl. $+$ PAe)
2534	190	2,7-Dihydroxynaphthalin	$C_{10}H_8O_2$	$C_{10}H_6(OH)_2$	160,16	Nadeln (W)
2535	190	Hippursäure (Benzoylglycin)	$C_9H_9NO_3$	$C_6H_5 \cdot CO \cdot NH \cdot CH_2 \cdot COOH$	179,17	Prismen (W oder A)
2536	~190	d,l-Hyoscyaminsulfat (Atropinsulfat)	$C_{34}H_{48}N_2O_{10}S$	$\left[\begin{array}{l} H_2C \cdot CH \!-\!\!-\! CH_2 \\ \quad | \quad\;\; N \cdot CH_3 \;\; CH \cdot O \cdot CO \cdot CH(C_6H_5) \cdot CH_2OH \\ H_2C \cdot CH \!-\!\!-\! CH_2 \end{array}\right]_2 \cdot H_2SO_4$	676,81	weiße Nadeln $+ 2 H_2O$
2537	190 (Z.)	2-Hydroxynaphthochinon-(1,4)	$C_{10}H_6O_3$	$C_6H_4 \diagup^{\displaystyle CO \cdot C \cdot OH}_{\displaystyle CO \cdot CH} \; {}^{\|}$	174,15	rote Krist. oder gelbe Nadeln (Eg.)

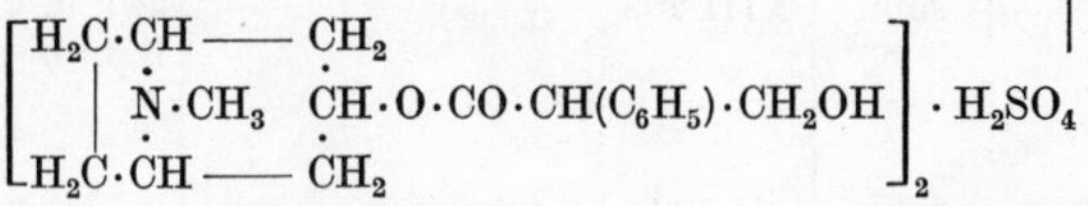

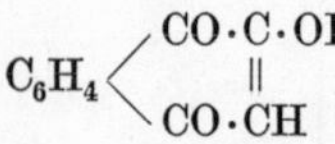

Lfd. Nr.	Spez. Gewicht	Siedepunkt °C	Beilsteinzitat	Physikalische Konstanten und Eigenschaften	Löslichkeit	Reaktionen
	8	9	10	11	12	13
2530		subl.	XVI 78		wl. in A ll. in Bzl.	+ H_2SO_4 → blau
2531			IX 976	Krist.-W. entweicht bei 100°	3,15 W 19° ll. in h. W l. in Ae	> *Fp* → Anhydrid *Fp* 196° Dimethylester *Fp* 148–150°, Nadeln Trimethylester *Fp* 101–102°, Nadeln Triäthylester *Fp* 39°
2532	4,57		II 17		1,6 W 16° 18,2 sd. W unl. in A	
2533		subl. 120°	II 647		10 W 13° ~ 33 W 100° ll. in A, Ae wl. in Chlf.	beim Erhitzen → Isobuttersäure Diamid *Fp* 269° Dihydrazid *Fp* 208°, Prismen p-Nitrobenzylester *Fp* 83,6°
2534		subl. (Z.)	VI 985		l. in h. W ll. in A, Ae	Diacetat *Fp* 136° Dibenzoat *Fp* 139°
2535	1,308		IX 225	eutekt. Temp.: mit Salophen 183°, mit Dicyandiamid 141°	0,39 W 20° ll. in h. W, h. A 0,35 Ae 18° swl. in Bzl. unl. in CS_2	neutralisierte wss. Lsg. + $Fe(NO_3)_3$-Lsg. → schwach rötlichgelber Nd. + Paraform-H_2SO_4 beim Erhitzen → intensiv braun mit intensiv rotbrauner Fluoreszenz Äthylester *Fp* 60,5° p-Nitrobenzylester *Fp* 136° p-Bromphenacylester *Fp* 151° Amid *Fp* 183° Anilid *Fp* 208°
2536			XXI 24	eutekt. Temp.: mit Salophen 151°, mit Dicyandiamid 96°; Geschmack bitter, kratzend		+ H_2SO_4 + Fe-H_3PO_4 + Paraform → erwärmt 50° → rötlichbraun → olivbraun und braune Fluoreszenz + 1 Tropfen HNO_3 + A + KOH → violettrot + 1 Tropfen Fe-H_3PO_4 → Jasmin-Honiggeruch + alkal. HgJ_2-Lsg. bei Zimmertemp. klar, beim Kochen → eigelber Nd. → langsam graues Hg
2537		subl.	VIII 300		swl. in k. W ll. in A, Ae starke Säuren	

Lfd. Nr.	*Fp*	Name	Summenformel	Strukturformel	Mol.-Gewicht	Aggregatzustand Farbe
1	2	3	4	5	6	7
2538	~190 (Z.)	α-Hydroxy-β-[2-hydroxy-3-carboxy-benzyl]-naphthalin (Epicarin)	$C_{18}H_{14}O_4$	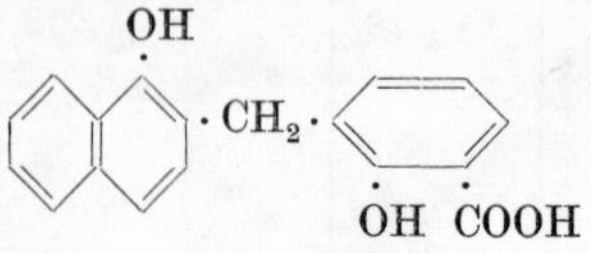	294,29	sehr leichte, schwach rötlich gefärbte filzige Krist.
2539	190 bis 191	Acetonsemicarbacon	$C_4H_9N_3O$	$(CH_3)_2C{:}N\cdot NH\cdot CO\cdot NH_2$	115,14	Nadeln (W oder Aceton)
2540	190 bis 191	Cotarninchlorid (Stypticin, Hydrochlorid des 6,7-Methylendioxy-8-methoxy-3.4-dihydroisochinolin-methochlorids)	$C_{12}H_{15}Cl_2NO_3$	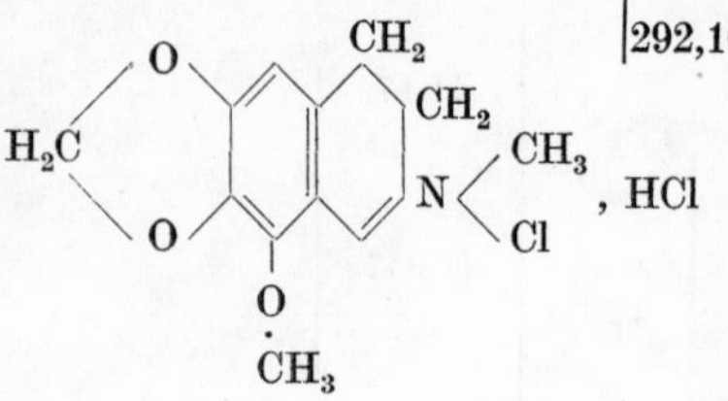	292,16	gelbes lockeres Plv.
2541	190 bis 191 (korr.)	5,5-Diäthylbarbitursäure (Veronal)	$C_8H_{12}N_2O_3$	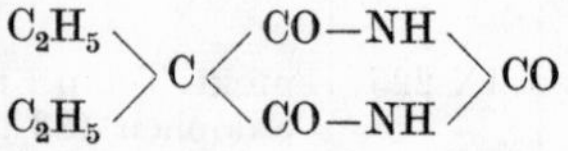	184,19	spießige weiße Krist. (W)
2542	190 bis 191	2,3-Diaminobenzoesäure	$C_7H_8N_2O_2$	$(H_2N)_2C_6H_3\cdot COOH$	152,15	Nadeln
2543	190 bis 191	Pentachlorphenol	C_6HCl_5O	$C_6Cl_5\cdot OH$	266,35	Krist. (Bzl.)
2544	190 bis 195	5-Jod-2-hydroxy-pyridin	C_5H_4JNO	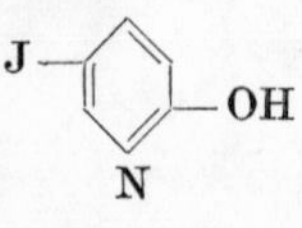	221,01	Prismen (Bzl. oder W)
2545	190 bis 195 (Z.)	Pyridindicarbonsäure-(2,3) (Chinolinsäure)	$C_7H_5NO_4$	$C_5H_3N(COOH)_2$	167,12	Prismen (W)

Lfd. Nr.	Spez. Gewicht	Siedepunkt °C	Beilsteinzitat	Physikalische Konstanten und Eigenschaften	Löslichkeit	Reaktionen
	8	9	10	11	12	13
538				eutekt. Temp.: mit Salophen 161°, mit Dicyandiamid 187°; geruch- u. geschmacklos	unl. in W l. in Lauge	wss. Suspension + $Fe(NO_3)_3$-Lsg. → merklich violett mit konz. H_2SO_4 gelinde erhitzt bis zur intensiven Braunfärbung → intensiv grüne Fluoreszenz Lsg. in Lauge + Jodlösung → gelbe amorphe Flocken
539			III 101		l. in W wl. in A unl. in Ae	
540			XXVII 476	eutekt. Temp.: mit Salophen 137°, mit Benzanilid 118°; hygroskopisch; schwach bitterer Geschmack	ll. in W, A	1. + 1 ml H_2SO_4 → blaßgrüngelb + Fe-H_3PO_4 → rötlichgelb + HNO_3-H_2SO_4 → orangerot → orange 2. 10—20 mg Paraform + 1 ml H_2SO_4 → rötlichgelb + HNO_3-H_2SO_4 → intensiv violettrot → intensiv orange Erhitzen im W-Bad → langsam karminrot
541		subl. ohne Rückstand	XXIV 485	eutekt. Temp.: mit Salophen 163°, mit Dicyandiamid 172°	wl. in W ll. in Ae, h. A, Aceton, Essigester, Lauge wl. in Chlf., Eg.	1. 2—3 mg Subst. in 1 ml methylalkoholischer $Co(NO_3)_3$-Lsg. + 20 mg Piperazin → rotviolett (Blindprobe oder negativer Befund → blaugrüne Trübung) 2. 2 mg Subst. in 1 ml 1- bis 2%iger Pyridinlsg. in Hitze gelöst. Zur sd.-heißen Lsg. tropfenweise verd. $CuSO_4$-Lsg. (0,4%ig) → blaßviolette Krist.
542		Z.	XIV 447			erhitzen → CO_2-Abspaltung
543	$1{,}978^{22°}$	310 (Z.)	VI 194		unl. in W ll. in A, Ae	
544		subl. >140°	E_2 XXI 32	eutekt. Temp.: mit Salophen 161°, mit Dicyandiamid 162°	ll. in A, h. W	
545			XXII 150		0,55 W 7° swl. in A 0,03 Ae	erhitzen → Pyridincarbonsäure-(3) Anhydrid *Fp* 134,5°, Prismen Dimethylester *Fp* 53—54°, Blätter

Lfd. Nr.	*Fp*	Name	Summen-formel	Strukturformel	Mol.-Gewicht	Aggrega zustan Farbe
1	2	3	4	5	6	7
2546	190 bis 200	Ergotoxin [Gemisch von Ergocornin, Ergocristin u. Ergocryptin]				Krist. (Bzl.)
2547	191	p-Aminobenzoyl-N,N-diäthylleucinolhydrochlorid (Supracain)	$C_{17}H_{29}ClN_2O_2$	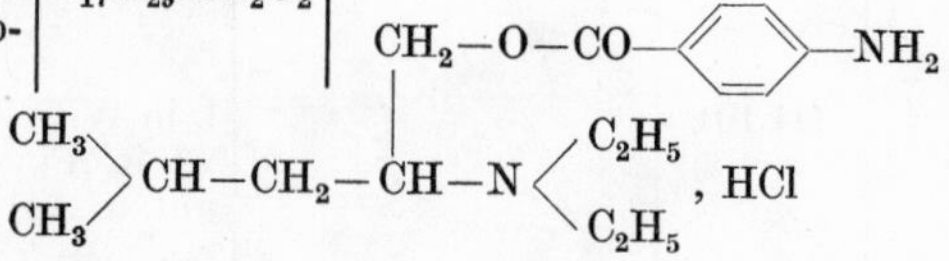	328,88	weiße Blättche
2548	191	Dehydrothiotoluidin	$C_{14}H_{12}N_2S$	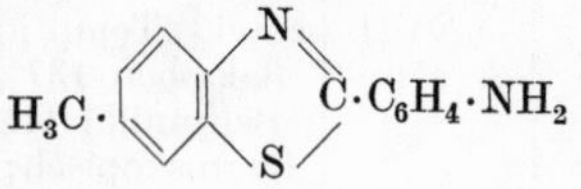	240,32	gelbe Krist.
2549	191	1,8-Dihydroxyanthrachinon (Isticin, Chrysazin)	$C_{14}H_8O_4$	$HO\cdot C_6H_3\langle{}^{CO}_{CO}\rangle C_6H_3\cdot OH$	240,20	gelbrot Nadeln od. gelb Blättche (A)
2550	191	Phthalsäure	$C_8H_6O_4$	$C_6H_4(COOH)_2$	166,13	Tafeln (W)
2551	191	3,6-Dichlorphthalsäureanhydrid	$C_8H_2Cl_2O_3$	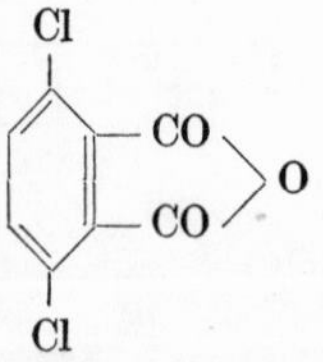	217,01	Nadeln
2552	191	Salicylsäure-p-acetylaminophenylester (Salophen)	$C_{15}H_{13}NO_4$	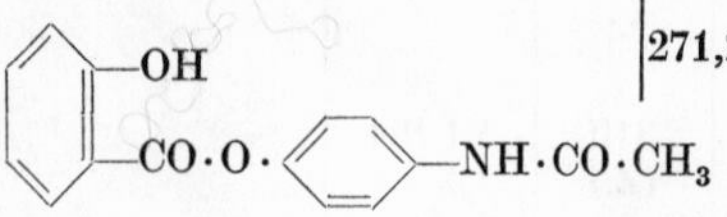	271,26	Platten (W)
2553	191 bis 193	2-Sulfanilamidopyridin (Sulfapyridin, Dagenan, Eubasin)	$C_{11}H_{11}N_3O_2S$	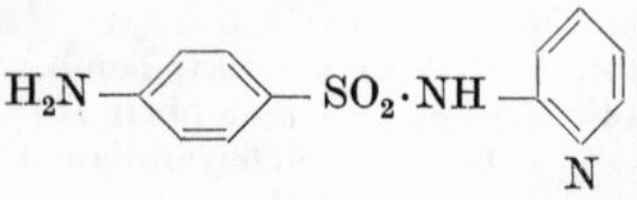	249,29	weiße Krist.

Lfd. Nr.	Spez. Gewicht	Siede-punkt °C	Beilstein-zitat	Physikalische Konstanten und Eigenschaften	Löslichkeit	Reaktionen
	8	9	10	11	12	13
2546					swl. in W ll. in A wl. in Ae unl. in PAe l. in NaOH	
2547					ll. in W wl. in k. A unl. in Ae	
2548		431	XXVII 376		0,005 sd. W l. in A wl. in Ae	Lsgg. fluoreszieren blau
2549			VIII 458	eutekt. Temp.: mit Salophen 160°, mit Dicyandiamid 191°; sublimierbar mit überhitztem Wasserdampf	wl. in A, Ae l. in Bzl., Chlf., Alkali unl. in NH_4OH	+ Piperidin → rotviolett + H_2SO_4 → rotgelb + Borsäure → rot Dimethyläther *Fp* 219° Diacetat *Fp* 227—232°
2550	1,59		IX 791	*Fp* im geschlossenen Rohr	0,54 W 14° 18 W 99° 11,7 A 18° 0,68 Ae 15° unl. in Chlf.	erhitzen → Phthalsäureanhydrid Phenacylester *Fp* 154,4° p-Nitrobenzylester *Fp* 155,5° Amid *Fp* 149° Monoanilid *Fp* 169—169,5°
2551		339	XVII 483		ll. in Bzl.	
2552				eutekt. Temp. mit Dicyandiamid 176°	l. in w. W, A, Ae, Bzl. unl. in PAe	
2553				geruchlos; schwach bitterer Geschmack	unl. in Ae, Chlf. swl. in k. W wl. in A ll. in Aceton	Silbersalz flockig in wss. Lsg., + NH_3 tropfenweise bis nahezu gelöst in 10 Min. feine weiße Nädelchen 100 mg Subst. in 5 ml W + 1 ml 0,5%ige Lösung von Na-β-naphthochinon-4-sulfonat → nach 5 Min. rot + konz. HCl erhitzen → Pyridingeruch

Lfd. Nr.	*Fp*	Name	Summenformel	Strukturformel	Mol.-Gewicht	Aggregatzustand Farbe
1	2	3	4	5	6	7
2554	**191 bis 196**	Östradiol-3-benzoat	$C_{25}H_{28}O_3$	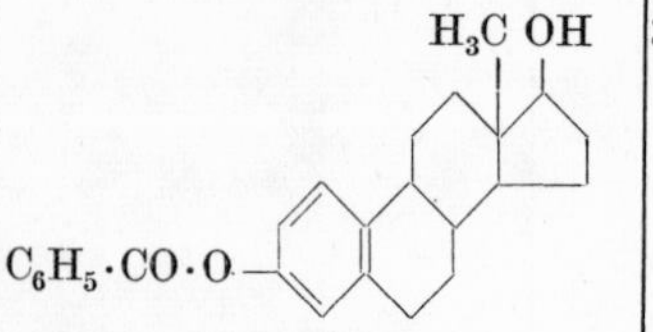	386,55	Krist. (A)
2555	**192**	Chlorfumarsäure	$C_4H_3ClO_4$	HOOC·CH:CCl·COOH	150,52	Tafeln (Eg.)
2556	**192**	cis-Cyclohexandicarbonsäure-(1,2)	$C_8H_{12}O_4$	$H_2C·CH_2·CH·COOH$ $H_2C·CH_2·CH·COOH$	172,18	Prismen (W) Tafeln (A
2557	**192**	1,4-Dihydroxynaphthalin	$C_{10}H_8O_2$	$C_{10}H_6(OH)_2$	160,16	Krist. (Toluol)
2558	**192**	ms,ms-Diphenylanthron [10-Oxo-9,9-diphenylanthracendihydrid-(9,10)]	$C_{26}H_{18}O$	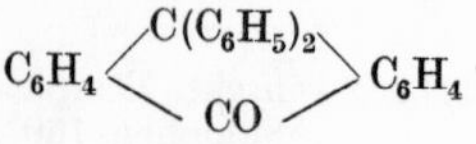	346,40	Nadeln (Eg.)
2559	**192**	Äthylquecksilberchlorid	C_2H_5ClHg	$C_2H_5·HgCl$	265,13	silberglänzende Blättchen (A)
2560	**192**	Äthylenjodhydrin-allophansäureester (Aljodan)	$C_4H_7JN_2O_3$	$NH_2·CO·NH·COO·CH_2·CH_2J$	258,02	nahezu weiße Blättchen
2561	**192**	Muskeladenylsäure	$C_{10}H_{14}N_5O_7P$	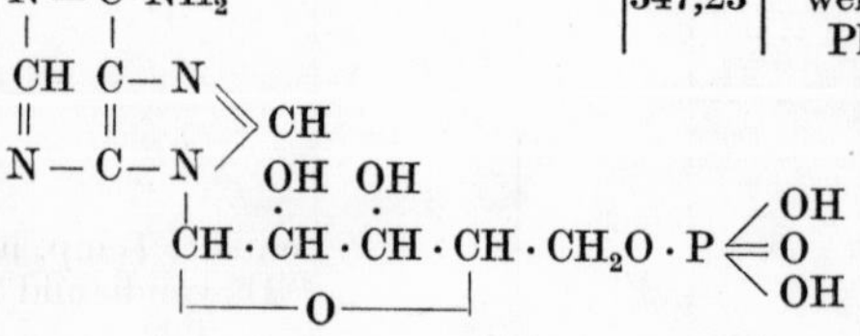	347,23	weißes Plv.
2562	**192** (Z.)	Benzalbernsteinsäure (Phenylitaconsäure, γ-Phenyl-β-propylen-α,β-dicarbonsäure)	$C_{11}H_{10}O_4$	$C_6H_5·CH$ ‖ $HOOC·CH_2·C·COOH$	206,19	Tafeln (Ae)
2563	**192 bis 193**	Cumaroncarbonsäure-(2) (Cumarilsäure)	$C_9H_6O_3$	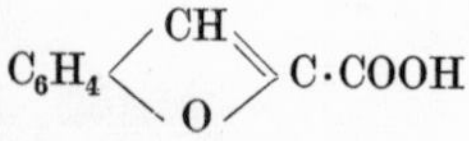	162,14	Nadeln (W)
2564	**192 bis 193**	Quebrachit	$C_7H_{14}O_6$	$C_6H_6(OH)_5·OCH_3$	194,18	monokline Krist. (Aceton)

fd. Nr.	Spez. Gewicht	Siedepunkt °C	Beilsteinzitat	Physikalische Konstanten und Eigenschaften	Löslichkeit	Reaktionen
	8	9	10	11	12	13
54				$[\alpha]_D^{20}$ +58 bis + 63° (Dioxan); geruch- und geschmacklos	unl. in W l. in A, Ae, Aceton, Chlf., Dioxan	0,002 g Subst. in 2 ml H_2SO_4 → grünlichgelb mit blauer Fluoreszenz + 2 ml W → schwach orange
55		subl.	II 744		ll. in W, A, Ae	
56			IX 730		l. in W	>192° → Anhydrid
57			VI 979		l. in sd. W ll. in A, Ae	Diacetat *Fp* 128—130° Dibenzoat *Fp* 169°
58			VII 547		l. in Chlf., Eg. swl. in A, Ae, Ligroin	
59			IV 682	mit W-Dampf flüchtig	fast unl. in W ll. in sd. A sl. in Ae	
60				geruchlos; geschmacklos	unl. in W l. in Lauge	alkalische HgJ_2-Lsg. in der Wärme → orangebrauner Nd. + konz. H_2SO_4 → farblos, beim Erwärmen → violettrot + 1 ml H_2SO_4 + Fe-H_3PO_4 (warm) → violettrot + HNO_3-H_2SO_4 → gelb → violettrot → braunorange → farblos
61				Geschmack säuerlich, adstringierend	wl. in W	wss. Lsg. + Fe-H_3PO_4 + 10 mg Guajacolcarbonat (nach 3 Min.) → intensiv blau
62			IX 899		sll. in W, Ae l. in A	
63		310 bis 315	XVIII 307		l. in sd. W ll. in A wl. in Chlf.	Kalischmelze → Essigsäure + Salicylsäure Äthylester *Fp* 27°
64			VI 1193	$[\alpha]_D^{20}$ −81,2° (W); süßer Geschmack	unl. in Ae wl. in A l. in W, Eg., Py	

Lfd. Nr.	*Fp*	Name	Summenformel	Strukturformel	Mol.-Gewicht	Aggrega zustand Farbe
1	2	3	4	5	6	7
2565	**192 bis 195**	3-Jodsalicylsäure	$C_7H_5JO_3$	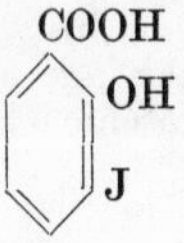	264,02	grau-weißes bis gelb liches Krist.-Plv.
2566	**192,5** (Z.)	Pyrrolcarbonsäure-(2)	$C_5H_5NO_2$	HC——CH / HC·NH·C·COOH	111,10	Blättche (W)
2567	**192,5 bis 193,5**	N,N-Dimethyl-N'-(2-pyridyl)-N'-benzyläthylendiaminhydrochlorid (Pyribenzamin, Tripelenamin)	$C_{16}H_{22}ClN_3$	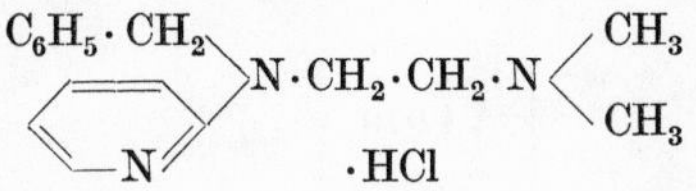	291,83	feinkris Plv.
2568	**193**	Naphthylendiamin-(2.3)	$C_{10}H_{10}N_2$	$H_2N \cdot C_{10}H_6 \cdot NH_2$	158,19	Blätter (Ae)
2569	**193**	Biuret	$C_2H_5N_3O_2$	$H_2N \cdot CO \cdot NH \cdot CO \cdot NH_2$	103,08	Nadeln $+H_2O$ (W)
2570	**193**	1-Hydroxyanthrachinon	$C_{14}H_8O_3$	$C_6H_4\langle(CO)_2\rangle C_6H_3 \cdot OH$	224,20	Blättche (A) orangero Krist.-Nadeln (A)
2571	**193**	Pregnenolon (3β-Hydroxy-Δ⁵-pregnen-20-on)	$C_{21}H_{32}O_2$	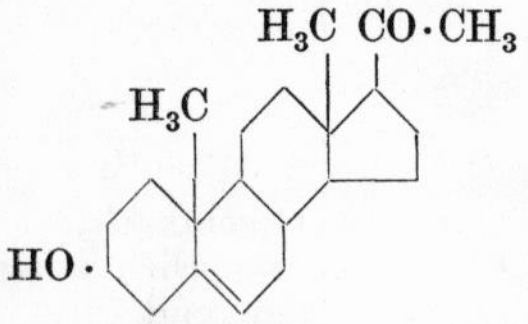	316,47	Nadeln (verd. A
2572	**193**	6-Hydroxychinolin	C_9H_7NO	$C_9H_6N \cdot OH$	145,15	Prisme (A, Ae
2573	**193**	3-Hydroxyzimtsäure	$C_9H_8O_3$	$HO \cdot C_6H_4 \cdot CH{:}CH \cdot COOH$	164,15	Prisme (W)
2574	**193**	Thebain	$C_{19}H_{21}NO_3$	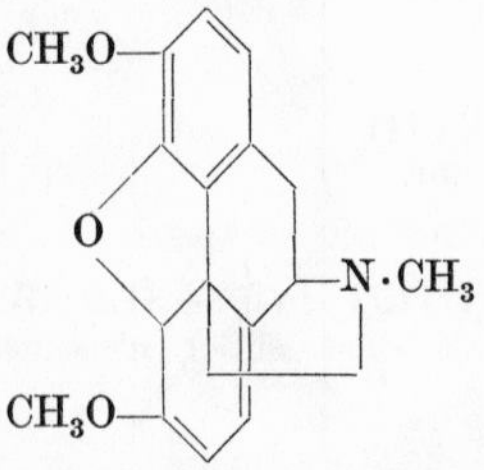	311,37	silber-glänzen Blättch (A)

Ld. Nr.	Spez. Gewicht	Siedepunkt °C	Beilsteinzitat	Physikalische Konstanten und Eigenschaften	Löslichkeit	Reaktionen
	8	9	10	11	12	13
65			X 112		unl. in W l. in A, Ae	
66			XII 22		l. in W, A, Ae	erhitzen → CO_2-Abspaltung
67				geruchlos; etwas brennender Geschmack	l. in W, A, Chlf. unl. in Ae	wss. Lsg. (1 + 99) 1. 5 ml + 5 ml Pikrinsäure-Lsg. → gelber Nd. *Fp* 178—182° 2. 1 ml + 0,1 g Chloramin + 1 ml verd. HCl, kochen, nach Abkühlen + 4 ml NH_4OH → gelb → grün
68			XIII 207		ll. in A zl. in Ae	N,N′-Diacetylderivat *Fp* 247°
69			III 70		1,5 W 15° 45 sd. W	+ einige Tropfen $CuSO_4$ + überschüssige NaOH → zinnoberrot (Biuret-Rk.)
70		subl.	VIII 338	sublimierbar in Nadeln; mit W-Dampf flüchtig	swl. in W l. in A, Ae l. in h. NH_4OH	+ konz. H_2SO_4 → gelb + Borsäure → rot Methyläther *Fp* 169,5°, gelbe Krist. Acetat *Fp* 172°, gelbe Nadeln
71				$[\alpha]_D^{20}$ +28° (A); geruch- u. geschmacklos	unl. in W swl. in organ. Lösungsmitteln	Methyläther *Fp* 123,5° Acetat *Fp* 149—151° Oxim *Fp* 218—219° (Z.)
72		>360	XXI 85		swl. in k. W wl. in A swl. in Ae ll. in Säuren, Laugen	+ $FeCl_3$ → gelb
73			X 294		wl. in k. W ll. in h. W, A, Ae, Bzl.	Methylester *Fp* 87—88°
74				$[\alpha]_D^{15}$ −218,64° (A); eutekt. Temp.: mit Benzanilid 165°, mit Salophen 186°	unl. in W ll. in Ae, A, Bzl., Chlf. unl. in Alkalien	+ konz. H_2SO_4 → blutrot → gelblich Formaldehyd-H_2SO_4 → kalt orangerot, bei 100° rotbraun konz. HNO_3 → gelb + Vanadinschwefelsäure → orangegelb + Erdmanns Reagens → grün → rotbraun

Lfd. Nr.	*Fp*	Name	Summen-formel	Strukturformel	Mol.-Gewicht	Aggregat-zustand Farbe
1	2	3	4	5	6	7
2575	**193 bis 194**	Allophansäureäthyl-ester	$C_4H_8N_2O_3$	$H_2N \cdot CO \cdot NH \cdot COO \cdot C_2H_5$	132,12	Nadeln (W)
2576	**193 bis 194**	dl-β-Aminobuttersäure	$C_4H_9NO_2$	$CH_3 \cdot CH(NH_2) \cdot CH_2 \cdot COOH$	103,12	Krist.
2577	**193 bis 194**	Dihydrocodeinon (Dicodid)	$C_{18}H_{21}NO_3$	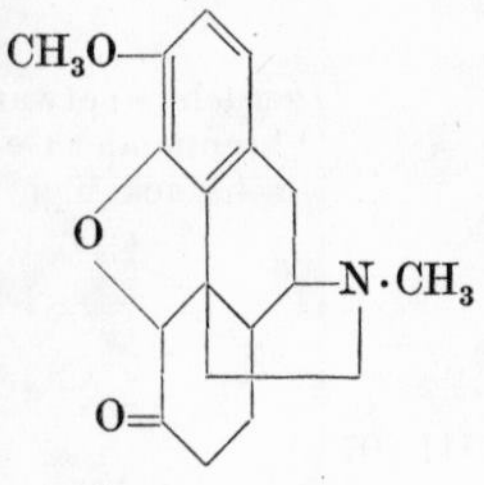	299,36	weiße Krist.
2578	**193 bis 196**	4-(4′-Aminobenzol-sulfonamido)-benzol-sulfonsäuredimethyl-amid (Disulfanildi-methylamid, Uliron, Diseptal A)	$C_{14}H_{17}N_3O_4S_2$	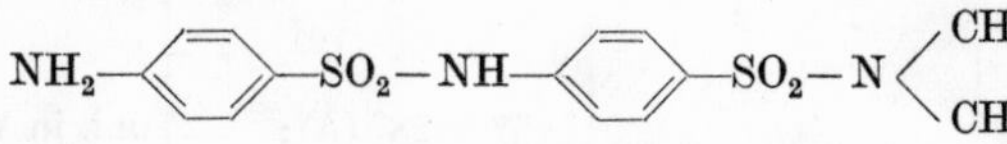	355,43	weiße Krist.
2579	**193,5**	Tetramethylbenzidin	$C_{16}H_{20}N_2$	$(CH_3)_2N \cdot C_6H_4 \cdot C_6H_4 \cdot N(CH_3)_2$	240,34	Krist. (A oder Lg.)
2580	**194**	Allylisopropylacetyl-harnstoff (Sedormid)	$C_9H_{16}N_2O_2$	CO—NH—CO—NH_2 | CH / \\ $CH_2:CH \cdot CH_2$ $CH(CH_3)_2$	184,23	weiße Krist.
2581	**194**	Arbutin	$C_{12}H_{16}O_7$	$^{(4)}HO \cdot C_6H_4 \cdot O \cdot C_6H_{11}O_5{}^{(1)}$	272,25	Nadeln
2582	**194**	4-Benzoylbenzoesäure	$C_{14}H_{10}O_3$	$C_6H_5 \cdot CO \cdot C_6H_4 \cdot COOH$	226,22	Blättchen (W)
2583	**194**	2,4,5,6-Tetrabrom-m-kresol	$C_7H_4Br_4O$	$CH_3 \cdot C_6Br_4 \cdot OH$	423,77	Nadeln (Chlf.)

Lfd. Nr.	Spez. Gewicht	Siedepunkt °C	Beilsteinzitat	Physikalische Konstanten und Eigenschaften	Löslichkeit	Reaktionen
	8	9	10	11	12	13
575		Z.	III 69		swl. in k. W 211 sd. W 0,6 A 21° 0,1 Ae 20°	erhitzen → Cyanursäure + A
576			IV 412		100 W wl. in A, Ae	
577				geruchlos; bitterer Geschmack		+ Fe-H_2SO_4 in der Wärme unverändert (Unterschied von Codein u. Eukodal) 1. + H_2SO_4 + Fe-H_3PO_4 → violettblau + Paraform → graugrün bis graublau + HNO_3-H_2SO_4 → violett → olivgrün → hellbraun 2. 10–20 mg Paraform → gelb → langsam violett + Fe-H_3PO_4 → langsam blau bis graublau + HNO_3-H_2SO_4 → violett → olivgrün → hellbraun Hydrochlorid *Fp* 175–180° Bitartrat *Fp* 146–148° Oxim *Fp* 265–266°
578				eutekt. Temp.: mit Salophen 163°, mit Dicyandiamid 176°; bitterer Geschmack, geruchlos	swl. in k. W l. in Säuren, Laugen	Perjodid in saurer Rk. (Unterschied von Prontalbin) Indophenol-Rk. in 50%ig. A 100 mg Subst. in 5 ml W + 1 ml 0,5%ige Lsg. von Na-β-naphthochinon-4-sulfonat → nach 5 Min. rot
579		>360	XIII 221		swl. in W wl. in A sll. in Chlf. ll. in h. Bzl.	
580				eutekt. Temp.: mit Salophen 169°, mit Dicyandiamid 186°; geruch- u. geschmacklos	swl. in W wl. in Lauge	Beim Erhitzen mit 50%iger H_2SO_4 schwach pfefferminzartiger, würziger Geruch erwärmen mit Lauge + alkal. HgJ_2-Lsg. → weißer Nd.; bei längerem Erhitzen → graugrün
581				eutekt. Temp.: mit Salophen 166°, mit Dicyandiamid 156°	ll. in sd. W wl. in A unl. in Ae	
582		subl.	X 753		swl. in k. W ll. in A, Ae wl. in Chlf., Bzl.	Methylester *Fp* 107°
583			VI 383		unl. in W l. in A	

Lfd. Nr.	Fp	Name	Summen-formel	Strukturformel	Mol.-Ge-wicht	Aggregat-zustand Farbe
1	2	3	4	5	6	7
2584	194	3,4-Dimethyl-5-sulfanil-amidoisoxazol (Sulfafurazol, Gantrisin)	$C_{11}H_{13}N_3O_3S$	$CH_3 \cdot \fbox{} \cdot CH_3$ $N \cdot NH \cdot SO_2 \cdot C_6H_4 \cdot NH_2$ O	267,30	Prismen
2585	194 bis 195	Aconitsäure	$C_6H_6O_6$	$HOOC \cdot CH_2 \cdot C(COOH) : CH$ $COOH$	174,11	Blättchen (W)
2586	194 bis 195	N,N′-Di-[p-äthoxy-phenyl]-acetamidin-hydrochlorid (Holo-cainhydrochlorid)	$C_{18}H_{23}ClN_2O_2$	$CH_3 \cdot C \big<^{N \cdot C_6H_4 \cdot OC_2H_5}_{NH \cdot C_6H_4 \cdot OC_2H_5} \cdot HCl$	334,84	farblose Krist.
2587	194 bis 195	1,3,5,8-Tetranitro-naphthalin	$C_{10}H_4N_4O_8$	$C_{10}H_4(NO_2)_4$	308,16	hellgelbe Krist. (Aceton)
2588	195	Apomorphin	$C_{17}H_{17}NO_2$		267,31	Tafeln (A + PAe)
2589	195	Scopolaminhydro-bromid	$C_{17}H_{22}BrNO_4$ $+ 3 H_2O$		438,32	weiße Krist.
2590	195	Acetylsalicyltheobro-min (Theacylon)	$C_{16}H_{14}N_4O_5$	$C_7H_7O_2N_4 \cdot CO \cdot \bigcirc$ $CH_3CO \cdot O \cdot$	342,30	weiße Krist.

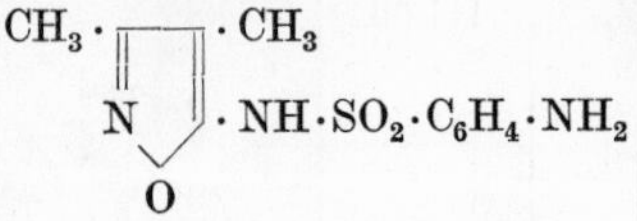

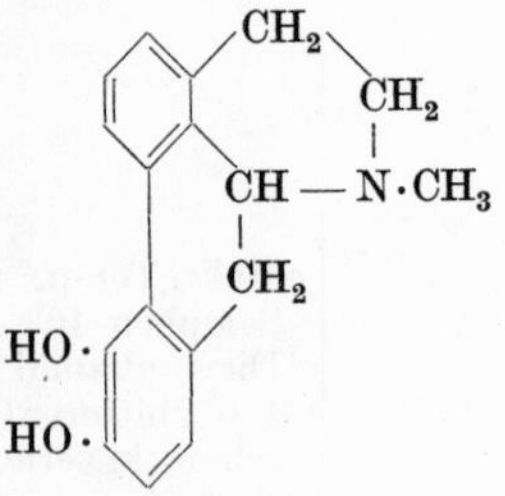

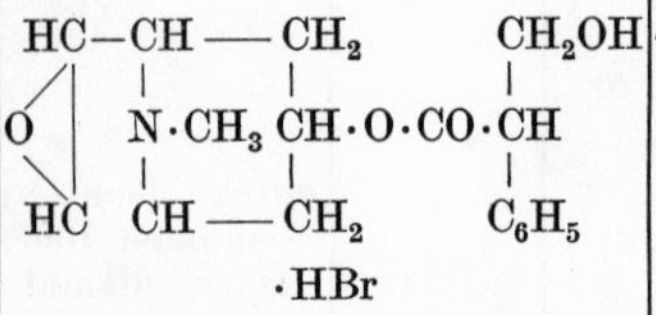

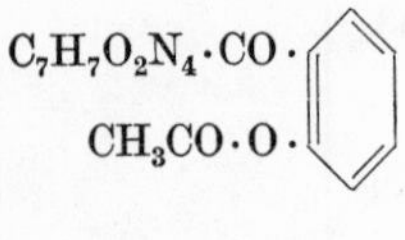

fd. Nr.	Spez. Gewicht	Siede-punkt °C	Beilstein-zitat	Physikalische Konstanten und Eigenschaften	Löslichkeit	Reaktionen
	8	9	10	11	12	13
84					swl. in W, A ll. in Aceton, verd. Säuren, Alkalien	Cu-Komplex lange, hellbraune Nadeln
85			II 849		33 W 15° 50 in 80%ig. A 12° wl. in Ae	zu Essigsäureanhydrid Spur Subst. → Rosafärbung, bei Erhitzen → tiefrot, fuchsinrot → blaugrün → braun Triphenacylester *Fp* 90° Tris-p-bromphenacylester *Fp* 186° Tris-p-nitrobenzylester *Fp* 76°
86					l. in W	wss. Lsg. + $AgNO_3$ → AgCl-Nd. wss. Lsg. + NH_3 → Holocain
87			V 564		wl. in A, Chlf., Eg.	
88			XXI 187	$[\alpha]_D$ −46,3 (A); eutekt. Temp.: mit Salophen 180°, mit Dicyandiamid 167°; färbt sich beim Liegen an der Luft grün; Lsgg. in Alkalien schwärzen sich an der Luft	wl. in W ll. in A wl. in Ae swl. in Ligroin l. in Alkalien	+ konz. HNO_3 → blutrot + KOH → bräunt rasch (noch wahrnehmbar bei 0,00015 g), Unterschied von Morphin + Furfurol-H_2SO_4 erwärmen → rot → grünlich Lsg. von 0,01 g Subst. in 1 ml W oder 1—2 ml 15—20%iger NaOH + 4 Tropfen 0,3%ige $K_2Cr_2O_7$-Lsg. → trübe, graugrüne Mischung 1. mit Benzol geschüttelt → rotviolett 2. mit Amylalkohol geschüttelt → indigoblau zu einer neutralen wss. Lsg. vorsichtig Jodlösung zutropfen → smaragdgrüne Färbung, schütteln mit Äther, ätherische Lsg. → rot; wss. Lsg. → grün Hydrochlorid *Fp* 220—270°
89				$[\alpha]_D^{20}$ −24°; eutekt. Temp. mit Dicyandiamid 129°	wl. in W ll. in organ. Lösungsmitteln	Monohydrat der Base *Fp* 59°
90			E_1 XXVI 140	eutekt. Temp.: mit Salophen 156°, mit Dicyandiamid 167°	wl. in W, A, Ae l. in Chlf.	NaOH löst unter Verseifung → Theobrominnatrium, Natriumsalicylat und Natriumacetat mit HNO_3 neutralisierte Lsg. + $Fe(NO_3)_3$-Lsg. → violett

Lfd. Nr.	*Fp*	Name	Summen-formel	Strukturformel	Mol.-Gewicht	Aggrega zustand Farbe
1	2	3	4	5	6	7
2591	**195**	Cholsäure (3,7,12-Trihydroxy-cholansäure)	$C_{24}H_{40}O_5$	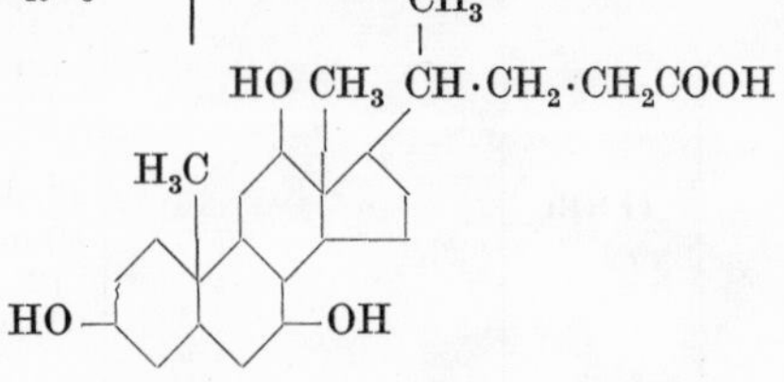	408,56	Krist. $+H_2O$ (W)
2592	**195** (Z.)	1,6-Dinitronaphthol-(2)	$C_{10}H_6N_2O_5$	$(O_2N)_2C_{10}H_5\cdot OH$	234,16	gelbe Nadeln
2593	**195** (Z.)	3,4-Dihydroxyzimt-säure (Kaffeesäure)	$C_9H_8O_4$	$(HO)_2C_6H_3\cdot CH{:}CH\cdot COOH$	180,15	gelbe Blätter (W)
2594	**195**	4-Nitronaphthyl-amin-(1)	$C_{10}H_8N_2O_2$	$O_2N\cdot C_{10}H_6\cdot NH_2$	188,18	orange Nadeln (A)
2595	**195**	Phenarsazinchlorid (10-Chlor-9,10-di-hydrophenarsazin, Adamsit)	$C_{12}H_9AsClN$	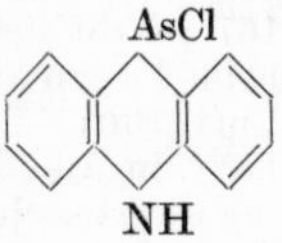	277,57	gelbe Nadeln oder Plv.
2596	**195**	Phenyl-benzyl-[N-methylpiperidyl-(4)]-aminhydrochlorid (Soventol)	$C_{19}H_{25}ClN_2$	$H_3C\cdot N\langle\begin{matrix}CH_2\cdot CH_2\\CH_2\cdot CH_2\end{matrix}\rangle CH\cdot N\langle\begin{matrix}C_6H_5\\CH_2\cdot C_6H_5\end{matrix}\cdot HCl$	316,86	Krist.
2597	**195**	Tetramethylbernstein-säure	$C_8H_{14}O_4$	$(CH_3)_2C\cdot COOH$ $\vert$ $(CH_3)_2C\cdot COOH$	174,19	Krist.
2598	**195** bis **196**	Benzalmalonsäure	$C_{10}H_8O_4$	$C_6H_5\cdot CH{:}C(COOH)_2$	192,16	Prismen (W)
2599	**195** bis **196**	α-Brom-d-campher-π-sulfonsäure	$C_{10}H_{15}BrO_4S$	$\begin{matrix}OC\\\vert\\BrHC\end{matrix}\rangle C_8H_{13}\cdot SO_3H$	311,20	Pyrami den (W)

Lfd. Nr.	Spez. Gewicht	Siedepunkt °C	Beilsteinzitat	Physikalische Konstanten und Eigenschaften	Löslichkeit	Reaktionen
	8	9	10	11	12	13
2591				$[\alpha]_D^{20}$ +31 bis +33° (A 5%); Geschmack süßlich bitter; geruchlos	0,025 W 4,27 in 70%ig. A 1,4 Ae l. in Eg., Alkali	wss. Lsg. + einige Tropfen 2n-Lauge + $Fe(NO_3)_3$-Lsg. → hellgelber, flockiger Nd. Subst. in 1 Tropfen 2n-NH_3-Lsg. gelöst + $AgNO_3$-Lsg. weißer gallertartiger Nd., der sich beim Erhitzen löst wss. Lsg. + etwas Furfurol-Lsg. + tropfenweise H_2SO_4, umschütteln → kirschrot → purpurrot → blaurot + H_2SO_4 → rotgelb mit grüner Fluoreszenz
2592			VI 655		swl. in sd. W l. in A ll. in Ae	
2593			X 436		wl. in k. W ll. in h. W wl. in Ae l. in Alkali gelb	+ $FeCl_3$ → grün
2594			XII 1259	färbt Wolle gelb	wl. in W ll. in A	Acetylderivat *Fp* 190° Benzoylderivat *Fp* 224° Benzolsulfonylderivat *Fp* 158° p-Tolylsulfonylderivat *Fp* 185°
2595	1,648	408 bis 410 (Z.)	E_1XXVII 672	Dampfdruck 20,0° $2 \cdot 10^{-13}$ Flüchtigkeit 20° 0,000003 mg/m³; Dampfdichte 9,6	unl. in W wl. in k. Bzl., Xylol, Toluol, CCl_4, Eg. ll. in h. Xylol, h. Toluol l. in konz. H_2SO_4 und Ameisensäure rotviolett	
2596				eutekt. Temp. mit Dicyandiamid 128°	2 W 18°	+ HNO_3 → zinnoberrot → orange + Mandelins Reagens → allmählich rot + Vanadinschwefelsäure aufkochen, nach 10 Min. → orange → bräunlich 2 ml Lsg. der Subst. + 2 ml Diazoreagens aufkochen, nach 10 Min. → rosa (E 0,5 mg in 2 ml Lsg.) Base *Fp* 115°
2597		subl.	II 706	mit W-Dampf flüchtig	ll. in A, Bzl.	
2598			IX 891		wl. in k. W ll. in h. W, A l. in Ae	
2599			XI 319		sll. in W, A	

Lfd. Nr.	*Fp*	Name	Summenformel	Strukturformel	Mol.-Gewicht	Aggregatzustand Farbe
1	2	3	4	5	6	7
2600	**195** bis **196**	N-[β-N′-Phenyl-N′-benzylaminoäthyl]-pyrrolidinhydrochlorid (Bronchistin, Luvistin)	$C_{19}H_{25}ClN_2$	$(CH_2\cdot CH_2)_2 > N\cdot CH_2\cdot CH_2\cdot N < (C_6H_5)(CH_2\cdot C_6H_5) \cdot HCl$	316,86	feine Nadeln
2601	**195** bis **197**	Ergometrinin	$C_{19}H_{22}N_3O_2$	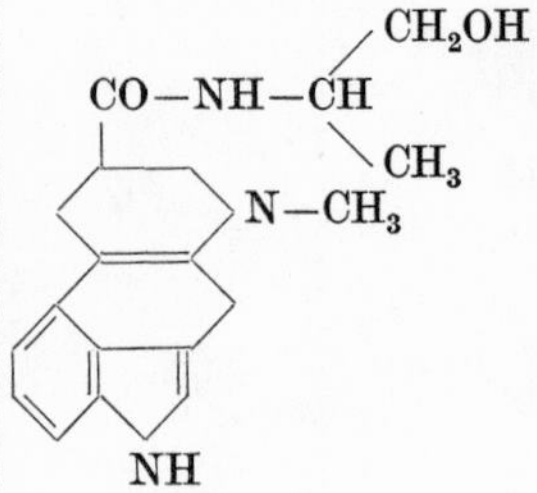	325,40	
2602	**195** bis **200**	Hydroxythiamin	$C_{12}H_{16}ClN_3O_2S$	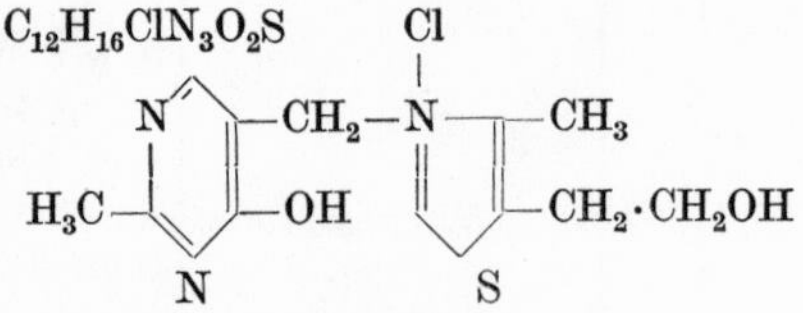	301,80	hygroskop. Krist. (A-Ae)
2603	**196**	Cinchoninsulfat	$C_{38}H_{46}N_4O_6S + 2H_2O$	$2C_{19}H_{22}ON_2 + H_2SO_4 + 2H_2O$ vgl. Nr. 3054	722,88	Prismen (W)
2604	**196**	4,5-Dihydroxy-2-methylanthrachinon (Chrysophansäure)	$C_{15}H_{10}O_4$	$HO\cdot C_6H_3 < (CO)(CO) > C_6H_2(CH_3)OH$	254,23	gelbe Blätter (A)
2605	**196**	5-Nitrosalicylsalicylsäure	$C_{14}H_9NO_7$	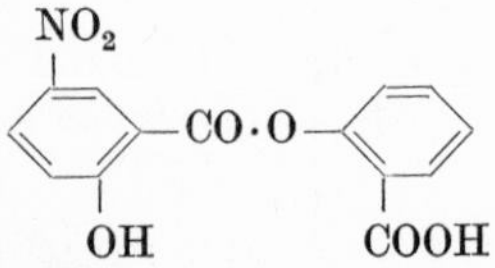	303,22	gelbe Nadeln (absol. A + Chlf.)
2606	**196** bis **197**	p-Aminobenzoesäure-[2,2-dimethyl-3-diäthylaminopropyl]-esterhydrochlorid (Larocain)	$C_{16}H_{27}ClN_2O_2$	$O\cdot CH_2\cdot C(CH_3)_2\cdot CH_2\cdot N(C_2H_5)_2$ / $CO\cdot C_6H_4\cdot NH_2 + HCl$	314,85	weiße Krist.

Lfd. Nr.	Spez. Gewicht	Siedepunkt °C	Beilsteinzitat	Physikalische Konstanten und Eigenschaften	Löslichkeit	Reaktionen
	8	9	10	11	12	13
2600				eutekt. Temp. mit Benzanilid 161 bis 162°	2 W 18°	+ HNO_3 → ziegelrot → gelb + H_2SO_4 + HNO_3 (1:1) → gelb → rötlich
2601				$[\alpha]_D^{20}$ +41,4° (Chlf.)	l. in W, A, Ae	
2602					wl. in W l. in A, Methanol	Dipikrat *Fp* 111°
2603			XXIII 429		1,35 W 20° 7,7 sd. W 17 in 80%ig. A 11° wl. in Ae	
2604		subl.	VIII 470	subl. in Nadeln; eutekt. Temp.: mit Salophen 162°, mit Dicyandiamid 192°	swl. in k. W ll. in h. A wl. in Ae	+ Lauge → dunkelrot + H_2SO_4 → tiefrot Dimethyläther *Fp* 191°, gelbe Krist. Diacetat *Fp* 208°, blaßgelbe Blättchen
2605						
2606				eutekt. Temp.: mit Salophen 156°, mit Dicyandiamid 125°; schmeckt bitter; geruchlos; anästhesierend	l. in W, A wl. in Chlf. unl. in Ae	10 ml wss. Lsg. (1 + 99) + 0,5 g Na-Acetat u. 1 ml NH_4CNS-Lsg. → stark milchige Trübung → Krist. *Fp* 98—101° 0,01 g Subst. in 1 ml Essigsäure unter Erwärmen lösen + 1 ml Furfurol-Essigsäure → rot, + H_2SO_4 → tiefrot 2 ml wss. Lsg. (1 + 99) + 3 Tropfen H_2SO_4 + 5 Tropfen $KMnO_4$-Lsg. → entfärbt (Unterschied von Cocain)

Lfd. Nr.	Fp	Name	Summen-formel	Strukturformel	Mol.-Ge-wicht	Aggregat-zustand Farbe
1	2	3	4	5	6	7
2607	196 bis 200	Aluminiumtriphenyl	$C_{18}H_{15}Al$	$(C_6H_5)_3Al$	258,28	Krist.
2608	197	Guanidincarbonat	$C_3H_{12}N_6O_3$	$2CH_5N_3 + H_2CO_3$	180,17	Säulen
2609	197 bis 197,5	Retenchinon	$C_{18}H_{16}O_2$	$(CH_3)_2CH$ ... $CO—CO$ ... CH_3	264,31	orange-farbene Nadeln (A)
2610	197 bis 198	Aconitin	$C_{34}H_{47}NO_{11}$	$C_{20}H_{21}$ $\begin{cases} N \cdot CH_3 \\ (OH)_3 \\ (OCH_3)_4 \\ O \cdot CO \cdot CH_3 \\ O \cdot CO \cdot C_6H_5 \end{cases}$	645,72	rhom-bische Prismen oder Tafeln (A)
2611	197 bis 198	Bromochinal (Chinindibrom-salicylat)	$C_{34}H_{32}Br_4N_2O_8$	$C_{20}H_{24}O_2N_2 \cdot 2C_6H_2Br_2(OH) \cdot COOH$	916,28	gelbliche Krist.
2612	197 bis 201	d-Mannosephenylhydr-azon	$C_{12}H_{18}N_2O_5$	$C_6H_{12}O_5 : N \cdot NH \cdot C_6H_5$	270,28	Nadeln (A)
2613	197 bis 208 (Z.)	Cinchonidinsulfat	$C_{38}H_{46}N_4O_6S$	$\left[\begin{array}{l} CH_2:CH \cdot CH \cdot CH \cdot CH_2 \\ \quad\quad\quad CH_2 \\ \quad\quad\quad CH_2 \\ CH_2 \cdot N \cdot CH \cdot CH \cdots N \\ \quad\quad\quad OH \end{array} \right]_2 \cdot H_2SO_4 \cdot 3H_2O$	740,93	seidige Krist.
2614	198	α-Naphthylthioharn-stoff (ANTU, Antu-ral, Bantu)	$C_{11}H_{10}N_2S$	$NH—C—NH_2$ $\underset{S}{\|\|}$	202,27	Prismen (A)

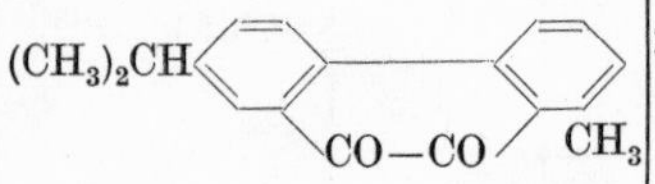

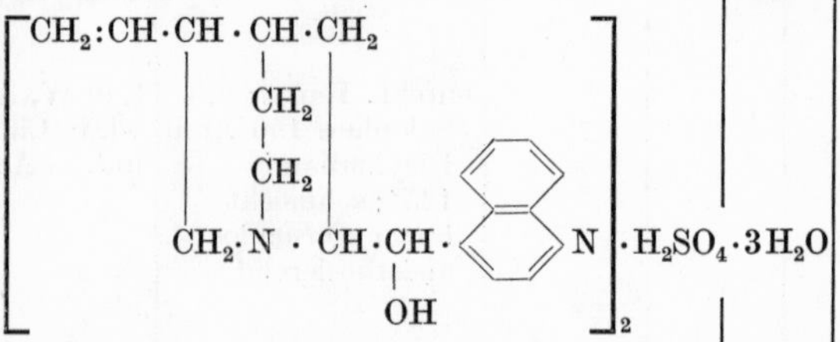

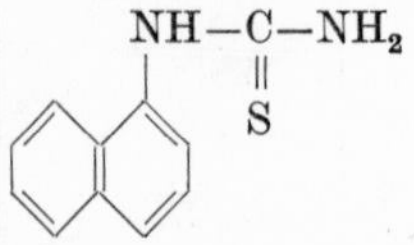

Lfd. Nr.	Spez. Gewicht	Siedepunkt °C	Beilsteinzitat	Physikalische Konstanten und Eigenschaften	Löslichkeit	Reaktionen
	8	9	10	11	12	13
607			E_1 XVI 548	wenig beständig	l. in Bzl.	+ H_2O → Zers.
608	1,24		III 86		ll. in W unl. in A	
609				subl. zum Teil unzersetzt	l. in A	erwärmen mit A und KOH → bordeauxrote Färbung, die beim Schütteln mit Luft verschwindet und beim Erwärmen zurückkehrt Chinoxalinderiv. (mit o-Phenylendiamin) *Fp* 164°, weiße Nadeln Monoimin *Fp* 109—111°, goldgelbe Prismen Semicarbazon *Fp* 200°, gelbe Nadeln Oxim *Fp* 130—131°, goldgelbe Nadeln
2610				$[\alpha]_D^{23}$ +11° (3%ige alkoh. Lsg.); Base rechtsdrehend, Salze linksdrehend; eutekt. Temp.: mit Benzanilid 148°, mit Salophen 163°	unl. in W, CS_2, PAe swl. in abs. A, Bzl. ll. in Ae, Chlf. unl. in Ligroin	H_2SO_4 und HNO_3 färben nicht + Furfurol-H_2SO_4 → braun Krist. $K_2Cr_2O_7$ + H_2SO_4 + Spuren Subst. → dunkelgrün + Ammoniumpersulfat → blau → blaugrün + Phosphormolybdänsäure → Nd. + NH_3 → blau + Erdmanns Reagens → blaugelb → gelb Nitrat *Fp* 187—188°
2611						
2612			XV 223		swl. in W swl. in A unl. in Ae	
2613			XXIII 441	eutekt. Temp.: mit Salophen 178°, mit Dicyandiamid 186°	wl. in W l. in A	verwittert an der Luft; W-frei *Fp* ~240°
2614				toxisch; bitterer Geschmack	wl. in W l. in h. NaOH ll. in Ae, Eg., Aceton	+ H_2SO_4 → schwach gelb + HNO_3 → rötlich → gelb + Paraform-H_2SO_4 → grün + Vanadinschwefelsäure → violett

Lfd. Nr.	*Fp*	Name	Summen-formel	Strukturformel	Mol.-Gewicht	Aggregatzustand Farbe
1	2	3	4	5	6	7
2615	198	5,7-Dibrom-8-hydroxy-chinolin	$C_9H_5Br_2NO$	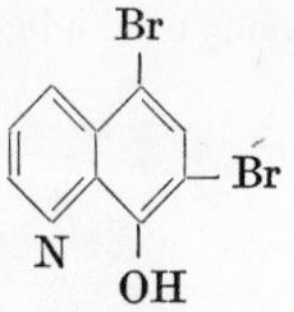	302,97	hell-grüne Nadeln
2616	198	Cuprein	$C_{19}H_{22}N_2O_2$	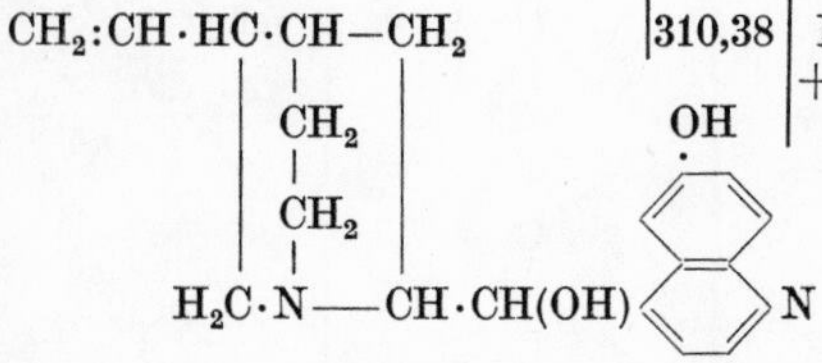	310,38	Prismen + $2H_2O$ (Ae)
2617	198 (Z.)	2,4-Dinitrophenyl-hydrazin	$C_6H_6N_4O_4$	$(O_2N)_2C_6H_3 \cdot NH \cdot NH_2$	198,14	violett-rote Krist. (A)
2618	198	4-Nitrobenzamid	$C_7H_6N_2O_3$	$O_2N \cdot C_6H_4 \cdot CO \cdot NH_2$	166,13	krist. Pulver
2619	198 (Z.)	4-Nitrosonaphthol-(1) (bzw. Naphtho-chinonoxim)	$C_{10}H_7NO_2$	$HO \cdot C_{10}H_6 \cdot NO$	173,16	gelbe Nadeln (Bzl.)
2620	198	3-Hydroxychinolin	C_9H_7NO	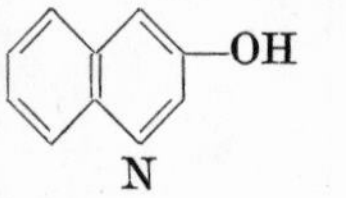	145,15	gelbes krist. Plv.
2621	198 bis 199	Rosindulin (Anhydrobase)	$C_{22}H_{15}N_3$	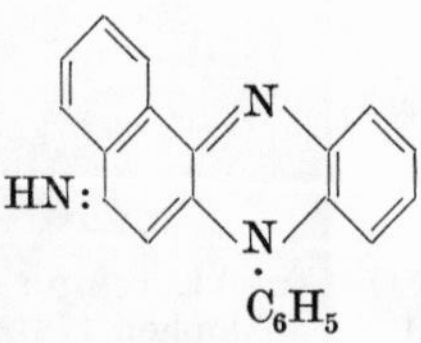	321,36	rot-braune Blättchen (Ae)
2622	198 bis 199	2,3,5,6-Tetrabrom-p-kresol	$C_7H_4Br_4O$	$CH_3 \cdot C_6Br_4 \cdot OH$	423,77	Nadeln (A)
2623	199	Anilinhydrochlorid	C_6H_8ClN	$C_6H_5 \cdot NH_2 + HCl$	129,59	Nadeln
2624	199	d-Campherchinon	$C_{10}H_{14}O_2$	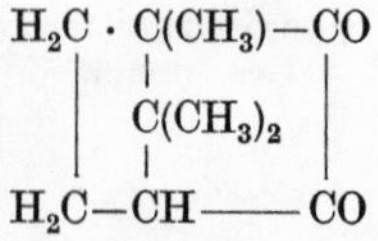	166,21	gelbe Nadeln (W oder verd. A)

Lfd. Nr.	Spez. Gewicht	Siedepunkt °C	Beilsteinzitat	Physikalische Konstanten und Eigenschaften	Löslichkeit	Reaktionen
	8	9	10	11	12	13
615			XXI 97	eutekt. Temp.: mit Salophen 171°, mit Dicyandiamid 196°	unl. in W wl. in A, Ae l. in Bzl.	+ Fe-Salze → grünschwarz (E 0,05 γ)
616			XXIII 510	$[\alpha]_D^{17}$ −175,5° (A)	unl. in W l. in A wl. in Ae, Chlf.	
617			XV 489	eutekt. Temp.: mit Salophen 162°, mit Dicyandiamid 174°	unl. in W swl. in A unl. in Ae ll. in Anilin	Acetylderivat *Fp* 197−198° Benzoylderivat *Fp* 206−207°
618			IX 394		wl. in W	
619			VII 727		wl. in W ll. in A, Ae	
620			E_1 XXI 220		l. in W, A sl. in Bzl.	+ $FeCl_3$ braunrot
621			XXV 348	alkohol. Lsg. fluoresziert gelbrot	unl. in W ll. in A, Ae, Bzl. l. in H_2SO_4 → grün	
622			VI 409		unl. in W l. in A ll. in Ae, Bzl.	
623	1,222	245	XII 116	eutekt. Temp. mit Salophen 168°	107 W 25° ll. in A unl. in Ae	
624		subl.	VII 581	mit Dampf flüchtig	wl. in k. W ll. in A	

Lfd. Nr.	*Fp*	Name	Summen-formel	Strukturformel	Mol.-Gewicht	Aggregat-zustand Farbe
1	2	3	4	5	6	7
2625	199	3,4-Dihydroxybenzoesäure (Protocatechusäure)	$C_7H_6O_4$	$(HO)_2C_6H_3 \cdot COOH$	154,12	Nadeln $+H_2O$ (W) Tafeln (A)
2626	199	Pentaglycerin (Methyltrimethylolmethan)	$C_5H_{12}O_3$	$H_3C \cdot C(CH_2OH)_3$	120,15	Nadeln (A)
2627	199 bis 200	2-Hydroxychinolin (Carbostyril)	C_9H_7NO	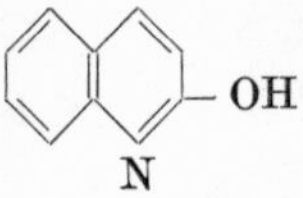	145,15	Prismen (A)
2628	199 bis 200	5-Phenyl-5-äthylhydantoin (Nirvanol)	$C_{11}H_{12}N_2O_2$	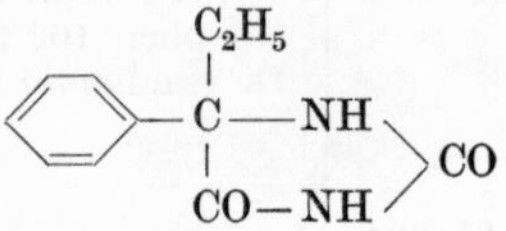	204,22	weiße Krist.-Nädelchen (A)
2629	200	Aconitinnitrat	$C_{34}H_{48}N_2O_{14}$	$C_{34}H_{47}O_{11}N \cdot HNO_3$	708,74	farblose Krist.
2630	200 (Z.)	β-Alanin	$C_3H_7NO_2$	$H_2N \cdot CH_2 \cdot CH_2 \cdot COOH$	89,09	Krist. (W)
2631	200 (Z.)	2-Anthrol (2-Hydroxyanthracen)	$C_{14}H_{10}O$	$C_6H_4\left\{\begin{matrix}CH\\CH\end{matrix}\right\}C_6H_3 \cdot OH$	194,15	lederfarbene Blättchen oder Nadeln (verd. A)
2632	200 (Z.)	2,5-Diaminobenzoesäure	$C_7H_8N_2O_2$	$(H_2N)_2C_6H_3 \cdot COOH$	152,15	Prismen (W)
2633	200 (Z.)	Aluminiumacetat	$C_6H_9AlO_6$	$(CH_3COO)_3Al$	204,11	amorph
2634	200 (Z.)	4,5-Dichlorphthalsäure	$C_8H_4Cl_2O_4$	$HOOC \cdot C_6H_2(Cl_2) \cdot COOH$	235,03	Nadeln (W)
2635	200	3,3′-Dinitrodiphenyl	$C_{12}H_8N_2O_4$	$O_2N \cdot C_6H_4 \cdot C_6H_4 \cdot NO_2$	244,20	gelbe Nadeln (A)
2636	200	2,5-Dihydroxybenzoesäure (Gentisinsäure)	$C_7H_6O_4$	$(HO)_2C_6H_3 \cdot COOH$	154,12	Nadeln oder Prismen (W)

ifd. Nr.	Spez. Gewicht	Siedepunkt °C	Beilsteinzitat	Physikalische Konstanten und Eigenschaften	Löslichkeit	Reaktionen
	8	9	10	11	12	13
·25	1,542	Z.	X 389	eutekt. Temp.: mit Salophen 149°, mit Dicyandiamid 150°; zerfällt bei höherer Temperatur; geruchlos; Geschmack säuerlich, zusammenziehend	1,85 W 14° 10 W 60° 27,8 W 80° ll. in A l. in Ae	erhitzen → Brenzcatechin + CO_2 + $FeCl_3$ → grün + sehr verd. NH_3 → blau → violett → rot Methylester *Fp* 134,5°, Nadeln Phenylester *Fp* 189° Chlorid *Fp* 70°, Kp. 275° Amid *Fp* 212° Anilid *Fp* 166°
·26		subl.	I 520		sll. in W, A	+ Chromsäure → Ameisensäure u. Essigsäure
·27		subl.	XXI 77		swl. in W ll. in A, Ae	2 C_9H_7NO + $C_6H_3(NO_2)_3$ → schwefelgelb *Fp* 178°
·28				eutekt. Temp.: mit Salophen 167°, mit Dicyandiamid 175°	swl. in W ll. in Alkalien, A l. in A	alkohol. Lsg. + $Co(NO_3)_2$ und Piperazin → violettrot + 1%ige Pyridinlsg. + verd. $CuSO_4$-Lsg. → kein Cu-Salz + H_2SO_4 + Paraform warm → braun → rosa + HNO_3-H_2SO_4 → braun → orange
·29				$[\alpha]_D^{20}$ −35,8° (2%ige wss. Lsg.); eutekt. Temp.: mit Benzanilid 140°, mit Salophen 158°	l. in W, A	
·30			IV 401		ll. in W swl. in A unl. in Ae	+ HJ → NH_3 + Propionsäure Phenylharnstoffderiv. *Fp* 174°
·31			VI 702		ll. in A, Ae, Aceton unl. in W	Methyläther *Fp* 175—178° Äthyläther *Fp* 145—146° Acetat *Fp* 198°
·32			XIV 448		swl. in sd. W, A, Ae	
·33			II 114		ll. in W	
·34			IX 818		unl. in W l. in A	Monoäthylester *Fp* 133—134°
·35			V 584		unl. in W wl. in A ll. in Bzl.	
·36		Z.	X 384		l. in W ll. in A, Ae unl. in Bzl.	erhitzen → Hydrochinon + CO_2

Lfd. Nr.	*Fp*	Name	Summen- formel	Strukturformel	Mol.- Ge- wicht	Aggrega zustand Farbe
1	2	3	4	5	6	7
2637	**200**	β-Disalicylid	$C_{14}H_8O_4$	$C_6H_4 \langle {O \cdot CO \atop CO \cdot O} \rangle C_6H_4$	240,20	Nadeln (Methyl alkohol)
2638	**200**	Hexabromäthan	C_2Br_6	$CBr_3 \cdot CBr_3$	503,52	Prismen
2639	**200** (Z.)	Hexahydroxybenzol	$C_6H_6O_6$	$C_6(OH)_6$	174,11	Nadeln (verd. HCl)
2640	**200**	Kakodylsäure	$C_2H_7AsO_2$	$(CH_3)_2AsO \cdot OH$	137,98	Säulen
2641	**200** (Z.)	Morphinhydrochlorid	$C_{17}H_{20}ClNO_3 + H_2O$	vgl. Nr. 3004	339,81	Nadeln (W)
2642	**200** (Z.)	1-Phenylthiosemicarba- zid	$C_7H_9N_3S$	$C_6H_5 \cdot NH \cdot NH \cdot CS \cdot NH_2$	167,23	Prismen (A)
2643	**200 bis 201**	3-Nitrozimtsäure	$C_9H_7NO_4$	$O_2N \cdot C_6H_4 \cdot CH{:}CH \cdot COOH$	193,15	Nadeln (A)
2644	**200 bis 201**	3-Hydroxybenzoesäure	$C_7H_6O_3$	$HO \cdot C_6H_4 \cdot COOH$	138,12	Nadeln (W) Tafeln (A)
2645	**200 bis 202**	Solasodin (Solanidin S, Solancarpidin, Pura- puridin)	$C_{27}H_{43}NO_2$	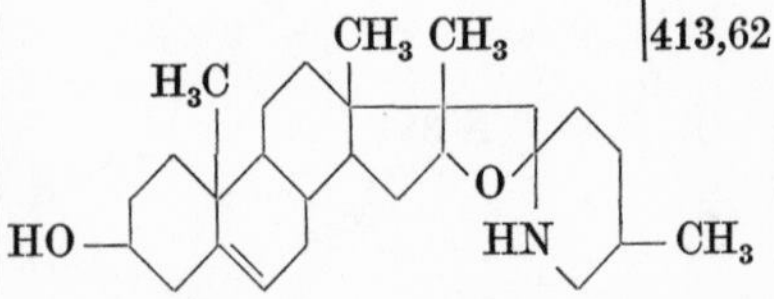	413,62	hexa- gonale Platten

fd. Nr.	Spez. Gewicht	Siedepunkt °C	Beilsteinzitat	Physikalische Konstanten und Eigenschaften	Löslichkeit	Reaktionen
	8	9	10	11	12	13
37			XIX 171		unl. in W swl. in A 5,56 Chlf. 6°	erhitzen im Vakuum → α-Disalicylid
38	3,823		I 96		unl. in W wl. in sd. A, Ae ll. in CS_2	
39			VI 1198	leicht oxydierbar	wl. in k. W, A, Ae, Bzl.	Hexaacetat *Fp* 203°
40			IV 610		83 W 22° l. in A unl. in Ae	
41				$[\alpha]_D$ −111° (W); geruchlos; bitterer Geschmack	4 W 2 A unl. in Ae	wss. Lsg. + $Fe(NO_3)_3$-Lsg. → grünstichig blau stark verdünnte Ferricyanidlsg. → blau + 10 mg Paraform + 1 ml H_2SO_4 → intensiv rotviolett + Fe-H_3PO_4 → intensiv blau + HNO_3-H_2SO_4 → braun → hellbraun + Furfurol-H_2SO_4 → rotbraun → erhitzen violettrot
42			XV 294		wl. in W ll. in A unl. in Ae	
43			IX 605	eutekt. Temp.: mit Salophen 162°, mit Dicyandiamid 160°	1,0 A 25°	Äthylester *Fp* 78–79° p-Nitrobenzylester *Fp* 174° Phenacylester *Fp* 146° p-Bromphenacylester *Fp* 173° Amid *Fp* 196°
44	1,473		X 134	eutekt. Temp.: mit Salophen 156°, mit Dicyandiamid 148°; sublimierbar; schmeckt süß	0,9 W 18° 10,99 W 78° l. in h. A, Ae 0,01 Bzl. 25°	Methylester *Fp* 71,5° p-Nitrobenzylester *Fp* 106,1° Amid *Fp* 170,5° Acetat *Fp* 133° Chloracetat *Fp* 206°
45				$[\alpha]_D^{25}$ −97° (Methanol)	ll. in Bzl., Chlf., Pyridin wl. in A, Methanol	Acetylderivat *Fp* 195°

Lfd. Nr.	*Fp*	Name	Summen-formel	Strukturformel	Mol.-Gewicht	Aggregat-zustand Farbe
1	2	3	4	5	6	7
2646	**200 bis 202**	Bulbocapnin	$C_{19}H_{19}NO_4$	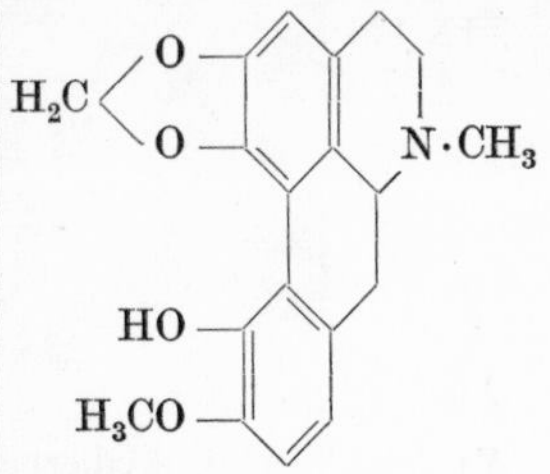	325,35	rhomb. Nadeln (absol. A
2647	**200 bis 202**	1,4-Dihydroxyanthra-chinon (Chinizarin)	$C_{14}H_8O_4$	$C_6H_4\langle(CO)_2\rangle C_6H_2(OH)_2$	240,20	rote Nadeln (A)
2648	**200 bis 202**	Euxanthonsäure (2,5,2′,6′-Tetra-hydroxybenzophenon)	$C_{13}H_{10}O_5$	$(HO)_2C_6H_3\cdot CO\cdot C_6H_3(OH)_2$	246,21	gelbe Warzen (h. W)
2649	**200 bis 202**	2,4,5-Trihydroxyaceto-phenon	$C_8H_8O_4$	$(HO)_3C_6H_2\cdot CO\cdot CH_3$	168,14	rote Nadeln (W)
2650	**200 bis 202**	2-Sulfanilamidothiazol (Sulfathiazol, Cibazol, Eleudron)	$C_9H_9N_3O_2S_2$	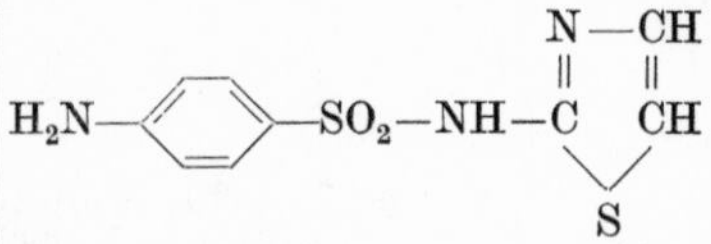	255,32	weiße Krist.
2651	**201**	7-Aminonaphthol-(2)	$C_{19}H_9NO$	$H_2N\cdot C_{10}H_6\cdot OH$	159,18	Nadeln (A)
2652	**201**	Camphansäure	$C_{10}H_{14}O_4$	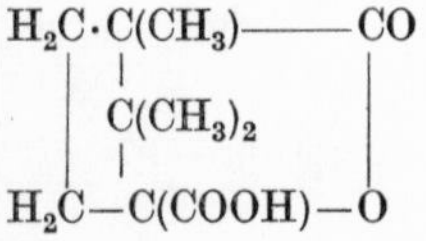	198,21	Nadeln $+H_2O$
2653	**201**	4-Hydroxychinolin (Kynurin)	C_9H_7NO	$C_9H_6N\cdot OH$	145,15	Nadeln $+3H_2O$ (W)

Lfd. Nr.	Spez. Gewicht	Siedepunkt °C	Beilsteinzitat	Physikalische Konstanten und Eigenschaften	Löslichkeit	Reaktionen
	8	9	10	11	12	13
2646			XXVII 488	$[\alpha]_D$ + 237° (Chlf.); geruchlos; schwach bitterer Geschmack; anästhesierend	unl. in W l. in A, Chlf.	wss. Lsg. + $Fe(NO_3)_3$-Lsg. → schwach violettrot, heiß intensiv violettrot Lsg. in konz. H_2SO_4 → gelb beim Erwärmen → orange, graugrün und blaugrau nach Abkühlen + 1 Tropfen HNO_3-H_2SO_4 → intensiv violett Lsg. in konz. H_2SO_4 + 5 mg α-Naphthol gelinde erwärmt → violettrot — grüne Fluoreszenz Methyläther *Fp* 129° Jodmethylat *Fp* 257°
2647			VIII 450	subl. in rubinroten Nadeln; eutekt. Temp.: mit Salophen 180°, mit Dicyandiamid 201°	l. in A, Ae, H_2SO_4, Alkali	Diacetat *Fp* 200° Dimethyläther *Fp* 143°, gelbe Nadeln Lsg. in H_2SO_4 → violett, grüngelbe Fluoreszenz Lsg. in Alkali → blauviolett
2648			VIII 497		l. in W, A, Ae	
2649			E_1 VIII 686		l. in sd. W, A, Ae l. in NaOH	Lsg. in Alkalien → gelbgrün 100 mg Subst. in 5 ml W + 1 ml 0,5%ige Lsg. β-naphthochinon-4-sulfonsaures Natrium nach 5 Min. → purpurbraun
2650				eutekt. Temp.: mit Salophen 172°, mit Dicyandiamid 167°; geruchlos; geschmacklos	swl. in k. W l. in sd. W, Alkalien, Säuren unl. in Ae, Bzl., Chlf.	+ H_2SO_4 + HNO_3 → rot 1. Lsg. mit einigen Tropfen 2n HCl in der Kälte + 1 Tropfen Nitritlsg. → gelb bis orange + einige Tropfen konz. NH_3 → intensiv gelb 2. 0,01 g Subst. unter Erwärmen in 1 ml Essigsäure lösen + 1 ml Furfurol-Essigsäure (2%ig) → rotgelb + 1 Tropfen H_2SO_4 → tiefrot
2651			XIII 684		wl. in W ll. in A, Ae	
2652		Z.	XVIII 401		ll. in A, Ae	Äthylester *Fp* 63°; Kp. 195 bis 196°
2653		Z.	XXI 83	schwer sublimierbar	l. in sd. W, A, Ae l. in NaOH	Lsg. in NaOH → gelbgrün

Lfd. Nr.	Fp	Name	Summen-formel	Strukturformel	Mol.-Gewicht	Aggregat-zustand Farbe
1	2	3	4	5	6	7
2654	**201 bis 202**	5-Nitro-2-aminophenol	$C_6H_6N_2O_3$	$H_2N \cdot C_6H_3(NO_3) \cdot OH$	154,12	braune Nadeln (W od. A)
2655	**201,5**	Ricinin	$C_8H_8N_2O_2$	HC·C(O·CH$_3$):C—CN ‖ | HC—N(CH$_3$)——CO	164,16	Blättchen oder Prismen (W od. A)
2656	**201,6**	Lactose	$C_{12}H_{22}O_{11}$	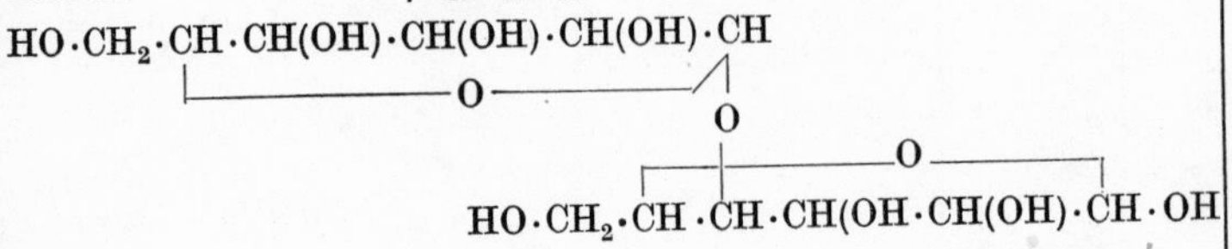	342,30	Krist.
2657	**201,6**	Salicin	$C_{13}H_{18}O_7$	$C_6H_{11}O_5 \cdot O \cdot C_6H_4 \cdot CH_2OH$	286,27	weißes Krist.-Plv.
2658	**202**	Narcotolin (Desmethylnarcotin)	$C_{21}H_{21}NO_7$	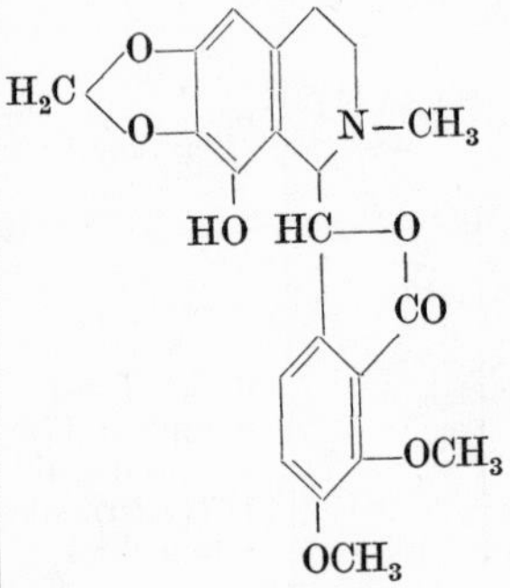	399,39	recht-eckige Stäbchen (verd. Me-thanol)
2659	**202**	5-Äthyl-5-cyclohexyl-barbitursäure	$C_{12}H_{18}N_2O_3$	$(H_5C_2)(H_{11}C_6)C<(CO \cdot NH)(CO \cdot NH)>CO$	238,28	Körner, Platten
2660	**202**	2,6-Dinitrobenzoesäure	$C_7H_4N_2O_6$	$(O_2N)_2C_6H_3 \cdot COOH$	212,12	Nadeln (W)
2661	**202**	2,5-Dihydroxyaceto-phenon	$C_8H_8O_3$	$(HO)_2C_6H_3 \cdot CO \cdot CH_3$	152,14	grüngelbe Krist. (W)
2662	**202**	Gallussäuremethylester	$C_8H_6O_5$	$(HO)_3C_6H_2 \cdot COO \cdot CH_3$	182,13	Krist. (W oder Methyl-alkohol)
2663	**202** (Z.)	β-Isatoxim (Isatin-β-oxim)	$C_8H_6N_2O_2$	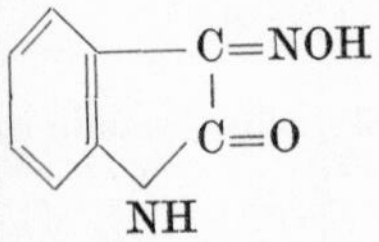	162,14	goldgelbe Nadeln

Lfd. Nr.	Spez. Gewicht	Siede-punkt °C	Beilstein-zitat	Physikalische Konstanten und Eigenschaften	Löslichkeit	Reaktionen
	8	9	10	11	12	13
54			XIII 390		l. in Eg.	
55		subl.	XXII 371		0,27 W 10° 0,16 A 10° ll. in h. Chlf. l. in h. NaOH	
56	$1{,}525^{20°}$			$[\alpha]_D^{20}$ + 55,3°; eutekt. Temp.: mit Salophen 187°, mit Dicyandiamid 163°; kaum süß schmeckend	16,9 W 15° 24 h. W 0,09 A 20° unl. in Ae	wss. Lsg. + Lauge erwärmt → gelb alkal. $HgCl_2$-Lsg., ammoniak. $AgNO_3$-Lsg. und alkal. Kupfertartratlsg. werden reduziert, dagegen nicht Kupferacetatlsg. (Barföd-Reagens) Osazon *Fp* 200° (Z.) Acetat *Fp* 100°
57	1,43	Z.		eutekt. Temp.: mit Salophen 173°, mit Dicyandiamid 160°; geruchlos; sehr bitterer Geschmack	l. in W, A	1 mg Subst. + 5 mg α-Naphthol in 1 ml konz. H_2SO_4 → olivbraun beim Erhitzen → violettrot Acetat *Fp* 130°
58				$[\alpha]_D^{20}$ — 189° (Chlf.)	l. in A, Ae wl. in W	+ $FeCl_3$ → grauviolett + $CH_2O \cdot H_2SO_4$ → violett → schmutzig-grün → gelb Acetylderivat *Fp* 208—209°
59			E_1 XXIV 422	eutekt. Temp.: mit Salophen 168°, mit Dicyandiamid 188°	unl. in W l. in A	
60		Z.	IX 412		ll. in sd. W	bei Erhitzung CO_2-Abspaltung
61		subl.	VIII 271		swl. in k. W ll. in A wl. in Ae	+ $FeCl_3$ → blau
62			X 483		1,07 W 23° ll. in A	
63			XXI 443		sll. in W wl. in A unl. in Bzl. l. in Alkalien	

Lfd. Nr.	*Fp*	Name	Summenformel	Strukturformel	Mol.-Gewicht	Aggregatzustand Farbe
1	2	3	4	5	6	7
2664	**202**	Mesaconsäure (Methylfumarsäure)	$C_5H_6O_4$	$HOOC\cdot C\cdot CH_3$ ‖ $H\cdot C\cdot COOH$	130,10	Nadeln (A) Tafeln (Ae)
2665	**202** bis **203**	Carbaminoylcholinchlorid (Doryl)	$C_6H_{15}ClN_2O_2$	$H_2N\cdot CO\cdot OCH_2\cdot CH_2\cdot N(CH_3)_3Cl$	182,65	weiße Krist.
2666	**202** bis **203**	Chinchonidin	$C_{19}H_{22}N_2O$	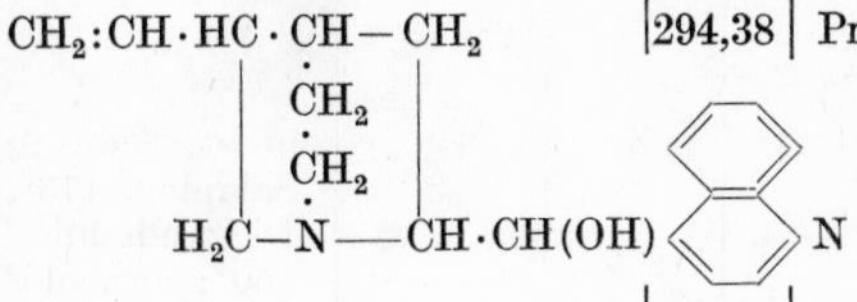	294,38	Prismen (A)
2667	**202** bis **203**	Spinulosin (Hydroxyfumigatin, 3,6-Dihydroxy-4-methoxy-2,5-toluchinon)	$C_8H_8O_5$	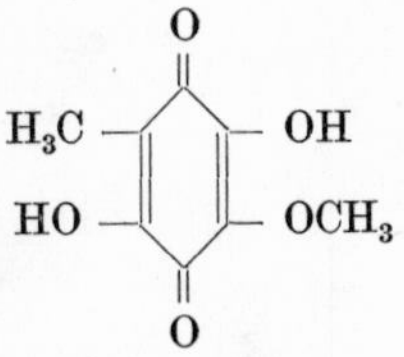	184,14	dunkle, fast schwarze Krist.
2668	**203**	Artemisin	$C_{15}H_{18}O_4$	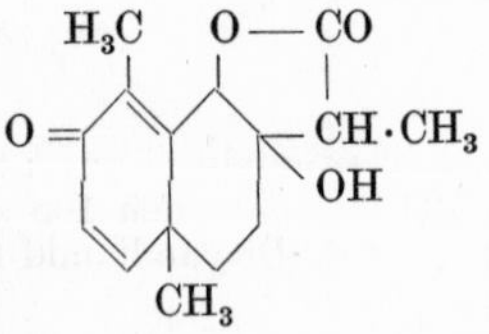	262,29	Krist. (A oder Essigester)
2669	**203**	Pikrotoxin	$C_{30}H_{34}O_{13}$		602,57	Blättchen
2670	**203**	2-Acetaminophenol	$C_8H_9NO_2$	$CH_3\cdot CO\cdot NH\cdot C_6H_4\cdot OH$	151,16	Blättchen (verd. A
2671	**203** (Z.)	γ-Aminobuttersäure	$C_4H_9NO_2$	$H_2N\cdot CH_2\cdot (CH_2)_2\cdot COOH$	103,12	Nadeln (verd. A

Lfd. Nr.	Spez. Gewicht	Siedepunkt °C	Beilsteinzitat	Physikalische Konstanten und Eigenschaften	Löslichkeit	Reaktionen
	8	9	10	11	12	13
664	1,466	250 (Z.)	VII 38		2,7 W 18° 117,9 sd. W 30,6 90%iger A 17° 95,7 sd. 90%ig. A swl. in CS_2, Chlf.	bei 250° Z. → Citraconsäureanhydrid Diamid *Fp* 177—177,5° Dihydrazid *Fp* 217—218° Anilid *Fp* 185° p-Toluidid *Fp* 212° p-Nitrobenzylester *Fp* 184°
665						wss. Lsg. + $Fe(NO_3)_3$ → unverändert + $HgCl_2$ (alkalisch) → gelber Nd. Chloroaurat *Fp* 180—184°
666		subl.	XXIII 437	$[\alpha]_D$ —107,9°; eutekt. Temp.: mit Salophen 166°, mit Dicyandiamid 193°	0,025 W 20° 4,74 A 17° 0,26 Ae 32°	Kalischmelze → blaugrün Chromsäure → gelber Nd. in salzsaurer Lsg. $CuSO_4$-Lsg. → smaragdgrün + Lsg. von Ammoniummolybdat → tiefblau beim Erwärmen mit einigen Tropfen HCl Sulfat *Fp* 197—208°
667					wl. in k. W l. in h. W	wss. Lsg. ansäuern → blaßrot, im Überschuß → gelb + Alkali → purpurrot, im Überschuß → schwarzblau
668			E_2 XVIII 76	eutekt. Temp.: mit Salophen 156°, mit Dicyandiamid 169°	zll. in verd. A l. in Essigester	Erwärmen mit H_2SO_4, W u. etwas $FeCl_3$-Lsg. → intensiv gelbbraun Oxim *Fp* 233,4° Acetylderivat *Fp* 200°
669				eutekt. Temp.: mit Salophen 161°, mit Dicyandiamid 168°; sehr bitterer Geschmack	ll. in sd. Alkali	
670			XIII 370		ll. in h. W; A	
671			IV 413		ll. in W unl. in A, Ae	

Lfd. Nr.	*Fp*	Name	Summen-formel	Strukturformel	Mol.-Gewicht	Aggregat-zustand Farbe
1	2	3	4	5	6	7
2672	**203**	Brommethylat des Methylhexahydro-nicotinsäuremethyl-esters (Neu-Cesol)	$C_9H_{18}BrNO_2$	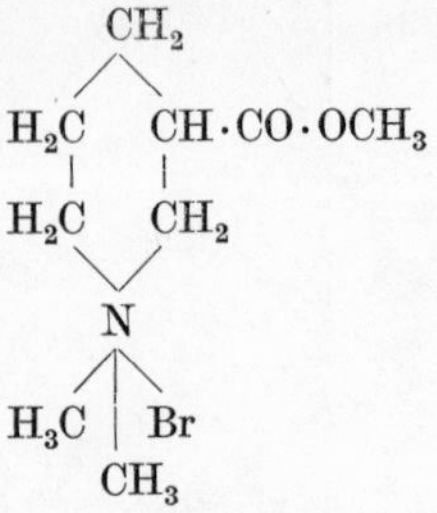	252,16	weiße Krist.
2673	**203**	1,3,6,8-Tetranitro-naphthalin	$C_{10}H_4N_4O_8$	$C_{10}H_4(NO_2)_4$	308,16	Nadeln (A)
2674	**203**	3,4,5-Trichlorbenzoe-säure	$C_7H_3Cl_3O_2$	$Cl_3C_6H_2\cdot COOH$	225,47	Nadeln (verd. A)
2675	**203** bis **204**	dl-Weinsäure	$C_4H_6O_6$	$HOOC\cdot CH(OH)\cdot CH(OH)\cdot COOH$	150,09	Krist. $+H_2O$ (W)
2676	**203** bis **204**	inakt. Zimtsäure-dibromid	$C_9H_8Br_2O_2$	$C_6H_5\cdot CHBr\cdot CHBr\cdot COOH$	307,99	Krist. (Chlf.)
2677	**203** bis **205**	Narcotinhydrochlorid	$C_{27}H_{24}ClNO_7$	vgl. Nr. 2388	509,93	Nadeln
2678	**203** bis **205**	1-(4′-Hydroxyphenyl)-2-methylaminopropa-nol-(1)-hydrochlorid (Suprifen)	$C_{10}H_{16}ClNO_2$	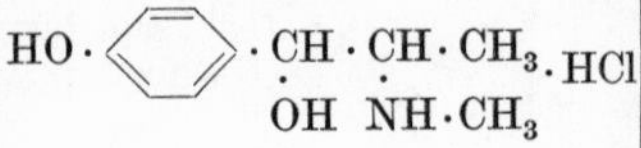	217,69	weiße Krist.

Lfd. Nr.	Spez. Gewicht	Siedepunkt °C	Beilsteinzitat	Physikalische Konstanten und Eigenschaften	Löslichkeit	Reaktionen
	8	9	10	11	12	13
2672					ll. in W wl. in A unl. in Ae, Bzl.	alkalische HgJ_2-Lsg. → gelber, käsiger Nd.
2673		expl.	V 564		wl. in A	
2674		subl.	IX 346	eutekt. Temp.: mit Salophen 143°, mit Dicyandiamid 135°	unl. in k. W ll. in A, Ae, Bzl.	
2675	$1{,}697^{20°}$		III 522	eutekt. Temp.: mit Salophen 181°, mit Dicyandiamid 135°	20,6 W 20° 184,6 W 100° 2,08 A 15° 1,08 Ae 15°	wss. Lsg. + $Fe(NO_3)_3$-Lsg. → zitronengelb 1 mg Subst. in Lsg. von 5 mg β-Naphthol in 1 ml konz. H_2SO_4 eingetragen beim Erhitzen im sd. W-Bad → grün, bei starker Beleuchtung blaue Fluoreszenz. Bei längerem Erhitzen und darauffolgender Abkühlung → Fluoreszenz violett Dimethylester *Fp* 85° Di-p-nitrobenzylester 147° Diamid *Fp* 226°
2676			IX 518		ll. in A, Ae swl. in CS_2	durch sd. W Zers.
2677				eutekt. Temp.: mit Salophen 125°, mit Dicyandiamid 106°; bitterer Geschmack; geruchlos		1. + 1 ml H_2SO_4 → gelb + Paraform (20 mg) intensiv violett + HNO_3-H_2SO_4 → intensiv orange → rosa → braunorange 2. + 10—20 mg Paraform + 1 ml H_2SO_4 → intensiv blauviolett + HNO_3-H_2SO_4 → violett → intensiv braunorange
2678				geruchlos; Geschmack bitter	l. in W	wss. Lsg. + $Fe(NO_3)_3$-Lsg. → blauviolettstichig H_2O_2-Lsg. oxydiert zu Methylsuprarenin 1 mg Subst. + 2 Tropfen Fe-H_3PO_4 bis zur ersten Bräunung erhitzt, nach Erkalten + 1 ml konz. H_2SO_4 → intensiv violettrot

Lfd. Nr.	Fp	Name	Summen-formel	Strukturformel	Mol.-Ge-wicht	Aggregat-zustand Farbe
1	2	3	4	5	6	7
2679	**203,5**	Isatin	$C_8H_5NO_2$	$C_6H_4 \Big\langle \begin{matrix} CO \\ NH \end{matrix} \Big\rangle CO$	147,13	gelbrote Prismen (A)
2680	**203,5 bis 204,5**	Japaconitin	$C_{34}H_{47}NO_{11}$		645,72	farblose Rosetten oder Nadeln (A, Ae od Chlf.)
2681	**204**	5-Äthyl-5-isopropyl-barbitursäure (Ipral)	$C_9H_{14}N_2O_3$	$\begin{matrix} H_5C_2 \\ (CH_3)_2CH \end{matrix} \Big\rangle C \Big\langle \begin{matrix} CO \cdot NH \\ CO \cdot NH \end{matrix} \Big\rangle CO$	198,22	Nadeln (W)
2682	**204** (Z.)	3-Nitroanthranilsäure	$C_7H_6N_2O_4$	$H_2N \cdot C_6H_3(NO_2) \cdot COOH$	182,13	gelbe Nadeln (W)
2683	**204**	2,3-Dihydroxybenzoe-säure	$C_7H_6O_4$	$(HO)_2C_6H_3 \cdot COOH$	154,12	Nadeln $+2H_2O$ (W)
2684	**204 bis 205**	3,5-Dinitrobenzoesäure	$C_7H_4N_2O_6$	$(O_2N)_2C_6H_3 \cdot COOH$	212,12	Krist. (W oder A)
2685	**204 bis 205**	4-Hydroxyphthalsäure	$C_8H_6O_5$	$HO \cdot C_6H_3(COOH)_2$	182,13	Krist. (W)
2686	**204 bis 206**	dl-Cineolsäure	$C_{10}H_{16}O_5$	$\begin{matrix} HOOC \cdot HC \cdot CH_2 \cdot CH_2 \\ \vert \qquad\qquad \vert \\ (CH_3)_2C - O - C(CH_3) \cdot COOH \end{matrix}$	216,23	Krist. (W)
2687	**204 bis 206**	Erysimolacton	$C_{24}H_{36}O_8$		452,53	
2688	**204 bis 206** (Z.)	$\Delta^{\beta,\gamma}$-Pentenylpenicillin-Natrium (Penicillin F-Natrium)	$C_{14}H_{19}N_2Na \cdot O_4S$	$\begin{matrix} H_3C \\ H_3C \end{matrix} \Big\rangle C - CH \cdot COONa \\ \quad\; \vert \quad\; \vert \\ \quad\; S \quad N \\ \qquad\quad CH\ CO \\ \; CH \cdot NH \cdot CO \cdot CH_2 \cdot CH:CH \cdot CH_2 \cdot CH_3$	334,37	Nadeln (W + Bu-tanol)
2689	**204 bis 207** (Z.)	2-Methyl-3-hydroxy-4,5-bis-(hydroxy-methyl)-pyridin hydrochlorid (Pyrid-oxinhydrochlorid, Vitamin B$_6$-hydro-chlorid)	$C_8H_{12}ClNO_3$	$\begin{matrix} CH_2OH \\ HOH_2C - \overset{\displaystyle\diagup}{\underset{\diagdown}{\quad}} - OH \cdot HCl \\ \qquad\qquad - CH_3 \\ \qquad N \end{matrix}$	205,64	Plättcher (A + Aceton)

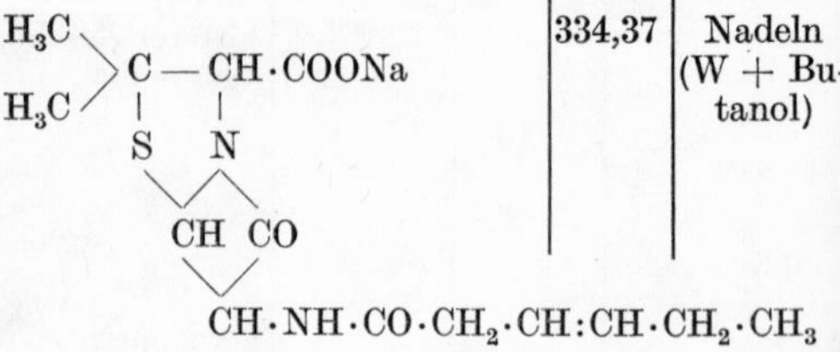

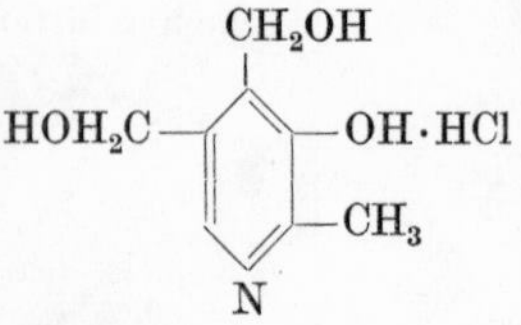

Lfd. Nr.	Spez. Gewicht	Siedepunkt °C	Beilsteinzitat	Physikalische Konstanten und Eigenschaften	Löslichkeit	Reaktionen
	8	9	10	11	12	13
2679			XXI 432	eutekt. Temp.: mit Salophen 157°, mit Dicyandiamid 161°	wl. in k. W l. in sd. W ll. in sd. A wl. in Ae l. in konz. KOH	Lsg. in Alkalien → violettrot
2680				$[\alpha]_D^{18,5}$ +23,6° (A); $[\alpha]_D^{19,5}$ +19,41° (Chlf.)	wl. in W ll. in A, Ae, Chlf.	
2681			E_1 XXIV 419	eutekt. Temp.: mit Salophen 165°, mit Dicyandiamid 180°	wl. in W ll. in A	
2682	1,558$^{15°}$		XIV 373		ll. in A, Ae	
2683			X 375		0,062 W 25° 0,56 W 75° l. in W, A, Ae	
2684	1,683	subl.	IX 413	eutekt. Temp.: mit Salophen 142°, mit Dicyandiamid 133°	1,32 W 25° 1,9 sd. W ll. in A wl. in Bzl., Ae, CS_2	
2685			X 499		ll. in A, Ae, W l. in Bzl.	erhitzen → Anhydrid
2686			XVIII 322		0,75 W 8° 6,6 sd. W ll. in h. A, Ae	Dimethylester *Fp* 31°
2687				$[\alpha]_D$ +555°	ll. in A, Aceton, Chlf., Pyridin, Eg. wl. in W unl. in Ae, Bzl., PAe, Xylol	+ Phenyldiazonium-Lsg. → blau + Lauge → Isoverbindung *Fp* 212—216°
2688				$[\alpha]_D^{21}$ +305° (W)	sll. in W unl. in Bzl., CCl_4	
2689				geruchlos; saurer, schwach bitterer Geschmack	l. in W, A unl. in Ae, Aceton, Chlf.	wss. Lsg. (1 + 49) + 3 Tropfen $FeCl_3$-Lsg. → blutrot + HCl → entfärbt

Lfd. Nr.	*Fp*	Name	Summenformel	Strukturformel	Mol.-Gewicht	Aggregatzustand Farbe
1	2	3	4	5	6	7
2690	**204,1**	3,4-Dichlorbenzoesäure	$C_7H_4Cl_2O_2$	$Cl_2C_6H_3 \cdot COOH$	191,02	Nadeln (W)
2691	**205**	Acetophenoncarbonsäure-(4)	$C_9H_8O_3$	$CH_3 \cdot CO \cdot C_6H_4 \cdot COOH$	164,15	Nadeln (W)
2692	**205**	Dijodtyrosin (Jodgorgosäure, Dityrin, Jodoglobin)	$C_9H_9J_2NO_3$	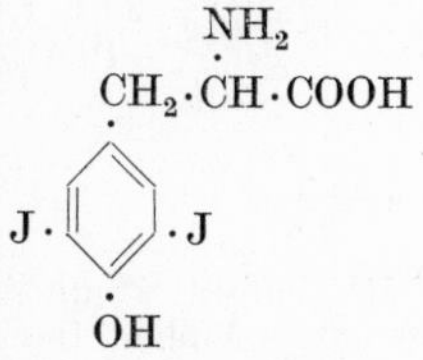	417,00	gelbe Krist.
2693	**205**	*l*-Ekgonin (3-Hydroxynortropan-2-carbonsäure)	$C_9H_{15}NO_3$	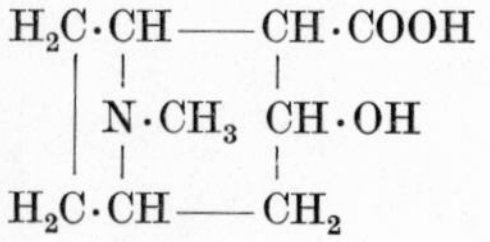	185,22	Prismen (A)
2694	**205**	Hydrazobenzol-2,2′-dicarbonsäure	$C_{14}H_{12}N_2O_4$	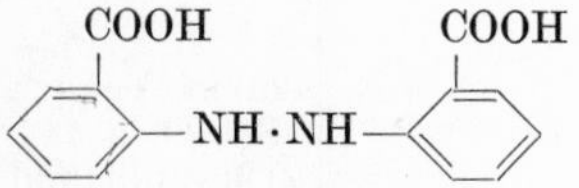	272,25	Krist.
2695	**205** (Z.)	Oxalursäure	$C_3H_4N_2O_4$	$H_2N \cdot CO \cdot NH \cdot CO \cdot COOH$	132,08	Krist.
2696	**205** (Z.)	4,4′,4″-Triaminotriphenylcarbinol	$C_{19}H_{19}N_3O$	$(H_2N \cdot C_6H_4)_3C \cdot OH$	305,37	farblose Blättchen
2697	**205**	Veratrin	$C_{32}H_{49}NO_9$		591,72	rhombische Prismen (A)
2698	**205** bis **206**	Äthylnarceinhydrochlorid (Narcyl)	$C_{25}H_{32}ClNO_8$	vgl. Nr. 2523	509,97	weiße, seidig glänzende Nadeln
2699	**205** bis **206**	3,4′-Dihydroxybenzophenon	$C_{13}H_{10}O_3$	$HO \cdot C_6H_4 \cdot CO \cdot C_6H_4 \cdot OH$	214,21	Nadeln (W)

Lfd. Nr.	Spez. Gewicht	Siedepunkt °C	Beilsteinzitat	Physikalische Konstanten und Eigenschaften	Löslichkeit	Reaktionen
	8	9	10	11	12	13
690			IX 343	mit Dampf flüchtig	l. in h. W ll. in A	
691		subl.	X 694		wl. in k. W l. in h. W wl. in A, Ae	Methylester *Fp* 92°
692				geruchlos; geschmacklos	swl. in W l. in A, Ae, Säure, Lauge	gegen Phenolphthalein neutralisierte Lsg. + $Fe(NO_3)_3$-Lsg. → gallertigen violetten Nd. + 10–20 mg Paraform + 1 ml H_2SO_4 → violettrot + Fe-H_3PO_4 → bräunlich + HNO_3-H_2SO_4 → braun, rötlich gelb
693			XXII 196	eutekt. Temp.: mit Salophen 144°, mit Dicyandiamid 164°	21,74 W 17° 2 95%ig. A 17° swl. in Ae unl. in Chlf.	Benzoat *Fp* 202–203°
694			XV 626		l. in W wl. in k. A ll. in h. A, Eg.	
695			III 64		swl. in W	sd. W → Oxalsäure + Harnstoff
696			XIII 750		swl. in W ll. in A unl. in Ae	
697				optisch inaktiv	unl. in W ll. in h. A, Ae l. in Chlf.	+ H_2SO_4 → (kalt) gelb; (warm) violett bis blutrot + alkohol. KOH → braunrot + HCl (1,19) in der Wärme kirschrot + p-Dimethylbenzaldehyd ·H_2SO_4, bei schwachem Erwärmen → tiefgrün → sepiabraun + wss. KOH → kirschrot → braungelb → schmutzig violett
698				eutekt. Temp.: mit Salophen 157°, mit Dicyandiamid 142°; schmeckt bitter		+ 1 ml H_2SO_4 → intensiv gelb → grüngelb → langsam hellbraun + Fe-H_3PO_4 → oliv → braun → grün + Paraform → intensiv violettrot → braun + HNO_3-H_2SO_4 undurchsichtig → graugrün → intensiv orangerot
699			VIII 316			

Lfd. Nr.	Fp	Name	Summen-formel	Strukturformel	Mol.-Ge-wicht	Aggregat zustand Farbe
1	2	3	4	5	6	7
2700	205 bis 207	8-Aminonaphthol-(2)	$C_{10}H_9NO$	$H_2N \cdot C_{10}H_6 \cdot OH$	159,18	Nadeln (W oder Ae)
2701	205 bis 210	syn.-Benzilosazon	$C_{26}H_{22}N_4$	$C_6H_5C \underset{\underset{N \cdot NH \cdot C_6H_5}{\|}}{} \quad\quad \underset{\underset{H_5C_6 \cdot NH \cdot N}{\|}}{} CC_6H_5$	390,47	gelbe Nadeln (A + Bzl)
2702	205 bis 210	Pyron-(2)-carbonsäure-(5) (Cumalinsäure)	$C_6H_4O_4$	$\underset{\underset{HC-O-CO}{\|\quad\quad\|}}{HOOC \cdot C \cdot CH:CH}$	140,09	Prismen (Metha-nol)
2703	206	Acetylglycin	$C_4H_7NO_3$	$CH_3 \cdot CO \cdot NH \cdot CH_2 \cdot COOH$	117,10	Nadeln (W)
2704	206	4,5,9(oder 10)-Trihydr-oxy-2-methyl-anthracen	$C_{15}H_{12}O_3$	$HO \cdot C_6H_3 \left\{ \begin{matrix} C(OH) \\ CH \end{matrix} \right\} C_6H_2(CH_3) \cdot OH$	240,25	gelbe Blättchen (Bzl.)
2705	206 bis 207	β-Benzildioxim	$C_{14}H_{12}N_2O_2$	$[C_6H_5 \cdot C(:N \cdot OH)-]_2$	240,25	Nadeln (A)
2706	206 bis 207	β-Truxinsäure	$C_{18}H_{16}O_4$	$\begin{matrix} C_6H_5 \cdot HC \cdot CH \cdot COOH \\ \mid \quad\quad \mid \\ C_6H_5 \cdot HC \cdot CH \cdot COOH \end{matrix}$	296,31	Krist. (A)
2707	206 bis 207	3-Hydroxy-p-toluyl-säure	$C_8H_8O_3$	$HO \cdot C_6H_3(CH_3) \cdot COOH$	152,14	Nadeln (W)
2708	206 bis 207	3,4,5,6-Tetrabrom-o-kresol	$C_7H_4Br_4O$	$CH_3 \cdot C_6Br_4 \cdot OH$	423,77	Nadeln (Eg. oder Chlf.)
2709	206 bis 208	dl-Hydroxybiotin	$C_{10}H_{16}N_2O_4$	$\begin{matrix} CO \\ HN \quad NH \\ \mid \quad\quad \mid \\ HC - CH \\ \mid \quad\quad \mid \\ H_2C \quad CH \\ O \quad (CH_2)_4 \cdot COOH \end{matrix}$	228,24	Nadeln (W)
2710	207	d-Arginin	$C_6H_{14}N_4O_2$	$H_2N \cdot C(:NH) \cdot NH \cdot (CH_2)_3 \cdot \underset{COOH}{CH} \cdot NH_2$	174,20	Tafeln
2711	207	2-Bromanthrachinon	$C_{14}H_7BrO_2$	$C_6H_4 \left\langle \begin{matrix} CO \\ CO \end{matrix} \right\rangle C_6H_3Br$	287,11	gelbe Krist. (Eg.)
2712	207 (Z.)	2,5-Dihydroxyzimtsäure	$C_9H_8O_4$	$(HO)_2C_6H_3 \cdot CH:CH \cdot COOH$	180,15	Krist. (W.)

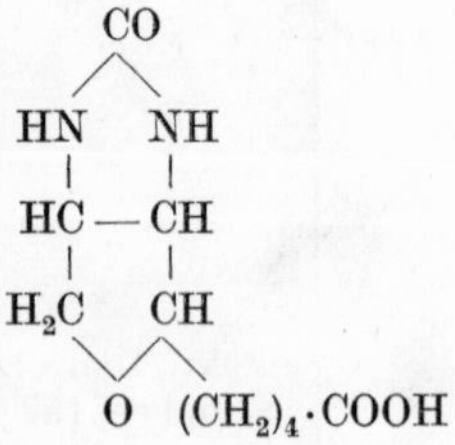

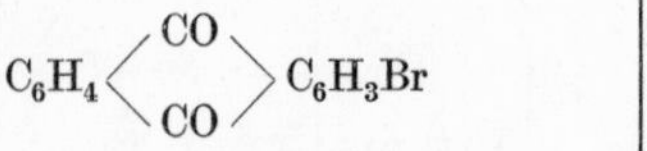

Lfd. Nr.	Spez. Gewicht	Siedepunkt °C	Beilsteinzitat	Physikalische Konstanten und Eigenschaften	Löslichkeit	Reaktionen
	8	9	10	11	12	13
700		subl.	XIII 685		ll. in h. W, A l. in Ae	Benzoylderivat *Fp* 208°
701			XV 173		wl. in k. A l. in Ae ll. in Bzl.	Kochen mit Phenylhydrazin → β-Benzilosazon *Fp* 225°
702		218 (120mm)	XVIII 405		wl. in k. W l. in A wl. in Ae unl. in Bzl., Chlf.	Äthylester *Fp* 36° red. ammoniakal. Silberlsg.
703			IV 354		2,7 W 15° l. in A unl. in Ae	+ $FeCl_3$ → rot
704					wl. in k. A ll. in Chlf. l. in Alkali	
705			VII 761		wl. in h. W 15,26 A 17° ll. in Eg, Ae l. in NaOH	
706		Z.	IX 951		l. in A ll. in W	erhitzen → Zimtsäure und Stilben
707		subl.	X 237	mit W-Dampf schwer flüchtig	wl. in k. W ll. in A, Ae	Äthylester *Fp* 74—75°
708			VI 362		unl. in W l. in A, Bzl. ll. in Ae	Acetat *Fp* 154°
709					wl. in W l. in A	
710			IV 420	eutekt. Temp.: mit Salophen 164°, mit Dicyandiamid 167°	ll. in W swl. in A	Cu-Salz *Fp* 226° + α-Naphthol in NaOH u. Hypochlorit → rot Hydrochlorid *Fp* 220° Pikrat *Fp* 217—218°
711			VII 789			
712			X 435		wl. in k. W	

Lfd. Nr.	*Fp*	Name	Summen-formel	Strukturformel	Mol.-Gewicht	Aggrega-zustand Farbe
1	2	3	4	5	6	7
2713	**207**	Chlorogensäure (3-[3,'4'-Dihydroxycinnamoyl]-chinasäure)	$C_{16}H_{18}O_9 + {}^1/_2 H_2O$	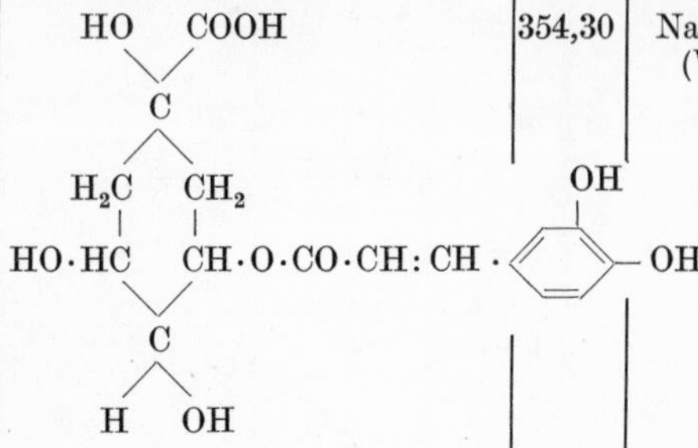	354,30	Nadeln (W)
2714	**207** (Z.)	Javanicin	$C_{15}H_{14}O_6$	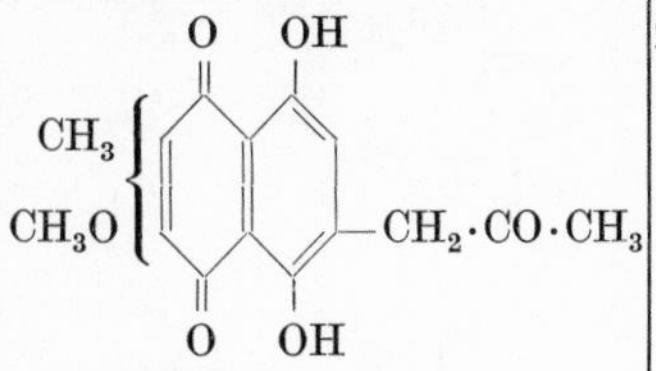	290,26	rote Krist.
2715	**207**	2-Methylanthracen	$C_{15}H_{12}$	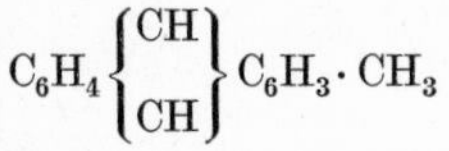 $C_6H_4\left\{\begin{matrix}CH\\CH\end{matrix}\right\}C_6H_3\cdot CH_3$	192,25	Blättchen
2716	**207**	4,4',4''-Triaminotriphenylmethan	$C_{19}H_{19}N_3$	$(H_2N\cdot C_6H_4)_3CH$	289,37	Blättchen (W, A od Bzl.)
2717	**207**	Phenanthrenchinon	$C_{14}H_8O_2$	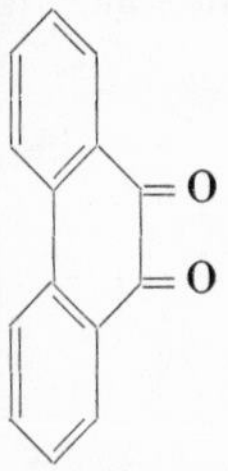	208,20	orange-gelbe Nadeln (A)
2718	**207**	Vanillinsäure	$C_8H_8O_4$	$^{(4)}HO\cdot C_6H_3(O\cdot CH_3)^{(3)}\cdot COOH^{(1)}$	168,14	Nadeln (W)
2719	**207 bis 209,5**	N-(Dimethylaminoäthyl)-N-benzylanilinhydrochlorid (Anterganhydrochlorid)	$C_{17}H_{23}ClN_2$	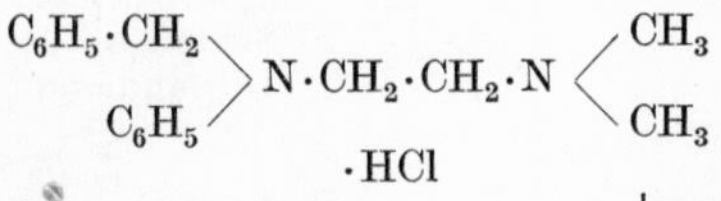	290,82	farblose Krist.
2720	**208**	2,2'-Azonaphthalin	$C_{20}H_{14}N_2$	$C_{10}H_7\cdot N:N\cdot C_{10}H_7$	282,33	rote Blättchen (Bzl.)
2721	**208**	α-Benzpinakolin	$C_{26}H_{20}O$	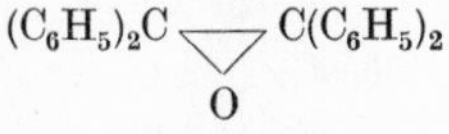	348,42	Nadeln (Chlf. + A)

Lfd. Nr.	Spez. Gewicht	Siedepunkt °C	Beilsteinzitat	Physikalische Konstanten und Eigenschaften	Löslichkeit	Reaktionen
	8	9	10	11	12	13
713			E_1 X 271	$[\alpha]_D$ −35,4°	l. in W ll. in A	1. + ($NaNO_2$ + CH_3COOH) + NaOH im Überschuß → rot 2. + Alkali → Kaffeesäure + Chinasäure 3. + $(NH_4)_2CO_3$ → gelb → grünlichblau → olivgrün → grünbraun → rötlichbraun + NH_4-Molybdat → gelbrot + Pb-Acetat + kanariengelb
714				opt. inakt.	wl. in W l. in A	wird durch Hitze, Säuren u. Alkalien zerstört Lsg. in 10%ig. NaOH tiefpurpur
715		subl.	V 674		unl. in W wl. in A, Ae sll. in Bzl., CS_2	
716			XIII 313		wl. in W, A	
717	1,405	>360	VII 797	eutekt. Temp.: mit Salophen 159°, mit Dicyandiamid 182°	swl. in k. W wl. in h. W l. in Ae 0,54 Bzl. 20° ll. in Eg.	+ H_2SO_4 → grün + $SbCl_5$ → tiefrot Chinhydron *Fp* 167–169° Monoimin *Fp* 158–159° Semicarbazon *Fp* 220° Monoxim *Fp* 158° Dioxim *Fp* 202° Phenylhydrazon *Fp* 165° 2,4-Dinitrophenylhydrazon *Fp* 313° (Z.)
718		subl.	X 392		0,15 W 14° 2,56 W 100° ll. in A l. in Ae	p-Nitrobenzylester *Fp* 140°
719					ll. in W l. in A	1 ml einer 0,5%ig. Lsg. d. Subst. + 1 Tropfen rauchende HNO_3 → rotgelb → gelb → grünlich (E 5 γ in 1 ml)
720		subl.	XVI 80		swl. in A, Ae l. in h. Bzl.	
721		Z.	XVII 94		unl. in W, k. A l. in Ae ll. in Bzl.	>208° → 4-Benzoyltriphenylmethan u. a.

Lfd. Nr.	*Fp*	Name	Summenformel	Strukturformel	Mol.-Gewicht	Aggregatzustand Farbe
1	2	3	4	5	6	7
2722	**208**	d-Borneol	$C_{10}H_{18}O$	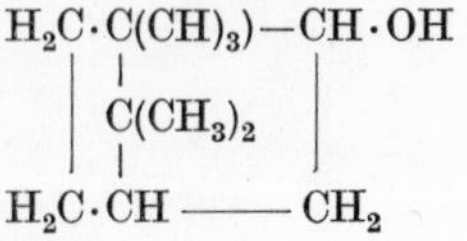	154,24	Tafeln (PAe)
2723	**208**	Desoxyalizarin (Anthrarobin, 3,4-Dihydroxy-anthranol)	$C_{14}H_{10}O_3$	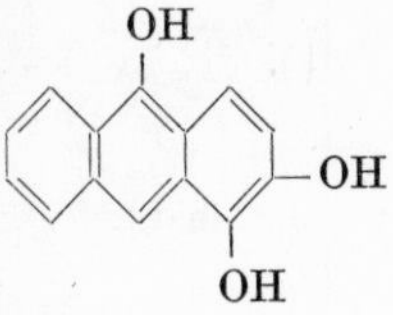	226,22	gelbe Krist.
2724	**208**	1,3-Dichloranthrachinon	$C_{14}H_6Cl_2O_2$	$C_6H_4\langle{}^{CO}_{CO}\rangle C_6H_2Cl_2$	277,10	gelbe Nadeln (Eisessig)
2725	**208**	5-Nitro-3-aminobenzoesäure	$C_7H_6N_2O_4$	$H_2N \cdot C_6H_3(NO_2) \cdot COOH$	182,12	goldgelbe Prismen (W)
2726	**208**	Phthalanil	$C_{14}H_9NO_2$	$C_6H_4\langle{}^{CO}_{CO}\rangle N \cdot C_6H_5$	223,22	Nadeln (A)
2727	**208 bis 209**	6-Hydroxynaphthoesäure-(1)	$C_{11}H_8O_3$	$HO \cdot C_{10}H_6 \cdot COOH$	188,17	Nadeln (W)
2728	**208 bis 210**	Cinchoninhydrochlorid	$C_{19}H_{23}ClN_2O$	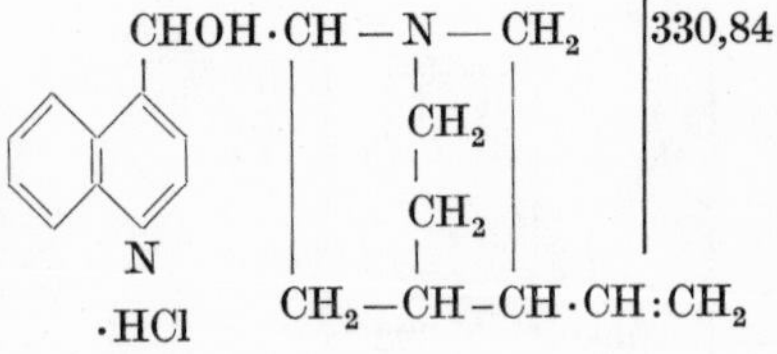	330,84	Nadeln
2729	**208 bis 213**	α-Phenyl-γ-chinolincarbonsäure (Atophan)	$C_{16}H_{11}NO_2$	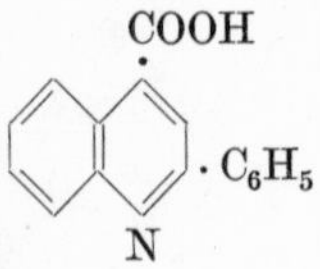	249,25	schwachgelbe Nadeln (A)
2730	**209**	Dicyandiamid	$C_2H_4N_4$	$H_2N \cdot C(:NH) \cdot NH \cdot CN$	84,08	Blättchen (W)

Lfd. Nr.	Spez. Gewicht	Siedepunkt °C	Beilsteinzitat	Physikalische Konstanten und Eigenschaften	Löslichkeit	Reaktionen
	8	9	10	11	12	13
722	1,011	subl. 212	VI 73	$[\alpha]_D^{37}$ +37° (A); kryoskop. Konst. 35,8; riecht nach Campher; schmeckt brennend; subl. schon bei Zimmertemperatur	swl. in W ll. in A, Ae 25 Bzl. 20°	Acetat *Fp* 29° p-Nitrobenzoat *Fp* 137° 3,5-Dinitrobenzoat *Fp* 154° Phenylurethan *Fp* 137–138° α-Naphthylurethan *Fp* 132° Chloralverbindung *Fp* 55–56°
723			VIII 330		wl. in W l. in Ae ll. in A	
724			VII 787		unl. in W fast unl. in A ll. in Bzl.	K-Schmelze → Alizarin
725			XIV 415		ll. in A wl. in Bzl., Ae, CS_2	Methylester *Fp* 158–160° Äthylester *Fp* 155° Hydrazid *Fp* 221°
726		subl.	XXI 464		unl. in W l. in A, Ae	
727			X 330		swl. in k. W ll. in sd. W l. in A, Ae wl. in Bzl., Chlf.	+ $FeCl_3$ → braun Acetylderivat *Fp* 209–210°, Nadeln Anilid *Fp* 193–194°, Nadeln
2728				eutekt. Temp.: mit Salophen 132°, mit Dicyendiamid 119°		
2729			XXII 103	eutekt. Temp.: mit Salophen 171°, mit Dicyandiamid 175°; geruchlos; schmeckt bitter	unl. in W 5 sd. A 0,4 sd. Bzl. l. in Alkalien, Säuren	Lsg. in Säure + 1 Tropfen Jod-Lsg. → braunes Perjodid gelbe Lsg. in Paraform-H_2SO_4 beim Erhitzen → rotbraun 2 mg Subst. lösen in 1 Tropfen 2n-NH_3 und 1 ml H_2O + $AgNO_3$ → weißer, flockiger Nd.
2730	1,404¹⁴/		III 91	eutekt. Temp. mit Salophen 175°	2,26 W 13° 1,26 A 13° 0,01 Ae 13° ll. in h. W sehr schwer lösl. in HNO_3	Diacetyl in alkal. Lsg. → rosa, in konz. Lsg. violettrot Silbersalz $C_2H_4N_4 \cdot AgNO_3$, glänzende Nadeln

Lfd. Nr.	*Fp*	Name	Summenformel	Strukturformel	Mol.-Gewicht	Aggregatzustand Farbe
1	2	3	4	5	6	7
2731	**209**	Thioxanthon	$C_{13}H_8OS$	$C_6H_4\left\{\begin{matrix}CO\\S\end{matrix}\right\}C_6H_4$	212,26	gelbe Nadeln (Chlf.)
2732	**209** bis **210**	9,10-Dichloranthracen	$C_{14}H_8Cl_2$	$C_6H_4\left\langle\begin{matrix}CCl\\CCl\end{matrix}\right\rangle C_6H_4$	247,12	gelbe Nadeln
2733	**210**	Apochinin	$C_{19}H_{22}N_2O_2$	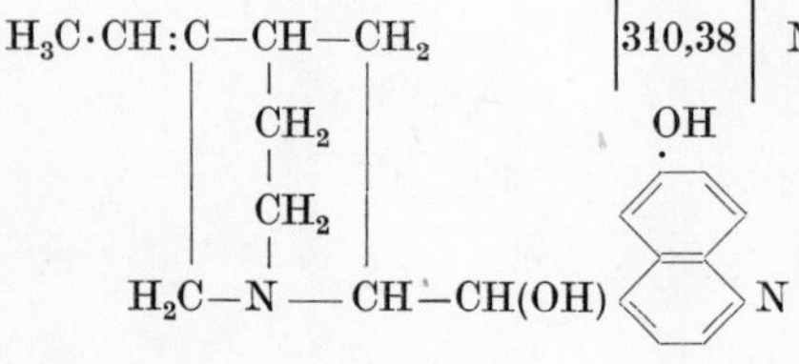	310,38	Nadeln (Ae)
2734	**210**	2-Chloranthrachinon	$C_{14}H_7ClO_2$	$C_6H_4\left\langle\begin{matrix}CO\\CO\end{matrix}\right\rangle C_6H_3Cl$	242,65	gelbe Nadeln (A)
2735	**210** (Z.)	3,4-Diaminobenzoesäure	$C_7H_8N_2O_2$	$(H_2N)_2C_6H_3\cdot COOH$	152,15	Blättchen
2736	**210**	4,4′-Dihydroxybenzophenon	$C_{13}H_{10}O_3$	$HO\cdot C_6H_4\cdot CO\cdot C_6H_4\cdot OH$	214,21	Krist. (W)
2737	**210**	5-Benzyl-5-propylbarbitursäure	$C_{14}H_{16}N_2O_3$	$\left.\begin{matrix}H_5C_6\cdot CH_2\\CH_3\cdot CH_2\cdot CH_2\end{matrix}\right\rangle C\left\langle\begin{matrix}CO\cdot NH\\CO\cdot NH\end{matrix}\right\rangle CO$	260,28	Stäbchen (Bzl. + A)
2738	**210**	Hydrastininchlorid (2-Methyl-6,7-methylendioxy-3,4-dihydroisochinoliniumchlorid)	$C_{11}H_{12}ClNO_2$	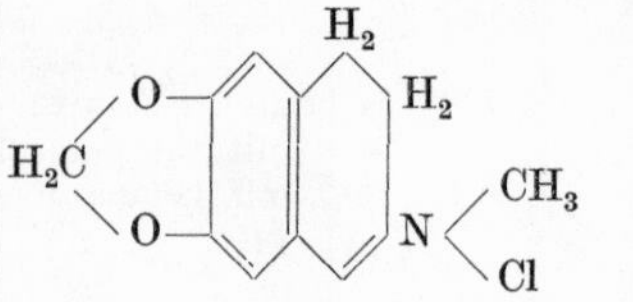	225,67	schwachgelbe Nadeln
2739	**210** (Z.)	Oxamidsäure	$C_2H_3NO_3$	$H_2N\cdot CO\cdot COOH$	89,05	Krist. (W)
2740	**210**	o-Carboxyoxanilsäure (Kynursäure)	$C_9H_7NO_5$	$HOOC\cdot CO\cdot NH\cdot C_6H_4\cdot COOH$	209,15	Nadeln (W)
2741	**210**	5-Hydroxy-m-toluylsäure	$C_8H_8O_3$	$HO\cdot C_6H_3(CH_3)\cdot COOH$	152,14	Nadeln (W)
2742	**210** bis **211**	5-Hydroxynaphthoesäure-(2)	$C_{11}H_8O_3$	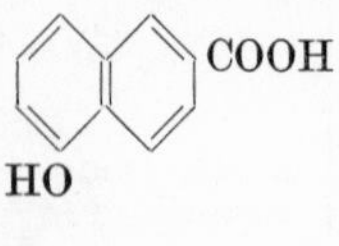	188,17	Nadeln (W)

Lfd. Nr.	Spez. Gewicht	Siedepunkt °C	Beilsteinzitat	Physikalische Konstanten und Eigenschaften	Löslichkeit	Reaktionen
	8	9	10	11	12	13
731		372 (175mm)	XVII 357	sublimierbar	unl. in W wl. in A ll. in Bzl., Chlf.	l. in H_2SO_4 → grüne Fluoreszenz
732			V 664		wl. in A, Ae ll. in Bzl.	
733			XXIII 504	$[\alpha]_D$ —217,1° (97%ig. A)	ll. in A, Bzl., Chlf. l. in Ae ll. in NaOH	
734		subl.	VII 787		wl. in sd. A ll. in sd. Eg.	
735		Z.	XIV 450		wl. in k. W l. in h. W	erhitzen → CO_2-Abspaltung + o-Phenylendiamin
736			VIII 316		wl. in k. W ll. in A, Ae unl. in Bzl. l. in Alkali	Kalischmelze → Phenol + CO_2
737			E_2 XXIV 299	eutekt. Temp.: mit Salophen 169°, mit Dicyandiamid 188°; schmeckt bitter	l. in W, A	
738				bitterer Geschmack	l. in Lauge	wss. Lsg. fluoresziert blau + 1 ml H_2SO_4 → grünstichig gelb + Fe-H_3PO_4 → rötlich gelb + Paraform → langsam rotviolett + HNO_3-H_2SO_4 → blau, blauviolett
739			II 543		wl. in W swl. in A, Ae	
740			XIV 342		0,1 W 10° ll. in A, Ae	+ $FeCl_3$ → rot
741		subl.	X 227	mit Dampf nicht flüchtig	l. in W ll. in A, Ae	
742			X 337		l. in W, A	wss. alkohol. Lsg. + $FeCl_3$ → schmutzigroter Nd. → violett → schwarz Acetylderivat *Fp* 214—215°, Nadeln Äthylester *Fp* 150—151°, Nadeln Anilid *Fp* 163—164°, Nadelbüschel

Lfd. Nr.	Fp	Name	Summen-formel	Strukturformel	Mol.-Ge-wicht	Aggrega zustand Farbe
1	2	3	4	5	6	7
2743	210 bis 212	3,4-Dihydroxyphthal-säure	$C_8H_6O_6$	$(HO)_2C_6H_2(COOH)_2$	198,13	Tafeln, Säulen (W)
2744	210 bis 212	Pseudoakonitin	$C_{36}H_{51}NO_{12}$		689,78	Krist. (Ae)
2745	210 bis 213	Kaliumxanthogenat	$C_3H_5KOS_2$	$S=C \begin{smallmatrix} OC_2H_5 \\ SK \end{smallmatrix}$	160,29	hellgelb Nadeln
2746	210 bis 213	4-Hydroxyzimtsäure	$C_9H_8O_3$	$HO \cdot C_6H_4 \cdot CH:CH \cdot COOH$	164,15	Nadeln (W)
2747	210 bis 215 (Z.)	Dehydroindigo	$C_{16}H_8N_2O_2$	$C_6H_4 \begin{smallmatrix} CO \\ N \end{smallmatrix} C-C \begin{smallmatrix} CO \\ N \end{smallmatrix} C_6H_4$	260,24	rotgelbe Tafeln
2748	210 bis 215	Sarkosin (Methyl-aminoessigsäure)	$C_3H_7NO_2$	$CH_3 \cdot NH \cdot CH_2 \cdot COOH$	89,09	Säulen (verd. A
2749	210 bis 220	Papaverinhydrochlorid	$C_{20}H_{22}ClNO_4$	$(CH_3O)_2C_6H_3 \cdot CH_2-C \quad CH$ $N \quad C \quad C \cdot OCH_3$ $HC \quad C \quad C \cdot OCH_3 \quad \cdot HCl$ $CH \quad CH$	375,84	rhomb. Prismen (W od. A
2750	211	Coniinhydrobromid	$C_8H_{18}BrN$	CH_2 $H_2C \quad CH_2$ $H_2C \quad CH \cdot CH_2 \cdot CH_2 \cdot CH_3 \quad \cdot HBr$ NH	208,15	derbe Krist.
2751	211	$\alpha,\alpha,\beta,\beta$-Tetraphenyl-äthan	$C_{26}H_{22}$	$(C_6H_5)_2CH \cdot CH(C_6H_5)_2$	334,44	Nadeln (Eg.)

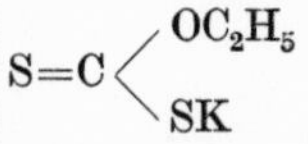

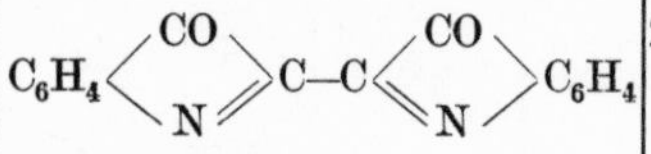

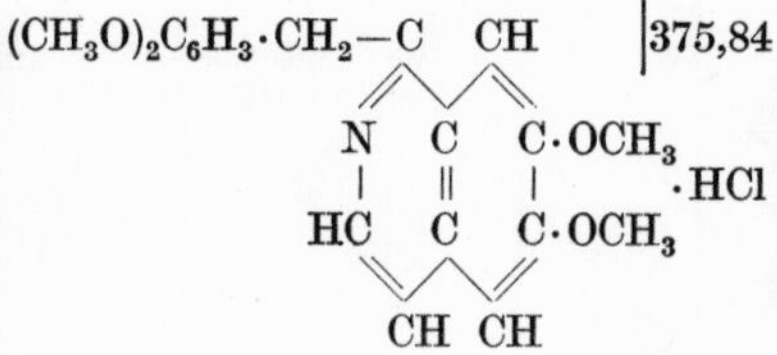

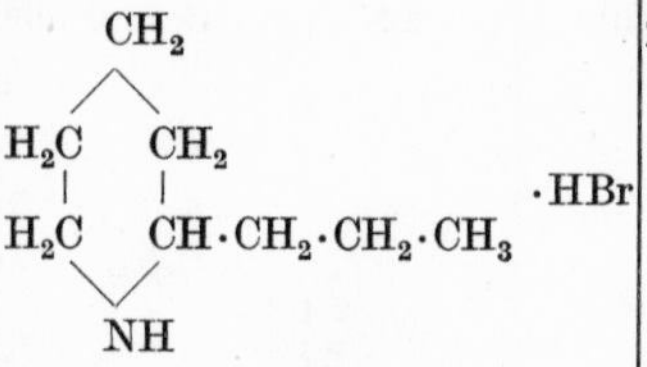

Lfd. Nr.	Spez. Gewicht	Siedepunkt °C	Beilsteinzitat	Physikalische Konstanten und Eigenschaften	Löslichkeit	Reaktionen
	8	9	10	11	12	13
2743			X 543			bei 212° Zers. → Anhydrid *Fp* 238°
2744				brennender Geschmack	unl. in W swl. in Ae ll. in A	Hydrobromid *Fp* 191° Nitrat *Fp* 185–186° Lsg. in H_2SO_4 + Vanadinschwefelsäure in der Wärme → rotviolett (Unterschied von Aconitin) + H_3PO_4 → beim Erwärmen keine Färbung (Unterschied von Aconitin)
2745			III 209	eutekt. Temp.: mit Salophen 144°, mit Dicyandiamid 132°; riecht nach Knoblauch	ll. in W	wss. Lsg. + $CuSO_4$ → braunschwarzer → gelber Nd.
2746			X 297		swl. in k. W ll. in h. W sll. in h. A, Ae	
2747			XXIV 435		unl. in W swl. in Ae ll. in A, Chlf., Nitrobenzol	bei *Fp* Zers. → Indigo
2748		Z.	IV 345	eutekt. Temp.: mit Salophen 178°, mit Dicyandiamid 136°	ll. in W wl. in A unl. in Ae	Acetylderivat *Fp* 135°
2749				eutekt. Temp.: mit Salophen 165°, mit Dicyandiamid 176°; schmeckt sehr schwach bitter	wl. in W ll. in h. A, Ae	1. H_2SO_4 + Fe-H_3PO_4 → blaßgrün + HNO_3-H_2SO_4 → blauviolett → rotviolett → braun → violettrot 2. 10–20 mg Paraform + 1 ml H_2SO_4 → sehr blaßgrün oder gelb → farblos → langsam violett + Fe-H_3PO_4 → langsam blauviolett + HNO_3-H_2SO_4 → blauviolett → violettrot → braun
2750				eutekt. Temp.: mit Salophen 154°, mit Dicyandiamid 134°	wl. in W l. in A, Ae	+ alkal. HgJ_2-Lsg. gibt einen weißen Nd., der sich beim Erwärmen löst
2751	1,182	379 bis 383	V 739		0,78 sd. A 14,3 sd. Bzl. l. in Eg.	

Lfd. Nr.	*Fp*	Name	Summen-formel	Strukturformel	Mol.-Gewicht	Aggregatzustand Farbe
1	2	3	4	5	6	7
2752	**211 bis 212**	5-Äthyl-5-phenyl-2-thiobarbitursäure (Thioluminal)	$C_{12}H_{12}N_2O_2S$	H_5C_6 \ / CO·NH \ C C=S H_5C_2 / \ CO·NH /	248,29	hellgelbe Nadeln (A-W)
2753	**212**	2,3-Benzofluoren	$C_{17}H_{12}$	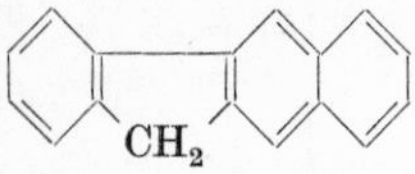	216,27	Blättchen (Lg.)
2754	**212**	9,10-Dihydrophenazin	$C_{12}H_{10}N_2$	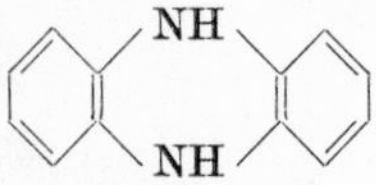	182,22	Krist.
2755	**212**	4,4′-Dimethoxystilben	$C_{16}H_{16}O_2$	$CH \cdot C_6H_4 \cdot OCH_3$ ‖ $CH \cdot C_6H_4 \cdot OCH_3$	240,29	schillernde Blättchen (Chlf.)
2756	**212**	Arsenobenzol	$C_{12}H_{10}As_2$	$C_6H_5 \cdot As:As \cdot C_6H_5$	304,02	Nadeln (Bzl.)
2757	**212**	Isoborneol	$C_{10}H_{18}O$	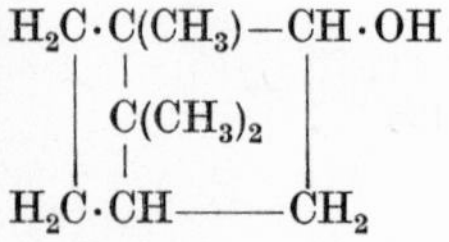 $H_2C \cdot C(CH_3) - CH \cdot OH$ $C(CH_3)_2$ $H_2C \cdot CH$ —— CH_2	154,24	Tafeln (PAe)
2758	**212 bis 213**	1,4-Diphenylbenzol	$C_{18}H_{14}$	$C_6H_4(C_6H_5)_2$	230,29	Blättchen (A)
2759	**212 bis 213**	4,5-Diazafluorenon	$C_{11}H_6N_2O$	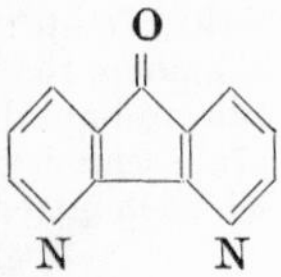	182,17	lange, silberweiße Nadeln
2760	**213** (Z.)	2,4-Dihydroxybenzoesäure (*β*-Resorcylsäure	$C_7H_6O_4$	$(HO)_2C_6H_3 \cdot COOH$	154,12	Nadeln (Ae)
2761	**213**	Methylhydrastinin-chlorid	$C_{12}H_{14}ClNO_2$	vgl. Nr. 2738	239,70	gelbe Krist.
2762	**213**	*α*-Disalicylid	$C_{14}H_8O_4$	/ O·CO \ C_6H_4 C_6H_4 \ CO·O /	240,20	Krist. (Chlf.)
2763	**213** (Z.)	Schleimsäure	$C_6H_{10}O_8$	$HOOC \cdot [CH(OH)]_4 \cdot COOH$	210,14	Prismen (W)

Lfd. Nr.	Spez. Gewicht	Siedepunkt °C	Beilsteinzitat	Physikalische Konstanten und Eigenschaften	Löslichkeit	Reaktionen
	8	9	10	11	12	13
2752					l. in W ll. in A	
2753		subl.	E_1 V 344	eutekt. Temp.: mit Salophen 175°, mit Dicyandiamid 205°		
2754			XXIII 209		unl. in W, Bzl. ll. in A	+ H_2SO_4 → gelb
2755		subl.	VI 1023		unl. in W l. in A, Ae, Chlf.	+ H_2SO_4 → weinrot Dibromid *Fp* 145°
2756			XVI 887		unl. in W, Ae swl. in A l. in Bzl., Chlf., CS_2	
2757		subl.	VI 86		unl. in W ll. in A, Ae, Chlf. 40 Ligroin 20°	Oxydation → Campher
2758	1,234°	subl. 220 bis 230	V 695		swl. in sd. A l. in sd. Ae ll. in sd. Bzl.	
2759					swl. in A l. in Ae	Pikrat *Fp* 142—144° Dinitrophenylhydrazon *Fp* 315—316° (Z.)
2760			X 377	eutekt. Temp.: mit Salophen 160°, mit Dicyandiamid 154°	0,26 W 17° ll. in h. W, A, Ae	bei 213° → Resorcin + CO_2 p-Nitrobenzylester *Fp* 189° Amid *Fp* 222° Anilid *Fp* 127°
2761				bitterer Geschmack	l. in W ll. in A, Säuren, Alkalien	wss. Lsg. schwach gelb, blau fluoreszierend, Fluoreszenz verschwindet in der Hitze Lsg. in Alkalien goldgelb
2762			E_1 XIX 685		unl. in W wl. in A, Ae 0,69 Chlf. 16°	+ verd. Alkali → Salicylate
2763		Z.	III 581	opt. inakt.; eutekt. Temp.: mit Salophen 192°, mit Dicyandiamid 171°	0,33 W 14° 1,67 W 100° unl. in A	Dimethylester *Fp* 205° Diäthylester *Fp* 192° Di-p-nitrobenzylester *Fp* 310° Di-p-bromphenacylester *Fp* 225° Phenylhydrazid *Fp* 238°

Lfd. Nr.	*Fp*	Name	Summenformel	Strukturformel	Mol.-Gewicht	Aggregatzustand Farbe
1	2	3	4	5	6	7
2764	213 bis 214	Ergotamin	$C_{33}H_{35}N_5O_5$		581,65	Prismen (Bzl.)
2765	213 bis 214	Hordeninsulfat	$C_{20}H_{32}N_2O_6S$	vgl. Nr. 1651	428,53	farblose Krist.
2766	213 bis 215	p-Aminobenzoesäure-α,β-dimethyl-γ-dimethylamino-propylesterhydro-chlorid (Tutocain-hydrochlorid)	$C_{14}H_{23}ClN_2O_2$	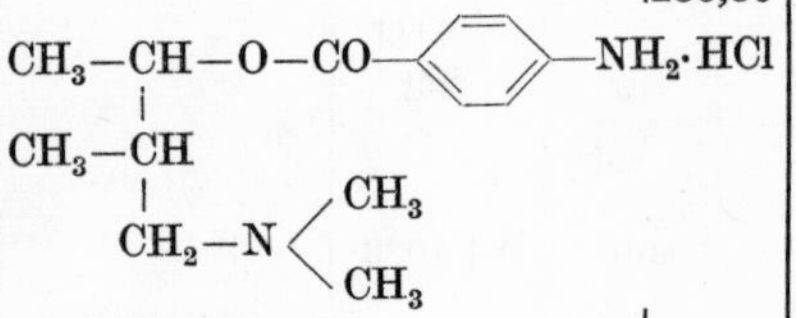	286,80	weiße Krist.
2767	213 bis 215	Filicinsäure	$C_8H_{10}O_3$	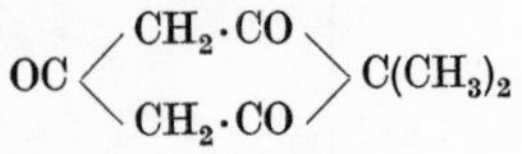	154,16	hellgelbe Würfel
2768	214	γ-Aminovaleriansäure	$C_5H_{11}NO_2$	$CH_3 \cdot CH(NH_2) \cdot CH_2 \cdot CH_2 \cdot COOH$	117,15	Krist.
2769	214	Anthrachinonsulfon-säure-(1)	$C_{14}H_8O_5S$	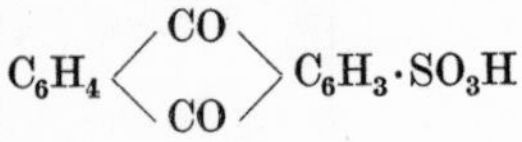	288,27	Blättchen (Eg.)
2770	214	Oxalsäure-bis-phenyl-amidin („Cyananilin")	$C_{14}H_{14}N_4$	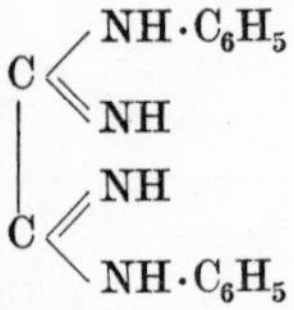	238,28	Blättchen (Essigester od. Bzl.)
2771	214 (Z.)	Dialursäure	$C_4H_4N_2O_4$	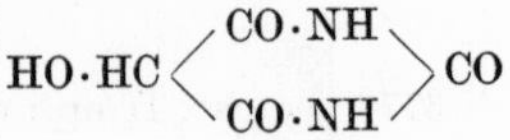	144,09	Prismen $+H_2O$
2772	214	Ergocristinin	$C_{35}H_{39}N_5O_5$		609,70	
2773	214	4-Nitroacetanilid	$C_8H_8N_2O_3$	$CH_3 \cdot CO \cdot NH \cdot C_6H_4 \cdot NO_2$	180,16	Prismen
2774	214 (Z.)	2-Nitrosobenzoesäure	$C_7H_5NO_3$	$ON \cdot C_6H_4 \cdot COOH$	151,12	Krist. (A od. Eg.)
2775	214	trans-2-Hydroxyzimt-säure (Cumarsäure)	$C_9H_8O_2$	$HO \cdot C_6H_4 \cdot CH{:}CH \cdot COOH$	164,12	Nadeln (W)
2776	214	Phenylquecksilber-phthalat	$C_{20}H_{14}Hg_2O_4$	$C_6H_4(\cdot CO \cdot O \cdot HgC_6H_5)_2$	719,53	Nadeln
2777	214	2,4,6-Trihydroxytoluol	$C_7H_8O_3$	$CH_3 \cdot C_6H_2(OH)_3$	140,13	Tafeln (W)

Lfd. Nr.	Spez. Gewicht	Siede-punkt °C	Beilstein-zitat	Physikalische Konstanten und Eigenschaften	Löslichkeit	Reaktionen
	8	9	10	11	12	13
2764				$[\alpha]_D^{20}$ —155 (Chlf.)	unl. in W. PAe l. in A, Ae	
2765				eutekt. Temp.: mit Salophen 177°, mit Dicyandiamid 159°	ll. in W swl. in A unl. in Ae	Dihydrat *Fp* 197°
2766				geruchlos; schwach bitterer Geschmack; anästhesierend	l. in W	Perjodid → amorph
2767		subl.	VII 876		1,4 sd. W 10 sd. A wl. in Ae ll. in Chlf.	+ $FeCl_3$ → rot
2768		Z.	IV 418		ll. in W swl. in A unl. in Ae	erhitzen → 2-Methylpyrrolidon-(5) + H_2O
2769			XI 335		ll. in sd. Eg., W	Chlorid *Fp* 218°, gelbe Nadeln Methylester *Fp* 192—193°, hellorange Krist. Anilid *Fp* 216°, goldgelbe Nadeln
2770		267	XII 285		unl. in W wl. in A, Bzl.	$C_{14}H_{14}N_4$ + 2HCl + $2AuCl_3$ → oranger Nd., l. in Ae
2771			XXV 25		wl. in k. W ll. in sd. W	in Wasser → Alloxanthin beim Erhitzen → Hydurilsäure
2772				$[\alpha]_D^{20}$ +371°	unl. in W, PAe l. in A, Ae	
2773			XII 719		0,22 k. W	
2774			IX 368		l. in A swl. in Ae, Bzl.	Lsgg. in A, Eg. und NH_3 → grün
2775		subl.	X 288		wl. in k. W ll. in A swl. in Ae unl. in Chlf. l. in Alkali → gelb	+ NH_3 → gelb mit grüner Fluoreszenz Äthylester *Fp* 87° p-Nitrobenzylester *Fp* 152° Amid *Fp* 209°
2776						
2777		subl.	VI 1009		ll. in W, A, Ae	

Lfd. Nr.	Fp	Name	Summen-formel	Strukturformel	Mol.-Ge-wicht	Aggregat-zustand Farbe
1	2	3	4	5	6	7
2778	214 bis 215	4-Hydroxybenzoesäure	$C_7H_6O_3$	$HO \cdot C_6H_4 \cdot COOH$	138,12	Tafeln (W oder verd. A)
2779	214 bis 216	Amygdalin	$C_{20}H_{17}NO_{11}$	$C_6H_5 \cdot CH(CN) \cdot O \cdot C_{12}H_{11}O_{10}$	447,34	Krist. (W)
2780	215	N-Benzoylharnstoff	$C_8H_8N_2O_2$	$C_6H_5 \cdot CO \cdot NH \cdot CO \cdot NH_2$	164,16	Nadeln (A)
2781	215	Homatropinhydro-bromid	$C_{16}H_{22}BrNO_3$ $+ 3H_2O$	$C_{16}H_{21}NO_3 \cdot HBr + 3H_2O$	410,31	weiße Krist.
2782	215 bis 217	Diäthylaminhydro-chlorid	$C_4H_{12}ClN$	$(C_2H_5)_2NH + HCl$	109,60	Blättchen (A + Ae)
2783	215 bis 220 (Z.)	Glycylglycin	$C_4H_8N_2O_3$	$H_2N \cdot CH_2 \cdot CO \cdot NH \cdot CH_2 \cdot COOH$	132,12	Blättchen (verd. A)
2784	215 bis 220	1,2,4,5-Tetrahydroxy-benzol	$C_6H_6O_4$	$C_6H_2(OH)_4$	142,11	Blättchen (Eg.)
2785	216 (Z.)	Adrenalin [Suprarenin, 1-(3′,4′-Dihydroxy-phenyl)-methyl-aminoäthanol-(1)]	$C_9H_{13}NO_3$	$HO \cdot \langle\!\!\!\bigcirc\!\!\!\rangle \cdot CH(OH) \cdot CH_2 \cdot NH \cdot CH_3$ mit OH	183,20	grau-weiße Krist. (Lamellen)

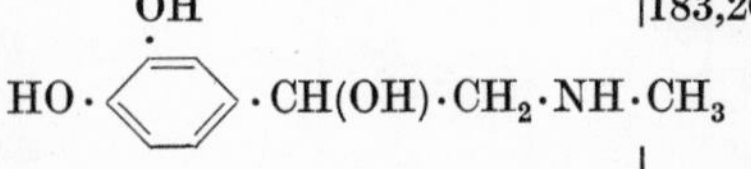

Lfd. Nr.	Spez. Gewicht	Siedepunkt °C	Beilsteinzitat	Physikalische Konstanten und Eigenschaften	Löslichkeit	Reaktionen
	8	9	10	11	12	13
2778	$1{,}497^{20°}$		X 149	eutekt. Temp.: mit Salophen 156°, mit Dicyandiamid 154°	0,49 W 20° 2,74 W 55° ll. in A l. in Ae 0,02 Bzl. 11° 0,06 Bzl. 80° swl. in Chlf. unl. in CS_2	+ $FeCl_3$ → gelber Nd., lösl. im Überschuß des Reagens Methylester *Fp* 131° Äthylester *Fp* 116° Phenylester *Fp* 176° p-Phenylphenacylester *Fp* 240° Amid *Fp* 162° Acetat *Fp* 191° Chloracetat *Fp* 278°
2779				$[\alpha]_D$ —41° (W); geruchlos; Geschmack schwach bitter	8,5 W 10° ∞ W 100° 0,11 A 10° 9 A 78° unl. in Ae	Spaltung → Benzaldehyd, Glucose, HCN Lsg. in konz. H_2SO_4 → rosa, nach 5—10 Min. → blaue Fluoreszenz, beim Erwärmen violett mit α-Naphthol und konz. H_2SO_4 beim Erwärmen → intensiv violettrot alkalische HgJ_2-Lsg. beim Erwärmen → rotbrauner Nd.
2780		Z.	IX 215		wl. in W, Bzl. sll. in A unl. in Ae	
2781				bitterer Geschmack	ll. in W l. in A 9° wl. in A abs.	+ 1 Tropfen HNO_3-H_2SO_4 vorsichtig in sd. W-Bad erhitzt → blau bis blaugrün + H_2SO_4 in sd. W-Bad → schwach gelb + α-Naphthol → violettrot + Paraform-H_2SO_4 gelinde erwärmt → grünstichig gelb
2782	$1{,}048^{21°}$	320 bis 330	IV 97		2,32 W 25° l. in A unl. in Ae 29,5 Chlf. 25°	
2783			IV 371		ll. in h. W wl. in A unl. in Ae	
2784			VI 1155	leicht oxydierbar	ll. in W, A, Ae	Tetraacetat *Fp* 226—227°
2785			XIII 830	$[\alpha]_D^{20}$ —51,4° (in HCl-Lsg.); eutekt. Temp.: mit Salophen 165°, mit Dicyandiamid 180°	0,09 W 20° swl. in A unl. in Ae l. in Alkalien sll. in Eg.	Hydrochlorid *Fp* 161° 1—2 mg Subst. in 1 ml H_2O + 0,5 ml $Fe(NO_2)_3$-Lsg. → grün + NH_3 → karminrot + Hexamethylentetramin → blau → blauviolett

Lfd. Nr.	*Fp*	Name	Summenformel	Strukturformel	Mol.-Gewicht	Aggregatzustand Farbe
1	2	3	4	5	6	7
2786	**216**	Apocinchonin	$C_{19}H_{22}N_2O$	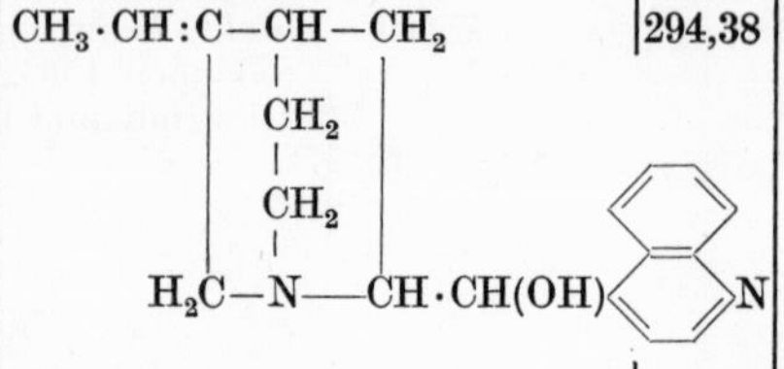	294,38	Prismen (A)
2787	**216** (Z.)	p,p′-Azophenol	$C_{12}H_{10}N_2O_2$	$HO \cdot C_6H_4 \cdot N:N \cdot C_6H_4 \cdot OH$	214,22	gelbbraune Tafeln
2788	**216**	4,4′-Dinitrodiphenylamin	$C_{12}H_9N_3O_4$	$O_2N \cdot C_6H_4 \cdot NH \cdot C_6H_4 \cdot NO_2$	259,22	gelbe Nadeln (A)
2789	**216**	*l*-Ephedrinhydrochlorid [1-Phenyl-2-methylaminopropanol-(1)-hydrochlorid]	$C_{10}H_{16}ClNO$	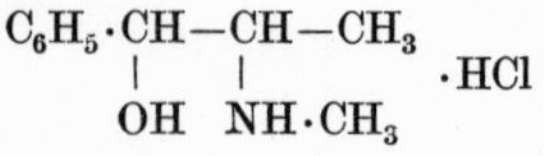	202,70	weiße Krist.
2790	**216**	6-Methyl-2-phenylchinolin-4-carbonsäure (Paratophan)	$C_{17}H_{13}NO_2$	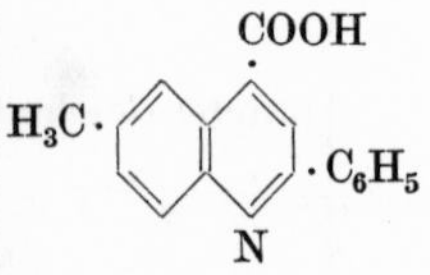	263,28	gelbliche Nadeln
2791	**216**	3-Hydroxynaphthoesäure-(2)	$C_{11}H_8O_3$	$HO \cdot C_{10}H_6 \cdot COOH$	188,17	gelbe Blättchen (W)
2792	**216**	Phenylbordihydroxyd	$C_6H_7BO_2$	$C_6H_5 \cdot B(OH)_2$	121,94	Nadeln (W)
2793	**216** bis **217**	Piperinsäure	$C_{12}H_{10}O_4$	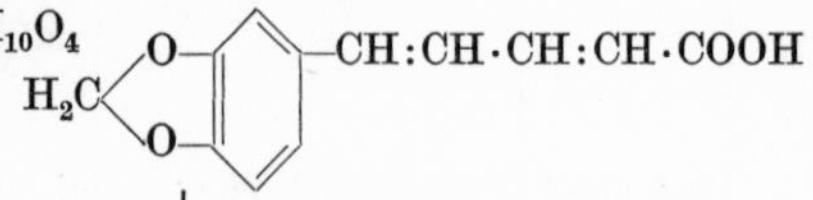	218,20	Nadeln (A)
2794	**216** bis **217**	Purin	$C_5H_4N_4$	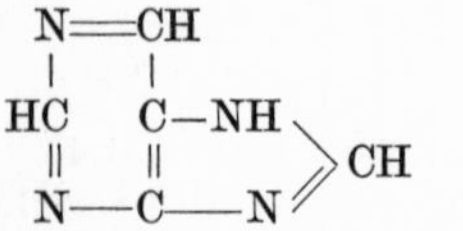	120,11	Nadeln (A)
2795	**216** bis **218**	5-Piperidyl-5-äthylbarbitursäure (Eldoral)	$C_{11}H_{17}N_3O_3$	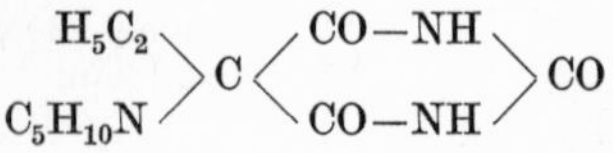	239,27	weiße Krist.

Lfd. Nr.	Spez. Gewicht	Siedepunkt °C	Beilsteinzitat	Physikalische Konstanten und Eigenschaften	Löslichkeit	Reaktionen
	8	9	10	11	12	13
2786			XXIII 417	$[\alpha]_D$ +167° (abs. A)	unl. in W 3,85 A 20° swl. in Ae, Bzl.	
2787			XV 110		swl. in W ll. in A, Ae wl. in Bzl.	
2788			XII 716		swl. in W wl. in A, Bzl.	+ NaOH → violett
2789				$[\alpha]_D^{20}$ −33 bis −35,5° (W); eutekt. Temp.: mit Salophen 176°, mit Dicyandiamid 150°; geruchlos; Geschmack salzig bitter	ll. in W, A wl. in Chlf.	Lsg. der Subst. + Lauge u. 1 Tropfen verd. $CuSO_4$-Lsg. → blauviolett 0,5 g Subst. in 20 ml W + 0,5 ml $K_4[Fe(CN)_6]$-Lsg. + 1—2 ml NaOH → intensiver Benzaldehyd-Geruch
2790						
2791			X 333	eutekt. Temp.: mit Salophen 160°, mit Dicyandiamid 153°	unl. in k. W wl. in h. W ll. in A, Ae l. in Bzl., Chlf.	+ $FeCl_3$ → blau Methylester *Fp* 73—74°, gelbe Nadeln Phenylester *Fp* 128—129°, Blätter Acetat *Fp* 185°
2792		Z.	XVI 920		wl. in k. W ll. in h. W l. in A, Ae	erhitzen → Phenylboroxyd *Fp* 190° + H_2O
2793		subl.	XIX 281	eutekt. Temp.: mit Salophen 172°, mit Dicyandiamid 169°	swl. in W 2 sd. W wl. in Ae	+ H_2SO_4 → blutrot p-Nitrobenzylester *Fp* 145°
2794		Z.	XXVI 354		ll. in W, h. A swl. in Ae	Pikrat *Fp* ~ 208°
2795				eutekt. Temp.: mit Salophen 180°, mit Dicyandiamid 189°	swl. in W l. in Säure ll. in Alkalien	2—3 mg Subst. in 1 ml methylalkoholischer $Co(NO_3)_2$-Lsg. + 20 mg Piperazin → rotviolett

Lfd. Nr.	*Fp*	Name	Summen-formel	Strukturformel	Mol.-Gewicht	Aggregat-zustand Farbe
1	2	3	4	5	6	7
2796	**216,5**	5-Isopropylbarbitursäure	$C_7H_{10}N_2O_3$	$H_3C \diagdown CH\cdot CH (\diagup CO\cdot NH \diagdown CO \diagup CO\cdot NH) / H_3C \diagup$	170,17	Blättchen
2797	**217**	*β*-Aminoisovaleriansäure	$C_5H_{11}NO_2$	$(CH_3)_2C(NH_2)\cdot CH_2\cdot COOH$	117,15	Nadeln (A + Ae)
2798	**217**	Anthracen	$C_{14}H_{10}$	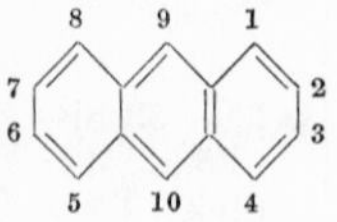	178,22	Tafeln (A)
2799	**217** (Z.)	Anthracencarbonsäure-(9)	$C_{15}H_{10}O_2$	$C_6H_4\left\{\begin{matrix}C(COOH)\\CH\end{matrix}\right\}C_6H_4$	222,23	gelbe Nadeln (A)
2800	**217**	Cyclohexen-(2)-dicarbonsäure-(1,2)	$C_8H_{10}O_4$	$H_2C\cdot CH{:}C\cdot COOH$ / $H_2C\cdot CH_2\cdot CH\cdot COOH$	170,16	Prismen
2801	**217**	2,5-Dimethylhydrochinon	$C_8H_{10}O_2$	$(CH_3)_2C_6H_2(OH)_2$	138,16	Blättchen (W)
2802	**217**	Naphthylendiamin-(2,6)	$C_{10}H_{10}N_2$	$H_2N\cdot C_{10}H_6\cdot NH_2$	158,20	Nadeln oder Blättchen (W)
2803	**217** bis **218**	3,5,7-Trihydroxyflavon (Galangin)	$C_{15}H_{10}O_5$	$(HO)_2C_6H_2\left\langle\begin{matrix}CO\cdot C\cdot OH\\ \Vert \\ O-C\cdot C_6H_5\end{matrix}\right.$	270,23	hellgelbe Tafeln (A)

Lfd. Nr.	Spez. Gewicht	Siedepunkt °C	Beilsteinzitat	Physikalische Konstanten und Eigenschaften	Löslichkeit	Reaktionen
	8	9	10	11	12	13
796			XXIV 484	eutekt. Temp.: mit Salophen 173°, mit Dicyandiamid 175°; schmeckt bitter	swl. in W l. in A ll. in Ae	Lsg. + Paraform · H_2SO_4 beim Erwärmen → orange + $Co(NO_3)_2$ in W-freiem Methanol + einige Tropfen Piperidin → blau
797		subl.	IV 426	schwach süßer Geschmack	ll. in W wl. in A unl. in Ae	
798	1,242	351 194,9 (20 mm) 184,2 (14 mm)	V 657	eutekt. Temp.: mit Salophen 175°, mit Dicyandiamid 205°; kryoskop. Konst. 11,65; reines Anthracen fluoresziert (auch in alkohol. oder benzolischer Lsg.) violett; verunreinigtes gar nicht oder gelbgrünlich	unl. in W 0,076 A 16° 0,83 sd. A 0,70 Ae 15° 1,04 Bzl. 15°	beim Schmelzen mit Mellitsäureanhydrid → blauviolett mit $SbCl_5$ in CCl_4 → grüner Nd. mit Tetranitromethan → rosenrot Pikrat *Fp* 138° Styphnat *Fp* 180° 1,3,5-Trinitrobenzolat *Fp* 164°
2799					unl. in k. W wl. in h. W l. in A	bei Erhitzung CO_2-Abspaltung
2800			IX 770		0,88 W 10°	bei 220° → Anhydrid
2801		subl.	VI 915		l. in h. W ll. in A, Ae	
2802			XIII 208		swl. in h. W wl. in A, Ae	
2803		subl.	XVIII 184		unl. in W, A ll. in Ae l. in Alkali, H_2SO_4	+ $FeCl_3$ → grün

Lfd. Nr.	*Fp*	Name	Summen-formel	Strukturformel	Mol.-Ge-wicht	Aggregat-zustand Farbe
1	2	3	4	5	6	7
2804	**217 bis 219**	Phloroglucin (1,3,5-Trihydroxybenzol)	$C_6H_6O_3$	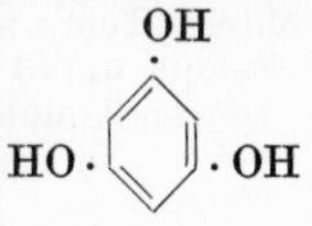	126,11	schwach gelbliche Tafeln und Blättchen
2805	**217,5**	1,5-Dinitronaphthalin	$C_{10}H_6N_2O_4$	$C_{10}H_6(NO_2)_2$	218,16	Nadeln (Eg.)
2806	**218**	Cantharidin	$C_{10}H_{12}O_4$	$H_2C\cdot CH\cdot C(CH_3)\cdot CO$ O O $H_2C\cdot CH\cdot C(CH_3)\cdot CO$	196,20	Krist. (Aceton)
2807	**218** (Z.)	Dibenzalbernsteinsäure	$C_{18}H_{14}O_4$	$C_6H_5\cdot CH:C\cdot COOH$ $C_6H_5\cdot CH:C\cdot COOH$	294,29	Prismen oder Blättchen (W)
2808	**218**	2,6-Dihydroxynaphthalin	$C_{10}H_8O_2$	$C_{10}H_6(OH)_2$	160,16	Tafeln (W)
2809	**218**	2,2′-Dihydroxy-dinaphthyl-(1,1′)	$C_{20}H_{14}O_2$	$HO\cdot C_{10}H_6\cdot C_{10}H_6\cdot OH$	286,31	Nadeln (A) Blättchen (Toluol)
2810	**218**	Trigonellin	$C_7H_7NO_2$	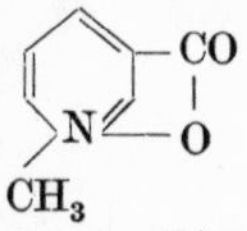	137,13	Nadeln (W)
2811	**218**	Trimethylentrisulfid	$C_3H_6S_3$	$H_2C<(S\cdot CH_2)(S\cdot CH_2)>S$	138,28	Prismen (Chlf.)
2812	**218**	1,3,8-Trinitronaphthalin	$C_{10}H_5N_3O_6$	$C_{10}H_5(NO_2)_3$	263,16	Krist. (A)
2813	**218**	2,4,6-Trihydroxyacetophenon	$C_8H_8O_4$	$(HO)_3\cdot C_6H_2\cdot CO\cdot CH_3$	168,14	Nadeln (W)

Lfd. Nr.	Spez. Gewicht	Siedepunkt °C	Beilsteinzitat	Physikalische Konstanten und Eigenschaften	Löslichkeit	Reaktionen
	8	9	10	11	12	13
804		subl. (Z.)	VI 1092	eutekt. Temp.: mit Salophen 159°, mit Dicyandiamid 156°; geruchlos; schmeckt süß; subl. zum Teil unzersetzt	1,07 W 20° ll. in A, Ae	1. 1 mg Subst. + 1 Tropfen $Fe(NO_3)_3$-Lsg. → blaß blauviolett + 3 Tropfen 2n-HCl → entfärbt + 1 Tropfen Nitritlsg. → langsam blaßgrün + NH_3 → tiefgrün 2. mit konz. HCl Holz oder holzhaltiges Papier angefeuchtet + Phloroglucin → kirschrot 3. Subst. + Vanillin + rauchende HCl → intensiv rot 4. Lsg. d. Subst. + 0,5 g p-Dimethylaminobenzaldehyd in 8,5 g konz. H_2SO_4 → rosa → rot → roter Nd. Triacetat *Fp* 105° Tribenzoat *Fp* 174°
805		subl.	V 558		unl. in W wl. in A, k. Bzl. l. in Eg.	
806		subl.	XIX 161	eutekt. Temp.: mit Salophen 173°, mit Dicyandiamid 196°; zieht auf der Haut Blasen	0,003 k. W 0,030 in 92%ig. A 18° 0,11 Ae 18° l. in Eg., konz. H_2SO_4	
807			IX 959		l. in h. W, Bzl. ll. in A	Diäthylester *Fp* 110,5°
808		subl.	VI 984		0,108 W 14° ll. in A, Ae	Diacetat *Fp* 175°
809		subl.	VI 1051		unl. in W unl. in A, Alkali ll. in Ae	Diacetat *Fp* 109°
810					l. in W, A	Hydrochlorid *Fp* 248°, Säulen oder Tafeln Goldsalz *Fp* 198°, Blättchen oder Prismen
811		subl.	XIX 382		unl. in W wl. in A, Ae ll. in Bzl.	
812			V 563	eutekt. Temp.: mit Salophen 163°, mit Dicyandiamid 197°	unl. in W 0,05 in 88%ig. A	
813			E_1 VIII 687		swl. in k. W ll. in A, Ae	

Lfd. Nr.	*Fp*	Name	Summen-formel	Strukturformel	Mol.-Ge-wicht	Aggregat-zustand Farbe
1	2	3	4	5	6	7
2814	**218 bis 219**	Acetylharnstoff	$C_3H_6N_2O_2$	$CH_3 \cdot CO \cdot NH \cdot CO \cdot NH_2$	102,09	Nadeln (A)
2815	**218 bis 219**	Benzamaron	$C_{35}H_{28}O_2$	$C_6H_5 \cdot CH[CH(C_6H_5) \cdot CO \cdot C_6H_5]_2$	480,57	Krist.
2816	**218 bis 220**	Phenylglycin-o-carbon-säure	$C_9H_9NO_4$	$HOOC \cdot C_6H_4 \cdot NH \cdot CH_2 \cdot COOH$	195,17	Nadeln (Me-thanol)
2817	**219**	3,5-Dibrombenzoesäure	$C_7H_4Br_2O_2$	$Br_2C_6H_3 \cdot COOH$	279,93	Nadeln (W) Blättchen (A)
2818	**219**	3,5-Dichlorsalicylsäure	$C_7H_4Cl_2O_3$	$HO \cdot C_6H_2Cl_2 \cdot COOH$	207,02	Säulen oder Nadeln (verd. A)
2819	**219**	Dihydrohydroxy-codeinon	$C_{18}H_{21}NO_4$	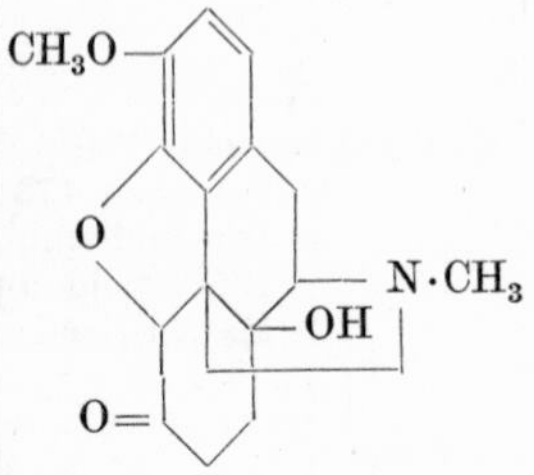	315,36	weiße Krist.
2820	**219**	Phthalamid (Phthal-säurediamid)	$C_8H_8N_2O_2$	$C_6H_4(CO \cdot NH_2)_2$	164,16	Krist.
2821	**219**	4,4′,4″-Tris-[dimethyl-amino]-triphenyl-carbinol	$C_{25}H_{31}N_3O$	$[(CH_3)_2N \cdot C_6H_4]_3C \cdot OH$	389,52	farblose Prismen (Bzl.)
2822	**219**	Tephrosin (Toxicarol, Hydroxydeguelin)	$C_{23}H_{22}O_7$	vgl. Nr. 2322; R = OH	410,41	Prismen
2823	**220** (Z.)	3,6-Dihydroxyphthal-säure	$C_8H_6O_6$	$(HO)_2C_6H_2(COOH)_2$	198,13	Krist. (verd. H_2SO_3)
2824	**220**	Hydantoin	$C_3H_4N_2O_2$	$OC \cdot NH$ / $H_2C \cdot NH$ $>CO$	100,08	Blättchen (W)
2825	**220**	Pyrogallolcarbon-säure-(4)	$C_7H_6O_5$	$(HO)_3C_6H_2 \cdot COOH$	170,12	Nadeln (W)
2826	**220 bis 222** (Z.)	*l*-Prolin (Pyrrolidin-α-carbonsäure)	$C_5H_9NO_2$	H_2C—CH_2 / $H_2C \cdot NH \cdot CH \cdot COOH$	115,13	Nadeln (A + Ae)

Lfd. Nr.	Spez. Gewicht	Siedepunkt °C	Beilsteinzitat	Physikalische Konstanten und Eigenschaften	Löslichkeit	Reaktionen
	8	9	10	11	12	13
814		121 (20 mm)	III 61	riecht penetrant	1,3 W 15° 1 k. A. 10 sd. A	Erhitzen → Acetamid + Cyanursäure
815			VII 849	zers. sich bei Vak.-Destillation	wl. in W, A 116 Bzl. 12°	
816					l. in A, Ae swl. in Bzl.	Kalischmelze → Indigo
817		subl.	IX 359		wl. in W ll. in A	
818		subl.	X 104		swl. in h. W ll. in A, Ae	
819				bitterer Geschmack	unl. in W ll. in Chlf.	+ H_2SO_4 + Fe-H_3PO_4 in der Wärme gelb + Paraform → graugrün bis graublau + HNO_3-H_2SO_4 → violett → hellbraun Hydrochlorid *Fp* 268—270°
820			IX 814		swl. in k. W, A	
821			XIII 755		unl. in W wl. in A l. in Ae, Chlf.	
822					unl. in W l. in Ae, Chlf.	
823			X 551		wl. in k. W	
824			XXIV 242		40 h. W 1,6 sd. A unl. in Ae	
825		subl.	X 464		0,13 W 12° l. in A wl. in Ae	+ verd. $FeCl_3$ → violett + W → CO_2-Abspaltung
826			XXII 2	schmeckt süß	ll. in W, A unl. in Ae	Pikrat *Fp* 153°, gelbe Krist. Kupfersalz, dunkelblaue tafelähnliche Krist. Chloroaurat *Fp* 160—162°, Blättchen

Lfd. Nr.	*Fp*	Name	Summen-formel	Strukturformel	Mol.-Gewicht	Aggregatzustand Farbe
1	2	3	4	5	6	7
2827	**220 bis 225**	Antipyrin-Eisenchlorid (Ferripyrin)	$C_{11}H_{12}Cl_3Fe \cdot N_2O$	$HC═══C \cdot CH_3$ $\vert \qquad \vert \qquad \cdot FeCl_3$ $OC \cdot N(C_6H_5) \cdot N \cdot CH_3$	350,47	feines, intensiv oranges Plv.
2828	**220 bis 225**	d-Benzoylpseudotropin-carbonsäurepropyl-esterhydrochlorid (Psicain-Neu)	$C_{19}H_{26}ClNO_4$	$H_2C—CH \cdot CH—COO \cdot C_3H_7$ $\vert \quad \vert \quad \vert$ $N \cdot CH_3 \; CH—O—CO—C_6H_5 \cdot HCl$ $\vert \quad \vert \quad \vert$ $H_2C—CH \cdot CH_2$	367,86	weiße Krist.
2829	**220 bis 236**	4,4′-Dinitrodiazoamino-benzol	$C_{12}H_9N_5O_4$	$O_2N \cdot C_6H_4 \cdot N:N \cdot NH \cdot C_6H_4 \cdot NO_2$	287,23	gelbe Nadeln (A)
2830	**221**	Benzoltricarbonsäure-(1,2,4) (Trimellitsäure)	$C_9H_6O_6$	$C_6H_3(COOH)_3$	210,14	Nadeln (W)
2831	**221**	d-Camphersäure-anhydrid	$C_{10}H_{14}O_3$	$H_2C \cdot C(CH_3)—CO$ $\vert \quad \vert \quad \cdot$ $C(CH_3)_2 \quad O$ $\vert \quad \vert \quad \cdot$ $H_2C \cdot CH —— CO$	182,21	Tafeln (Ae)
2832	**221**	d-Coniinhydrochlorid	$C_8H_{18}ClN$	vgl. Nr. 2750	163,69	Krist. (A)
2833	**221**	trans-Cyclohexan-dicarbonsäure-(1,2)	$C_8H_{12}O_4$	$H_2C \cdot CH_2 \cdot CH \cdot COOH$ $\vert \qquad \vert$ $H_2C \cdot CH_2 \cdot CH \cdot COOH$	172,18	Blättchen (W) Nadeln (Aceton)
2834	**221 bis 222**	9,10-Dibromanthracen	$C_{14}H_8Br_2$	$C_6H_4 \left\{ \begin{matrix} CBr \\ CBr \end{matrix} \right\} C_6H_4$	336,04	gelbe Nadeln (Toluol)
2835	**221 bis 222**	N-(2-Thiazolyl)-p-phenolsulfonamid (Darsivul, Phenol-sulfon)	$C_9H_8N_2O_3S_2$	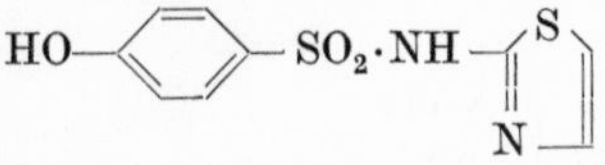	256,30	Krist.
2836	**222**	3-Nitrophthalsäure	$C_8H_5NO_6$	$O_2N \cdot C_6H_3(COOH)_2$	211,13	hellgelbe Prismen oder Tafeln (W)
2837	**222 bis 223**	2,4′-Dinitrodiphenyl-amin	$C_{12}H_9N_3O_4$	$O_2N \cdot C_6H_4 \cdot NH \cdot C_6H_4 \cdot NO_2$	259,22	rote Nadeln (Eg.)

Lfd. Nr.	Spez. Gewicht	Siede-punkt °C	Beilstein-zitat	Physikalische Konstanten und Eigenschaften	Löslichkeit	Reaktionen
	8	9	10	11	12	13
827			XXIV 31	säuerlicher, zusammenziehender Geschmack	l. in W	wss. Lsg. → orangegelb + einige Tropfen $Fe(NO_3)_3$ → intensiv rot + Jodlsg. → Antipyrinperjodid
828				$[\alpha]_D^{20}$ +43°; bitterer Geschmack; anästhesierend		+ $Fe\text{-}H_3PO_4$ erhitzen → Geruch nach Fettsäure + 0,5 ml konz. H_2SO_4 + 0,5 ml W + 1 Tropfen CH_3OH — erhitzen → Geruch Benzoesäuremethylester 5 mg Subst. + 1 Tropfen n/10-$KMnO_4$ auf Uhrglas mit Glasstab → sehr feine Trübung (MnO_2) 5 mg + 1 Tropfen $K_2Cr_2O_7$ → schmierige Abscheidung + 1 Tropfen konz. HCl → hart → klebrig
829			XVI 700	Salze explosiv	unl. in W wl. in h. W l. in h. Alkali	Lsgg. in Alkali → rot
830			IX 977		l. in W, Ae, Eg.	über 221° → Anhydrid *Fp* 158° Imidcarbonsäure *Fp* 266 bis 268°
831	1,194$^{21°}$	>270	XVII 455	$[\alpha]_D$ —7° (Bzl.)	wl. in W 0,81 in 95%ig. A 14° 1,5 Ae 14° 5,9 Bzl. 14°	
832			XX 111	eutekt. Temp.: mit Salophen 155°, mit Dicyandiamid 122°	25 W 15° 19,3 A 15° 0,2 Ae 15°	
833			IX 731		0,23 W	
834		subl.	V 665		swl. in A, Ae l. in h. Bzl.	1,3,5-Trinitrobenzolat *Fp* 179°
835					unl. in W	bildet ein W-lösl. Na-Salz
836			IX 823	*Fp* in geschlossenem Rohr	205 W 25° ll. in sd. W l. in A wl. in Ae unl. in Bzl. 7,5 Eg. 25°	Bis-p-nitrobenzylester *Fp* 189,5 bis 190° Diamid *Fp* 201° Dianilid *Fp* 211—212° (Z.) Di-p-toluidid *Fp* 223—225° (Z.)
837			XII 715		unl. in W wl. in A, Ae	

Lfd. Nr.	*Fp*	Name	Summenformel	Strukturformel	Mol.-Gewicht	Aggregatzustand Farbe
1	2	3	4	5	6	7
2838	**222 bis 223**	Methylatropiniumbromid	$C_{18}H_{26}BrNO_3$	$C_{17}H_{23}NO_3 \cdot CH_3Br$ (vgl. Nr. 1609)	384,31	weiße Krist.
2839	**223,7**	2-Hydroxy-4-methylchinolin (4-Methylcarbostyril)	$C_{10}H_9NO$	$C_9H_5N(CH_3) \cdot OH$	159,18	Nadeln (W) Blättchen (A)
2840	**224**	Diphenylcarbonsäure-(4)	$C_{13}H_{10}O_2$	$C_6H_5 \cdot C_6H_4 \cdot COOH$	198,21	Nadeln (A)
2841	**224** (Z.)	5-Hydroxychinolin	C_9H_7NO	$C_9H_6N \cdot OH$	145,15	Nadeln (A)
2842	**224 bis 225** (Z.)	d-Glutaminsäure (d-α-Aminoglutarsäure)	$C_5H_9NO_4$	$HOOC \cdot (CH_2)_2 \cdot CH(COOH) \cdot NH_2$	147,13	Krist.-Blättchen (W)
2843	**224,5 bis 225,5**	1,8-Dihydroxy-3-hydroxymethylanthrachinon (Aloeemodin)	$C_{15}H_{10}O_5$	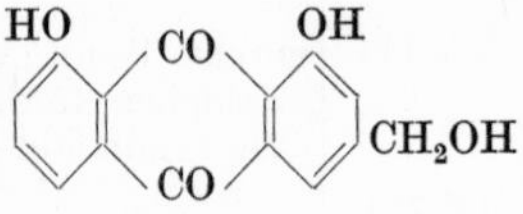	270,23	orangegelbe Nadeln (Eg.)
8244	**225**	anti-Benzilosazon (β-Benzilosazon)	$C_{26}H_{22}N_4$	$C_6H_5 \cdot C(=N \cdot NH \cdot C_6H_5)—C(=N \cdot NH \cdot C_6H_5) \cdot C_6H_5$	390,47	Nadeln (Bzl.
8245	**225**	Cellobiose	$C_{12}H_{22}O_{11}$	$HO \cdot CH_2 \cdot CH \cdot [CH(OH)]_3 \cdot CH \cdot O \cdot CH \cdot [CH(OH)]_2 \cdot CH \cdot OH$ (erstes CH—O—CH ringgeschlossen; CH—O—CH ringgeschlossen, $CH \cdot CH_2 \cdot OH$)	342,30	Nadeln (W)
2846	**225** (Z.)	1,8-Dihydroxyanthracen	$C_{14}H_{10}O_2$	$HO \cdot C_6H_3 \left\{ \begin{matrix} CH \\ CH \end{matrix} \right\} C_6H_3 \cdot OH$	210,22	gelbe Nadeln (verd. A)
2847	**225** (Z.)	Iminodiessigsäure	$C_4H_7NO_4$	$HN(CH_2 \cdot COOH)_2$	133,10	Prismen

Lfd. Nr.	Spez. Gewicht	Siedepunkt °C	Beilsteinzitat	Physikalische Konstanten und Eigenschaften	Löslichkeit	Reaktionen
	8	9	10	11	12	13
2838				bitterer Geschmack	l. in W	alkal. HgJ_2-Lsg. → gelblichen, käsigen Nd., der sich unter Erwärmen löst, beim Erkalten wieder bildet
2839		270 (17 mm)	XXI 107		wl. in h. W ll. in h. A swl. in Ae, Chlf.	Pikrat *Fp* 165—167°
2840		subl.	IX 671		unl. in k. W swl. in sd. W ll. in A, Ae	
2841		subl.	XXI 84		l. in h. W ll. in A wl. in Ae	
2842	1,538$^{20°}$		IV 488	eutekt. Temp.: mit Salophen 187°, mit Dicyandiamid 169°; schmeckt schwach sauer	1 W 16° 0,066 in 80%ig. A 15° 0,07 A 25° unl. in Ae	Hydrochlorid *Fp* 202° (Z.), rhomb. Tafeln dl-Benzoylglutaminsäure *Fp* 155—157°, Blättchen Ninhydrinreaktion, dient zur Unterscheidung von Pyrrolidoncarbonsäure Cu-Salz, kleine blaue Nadelkugeln
2843		subl.	VIII 524	subl. im CO_2-Strom	wl. in W l. in A, Ae, Eg., Chlf., Bzl., Toluol, NH_3 H_2SO_4	$+ NH_4OH$ $+ H_2SO_4$ } → kirschrot Trimethyläther *Fp* 163°, rotgelbe Nadeln Triacetat *Fp* 165—175°, hellgelbliche Nadeln Tribenzoat *Fp* 232°
2844		Z.	XV 174		wl. in A, Ae ll. in Bzl., h. Chlf.	
2845				$[\alpha]_D$ + 22,4 bis + 35,2° (W)	ll. in W swl. in A	Spaltung → Glucose Osazon *Fp* 198°
2846			VI 1033		unl. in W l. in A, Ae l. in Alkalien	Diacetat *Fp* 184° l. in NaOH → grün
2847			IV 365		2,43 W 5° unl. in A, Ae	

Lfd. Nr.	Fp	Name	Summen-formel	Strukturformel	Mol.-Ge-wicht	Aggregat-zustand Farbe
1	2	3	4	5	6	7
2848	225	inakt. Inosit	$C_6H_{12}O_6$	$HO \cdot CH \Big\langle \begin{matrix} CH(OH) \cdot CH(OH) \\ CH(OH) \cdot CH(OH) \end{matrix} \Big\rangle CH \cdot OH$	180,16	Prismen (W)
2849	225	Phenolphthalin	$C_{20}H_{16}O_4$	$(HO \cdot C_6H_4)_2 CH \cdot C_6H_4 \cdot COOH^{(2)}$	320,33	Nadeln (W)
2850	225 bis 226	Zinntetraphenyl	$C_{24}H_{20}Sn$	$(C_6H_5)_4Sn$	427,10	Prismen (Chlf.) Nadeln (Pyridin)
2851	225 bis 230	Homatropinhydro-chlorid	$C_{16}H_{22}ClNO_3$	$\begin{matrix} CH_2-CH-CH_2 \\ \quad \mid \qquad \mid \\ N \cdot CH_3 \; CH \cdot O \cdot CO \cdot CH \cdot C_6H_5 \\ \quad \mid \qquad \mid \qquad \mid \\ CH_2-CH-CH_2 \qquad OH \end{matrix} \quad \cdot HCl$	311,80	Prismen (W)
2852	226	5-Methyl-5-phenyl-barbitursäure	$C_{11}H_{10}N_2O_3$	$\begin{matrix} H_3C \\ H_5C_6 \end{matrix} \Big\rangle C \Big\langle \begin{matrix} CO \cdot NH \\ CO \cdot NH \end{matrix} \Big\rangle CO$	218,21	Nadeln
2853	226	2,4-Diaminoazobenzol-4'-sulfonsäureamid (Prontosil rubrum, Rubazin, Sulfamidochrysoidin)	$C_{12}H_{13}N_5O_2S$	$H_2N - \underset{\underset{NH_2}{\mid}}{\bigcirc} - N=N - \bigcirc - SO_2 \cdot NH_2$	291,33	rot-braunes Plv.
2854	226 bis 227	l-Asparagin (l-Amino-bernsteinsäuremono-amid)	$C_4H_8N_2O_3$	$HOOC \cdot \underset{\underset{NH_2}{\mid}}{CH} \cdot CH_2 \cdot CO \cdot NH_2$	132,12	Krist.
2855	227	Berberinsulfat	$C_{20}H_{21}NO_9S$	$C_{20}H_{19}NO_5 \cdot H_2SO_4$ vgl. Nr. 1987	451,44	intensiv gelbes Plv.
2856	227	4,4'-Diaminostilben	$C_{14}H_{14}N_2$	$H_2N \cdot C_6H_4 \cdot CH=CH \cdot C_6H_4 \cdot NH_2$	210,27	gelbe Blättchen oder Nadeln (A)
2857	227	Pyridintricarbonsäure-(2,4,6) (Trimesitinsäure)	$C_8H_5NO_6$	$C_5H_2N(COOH)_3$	211,13	Nadeln (W)

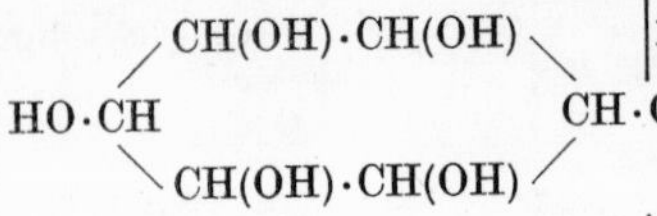

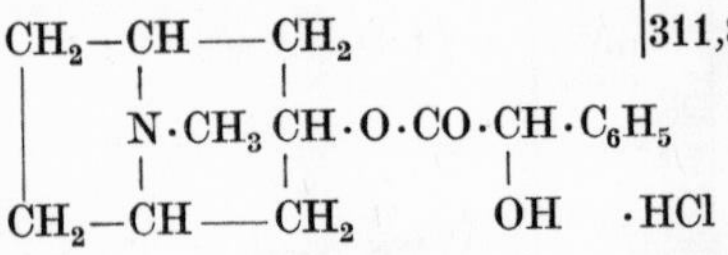

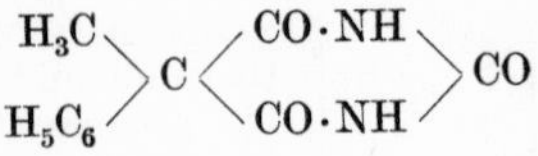

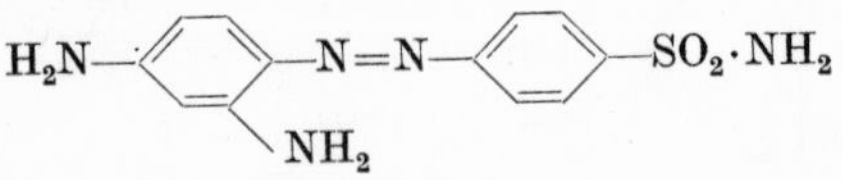

Lfd. Nr.	Spez. Gewicht	Siedepunkt °C	Beilsteinzitat	Physikalische Konstanten und Eigenschaften	Löslichkeit	Reaktionen
	8	9	10	11	12	13
848	$1{,}752^{15°}$	319 (15 mm)	VI 1194	eutekt. Temp.: mit Salophen 179°, mit Dicyandiamid 173°; schmeckt stark süß	16,3 W 19° unl. in A, Ae	Spur Subst. in 1–2 Tropfen HNO_3 (1,2) + 1 Tropfen 10%ig. $CaCl_2$ + 1 Tropfen 1–2%ig. $PtCl_4$, vorsichtig verdampfen → rosa bis ziegelrot, an feuchter Luft orange Hexaacetat *Fp* 216° Hexabenzoat *Fp* 258°
849			X 455		0,0175 W 20°	Oxydation → Phenolphthalein Reagens auf HCN
850		>420	XVI 914		unl. in W swl. in A, Ae ll. in sd. Bzl., sd. Chlf., sd. Pyridin	
851				eutekt. Temp.: mit Salophen 169°, mit Dicyandiamid 127°	l. in W ll. in A	
852				eutekt. Temp.: mit Salophen 175°, mit Dicyandiamid 183°	unl. in W l. in A	
853				eutekt. Temp.: mit Salophen 180°, mit Dicyandiamid 193°	unl. in W wl. in A, Ae l. in Aceton, verd. Essigsäure	mit Nitrit, α-Naphthol und NH_3 → violettroter Azofarbstoff mit Zn und HCl entfärbte Lsg. wird mit Chlorwasser → rot und gibt Indophenolreaktion
854	$1{,}543^{15°}$		IV 476	$[\alpha]_D^{20}$ −5,4° (W); geruchlos; Geschmack süß	2,1 W 17° 52,5 W 98° swl. in A unl. in Ae	wss. Lsg. + $Fe(NO_3)_3$-Lsg. → rötlichgelb bis olivbraun alkohol. HgJ_2-Lsg. gibt beim Erwärmen eigelben Nd. (Unterschied von Alanin und Glykokoll)
2855				eutekt. Temp.: mit Salophen 180°, mit Dicyandiamid 139°; schmeckt stark bitter	wl. in k. W ll. in h. W, A	+ H_2SO_4 → olivgrün → gelb + HNO_3 → rotbraun + $HgCl_2$ → gelber Nd. 1–2 mg Subst. + 10 mg Paraform + 1 ml H_2SO_4 → intensiv oliv → braun +Fe-H_3PO_4 → braun + HNO_3-H_2SO_4 → intensiv rot → rosa
2856		subl.	XIII 267		wl. in W l. in A, Ae	N,N′-Diacetylderivat *Fp* 312° (Z.)
2857		Z.	XXII 185		wl. in k. W, A, Ae	erhitzen → Pyridincarbonsäure-(4)

Lfd. Nr.	Fp	Name	Summen-formel	Strukturformel	Mol.-Ge-wicht	Aggregat-zustand Farbe
1	2	3	4	5	6	7
2858	227	Tetraphenyläthylen	$C_{26}H_{20}$	$(C_6H_5)_2C:C(C_6H_5)_2$	332,42	Spieße (Bzl.)
2859	227 (Z.)	2-Thiohydantoin	$C_3H_4N_2OS$	$\begin{array}{l}OC{-}NH\\ \quad\vert \qquad\quad{>}CS\\ H_2C{-}NH\end{array}$	116,14	gelbe Prismen
2860	227 bis 228 (Z.)	Betainhydrochlorid (Acidol)	$C_5H_{12}ClNO_2$	$\begin{array}{l}HOOC\cdot CH_2\cdot N(CH_3)_3\\ \qquad\qquad\qquad Cl\end{array}$	153,61	farblose mono-kline Tafeln oder Prismen
2861	227 bis 228	Methylaminhydro-chlorid	CH_6ClN	$CH_3\cdot NH_2\cdot HCl$	67,52	Tafeln (A)
2862	227 bis 228	Pyron-(2)-carbonsäure-(6)	$C_6H_4O_4$	$\begin{array}{l}HC\cdot CH:CH\\ \ \|\qquad\quad\ \vert\\ HOOC\cdot C{-}O{-}CO\end{array}$	140,09	Nadeln oder Platten (konz. HCl)
2863	227,6	Hexachlorbenzol	C_6Cl_6		284,80	Prismen (Bzl. + A)
2864	227,7	Bleitetraphenyl	$C_{24}H_{20}Pb$	$(C_6H_5)_4Pb$	515,61	Nadeln (Bzl.)
2865	228	Diphensäure	$C_{14}H_{10}O_4$	$^{(2)}HOOC\cdot C_6H_4\cdot C_6H_4\cdot COOH^{(2)}$	242,22	Blättchen (W)
2866	228	Ergosin	$C_{30}H_{35}N_5O_5$		545,62	
2867	228	Ergosinin	$C_{30}H_{35}N_5O_5$		545,62	
2868	228	Isoferulasäure (3-Hy-droxy-4-methoxy-zimtsäure)	$C_{10}H_{10}O_4$	$\begin{array}{l}^{(4)}H_3CO\\ \qquad\qquad{>}C_6H_3\cdot CH:CH\cdot COOH\\ ^{(3)}HO\end{array}$	194,18	Nadeln
2869	228	Saccharin (Benzoesäure-sulfimid)	$C_7H_5NO_3S$	$C_6H_4\Big\langle\begin{array}{l}CO\\ SO_2\end{array}\Big\rangle NH$	183,18	Krist. (A)

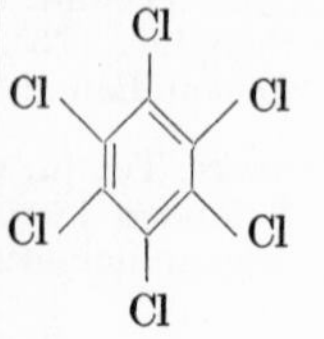

Lfd. Nr.	Spez. Gewicht	Siedepunkt °C	Beilsteinzitat	Physikalische Konstanten und Eigenschaften	Löslichkeit	Reaktionen
	8	9	10	11	12	13
2858		415 bis 425	V 743		unl. in W swl. in A, Ae ll. in h. Bzl.	
2859			XXIV 26		ll. in h. W, h. A	
2860					ll. in W	
2861		225 bis 230 (15 mm)	IV 36		ll. in W 23,01 sd. A unl. in Ae, Chlf.	
2862			XVIII 404		wl. in h. W, A unl. in Bzl. Chlf.	Äthylester *Fp* 59—60°
2863	2,044[23°]	322	V 205	kryoskop. Konst. 20,75; eutekt. Temp. mit Salophen 179°	unl. in W, k. A swl. in sd. A ll. in h. Ae	
2864	1,530[20°]	270 (Z.)	XVI 917		unl. in W 0,1 A 30° 1,7 Bzl. 30° 1,7 Chlf. 50°	
2865		subl.	IX 922	subl. in Nadeln; eutekt. Temp.: mit Salophen 167°, mit Dicyandiamid 148°	wl. in W ll. in A, Ae	Anhydrid *Fp* 217°, lange Nadeln oder Säulen Dimethylester *Fp* 73—74° Diäthylester *Fp* 42° Bis-p-nitrobenzylester *Fp* 183° Diamid *Fp* 212° Dianilid *Fp* 230°
2866				$[\alpha]_D^{20}$ —161° (Chlf.)	unl. in W, PAe l. in A, Ae	
2867				$[\alpha]_D^{20}$ +420°	unl. in W, PAe l. in A, Ae	
2868			X 437		wl. in k. W ll. in A, Ae wl. in Bzl.	
2869	0,828	subl.	XXVII 168	eutekt. Temp.: mit Salophen 165°, mit Dicyandiamid 161°; Geschmack sehr süß	0,43 W 25° 2 A 20° wl. in Ae l. in Alkali	Lsg. + 1 Tropfen Jodjodkalium-Lsg. → dunkle Nadeln Lsg. + einige Tropfen (40 ml 10%ige $CuSO_4$-Lsg., 10 ml Pyridin u. 50 ml W) → blaue Blättchen

Lfd. Nr.	*Fp*	Name	Summenformel	Strukturformel	Mol.-Gewicht	Aggregatzustand Farbe
1	2	3	4	5	6	7
2870	**228**	Umbelliferon (7-Hydroxycumarin)	$C_9H_6O_3$	⁽⁷⁾$HO \cdot C_6H_3$ < CH:CH / O — CO	162,14	Nadeln (W)
2871	**228 bis 229**	5-Nitrosalicylsäure	$C_7H_5NO_5$	$HO \cdot C_6H_3(NO_2) \cdot COOH$	182,12	Nadeln (W)
2872	**228 bis 229**	8-Hydroxynaphthoesäure-(2)	$C_{11}H_8O_3$	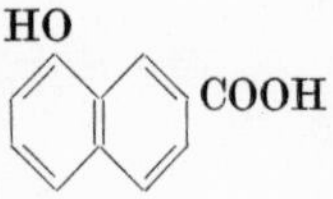	188,17	Nadeln (W)
2873	**228,7**	2,4,6-Trinitrobenzoesäure	$C_7H_3N_3O_8$	$(O_2N)_3C_6H_2 \cdot COOH$	257,12	Krist. (W)
2874	**229**	Diacetylmorphinhydrochlorid (Heroinhydrochlorid)	$C_{21}H_{24}ClNO_5$	$C_{17}H_{17}NO(O \cdot COCH_3)_2 \cdot HCl$ (vgl. Nr. 2346)	405,87	Krist.
2875	**229**	Piperonylsäure (3,4-Methylendioxybenzoesäure)	$C_8H_6O_4$	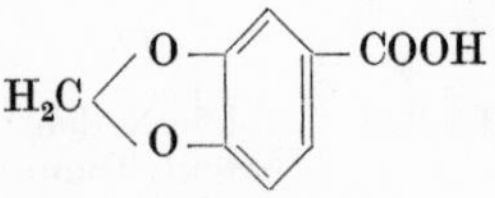	166,13	Nadeln (A)
2876	**230**	1-Nitroanthrachinon	$C_{14}H_7NO_4$	C_6H_4 < CO / CO > $C_6H_3 \cdot NO_2$	253,20	Nadeln (Eg.)
2877	**230** (Z.)	Nitroguanidin	$CH_4N_4O_2$	$H_2N \cdot C(:NH) \cdot NH \cdot NO_2$ oder $(H_2N)_2C:N \cdot NO_2$	104,07	Nadeln (W)
2878	**230**	Terephthalsäure	$C_8H_6O_4$		166,13	Nadeln

Lfd. Nr.	Spez. Gewicht	Siedepunkt °C	Beilsteinzitat	Physikalische Konstanten und Eigenschaften	Löslichkeit	Reaktionen
	8	9	10	11	12	13
2870		subl.	XVIII 27		swl. in k. W l. sd. W ll. in A wl. in Ae	Lsgg. in W, Alkali und H_2SO_4 fluoreszieren blau Acetat *Fp* 140°
2871	1,650[20°]		X 116		0,07 W 16° 0,18 W 22° ll. in A, Ae	+ $FeCl_3$ → burgunderrot Amid *Fp* 225° Anilid *Fp* 224°
2872			X 328	alkalische Lsgg. fluoreszieren stark grün	l. in W	+ $FeCl_3$ → schmutzig rot → violett → schwarz Acetylderivat *Fp* 176–177°, Nadelbüschel Äthylester *Fp* 135–137°, Nadelbüschel Anilid *Fp* 239–240°
2873			IX 417	eutekt. Temp.: mit Salophen 143°, mit Dicyandiamid 135°	2,05 W 23° 4,18 W 50° 26,59 A 25° 14,71 Ae 25°	Amid *Fp* 264°
2874				geruchlos; bitterer Geschmack	l. in A, CH_3OH, Chlf. unl. in Bzl.	1. + H_2SO_4 + Fe-H_3PO_4 → blau + Paraform → blaugrün → grün + HNO_3-H_2SO_4 → violett → braun 2. + 10–20 mg Paraform + 1 ml H_2SO_4 → intensiv rotviolett + Fe-H_3PO_4 → intensiv blau + HNO_3-H_2SO_4 → braun → violettrot
2875		subl.	XIX 269		swl. in W wl. in k. A, Ae	Amid *Fp* 169°
2876		270 (7 mm)	VII 791		unl. in W swl. in A, Ae	
2877			III 126		0,27 W 19° 9 sd. W swl. in A unl. in Ae ll. in Alkali	
2878			IX 841	subl. in mikroskopischen Nadeln	unl. in W wl. in A	reagiert nicht mit Thionylchlorid; gibt kein Anilid beim Kochen mit Anilin Dichlorid *Fp* 79–80°, Nadeln Diäthylester *Fp* 44° Diphenylester *Fp* 191° p-Nitrobenzylester *Fp* 164° Phenacylester *Fp* 192° p-Bromphenacylester *Fp* 225° Anilid *Fp* 336°

Lfd. Nr.	*Fp*	Name	Summenformel	Strukturformel	Mol.-Gewicht	Aggregatzustand Farbe
1	2	3	4	5	6	7
2879	**230** bis **231**	Gramicidin	$C_{146}H_{202}N_{30}O_{26}$		793,32	
2880	**230** bis **232** (Z.)	10-(2′-Dimethylamino-propyl)-pheno-thiazinhydrochlorid (Promethazinhydro-chlorid, Atosil, Phenergan)	$C_{17}H_{21}ClN_2S$	vgl. Nr. 937	320,87	Krist. (Äthylen-dichlorid)
2881	**230** bis **233** (Z.)	Thyroxin (β-[3,5-Dijod-4-(3′,5′-dijod-4′-hydroxyphenoxy)-pheny]-α-amino-propionsäure)	$C_{15}H_{11}J_4NO_4$	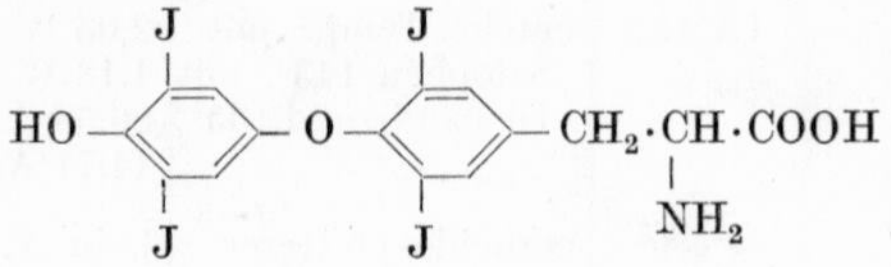	776,89	kleine gelbe nadel-förmige Krist.
2882	**231**	Phthalsäure	$C_8H_6O_4$	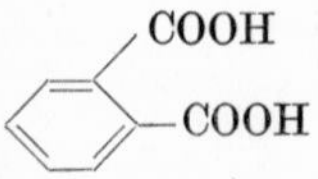	166,13	mono-kline Tafeln
2883	**231** bis **233** (Z.)	1-Phenyl-2,3-dimethyl-4-amino-5-pyrazolon-N-methansulfon-saures Natrium (Amizol, Melubrin)	$C_{12}H_{14}N_3Na \cdot O_4S$	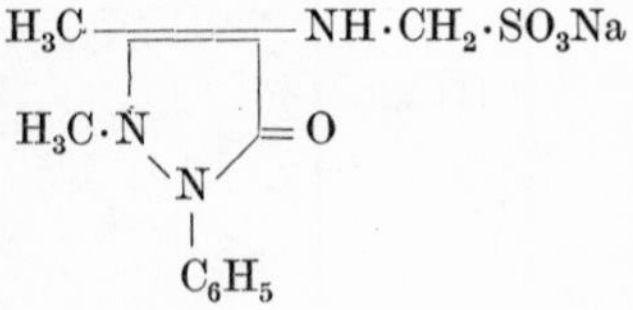	319,31	weißes Krist.-Plv.
2884	**232**	Pentachloranilin	$C_6H_2Cl_5N$	$C_6Cl_5 \cdot NH_2$	265,37	Nadeln (A)
2885	**232**	Arecaidin	$C_7H_{11}NO_2$	H_2C——$CH{=}C \cdot COOH$ $H_2C{-}N(CH_3) \cdot CH_2$	141,17	Tafeln (verd. A)

Lfd. Nr.	Spez. Gewicht	Siedepunkt °C	Beilsteinzitat	Physikalische Konstanten und Eigenschaften	Löslichkeit	Reaktionen
	8	9	10	11	12	13
2879					unl. in W	
2880					ll. in W l. in A, Chlf. unl. in Ae, Aceton	+ einige Tropfen Bromwasser → rot, erhitzen → violett + H_2SO_4 → rosa + Ehrlichs Reagens → orange + Phosphormolybdat → violetter Nd.
2881			E_1 XIV 671	geruch- u. geschmacklos	unl. in W, A, Ae, Chlf. wl. in verd. Säuren ll. in verd. Alkalien, alkal. oder saurem A	0,005 g Subst. in 2 ml A unter Erwärmen lösen + einige Tropfen verd. HCl, erkaltete Lsg. + 5—6 Tropfen $NaNO_2$-Lsg. → gelb, beim Erwärmen Farbvertiefung. Nach Erkalten + NH_4OH im Überschuß → rot
2882	1,59		IX 791	*Fp* im geschlossenen Rohr 191°; eutekt. Temp.: mit Salophen 171°, mit Dicyandiamid 145°	0,54 W 14° 18 W 99° 11,7 A 18° 0,68 Ae 15° unl. in Chlf.	erhitzen → Phthalsäureanhydrid Fluoresczein-Rk. 0,1 g Resorcin, 0,1 g Phthalsäure, 1 Tropfen H_2SO_4 3 Min. auf 160° erhitzen + 2 ml 10%ig. NaOH, in $^1/_2$ l W gießen → starke grüne Fluoreszenz p-Nitrobenzylester *Fp* 155,5° Phenacylester *Fp* 154,4° p-Bromphenacylester *Fp* 153° Dianilid *Fp* 251—252°
2883			E_1 XXIV 300		ll. in W l. in A	
2884			XII 631		ll. in A, Ae	
2885			XXII 15		ll. in W swl. in A unl. in Ae, Bzl.	

Lfd. Nr.	*Fp*	Name	Summenformel	Strukturformel	Mol.-Gewicht	Aggregatzustand Farbe
1	2	3	4	5	6	7
2886	**232** bis **234**	d-Chondocurin	$C_{36}N_{38}N_2O_6$	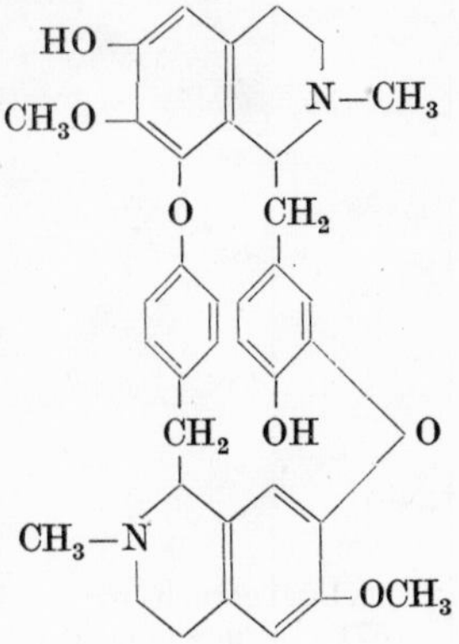	594,68	Nadeln (Methanol)
2887	**232** bis **234**	3,4-Bis-(p-hydroxyphenyl)-2,4-hexadien (Dienöstrol)	$C_{18}H_{18}O_2$	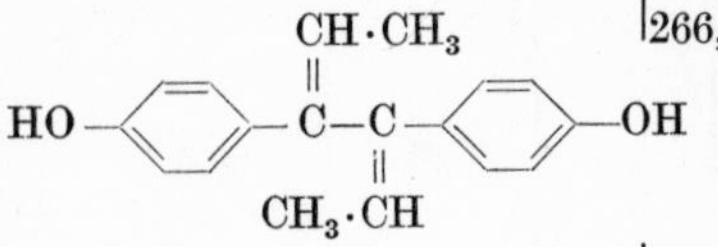	266,32	farblose Krist.
2888	**232** bis **234**	Hydrochinonphthalein	$C_{20}H_{12}O_5$	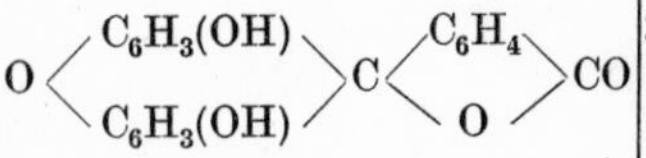	332,30	Nadeln (Ae)
2889	**232** bis **235**	Ölsäure-Na-Salz (Natriumoleat)	$C_{18}H_{33}NaO_2$	vgl. Nr. 481	304,44	Krist. (abs. A)
2890	**232** bis **236** (Z.)	Glycin (Aminoessigsäure, Glykokoll)	$C_2H_5NO_2$	$H_2N \cdot CH_2 \cdot COOH$	75,07	monokline Tafeln oder große rhomb. Säulen

Lfd. Nr.	Spez. Gewicht	Siede-punkt °C	Beilstein-zitat	Physikalische Konstanten und Eigenschaften	Löslichkeit	Reaktionen
	8	9	10	11	12	13
2886				$[\alpha]_D^{24}$ +200° (n/10 HCl), +105° (Pyridin)	ll. in A	+ $FeCl_3$ → schwach rosa Hydrochlorid *Fp* 280–282° Sulfattetrahydrat *Fp* 263 bis 265° (Z.) Dimethojodid *Fp* 275° (Z.)
2887				geruch- u. geschmacklos	unl. in W l. in A, Ae, Aceton, verd. NaOH wl. in Bzl., Chlf.	0,01 g Subst. + 0,01 g Vanillin im Porzellantiegel mit einigen Tropfen H_2SO_4 1 Min. auf dem W-Bad erwärmen → grünlich-braun mit purpurnem Rand Diacetat *Fp* 119–120° Dibenzoat *Fp* 224° Monomethyläther *Fp* 142° Dimethyläther *Fp* 130–131°
2888			XIX 219		swl. in h. W ll. in A, Ae l. in Alkalien und NH_4OH → violett	
2889			II 465		10 W 12° 4,8 A 13° 10 A 32° 1 sd. Ae	
2890	1,61	Z.	IV 333	eutekt. Temp.: mit Salophen 190°, mit Dicyandiamid 189°	23,3 W (k.) unl. in A, Ae	wss. Lsg. + $FeCl_3$ → rot + o-Phthalaldehyd und konz. HCl → intensiv violett + KOH → gelb 0,05 g Subst. + 0,1 g Benzamid erhitzen → rot → braun, Geruch nach NH_3, HCN u. Benzonitril Lsg. + 1 Tropfen Phenol + NaOCl → blau Pikrat *Fp* 190° Acetylderiv. *Fp* 206° Benzoylderiv. *Fp* 187°

Lfd. Nr.	*Fp*	Name	Summenformel	Strukturformel	Mol.-Gewicht	Aggregatzustand Farbe
1	2	3	4	5	6	7
2891	**233**	Acedicon (Enolacetat des Dihydrocodeinonhydrochlorids)	$C_{20}H_{24}ClNO_4$	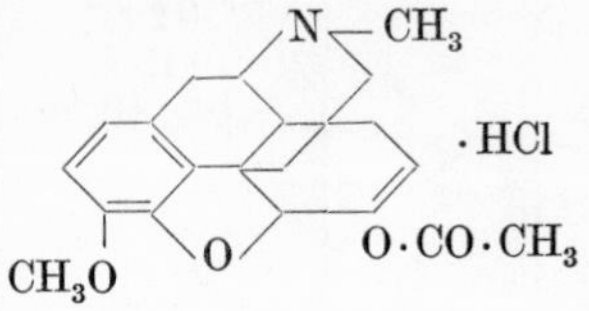	377,86	weiße Krist.
2892	**233** (Z.)	Hesperetin (3′,5,7-Trihydroxy-4′-methoxyflavanon)	$C_{16}H_{14}O_6$	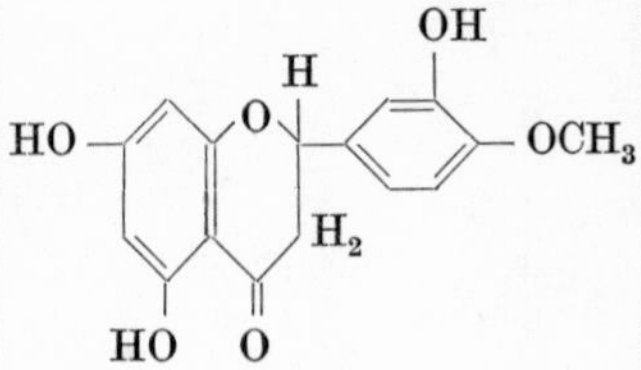	302,27	Krist. (Ae)
2893	**233** bis **234**	2-(p-Aminophenylsulfonamido)-4-methylpyrimidin (Debenal M, Methylpyrimal, Sulfamerazin)	$C_{11}H_{12}N_4O_2S$	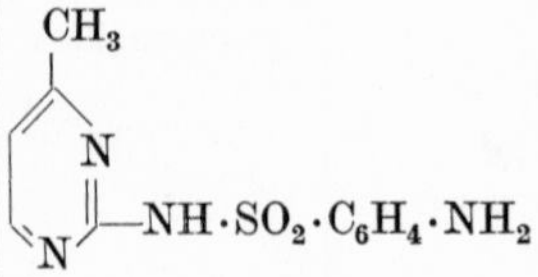	264,30	weißes Plv.
2894	**233** bis **244**	Brucinnitrat	$C_{23}H_{27}N_3O_7$	vgl. Nr. 2402	457,46	gelbliche Nadeln
2895	**234**	Dimethylglyoxim	$C_4H_8N_2O_2$	$CH_3\cdot C(=N\cdot OH)—C(=N\cdot OH)\cdot CH_3$	116,12	Krist. (verd. A)
2896	**234** (Z.)	saures Natriumtartrat	$C_4H_5NaO_6$	$HOOC\cdot(CHOH)_2\cdot COONa + H_2O$	190,09	Säulen
2897	**234** bis **236**	3,5-Dijodsalicylsäure	$C_7H_4J_2O_3$	$J_2C_6H_2(OH)\cdot COOH$	389,92	weißlich-gelbe Krist.
2898	**235** (Z.)	3-Aminosalicylsäure	$C_7H_7NO_3$	$H_2N\cdot C_6H_3(OH)\cdot COOH$	153,13	Krist.
2899	**235** (Z.)	Anhydroekgonin	$C_9H_{13}NO_2$	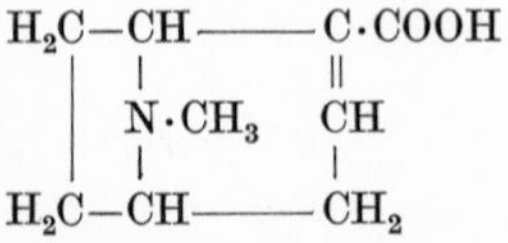	167,20	Krist.
2900	**235** (Z.)	6-Nitro-3-aminobenzoesäure	$C_7H_6N_2O_4$	$H_2N\cdot C_6H_3(NO_2)\cdot COOH$	182,12	Nadeln oder Prismen (W)

Lfd. Nr.	Spez. Gewicht	Siede-punkt °C	Beilstein-zitat	Physikalische Konstanten und Eigenschaften	Löslichkeit	Reaktionen
	8	9	10	11	12	13
2891				geruchlos; bitterer Geschmack		Fe-H_2SO_4 bleibt in der Wärme unverändert (Unterschied von Codein und Eukodal) 10—20 mg + 10—20 mg Paraform + 1 ml H_2SO_4 → gelb → langsam violett + Fe-H_3PO_4 → langsam blau bis graublau + HNO_3-H_2SO_4 → violett → olivgrün → hellbraun
2892			VIII 544		swl. in W wl. in Bzl. ll. in A	+ $FeCl_3$ braunrot Triacetat *Fp* 127°
2893				eutekt. Temp.: mit Salophen 174°, mit Dicyandiamid 179°; geruch- u. geschmacklos	unl. in k. W swl. in Ae, Chlf. wl. in sd. A, Aceton ll. in Säuren, Alkalien	Lsg. in 5%ig. HCl + Bromwasser → gelber Nd. Lsg. + p-Dimethylaminobenzaldehyd → rotoranger Nd.
2894				eutekt. Temp.: mit Salophen 157°, mit Dicyandiamid 130°	l. in W ll. in A	
2895		subl.	I 772	eutekt. Temp.: mit Salophen 179°, mit Dicyandiamid 184°	unl. in W ll. in A, Ae	+ Nickelsalze → roter Nd. + Fe^{2+}-Salze in ammoniakal. Lsg. → roter Nd.
2896			III 493		6,63 W 18°	
2897				schmeckt süß; geruchlos	wl. in W l. in Laugen ll. in A, Ae	heiß bereitete und abgekühlte Lsg. + $Fe(NO_3)_3$ → violettblau und trübe
2898			XIV 577		l. in W unl. in A	Methylester *Fp* 90°
2899			XXII 31	$[\alpha]_D^{15}$ −62,7°	swl. in W wl. in A swl. in Ae	
2900			XIV 417	schmeckt sehr süß	unl. in W ll. in A	Ba-Salz rotgelbe Krist.

Lfd. Nr.	Fp	Name	Summen-formel	Strukturformel	Mol.-Ge-wicht	Aggregat-zustand Farbe
1	2	3	4	5	6	7
2901	235 (Z.)	Codeinphosphat	$C_{18}H_{24}NO_7P$ $+ 2H_2O$	vgl. Nr. 2104	433,39	Nadeln
2902	235	Rubijervin	$C_{26}H_{43}NO_2$ $+ H_2O$		419,63	Prismen (h. A)
2903	235	Quercit	$C_6H_{12}O_5$	$H_2C \cdot CH(OH) \cdot CH \cdot OH$ $\mid \qquad\qquad \mid$ $HO \cdot HC \cdot CH(OH) \cdot CH \cdot OH$	164,16	Prismen (W)
2904	235	Yohimbin	$C_{21}H_{26}N_2O_3$		354,43	weiße Nadeln
2905	235	2,4,6-Trinitromesitylen	$C_9H_9N_3O_6$	$(O_2N)_3C_6(CH_3)_3$	255,19	Nadeln (A)
2906	235 bis 236	5-Hydroxynaphthoe-säure-(1)	$C_{11}H_8O_3$	$HO \cdot C_{10}H_6 \cdot COOH$	188,17	Nadeln (W)
2907	235 bis 237	Coffein (1,3,7-Trimethyl-xanthin)	$C_8H_{10}N_4O_2$	$CH_3 \cdot N \underline{\qquad} CO$ $\mid \qquad\qquad \mid$ $CO \qquad C - N \cdot CH_3$ $\mid \qquad\qquad \| \quad \rangle CH$ $CH_3 \cdot N \underline{\qquad} C - N$	194,19	Nadeln (A)
2908	236	dl-6-Dimethylamino-4,4-diphenyl-3-heptanon-hydrochlorid (dl-Me-thadonhydrochlorid, Polamidonhydro-chlorid)	$C_{21}H_{28}ClNO$	$(C_6H_5)_2C \cdot CO \cdot C_2H_5$ $\mid$ $CH_2 \cdot CH \cdot N(CH_3)_2$ $\mid$ $CH_3 \qquad \cdot HCl$	345,90	Plättchen (A + Ae)

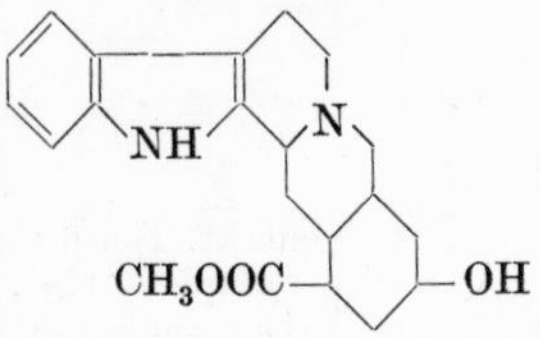

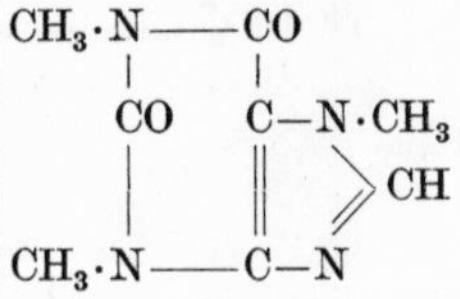

Lfd. Nr.	Spez. Gewicht	Siedepunkt °C	Beilsteinzitat	Physikalische Konstanten und Eigenschaften	Löslichkeit	Reaktionen
	8	9	10	11	12	13
2901				eutekt. Temp.: mit Salophen 186°, mit Dicyandiamid 144°; schmeckt bitter	44,9 W 25° 227 W 80° 0,38 92%ig. A 25° 0,07 Ae 25°	+ HNO_3 → braunrot + H_2SO_4 + $FeCl_3$ → blau + HNO_3 → tiefrot + Paraform-H_2SO_4 → blauviolett + p-Dimethylaminobenzaldehyd-H_2SO_4 → hellrot
2902						Chloroaurat unl. gelber Nd. + H_2SO_4 → goldgelb → orangerot → dunkelrot
2903	1,584[13°]	Z.	VI 1186		l. in W wl. in A unl. in Ae	
2904				$[\alpha]_D$ + 1,5° (1%ige wss. Lsg.); eutekt. Temp.: mit Salophen 175°, mit Dicyandiamid 196°	ll. in A, Ae, Chlf., Aceton, Essigester unl. in Bzl. swl. in W	+ konz. HNO_3 → farblos → intensiv gelb + NaOH → orangerot + H_2SO_4 + $FeCl_3$ → blau → graugrün + H_2SO_4 + $CaOCl_2$-Lsg. → grün → orangerot Hydrochlorid *Fp* 265—280° Pikrat *Fp* 148°
2905			V 412		unl. in W swl. in h. A, Ae	
2906		subl.	X 330	sublimierbar	l. in sd. W wl. in k. A ll. in h. A, Eg., Ae	+ $FeCl_3$ in wss. Lsg. violetter Nd. Äthylester *Fp* 73° Methoxynaphthoesäure *Fp* 227 bis 228,5°, Tafeln
2907	1,23[19°]	180° subl.	XXVI 461	eutekt. Temp.: mit Salophen 163°, mit Dicyandiamid 173°; geruchlos; bitterer Geschmack	1,46 W 20° 19,23 W 80° 2,3 85%ig. A 16° 0,044 Ae 16° 13 Chlf. 16° l. in Bzl., CS_2	+ konz. HNO_3 → farblos, eindampfen → gelber Fleck + NH_3 → purpurrot (Murexid-Rk.) kleine Mengen + Perhydrol-Salzsäure (+ etwas kolloider Pt-Lsg.) auf W-Bad verdampft → zwiebelroter Nd. + NH_3 → purpurrot Kaliumferricyanid in HNO_3 gelöst + Subst. → Berliner Blau beim Eindampfen mit $KClO_3$ und konz. HCl entstehender rötlicher Rückstand + 1 Tropfen NH_3 → rot
2908				schmeckt bitter	l. in W, A, Chlf.	+ $HgCl_2$-Lsg. (1 : 20) → strauchartige Krist. + Lugolsche Lsg. → brauner Nd. → farblose Krist.

Lfd. Nr.	*Fp*	Name	Summen-formel	Strukturformel	Mol.-Gewicht	Aggregat zustand Farbe
1	2	3	4	5	6	7
2909	**236**	1,2-Dihydroxyphenazin-N,N′-dioxyd (Jodinin)	$C_{12}H_8N_2O_4$	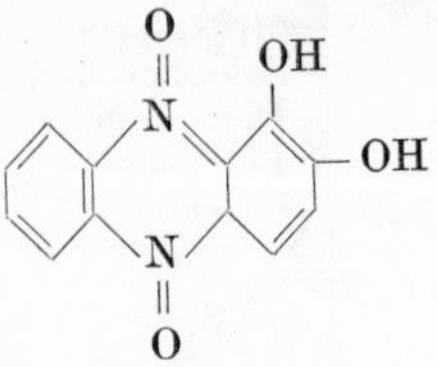	244,20	tief-purpurn, Kupfer-glanz
2910	**236**	Tetrachlorhydro-chinon	$C_6H_2Cl_4O_2$	$HO \cdot C_6Cl_4 \cdot OH$	247,91	Säulen (Bzl.)
2911	**236 bis 237**	2-Aminoanthracen	$C_{14}H_{11}N$	$C_6H_4\left\{\begin{matrix}CH\\CH\end{matrix}\right\}C_6H_3 \cdot NH_2$	193,24	gelbe Blätter (A)
2912	**237** (Z.)	α-Benzildioxim	$C_{14}H_{12}N_2O_2$	$[C_6H_5 \cdot C(:N \cdot OH)-]_2$	240,25	Blättchen (Aceton)
2913	**237**	4,4′-Dinitrodiphenyl	$C_{12}H_8N_2O_4$	$O_2N \cdot C_6H_4 \cdot C_6H_4 \cdot NO_2$	244,20	Nadeln (A oder Eg.)
2914	**237**	Pyridincarbonsäure-(3) (Nicotinsäure, Niacin)	$C_6H_5NO_2$	$C_5H_4N \cdot COOH$	123,11	Nadel (W od. A)
2915	**237**	Pyridindicarbon-säure-(2,6) (Dipicolinsäure)	$C_7H_5NO_4$	$C_5H_3N \cdot (COOH)_2$	167,12	Prismen, Nadeln (W)
2916	**237 bis 238**	Dehydrocholsäure	$C_{24}H_{34}O_5$	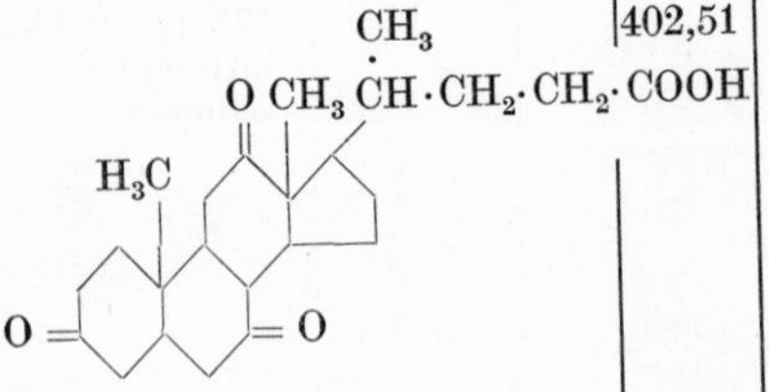	402,51	Nadeln (A)
2917	**237 bis 240**	3,5-Dihydroxybenzoe-säure (α-Resorcylsäure)	$C_7H_6O_4$	$(HO)_2C_6H_3 \cdot COOH$	154,12	Prismen (W)
2918	**237 bis 241** (Z.)	2-(N-Phenyl-N-benzyl-aminomethyl)-Δ^2-imidazolinhydro-chlorid (Antistin)	$C_{17}H_{20}ClN_3$	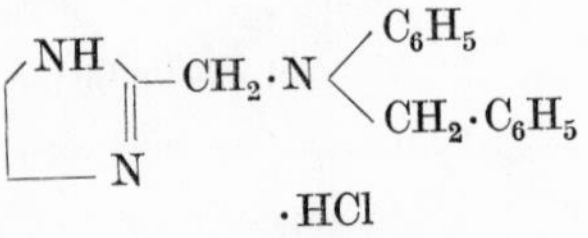	301,81	weißes krist. Plv.

Lfd. Nr.	Spez. Gewicht	Siedepunkt °C	Beilsteinzitat	Physikalische Konstanten und Eigenschaften	Löslichkeit	Reaktionen
	8	9	10	11	12	13
2909					unl. in W, Säuren l. in Alkali	
2910		subl. (Z.)	VI 851		unl. in W ll. in A, Ae l. in KOH	Oxydation → Chloranil
2911		subl.	XII 1335		swl. in W wl. in A, Ae	Acetylderivat *Fp* 240°
2912			VII 760	eutekt. Temp.: mit Salophen 182°, mit Dicyandiamid 188°	unl. in W 0,05 A 17° swl. in Ae l. in konz. NaOH	Ni-Reagens (E 1 : 5000000)
2913	1,445		V 584		unl. in W swl. in k. A l. in Bzl.	Red. mit Sn + HCl → Benzidin
2914		subl.	XXII 38	subl. unzersetzt; fast geruchlos	ll. in h. W; h. A swl. in Ae, Aceton	Hydrochlorid *Fp* 240° Nitrat *Fp* 193° Phenylester *Fp* 72° Amid *Fp* 122° Anilid *Fp* 132° p-Toluidid *Fp* 150°
2915			XXII 154		wl. in W, k. A ll. in sd. A wl. in Ae	erhitzen → Pyridin + $FeSO_4$ → gelbrot Dimethylester *Fp* 121°
2916					unl. in W l. in A, Ae	
2917			X 404		l. in k. W ll. in h. W; A, Ae	
2918				geruchlos; schmeckt bitter	l. in W, A wl. in Chlf. unl. in Ae	Base *Fp* 120—122° 5 ml wss. Lsg. (1 + 99) + 5 ml Pikrinsäure-Lsg. → gelber Nd., *Fp* 156—159° 2 ml wss. Lsg. + 1 Tropfen rauchende HNO_3 → rot → gelb → tiefgrün

Lfd. Nr.	Fp	Name	Summen-formel	Strukturformel	Mol.-Ge-wicht	Aggregat-zustand Farbe
1	2	3	4	5	6	7
2919	**238** (Z.)	Allantoin	$C_4H_6N_4O_3$	$\begin{array}{c} OC\cdot NH \\ \vert \hspace{1.5cm} \rangle CO \\ H_2N\cdot CO\cdot NH\cdot HC\cdot NH \end{array}$	158,12	Krist. (W)
2920	**238**	2-Sulfanilamido-4-methylthiazol (Sulfamethylthiazol, Ultraseptyl)	$C_{10}H_{11}N_3O_2S_2$	$H_2N-\!\!\!\langle\rangle\!\!\!-SO_2-NH-\!\!\!\begin{array}{c}N\!\!-\!\!\cdot CH_3\\ \vert\\S\end{array}$	269,34	weiße Krist.
2921	**238**	Benzolpentacarbon-säure	$C_{11}H_6O_{10}$	$C_6H(COOH)_5$	298,16	Nadeln $+5H_2O$
2922	**238**	Carbazol	$C_{12}H_9N$	(Strukturformel)	167,20	Blättchen (Xylol)
2923	**238**	N,N′-Dibenzoyl-hydrazin	$C_{14}H_{12}N_2O_2$	$C_6H_5\cdot CO\cdot NH-HN\cdot CO\cdot C_6H_5$	240,25	Nadeln (A od. Eg.)
2924	**238**	Phthalimid	$C_8H_5NO_2$	$C_6H_4\!\!\begin{array}{c}CO\\ \hspace{0.5cm}\rangle NH\\CO\end{array}$	147,13	Nadeln (W)
2925	**238** bis **239**	Apoatropinhydro-chlorid	$C_{17}H_{22}ClNO_2$	$\begin{array}{c} H_2C\cdot CH\!\!-\!\!CH_2 \\ \vert \hspace{1.2cm} \vert \\ N\cdot CH_3 \hspace{0.3cm} CH\cdot O\cdot CO\cdot C\cdot C_6H_5\cdot HCl \\ \vert \hspace{1.2cm} \vert \hspace{1.2cm} \Vert \\ H_2C\cdot CH\!\!-\!\!CH_2 \hspace{0.5cm} CH_2 \end{array}$	307,81	Spieße (A)

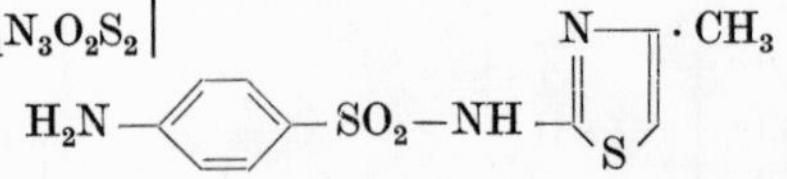

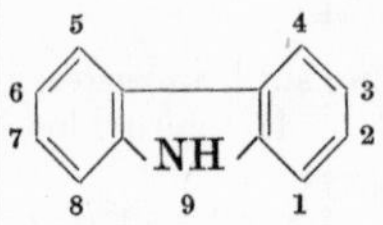

Lfd. Nr.	Spez. Gewicht	Siedepunkt °C	Beilsteinzitat	Physikalische Konstanten und Eigenschaften	Löslichkeit	Reaktionen
	8	9	10	11	12	13
2919			XXV 474	eutekt. Temp.: mit Salophen 189,° mit Dicyandiamid 187°	0,53 W 25° 10 sd. W unl. in A, Ae l. in Alkali	
2920				eutekt. Temp.: mit Salophen 181°, mit Dicyandiamid 185°; geruch- u. geschmacklos	swl. in k. W l. in Alkalien, Säuren	+ Fe-H_3PO_4 → violett → braun mit einigen Tropfen 2n-HCl in der Kälte gelöst + 1 Tropfen Nitritlsg. → gelborange + einige Tropfen konz. NH_3 → orangeroter Nd. und Lsg.
2921			IX 1006	zers. bei 240 bis 250°; gibt bei 270 bis 300° Pyromellitsäure	ll. in h. W l. in A wl. in Ae	Pentamethylester *Fp* 150,5°; $Kp._{0,1}$ 205° Trikaliumsalz mit $4H_2O$, Tafeln
2922		354 bis 355	XX 433	kryoskop. Konst. 12,3; eutekt. Temp.: mit Salophen 175°, mit Dicyandiamid 204°; subl.	unl. in W 0,92 A 14° 3,88 sd. A 2,5 Ae 16° 1,7 Bzl. 16° 5 Bzl. 50°	+ H_2SO_4 → goldgelb + Spur HNO_3 → blaugrün mit Glucose und H_2SO_4 → violettrot + $SbCl_3$ in CCl_4 → grüner Nd. + Formaldehyd-H_2SO_4 → blau + 0,5%ig. Lsg. v. $K_2Cr_2O_7$ in 60 Gew.-% H_2SO_4 → grün Pikrat *Fp* 186° 1,3,5-Trinitrobenzolat *Fp* 200° Acetylderivat *Fp* 69° Benzoylderivat *Fp* 98°
2923			IX 324		swl. in k. W, Ae 0,1 h. W 0,63 A 25°	bei 250° → 2,5-Diphenyl-1,3,4-oxdiazol
2924		subl.	XXI 458		0,06 W 20° 0,4 sd. W 5 sd. A l. in sd. Eg. ll. in KOH	
2925				eutekt. Temp.: mit Salophen 167°, mit Dicyandiamid 147°	l. in h. W wl. in A, Aceton	

Lfd. Nr.	*Fp*	Name	Summenformel	Strukturformel	Mol.-Gewicht	Aggregatzustand Farbe
1	2	3	4	5	6	7
2926	**238** bis **239** (Z.)	Atropinschwefelsäureester (Atrinal)	$C_{17}H_{23}NO_6S$	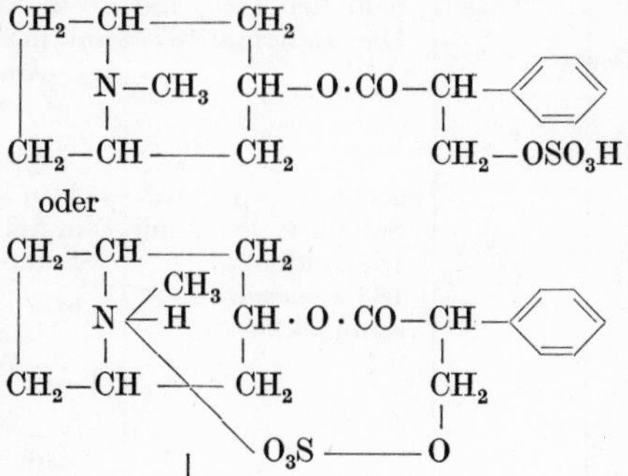	369,43	weiße Prismen (W)
2927	**239**	N,N′-Diphenylharnstoff	$C_{13}H_{12}N_2O$	$C_6H_5 \cdot NH \cdot CO \cdot NH \cdot C_6H_5$	212,24	Prismen (A)
2928	**239** (Z.)	d-Ergotinin	$C_{35}H_{39}N_5O_5$		609,70	Prismen, Nadeln (verd. A)
2929	**239** bis **240**	Gallussäure	$C_7H_6O_5$	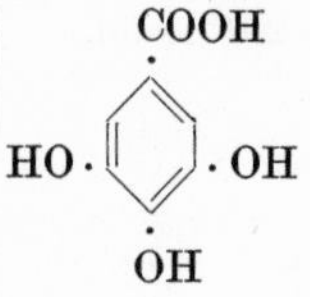	170,12	weiße Nadeln
2930	**239** bis **240**	Hydroxychrysazin (1,2,8-Trihydroxyanthrachinon)	$C_{14}H_8O_5$	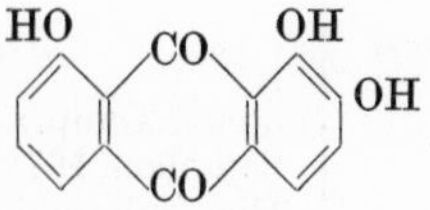	256,20	orange Nadeln (Eg.)

Lfd. Nr.	Spez. Gewicht	Siedepunkt °C	Beilsteinzitat	Physikalische Konstanten und Eigenschaften	Löslichkeit	Reaktionen
	8	9	10	11	12	13
926					l. in Alkalien und Säuren unl. in A 0,5 W 15° 1 W 30°	SO_4''-Nachweis nach dem Kochen mit HCl
927	1,239	260	XII 352		0,015 W 25° wl. in A l. in Ae	
928				$[\alpha]_D$ + 334 bis 336° (A); eutekt. Temp.: mit Salophen 180°, mit Dicyandiamid 195°; lichtempfindlich	unl. in W wl. in A, Ae l. in sd. A ll. in Bzl., Chlf.	alkohol. Lsg. an der Luft → grün → braun saure Lsg. → rot, violette Fluoreszenz Subst. + Essigester + H_2SO_4 → orangerot → violett → blau
929	1,694	Z.	X 470	eutekt. Temp.: mit Salophen 178°, mit Dicyandiamid 181°; Geschmack zusammenziehend, sauer	1,2 W 20° 33 sd. W 22,2 A 15° 2,5 Ae 15° unl. in Bzl., Chlf.	+ KCN-Lsg. → rot erhitzen CO_2-Abspaltung absorbiert in alkalischer Lsg. O_2 → gelb → Rotfärbung → braun Lsg. + Na_2CO_3 beim Durchschütteln mit Luft intensiv grün sehr verd. $Fe(NO_3)_3$-Lsg. färbt wss. Lsg. intensiv blau + $(CH_2)_6N_4$ → intensiv violett 1 mg Subst. + 10 mg $(CH_2)_6N_4$ + 1 Tropfen Fe-H_3PO_4 schütteln + 1 ml konz. H_2SO_4 → grün; nach Erwärmen → intensiv blau p-Phenylphenacylester *Fp* 195 bis 198° Amid *Fp* 245° Anilid *Fp* 207°
930				subl. in roten Nadeln	unl. in W l. in A, Ae, Eg. l. in Alkalien, H_2SO_4, Borsäure	+ Alkalien → violett b. blau + H_2SO_4 → karmoisinrot + Borsäure → violett Trimethyläther *Fp* 157°, hellgelbe Nadeln Triacetat *Fp* 223—224°, hellgelbe Nädelchen

Lfd. Nr.	*Fp*	Name	Summen-formel	Strukturformel	Mol.-Gewicht	Aggregatzustand Farbe
1	2	3	4	5	6	7
2931	**239 bis 241**	Naphthalin-2,3-dicarbonsäure	$C_{12}H_8O_4$	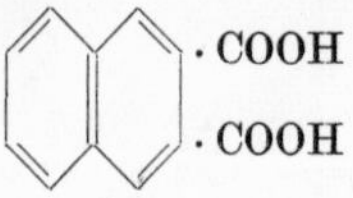	216,18	Spieße (W)
2932	**239,5**	Chrysochinon-(1,2)	$C_{18}H_{10}O_2$	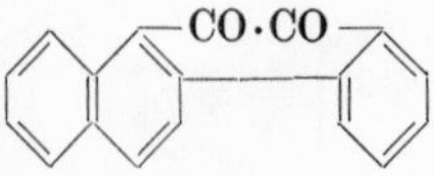	258,26	orange Nadeln (Bzl.)
2933	**240** (Z.)	Ninhydrin	$C_9H_6O_4$	$C_6H_4\langle{CO \atop CO}\rangle C(OH)_2$	178,14	Prismen (W)
2934	**240**	p,p′-Azoxybenzoesäure	$C_{14}H_{10}N_2O_5$	$ON_2(C_6H_4\cdot COOH)_2$	286,24	gelb amorph
2935	**240** (Z.)	p-Chinondioxim	$C_6H_6N_2O_2$	$HO\cdot N:C_6H_4:N\cdot OH$	138,12	Krist. (W)
2936	**240** (Z.)	3,5-Diaminobenzoesäure	$C_7H_8N_2O_2$	$(H_2N)_2C_6H_3\cdot COOH$	152,15	Nadeln (W)
2937	**240**	p-Dimethylaminobenzoesäure	$C_9H_{11}NO_2$	$(CH_3)_2N\cdot C_6H_4\cdot COOH$	165,19	Nadeln (A)
2938	**240**	2,7-Dimethylanthracen	$C_{16}H_{14}$	$CH_3\cdot C_6H_3\left\{{CH \atop CH}\right\}C_6H_3\cdot CH_3$	206,27	grünliche Blätter (Toluol)
2939	**240** (Z.)	2,4-Dihydroxyzimtsäure (Umbellsäure)	$C_9H_8O_4$	$(HO)_2C_6H_3\cdot CH:CH\cdot COOH$	180,15	gelbliches Plv.
2940	**240**	Euxanthon	$C_{13}H_8O_4$	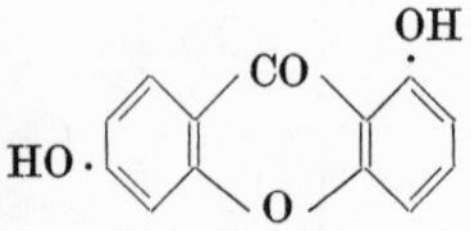	228,19	gelbe Nadeln oder Blättchen (A)
2941	**240**	4-Nitrobenzoesäure	$C_7H_5NO_4$	$O_2N\cdot C_6H_4\cdot COOH$	167,12	gelblich-weiße Blättchen (W)
2942	**240**	2-Nitrozimtsäure	$C_9H_7NO_4$	$O_2N\cdot C_6H_4\cdot CH:CH\cdot COOH$	193,15	Nadeln (A)

Lfd. Nr.	Spez. Gewicht	Siedepunkt °C	Beilsteinzitat	Physikalische Konstanten und Eigenschaften	Löslichkeit	Reaktionen
	8	9	10	11	12	13
2931			IX 917		ll. in W, Eg.	Cu-Salz, grüne Spieße Anhydrid *Fp* 246°, Täfelchen (Eg.) Imid *Fp* 275°, mikroskop. kleine Nädelchen Phenylimid *Fp* 277—278°, silberglänzende Täfelchen
2932		350 bis 400 subl.	VII 827		unl. in W wl. in A swl. in Ae	konz. H_2SO_4 löst langsam m. violettstichig blauer Farbe Monoxim *Fp* 160—161°, orangegelb
2933			E_1 VII 475	stark giftig	ll. in h. W sll. in Ae	mit 10%ig. wss. Pyridin → gelb
2934			XVI 647		unl. in W swl. in A, Ae	Dimethylester *Fp* 207°
2935			VII 627		l. in W, A, Ae unl. in NH_4OH	
2936		Z.	XIV 453		1,1 W 8° ll. in A, Ae	erhitzen → CO_2-Abspaltung
2937			XIV 426		l. in A wl. in Ae	Methylester *Fp* 102°
2938			V 679		unl. in W wl. in A ll. in sd. Bzl.	
2939			X 434		l. in h. W; A unl. in Ae, Bzl.	
2940		subl. (Z.)	XVIII 113		wl. in W ll. in h. A wl. in Ae l. in KOH	
2941	$1{,}610^{20}$	subl.	IX 389	eutekt. Temp.: mit Salophen 168°	0,02 W 15° 0,3 sd. W 0,09 A 10° 0,23 Ae 13° 0,007 Chlf. 11°	p-Nitrobenzylester *Fp* 169° Phenacylester *Fp* 128° p-Bromphenacylester *Fp* 134° Amid *Fp* 201° Anilid *Fp* 211° p-Toluidid *Fp* 203°
2942		subl.	IX 604		unl. in W 0,21 A 25° 0,03 Bzl. 18°	Äthylester *Fp* 42° p-Nitrobenzylester *Fp* 132° Phenacylester *Fp* 126° p-Bromphenacylester *Fp* 142° Amid *Fp* 185°

Lfd. Nr.	*Fp*	Name	Summenformel	Strukturformel	Mol.-Gewicht	Aggregatzustand Farbe
1	2	3	4	5	6	7
2943	240	Phenylhydrazinhydrochlorid	$C_6H_9ClN_2$	$C_6H_5 \cdot NH \cdot NH_2 \cdot HCl$	144,61	Blättchen (A)
2944	240	Taurin	$C_2H_7NO_3S$	$H_2N \cdot CH_2 \cdot CH_2 \cdot SO_3H$	125,14	Säulen
2945	240 bis 245	1,5-Naphthalindisulfonsäure	$C_{10}H_8O_6S_2$	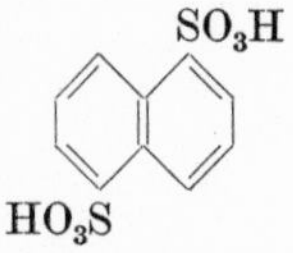	288,30	perlmutterglänzende Tafeln
2946	241	Benzol-1,2,3,4-tetracarbonsäure (Mellophansäure)	$C_{10}H_6O_8$	$C_6H_2(COOH)_4$	254,15	Prismen (verd. A)
2947	241	Chinophthalon	$C_{18}H_{11}NO_2$	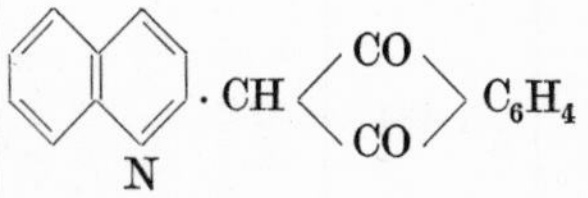	273,28	gelbe Nadeln (A)
2948	241	4,4′-Diaminobenzophenon	$C_{13}H_{12}N_2O$	$CO(C_6H_4 \cdot NH_2)_2$	212,24	Nadeln (verd. A)
2949	241 (Z.)	Jervin	$C_{27}H_{39}NO_3$	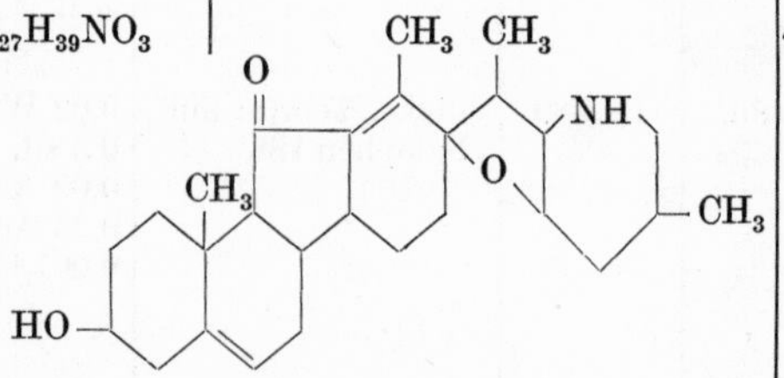	425,59	Nadeln (Methanol + W)
2950	241	4-Hydroxy-2-methylchinolin	$C_{10}H_9NO$	$C_9H_5N(CH_3) \cdot OH$	159,18	Krist. (W)

Lfd. Nr.	Spez. Gewicht	Siedepunkt °C	Beilsteinzitat	Physikalische Konstanten und Eigenschaften	Löslichkeit	Reaktionen
	8	9	10	11	12	13
2943		subl.	XV 108		ll. in W l. in A unl. in Ae	wss. Lsg. + 1 Tropfen HNO_3 → orangegelb → erwärmen → intensiv rot wss. Lsg. + A + α-Naphthol + konz. NH_3 → intensiv violettrot wss. Lsg. + Chlorw. + Phenol + NH_3 → intensiv gelb wss. Lsg. + einige mg Glucose + Natriumacetat → abkühlen → orangegelbe Blättchen wss. Lsg. + Nitroprussidnatr. + Lauge + Formaldehyd → intensiv blau
2944		> 240	IV 528		8,78 W 20° 33,05 W 70° 0,004 95%ig. A 17° unl. in abs. A, Ae	mit Phenol und Hypochlorit → intensive Blaufärbung, gibt intensive Ninhydrinreaktion Phenylisocyanattaurin *Fp* 175°, Nadeln
2945			XI 212	eigentümlicher, bitterlich-adstringierender Geschmack		Dichlorid *Fp* 183°, Prismen Anilid *Fp* 248–249°
2946			IX 997		ll. in W wl. in A, Ae ll. in Aceton	Tetramethylester *Fp* 133 bis 135°, Nadeln Calciumsalz — in der Hitze flockiger Nd., der sich beim Erkalten wieder löst Dianhydrid *Fp* 238°
2947		subl.	XXI 542		unl. in W swl. in A, Ae ll. in Chlf. l. in konz. HCl H_2SO_4 → rot	
2948			XIV 88		unl. in k. W wl. in h. W ll. in A	durch sd. W. Zers.
2949				$[\alpha]_D$ −154°	ll. in A, Chlf., Aceton swl. in Ae unl. in Bzl., PAe	+ konz. H_2SO_4 → gelb → grün → schmutzig-grün + Bromwasser → gelber Nd. Hydrochlorid *Fp* 300–302°
2950		>360 (Z.)	XXI 109		l. in k. W 10 in sd. W ll. in A swl. in Ae	+ $FeCl_3$ → rot

Lfd. Nr.	Fp	Name	Summen-formel	Strukturformel	Mol.-Ge-wicht	Aggregat-zustand Farbe
1	2	3	4	5	6	7
2951	**241,5**	4-Chlorbenzoesäure	$C_7H_5ClO_2$	$Cl \cdot C_6H_4 \cdot COOH$	156,57	Tafeln und Prismen $(A + Ae)$
2952	**242**	O,O′-Diacetyl-bis-[p-hydroxyphenyl]-isatin (Isacen)	$C_{24}H_{19}NO_5$		401,40	weißes, lockeres Plv.
2953	**242** bis **244**	Parabansäure	$C_3H_2N_2O_3$	$\begin{matrix} OC{-}NH \\ \quad \mid \\ OC{-}NH \end{matrix}\Big\rangle CO$	114,06	Nadeln (W)
2954	**243**	Pyridintricarbon-säure-(2,4,5) (Berberonsäure)	$C_8H_5NO_6$	$C_5H_2N(COOH)_3$	211,13	Prismen $+ 2 H_2O$ (verd. HCl)
2955	**243**	6-(p-Aminobenzol-sulfonamido)-2,4-dimethylpyrimidin (Sulfadimethyl-pyrimidin, Arist-amid, Elkosin)	$C_{12}H_{14}N_4O_2S$		278,34	Nadeln (A)
2956	**244**	2,6-Dimethylanthracen	$C_{16}H_{14}$	$CH_3 \cdot C_6H_3\begin{Bmatrix} CH \\ CH \end{Bmatrix}C_6H_3 \cdot CH_3$	206,27	Blättchen (A)
2957	**244** (Z.)	3-Nitroalizarin	$C_{14}H_7NO_6$	$C_6H_4\Big\langle\begin{matrix} CO \\ CO \end{matrix}\Big\rangle C_6H(NO_2)(OH)_2$	285,20	orange-gelbe Blätter (Bzl.)
2958	**244**	2-Hydroxyisophthal-säure	$C_8H_6O_5$	$HO \cdot C_6H_3(COOH)_2$	182,13	Nadeln $+ 1 H_2O$ (W)
2959	**244**	Urazol	$C_2H_3N_3O_2$	$\begin{matrix} OC{-}\!-\!-NH \\ \mid \qquad \mid \\ HN \cdot NH \cdot CO \end{matrix}$	101,07	Blättchen (W)
2960	**245**	1-Aminoanthrachinon	$C_{14}H_9NO_2$	$C_6H_4\Big\langle\begin{matrix} CO \\ CO \end{matrix}\Big\rangle C_6H_3 \cdot NH_2$	223,22	rote Nadeln (A)
2961	**245**	Anthracencarbon-säure-(1)	$C_{15}H_{10}O_2$	$C_6H_4\begin{Bmatrix} CH \\ CH \end{Bmatrix}C_6H_3 \cdot COOH$	222,23	gelbe Nadeln

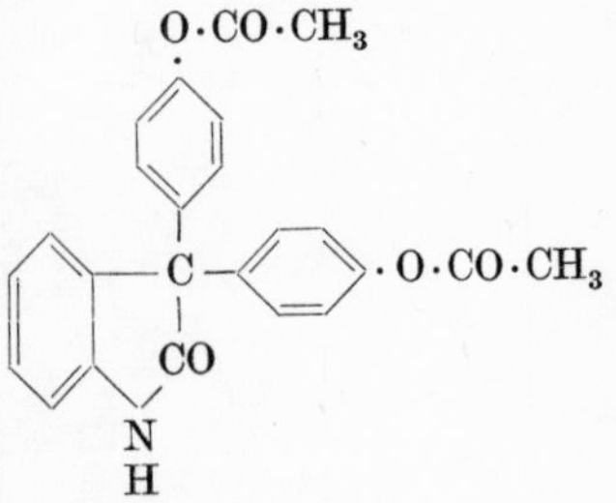

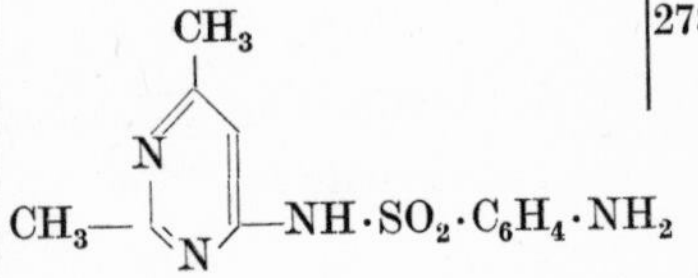

Lfd. Nr.	Spez. Gewicht	Siedepunkt °C	Beilstein-zitat	Physikalische Konstanten und Eigenschaften	Löslichkeit	Reaktionen
	8	9	10	11	12	13
51	$1{,}541^{24°}$	subl.	IX 340		0,0077 W 25° ll. in A, Ae	p-Nitrobenzylester *Fp* 130° Amid *Fp* 179°
52				geruchlos; geschmacklos	unl. in W, Alkalien, Säuren swl. in org. Lsgm.	+ Fe-H_2SO_4 — gelinde erwärmt → violettrot + 1 Tropfen HNO_3-H_2SO_4 auf 1 mg Subst. innerhalb 1 Min. → gelb → orange
53			XXIV 449		4,7 W 8° ll. in h. A 0,7 sd. Ae	
54		Z.	XXII 185		wl. in k. W swl. in sd. A unl. in Ae	erhitzen → Pyridincarbonsäure-(3) und -(4)
55				geschmacklos	wl. in W, A, Aceton l. in sd. W ll. in verd. HCl, verd. NaOH unl. in Ae, Chlf.	0,01g Subst. unter Erwärmen in 1 ml Essigsäure lösen + 1 ml 2%ige Furfurol-Essigsäure → gelbrot + 1 Tropfen H_2SO_4 → tiefrot 0,02 g Subst. in 5 ml W + 2 Tropfen NaOH + 2 ml $CuSO_4$-Lsg. (1 + 9) → gelbgrüner Nd.
56			V 678		unl. in W wl. in A l. in Bzl.	
57		subl. (Z.)	VIII 447		wl. in W l. in A l. in verd. Alkali (rot)	Diacetat *Fp* 218°
58		Z.	X 501		0,14 W 24° 2,5 W 100° ll. in A, Ae	erhitzen → Salicylsäure + CO_2
59			XXVI 192	reagiert sauer	ll. in W wl. in A swl. in Ae	
60		subl.	XIV 177	eutekt. Temp.: mit Salophen 176°, mit Dicyandiamid 207°	unl. in W l. in A, Ae, Bzl.	Acetylderivat *Fp* 215° Benzoylderivat *Fp* 255°
61		subl.	IX 704	Lsgg. fluoreszieren blau	unl. in W l. in A, Ae wl. in Bzl.	

Lfd. Nr.	Fp	Name	Summen-formel	Strukturformel	Mol.-Ge-wicht	Aggregat-zustand Farbe
1	2	3	4	5	6	7
2962	245	o,o'-Azobenzoesäure	$C_{14}H_{10}N_2O_4$	$HOOC \cdot C_6H_4 \cdot N{:}N \cdot C_6H_4 \cdot COOH$	270,24	gelbe Nadeln (A)
2963	245 (Z.)	Barbitursäure (Malonyl-harnstoff)	$C_4H_4N_2O_3$	$H_2C \big\langle \begin{smallmatrix} CO \cdot NH \\ CO \cdot NH \end{smallmatrix} \big\rangle CO$	128,09	Prismen $+2H_2O$ (W)
2964	245 (Z.)	2,4,6,2',4',6'-Hexa-nitrodiphenylamin	$C_{12}H_5N_7O_{12}$	$(O_2N)_3C_6H_2 \cdot NH \cdot C_6H_2(NO_2)_3$	439,22	gelbe Krist.
2965	245	6-Hydroxynaphthoe-säure-(2)	$C_{11}H_8O_3$		188,17	Nadeln (W)
2966	246	Azophenin	$C_{30}H_{24}N_4$		440,52	rote Blättchen oder Nadeln (Bzl.)
2967	246	Dihydrocodeinhydro-chlorid (Paracodin-hydrochlorid)	$C_{18}H_{24}ClNO_3$		337,84	weiße Krist.
2968	246 (Z.)	dl-Serin	$C_3H_7NO_3$	$HO \cdot CH_2 \cdot CH(NH_2) \cdot COOH$	105,09	Blättchen (W)
2969	246	1,4,5,8-Tetrahydroxy-anthrachinon	$C_{14}H_8O_6$		272,20	bronze-farbige Nadeln (Bzl.)

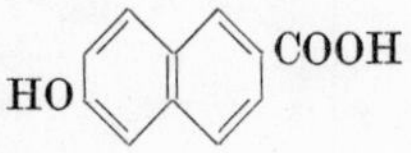

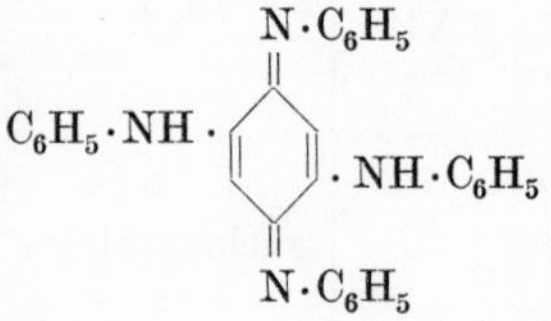

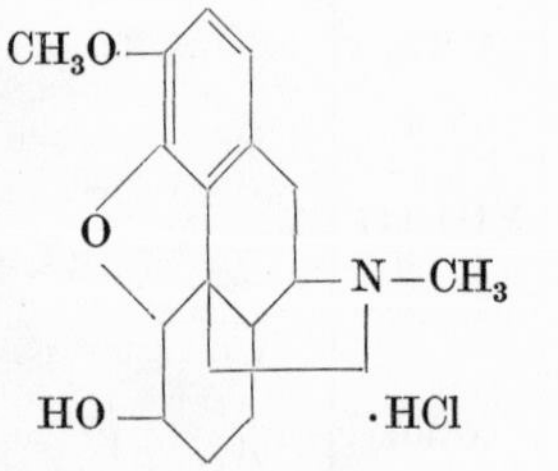

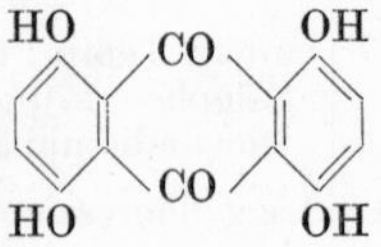

Lfd. Nr.	Spez. Gewicht	Siedepunkt °C	Beilsteinzitat	Physikalische Konstanten und Eigenschaften	Löslichkeit	Reaktionen
	8	9	10	11	12	13
2962			XVI 228		swl. in h. W l. in k. A sll. in h. A	Dimethylester *Fp* 101°
2963			XXIV 467	eutekt. Temp.: mit Salophen 187°, mit Dicyandiamid 205°	wl. in k. W l. in HCl, HNO_3	+ sd. KOH → Malonsäure
2964			XII 766	verursacht Hautentzündung; greift Schleimhäute an	unl. in W, A, Ae	
2965			X 328	alkalisch-wss. Lsg. fluoresziert purpurn bis blau	l. in W, A, Eg.	+ $FeCl_3$ → orangebraun bis braun Acetylderivat *Fp* 221—223°, Nadelbüschel Äthylester *Fp* 111—112°, Nadeln Anilid *Fp* 197—198°, Nadelbüschel
2966		360 (Z.)	XIV 140		unl. in W, A, Ae l. in Chlf.	1. Lsg. in 1 ml konz. H_2SO_4 + Fe-H_3PO_4 → gelb + Paraform → rötlich gelb → blau + HNO_3-H_2SO_4 → intensiv grün → braunrot 2. 10—20 mg Paraform + 1 ml H_2SO_4 → orange → intensiv lila + Fe-H_3PO_4 → intensiv blauviolett → intensiv blau + HNO_3-H_2SO_4 → grünblau → hellgrün → hellbraun
2967				eutekt. Temp.: mit Salophen 165°, mit Dicyandiamid 131°; schmeckt bitter	sll. in W	+ Fe-H_2SO_4 → schwachgelb → farblos + Paraform·H_2SO_4 → violett + Fe·H_2SO_4 → blau + HNO_3·H_2SO_4 → grünlichblau → hellgrün → hellbraun
2968			IV 511	schmeckt stark süß	4,32 W 20° 17,1 W 70° unl. in A, Ae	Pikrolonat *Fp* 265° (Z.) Chloracetylderivat *Fp* 122 bis 123° Benzoylderivat *Fp* 171°
2969			VIII 548	Lsgg. in Xylol zeigen verdünnt feurigrote Fluoreszenz	l. in A, Bzl., Xylol, Toluol, H_2SO_4, Alkalien	+ H_2SO_4 → blau mit roter Fluoreszenz + Alkalien kornblumenblau Tetramethyläther *Fp* 317°, orange Blättchen Tetraacetat *Fp* 250°, hellgelbe Nadeln

Lfd. Nr.	*Fp*	Name	Summen-formel	Strukturformel	Mol.-Gewicht	Aggregat-zustand Farbe
1	2	3	4	5	6	7
2970	**246** (Z.)	Diglycylglycin	$C_6H_{11}N_3O_4$	$CH_2 \cdot NH \cdot CO \cdot CH_2 \cdot NH_2$ | $CO \cdot NH \cdot CH_2 \cdot COOH$	189,17	Nadeln (A + W)
2971	**246** bis **247**	Thymolphthalein	$C_{28}H_{30}O_4$	$C_6H_4 \cdot C[C_6H_2(OH)(CH_3)CH(CH_3)_2]_2$ | | CO—O	430,52	Prismen (A)
2972	**247**	Amaron	$C_{28}H_{20}N_2$	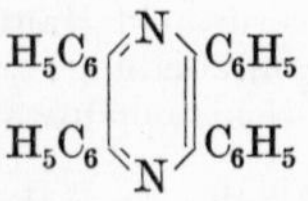	384,16	Nadeln (A)
2973	**247**	Oxanilid	$C_{14}H_{12}N_2O_2$	$C_6H_5 \cdot NH \cdot CO \cdot CO \cdot NH \cdot C_6H_5$	240,25	Schuppen (Bzl.)
2974	**247** bis **248**	Tetrophan	$C_{18}H_{13}NO_2$	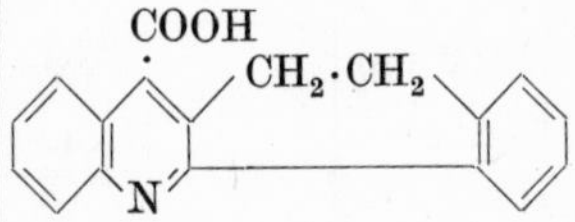	275,29	gelbliche Krist.
2975	**248**	3-Acetaminobenzoe-säure	$C_9H_9NO_3$	$CH_3 \cdot CO \cdot NH \cdot C_6H_4 \cdot COOH$	179,17	Nadeln (A)
2976	**248**	dl-Isoserin	$C_3H_7NO_3$	$H_2N \cdot CH_2 \cdot CH(OH) \cdot COOH$	105,09	Krist.
2977	**248** bis **249**	Aposafranon (9-Phenylphenazon)	$C_{18}H_{12}N_2O$	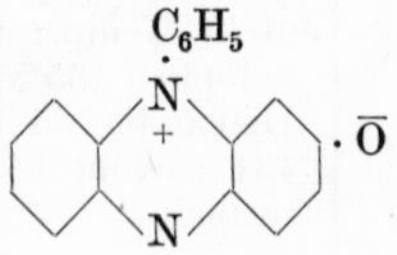	272,29	braune, grün-glänzende Krist. (A)
2978	**248** bis **249**	3-Hydroxynaphthoe-säure-(1)	$C_{11}H_8O_3$	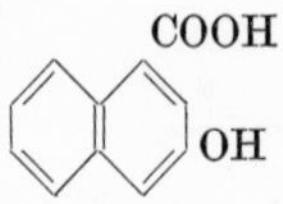	188,17	Nadeln (verd. A)
2979	**248** bis **250**	Pyridindicarbon-säure-(2,4) (Lutidinsäure)	$C_7H_5NO_4$	$C_5H_3N(COOH)_2$	167,12	Blättchen + H_2O (W)

Lfd. Nr.	Spez. Gewicht	Siedepunkt °C	Beilsteinzitat	Physikalische Konstanten und Eigenschaften	Löslichkeit	Reaktionen
	8	9	10	11	12	13
2970			IV 374		ll. in h. W unl. in A, Ae	Äthylesterhydrochlorid *Fp* 214 bis 219°
2971			E_1 XVIII 381		l. in A, Ae, Alkali	
2972			XXIII 343		unl. in W wl. in A, Ae ll. in Bzl., Chlf.	+ H_2SO_4 → rot
2973		>360	XII 284	eutekt. Temp.: mit Salophen 185°, mit Dicyandiamid 206°	unl. in W, Ae wl. in sd. A l. in Bzl.	
2974					swl. in W l. in Alkalien	+ HNO_3 → blaß gelb + wenig Jod-Lsg. → blau + mehr Jod-Lsg. → rotbraunes Perjodid Lsg. in Paraform-H_2SO_4 erwärmen → braun
2975		subl.	XIV 396		swl. in W l. in sd. A swl. in Ae	
2976			IV 503		1,53 W 20° ll. in h. W	Benzoylderivat *Fp* 151°
2977			XXIII 413	Lösungen sind fuchsinrot	wl. in h. W ll. in A	
2978			X 328	verd. wss. Lsg. des Na-Salzes fluoresziert purpurrot; wss. Lsg. der Subst. fluoresziert blau		Acetylderivat *Fp* 169—170°, Nadeln Benzoylderivat *Fp* 222—223° Amid *Fp* 209—211°, Prismen Anilid *Fp* 112—113°, Nadeln Methylester *Fp* 91—92°, Nadelbüschel
2979			XXII 153	schmeckt stark bitter und widerlich	0,45 W 25° ll. in h. W l. in A swl. in Ae	erhitzen → Pyridincarbonsäure-(4) + Ferrosulfat in wss. Lsg. gelbrot, in alkohol. Lsg. violettrot Dimethylester *Fp* 58°, Nadeln Diphenylester *Fp* 136°, Nadeln Diamid *Fp* 254—255°, Nadeln

Lfd. Nr.	*Fp*	Name	Summenformel	Strukturformel	Mol.-Gewicht	Aggregatzustand Farbe
1	2	3	4	5	6	7
2980	**248 bis 250**	Solanin t	$C_{45}H_{73}NO_{15}$		868,04	Krist.
2981	**249** (Z.)	Pyridintricarbonsäure-(2,3,4) (α-Carbocinchomeronsäure)	$C_8H_5NO_6$	$C_5H_2N(COOH)_3$	211,13	Blättchen $+1^1/_2H_2O$ (verd. H_2SO_4)
2982	**249 bis 250**	1,4-Dihydroxyanthrachinoncarbonsäure-(2)	$C_{15}H_8O_6$	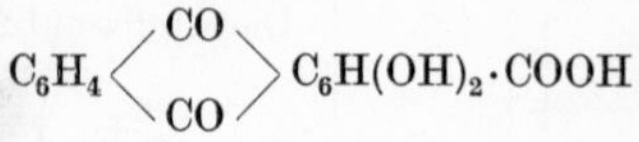 $C_6H_4\left\langle {CO \atop CO} \right\rangle C_6H(OH)_2\cdot COOH$	284,21	rote Nadeln
2983	**250** (Z.)	Aneurinhydrochlorid (Vitamin B_1-hydrochlorid, Thiaminchlorid, Betabion, Betaxin, Oryzamin, Torulin)	$C_{12}H_{18}Cl_2N_4 \cdot OS$	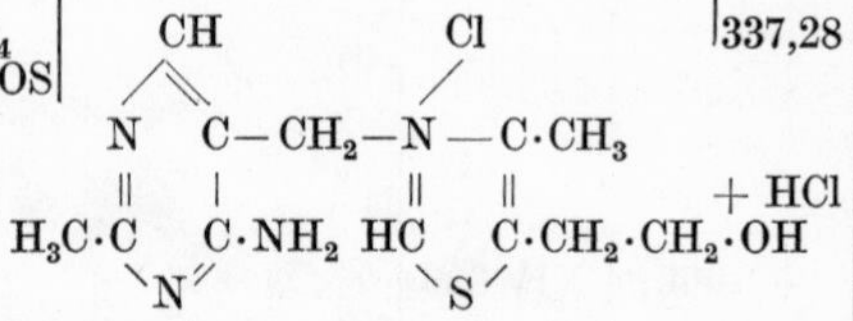	337,28	Krist.-Nadeln
2984	**250**	Isovanillinsäure (3-Hydroxy-4-methoxybenzoesäure)	$C_8H_8O_4$	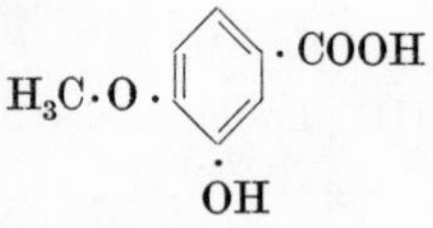	168,14	Prismen (W)
2985	**250** (Z.)	Mesobenzdianthron (Helianthron)	$C_{28}H_{14}O_2$	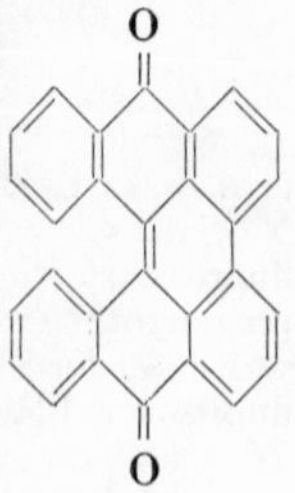	384,41	blaue Nadeln (Xylol)
2986	**250** (Z.)	Pyron-(4)-carbonsäure-(2)	$C_6H_4O_4$	$HC\cdot CO\cdot CH$ ‖ ‖ $HC{-}O{-}C\cdot COOH$	140,09	Prismen
2987	**250 bis 251**	4,4′-Diaminoazobenzol	$C_{12}H_{12}N_4$	$H_2N\cdot C_6H_4\cdot N{:}N\cdot C_6H_4\cdot NH_2$	212,25	gelbe Nadeln (verd. A)

Lfd. Nr.	Spez. Gewicht	Siedepunkt °C	Beilsteinzitat	Physikalische Konstanten und Eigenschaften	Löslichkeit	Reaktionen
	8	9	10	11	12	13
2980				bitterer, brennender Geschmack	ll. in 85%igem h. A l. in abs. A, Ae unl. in Bzl., Chlf., PAe, Essigester l. in 2n-Säure unl. in W und Alkalien	+ H_2SO_4 → braun → am Rand rotviolett + alkohol. KOH → gelb → blau → rotviolett + H_2SO_4 + A → hellgrüne Subst. in rosa Lsg. + H_2SO_4 + Furfurol → ockergelb 0,5 mg Subst. + 5 mg α-Naphthol + 1 ml konz. H_2SO_4 → erwärmen intensiv violettrot
2981			XXII 182		1,2 W 15° ll. in h. W wl. in A swl. in Ae, Bzl.	
2982			E_1 X 509		wl. in A, Ae l. in h. Eg., Aceton	Lsgg. orangerot + H_2SO_4 → blaurot
2983				Absorptionsmaximum 240 bis 260 mμ (wss. Lsg.); eutekt. Temp.: mit Salophen 188°, mit Dicyandiamid 142°; schwach hefeartiger Geruch; schwach bitterer Geschmack	l. in W, verd. A unl. in Ae l. in Eg., Bzl., Chlf., Aceton, fetten Ölen	Base *Fp* 221° (Z.) Chloroaurat *Fp* 198° (Z.) + NaOH u. $K_3[Fe(CN)_6]$ in Butanol → blau + 1 ml $HgCl_2$-Lsg. (1 + 19) → weißer Nd. + einige Tropfen n/10 Jodlsg. → rotbrauner Nd.
2984		subl.	X 393		0,06 W 14° 0,6 W 100° ll. in A, Ae	
2985			E_1 VII 460	Lsgg. in A, Ae → gelb, mit grüner Fluoreszenz	unl. in W swl. in A, Ae	
2986			XVIII 405		wl. in k. W	erhitzen → CO_2-Abspaltung Methylester *Fp* 103°
2987			XVI 334		wl in W, Bzl. l. in A	

Lfd. Nr.	*Fp*	Name	Summenformel	Strukturformel	Mol.-Gewicht	Aggregatzustand Farbe
1	2	3	4	5	6	7
2988	**250 bis 252**	Violursäure	$C_4H_3N_3O_4$	$HO \cdot N:C \langle {CO \cdot NH \atop CO \cdot NH} \rangle CO$	157,09	Krist. $+1\,H_2O$ (W)
2989	**250 bis 260** (Z.)	Lactylmilchsäure	$C_6H_{10}O_5$	${CH_3 \cdot CH(OH) \cdot CO \atop HOOC \cdot CH(CH_3)} \rangle O$	162,14	gelbes Plv.
2990	**250 bis 260**	4-Methylaminophenolsulfat	$C_{14}H_{20}N_2O_6S$	$2\,C_7H_9NO + H_2SO_4$	344,38	Nadeln (W)
2991	**251**	Chrysen	$C_{18}H_{12}$	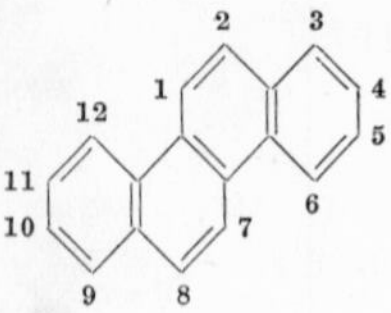	228,28	Tafeln (Bzl.)
2992	**251**	Guajacolbenzein	$C_{26}H_{22}O_4$		398,44	violettbraunes Plv.
2993	**251**	Phenylquecksilberchlorid	C_6H_5ClHg	$C_6H_5 \cdot HgCl$	313,17	Tafeln (Bzl.)
2994	**252**	Benzoltetracarbonsäure-(1,2,3,5) (Prehnitsäure)	$C_{10}H_6O_8$	$C_6H_2(COOH)_4$	254,15	Prismen $+H_2O$ (W)
2995	**252**	Ergotaminin	$C_{33}H_{35}N_5O_5$		581,65	
2996	**252**	Tricarballylsäuretrianilid	$C_{24}H_{23}N_3O_3$	$CH_2 \cdot CO \cdot NH \cdot C_6H_5$ | $CH \cdot CO \cdot NH \cdot C_6H_5$ | $CH_2 \cdot CO \cdot NH \cdot C_6H_5$	401,45	Nadeln (Nitrobenzol)
2997	**253**	Pentaerythrit (Tetramethylolmethan)	$C_5H_{12}O_4$	$C(CH_2 \cdot OH)_4$	136,15	tetragonale Krist. (W)
2998	**253** (Z.)	d-Tropinsäure	$C_8H_{13}NO_4$	$H_2C — CH_2$ | | $HOOC \cdot CH_2 \cdot CH \quad CH \cdot COOH$ \\ / N | CH_3	187,19	Krist. (W)

Lfd. Nr.	Spez. Gewicht	Siedepunkt °C	Beilsteinzitat	Physikalische Konstanten und Eigenschaften	Löslichkeit	Reaktionen
	8	9	10	11	12	13
2988			XXIV 506		l. in W (violett) l. in A (farblos)	Lsg. + $FeSO_4$ → blau Salze rotviolett
2989			III 282		swl. in W l. in A, Ae	+ sd. W → Milchsäure
2990			XIII 442		4 W 25° 16,7 sd. W	
2991		448	V 718	eutekt. Temp. mit Salophen 184°; fluoresziert rotviolett; CS_2 zur Trennung von Pyren; sublimierbar	unl. in W 0,097 A 16° 0,17 sd. A wl. in k. Ae unl. in CS_2	mit Mellitsäureanhydrid bordeauxrote Schmelze Pikrat *Fp* 273° 1,3,5-Trinitrobenzolat *Fp* 186°
2992				schwach riechend	swl. in W l. in Alkalien	Lsgg. in Alkalien tiefviolett + Säuren → violettrot
2993		subl.	XVI 953		unl. in W swl. in k. A l. in Ae	
2994			IX 997		l. in W, Ae	Ba-Salz, Nadeln oder Prismen (schwer löslich) Dimethylester *Fp* 176—177° Tetramethylester *Fp* 108—109° Triäthylester *Fp* 108—110°
2995				$[\alpha]_D^{20}$ +385° (Chlf.)	unl. in W, PAe l. in A, Ae	
2996			XII 317		unl. in den gewöhnl. Lösungsmm.	
2997			I 528	eutekt. Temp.: mit Salophen 160°, mit Dicyandiamid 174°	5,56 W 18° ll. in A	reduziert nicht Fehlingsche Lsg. (Unterschied von Erythrit) Tetranitrat *Fp* 138—140° Tetraacetat *Fp* 84° Dibenzalpentaerythrit *Fp* 160°
2998			XXII 123	Salze sind linksdrehend	ll. in W, A unl. in Bzl.	

Lfd. Nr.	*Fp*	Name	Summen-formel	Strukturformel	Mol.-Gewicht	Aggregat-zustand Farbe
1	2	3	4	5	6	7
2999	**253** bis **254**	Chinolincarbonsäure-(4) (Cinchoninsäure)	$C_{10}H_7NO_2$	$C_9H_6N \cdot COOH$	173,16	Krist. (W)
3000	**253** bis **254**	7-Hydroxynaphthoe-säure-(1)	$C_{11}H_8O_3$	$HO \cdot C_{10}H_6 \cdot COOH$	188,17	Nadeln (W)
3001	**253** bis **254**	Triäthylaminhydro-chlorid	$C_6H_{16}ClN$	$(C_2H_5)_3N + HCl$	137,65	Krist. (A)
3002	**254** (Z.)	o,o′-Azoxybenzoesäure	$C_{14}H_{10}N_2O_5$	$ON_2(C_6H_4 \cdot COOH)_2$	286,24	Krist. (A)
3003	**254**	4-Brombenzoesäure	$C_7H_5BrO_2$	$Br \cdot C_6H_4 \cdot COOH$	201,03	Blättchen (W)
3004	**254**	Morphin	$C_{17}H_{19}NO_3$	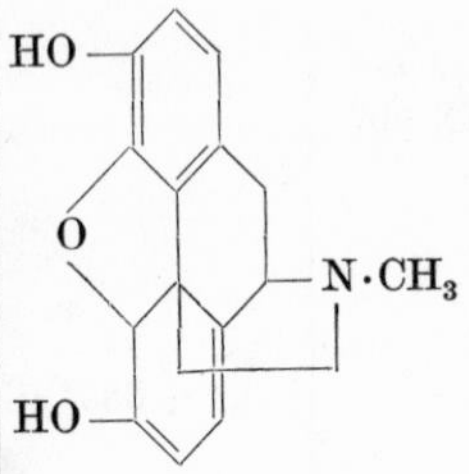	285,33	seiden-glänzende Nadeln (A)
3005	**254**	Phenolphthalein	$C_{20}H_{14}O_4$	$C_6H_4 \langle C(C_6H_4 \cdot OH)_2 \rangle O$, CO (ring)	318,31	weißes Krist.-Plv.
3006	**254** (Z.)	Pyridindicarbon-säure-(2,5) (Isocinchomeron-säure)	$C_7H_5NO_4$	$C_5H_3N(COOH)_2$	167,12	Blättchen oder Prismen (W)
3007	**255**	2,3-Dichloranthracen	$C_{14}H_8Cl_2$	$C_6H_4 \left\{ \begin{matrix} CH \\ CH \end{matrix} \right\} C_6H_2Cl_2$	247,12	hellgelbe Krist.
3008	**255** (Z.)	Mesodibrombernstein-säure	$C_4H_4Br_2O_4$	$HOOC \cdot [CHBr]_2 \cdot COOH$	275,90	Krist.

Lfd. Nr.	Spez. Gewicht	Siedepunkt °C	Beilsteinzitat	Physikalische Konstanten und Eigenschaften	Löslichkeit	Reaktionen
	8	9	10	11	12	13
2999			XXII 74		swl. in W, A unl. in Ae	Amid *Fp* 181°, feine Nadeln Golddoppelsalz *Fp* 242°, matte, goldgelbe Drusen Phenylester *Fp* 112°, glänzende Blättchen
3000			X 330		swl. in k. W l. in A, Ae	+ $FeCl_3$ → braun Acetylderivat *Fp* 221—222°, Nadeln Anilid *Fp* 209—210°, kleine Nadeln
3001	$1{,}0689^{21°}$	subl.	IV 101		137 W 25° l. in A unl. in Ae 17,37 Chlf. 25°	
3002			XVI 644		wl. in sd. W, Ae l. in h. A ll. in Pyridin	Dimethylester *Fp* 116—117°
3003	$1{,}894^{20°}$		IX 351		swl. in k. W l. in A, Ae	p-Nitrobenzylester *Fp* 139° Phenacylester *Fp* 87° p-Bromphenacylester *Fp* 134° Amid *Fp* 189° Anilid *Fp* 197°
3004	1,317	192 (Vak.)	XXVII 131	$[\alpha]_D$ —130,9° (Methylalkohol); eutekt. Temp.: mit Salophen 156°, mit Dicyandiamid 174°; schmeckt bitter	0,025 W 20° 0,25 h. W 0,60 A 25° 0,01 Ae 20° l. in Alkalien, Säuren	wss. Lsg. + $Fe(NO_3)_3$-Lsg. → grünstichig blau 1. + H_2SO_4 + Fe-H_3PO_4 → (warm) blau + Paraform → blaugrün, grün + HNO_3-H_2SO_4 → violettrot und braun 2. 5—10 mg Subst. + 2 bis 10 mg Hydrazin + H_2SO_4 → violett 3. Subst. + je 1 Tropfen $SnCl_2$-Lsg. und H_2SO_4 → violett bis purpurrot
3005		subl.	XVIII 143	geruchlos, geschmacklos	0,0175 W 20° 20,9 A 20° 5,29 Ae 20°	+ Alkali → intensiv rot Diacetat *Fp* 146° Dibenzoat *Fp* 169°
3006			XXII 153		unl. in k. W, k. A, Ae wl. in sd. W	erhitzen → Pyridincarbonsäure-(3) + Ferrosalz → rötlichgelb Dimethylester *Fp* 164°, farnkrautähnliche Krist.
3007		subl.	V 664		unl. in W l. in A	
3008			II 623	*Fp* im geschlossenen Rohr	2,04 W 17° ll. in h. W, A, Ae	bei Zers. HBr-Abspaltung

Lfd. Nr.	Fp	Name	Summen-formel	Strukturformel	Mol.-Ge-wicht	Aggregat-zustand Farbe
1	2	3	4	5	6	7
3009	255	Natriumformiat	$CHNaO_2$	$H \cdot CO \cdot ONa$	68,01	Krist.
3010	255	5-Nitroisophthalsäure	$C_8H_5NO_6$	$O_2N \cdot C_6H_3(COOH)_2$	211,13	Blättchen $+ 1 H_2O$ (W)
3011	255	2-Nitro-4-aminobenzoe-säure	$C_7H_6N_2O_4$	$H_2N \cdot C_6H_3(NO_2) \cdot COOH$	182,12	ziegelrote Krist.
3012	255 bis 256	7,8-Dihydroxycumarin (Daphnetin)	$C_9H_6O_4$	$(HO)_2C_6H_2 \!\!<\!\! \begin{smallmatrix} CH:CH \\ \| \\ O \cdot CO \end{smallmatrix}$	178,14	gelbliche Nadeln (A)
3013	256 (Z.)	Alloxan	$C_4H_2N_2O_4$	$OC \!\!<\!\! \begin{smallmatrix} CO \cdot NH \\ CO \cdot NH \end{smallmatrix} \!\!>\!\! CO$	142,07	gelbe Krist. (Eg. oder Aceton)
3014	256	Terephthalaldehyd-säure	$C_8H_6O_3$	$OHC \cdot C_6H_4 \cdot COOH$	150,13	Nadeln (W)
3015	256	Tetrachlorphthalsäure-anhydrid	$C_8Cl_4O_3$	$Cl_4C_6 \!\!<\!\! \begin{smallmatrix} CO \\ CO \end{smallmatrix} \!\!>\!\! O$	285,91	Nadeln
3016	256	1,2,4-Trihydroxy-anthrachinon (Purpurin)	$C_{14}H_8O_5$	$C_6H_4 \!\!<\!\! \begin{smallmatrix} CO \\ CO \end{smallmatrix} \!\!>\!\! C_6H(OH)_3$	256,20	orange-rote Nadeln (verd. A)
3017	256	p-Aminomethylbenzol-sulfonamidhydro-chlorid (Marfanil)	$C_7H_{11}ClN_2 \cdot O_2S$	$H_2N \cdot SO_2 \cdot \langle \rangle \cdot CH_2 \cdot NH_2$ $\cdot HCl$	222,69	weißes Krist.-Plv. (95%ig. A)
3018	256,5	4-Acetaminobenzoe-säure	$C_9H_9NO_3$	$CH_3 \cdot CO \cdot NH \cdot C_6H_4 \cdot COOH$	179,17	Nadeln
3019	258	l-Cystin	$C_6H_{12}N_2O_4S_2$	$HOOC \cdot CH(NH_2) \cdot CH_2 \cdot S$ $\|$ $HOOC \cdot CH(NH_2) \cdot CH_2 \cdot S$	208,24	Tafeln (verd. HCl)
3020	258	1,5-Dihydroxynaph-thalin	$C_{10}H_8O_2$	$C_{10}H_6(OH)_2$	160,16	Prismen (W)

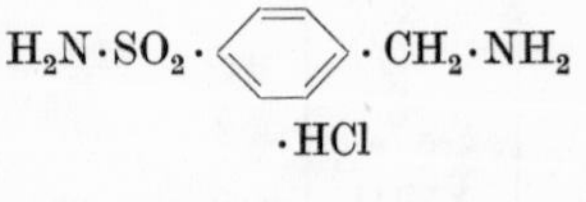

Lfd. Nr.	Spez. Gewicht	Siedepunkt °C	Beilsteinzitat	Physikalische Konstanten und Eigenschaften	Löslichkeit	Reaktionen
	8	9	10	11	12	13
3009	1,919		II 14		70,6 W 15° 160 W 100° wl. in A unl. in Ae	
3010			IX 840		0,16 W 25° ll. in h. W, A, Ae	
3011			XIV 439	schmeckt sehr süß	l. in W ll. in A	
3012			XVIII 100		l. in sd. W ll. in h. verd. A swl. in Ae	
3013		subl.	XXIV 500	färbt die Haut rot; giftig; aus Harnsäure durch Oxydation	ll. in W l. in A unl. in Ae wl. in Chlf.	+ $Fe(NO_3)_3$ (in schwach alkalischer Lsg.) → blau
3014		subl.	X 671	*Fp* in geschlossenem mit CO_2 gefülltem Rohr	wl. in h. W, h. A, Ae, Chlf.	
3015		subl.	XVII 484		unl. in k. W wl. in Ae	
3016		subl. (Z.)	VIII 509	subl. von 150° an	l. in W, Ae ll. in A l. in Alkali, H_2SO_4	+ H_2SO_4 → rosarot + Alkalien → hochrot Triacetat *Fp* 198—200°, gelbe Stäbchen 2-Methyläther *Fp* 240°, orangerote Krist.
3017				geruchlos; schwach bitterer Geschmack	unl. in Ae, PAe, Chlf. l. in A, W ll. in Aceton	Base *Fp* 153° 0,05 g β-Naphthol in 5 ml 10%ig. Na_2CO_3-Lsg. + einige Tropfen (0,1 g Subst. in 2 ml 1n-HCl) + einige Körnchen $NaNO_2$ → hellroter Nd.
3018			XIV 432		wl. in W l. in A	
3019			IV 507		0,011 W 19° 0,045 W 70° unl. in A, Ae ll. in Alkali	erwärmen mit alkal. Bleilösung → schwarz Cu-Salz hellgraublaue Nadeln N,N'-Dibenzoylderivat *Fp* 181° Di-p-toluolsulfonylderivat *Fp* 213° (Z.)
3020			VI 980		wl. in W l. in A ll. in Ae	Diacetat *Fp* 159—160° Dibenzoat *Fp* 235°

Lfd. Nr.	*Fp*	Name	Summenformel	Strukturformel	Mol.-Gewicht	Aggregatzustand Farbe
1	2	3	4	5	6	7
3021	**258 bis 259**	Pyridindicarbonsäure-(3,4) (Cinchomeronsäure)	$C_7H_5NO_4$	$C_5H_3N(COOH)_2$	167,12	Nadeln oder Blättchen (W)
3022	**259**	4,5,7-Trihydroxy-2-methylanthrachinon [Emodin, Frangulaemodin)	$C_{15}H_{10}O_5$	$(HO)_2C_6H_2\langle{}^{CO}_{CO}\rangle C_6H_2(CH_3)\cdot OH$	270,23	orangerote Nadeln (Eg.)
3023	**259 bis 260**	Östron (α-Follikelhormon $\Delta^{1,3,5(10)}$-Östratrien-3-ol-17-on)	$C_{18}H_{22}O_2$	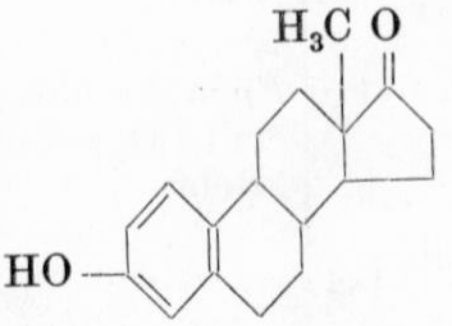	270,36	kleine weiße Krist. (verd. A)
3024	**259 bis 260**	Dihydromorphinon (Dilaudid)	$C_{17}H_{19}NO_3$	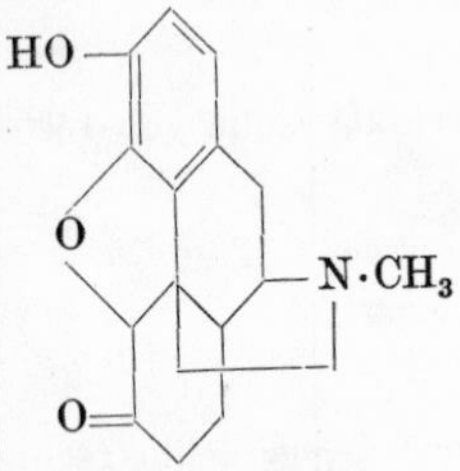	285,33	weiße Krist.
3025	**259 bis 260**	p-Sulfobenzoesäure	$C_7H_6O_5S$	$HO_3S\cdot C_6H_4\cdot COOH$	202,18	Nadeln (W)
3026	**260**	Äthylaminoacetobrenzcatechinhydrochlorid (Homorenonhydrochlorid)	$C_{10}H_{14}ClNO_3$	$(HO)_2\cdot C_6H_3\cdot CO\cdot CH_2\cdot NH(C_2H_5)$; HCl	231,68	farblose Krist.-Nadeln
3027	**260**	Succinamid (Bernsteinsäurediamid)	$C_4H_8N_2O_2$	$H_2N\cdot CO\cdot CH_2\cdot CH_2\cdot CO\cdot NH_2$	116,12	Nadeln (W)
3028	**261**	Acenaphthenchinon	$C_{12}H_6O_2$	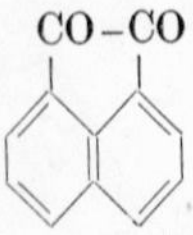	182,17	gelbe Nadeln [Eg.)

Lfd. Nr.	Spez. Gewicht	Siedepunkt °C	Beilsteinzitat	Physikalische Konstanten und Eigenschaften	Löslichkeit	Reaktionen
	8	9	10	11	12	13
3021			XXII 155		swl. in sd. W wl. in A unl. in Ae	erhitzen → Pyridincarbonsäure-(3) und -(4) Anhydrid *Fp* 78°, Tafeln oder Prismen Diamid *Fp* 175—176°, würfelähnliche Krist. Imid *Fp* 229—230°, Nadeln Dianilid *Fp* 199—206°, Nädelchen
3022		subl.	VIII 520	eutekt. Temp.: mit Salophen 174°, mit Dicyandiamid 201°; leicht sublimierbar im Vakuum	unl. in W l. in A, Ae l. in H_2SO_4, Alkalien rot	Lsg. in A orangerot + $Fe(NO_3)_3$-Lsg. → intensiv rot; Barytwasser → dunkelviolette Flocken und violette Färbung + H_2SO_4 → rot Trimethyläther *Fp* 226—227°, hellgelbe Nadeln Triacetat *Fp* 197—198°, hellgelbe Nadeln
3023		130 bis 160 (0,02 mm)		$[\alpha]_D^{20}$ +156°; Absorptionsmaximum 280 mμ; geruch- u. geschmacklos	unl. in W l. in A, Bzl., verd. NaOH ll. in Ae, Chlf., Aceton, Dioxan	Oxim *Fp* 241—242° Semicarbazon *Fp* 266—267° Acetat *Fp* 126° Propionat *Fp* 134—135° Benzoat *Fp* 218—219°
3024				geruchlos; bitterer Geschmack	l. in W, A unl. in Ae l. in Alkalien, Säuren	wss. Lsg. + $Fe(NO_3)_3$ → blaugrün Fe-H_2SO_4 wird in der Wärme nicht blau (Unterschied von Morphin) Oxim *Fp* 231—233°
3025			XI 389		ll. in W, A	
3026				geruchlos; bitterer Geschmack	ll. in W l. in A	0,05 g Subst. in 2 ml W + $FeCl_3$ → smaragdgrün + NH_4OH → karminrot
3027			II 614	eutekt. Temp.: mit Salophen 190°, mit Dicyandiamid 186°	3 W 15° 6,7 sd. W l. in A	Erhitzen auf 200° → NH_3 + Succinimid
3028		subl.	VII 744		swl. in A l. in h. Bzl. 0,15 Eg. 15°	Monoxim *Fp* 230°, Prismen Semicarbazon *Fp* 192—193°, Prismen Monophenylhydrazon *Fp* 178°, orange Nädelchen

Lfd. Nr.	*Fp*	Name	Summenformel	Strukturformel	Mol.-Gewicht	Aggregatzustand Farbe
1	2	3	4	5	6	7
3029	**261**	Codeinbrommethylat (Eucodin)	$C_{19}H_{24}BrNO_3$	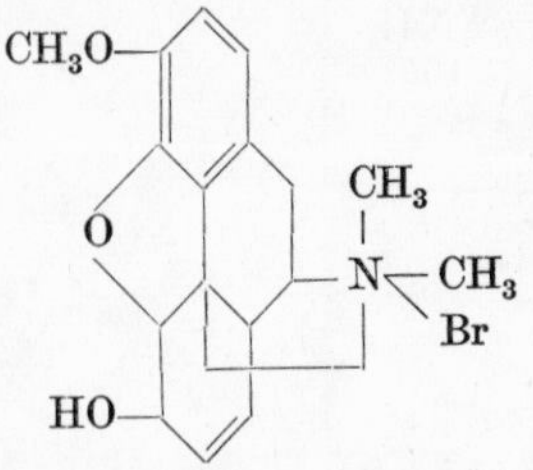	394,31	Krist.-Plv.
3030	**261**	2,3-Dichloranthrachinon	$C_{14}H_6Cl_2O_2$	$C_6H_4\langle(CO)_2\rangle C_6H_2Cl_2$	277,10	gelbe Krist.
3031	**261**	Pyridintricarbonsäure-(3,4,5) (*β*-Carbocinchomeronsäure)	$C_8H_5NO_6$	$C_5H_2N(COOH)_3$	211,13	Blättchen + $3H_2O$
3032	**261 bis 262**	Rosindon	$C_{22}H_{14}N_2O$	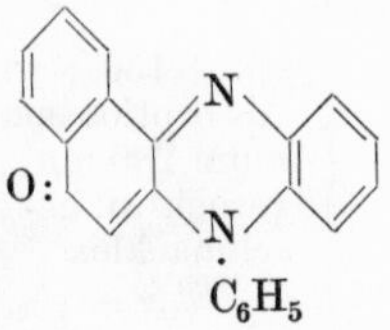	322,35	rote Tafeln (A)
3033	**262**	Banisterin (Harmin, Telepathin, Yagein)	$C_{13}H_{12}N_2O$	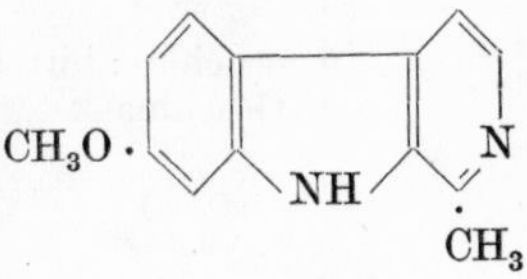	212,24	weiße seidenglänzende Prismen
3034	**262**	Chelidonsäure (*α,α'*-Dicarboxy-*γ*-pyron)	$C_7H_4O_6$	HC·CO·CH ‖ ‖ HOOC·C—O—C·COOH	184,10	weiße Nadeln + $1H_2O$ (W)
3035	**262**	1,8-Diaminoanthrachinon	$C_{14}H_{10}N_2O_2$	$H_2N\cdot C_6H_3\langle(CO)_2\rangle C_6H_3\cdot NH_2$	238,24	rote Krist. (A)
3036	**264**	1,3-Dihydroxyanthrachinon (Xanthopurpurin, Purpuroxanthin)	$C_{14}H_8O_4$	$C_6H_4\langle(CO)_2\rangle C_6H_2(OH)_2$	240,20	gelbe Blättchen (Bzl.)
3037	**264** (Z.)	4-Nitro-2-aminobenzoesäure (4-Nitroanthranilsäure)	$C_7H_6N_2O_4$	$H_2N\cdot C_6H_3(NO_2)\cdot COOH$	182,12	hellgelbe Krist.

Lfd. Nr.	Spez. Gewicht	Siedepunkt °C	Beilsteinzitat	Physikalische Konstanten und Eigenschaften	Löslichkeit	Reaktionen
	8	9	10	11	12	13
3029					ll. in W wl. in A, Ae, Chlf.	
3030			VII 788		unl. in W wl. in A ll. in Bzl.	Schmelzen mit NaOH → Alizarin
3031			XXII 186		swl. in A l. in h. Bzl. 0,15 Eg. 15° wl. in k. W	
3032			XXIII 453 (A)		unl. in W wl. in h. A ll. in Eg. unl. in wss. Alkali	+ H_2SO_4 → schmutzig-grün
3033				bitterer Geschmack; wss. Lsg. blauviolette Fluoreszenz	l. in A, Ae, Chlf.	Subst. + 1 ml konz. H_2SO_4 → intensiv gelb intensiv grün fluoreszierend → farblos + Paraform → lila → orangerot + $HNO_3 \cdot H_2SO_4$ → grün → oliv → braun
3034		(Z.)	XVIII 490	geruchlos; geschmacklos	0,98 W 13° 3,8 sd. W wl. in A	Dest. → Pyron-(4) wss. Lsg. + 1–2 Tropfen 0,06%ige H_2O_2-Lsg. → violettstichig rot → braun
3035			XIV 212		ll. in A wl. in Ae ll. in Pyridin	
3036		subl.	VIII 448	subl. in gelben Nadeln	l. in A ll. in h. Eg. l. in Alkali (rot)	Diacetat *Fp* 183–184°, hellgelbe Nadeln Dimethyläther *Fp* 187°, gelbe Nadeln Diäthyläther *Fp* 170°, gelbe Nadeln Subst. + konz. H_2SO_4 → gelb + Borsäure → gelb + Alkalien → rot
3037			XIV 374	eutekt. Temp.: mit Salophen 177°, mit Dicyandiamid 180°	unl. in W l. in A, Bzl.	

Lfd. Nr.	*Fp*	Name	Summenformel	Strukturformel	Mol.-Gewicht	Aggregatzustand Farbe
1	2	3	4	5	6	7
3038	**264 bis 265**	Perylen	$C_{20}H_{12}$	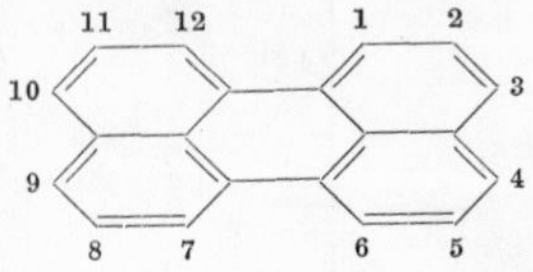	252,30	bronzeglänzende Blättchen (Bzl.)
3039	**264 bis 271**	Phloretin	$C_{15}H_{14}O_5$	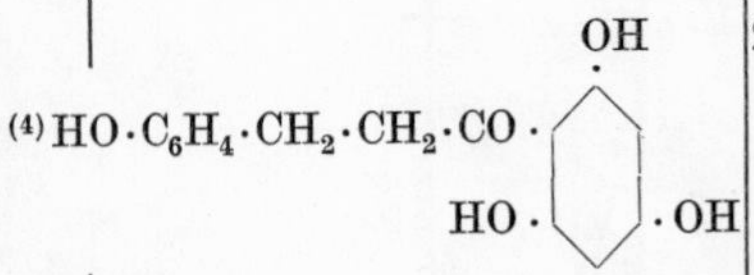	274,26	Nadeln (verd. A)
3040	**265** (Z.)	Morphinbrommethylat (Morphosan)	$C_{18}H_{22}BrNO_3$	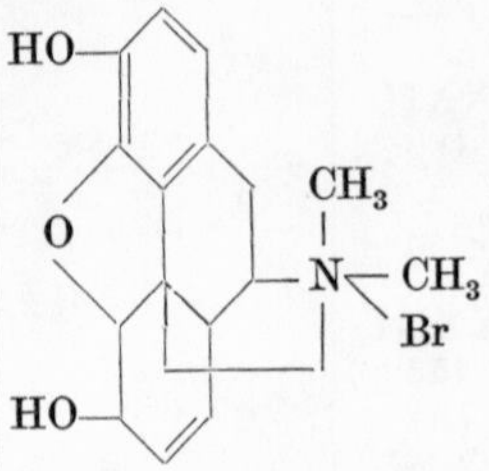	380,28	Nadeln (W)
3041	**265** (Z.)	1,5-Dihydroxyanthracen (Rufol)	$C_{14}H_{10}O_2$	$HO \cdot C_6H_3 \left\{ \begin{matrix} CH \\ CH \end{matrix} \right\} C_6H_3 \cdot OH$	210,22	gelbe Nadeln (verd. A)
3042	**265**	Naphthalin-1,7-dicarbonsäure	$C_{12}H_8O_4$	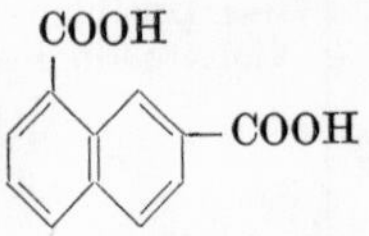	216,18	Flocken (W)
3043	**265**	Protoveratridin	$C_{31}H_{49}NO_9$		579,71	vierseitige kleine farblose Platten
3044	**266**	Anthrachinon	$C_{14}H_8O_2$	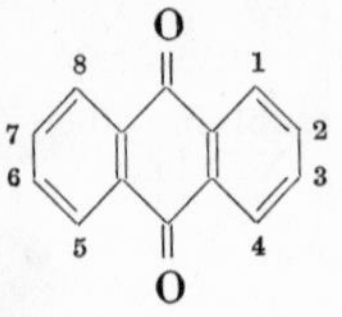	208,20	Krist. (A + Bzl.)
3045	**267**	Gentisin	$C_{14}H_{10}O_5$	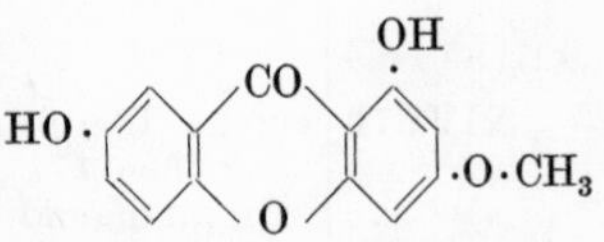	258,22	gelbe Nadeln

Lfd. Nr.	Spez. Gewicht	Siedepunkt °C	Beilsteinzitat	Physikalische Konstanten und Eigenschaften	Löslichkeit	Reaktionen
	8	9	10	11	12	13
3038		subl. 350 bis 400	E_1 V 363	kryoskop. Konst. 25,7; konz. Lsgg. sind rotgelb; verd. Lsgg. fluoreszieren stark blau	unl. in W swl. in A, Ae ll. in Chlf., CS_2	+ H_2SO_4 rotviolett, beim Verdünnen gelbe Flocken von Perylen 1,3,5-Trinitrobenzolat *Fp* 249°
3039			VIII 498		wl. in h. W l. in A 0,81 Ae 21° sll. in Aceton	
3040						
3041			VI 1032		unl. in W l. in A, Ae	+ NaOH → hellgrün Diacetat *Fp* 196—198° Dimethyläther *Fp* 224° Diäthyläther *Fp* 179°
3042			IX 917		l. in W ll. in A, Ae, Eg.	
3043					swl. in org. Lösungsmitteln	+ konz. H_2SO_4 → violett → kirschrot → blutrot → karminrot + konz. HCl — erwärmen → hellrot
3044	1,419	377	VII 781	eutekt. Temp.: mit Salophen 183°, mit Dicyandiamid 206°; kryoskop. Konst. 14,8; subl. in gelben Nadeln; Lsgg. fluoreszieren nicht	unl. in W 0,05 A 18° 0,44 A 25° 2,25 sd. A 0,10 Ae 25°	Spur Subst. + 2 Tropfen Lauge + Zn-Plv. + etwas W beim Kochen → rot + Natriumamalgam und abs. A → grün + $SbCl_3$ in CS_2 → gelb → zinnoberroter Nd. Dioxim *Fp* 224° Bisphenylhydrazon *Fp* 220°
3045		subl. 300 bis 340 (Z.)	XVIII 173		0,03 W 16° wl. in A 0,05 Ae l. in Alkali (goldgelb)	

Lfd. Nr.[*]	Fp	Name	Summen-formel	Strukturformel	Mol.-Ge-wicht	Aggregat-zustand Farbe
1	2	3	4	5	6	7
3046	267	4-Jodbenzoesäure	$C_7H_5JO_2$	$J \cdot C_6H_4 \cdot COOH$	248,02	Blättchen
3047	267	Triphenylessigsäure	$C_{20}H_{16}O_2$	$(C_6H_5)_3C \cdot COOH$	288,33	Prismen (A)
3048	267 bis 270	Chrysanilin	$C_{19}H_{15}N_3$	$C_6H_4 \cdot NH_2$ (p) $\cdot NH_2$	285,33	gelbe Nadeln $+ 2H_2O$ (verd. A)
3049	268	1,4-Diaminoanthra-chinon	$C_{14}H_{10}N_2O_2$	$C_6H_4 \big\langle {CO \atop CO} \big\rangle C_6H_2 \cdot (NH_2)_2$	238,24	violette Nadeln (wss. Py-ridin)
3050	268	Strychnin	$C_{21}H_{22}N_2O_2$		334,40	Prismen (A)
3051	268	Theophyllin (1,3-Dimethyl-xanthin, 1,3-Di-methyl-2,6-dihydr-oxypurin, Theocin)	$C_7H_8N_4O_2$	$CH_3 \cdot N—CO$ $OC \quad C—NH$ $CH_3 \cdot N—C——N$ CH	180,17	Tafeln $+ 1H_2O$ (W)
3052	268 bis 270	Dihydrohydroxykodei-nonhydrochlorid (Eukodal)	$C_{18}H_{22}ClNO_4$	vgl. Nr. 2819	351,82	gelblich-weißes Krist.-Plv.
3053	268 bis 270	6,7-Dihydroxycumarin (Äsculetin)	$C_9H_6O_4$	$(HO)_2C_6H_2 \big\langle {CH:CH \atop O—CO} \big\rangle$	178,14	Prismen (Eg.) Nadeln (W)

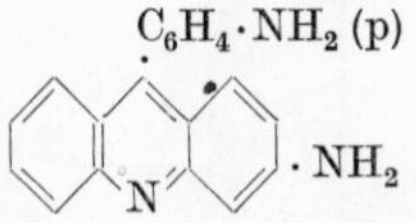

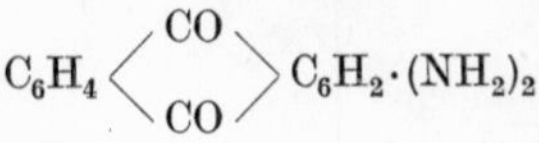

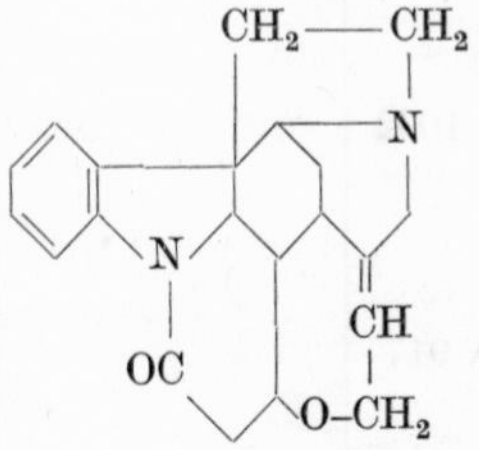

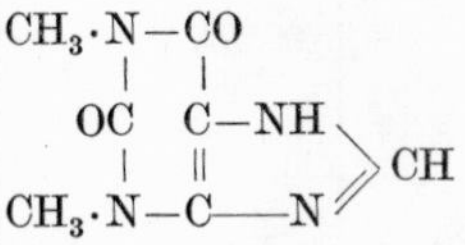

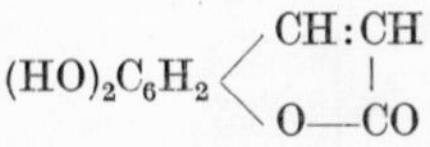

Lfd. Nr.	Spez. Gewicht	Siedepunkt °C	Beilsteinzitat	Physikalische Konstanten und Eigenschaften	Löslichkeit	Reaktionen
	8	9	10	11	12	13
3046	$2,184^{20°}$	subl.	IX 366		wl. in W l. in A	p-Nitrobenzylester *Fp* 141° Phenacylester *Fp* 101° (Z.) p-Bromphenacylester *Fp* 147° Amid *Fp* 217° Anilid *Fp* 210°
3047			IX 712		l. in A wl. in Chlf.	Anilid *Fp* 175°
3048			XXII 491		swl. in W wl. in A	HNO_3 → rote Nadeln
3049			XIV 197		wl. in h. W l. in A ll. in Pyridin sll. in Bzl.	
3050	$1,359^{18°}$	270 (5 mm)		$[\alpha]_D$ −132—136° (A); eutekt. Temp.: mit Salophen 180°, mit Dicyandiamid 201°; sehr giftig; erregt Starrkrampf; unangenehm bitterer, metallischer Geschmack	0,016 W 25° 0,7 A 25° 7,88 Ae 25°	wss. Lsg. + 3 Tropfen 2nHNO_3 erhitzen → orange bis violett farblose Lsg. in konz. H_2SO_4 + Spur $K_2Cr_2O_7$ → blauviolett und rotviolett 1 mg Subst. + 1 Tropfen konz. HNO_3, 3 Min. im sd. W-Bad erhitzen + einige ml A + 3 bis 4 Plätzchen KOH → weinrot (neben KNO_3)
3051			XXVI 455	eutekt. Temp.: mit Salophen 180°, mit Dicyandiamid 182°; geruchlos; sublimierbar; schwach bitter	0,44 W 15° 1,3 W 37° 1,25 A unl. in Ae l. in Alkali, NH_4OH	mit Chlorwasser versetzte Lsg. eindampfen, scharlachroter Rückstand + NH_3 → violett 2—3 mg Subst. in 1 ml methylalkoh. $Co(NO_3)_2$-Lsg. + 20 mg Piperazin → violettrot wss. Lsg. + Jod-Lsg. → klar + 2nHCl → dunkles Perjodid wss. Lsg. + einige Krist. $KClO_3$ + 10 Tropfen konz. HCl eindampfen, Rückstand + 1 Tropfen NH_3 → violettrot
3052				$[\alpha]_D^{20}$ −125°	l. in W ll. in A	freie Base *Fp* 219° + $H_2SO_4 \cdot HNO_3$ → rotbraun + $H_2SO_4 \cdot FeCl_3$ → grünblau + H_2SO_4·Paraform → tiefgelb → violett
3053			XVIII 98	wss. Lsg. schwache blaue Fluoreszenz	wl. in sd. W ll. in h. A wl. in Ae	+ $FeCl_3$ → grün Dimethyläther *Fp* 144° Diacetat *Fp* 133—134°

Lfd. Nr.	*Fp*	Name	Summenformel	Strukturformel	Mol.-Gewicht	Aggregatzustand Farbe
1	2	3	4	5	6	7
3054	**268,8**	Cinchonin	$C_{19}H_{22}N_2O$	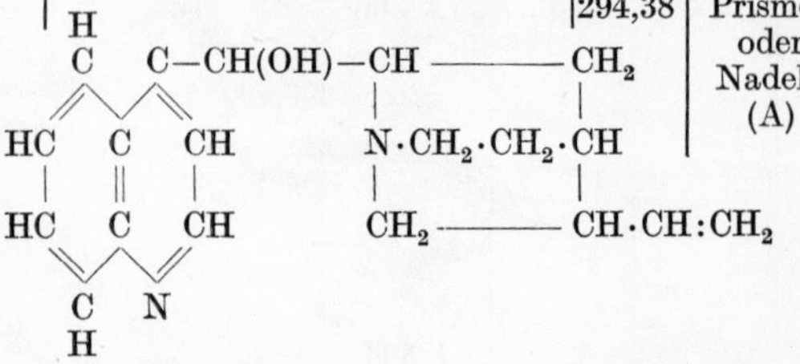	294,38	Prismen oder Nadeln (A)
3055	**269 bis 270**	7-Hydroxynaphthoesäure-(2)	$C_{11}H_8O_3$	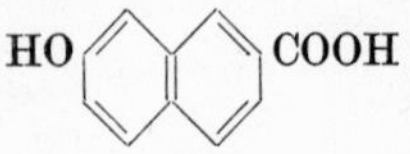	188,17	Nadelbüschel (A)
3056	**269 bis 275**	Pregneninolon (17α-Äthinyltestosteron, 17α-Äthinyl-Δ^4-androsten-17β-ol-3-on)	$C_{21}H_{28}O_2$	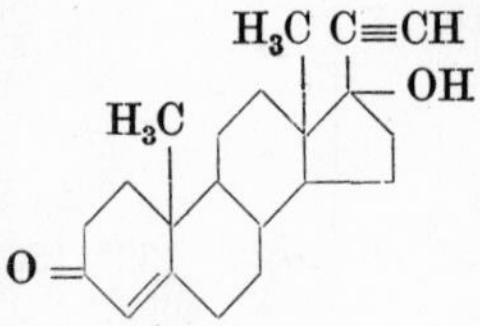	312,43	weiße Krist.
3057	**270**	Aceanthrenchinon	$C_{16}H_8O_2$	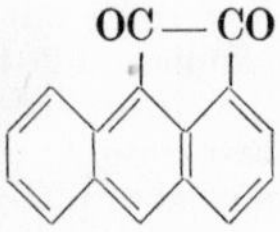	232,22	rote Prismen (Bzl.)
3058	**270**	Alizarinblau	$C_{17}H_9NO_4$	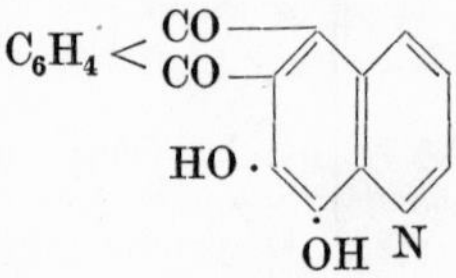	291,25	braunviolette Nadeln (Bzl.)
3059	**270**	*l*-Asparaginsäure	$C_4H_7NO_4$	$HOOC\cdot CH(NH_2)\cdot CH_2\cdot COOH$	133,10	Blättchen oder Säulen
3060	**270**	Diharnstoff (p-Urazin, 3,6-Dioxohexahydro-1,2,4,5-tetrazin)	$C_2H_4N_4O_2$	$OC<^{NH\cdot NH}_{NH\cdot NH}>CO$	116,08	Krist. (W)
3061	**270**	Natriumpalmitat	$C_{16}H_{31}NaO_2$	$CH_3\cdot(CH_2)_{14}\cdot CO\cdot ONa$	278,40	Blättchen (A)
3062	**270**	Nitroterephthalsäure	$C_8H_5NO_6$	$O_2N\cdot C_6H_3(COOH)_2$	211,13	Nadeln (W)
3063	**270**	1,2,5,8-Tetranitronaphthalin	$C_{10}H_4N_4O_8$	$C_{10}H_4(NO_2)_4$	308,16	Prismen (HNO_3)

Lfd. Nr.	Spez. Gewicht	Siedepunkt °C	Beilsteinzitat	Physikalische Konstanten und Eigenschaften	Löslichkeit	Reaktionen
	8	9	10	11	12	13
3054		subl. (220°)	XXIII 424	$[\alpha]_D^{20}$ +224,5° (A); eutekt. Temp.: mit Salophen 180°, mit Dicyandiamid 206°	0,027 W 20° 0,87 A 25° 0,56 Ae 25° l. in H_2SO_4	Cinchonin wird in wss. Furfurol-Lsg. beim Überschichten über konz. H_2SO_4 → braun, diese Färbung ruht auf einem kirschroten Ring
3055			X 337		l. in W ll. in A	+ $FeCl_3$ → orange Acetylderivat *Fp* 209–210°, Nadeln Anilid, *Fp* 219–220° Nadelbüschel
3056				$[\alpha]_D^{20}$ +18 bis +21° (Dioxan); geruch- u. geschmacklos	unl. in W wl. in A, Ae, Dioxan swl. in Chlf. ll. in Pyridin, h. Aceton	Oxim *Fp* 226–232° Semicarbazon *Fp* 228–232°
3057			E_1 VIII 436		swl. in A.	Monoxim *Fp* 251° (Z.) Monophenylhydrazon *Fp* 203°
3058		subl.	XXI 632		unl. in W swl. in A, Ae l. in Eg.	+ H_2SO_4 → rot + NH_4OH → blau
3059	$1{,}6613^{12°}_{12°}$		IV 472	$[\alpha]_D^{20}$ +4,4 (W); schmeckt stark sauer	0,61 W 20° 5,37 W 97°	+ salpetrige Säure → Äpfelsäure Cu-Salz → hellblaue Nadeln Ag-Salz *Fp* 216–217° (Z.) Benzoylderivat *Fp* 185°
3060			E_2 XXVI 258			
3061			II 372		l. in W, A	
3062			IX 851		ll. in h. W, h. A, Ae l. in H_2SO_4	
3063			V 564		swl. in W, A, Chlf., Eg.	

Lfd. Nr.	*Fp*	Name	Summenformel	Strukturformel	Mol.-Gewicht	Aggregatzustand Farbe
1	2	3	4	5	6	7
3064	270 bis 272	p-Hydroxy-β-phenyläthylaminhydrochlorid (Tyraminhydrochlorid)	$C_8H_{12}ClNO$	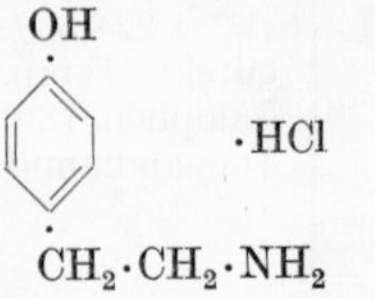	173,64	lange Nadeln
3065	271 (Z.)	Tropacocainhydrochlorid (Hydrochlorid des Tropinbenzoats)	$C_{15}H_{20}ClNO_2$	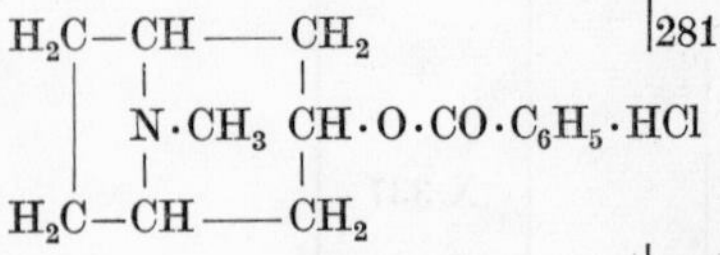	281,78	weiße rhomb. Krist. oder Nadeln
3066	271 bis 273	dl-Phenylalanin	$C_9H_{11}NO_2$	$C_6H_5 \cdot CH_2 \cdot CH(NH_2) \cdot COOH$	165,19	Blättchen (verd. A)
3067	272 (Z.)	Naphthylamin-(1)-sulfonsäure-(2)	$C_{10}H_9NO_3S$	$H_2N \cdot C_{10}H_6 \cdot SO_3H$	223,25	Nadeln (W)
3068	272 bis 277 (Z.)	Phthalylsulfathiazol (Taleudron)	$C_{17}H_{13}N_3O_5S_2$	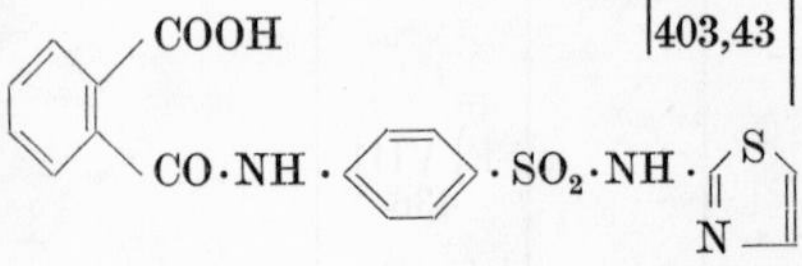	403,43	weiße Krist.
3069	274	Naphthalsäureanhydrid	$C_{12}H_6O_3$	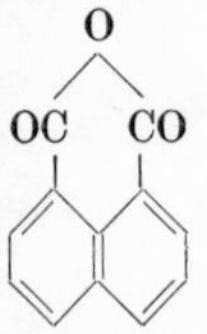	198,17	Nadeln (A)
3070	274 bis 275	p,p′-Diphenol	$C_{12}H_{10}O_2$	$HO \cdot C_6H_4 \cdot C_6H_4 \cdot OH$	186,20	Blättchen oder Nadeln
3071	274 bis 275 (Z.)	Tubocurarinchlorid	$C_{38}H_{44}Cl_2 \cdot N_2O_6$	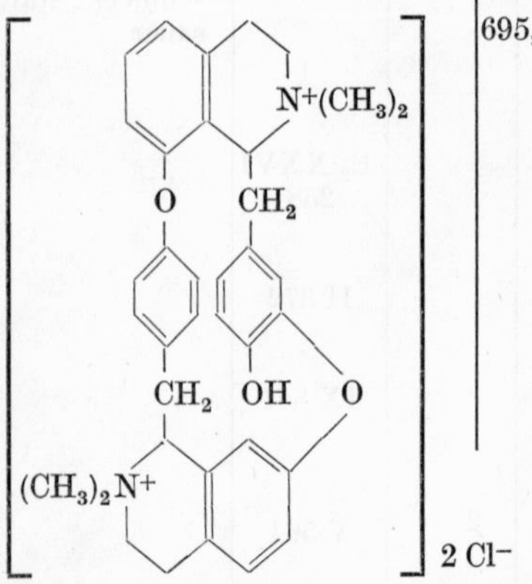	695,66	

Lfd. Nr.	Spez. Gewicht	Siedepunkt °C	Beilsteinzitat	Physikalische Konstanten und Eigenschaften	Löslichkeit	Reaktionen
	8	9	10	11	12	13
3064					ll. in W, A, Methanol zll. in Chlf. unl. in Bzl., Ae	
3065				eutekt. Temp.: mit Salophen 168°, mit Dicyandiamid 141°; geruchlos; Geschmack salzig; stark anästhesierend	ll. in W wl. in absol. A	5 mg Subst. mit 1 Tropfen n/10-$KMnO_4$-Lsg. mit Glasstab auf Uhrglas verreiben → dunkle Krist. + $AuCl_3$ + NaBr → bräunlichgelbe Dendrite (1: 10000)
3066		subl.	XIV 498		swl. in k. W, sd. A unl. in Ae	Pikrolonat *Fp* 187° Benzoylderivat *Fp* 188°
3067			XIV 757		0,91 W 20° 3,19 W 100°	
3068				geruchlos; schwach bitterer Geschmack	wl. in W, A, Aceton unl. in Bzl., Chlf. l. in verd. Säuren u. NaOH	
3069			XVII 521		wl. in A swl. in Ae l. in Eg.	+ H_2SO_4 → gelb, blaue Fluoreszenz
3070	1,25	subl.	VI 991		wl. in W ll. in A, Ae	+ $FeCl_3$ keine Färbung Diacetat *Fp* 159–160°
3071				$[\alpha]_D^{25}$ +215° (W), +245° (Methanol)	wl. in W l. in A	

Lfd. Nr.	*Fp*	Name	Summenformel	Strukturformel	Mol.-Gewicht	Aggregatzustand Farbe
1	2	3	4	5	6	7
3072	**275**	Benzoltetracarbonsäure-(1,2,4,5) (Pyromellitsäure)	$C_{10}H_6O_8$	$C_6H_2(COOH)_4$	254,15	Tafeln $+2H_2O$ (W)
3073	**275**	5,7-Dihydroxyflavon (Chrysin)	$C_{15}H_{10}O_4$	$(HO)_2C_6H_2\langle{}^{CO\cdot CH}_{O-C\cdot C_6H_5}$ (CH und C durch Doppelbindung verbunden)	254,23	hellgelbe Tafeln
3074	**275**	Hexamethyldiamino-isopropanoldijodid Endojodin)	$C_9H_{24}J_2N_2O$	$[(CH_3)_3N(J)CH_2]_2CH\cdot OH$	430,12	weiße Krist.
3075	**275**	Lophin (2,4,5-Triphenylglyoxalin)	$C_{21}H_{16}N_2$	$C_6H_5\cdot C—N$ / $C_6H_5\cdot C\cdot NH$ (C=C) $\rangle C\cdot C_6H_5$	296,35	Nadeln (A)
3076	**275,5**	Muscarufin	$C_{25}H_{16}O_9$	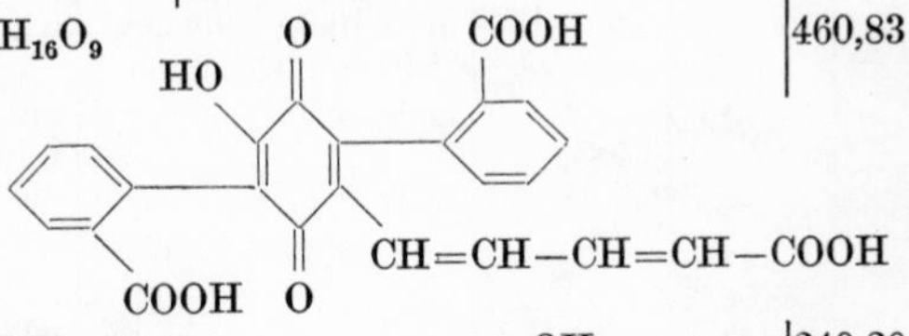	460,83	orangerote rhomb. Krist. (W) Nadeln (A)
3077	**276**	1,6-Dihydroxyanthrachinon	$C_{14}H_8O_4$	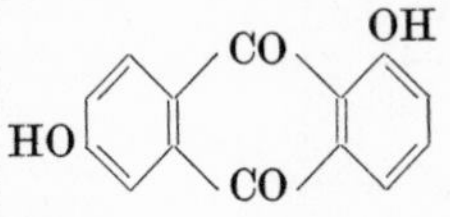	240,20	gelbe Nadeln (Eg.)
3078	**276**	3,5,7,4′-Tetrahydroxyflavon (Kämpferol)	$C_{15}H_{10}O_6$	$(HO)_2C_6H_2\langle{}^{CO\cdot C\cdot OH}_{O-C\cdot C_6H_4\cdot OH}$ (C und C durch Doppelbindung verbunden)	286,23	gelbe Nadeln $+1H_2O$ (A)
3079	**276 bis 278**	Oxindigo	$C_{16}H_8O_4$	$C_6H_4\langle{}^{CO}_{O}\rangle C{=}C\langle{}^{CO}_{O}\rangle C_6H_4$	264,22	gelbe Prismen (Eg.)
3080	**276 bis 278 (Z.)**	Pinacyanol	$C_{25}H_{25}JN_2$	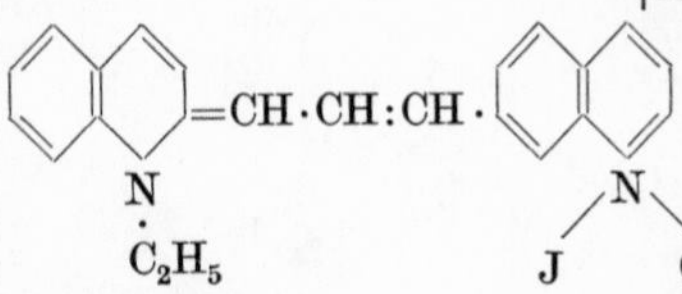	480,39	grünglänzende Krist. (Methanol)
3081	**277 bis 278 (Z.)**	Trimethylaminhydrochlorid	$C_3H_{16}ClN$	$(CH_3)_3N\cdot HCl$	95,57	zerfließliche Krist. (A)

Lfd. Nr.	Spez. Gewicht	Siedepunkt °C	Beilsteinzitat	Physikalische Konstanten und Eigenschaften	Löslichkeit	Reaktionen
	8	9	10	11	12	13
3072			IX 997		1,42 W 16° ll. in A	>275° → Dianhydrid *Fp* 286°; wird mit Dimethylanilin → rot; mit Anthracen → dunkelrot Tetramethylester *Fp* 143°, Blätter Tetraäthylester *Fp* 53°, platte Nadeln Tetraphenylester *Fp* 179,5°, Nadeln
3073		subl.	XVIII 124		unl. in W 0,55 k. A 2 h. A wl. in Ae l. in Alkali	Diacetat *Fp* 185°
3074				verfärbt sich bei 240°; geruchlos; Geschmack bitter	l. in W	wss. Lsg. + $Fe(NO_3)_3$-Lsg. → gelb bis orange → trübe
3075		subl.	XXIII 318	eutekt. Temp.: mit Salophen 185°, mit Dicyandiamid 206°	wl. in W 0,9 A 21° 2,75 sd. A 0,32 Ae 21°	
3076				opt. inaktiv	l. in W, A, h. Eg. unl. in Ae, Bzl., Chlf.	Na-Salz tiefrot + H_2SO_4 purpurrot
3077			VIII 439		wl. in W ll. in A, Ae l. in Alkalien	in verd. Alkalien → gelbrot Dimethyläther *Fp* 185°, gelbliche Blättchen Diacetylderivat *Fp* 205 bis 206°, gelbe Nadeln
3078			XVIII 214		unl. in W, Bzl. ll. in A, Ae l. in Alkali gelb, konz. HNO_3 rot	+ H_2SO_4 → gelb + HNO_3 → rot
3079		subl.	XIX 177		unl. in W swl. in A, Ae l. in KOH, H_2SO_4 rot	
3080			XXIII 320		wl. in W l. in A, Pyridin (blau)	
3081			IV 46		ll. in W, A unl. in Ae	

Lfd. Nr.	Fp	Name	Summen-formel	Strukturformel	Mol.-Ge-wicht	Aggregat-zustand Farbe
1	2	3	4	5	6	7
3082	**278** (Z.)	Codeinsulfat	$C_{36}H_{44}N_2O_{10}S$	vgl. Nr. 2104	696,78	Krist. $+5H_2O$
3083	**278**	Hydrocinchonin	$C_{19}H_{24}N_2O$	$C_2H_5 \cdot HC \cdot CH{-}CH_2$ CH_2 CH_2 $H_2C \cdot N{-\!-}CH \cdot CH(OH) \cdot$	296,40	Prismen (A)
3084	**278**	1,2,5-Trihydroxyanthra-chinon (Hydroxy-anthrarufin)	$C_{14}H_8O_5$	$HO \cdot C_6H_3 \big\langle {CO \atop CO} \big\rangle C_6H_2(OH)_2$	256,20	rote Nadeln (Eg.)
3085	**278**	5-Nitro-2-aminobenzoe-säure (5-Nitroanthra-nilsäure)	$C_7H_6N_2O_4$	$H_2N \cdot C_6H_3(NO_2) \cdot COOH$	182,12	hellgelbe Nadeln
3086	**280** (Z.)	Anilinsulfonsäure-(4) (Sulfanilsäure)	$C_6H_7NO_3S$	$H_2N \cdot C_6H_4 \cdot SO_3H$	173,19	Tafeln $+1H_2O$ (W)
3087	**280**	Anthracen-2-carbon-säure	$C_{15}H_{10}O_2$	$C_6H_4 \big\{ {CH \atop CH} \big\} C_6H_3 \cdot COOH$	222,23	gelbe Blättchen (A)
3088	**280** (Z.)	Benzoesäure-p-sulfamid	$C_7H_7NO_4S$	$H_2N \cdot SO_2 \cdot C_6H_4 \cdot COOH$	201,20	Prismen (W)
3089	**280**	2,7-Dinitroanthrachinon	$C_{14}H_6N_2O_6$	$O_2N \cdot C_6H_3 \big\langle {CO \atop CO} \big\rangle C_6H_3 \cdot NO_2$	298,20	Nadeln (Eg.)
3090	**280**	1,5-Dihydroxyanthra-chinon (Anthrarufin)	$C_{14}H_8O_4$	$HO \cdot C_6H_3 \big\langle {CO \atop CO} \big\rangle C_6H_3 \cdot OH$	240,20	hellgelbe Blättchen (Eg.)
3091	**280**	2,3-Dihydroxynaphtho-chinon-(1,4) (Isonaphthazarin)	$C_{10}H_6O_4$	$C_6H_4 \big\langle {CO \cdot C \cdot OH \atop CO \cdot C \cdot OH} \big\rangle$	190,15	rote Nadeln (Toluol)
3092	**280** (Z.)	6-Methoxychinolin-4-carbonsäure (Chinin-säure)	$C_{11}H_9NO_3$	$CH_3O{-}$ COOH, N	203,19	gelbliche Prismen (verd. HCl)

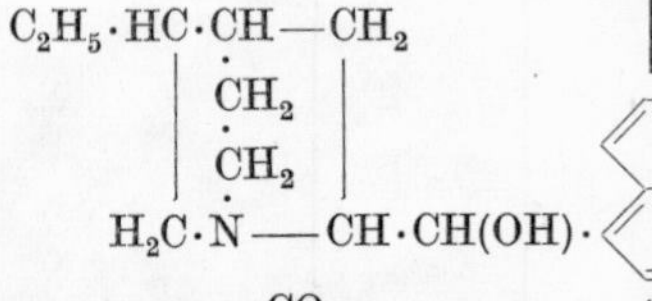

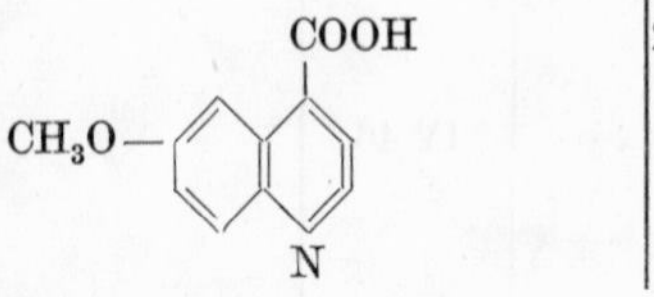

Lfd. Nr.	Spez. Gewicht	Siedepunkt °C	Beilsteinzitat	Physikalische Konstanten und Eigenschaften	Löslichkeit	Reaktionen
	8	9	10	11	12	13
3082					3,3 W 25° 0,1 in 92%ig. A 25°	
3083			XXIII 404	$[\alpha]_D^{15}$ +205,5 (abs. A)	0,07 W 16° 0,7 A 20° 0,19 Ae 16°	
3084		subl.	VIII 512	subl. in roten Nädelchen	l. in H_2SO_4 l. in alkohol. KOH	+ H_2SO_4 → rotviolett + Borsäure → blau + alkohol. KOH → violettblau Triacetat *Fp* 229°, gelbe Nadeln Trimethyläther *Fp* 203–204°, goldgelbe Blättchen
3085			XIV 375		ll. in W, A, Ae unl. in Bzl., Xylol	Äthylester *Fp* 148° Amid *Fp* 230° Anilid *Fp* 203°
3086			XIV 695		1,1 W 20° 6,7 W 100° unl. in A, Ae	
3087		subl.	IX 705		unl. in W wl. in A	
3088			XI 390		unl. in k. W wl. in h. W ll. in A swl. in Bzl.	
3089		subl.	VII 795		wl. in A, Ae l. in sd. Eg.	
3090		subl.	VIII 453	subl. in hellgelben, gezackten Blättern	unl. in W, NH_4OH wl. in Eg. ll. in Bzl. l. in H_2SO_4, KOH	+ H_2SO_4 → karmoisinrot + Borsäure → rotviolett + KOH → rötlich gelb Dimethyläther *Fp* 236°, gelbe Nadeln Diäthyläther *Fp* 178°, gelbe Nädelchen Diacetat *Fp* 244–245°, gelbe Nadeln
3091		subl.	VIII 411		wl. in h. W, A swl. in Ae ll. in Aceton l. in NaOH	+ NaOH → blau
3092			XXII 234		wl. in W, Ae l. in A	Lsg. in Mineralsäure gelb Methylester *Fp* 85° Äthylester *Fp* 69° Amid *Fp* 197°

Lfd. Nr.	Fp	Name	Summen-formel	Strukturformel	Mol.-Ge-wicht	Aggregat-zustand Farbe
1	2	3	4	5	6	7
3093	280	akt. 3,4-Dihydroxy-phenylalanin (akt. Dopa)	$C_9H_{11}NO_4$	HO· $\bigcirc$ ·CH_2·CH·COOH HO· $\quad\quad$ NH_2	197,19	weiße Krist.
3094	280	d-Isoleucin	$C_6H_{13}NO_2$	C_2H_5·$CH(CH_3)$·CH·NH_2 $\mid$ COOH	131,17	Tafeln (A)
3095	280	Thioindigo	$C_{16}H_8O_2S_2$	$C_6H_4 \genfrac{<}{>}{0pt}{}{CO}{S} C=C \genfrac{<}{>}{0pt}{}{CO}{S} C_6H_4$	296,26	rote Krist. (Bzl.)
3096	282 (Z.)	3,10-Pyrenchinon	$C_{16}H_8O_2$	O $\quad\quad$ O	232,22	hell-ziegelrote Nadeln (Eg.)
3097	283	Imidazolcarbonsäure-(4 bzw. 5)	$C_4H_4N_2O_2$	HOOC·C——N $\quad\quad\|\quad\quad$>CH HC—NH	112,09	Krist. (verd. A oder Aceton)
3098	283	5-Aminosalicylsäure	$C_7H_7NO_3$	H_2N·$C_6H_3(OH)$·COOH	153,13	Nadeln (W)
3099	283 (Z.)	Methionin	$C_5H_{11}NO_2S$	CH_3·S·CH_2·CH_2·CH·NH_2 $\mid$ COOH	149,21	Platten
3100	283 (Z.)	l-Phenylalanin	$C_9H_{11}NO_2$	C_6H_5·CH_2·$CH(NH_2)$·COOH	165,19	Blättchen, Nadeln (W)
3101	283 bis 284	Chloranilsäure	$C_6H_2Cl_2O_4$	OC$\genfrac{<}{>}{0pt}{}{CCl:C(OH)}{C(OH):CCl}$CO	208,99	rote Blättchen $+2H_2O$ (W)
3102	283 bis 284	2-[4'-Hydroxy-3'-carb-oxyphenyl]-chinolin-4-carbonsäure	$C_{17}H_{11}NO_5$	COOH $\quad\quad$ COOH $\quad\quad\quad$ ·OH N	309,27	ocker-gelbes Pulver

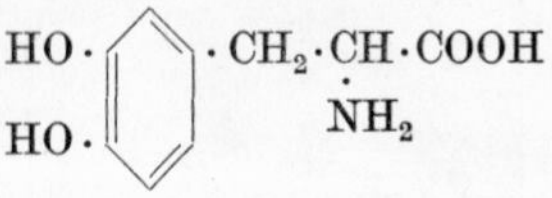

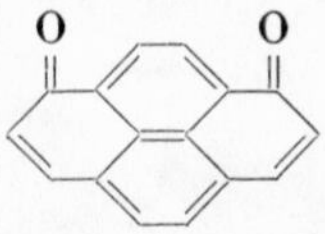

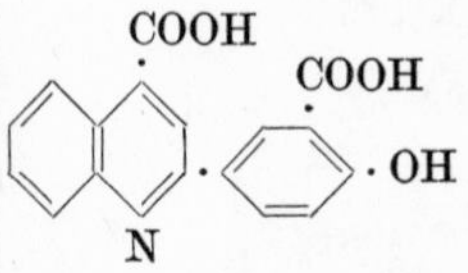

Lfd. Nr.	Spez. Gewicht	Siedepunkt °C	Beilsteinzitat	Physikalische Konstanten und Eigenschaften	Löslichkeit	Reaktionen
	8	9	10	11	12	13
093				geruchlos; Geschmack schwach süß	wl. in W l. in Säuren Alkalien, A, Ae	gelbe alkal. Lsg. schütteln mit Luft → violettrot → orange Lsg. + $Fe(NO_3)_3$-Lsg. → grün → gelbgrün 1—2 mg Subst. in 0,5 ml W + 1 ml verd. $Fe(NO_3)_3$-Lsg. → grün + $(CH_2)_6N_4$ → intensiv blauviolett Subst. beim Eintragen in schwach angesäuerte Nitrit-Lsg. → Entwicklung von N_2 → orange Lsg. + Lauge → kirschrot
094		subl.	IV 454	*Fp* im geschlossenen Rohr; $[\alpha]_D^{20}$ + 9,74° (W)	3,87 W 15,5° l. in h. A unl. in Ae	Pikrolonat *Fp* 170° Benzoylderivat *Fp* 117°
095		subl.	XIX 177		unl. in W swl. in sd. A ll. in Nitrobenzol l. in H_2SO_4	+ H_2SO_4 → blaugrün
096			VII 824		swl. in A, Ae, CS_2 ll. in Nitrobenzol	Chinhydron mit Hydrochinon Nadeln, 200 μ, ausgezeichnet durch auffallenden Dichroismus, axial blaßgrün, basal ziegelrot
097			XXV 117		ll. in W unl. in organ. Lösungsmm.	Erhitzen > 286° → CO_2 u. Imidazol Methylester *Fp* 156° Äthylester *Fp* 162° Anilid *Fp* 227—228°
098		Z.	XIV 579		wl. in h. W unl. in A	+ $FeCl_3$ → kirschrot Methylester *Fp* 96° Benzoylderivat *Fp* 121°
099			E_2 IV 938		l. in k. W unl. in Ae	1 Tropfen Subst. + 1 Tropfen $PtCl_4$-Lsg. + 1 Tropfen gesätt. NaJ-Lsg.; nach kurzem Stehen blattförmige, scharfkantige Kristallverwachsungen (E 0,1 mg)
100		subl.	XIV 495	$[\alpha]_D^{20}$ —35° (W)	2,74 W 20° 6,11 W 70° wl. in A	Benzoylderivat *Fp* 146° p-Toluolsulfonylderivat *Fp* 161°
101			VIII 379		0,19 W 14° 1,4 W 99°	
102					unl. in W, Ligroin wl. in A, Methanol, Essigester	

Lfd. Nr.	Fp	Name	Summenformel	Strukturformel	Mol.-Gewicht	Aggregatzustand Farbe
1	2	3	4	5	6	7
3103	284	Vomicin	$C_{22}H_{24}N_2O_4$	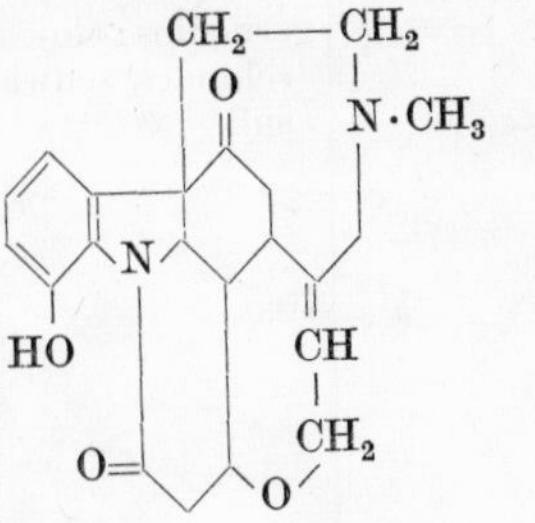	380,43	Prismen (Aceton)
3104	284	3-Nitro-4-aminobenzoesäure	$C_7H_6N_2O_4$	$H_2N \cdot C_6H_3(NO_2) \cdot COOH$	182,12	rötlich-gelbe Nadeln (A)
3105	285	Tetraphenylmethan	$C_{25}H_{20}$	$(C_6H_5)_4C$	320,41	Krist. (Bzl.)
3106	285	α-Truxillsäure (Cocasäure)	$C_{18}H_{16}O_4$	$C_6H_5 \cdot HC \cdot CH \cdot COOH$ / $HOOC{-}HC \cdot CH \cdot C_6H_5$	296,31	Nadeln (verd. A)
3107	285 bis 286	Fluortyrosin (Pardinon)	$C_9H_{10}FNO_3$	$HO \cdot C_6H_3F \cdot CH_2 \cdot CH(COOH) \cdot NH_2$	199,18	weiße Krist.
3108	285 bis 293	α-Naphthylaminhydrobromid	$C_{10}H_{10}BrN$	$C_{10}H_7 \cdot NH_2 \cdot HBr$	224,11	lila Nadeln
3109	285 bis 290	Yohimbinhydrochlorid	$C_{21}H_{27}ClN_2O_3$	vgl. Nr. 2904	390,90	weiße Krist.
3110	286	*l*-Histidin (β-Imidazolylalanin)	$C_6H_9N_3O_2$	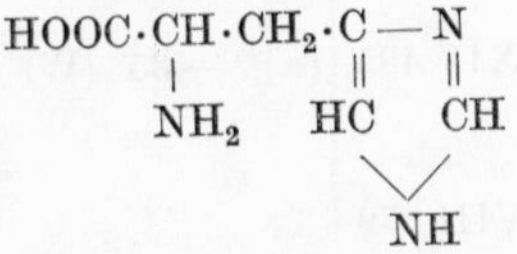	155,16	Blättchen (verd. A oder W)
3111	286	4-Nitrozimtsäure	$C_9H_7NO_4$	$O_2N \cdot C_6H_4 \cdot CH{:}CH \cdot COOH$	193,15	gelbliche Prismen (A)

Lfd. Nr.	Spez. Gewicht	Siede-punkt °C	Beilstein-zitat	Physikalische Konstanten und Eigenschaften	Löslichkeit	Reaktionen
	8	9	10	11	12	13
3103				$[\alpha]_D^{22}$ +80,4° (A)	l. in Chlf., h. A, Aceton wl. in Ae, Äthylacetat	Hydrochlorid *Fp* 245° (Z.)
3104			XIV 440		unl. in W l. in A	K-Salz orange Prismen Äthylester *Fp* 145°
3105		431	V 738		unl. in W, A, Ae l. in h. Bzl.	
3106		subl.	IX 952	$[\alpha]_D$ −39,7° (W)	swl. in sd. W, Ae l. in h. A, h. Eg.	
3107				geruchlos; geschmacklos	wl. in W l. in Säuren, Alkalien	wss. Lsg. + $Fe(NO_3)_3$ → olivstichig violett Lsg. in 2n-HNO_3 erwärmt → tiefgelb + NH_3 Farbe verstärkt
3108			XII 1220	eutekt. Temp. mit Salophen 179°; mit Dicyandiamid 134°	wl. in W l. in A	
3109				$[\alpha]_D^{20}$ +103−104°; eutekt. Temp.: mit Salophen 183°, mit Dicyandiamid 193°; geruchlos; schmeckt bitter; schwach anästhesierend	l. in k. W ll. in h. W, A	1 mg Subst. + 10 mg $(CH_2)_6N_4$ + 1 ml konz. H_2SO_4 gelinde erwärmen, durchschütteln → intensiv violett → grauviolett abgekühlte Lsg. + HNO_3-H_2SO_4 → grün → olivbraun wss. Lsg. + 1 Körnchen $K_2Cr_2O_7$ → violett → schieferblau → schmutzig grün
3110			XXV 513	$[\alpha]_D^{20}$ −39,7° (W)	l. in W swl. in A unl. in Ae, Chlf.	mit p-Diazobenzolsulfonsäure → rot + Bromwasser bis Gelbfärbung, erhitzen → Entfärbung → dunkelweinrot → schwarze Flocken Pikrat *Fp* 86° Benzoylderivat *Fp* 230°
3111			IX 606		swl. in W 0,1 A 25° swl. in Ae	Äthylester *Fp* 141−142° p-Nitrobenzylester *Fp* 186° Phenacylester *Fp* 146° p-Bromphenacylester *Fp* 191° Amid *Fp* 155−160°

Lfd. Nr.	*Fp*	Name	Summen-formel	Strukturformel	Mol.-Gewicht	Aggregat-zustand Farbe
1	2	3	4	5	6	7
3112	**286**	Phenylhydrazin-p-sulfonsäure	$C_6H_8N_2O_3S$	$HO_3S \cdot C_6H_4 \cdot NH \cdot NH_2$	188,18	Blättchen
3113	**286 bis 287**	Fumarsäure	$C_4H_4O_4$	$HOOC \cdot C \cdot H$ ‖ $H \cdot C \cdot COOH$	116,07	Nadeln oder Blättchen
3114	**287**	2-Phenylbenzimidazol	$C_{13}H_{10}N_2$	$C_6H_4 \langle {N \atop NH} \rangle C \cdot C_6H_5$	194,23	Tafeln (Eg.) Nadeln (W)
3115	**288**	Benzolhexacarbonsäure (Mellitsäure)	$C_{12}H_6O_{12}$	$C_6(COOH)_6$	342,17	Nadeln (Ae)
3116	**288**	5-Hydroxyisophthalsäure	$C_8H_6O_5$	$HO \cdot C_6H_3(COOH)_2$	182,13	Nadeln $+ 2H_2O$ (W)
3117	**289** (Z.)	4-Nitroalizarin	$C_{14}H_7NO_6$	$C_6H_4 \langle {CO \atop CO} \rangle C_6H(NO_2)(OH)_2$	285,20	gelbe Nadeln (A)
3118	**289**	*l*-Tryptophan	$C_{11}H_{12}N_2O_2$	$C_6H_4 \langle {C \atop NH} \rangle {CH_2 \cdot CH(NH_2) \cdot COOH \atop CH}$	204,22	Tafeln (verd. A)
3119	**289 bis 290**	1,2-Dihydroxyanthrachinon (Alizarin)	$C_{14}H_8O_4$	$C_6H_4 \langle {CO \atop CO} \rangle C_6H_2(OH)_2$	240,20	orangerote Nadeln (A)
3120	**290**	Chloranil (Tetrachlorchinon)	$C_6Cl_4O_2$	$O:C_6Cl_4:O$	245,89	gelbe Blättchen (Eg.)
3121	**290**	1,7-Diaminoanthrachinon	$C_{14}H_{10}N_2O_2$	$H_2N \cdot C_6H_3 \langle {CO \atop CO} \rangle C_6H_3 \cdot NH_2$	238,23	rote Nadeln (Nitrobenzol)

Lfd. Nr.	Spez. Gewicht	Siedepunkt °C	Beilsteinzitat	Physikalische Konstanten und Eigenschaften	Löslichkeit	Reaktionen
	8	9	10	11	12	13
3112			XV 639	eutekt. Temp.: mit Salophen 179°, mit Dicyandiamid 163°	l. in W, A	
3113	1,625	subl.	II 737	*Fp* im geschlossenen Rohr; eutekt. Temp.: mit Salophen 182°, mit Dicyandiamid 153°	swl. in W 0,1 in A 25° swl. in Ae, Chlf.	p-Nitrobenzylester *Fp* 150,8° Phenacylester *Fp* 204—205° Anilid *Fp* 314°
3114			XXIII 230		wl in W l. in A wl. in Bzl.	Hydrojodid hellgelbe Nadeln
3115		Z.	IX 1008	*Fp* im geschlossenen Rohr	l. in W l. in A wl. in HNO_3	vor Kp. (Z.) → Dianhydrid der Benzoltetracarbonsäure-(1,2,4,5) Chlorid *Fp* 190°, prismat. Krist. Hexamethylester *Fp* 187 bis 188°, Nadeln Hexaäthylester *Fp* 72,5—73°, Rauten
3116		subl.	X 504		0,06 W 15° 18,5 W 99° ll. in A, Ae, Bzl.	+ $FeCl_3$ → intensiv violett
3117			VIII 447		swl. in W wl. in A l. in KOH (blauviolett)	Diacetat *Fp* 194—195°
3118			XXII 546		1,06 W 20° 2,51 W 70° ll. in sd. W wl. in A unl. in Chlf.	+ Chlorwasser → violettrot, + Pyridin → blau + p-Dimethylaminobenzaldehyd u. HCl → kirschrot + HCl + Nitrit + Formaldehyd → violett + verd. Glyoxylsäurelsg. + konz. H_2SO_4 → violett (E 1:200000) p-Toluolsulfonylderivat *Fp* 176°
3119		430	VIII 439	sublimierbar; eutekt. Temp.: mit Salophen 179°, mit Dicyandiamid 200°	0,034 W 100° l. in A, Ae l. in Alkali (blauviolett)	+ konz. H_2SO_4 → weinrot + Borsäure → violett Diacetat *Fp* 186—187°, blaßgelbe Nadeln Dimethyläther *Fp* 215°, gelbe Nadeln Diäthyläther *Fp* 162°, gelbe Nadeln
3120		subl.	VII 636	*Fp* im geschlossenen Rohr; subl. unzersetzt	unl. in W wl. in h. A l. in Ae	+ Phenylhydrazin *Fp* 229 bis 230°, hellbraune Nadeln + Hexamethylbenzol *Fp* 198 bis 202°, violettbraune Nadeln
3121			E_1 XIV 470		unl. in W ll. in A, Bzl.	

Lfd. Nr.	*Fp*	Name	Summenformel	Strukturformel	Mol.-Gewicht	Aggregatzustand Farbe
1	2	3	4	5	6	7
3122	290 (Z.)	4-Hydroxychinolin-carbonsäure-(2) (Kynurensäure)	$C_{10}H_7NO_3$	$C_9H_5N(OH)\cdot COOH$	189,16	Nadeln (verd. Essigsäure)
3123	290 (Z.)	3,5,7,2′,4′-Pentahydroxyflavon (Morin)	$C_{15}H_{10}O_7$	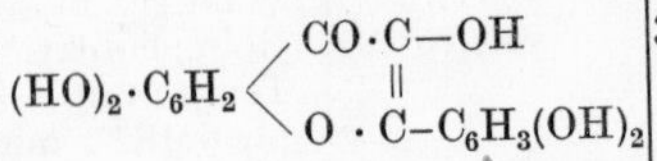 $(HO)_2\cdot C_6H_2 \left\langle \begin{array}{l} CO\cdot C{-}OH \\ \quad\;\; \Vert \\ O\cdot C{-}C_6H_3(OH)_2 \end{array} \right.$	302,23	Nadeln $+1\,H_2O$ (A)
3124	290	dl-Tyrosin	$C_9H_{11}NO_3$	$^{(4)}HO\cdot C_6H_4\cdot CH_2\cdot CH(COOH)\cdot NH_2$	181,19	Blättchen (W)
3125	290 (Z.)	*l*-Tyrosin (β-[p-Hydroxyphenyl]-α-aminopropionsäure)	$C_9H_{11}NO_3$	$^{(4)}HO\cdot C_6H_4\cdot CH_2\cdot CH(COOH)\cdot NH_2$	181,19	Nadeln (W)
3126	290 bis 291	5-Methylisophthalsäure (Uvitinsäure)	$C_9H_8O_4$	$CH_3\cdot C_6H_3(COOH)_2$	180,15	Nadeln (W)
3127	290 bis 292	Anthrachinoncarbonsäure-(2)	$C_{15}H_8O_4$	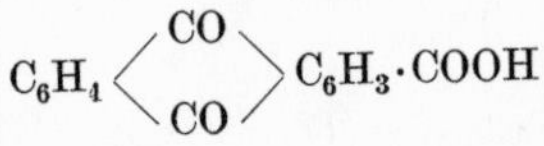 $C_6H_4 \langle {CO \atop CO} \rangle C_6H_3\cdot COOH$	252,21	gelbliche Nadeln (A)
3128	291,5	α-Aminovaleriansäure	$C_5H_{11}NO_2$	$C_2H_5\cdot CH_2\cdot CH(NH_2)\cdot COOH$	117,15	Nadeln oder Blättchen (A od. W)
3129	292	1,6-Diaminoanthrachinon	$C_{14}H_{10}N_2O_2$	$H_2N\cdot C_6H_3 \langle {CO \atop CO} \rangle C_6H_3\cdot NH_2$	238,23	rote Nadeln (Eg.)
3130	292	Riboflavin (Lactoflavin, Vitamin B_2, 6,7-Dimethyl-9-[D-1′-ribityl]-isoalloxazin)	$C_{17}H_{20}N_4O_6$		376,41	gelbe Nadeln

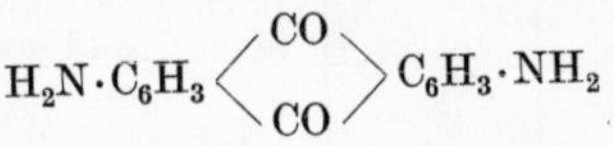

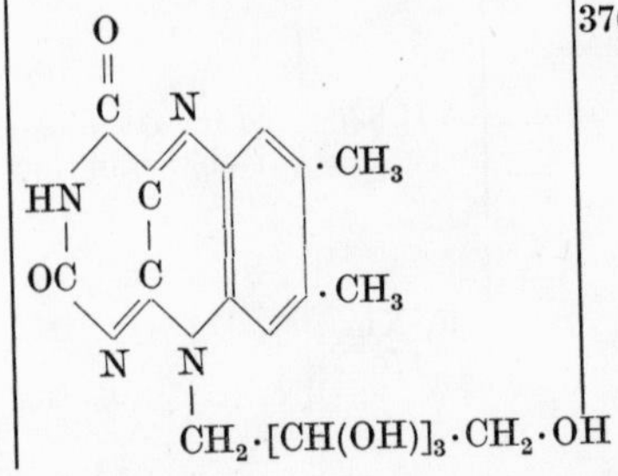

Lfd. Nr.	Spez. Gewicht	Siedepunkt °C	Beilsteinzitat	Physikalische Konstanten und Eigenschaften	Löslichkeit	Reaktionen
	8	9	10	11	12	13
122			XXII 230		0,09 sd. W wl. in A, Ae ll. in NaOH	
123			XVIII 239		0,025 W 20° ll. in A wl. in Ae l. in Alkali (gelb)	+ H_2SO_4 → blaugrüne Fluoreszenz Pentamethyläther *Fp* 154—157°
124			XIV 621		0,041 W 20° 0,65 W 100° swl. in h. A unl. in Ae	Pikrolonat *Fp* 260° Benzoylderivat *Fp* 197°
125			XIV 605	$[\alpha]_D$ −8,64° (in 21%iger HCl); eutekt. Temp.: mit Salophen 184°, mit Dicyandiamid 196°; geruchlos; geschmacklos	0,04 W 17° 0,01 95%ig. A 17° unl. in Ae 0,19 sd. Eg. l. in Alkalien, Säuren, NH_4OH	+ $Hg(NO_3)_2$ in Gegenwart von salpetriger Säure → rot kochen mit Formaldehyd + H_2SO_4 → grün α-Naphthylurethan *Fp* 205 bis 206°, Nadeln Pikrolonat *Fp* 260° (Z.), Stäbchen Kupfersalz dunkelrote Prismen oder Nadeln + $Fe(NO_3)_3$-Lsg. → olivstichig gelb Lsg. in HNO_3 — erwärmen → tiefgelb Benzoylderivat *Fp* 166° p-Toluolsulfonylderivat *Fp* 114°
126		subl.	IX 864		swl. in sd. W ll. in A, Ae	Diäthylester *Fp* 35°
127			X 835	sublimierbar	swl. in A unl. in Ae, Bzl., Chlf. ll. in Aceton	Äthylester *Fp* 147°
128		subl.	IV 416		10,7 W 15° wl. in A unl. in Ae	
129			E_1 XIV 470		wl. in W ll. in A, Ae, Eg.	
130				$[\alpha]_D$ −115° (NaOH); schmeckt bitter	wl. in W unl. in A, Ae, Chlf., Aceton ll. in verd. Alkalien	wss. Lsg. fluoresziert grün einige Krist. in 1 ml W + + 5 Tropfen $AgNO_3$-Lsg. → hellrot → roter Nd.

Lfd. Nr.	Fp	Name	Summenformel	Strukturformel	Mol.-Gewicht	Aggregatzustand Farbe
1	2	3	4	5	6	7
3131	**292 bis 293**	1,7-Dihydroxyanthrachinon	$C_{14}H_8O_4$	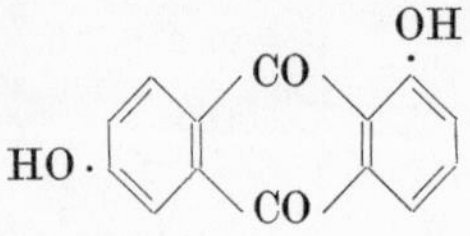	240,20	gelbe Nadeln (A)
3132	**293**	3′,5′,3″,5″-Tetrabromphenolphthalein	$C_{20}H_{10}Br_4O_4$	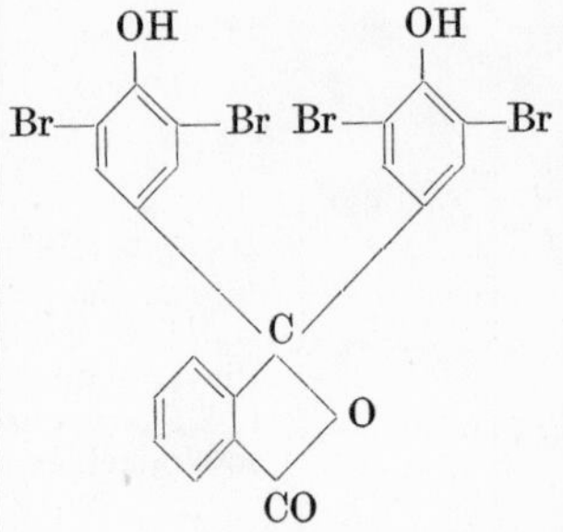	633,94	gelbes Pulver
3133	**293** (Z.)	Betain	$C_5H_{11}NO_2$	$(CH_3)_3N-CH_2$ / $O-CO$ (verbunden)	117,15	Blättchen oder Prismen (A)
3134	**293 bis 294**	Anthrachinoncarbonsäure-(1)	$C_{15}H_8O_4$	$C_6H_4 \langle {CO \atop CO} \rangle C_6H_3 \cdot COOH$	252,21	hellgelbe Nadeln (W)
3135	**293 bis 294** (Z.)	1,8-Anthrachinondisulfonsäure	$C_{14}H_8O_8S_2$	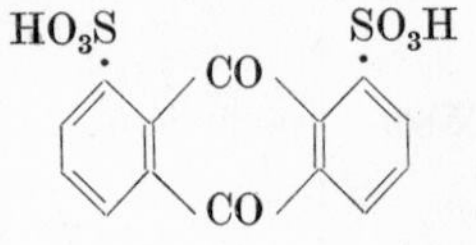	368,34	hellgelbe Nadeln (HCl)
3136	**294**	dl-Leucin	$C_6H_{13}NO_2$	$(CH_3)_2CH \cdot CH_2 \cdot CH(NH_2)COOH$	131,17	Blättchen (W)
3137	**294**	*l*-Leucin	$C_6H_{13}NO_2$	$(CH_3)_2CH \cdot CH_2 \cdot CH(NH_2) \cdot COOH$	131,17	Blättchen (verd. A)
3138	**295**	dl-Alanin	$C_3H_7NO_2$	$CH_3 \cdot CH(NH_2) \cdot COOH$	89,09	Krist. (W)
3139	**295**	Kaliumacetat	$C_2H_3KO_2$	$CH_3 \cdot COOK$	98,14	Säulen (W)

Lfd. Nr.	Spez. Gewicht	Siedepunkt °C	Beilsteinzitat	Physikalische Konstanten und Eigenschaften	Löslichkeit	Reaktionen
8	9	10	11	12	13	
131			X 328	subl. in gelben Nadeln	wl. in W ll. in A, Ae, Eg. l. in Alkalien, in H_2SO_4	in verd. Alkalien → gelb in konz. H_2SO_4 → braungelb Dimethyläther *Fp* 191°, gelbe Nadeln Diacetylderivat *Fp* 199°, hellgelbe Nadeln Natriumsalz orangerote Nad.; unl. in konz. NaOH
132			XVIII 149	eutekt. Temp.: mit Salophen 181°, mit Dicyandiamid 207°	wl. in W unl. in Ae ll. in A	
133			IV 346	schmeckt süß mit bitterem Nachgeschmack	157 W 19° 8,59 A 18° swl. in Ae	bei 300° → teilweise Dimethylaminoessigsäuremethylester Kp. 135° Pikrat *Fp* 181°
134			X 834		wl. in W, sd. A swl. in Ae ll. in Aceton	Äthylester *Fp* 170°
135					l. in W, A, HCl	Dichlorid *Fp* 222—223°, gelbe Prismen Dimethylanilinsalz *Fp* 278°, Platten Dianilid *Fp* 237—238°, Krist.-Plv. Kaliumsalz, gelbe Nadeln Bariumsalz, farbl. Nadeln
136		subl.	IV 447	*Fp* im geschlossenen Rohr; fader Geschmack, schwach bitter	0,97 W 15° swl. in A unl. in Ae	} (für 136 und 137): Ninhydrinreaktion E 1:25000 Pikrolonat *Fp* 145—150° dl-Benzolsulfonylleucin *Fp* 146°, Prismen dl-Benzoylleucin *Fp* 137—141°, Platten
137			IV 447	*Fp* im geschlossenen Rohr	2,2 W 20° 6,6 h. W wl. in A unl. in Ae	
138			IV 387	subl. bei 200°	22 W 17° unl. in Ae	Benzoylderivat *Fp* 166°
139			II 108		228 W 14° 33 k. A 50 h. A unl. in Ae	

Lfd. Nr.	Fp	Name	Summenformel	Strukturformel	Mol.-Gewicht	Aggregatzustand Farbe
1	2	3	4	5	6	7
3140	297 (Z.)	d-Alanin (α-Aminopropionsäure)	$C_3H_7NO_2$	$CH_3 \cdot CH(NH_2) \cdot COOH$	89,09	Krist.-Nadeln (W)
3141	297	β-Benzolhexachlorid	$C_6H_6Cl_6$	vgl. Nr. 2128	290,85	Krist.
3142	298 (Z.)	Muconsäure	$C_6H_6O_4$	$HOOC \cdot CH:CH \cdot CH:CH \cdot COOH$	142,11	Nadeln (W)
3143	298 (Z.)	dl-Valin	$C_5H_{11}NO_2$	$(CH_3)_2CH \cdot CH(NH_2) \cdot COOH$	117,15	Blättchen (A)
3144	300 (Z.)	Benzidindicarbonsäure-(3,3′)	$C_{14}H_{12}N_2O_4$	$[NH_2 \cdot C_6H_3(COOH)-]_2$	272,25	Nadeln
3145	300	Cyclohexen-(1)-dicarbonsäure-(1,4)	$C_8H_{10}O_4$	$HOOC \cdot HC \big\langle {}^{CH_2 \cdot CH}_{CH_2 \cdot CH_2} \big\rangle C \cdot COOH$	170,16	Prismen (W)
3146	300	trans-Cyclohexandicarbonsäure-(1,4)	$C_8H_{12}O_4$	$HOOC \cdot HC \big\langle {}^{CH_2 \cdot CH_2}_{CH_2 \cdot CH_2} \big\rangle CH \cdot COOH$	172,18	Prismen (W) Tafeln (Aceton)
3147	300	Dianthron	$C_{28}H_{16}O_2$	$C_6H_4 \big\langle {}^{CO}_{C} \big\rangle C_6H_4$ ‖ $C_6H_4 \big\langle {}^{C}_{CO} \big\rangle C_6H_4$	384,41	gelbe Krist.
3148	300	4,4′-Dihydroxydinaphthyl-(1,1′)	$C_{20}H_{14}O_2$	$HO \cdot C_{10}H_6 \cdot C_{10}H_6 \cdot OH$	286,31	Tafeln (A)
3149	300	Tetrabromchinon (Bromanil)	$C_6Br_4O_2$	$O:C_6Br_4:O$	423,72	gelbe Blättchen (Eg.)
3150	301 bis 303	2,7-Dinitrophenanthrenchinon	$C_{14}H_6N_2O_6$	$O_2N \cdot C_6H_3 \cdot CO$ | | $O_2N \cdot C_6H_3 \cdot CO$	298,20	gelbe Krist. (Eg.)

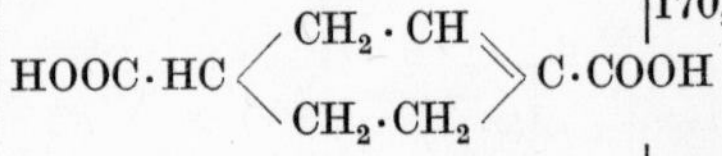

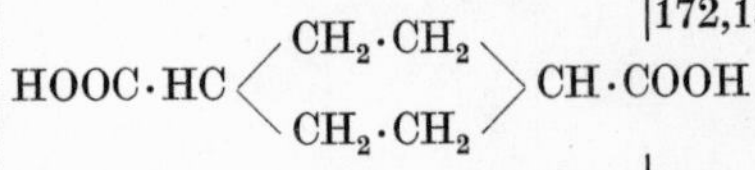

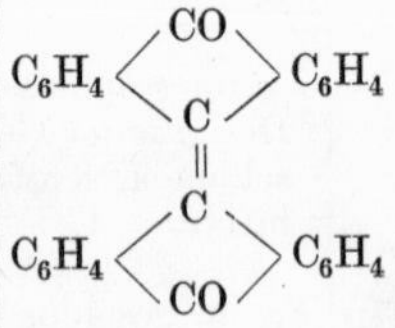

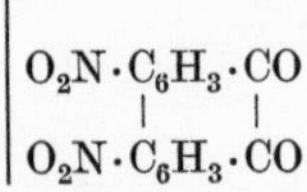

Lfd. Nr.	Spez. Gewicht	Siedepunkt °C	Beilsteinzitat	Physikalische Konstanten und Eigenschaften	Löslichkeit	Reaktionen
	8	9	10	11	12	13
3140			IV 381	$[\alpha]_D^{20}$ +10,3° (W); süß mit fadem Nachgeschmack	20,5 W 45°	wenig Subst. mit 3—4 ml 10%ig. Na_2CO_3 zum Sieden erhitzen + etwas p-Nitrobenzoylchlorid → dunkelblaurot Hydrochlorid *Fp* 204° p-Nitrobenzylester *Fp* 228 bis 230° Benzoylderivat *Fp* 151° p-Toluolsulfonylderivat *Fp* 133°
3141	$1{,}89^{19°}$	subl.	V 23		unl. in W wl. in A 0,13 Chlf. l. in Bzl.	
3142			II 803		0,02 k. W 1 k. A l. in Eg.	Dimethylester *Fp* 157°, lange Nadeln Diäthylester *Fp* 63—64°, Tafeln p-Bromphenacylester *Fp* 225°
3143		subl.	IV 430	*Fp* im geschlossenen Rohr	7 W 25° swl. in k. A unl. in Ae	Benzoylderivat *Fp* 132° p-Toluolsulfonylderivat *Fp* 110°
3144			XIV 568		wl. in A, Ae	bei 300° → Benzidin
3145			IX 773		0,02 k. W	
3146			IX 734		0,087 W 17° 1,33 sd. W ll. in A wl. in Ae unl. in Chlf.	
3147			VII 848		unl. in W wl. in A, Ae l. in H_2SO_4 rot	
3148			VI 1053		unl. in W l. in A ll. in Ae	
3149		subl.	VII 642		unl. in W wl. in k. A, Ae	
3150			VII 807		unl. in W wl. in A, Eg.	

Lfd. Nr.	*Fp*	Name	Summenformel	Strukturformel	Mol.-Gewicht	Aggregatzustand Farbe
1	2	3	4	5	6	7
3151	**302**	2-Aminoanthrachinon	$C_{14}H_9NO_2$	$C_6H_4\left\langle {CO \atop CO} \right\rangle C_6H_3 \cdot NH_2$	223,22	rote Nadeln
3152	**302**	2-Hydroxyanthrachinon	$C_{14}H_8O_3$	$C_6H_4\left\langle {CO \atop CO} \right\rangle C_6H_3 \cdot OH$	224,20	gelbe Nadeln (A)
3153	**303** bis **304**	1,2-Diaminoanthrachinon	$C_{14}H_{10}N_2O_2$	$C_6H_4\left\langle {CO \atop CO} \right\rangle C_6H_2(NH_2)_2$	238,24	violette Nadeln (Nitrobenzol)
3154	**304**	Pseudojervin	$C_{33}H_{49}NO_8$		587,73	Tafeln (A)
3155	**305**	5,6 (oder 7,8)-Dihydroxyanthrachinon-2-carbonsäure	$C_{15}H_8O_6$	$(HO)_2C_6H_2\left\langle {CO \atop CO} \right\rangle C_6H_3 \cdot COOH$	284,20	rote Nadeln
3156	**306**	Rubicen	$C_{26}H_{14}$	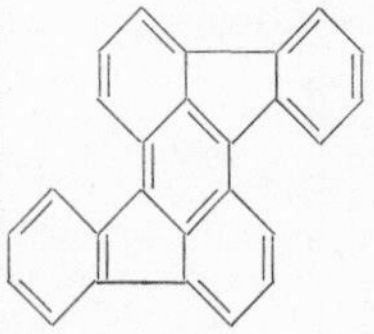	326,37	rote Krist. (A, Bzl.)
3157	**307** (Z.)	dl-α-Aminobuttersäure	$C_4H_9NO_2$	$C_2H_5 \cdot CH(NH_2) \cdot COOH$	103,12	Blättchen (verd. A)
3158	**310**	Benzimidazolon	$C_7H_6N_2O$	$C_6H_4\left\langle {NH \atop NH} \right\rangle CO$	134,13	Blättchen (W od. A)
3159	**310**	Oleanolsäure (Caryophyllin)	$C_{30}H_{48}O_3$	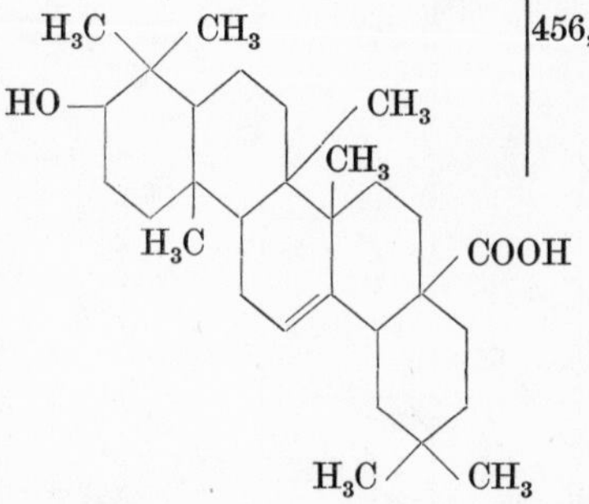	456,68	Nadeln $+ 2H_2O$ (A)
3160	**310**	Naphthalin-1,6-dicarbonsäure	$C_{12}H_8O_4$	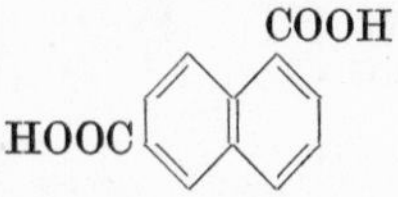	216,18	Nadeln (A)

Lfd. Nr.	Spez. Gewicht	Siedepunkt °C	Beilsteinzitat	Physikalische Konstanten und Eigenschaften	Löslichkeit	Reaktionen
	8	9	10	11	12	13
3151		subl.	XIV 191		unl. in W l. in A, Bzl.	Acetylderivat *Fp* 262° Benzoylderivat *Fp* 228° Benzolsulfonylderivat *Fp* 271° p-Toluolsulfonylderivat *Fp* 304°
3152		subl.	VIII 342	sublimierbar in gelben Blättchen	swl. in W ll. in A, Ae	+ konz. H_2SO_4 → rotgelb Methyläther *Fp* 195 bis 196°, hellgelbe Nadeln Acetat *Fp* 159°, gelbliche Nadeln
3153			XIV 197		swl. in A, Ae l. in Anilin, Pyridin	
3154				$[\alpha]_D$ −133°	ll. in Chlf. wl. in A, Bzl. unl. in Ae, Toluol	+ H_2SO_4 → gelb → grün
3155		subl.	X 1035		ll. in W. A	+ Alkali → blau
3156			E_1 V 385		unl. in W, A swl. in Ae ll. in h. Nitrobenzol	
3157		subl.	IV 408	schmeckt süß	29 k. W 0,18 sd. A unl. in Ae	
3158			XXIV 116		wl. in W ll. in A, NaOH unl. in verd. Säure	
3159			E_2 X 198	$[\alpha]_D^{20}$ +83,3° (Chlf.)	unl. in W 0,9 A 20° 3 sd. A 1,6 Ae	Methylester *Fp* 201° Acetat *Fp* 268° Benzoat *Fp* 261°
3160					ll. in A, Eg.	Dimethylester *Fp* 99°, nadelförmige Rosetten

Lfd. Nr.	*Fp*	Name	Summenformel	Strukturformel	Mol.-Gewicht	Aggregatzustand Farbe
1	2	3	4	5	6	7
3161	**310**	4-Hydroxyisophthalsäure	$C_8H_6O_5$	$HO\cdot C_6H_3(COOH)_2$	182,13	Nadeln (W) Blättchen (verd. A)
3162	**310**	3,3′,5,5′-Tetrahydroxydiphenyl	$C_{12}H_{10}O_4$	$(OH)_2C_6H_3\cdot C_6H_3(OH)_2$	218,20	Nadeln $+2H_2O$ (W)
3163	**310** bis **311**	1,5-Anthrachinondisulfonsäure	$C_{14}H_8O_8S_2$	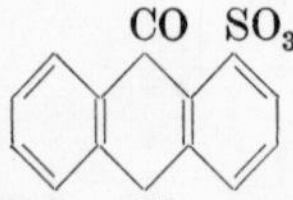	368,34	Tafeln (verd. Ameisensäure)
164	**310** bis **315**	Benzol-1,3,5-trisulfonsäuretriamid	$C_6H_9N_3O_6S_3$	$C_6H_3(SO_2\cdot NH_2)_3$	315,34	Nadeln (A oder sd. W)
3165	**310** bis **320** (Z.)	2,6-Diaminoanthrachinon	$C_{14}H_{10}N_2O_2$	$H_2N\cdot C_6H_3\left\langle {CO \atop CO} \right\rangle C_6H_3\cdot NH_2$	238,24	rotbraune Prismen (wss. Pyridin)
3166	**310** bis **320**	Uramil (Murexan)	$C_4H_5N_3O_3$	$H_2N\cdot HC\left\langle {CO\cdot NH \atop CO\cdot NH} \right\rangle CO$	143,10	Nadeln oder Blättchen (W)
3167	**311** bis **312**	2,5-Dioxopiperazin (Glycinanhydrid)	$C_4H_6N_2O_2$	$HN\left\langle {CH_2\cdot CO \atop CO\cdot CH_2} \right\rangle NH$	114,10	Tafeln (W)
3168	**312**	1,8-Dinitroanthrachinon	$C_{14}H_6N_2O_6$	$O_2N\cdot C_6H_3\left\langle {CO \atop CO} \right\rangle C_6H_3\cdot NO_2$	298,20	gelbe Prismen (Acetanilid)
3169	**312** bis **313**	1,2,3-Trihydroxyanthrachinon (Anthragallol)	$C_{14}H_8O_5$	$C_6H_4\left\langle {CO \atop CO} \right\rangle C_6H(OH)_3$	256,20	orange Nadeln (A + Eg.)
3170	**313** bis **314** (Z.)	3,5,7,3′,4′-Pentahydroxyflavon (Quercetin, Meletin, Sophoretin)	$C_{15}H_{10}O_7$	$(HO)_2\cdot C_6H_2\left\langle {CO\cdot C\cdot OH \atop \Vert \atop O\cdot C\cdot C_6H_3(OH)_2} \right.$	302,23	gelbe Nadeln $+2H_2O$ (verd. A)

Lfd. Nr.	Spez. Gewicht	Siedepunkt °C	Beilsteinzitat	Physikalische Konstanten und Eigenschaften	Löslichkeit	Reaktionen
	8	9	10	11	12	13
3161			X 502		0,02 W 10° 0,65 W 100° ll. in A, Ae unl. in Chlf.	
3162		Zers.	VI 1164		wl. in k. W ll. in h. W	+ $FeCl_2$ → intensiv rot
3163				nicht hygroskopisch	wl. in W l. in verd. Essigsäure, verd. Ameisensäure	Dichlorid *Fp* 265—270°, gelbe Nadeln Diamid *Fp* > 350° Pyridinsalz *Fp* 245—246° gelbliche Blättchen Dianilid *Fp* 269—270°, rötlichgelbe Prismen
3164			XI 227		wl. in k. W l. in A unl. in Ae, Chlf.	
3165			XIV 215		wl. in W, A l. in Anilin	
3166			XXV 492		unl. in k. W, Ae, Chlf. wl. in sd. W l. in verd. KOH u. NH_4OH	färbt sich an der Luft rot
3167		subl.	XXIV 264		swl. in k. W, sd. A	
3168			VII 795			
3169		subl.	VIII 505	subl. bei etwa 290° in orangefarbenen Nadeln	swl. in W l. in A, Ae l. in H_2SO_4, h. konz. NH_4OH (blau)	+ konz. H_2SO_4 → braunrot + Borsäure → violettbraun + Laugen → grün; h. NH_4OH → blau Trimethyläther *Fp* 168°, zitronengelbe Nadeln 2,3-Diacetylderivat *Fp* 188 bis 189°, hellgelbe Nadeln Triacetat *Fp* 181—182°, hellgelbe Nadeln
3170			XVIII 242		swl. in h. W 0,44 k. A 5,5 sd. A swl. in Ae ll. in verd. Alkalien, konz. H_3SO_4	in alkoh. Lsg. + $FeCl_3$ → dunkelgrün Pentamethyläther *Fp* 151 bis 152° Pentaacetat *Fp* 195°

Lfd. Nr. 1	*Fp* 2	Name 3	Summenformel 4	Strukturformel 5	Mol.-Gewicht 6	Aggregatzustand Farbe 7
3171	**314** bis **316**	Fluorescein (Resorcinphthalein)	$C_{20}H_{12}O_5$	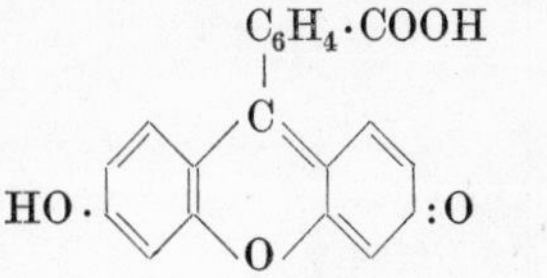 bzw. 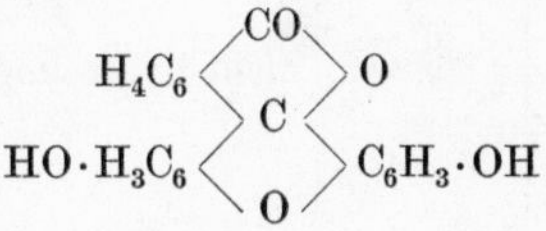	332,30	rote Krist. (A)
3172	**315**	d-Valin	$C_5H_{11}NO_2$	$(CH_3)_2CH\cdot CH(NH_2)\cdot COOH$	117,15	Blättchen (verd. A)
3173	**316**	Hexabrombenzol	C_6Br_6	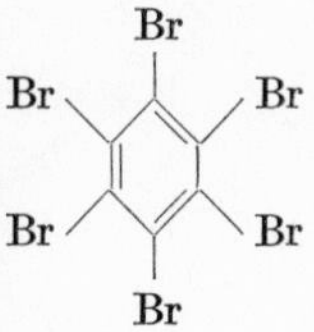	551,56	Nadeln (Bzl.)
3174	**317**	Pyridincarbonsäure-(4) (Isonicotinsäure)	$C_6H_5NO_2$	$C_5H_4N\cdot COOH$	123,11	Nadeln (W)
3175	**317**	Tetrachlorphenolphthalein	$C_{20}H_{10}Cl_4O_4$	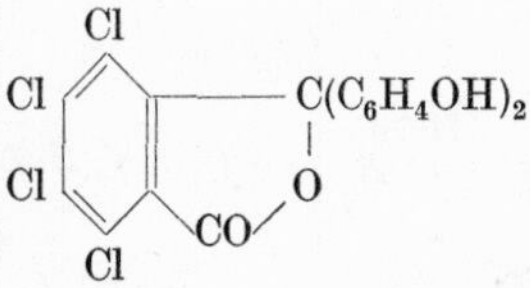	456,11	Platten (Methanol)
3176	**319**	1,5-Diaminoanthrachinon	$C_{14}H_{10}N_2O_2$	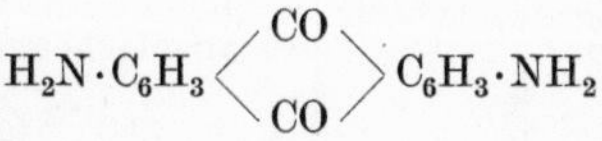	238,24	rote Nadeln (A + Eg.)
3177	**320**	m,m′-Azoxybenzoesäure	$C_{14}H_{10}N_2O_5$	$ON_2(C_6H_4\cdot COOH)_2$	286,24	Krist. (Eg.)
3178	**320**	4,4′-Diphenyldiphenyl	$C_{24}H_{18}$	$C_6H_5\cdot C_6H_4\cdot C_6H_4\cdot C_6H_5$	306,38	Blättchen (Bzl.)
3179	**320**	Natriumacetat	$C_2H_3NaO_2$	$CH_3\cdot COONa$	82,04	Blättchen (W)
3180	**320** bis **325**	Cytosin	$C_4H_5N_3O$	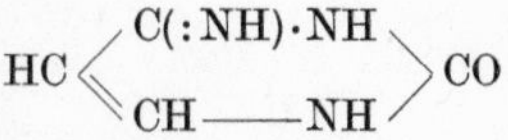	111,10	Platten + $1H_2O$ (W)

Lfd. Nr.	Spez. Gewicht	Siedepunkt °C	Beilsteinzitat	Physikalische Konstanten und Eigenschaften	Löslichkeit	Reaktionen
	8	9	10	11	12	13
3171		subl.	XIX 222		0,005 W 20° wl. in A swl. in Ae l. in H_2SO_4	+ H_2SO_4 → rot wss. Lsg. — gelb } grüne alkohol. Lsg. — gelbrot } Fluoreszenz Lsg. in verd. Alkali fluoresziert gelbgrün
3172		subl. (Z.)	IV 427	*Fp* im geschlossenen Rohr; schmeckt schwach süß und gleichzeitig bitter	l. in W wl. in A unl. in Ae	Phenylharnstoffderiv. *Fp* 147°, Prismen Pikrolonat *Fp* 170—180° p-Toluolsulfonylderivat *Fp* 147°
3173		subl.	V 215		unl. in W, A, Ae l. in sd. Bzl.	
3174		subl. (Z.)	XXII 45	*Fp* im geschlossenen Rohr; sublimierbar schmeckt angenehm sauer	wl. in k. W swl. in sd. A wl. in Ae, Bzl.	Amid *Fp* 155° Hydrochlorid *Fp* 270°, Nadeln Phenylester *Fp* 70°, Blättchen
3175			XVIII 148		l. in A, Aceton, Ae, Eisessig wl. in Chlf., Bzl.	violettrote alkal. Lsgg. werden durch Säuren sofort entfärbt
3176		subl.	XIV 203		swl. in W wl. in A, Ae, Bzl.	
3177			XVI 646		unl. in W wl. in A, Ae	Dimethylester *Fp* 136°
3178		310 bis 320 (50 mm)	V 736		unl. in W, A, Ae ll. in Nitrobenzol	
3179	1,529		II 107		123 W 20° 170 W 100° 2,3 A 19°	
3180			XXIV 314		0,78 W 25° swl. in A unl. in Ae	

Lfd. Nr.	*Fp*	Name	Summenformel	Strukturformel	Mol.-Gewicht	Aggregatzustand Farbe
1	2	3	4	5	6	7
3181	**321**	Anthracendicarbonsäure-(1,4)	$C_{16}H_{10}O_4$	$C_6H_4\left\{\begin{matrix}CH\\CH\end{matrix}\right\}C_6H_2(COOH)_2$	266,24	hellbraunes Krist.-Plv. (A)
3182	**321** (Z.)	Thymin	$C_5H_6N_2O_2$	$CH_3\cdot C\begin{matrix}\diagup CO\cdot NH \diagdown\\ \diagdown\!\diagdown CH\cdot NH \diagup\end{matrix}CO$	126,11	Tafeln (W)
3183	**321** bis **321,5**	1,8-Dihydroxyanthrachinon-3-carbonsäure (Rhein)	$C_{15}H_8O_6$	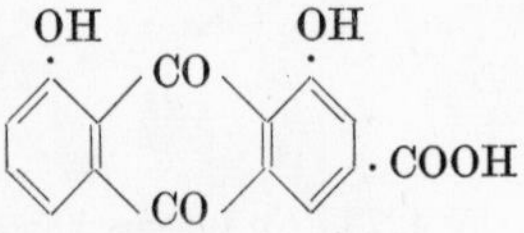	284,21	gelbe Nadeln (Methanol)
3184	**323** (Z.)	Pyridindicarbonsäure-(3,5) (Dinicotinsäure)	$C_7H_5NO_4$	$C_5H_3N(COOH)_2$	167,12	Krist. (verd. HCl)
3185	**328** bis **329**	5,7,3′,4′-Tetrahydroxyflavon (Luteolin)	$C_{15}H_{10}O_6 \cdot H_2O$	$(HO)_2C_6H_2\begin{matrix}\diagup CO\cdot CH\\ \quad\ \ \Vert\\ \diagdown O-C\cdot C_6H_3(OH)_2\end{matrix}$	286,23	gelbe Nadeln $+1\,H_2O$ (verd. A)
3186	**329**	Naphthalin-1,4-dicarbonsäure	$C_{12}H_8O_4$	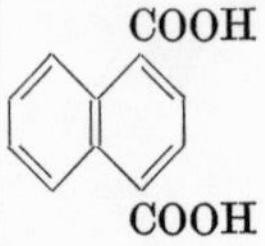	216,18	Stäbchen (Eg.)
3187	**330**	p,p′-Azobenzoesäure	$C_{14}H_{10}N_2O_4$	$HOOC\cdot C_6H_4\cdot N:N\cdot C_6H_4\cdot COOH$	270,24	rote Nadeln (Eg.)
3188	**330**	Hydroxyterephthalsäure	$C_8H_6O_5$	$HO\cdot C_6H_3(COOH)_2$	182,13	Krist. (W)
3189	**330** (Z.)	3,7,3′,4′-Tetrahydroxyflavon (Fisetin)	$C_{15}H_{10}O_6$	$HO\cdot C_6H_3\begin{matrix}\diagup CO\cdot C\cdot OH\\ \quad\ \ \Vert\\ \diagdown O-C\cdot C_6H_3(OH)_2\end{matrix}$	286,23	gelbe Nadeln $+1\,H_2O$ (verd. A)
3190	$>$**330**	5,6,7,4′-Tetrahydroxyflavon (Scutellarein)	$C_{15}H_{10}O_6$	$(HO)_3C_6H\begin{matrix}\diagup CO\cdot CH\\ \quad\ \ \Vert\\ \diagdown O-C\cdot C_6H_4\cdot OH\end{matrix}$	286,23	gelbe Blättchen (Methanol)

Lfd. Nr.	Spez. Gewicht	Siedepunkt °C	Beilsteinzitat	Physikalische Konstanten und Eigenschaften	Löslichkeit	Reaktionen
	8	9	10	11	12	13
3181			IX 959		swl. in sd. W, A, Ae sll. in W	
3182		subl.	XXIV 353		0,4 W 25° wl. in A swl. in Ae	
3183			X 1033	sublimierbar	wl. in W, A l. in h. Pyridin l. in NH_4OH, Alkalien	+ NH_4OH → violettstichig rot + Alkali-Lsg. → rot + $FeCl_3$ in alkohol. Lsg. → braunrot Dimethyläther *Fp* 283—284°, hellbraune Nadeln Methylester *Fp* 174°, orange Nadeln Phenylester *Fp* 215°, gelbe Nadeln
3184		subl.	XXII 160		swl. in W, Ae, Eg.	erhitzen → Pyridincarbonsäure-(3) Dimethylester *Fp* 84—85°, Nadeln
3185		subl.	XVIII 211		0,02 sd. W 2,7 A 0,15 Ae	+ Alkali → tief gelb + H_2SO_4 → grüngelb Tetraacetat *Fp* 222—224°
3186				alkohol. Lsg. fluoresziert blau	l. in A, Ae ll. in Eg.	Dichlorid *Fp* 90—92° Dimethylester *Fp* 64°, Spieße
3187			XVI 236		swl. in W, A, Ae	Dimethylester *Fp* 242°
3188		subl.	X 505		wl. in W ll. in A l. in Ae	
3189			XVIII 221		unl. in W ll. in A wl. in Ae	Tetramethyläther *Fp* 152 bis 153° Tetraacetat *Fp* 200—201°
3190			E_1 XVIII 411		swl. in W l. in A wl. in Ae l. in KOH (rotgelb), in $Ba(OH)_2$ (grün)	Tetramethyläther *Fp* 158 bis 160° Tetraacetat *Fp* 235—237°

Lfd. Nr.	*Fp*	Name	Summen-formel	Strukturformel	Mol.-Gewicht	Aggregatzustand Farbe
1	2	3	4	5	6	7
3191	**333**	Resorcinbenzein	$C_{19}H_{12}O_3$	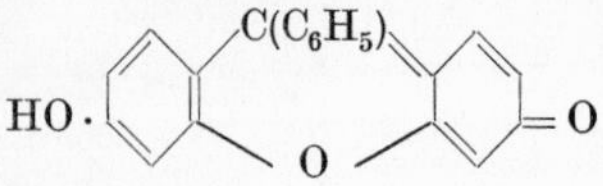	228,29	rote Nadeln (Nitrobenzol) gelbes Plv. (Alkali)
3192	**334** bis **350**	Diphthalyl	$C_{16}H_8O_4$	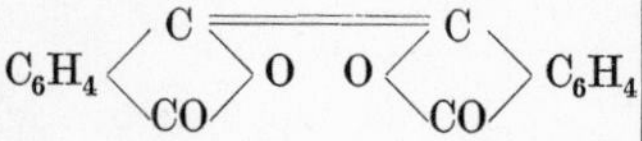	264,22	Nadeln (Eg.)
3193	**335** (Z.)	Uracil	$C_4H_4N_2O_2$	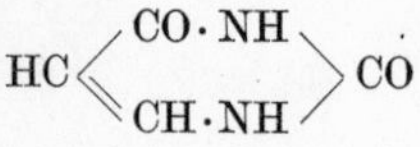	112,09	Nadeln (W)
3194	**338** bis **340**	Chinolincarbonsäure-(5)	$C_{10}H_7NO_2$	$C_9H_6N \cdot COOH$	173,16	Krist.
3195	**340** (Z.)	m,m′-Azobenzoesäure	$C_{14}H_{10}N_2O_4$	$HOOC \cdot C_6H_4 \cdot N:N \cdot C_6H_4 \cdot COOH$	270,24	gelbe Nadeln (Eg.)
3196	**347**	5,7,4′-Trihydroxy-flavon (Apigenin)	$C_{15}H_{10}O_5$	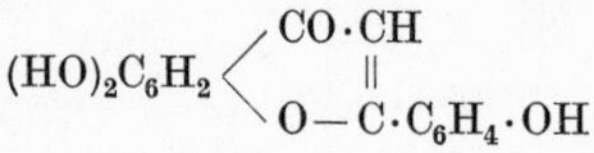	286,23	Blättchen (A)
3197	**349,5**	Isophthalsäure	$C_8H_6O_4$	$C_6H_4(COOH)_2{}^{(1,3)}$	166,13	Nadeln (W od. A)
3198	**350** (Z.)	Scyllit (Quercin, Cocosit)	$C_6H_{12}O_6$	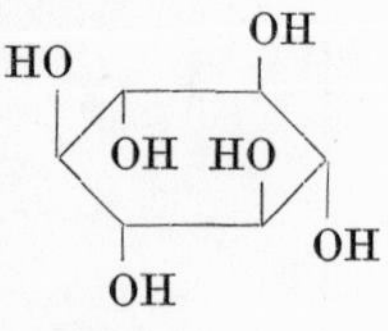	180,16	Prismen (W)
3199	**351**	Theobromin (3,7-Dimethylxanthin)	$C_7H_8N_4O_2$	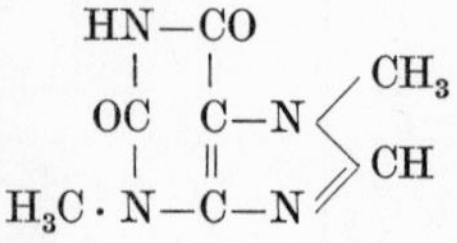	180,17	weiße Prismen (W)
3200	**354**	Acridon (9-Oxo-9,10-dihydroacridin)	$C_{13}H_9NO$	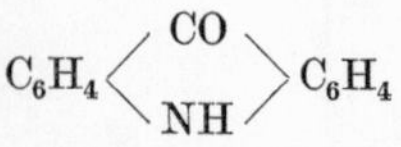	195,21	gelbe Nadeln (A)

Lfd. Nr.	Spez. Gewicht	Siedepunkt °C	Beilsteinzitat	Physikalische Konstanten und Eigenschaften	Löslichkeit	Reaktionen
	8	9	10	11	12	13
3191			XVIII 68		unl. in W ll. in A swl. in Ae l. in H_2SO_4 (gelb)	
3192		subl.	XIX 176		unl. in W swl. in A, Ae l. in sd. Eg., H_2SO_4	
3193			XXIV 312		wl. in k. W ll. in h. W unl. in A, Ae ll. in NH_4OH	
3194		subl.	XXII 78		swl. in W, A unl. in Ae ll. in Säuren, Alkali	
3195			XVI 233		0,24 sd. 88%ig. A	Dimethylester *Fp* 163°
3196			XVIII 181		unl. in W l. in A ll. in NaOH, in H_2SO_4 (gelb)	Trimethyläther *Fp* 156° Triacetat *Fp* 181—182°
3197		subl.	IX 832	subl. in glänzenden Prismen; beim Erhitzen kein Anhydrid	0,013 W 25° 0,22 sd. W ll. in A l. in Eg. unl. in Bzl.	p-Nitrobenzylester *Fp* 202,5° Diamid *Fp* $>$300°, Blättchen Dimethylester *Fp* 67—68°, Nadeln Diphenylester *Fp* 120°, Nadeln Phenacylester *Fp* 191° p-Bromphenacylester *Fp* 186°
3198			VI 1198		l. in W unl. in A, Bzl.	
3199		290 bis 295 subl.	XXVI 457	*Fp* im geschlossenen Rohr; eutekt. Temp. mit Dicyandiamid 197°; schmeckt bitter	0,03 W 18° 0,67 W 100° 0,023 A 17° wl. in Ae	der beim Eindampfen mit einigen Kristallen $KClO_3$ und 10 Tropfen konz. HCl bleibende rötliche Rückstand + NH_3-Dampf (oder 9 Tropfen NH_3) wird violettrot
3200			XXI 335		unl. in W ll. in h. A, Eg. swl. in Ae, Bzl. l. in alkohol. KOH	

Lfd. Nr.	*Fp*	Name	Summenformel	Strukturformel	Mol.-Gewicht	Aggregatzustand Farbe
1	2	3	4	5	6	7
3201	**355**	2,4-Dihydroxychinolin	$C_9H_7NO_2$	$C_9H_5N(OH)_2$	161,15	Krist. (A)
3202	**360**	Benzophenondicarbonsäure-(4,4′)	$C_{15}H_{10}O_5$	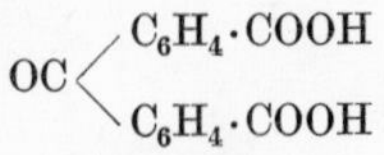	270,23	Nadeln (A)
3203	**360** bis **365**	Adenin (6-Aminopurin)	$C_5H_5N_5$	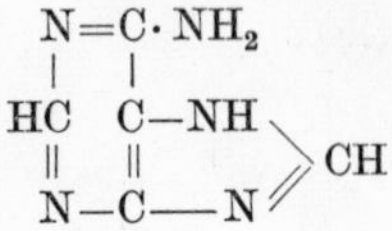	135,13	Krist. $+2H_2O$ (W)
3204	**364**	Picen	$C_{22}H_{14}$	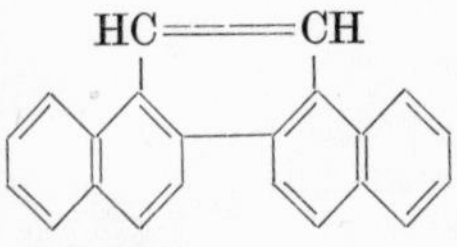	278,33	Blättchen
3205	**369**	1,2,7-Trihydroxyanthrachinon (Anthrapurpurin)	$_{14}H_8O_5$	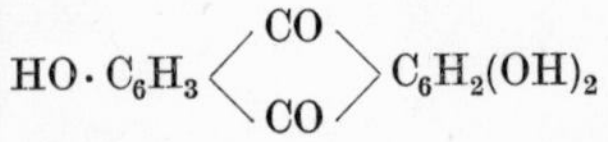	256,20	orange Nadeln (A)
3206	**380**	Benzoltricarbonsäure-(1,3,5) (Trimesinsäure)	$C_9H_6O_6$	$C_6H_3(COOH)_3$	210,14	Prismen (W)
3207	**390** bis **391** (Z.)	Indigo	$C_{16}H_{10}N_2O_2$	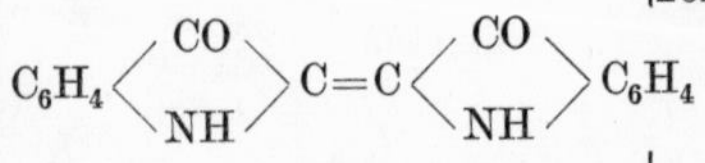	262,26	blaue, kupferrot glänzende Krist. (Anilin)
3208	**391** bis **392**	Flavophen	$C_{28}H_{14}S$	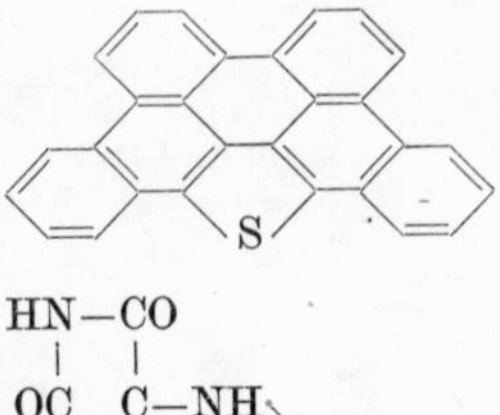 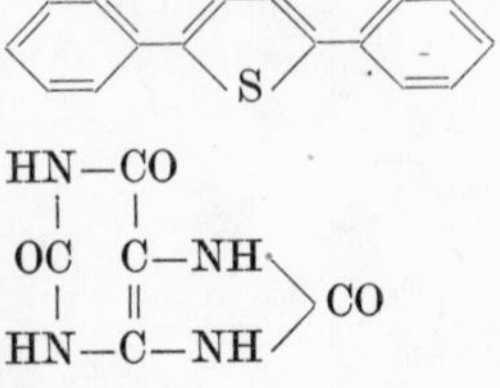	382,46	
3209	**400** (Z.)	Harnsäure	$C_5H_4N_4O_3$		168,11	Tafeln (W)

Lfd. Nr.	Spez. Gewicht	Siedepunkt °C	Beilstein-zitat	Physikalische Konstanten und Eigenschaften	Löslichkeit	Reaktionen
	8	9	10	11	12	13
3201		subl.	XXI 171		wl. in sd. A unl. in Ae ll. in alkohol. HCl	
3202			X 883		unl. in W swl. in A, Ae l. in Eg.	
3203		subl.	XXVI 420	subl. bei 220° in Nadeln	0,09 k. W wl. in A unl. in Ae l. in Alkali u. Säuren	gesättigte wss. Lsg. + $Fe(NO_3)_3$-Lsg. → gelbrot + Chlorwasser + 2n NH_3 → gelb Pikrat *Fp* 279—281°, hellgelbe Prismen Chloroaurat *Fp* 215—216°, orange Würfel Benzoyladenin *Fp* 234—235°, Nadeln
3204		518 bis 520	V 735		unl. in W swl. in A, Ae wl. in sd. Bzl.	
3205		462 (Z.)	VIII 516		wl. in sd. W ll. in sd. A wl. in Ae l. in H_2SO_4 l. in KOH	+ H_2SO_4 → rotbraun + KOH → violett Trimethyläther *Fp* 201°, gelbe Nadeln Triacetat *Fp* 226—228°, hellgelbe Schuppen
3206		subl.	IX 978	sublimierbar	0,38 W 16° 2,69 W 23° ll. in A l. in Ae	Trimethylester *Fp* 144°, seidenglänzende Nadeln Triäthylester *Fp* 133,5 bis 134,5°, Prismen oder Nadeln Trisbenzalhydrazid *Fp* 224°
3207	1,35	subl.	XXIV 417	*Fp* im geschlossenen Rohr	unl. in W wl. in sd. A, Ae, Chlf. l. in h. Eg., h. Anilin	leitet man in die kalte Eisessiglsg. Salzsäuregas, so wird durch Ae das Chlorhydrat in dunkelblauen Flittern, analog das Monosulfat in blauen Nadeln erhalten Lsg. in Anilin blau, in Petroleum oder Paraffin fuchsinrot
3208						+ Pikrinsäure → rote Schmelze (Hexanitroderivat) in org. Lsgm. blaue Fluoreszenz
3209	1,893		XXVI 513		0,0002 W 0° 0,0088 W 30° 0,625 W 100° unl. in A, Ae l. in H_2SO_4	Murexidreaktion. Mit verd. HNO_3 eindampfen, Rückstand in NH_3 lösen → purpurrot, mit Lauge tiefblau mit Phosphormolybdänsäure und Lauge dunkelblauer Nd.

Lfd. Nr.	*Fp*	Name	Summen-formel	Strukturformel	Mol.-Gewicht	Aggregat-zustand Farbe
1	2	3	4	5	6	7
3210	**418** (Z.)	Oxamid (Oxalsäure-diamid)	$C_2H_4N_2O_2$	$H_2N\cdot CO\cdot CO\cdot NH_2$	88,07	Nadeln (W)
3211	**422**	1,5-Dinitroanthra-chinon	$C_{14}H_6N_2O_6$	$O_2N\cdot C_6H_3\left\langle {CO \atop CO} \right\rangle C_6H_3\cdot NO_2$	298,20	gelbe Nadeln (Xylol)
3212	**450** bis **480** (Z.)	Ellagsäure (Alizarin-gelb)	$C_{14}H_6O_8$	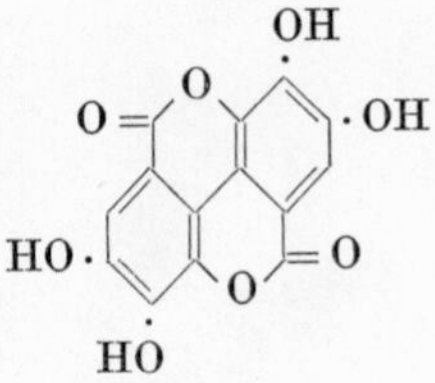	302,19	gelbe Prismen $+2H_2O$ (A)
3213	**470** bis **500** (Z.)	Indanthren	$C_{28}H_{14}N_2O_4$	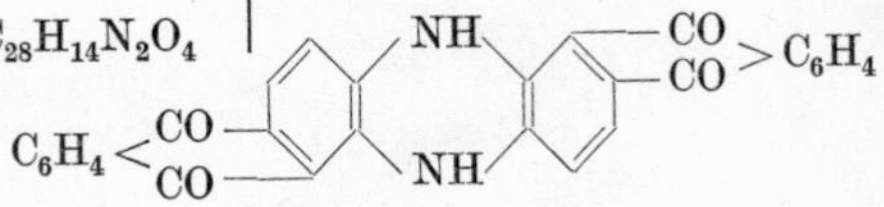	442,41	blaue, kupfer-glänzende Nadeln (Nitro-benzol oder Chinolin)

Lfd. Nr.	Spez. Gewicht	Siedepunkt °C	Beilsteinzitat	Physikalische Konstanten und Eigenschaften	Löslichkeit	Reaktionen
	8	9	10	11	12	13
3210	1,667		II 545	*Fp* im geschlossenen Rohr	0,037 W 70° 0,6 sd. W swl. in A	+ Cu-Salz und Alkali → rot
3211			VII 793		unl. in W, A, Ae ll. in sd. Nitrobenzol l. in H_2SO_4	+ H_2SO_4 → rot
3212			XIX 261		unl. in W wl. in A unl. in Ae	
3213		subl.	XXIV 522		unl. in W, A, Ae 0,2 sd. Chinolin (blau) 0,02 sd. Nitrobenzol (grünblau)	

REGISTER

Die Anordnung der Verbindungen in dem Trivialnamen- und Formelregister entspricht den Gepflogenheiten des Chemischen Zentralblattes, jedoch sind Salze (Na-Salz, Hydrochlorid usw.) unter ihrer Gesamtformel registriert. Das Formelregister enthält alle organischen Verbindungen, deren *Fp* angegeben ist. Ein Stern hinter der Nummer der Verbindung bedeutet, daß diese in Spalte 13 vorkommt, wo sie zur Charakterisierung oder als Umsetzungsprodukt der Hauptverbindung aufgeführt wurde.

Das Trivialnamenregister soll das leichtere Auffinden von Naturprodukten, Arzneimitteln und dergl. ermöglichen und unter Zuhilfenahme der Zusammenstellung der Element- und Radikalbezeichnungen (vgl. S. IX) die Ausrechnung der Summenformeln der Derivate erleichtern.

TRIVIALNAMENREGISTER

Abasin 1525
Abietinsäure 2220
Acedicon 2891
Acenaphthen 1361
Acenaphthylen 1333
Acetoin 483
Acetol 331
Aceton 102
Acetophenon 524
Acetopyrin 1005
Acetylen 141
Acidol 2860
Acitrin 968
Acoin 2363
Aconin 1973
Aconitin 2610
Aconitsäure 2585
Aconsäure 2224
Acridan 2281
Acridin 1536
Acridinsäure 1677
Acrifolin 1460
Acrolein 128
Acrylsäure 472
Actidion 1621
Adalin 1615
Adamon 1124
Adamsit 2595
Adenin 3203
Adermin 2157
Adipinsäure 2063
Adonit 1437
Adrenalin 2785
l-Äpfelsäure 1423
dl-Äpfelsäure 1806
Aesculetin 3053
Aesculin 2168
Aesculinsäure 2168
Äthan 4
Äthylal 172
Äthylen 5
Agaricinsäure 1940
Akineton 2085
d-Alanin 3140
dl-Alanin 3138
β-Alanin 2630
Albucid 2469
Aleudrin 1213
Algamon 1930
Alival 791
Alizarin 3119
Alizarinblau 3058
Alizaringelb 3212
Aljodan 2560
Allantoin 2919
Allegan 1077
Allen 13
Alliin 2223
Alloxan 3013
Alloxansäure 2201
Alloxanthin 2771*
Allozimtsäure 1056
Allylalkohol 30
Allylen 71
Aloeemodin 2843
Aloin 1963
Alphenal 2150
Alypin 2287
Amarin 1831
Amaron 2972
Ameisensäure 447
Amizol 2883
Amygdalin 2779
„Amylenhydrat“ 363
Amytal 2113
Anästhesin 1311
Androsteron 2484
Anethol 537
Anetholtrithion 1555
Aneurin 2983*
Aneurinhydrochlorid 2983

Angelicasäure 745
Anhydroekgonin 2899
Anilin 373
Anisaldehyd 402
Anisalkohol 553
o-Anisidin 427
p-Anisidin 908
Anisoin 537*
Anisol 249
Anissäure 2475
Anol 543
Anterganhydrochlorid 2719
Anthracen 2798
β-Anthrachinolin 2295
Anthrachinon 3044
Anthragallol 3169
Anthranilsäure 1985
Anthranol 2068
Anthrapurpurin 3205
β-Anthrapyridin 2250
Anthrarobin 2723
Anthrarufin 3090
Anthron 2092
Antifebrin 1591
Antipyrin 1551
Antistin 2918
ANTU 2614
Anturat 2614
Aphyllidin 1572
Apigenin 3196
Apiol 591
Apoatropin 973
Apochinin 2733
Apocinchonin 2786
Apomorphin 2588
Aponal 1234
Aposafranon 2977
l-Arabit 1439
Arachinsäure 1149
Arbutin 2581
Arecaidin 2885
Arecolinhydrobromid 2317
Arecolinhydrochlorid 2208
d-Arginin 2710
Aristamid 2955
Aristochin 2526
Artemisin 2668
Asaron 966
Asaronsäure 1982
Ascaridol 420
Ascorbinsäure 2522
l-Asparagin 2854
l-Asparaginsäure 3059
Aspirin 1882
Atochinol 656
Atophan 2729
Atosil 2880
Atrinal 2926
dl-Atrolactinsäure 1359
Atropasäure 1497
Atropin 1609
Auramin 1876
Avil 1959
Axerophthol 981
Azelainsäure 1499
Azophenin 2966
Azulen 1415

Badional 2329
Banisterin 3033
Bantu 2614
Barbaloin 1963
Barbitursäure 2963
Behenolsäure 909
Behensäure 1241
Benadryl 2262
Benzalchlorid 332
Benzaldehyd 291
Benzamaron 2815
Benzanthron 2296
Benzfuroin 1891
Benzidin 1760
Benzil 1362
Benzilan 1614
Benzilsäure 2045
Benzimidazol 2299
Benzocain 1311
Benzoesäure 1696
Benzoin 1832
Benzol 428
Benzophenon 562, 782
Benzoxazol 595
α-Benzipinakolin 2721
β-Benzpinakolin 2445
Benzpinakon 2493
Berberin 1987
Berberonsäure 2954
Bernsteinsäure 2478
Betabion 2983
Betain 3133
Betaxin 2983
Betol 1370
Biebricher Scharlach-R 2472
Biguanid 1799
Bikhaconitin 1589
Biliverdinsäure 1594
Biuret 2569
d-Borneol 2722
l-Bornylen 1582
Bourbonal 1151
o-Bourbonal 1028
Brassidinsäure 1015
Brenzcatechin 1478
Brenzschleimsäure 1838
Brenztraubensäure 479
dl-Brenzweinsäure 1562
Bromanil 3149
Bromisoval 1358
Bromochinal 2611
Bromoform 446
Bromural 2023
Bronchistin 2600
Brucin 2402
Buccocampher 1233
Bufotenin 1905
Bulbocapnin 2646
Butacid 2221
Butan 24
Butin-(1) 40
Buten-(2) 31
Butolan 1962
n-Buttersäure 385
β-Butylen 31
Butyrophenon 464

Calamendiol 2276
Calameon 2276
Calciferol 1636
Camphan 2122
Camphansäure 2652
dl-Camphen 814
dl-Camphenilon 676
d-Campher 2413
d-Camphersäure 2501
d-Camphocarbonsäure 1768
d-Campholsäure 1493
Cantharidin 2806
Caprinsäure 602
n-Capronsäure 391
Caprylsäure 497
Carbamid 1830
Carbazol 2922
α-Carbocinchomeronsäure 2981
β-Carbocinchomeronsäure 3031
Carbostyril 2627
Cardiazol 894
Caricaxanthin 2283
Carminsäure 1878
Carnaubasäure 1113
α-Carotin 2502
β-Carotin 2460
γ-Carotin 2403
Carvacrol 408
akt. Carvon 299
Caryophyllin 3159
Casantin 2471
d-Catechin 2362
Cebion 2522
Cederncampher 1271
Cedrol 1271
Cellobiose 2845
Cephaelin 1188
Cerotinsäure 1168
Cerylalkohol 1173
Cesol 1403

Cetylalkohol 809
Chalkon 904
Chaulmoograsäure 1060
Chelidonsäure 3034
Chinaldin 397
Chinaldinsäure 2129
Chinamin 2485
Chinasäure 2190
Chinazolin 784
Chineonal 1881
Chinhydron 2323
Chinidin 2341
Chinin 2367
Chininsäure 3092
cis-Chinit 1441
trans-Chinit 1909
Chinizarin 2647
Chinolin 340
Chinolinsäure 2545
o-Chinon 955
p-Chinon 1622
Chinophthalon 2947
Chinotoxin 939
Chinoxalin 593
Chinuclidin 2139
Chloral 186
Chloralhydrat 830
Chloramphenicol 2043
Chloranil 3120
Chloranilsäure 3101
Chlorbutal 1394
Chloreton 1394
Chloroform 177
Chlorogensäure 2713
Chloromycetin 2043
Chlorphenesin 1192
Cholesterin 2038
Cholsäure 2591
d-Chondocurin 2886
Chromon 924
Chrysanilin 3048
Chrysazin 2549
Chrysen 2991
Chrysin 3073
2.4-Chrysoidin 1646
Chrysophansäure 2604
Cibazol 2650
Cignolin 2412
Cinchomeronsäure 3021
Cinchonidin 2666
Cinchonin 3054
Cinchoninsäure 2999
Cinchotoxin 914
Cineol 410
dl-Cineolsäure 2686
Cinnolin 685
Citraconsäure 1319
dl-Citramalsäure 1658
Citrinin 2275
Citronensäure 2078
Clavacin 1532
Claviform 1532
Cliradon 2108
α-Cocain 1285
Cocainhydrochlorid 2446
Cocasäure 3106
Cocosit 3198
Codein 2104
Coffein 2907
Colchicein 1918
Colchicin 2105
Compral 1134
Conchinin 2341
Conhydrin 1666
Coniferylalkohol 1111
d-Coniin 395
Corbasil 2406
Corticosteron 2430
Cortiron 2165
d-Corydalin 1860
Cotarnin 1833
Cotarninchlorid 2540
Crotonaldehyd 155
α-Crotonsäure 1098
β-Crotonsäure 486
Cumalin 425
Cumalinsäure 2702
o-Cumaraldehyd 1835
Cumaranon 1443
Cumarilsäure 2563
Cumarin 1086
Cumarsäure 2775
Cuminsäure 1632
Cumol 93
Cumylsäure 2053
Cupferron 2219
Cuprein 2616
Cupron 2066
Curcumin 2453
Curral 2318
„Cyananilin" 2770
Cycloform 997
Cycloheptan 351
Cyclohexan 437
Cyclohexanol 543
Cyclooctan 455
Cyclopal 1907
Cyclopropan 32
p-Cymol 157
Cyren B 1473
l-Cystin 3019
Cytisin 2099
Cytosin 3180

Dabylen 2262
Dagenan 2553
Daphnetin 3012
Darsivul 2835
Daturinsäure 956
DDT 1491
Debenal M 2893
Deguelin 2322
Dehydracetsäure 1527
Dehydrocholsäure 2916
Dehydroisoandrosteron 2027
trans-Dekalin 253
cis-α-Dekalol 1338
trans-α-Dekalol 986
cis-β-Dekalol I 1479
cis-β-Dekalol II 514
trans-β-Dekalol I 844
trans-β-Dekalol II 1123
Desoxybenzoin 942
Dextrose 2004
Dial 2318
Diallyl 17
Dialursäure 2771
o-Dianisidin 1888
Dianthron 3147
Diaspirin 2391
Dicodid 2577
Dienöstrol 2887
Diglykolsäure 2050
Diharnstoff 3060
Dihydrofollikelhormon 2364
Dijodyl 1093
Dilaudid 3024
Dilitursäure 2382
Dimedon 2018
Dinicotinsäure 3184
Diocain 2073
Diogenal 1729
Dionin 2292
Diosphenol 1233
1,3-Dioxan 233
1,4-Dioxan 467
Diphensäure 2865
Diphosgen 188
Dipicolinsäure 2915
Diplosal 2016
Diseptal A 2578
Diseptal B 1961
Diseptyl 2236
α,α'-Distearin 1141
Dithian 1558
Dithizon 1955
Dityrin 2692
Dodecan 352
Dolantin 2508
akt. Dopa 3093
Dormin 2161
Dormovit 2278
Doryl 2665
Dulcin 2349
Dulcit 2524

Duolit 1491
Duotal 1274
Duridin 1127
Durol 1194
Durylsäure 2053

Egressin 900
Eikosan 678
l-Ekgonin 2693
α-Eläostearinsäure 792
β-Eläostearinsäure 1088
Elaidinsäure 751
Eldoral 2795
Eleudron 2650
Elkosin 2955
Ellagsäure 3212
Emetin 1114
Emodin 3022
Endojodin 3074
l-Ephedrin 697
Ephetonal 2365
Ephetonin 2499
Epicarin 2538
Epichlorhydrin 215
Epinin 2520
Ergocristin 2111
Ergocristinin 2772
Ergometrin 2204
Ergometrinin 2601
Ergosin 2866
Ergosinin 2867
Ergosterin 2212
Ergotamin 2764
Ergotaminin 2995
d-Ergotinin 2928
Ergotoxin 2546
Erucasäure 632
Erysimolacton 2687
Erythrit 1669
Erythroglucin 1669
Eserin 1485
Essigsäure 504
Etelen 1828
Eubasin 2553
Eucalyptol 410
Euchinin 1363
Eucodin 3029
Eucupin 2083
Eugenol 357
Eukodal 3052
Eumydrin 2214
Eunarcon 1351
Eupaverinhydrochlorid 2143
Euphorin 837
Euphthalmin 2454
Euvernil 2007
Euxanthon 2940
Euxanthonsäure 2648
Evipan 1994

Exalgin 1453
Exaltolid 599
Exalton 985
Expansin 1532

Fantan 2353
d-Fenchon 435
l-Fenchylalkohol 775
Ferripyrin 2827
Ferulasäure 2282
Filicinsäure 2767
Fisetin 3189
Flavon 1418
Flavonol 2301
Flavophen 3208
Fluoran 2419
Fluoranthen 1541
Fluoren 1612
Fluorescein 3171
α-Follikelhormon 3023
Foragynol 1663
Frangulaemodin 3022
d-Fructose 1452
F-Säure 1298
Fuchson 2273
Fucose 1992
Fulminursäure 1993
Fumarsäure 3113
Fumigatin 1626
Furfurol 251
Furil 2237
Furoin 1866

d-Galaktonsäure 1936
d-Galaktose 2238
Galangin 2803
Gallusgerbsäure 2171
Gallussäure 2929
Gammexan 1573
Gantrisin 2584
Gecophen 1192
Gentisin 3045
Gentisinaldehyd 1417
Gentisinsäure 2636
Gesapon 1491
Gesarol 1491
Globucid 2474
d-Glucose 2004
Glutaconsäure 1901
d-Glutamin 2479
d-Glutaminsäure 2842
Glutarsäure 1397
Glycerin 526
Glycerinaldehyd 1902
Glycin 2890
Glykokoll 2890
Glykol 355
Glykolaldehyd 1387
Glykolid 1272

Glykolsäure 1170
Glyoxal 485
Glyoxalin 1307
Gramicidin 2879
Grifolin 699
Guacamphol 1756
Guajacetinsäure 1804
Guajacol 583
Guajacolbenzein 2992
Guajamar 1128
Guajen 1466
Guphen 1465

Hämatoxylin 1430
Hämopyrrol 501
Harmin 3033
Harnsäure 3209
Harnstoff 1830
Hedonal 1142
Helianthron 2985
Heliotropin 671
Hemimellitsäure 2531
Hemipinsäure 2497
Heptabarbital 2350
Heptadecan 534
Heroin 2346
Hesperetin 2892
Heteroauxin 2279
Hexadecan 525
Hexanchloran 1573
Hexobarbital 1994
Hippursäure 2535
Histamin 1237
l-Histidin 3110
Hoechst *10720* 2108
Holocain 1681
Homatropin 1388
Homogentisinsäure 2028
Homophthalsäure 2437
Homorenonhydrochlorid 3026
β-Hopfenbittersäure 1316
Hordenin 1651
Humulochinon 989
Humulon 1018
Hydantoin 2824
Hydantoinsäure 2327
Hydnocarpussäure 932
Hydrastin 1822
Hydrastinin 1633
Hydrazobenzol 1754
Hydrobenzamid 1543
Hydrobenzoin 1903
Hydrochinin 2334
Hydrochinon 2316
Hydrocinchonin 3083
dl-Hydroxybiotin 2709
Hydroxyhydrochinon 1946
Hydroxytetracyclin 2483

Hydroxythiamin 2602
Hydurilsäure 2771*
Hyoscin 926
l-Hyoscyamin 1524
Hypnal 1035
Hypogäasäure 625

Idobutal 1793
Idryl 1541
Imidazol 1307
Indanthren 3213
Indazol 2030
Inden 396
Indican 2420
Indigo 3207
Indol 851
Indoxyl 1252
Indoxylsäure 1707
INH 2326
inakt. Inosit 2848
Inulin 2408
Ipral 2681
Isacen 2952
Isatin 2679
Isoamylalkohol 50
β-Isoamylen 26
Isoapiol 884
Isobehensäure 1129
Isobenzamaron 2416
Isobernsteinsäure 1868
Isoborneol 2757
Isobourbonal 1736
Isobrenzschleimsäure 1331
Isobutan 15
Isobuttersäure 218
Isocamphan 1019
l-Isocamphersäure 2342
Isocamphoronsäure 2304
Isocapronsäure 258
Isochinamin 2485*
Isochinolin 552
Isocinchomeronsäure 3006
Isocrotonsäure 486
Isocumarin 776
Isoduridin 538
Isodurol 306
Isoeugenol 626
Isoferulasäure 2868
Isohydrobenzoin 1685
d-Isoleucin 3094
Isomycomycin 1130*
Isonaphthazarin 3091
Isoniacid 2326
Isonicotinsäure 3174
Isopentan 8
Isophen 2315
Isophthalsäure 3197
Isopral s. unter 1137
Isopren 43
Isosafrol 439
dl-Isoserin 2976
Isovaleriansäure 248
Isovanillin 1634
Isovanillinsäure 2984
Isozuckersäure 2480
Isticin 2549
Itaconsäure 2189
„Isuretin" 1603

Japaconitin 2680
Javanicin 2714
Jenacain 2112
Jervin 2949
Jodamin 1076
Jodgorgosäure 2692
Jodinin 2909
Jodival 2422
Jodoform 1659
Jodoglobin 2692
Jodopyrin 2169
Juglon 2089

Kämpferol 3078
Kaffeesäure 2593
Kakodyl 375
Kakodyloxyd 300
Kakodylsäure 2640
Kalypnon 1608
Keten 10
Ketobemidon 2108
Khellin 2095
Khellinon 2095*
Kojisäure 2074
Koprosterin 1483
Korksäure 1926
Kreosol 429
o-Kresol 597
m-Kresol 461
p-Kresol 629
Kryptoxanthin 2283
Kynurensäure 3122
Kynurin 2653
Kynursäure 2740

Lactid 1734
Lactoflavin 3130
Lactophenin 1642
Lactose 2656
Lactylmilchsäure 2989
Lävulinsäure 628
Lävulose 1452
Lapachol 1927
Larocain 2606
Larodon 1448
Laurinaldehyd 743
Laurinsäure 740
Lenigallol 2242
Lepidin 454
dl-Leucin 3136
Leukokristallviolett 2378
Leukomalachitgrün 1440
Leunerval 1358
Lignocerinsäure 1196
d-Limonen 96
Linolsäure 367
Lipojodin 668
Lobelinhydrochlorid 2410
Longacid 2221
Lophin 3075
Lucidol 1471
Luminal 2352
Lupulon 1316
Luteolin 3185
Lutidinsäure 2979
Luvistin 2600
Lycopodin 1670

Maleinsäure 1802
Malonsäure 1875
Maltol 2155
Maltose 1450
dl-Mandelsäure 1678
d-Mannit 2256
d-Mannose 1824
Marbadal 2417
Marfanil 3017
Margarinsäure 956
Medomin 2350
Mekonin 1455
Mekonsäure 2055
Melen 976
Meletin 3170
Melissinsäure 1312
Melissylalkohol 1260
Mellitsäure 3115
Mellophansäure 2946
Melubrin 2883
l-Menthol 724
l-Menthon 371
Mephenesin 1083
Mepyraminmaleat 1410
Mesaconsäure 2664
Mesitol 1049
Mesitylen 202
Mesitylensäure 2254
Mesityloxyd 184
Mesoweinsäure 1928
Mesoxalsäure 1686
Metacrolein 760
Metaldehyd 1193
Methacrylsäure 498
Methadon 1169
Methan 3
Methazonsäure 1184, 278*
Methergin 2335
Methionin 3099
Methon 2018

Methylal 70
Methylpyrimal 2893
Methylrot 2455
Mezcalin 653
d-Milchsäure 560
dl-Milchsäure 517
α-Monoolein 648
α-Monopalmitin 1171
α-Monostearin 1207
Montansäure 1266
Morin 3123
Morphin 3004
Morphosan 3040
Muconsäure 3142
Murexan 3166
Muscarufin 3076
Muskeladenylsäure 2561
Myanesin 1083
Mycomycin 1130
Myosmin 722
Myricylalkohol 1260
Myristinaldehyd 542
Myristinsäure 862

Naphthalin 1197
α-Naphthoesäure 2184
β-Naphthoesäure 2481
α-Naphthol 1389‘
β-Naphthol 1712
Naphthoresorcin 1720
Narcein 2307
Narcotin 2388
Narcotolin 2658
Narcyl 2698
Neoabietinsäure 2271
Neoantergan 1410
Neobridal 1410
Neocid 1491
Neodorm 828
Neonal 1743
Neopentylalkohol 843
Neoteben 2326
Neouliron 1961
Nerolin 1132
Neu-Cesol 2672
Neuronal 1033
Niacin 2914
Niacinamid 1702
Nicotinsäure 2914
Ninhydrin 2933
Nipagin A 1631
Nipagin M 1757
Nipasol 1371
Nirvanol 2628
Nitranilsäure 2308
Nitroform 488
Nitron 2519
Noctal 2409
Nonadecan 611
Nopinen 212
Nopinsäure 212*
Novaspirin 2057
Novatophan 910
Novatropin 2424
Novocain 2112
Novocain-Base 930
Novonal 1105
Numal 1917
Nupercain 1393

Octadecan 574
Ölsäure 481
Önanthaldehyd 234
Önanthsäure 359
β-Östradiol 2364
Östron 3023
Oleanolsäure 3159
Opiansäure 2051
Orcein 2049
Orcin 1508
d-Ornithin 1929
Orsellinsäure 2387
Orthoform Neu 1953
Oryzamin 2983
Ouabain 2509
Oxalsäure 2529
Oxalursäure 2695
Oxin 1135
Oxindigo 3079
Oxindol 1750

Palmitinsäure 983
Palmiton 1209
Palustrin 1687
Pantocainnitrat 1826
Papaverin 2014
Parabansäure 2953
Paracodin-Base 1577
Paraconsäure 907
Paraform 2336
Paraldehyd 471
Paraldol 1301
Paratophan 2790
Pardinon 3107
PAS 2056
Patulin 1532
Pelargonsäure 470
Pellidol 1120
Penicillin F-Natrium 2688
Penicillsäure 1281
n-Pentadecan 456
Pentaerythrit 2997
Pentaglycerin 2626
n-Pentan 29
Penten-(2) 12
Pentetrazol 894
Percain 1393
Pernocton 1770
Perparin 2518
Persedon 1302
Perstoff 188
Pervitin 2315
Perylen 3038
Petersiliencampher 591
Pflanzenindican 2420
Phanodorm 2343
Phenacetin 1871
Phenanthren 1419
Phenanthridin 1468
o-Phenanthrolin 1639
Phenazin 2325
Phenazon 2117
Phenergan 2880
p-Phenetidin 417
Phenetol 274
Phenokoll 1365
Phenol 711
Phenolblau 2199
Phenolphthalein 3005
Phenolphthalin 2849
Phenosuccin 2101
Phenosulfon 2835
Phenoxazin 2118
Phenoxthin 954
Phenthiazin 2426
Phloretin 3039
Phloretinsäure 1795
Phloridzin 2309
Phloroglucin 2804
Phloroglucit 2465
Phoron 581
Phosgen 47
Phthalazin 1315
Phthalid 1133
Phthalonsäure 1996
Phthalophenon 1611
Phthalsäure 2550, 2882
Phycit 1669
Phyllopyrrol 1064
Physostigmin 1485
Phytol 411
Piazthiol 739
Picen 3204
α-Picolin 164
Picolinsäure 1890
Pikramid 2517
Pikraminsäure 2314
Pikrinsäure 1710
Pikrolonsäure 1723
Pikrotoxin 2669
Pilocarpin 633
Pimelinsäure 1486
Pinacyanol 3080
Pinakolin 205
Pinakolinalkohol 430
Pinakon 664
akt. α-Pinen 194

β-Pinen 212
Pinolhydrat 1811
dl-α-Pipecolin 383
Piperazin 1469
Piperidin 348
Piperin 1798
Piperinsäure 2793
Piperonal 671
Piperonylalkohol 856
Piperonylsäure 2875
Polamidon 1169
Polychrom 2168
Pregeninolon 3056
Pregnenolon 2571
Prehnitol 388
Prehnitsäure 2994
Priscol 2320
Procain 2112
Progesteron 1688
l-Prolin 2826
Proluton 1688
Promethazin 937
Prominal 2386
Prontalbin 2236
Prontosil album 2236
Prontosil rubrum 2853
Propadien 13
Propäsin 1110
Propan 1
Propen 2
Propiolsäure 452
Propionsäure 324
Propiophenon 531
Proponal 1991
Propylen 2
Prostigmin 1969
Protocatechualdehyd 2081
Protocatechusäure 2625
Protoveratridin 3043
Provitamin D_2 2212
Provitamin D_3 1954
Pseudoaconitin 2744
Pseudocumenol 1094
Pseudocumidin 1054
Pseudocumol 187
Pseudojervin 3154
Pseudopelletierin 700
Psicain 738
Psicain-Neu 2828
Psychotrin 1703
Purapuridin 2645
Purgatin 2380
Purin 2794
Purpurin 3016
Purpuroxanthin 3036
Putrescin 541
Pyocyanin 1837
Pyramidon 1518
Pyrantin 2101
Pyrazin 869
Pyrazol 1078
Pyrazolon 2243
Pyren 2042
Pyribenzamin 2567
Pyridazin 366
Pyridin 235
α-Pyridon 1506
γ-Pyridon 2036
Pyridoxin 2157
Pyrimidin 528
Pyrogallol 1840
Pyromekonsäure 1640
Pyromellitsäure 3072
Pyroxanthin 2200

Quebrachit 2564
Quercetin 3170
Quercin 3198
Quercit 2903

Racedrin 2499
Rectidon 2202
Redoxon 2522
Resaldol 1847
Resorcin 1552
Resorcinaldehyd 1865
Resorcinbenzein 3191
Resorcinphthalein 3171
α-Resorcylsäure 2917
β-Resorcylsäure 2760
γ-Resorcylsäure 2035
Resulfon 2525
Reten 1420
Retinin$_1$ 978
Retinin$_2$ 1156
Rhamnit 1689
l-Rhamnose 1709
Rhein 3183
Rheumatin 1947*
Rhodeose 1980
Riboflavin 3130
akt. Ribose 1283
Ricinelaidinsäure 831
Ricinin 2655
Ricinolsäure 426
Rimifon 2326
Rongalit 995
Rosindon 3032
Rosindulin 2621
Rotenon 2216
Rubazin 2853
Rubicen 3156
Rubijervin 2902
Rufol 3041
Ruocid 2525

Saccharin 2869
Saccharose 2482
Safrol 466
Salicin 2657
Salicylaldehyd 413
Salicylsäure 2110
Saligenin 1267
Salipyrin 1325
Salochin 1947
Salochinin 1947
Salol 731
Salophen 2552
Salvarsan 2490
Sandoptal 1915
Santal-Campher 1451
Santonin 2311
Sarkosin 2748
Schäffersche Säure 1735
Schleimsäure 2763
l-Scopolamin 926
Scutellarein 3190
Scyllit 3198
Sebacinsäure 1850
Sedormid 2580
Semicarbazid 1381
Septurit 2267
dl-Serin 2968
Sidonal 2280
Sinalost 389*
Sinapinsäure 1581*
Sionon 1134, 1546
Skatol 1367
Solästhin 95
Solancarpidin 2645
Solanidin S 2645
Solanin t 2980
Solasodin 2645
Solvoteben 2269
Soneryl 1743
Sophoretin 3170
Sorbin 2244
Sorbinose 2244
Sorbinsäure 1855
d-Sorbit 1134, 1546
Sorbose 2244
Soventol 2596
Spinulosin 2667
Stearinsäure 1069
Stearolsäure 788
Stearon 1294
Stearoxylsäure 1269
Stearylalkohol 936
Stigmasterin 2312
α-Stilbazol 1323
γ-Stilbazol 1765
Stilben 1724
Stilböstrol 2290
Stovain 2369
g-Strophanthin 2509
k-Strophanthin 2310
Strychnin 3050

Styphninsäure 2375
Stypticin 2540
Styracin 742
Styracol 1957
Styron 627
Suberan 351
Sulfaäthylthiodiazol 2474
Sulfacetamid 2469
Sulfadimethylpyrimidin 2955
Sulfafurazol 2584
Sulfaguanidin 2525
Sulfamerazin 2893
Sulfamethylthiazol 2920
Sulfamidochrysoidin 2853
Sulfanilamid 2236
Sulfanilsäure 3086
Sulfanilylharnstoff 2007
Sulfapyridin 2553
Sulfathiazol 2650
Sulfathioharnstoff 2329
Sulfoform 1662
Sulfonal 1769
Supracain 2547
Suprarenin 2785
Suprifen 2678
Sympathol 2521
Synthalin 1872
Syringaaldehyd 1581

Taleudron 3068
l-Talit 1286
dl-Talit 1372
Tannin 2171
Tartronsäure 2466
Taurin 2944
Telepathin 3033
Tephrosin 2822
Teraconsäure 2176
Terebinsäure 2376
Terephthalsäure 2878
dl-Terpenylsäure 1309
cis-Terpin 1488
α-Terpineol 650
cis-Terpinhydrat 1672
Terramycin 2483
Testosteron 2106
Testoviron 1694
Tetradecan 431
Tetradecen-(1) 353
Tetralin 272
symm.-Tetrazin 1421
Tetrazol 2119
Tetrolaldehyd 294
Tetrolsäure 1153
Tetronsäure 1949
Tetrophan 2974
Tetryl 1805
Thallin 723
Theacylon 2590
Thebain 2574
Theobromin 3199
Theocin 3051
Theophyllin 3051
Thialdin 732
Thiaminhydrochlorid 2983
Thiantan 2471
Thianthren 2156
Thioharnstoff 2428
Thioindigo 3095
Thioindoxyl 1090
Thioluminal 2752
Thionalid 1522
Thionaphthen 612
Thiophen 240
Thiosinamin 1172
Thiourethan 1519
Thioxanthen 1781
2.3-Thioxen 214
Thymin 3182
Thymochinon 789
Thymol 832
Thymolphthalein 2971
o-Thymotinsäure 1766
Thyroxin 2881
Tiglinsäure 1006
α-Tocopherol 418
γ-Tocopherol 394
Tolan 947
o-Tolidin 1790
m-Tolidin 1520
o-Toluidin 305
m-Toluidin 228
p-Toluidin 754
Toluol 104
α-Toluylsäure 1144
o-Toluylsäure 1489
m-Toluylsäure 1548
p-Toluylsäure 2427
Torulin 2983
Toxicarol 2822
Trasentin 1578
Traubenzucker 2004
Tri 159
Triakontan 1031
1.2.3-Triazol 539
1.2.4-Triazol 1691
Tricaprin 601
Tricarballylsäure 2258
Tridecan 374
Trigemin 1225
Trigonellin 2810
Trilaurin 771
Trimellitsäure 2830
Trimesinsäure 3206
Trimesitinsäure 2857
Trimyristin 895
Triolein 384
Trional 1146
Tripalmitin 1020
Tripelenamin 2567
Triphosgen 1176
Tristearin 1097
Tritan 1348
Tropacocain 798
akt. α-Tropasäure 1777
dl-Tropasäure 1645
Tropin 991
d-Tropinsäure 2998
Tropolon 807
α-Truxillin 1195
α-Truxillsäure 3106
β-Truxinsäure 2706
l-Tryptophan 3118
Tubain 2216
Tubatoxin 2216
Tubocurarinchlorid 3071
Tussol 839
Tutocainhydrochlorid 2766
Tyramin 2186
l-Tyrosin 3125
dl-Tyrosin 3124

Uliron 2578
Ultraseptyl 2920
„Ultrasüß“ 803
Umbelliferon 2870
Umbellsäure 2939
Undecan 289
Undecylsäure 587
Uracil 3193
Uramil 3166
p-Urazin 3060
Urazol 2959
Urethan 811
Ustin 2473
Uvinsäure 1862
Uvitinsäure 3126

n-Valeriansäure 262
d-Valin 3172
dl-Valin 3143
Vanillin 1208
Vanillinsäure 2718
Veratridin 2107
Veratrin 2697
Veratrol 536
Veratrumaldehyd 730
Veratrumsäure 2441
Veronal 2541
Vioform 2368
Violursäure 2988
Visammin 2095
Visnagin 1984
Visnaginon 1984*
Vitamin-A_1 981

Vitamin-A_1-aldehyd 978
Vitamin A_2-aldehyd 1156
Vitamin-A_1-säure 2442
Vitamin B_1-hydrochlorid 2983
Vitamin B_2 3130
Vitamin B_6 2157
Vitamin C 2522
Vitamin D_2 1636
Vitamin D_3 1226
Vitamin E 418
Vitamin H' 2496
Vitamin K_2 861
Voluntal 1004; s. auch 1137
Vomicin 3103
akt.-Weinsäure 2313
dl-Weinsäure 2675
666-Wirkstoff 1573

Xanthen 1431
Xanthogensäure 200
Xanthon 2360
Xanthopurpurin 3036
Xanthydrol 1714
asymm. o-Xylenol 982
vic. o-Xylenol 1125
asymm. m-Xylenol 563
symm. m-Xylenol 1011
vic. m-Xylenol 779
p-Xylenol 1121
asymm. o-Xylidin 802
p-Xylidin 494
Xylocain 1788
o-Xylol 298
m-Xylol 198
p-Xylol 476
d-Xylose 1997

Yagein 3033
Yohimbin 2904

Zibeton 618
Zimtaldehyd 369
Zimtalkohol 627
cis-Zimtsäure 1056
trans-Zimtsäure 1874

FORMELREGISTER

CBrN Bromcyan 836
CBr_3NO_2 Brompikrin 459
CBr_4 Tetrabromkohlenstoff 1335
CClN Chlorcyan 380
CCl_2O Phosgen 47
CCl_3NO_2 Chlorpikrin 165
CCl_4 Tetrachlorkohlenstoff 301
$CHBr_3$ Bromoform 446
$CHCl_3$ Chloroform (Trichlormethan) 177
CHJ_3 Jodoform 1659, 811*, 1394*
$CHKO_2$ Kaliumformiat 2130
CHN Cyanwasserstoffsäure 346
CHN_3O_6 Nitroform 488
$CHNaO_2$ Natriumformiat 3009
CH_2Br_2 Methylenbromid (Dibrommethan) 203
CH_2ClNO Carbamidsäurechlorid 814
CH_2Cl_2 Methylenchlorid (Dichlormethan, Solästhin) 95
CH_2J_2 Methylenjodid 422
CH_2N_2 Diazomethan 14
Cyanamid 734
$CH_2N_2O_3$ Methylnitrolsäure 1050
CH_2N_4 Tetrazol 2119
CH_2O Formaldehyd 119, 75*, 995*
$[CH_2O]_x$ Paraform 2336
CH_2O_2 Ameisensäure 447, 12*
CH_3AsCl_2 Methylarsendichlorid 185, 702*
CH_3AsJ_2 Methylarsindijodid 555
CH_3AsO Methylarsenmonoxyd 1366, 185*
CH_3AsS Methylarsinsulfid 185*
CH_3Br Methylbromid 113
CH_3Cl Methylchlorid 114, 702*
CH_3ClH_g Methylmercurichlorid 2300
CH_3ClO_3S Methylchlorsulfat 182
CH_3J Methyljodid 173
CH_3NO Formamid 416
CH_3NO_2 Nitromethan 278
Methylnitrit 114*
$CH_3N_3O_3$ Nitroharnstoff 2149
CH_3NaO_3S Rongalit (Na-Salz d. Formaldehydsulfoxylsäure) 995*
CH_4 Methan 3
CH_4N_2O Ammoniumcyanat 1185
CH_4N_2O Harnstoff (Carbamid) 1830, 1185*
Formamidoxim („Isuretin“) 1603
Formylhydrazin (Ameisensäurehydrazid) 865, 447*
$CH_4N_2O_2$ Methylnitramin 681
CH_4N_2S Thioharnstoff 2428
$CH_4N_4O_2$ Nitroguanidin 2877
CH_4O Methylalkohol (Methanol) 92
CH_4S Methylmercaptan 42
CH_5AsO_3 Methanarsonsäure (Methylarsinsäure) 2174
CH_5N Methylamin 118
CH_5NO β-Methylhydroxylamin 720
CH_5N_3O Semicarbazid 1381
CH_5N_3S Thiosemicarbazid 2443
CH_6ClN Methylaminhydrochlorid 2861, 118*
CH_6ClN_3O Semicarbazidhydrochlorid 2374, 1381*
CH_6ClN_3S Thiosemicarbazidhydrochlorid 2443*
CH_6N_4O Carbohydrazid 2069
CH_6Si Methylsilan 9
CJN Jodcyan 2008
CJ_4 Tetrajodkohlenstoff 1933
CN_4O_8 Tetranitromethan 475
COS Kohlenoxysulfid 20
CS_2 Schwefelkohlenstoff 58

C_2Br_4 Tetrabromäthylen 902
C_2Br_6 Hexabromäthan 2638
C_2CaO_4 Calciumoxalat 496
$C_2Cl_2O_2$ Oxalylchlorid 354
C_2Cl_4 Tetrachloräthylen (Perchloräthylen) 310

$C_2Cl_4O_2$ Chlorameisensäuretrichlormethylester (Diphosgen, Perstoff) 188
C_2Cl_6 Hexachloräthan 2503
C_2HBr Bromacetylen 199*
$C_2HBr_3O_2$ Tribromessigsäure 1873
C_2HBr_5 Pentabromäthan 893
C_2HCl Chloracetylen 146*
C_2HCl_3 Trichloräthylen (Tri) 159
C_2HCl_3O Chloral (Trichloracetaldehyd) 186, 764*
$C_2HCl_3O_2$ Trichloressigsäure 903
C_2HCl_5 Pentachloräthan 280
C_2H_2 Acetylen 141
$C_2H_2AsCl_3$ Chlorvinylarsindichlorid 407
$C_2H_2Br_2$ cis-α,β-Dibromäthylen 199
trans-α,β-Dibromäthylen 372
$C_2H_2Br_2Cl_2$ symm. Dichlordibromäthan 287
$C_2H_2Br_2O_2$ Dibromessigsäure 786
$C_2H_2Br_4$ 1,1,2,2-Tetrabromäthan 403
$C_2H_2Cl_2$ cis-α,β-Dichloräthylen 146
trans-α,β-Dichloräthylen 210
$C_2H_2Cl_2O_2$ Dichloressigsäure 460
$C_2H_2Cl_3NO$ Chloraloxim 186*
Trichloracetamid (Trichloressigsäureamid) 1950, 903*
$C_2H_2Cl_4$ 1,1,2,2-Tetrachloräthan 230
$C_2H_2J_2$ cis-α,β-Dijodäthylen 344
trans-α,β-Dijodäthylen 1106
$C_2H_2N_4$ symm.-Tetrazin 1421
C_2H_2O Keten 10
$C_2H_2O_2$ Glyoxal 485
$C_2H_2O_4$ Oxalsäure 2529
$C_2H_2O_4Pb$ Bleiformiat 2532
C_2H_3Br Vinylbromid 21
C_2H_3BrO Acetylbromid 97
$C_2H_3BrO_2$ Bromessigsäure 804
$C_2H_3Br_2NO$ Dibromessigsäureamid 786*
$C_2H_3Br_3$ 1,1,2-Tribromäthan 295
$C_2H_3Br_3O_2$ Bromalhydrat 860
C_2H_3Cl Vinylchlorid
C_2H_3ClO Acetylchlorid 57
$C_2H_3ClO_2$ Monochloressigsäure 969
$C_2H_3Cl_2NO$ Dichloracetamid 1401
$C_2H_3Cl_3$ 1,1,2-Trichloräthan 255
$C_2H_3Cl_3O$ β,β,β-Trichloräthylalkohol 513
$C_2H_3Cl_3O_2$ Chloralhydrat 830, 186*
$C_2H_3JO_2$ Jodessigsäure 1230
$C_2H_3KO_2$ Kaliumacetat 3139
C_2H_3N Acetonitril (Methylcyanid) 224, 1022*
Methylisocyanid 223
$C_2H_3NO_3$ Oxamidsäure 2739
C_2H_3NS Methylrhodanid 197
Methylsenföl (Methylisothiocyanat) 647, 197*
$C_2H_3N_3$ 1,2,3-Triazol 539
1,2,4-Triazol 1691
$C_2H_3N_3O_2$ Urazol 2959
$C_2H_3N_3O_6$ 1,1,1-Trinitroäthan 891
$C_2H_3NaO_2$ Natriumacetat 917, 3179
C_2H_4 Äthylen 5
C_2H_4BrNO Bromessigsäureamid 804*
Acetbromamid 1510
$C_2H_4Br_2$ Äthylenbromid (1,2-Dibromäthan) 458
$C_2H_4Br_2O$ Dibromdimethyläther 265
C_2H_4ClNO Chloracetamid 1679, 969*
Acetchloramid 1534
$C_2H_4Cl_2$ Äthylidenchlorid (1,1-Dichloräthan) 94
Äthylenchlorid (1,2-Dichloräthan) 256
$C_2H_4F_2O$ β,β-Difluoräthylalkohol 282
C_2H_4JNO Jodessigsäureamid 1230*
$C_2H_4J_2$ Äthylenjodid 1205
$C_2H_4N_2O_2$ Glyoxim (Glyoxaldioxim) 2407, 485*
Oxamid (Oxalsäurediamid) 3210
$C_2H_4N_2O_3$ Nitroacetaldoxim (Methazonsäure) 1184, 278*
Äthylnitrolsäure 1276
$C_2H_4N_2S_4$ Thiuramdisulfid 2080
$C_2H_4N_4$ 4-Amino-1,2,4-triazol 1222
Dicyandiamid 2730
$C_2H_4N_4O_2$ Diharnstoff (p-Urazin, 3,6-Dioxohexahydro-1,2,4,5-tetrazin) 3060
Azodicarbonamid 2433
C_2H_4O Äthylenoxyd 62
Acetaldehyd 38, 62*
$C_2H_4O_2$ Glykolaldehyd 1387
Essigsäure 504, 10*
Ameisensäuremethylester (Methylformiat) 83
$C_2H_4O_2S$ Thioglykolsäure 334
$C_2H_4O_3$ Glykolsäure (Hydroxyessigsäure) 1170, 969*, 1272*
Peressigsäure 406
$C_2H_4O_5S$ Sulfoessigsäure 1247
$C_2H_5AsCl_2$ Äthylarsendichlorid 175
C_2H_5Br Äthylbromid 45
C_2H_5Cl Äthylchlorid 18
C_2H_5ClHg Äthylquecksilberchlorid 2559
$C_2H_5ClN_4$ 4-Amino-1,2,4-triazolhydrochlorid 1222*
C_2H_5ClO β-Chloräthylalkohol 170
Chlordimethyläther 75
C_2H_5FO β-Fluoräthylalkohol 288
C_2H_5J Äthyljodid 64
C_2H_5NO Acetaldoxim 773, 38*
Acetamid 1210, 504*, 2814*
$C_2H_5NO_2$ Glycin (Aminoessigsäure, Glykokoll) 2890
Carbamidsäuremethylester 863
Glykolsäureamid 1170*
$C_2H_5NO_3$ Äthylnitrat 78
C_2H_5NS Thioacetamid 1509
$C_2H_5N_3O$ Formaldehydsemicarbazon 119*
$C_2H_5N_3O_2$ Biuret 2569
C_2H_6 Äthan 4

C_2H_6AsCl Dimethylarsinchlorid (Kakodylchlorid) 222
$C_2H_6AsCl_3$ Kakodyltrichlorid 702
C_2H_6BrNO Bromacetonoxim 195*
C_2H_6Cd Cadmiumdimethyl 386
$C_2H_6N_2O$ Methylharnstoff 1444
Formamidoximmethyläther 1603*
Essigsäurehydrazid 504*
$C_2H_6N_2O_2$ Dimethylnitramin 899
$C_2H_6N_2S$ Methylthioharnstoff 1660
$C_2H_6N_4O$ Dicyandiamidin 1481
C_2H_6O Äthylalkohol (Äthanol) 53, 764*
Dimethyläther (Methyläther) 19
$C_2H_6O_2$ Glykol (Äthylenglykol) 355
$C_2H_6O_2S$ Dimethylsulfon 1528
$C_2H_6O_4S$ Dimethylsulfat 268
$C_2H_6O_6S_2$ Äthandisulfonsäure-(1,2) 1464
C_2H_6S Äthylmercaptan 16
Dimethylsulfid 138
C_2H_6Zn Zinkdimethyl 241
$C_2H_7AsO_2$ Kakodylsäure 2640
$C_2H_7BO_2$ Äthylbordihydroxyd 695
$C_2H_7ClN_2$ Acetamidinhydrochlorid 2259
C_2H_7N Äthylamin 143
Dimethylamin 98
C_2H_7NO β-Äthylhydroxylamin 929
$C_2H_7NO_2$ Ammoniumacetat 1580
$C_2H_7NO_3S$ Taurin 2944
$C_2H_7N_5$ Biguanid 1799
C_2H_8BrN Äthylaminhydrobromid 2162
C_2H_8ClN Äthylaminhydrochlorid 1526, 143*
Dimethylaminhydrochlorid 2324, 98*
$C_2H_8N_2$ Äthylendiamin (1,2-Diaminoäthan) 448, 7*
C_2H_8Si Dimethylsilan 11
C_2J_4 Tetrajodäthylen 2506
C_2N_2 Dicyan 284
$C_2N_6O_{12}$ Hexanitroäthan 1958

$C_3Cl_3N_3$ Cyanurchlorid 2003
$C_3Cl_6O_3$ Hexachlordimethylcarbonat (Triphosgen) 1176
C_3HBr_5O Pentabromaceton 1143
$C_3H_2N_2$ Malonsäuredinitril 609
$C_3H_2N_2O_3$ Parabansäure 2953
$C_3H_2O_2$ Propiolsäure 452
$C_3H_2O_5$ Mesoxalsäure 1686
$C_3H_3ClO_2$ α-Chloracrylsäure 1010
β-Chloracrylsäure 1246
$C_3H_3Cl_3O_3$ β,β,β-Trichlormilchsäure 1725
C_3H_3NO Propiolsäureamid 452*
$C_3H_3NO_2$ Cyanessigsäure 1022
$C_3H_3NO_5$ Mesoxalsäureoxim 1911
$C_3H_3N_3O_3$ Cyanursäure 2814*
Fulminursäure 1993
C_3H_4 Allylen (Methylacetylen) 71
Propadien (Allen) 13
$C_3H_4Br_2O_2$ α,α-Dibrompropionsäure 962
α,β-Dibrompropionsäure 1000
$C_3H_4Br_4$ Propadientetrabromid (Allentetrabromid) 13*
$C_3H_4Cl_2O$ α,α-Dichloraceton 221
α,α'-Dichloraceton 748
$C_3H_4Cl_2O_2$ α,β-Dichlorpropionsäure 816
$C_3H_4Cl_3NO_2$ Chloralformamid 1718
Carbamidsäuretrichloräthylester (Voluntal) 1004; s. auch 1137
β,β,β-Trichlormilchsäureamid 1725*
$C_3H_4N_2$ Imidazol (Glyoxalin) 1307, 3097*
Pyrazol 1078
$C_3H_4N_2O$ Pyrazolon 2243
Cyanacetamid 1656, 1022*
$C_3H_4N_2OS$ 2-Thiohydantoin 2859
$C_3H_4N_2O_2$ Hydantoin 2824
$C_3H_4N_2O_4$ Oxalursäure 2695
$C_3H_4N_2S$ 2-Aminothiazol 1306
C_3H_4O Acrolein 128
$C_3H_4O_2$ Acrylsäure 472
$C_3H_4O_3$ Brenztraubensäure 479
$C_3H_4O_4$ Malonsäure (Methandicarbonsäure) 1875, 63*, 2963*
$C_3H_4O_5$ Tartronsäure (Hydroxymalonsäure) 2466, 1605*
C_3H_5Br α-Brompropen 54, 153
β-Brompropen 35
Allylbromid (γ-Brompropen) 44
C_3H_5BrO Bromaceton 195
$C_3H_5BrO_2$ α-Brompropionsäure 559
β-Brompropionsäure 979
$C_3H_5Br_2NO$ α,β-Dibrompropionsäureamid 1000*
$C_3H_5Br_3$ 1,2,3-Tribrompropan 503
C_3H_5Cl Allylchlorid 23
β-Chlorpropen 22
C_3H_5ClO Epichlorhydrin (γ-Chlorpropenoxyd) 215
$C_3H_5ClO_2$ β-Chlorpropionsäure 706
Chlorameisensäureäthylester 144
$C_3H_5Cl_3$ 1,2,3-Trichlorpropan 341
$C_3H_5Cl_3O$ Isopral (Trichlorisopropylalkohol) s. unter Nr. 1137
C_3H_5J Allyljodid 90
$C_3H_5JO_2$ α-Jodpropionsäure 757
β-Jodpropionsäure 1217
$C_3H_5KOS_2$ Kaliumxanthogenat 2745
C_3H_5N Propionitril (Äthylcyanid) 120
C_3H_5NO Milchsäurenitril 239
$C_3H_5NO_2$ Isonitrosoaceton 1026
Acrylhydroxamsäure 472*
C_3H_5NS Äthylrhodanid 131
Äthylsenföl 377
$C_3H_5N_3O_9$ Nitroglycerin 477
C_3H_6 Propen (Propylen) 2, 32*, 66*, 1394*
Cyclopropan (Trimethylen) 32
C_3H_6AsN Dimethylarsincyanid 616
C_3H_6BrNO α-Brompropionsäureamid 559*

$C_3H_6Br_2$ 1,2-Dibrompropan (Propylenbromid) 192
Trimethylendibromid (1,3-Dibrompropan) 252
C_3H_6ClNO β-Chlorpropionsäureamid 706*
$C_3H_6Cl_2$ 2,2-Dichlorpropan 260
C_3H_6JNO β-Jodpropionsäureamid 1217*
$C_3H_6N_2OS$ Acetylthioharnstoff 2232
$C_3H_6N_2O_2$ Acetylharnstoff 2814
Malonamid 2305, 1875*
$C_3H_6N_2O_3$ Hydantoinsäure 2327
$C_3H_6N_2O_4$ 2,2-Dinitropropan 848
Nitrourethan 1003
$C_3H_6N_2O_7$ Glycerin-α,α'-dinitrat 564
C_3H_6O Allylalkohol 30
Propionaldehyd 142
Aceton (Propanon) 102
$C_3H_6OS_2$ Xanthogensäure 200
$C_3H_6O_2$ Acetol (Hydroxyaceton) 331
Propionsäure 324
Essigsäuremethylester (Methylacetat) 88
Ameisensäureäthylester (Äthylformiat) 145
$C_3H_6O_3$ Glycerinaldehyd (α,β-Dihydroxypropionaldehyd) 1902
Dihydroxyaceton (α,γ-Dihydroxy-β-oxopropan) 1191
d-Milchsäure 560
dl-Milchsäure 517, 1734*, 2989*
$C_3H_6S_3$ Trimethylentrisulfid 2811
C_3H_7Br Propylbromid 66
Isopropylbromid 126
C_3H_7Cl Propylchlorid 39
Isopropylchlorid 49
C_3H_7J Propyljodid 80
Isopropyljodid 112
$C_3H_7JO_2$ Alival (1,2-Dihydroxy-3-jodpropan) 791
C_3H_7NO Propionaldehydoxim 142*
Aceto(n)oxim 935, 102*
Propionamid 1181
N-Methylacetamid 575
C_3H_7NOS Thiocarbamidsäure-O-äthylester (Xanthogenamid) 710
Thiocarbamidsäure-S-äthylester (Thiourethan) 1519
$C_3H_7NO_2$ Acetoloxim 331*
d-Alanin (d-α-Aminopropionsäure) 3140
dl-Alanin 3138
Sarkosin (Methylaminoessigsäure) 2748
Carbamidsäureäthylester (Urethan, Äthylurethan) 811
Lactamid (Milchsäureamid) 1164, 517*
$C_3H_7NO_3$ dl-Serin 2968
dl-Isoserin 2976
$C_3H_7NO_5$ Glycerin-α-mononitrat 915
Glycerin-β-mononitrat 866
$C_3H_7N_3O$ Acetaldehydsemicarbazon 2207, 38*
$C_3H_7N_3O_2$ Acetylsemicarbazid 2231, 1381*
$C_3H_7N_3S$ Acetaldehydthiosemicarbazon 38*
C_3H_8 Propan 1, 80*, 112*
$C_3H_8ClNO_2$ α-Alaninhydrochlorid 3140*
Sarkosinhydrochlorid 2291
$C_3H_8N_2O$ Äthylharnstoff 1330
N,N-Dimethylharnstoff 2447
N,N'-Dimethylharnstoff 1454
Propionsäurehydrazid 324*
$C_3H_8N_2S$ N,N'-Dimethylthioharnstoff 975
C_3H_8O n-Propylalkohol 34
$C_3H_8O_2$ Formaldehyddimethylacetal (Methylal) 70
$C_3H_8O_3$ Glycerin 526
C_3H_8S Methyläthylsulfid 69
C_3H_9Al Aluminiumtrimethyl 404
C_3H_9B Bortrimethyl 6
C_3H_9N Propylamin 140
Isopropylamin 81
Trimethylamin 36, 2006*
$C_3H_{10}ClN$ Propylaminhydrochlorid 140*
Trimethylaminhydrochlorid 3081
$C_3H_{12}N_6O_3$ Guanidincarbonat 2608
C_3O_2 Kohlensuboxyd 63
C_3S_2 Kohlensubsulfid 400

C_4Br_4S Tetrabromthiophen 1644
C_4Cl_4S Tetrachlorthiophen 661
$C_4Cl_{10}O$ Perchlordiäthyläther 1063
C_4HCl_3S 2,3,4-Trichlorthiophen 401
2,3,5-Trichlorthiophen 393
C_4HJ_4N 2,3,4,5-Tetrajodpyrrol 1942
$C_4H_2Br_2S$ 2,4-Dibromthiophen 276
$C_4H_2Cl_2S$ 2,3-Dichlorthiophen 290
2,4-Dichlorthiophen 254
$C_4H_2N_2O_4$ Alloxan 3013
$C_4H_2O_3$ Maleinsäureanhydrid 853
$C_4H_2O_4$ Acetylendicarbonsäure 2400
$C_4H_3BrO_4$ Bromfumarsäure 2486, 2260*
Brommaleinsäure 1920
$C_4H_3ClO_4$ Chlorfumarsäure 2555
C_4H_3ClS 2-Chlorthiophen 163
3-Chlorthiophen 179
C_4H_3JS 2-Jodthiophen 237
$C_4H_3NO_2S$ 2-Nitrothiophen 772
$C_4H_3N_3O_4$ Violursäure 2988
$C_4H_3N_3O_5$ Dilitursäure 2382
$C_4H_4Br_2O_4$ dl-Dibrombernsteinsäure 2260
Mesodibrombernsteinsäure 3008
$C_4H_4Cl_2O_2$ Succinylchlorid (Bernsteinsäuredichlorid) 508
$C_4H_4Cl_2O_3$ Chloressigsäureanhydrid 765
$C_4H_4N_2$ Pyrazin 869
Pyridazin 366
Pyrimidin 528
Bernsteinsäuredinitril 875
$C_4H_4N_2O_2$ Uracil 3193
Imidazolcarbonsäure-(4 bzw. 5) 3097

$C_4H_4N_2O_3$ Barbitursäure (Malonylharnstoff) 2963
$C_4H_4N_2O_4$ Dialursäure 2771
$C_4H_4N_2O_5$ Alloxansäure 2201
C_4H_4O Tetrolaldehyd 294
$C_4H_4O_2$ Tetrolsäure 1153
$C_4H_4O_3$ Tetronsäure 1949
Bernsteinsäureanhydrid 1665
$C_4H_4O_3S$ Thiodiglykolsäureanhydrid 1825*
$C_4H_4O_4$ Fumarsäure 3113, 1802*
Maleinsäure 1802
Glykolid 1272
C_4H_4S Thiophen 240
$C_4H_5BrO_4$ dl-Brombernsteinsäure 2172
$C_4H_5ClO_2$ α-Chlorcrotonsäure 1422
β-Chlorcrotonsäure 1354, 958*
β-Chlorisocrotonsäure 958
$C_4H_5Cl_3O$ α,α,β-Trichlorbutyraldehyd s. unter 1225
$C_4H_5NO_2$ Succinimid 1752, 3027*
C_4H_5NS Allylsenföl 82
$C_4H_5N_3O$ Cytosin 3180
$C_4H_5N_3O_3$ Uramil (Murexan) 3166
$C_4H_5NaO_6$ saures Natriumtartrat 2896
C_4H_6 Butin-(1) (Äthylacetylen) 40
$C_4H_6N_2$ 1-Methylimidazol 376
2-Methylimidazol (2-Methylglyoxalin) 1904
$C_4H_6N_2O_2$ 2,5-Dioxopiperazin (Glycinanhydrid) 3167
5-Methylhydantoin (Lactylharnstoff) 1988
Diazoessigester 312
$C_4H_6N_4O_3$ Allantoin 2919
$C_4H_6N_4O_{12}$ Erythrittetranitrat 961, 1669*
C_4H_6O Crotonaldehyd 155
Dimethylketen 89
$C_4H_6O_2$ α-Crotonsäure 1098, 810*
Isocrotonsäure (β-Crotonsäure) 486
Vinylessigsäure 244
Methacrylsäure 498
Cyclopropancarbonsäure 520, 1923*
γ-Butyrolacton 231, 1923*
$C_4H_6O_3$ α-Ketobuttersäure 608
Acetanhydrid (Essigsäureanhydrid) 158
$C_4H_6O_4$ Bernsteinsäure 2478, 12*, 2270*
Methylmalonsäure (Isobernsteinsäure) 1868
Oxalsäuredimethylester 868
Acetylperoxyd 589
$C_4H_6O_4Pb$ Blei(II)-acetat 1122
$C_4H_6O_4S$ Thiodiglykolsäure 1825
$C_4H_6O_5$ *l*-Äpfelsäure 1423
dl-Äpfelsäure 1806, 3059*
Diglykolsäure 2050
$C_4H_6O_6$ akt.-Weinsäure 2313
dl-Weinsäure 2675
Mesoweinsäure 1928
$C_4H_6O_8$ Dihydroxyweinsäure (Tetrahydroxybernsteinsäure) 1605
$C_4H_7BrO_2$ dl-α-Brombuttersäure 387
C_4H_7ClO Butyrylchlorid (Buttersäurechlorid) 125
$C_4H_7ClO_2$ Chloressigsäureäthylester 292
$C_4H_7Cl_2NO_2$ Carbaminsäure-β,β′-dichlorisopropylester (Aleudrin) 1213
$C_4H_7Cl_2N_3O$ α,α-Dichloracetonsemicarbazon 221*
α,α′-Dichloracetonsemicarbazon 748*
$C_4H_7Cl_3O$ β,β,β-Trichlor-tert.-butylalkohol (Chlorbutal, Chloreton, Acetonchloroform) 1394
$C_4H_7Cl_3O_2$ Chloralalkoholat 764
$C_4H_7JN_2O_3$ Äthylenjodhydrinallophansäureester (Aljodan) 2560
C_4H_7N Butyronitril (Propylcyanid) 55
C_4H_7NO Pyrrolidon-(2) (Butyrolactam) 556
Crotonaldehydoxim 155*
Acetoncyanhydrin 327
α-Crotonsäureamid 1098*
Vinylessigsäureamid 244*
Methacrylsäureamid 498*
Cyclopropancarbonsäureamid 520*
$C_4H_7NO_2$ Diacetylmonoxim 1139
Diacetamid 1174
$C_4H_7NO_3$ α-Ketobuttersäureoxim 608*
Acetylglycin 2703, 2890*
Succinamidsäure (Bernsteinsäuremonoamid) 2133, 2478*
Oxamidsäureäthylester 1613
$C_4H_7NO_4$ *l*-Asparaginsäure 3059
Iminodiessigsäure 2847
l-Äpfelsäuremonoamid 1423*
$C_4H_7N_3O$ Acroleinsemicarbazon 128*
$C_4H_7N_3O_2$ 1-Nitroso-5-methylpyrazolidon 1098*
C_4H_8 Buten-(2) (β-Butylen) 31
$C_4H_8Br_2$ Isobutenbromid 161
$C_4H_8Br_2S$ β,β′-Dibromdiäthylsulfid 600
$C_4H_8Cl_2S$ β,β′-Dichlordiäthylsulfid 478
$C_4H_8N_2O_2$ Dimethylglyoxim 2895
N-Methyl-N′-acetylharnstoff 2423
Succinamid (Bernsteinsäurediamid) 3027, 2478*
Methylmalonsäurediamid 1868*
$C_4H_8N_2O_3$ Buten-(2)-nitrosit 31*
Allophansäureäthylester 2575
Glycylglycin 2783
l-Asparagin (*l*-Aminobernsteinsäuremonoamid) 2854
l-Äpfelsäurediamid 1423*
$C_4H_8N_2O_4$ akt.-Weinsäureamid 2313*
dl-Weinsäurediamid 2675*
$C_4H_8N_2S$ Allylthioharnstoff (Thiosinamin) 1172, 82*
$C_4H_8N_4O_2$ Dinitrosopiperazin 2166
C_4H_8O Butyraldehyd 91

Isobutyraldehyd 174
Methyläthylketon [Butanon-(2)] 129
$C_4H_8O_2$ 1,3-Dioxan 233
1,4-Dioxan (Diäthylendioxyd) 467
Acetoin 483
n-Buttersäure 385, 12*, 1560*
Isobuttersäure 218, 89*, 2533*
Ameisensäurepropylester (Propylformiat) 115
Essigsäureäthylester (Äthylacetat) 139
$C_4H_8O_2$ Essigester 10*
$C_4H_8O_3$ dl-α-Hydroxybuttersäure 736
l-β-Hydroxybuttersäure 810
α-Hydroxyisobuttersäure 1180, 218*
Glykolsäureäthylester 312
$C_4H_8S_2$ 1,4-Diäthylendisulfid (Dithian) 1558
C_4H_9Br n-Butylbromid 56
sek.-Butylbromid 60
Isobutylbromid 46
tert.-Butylbromid 320
C_4H_9Cl n-Butylchlorid 37
sek.-Butylchlorid 27
Isobutylchlorid 28
tert.-Butylchlorid 281
$C_4H_9ClN_2O$ α-Crotonsäurehydrazidhydrochlorid 1098*
C_4H_9J n-Butyljodid 76
sek.-Butyljodid 72
Isobutyljodid 108
tert.-Butyljodid 267
C_4H_9NO Butyraldoxim 277
Isobutyraldoxim 147
Buttersäureamid 1616
$C_4H_9NO_2$ dl-α-Aminobuttersäure 3157
dl-β-Aminobuttersäure 2576
γ-Aminobuttersäure 2671
Carbamidsäurepropylester 846
$C_4H_9N_3O$ Acetonsemicarbazon 2539, 102*
C_4H_{10} Butan 24
Isobutan 15
$C_4H_{10}Cd$ Cadmiumdiäthyl 316
$C_4H_{10}HgS_2$ Mercuriäthylmercaptid 16*
$C_4H_{10}N_2$ Piperazin 1469
$C_4H_{10}N_2O$ n-Buttersäurehydrazid 385*
Isobuttersäurehydrazid 218*
$C_4H_{10}N_4O_2$ Methylmalonsäuredihydrazid 1868*
$C_4H_{10}O$ n-Butylalkohol 149
Isobutylalkohol (Isopropylcarbinol) 67
tert.-Butylalkohol (Trimethylcarbinol) 558
Diäthyläther („Äther") 51
$C_4H_{10}OS$ Diäthylsulfoxyd 424
$C_4H_{10}O_2$ Tetramethylenglykol 500
dl-Butandiol-(2,3) 445
Mesobutandiol-(2,3) 638
$C_4H_{10}O_2S$ Diäthylsulfon 1112
$C_4H_{10}O_4$ Erythrit (Phycit, Erythroglucin) 1669
$C_4H_{10}O_4S$ Diäthylsulfat 303
$C_4H_{10}S$ Diäthylsulfid 77
$C_4H_{10}Zn$ Zinkdiäthyl 283
$C_4H_{11}N$ n-Butylamin 209
dl-sek.-Butylamin 73
Isobutylamin 132
tert.-Butylamin 168
Diäthylamin 211
$C_4H_{11}NO_2$ Diäthanolamin 582
$C_4H_{11}N_3O$ Butyraldehydsemicarbazon 91*
$C_4H_{12}As_2$ Kakodyl 375
$C_4H_{12}As_2O$ Kakodyloxyd 300
$C_4H_{12}ClN$ Butylaminhydrochlorid 209*
Isobutylaminhydrochlorid 132*
Diäthylaminhydrochlorid 2782, 211*
$C_4H_{12}N_2$ Putrescin (Tetramethylendiamin) 541
$C_4H_{12}Pb$ Bleitetramethyl 285
$C_4H_{13}NO$ Tetramethylammoniumhydroxyd 980
$C_4H_{14}Cl_2N_2$ Putrescindihydrochlorid 541*

C_5H_4JNO 5-Jod-2-hydroxypyridin 2544
$C_5H_4N_4$ Purin 2794
$C_5H_4N_4O_3$ Harnsäure 3209
$C_5H_4O_2$ Furfurol 251
Cumalin [Pyron-(2)] 425
Pyron-(4) 617, 3034*
$C_5H_4O_2S$ 2-Thiophensäure (Thiophen-2-carbonsäure) 1796
3-Thiophensäure 1908
$C_5H_4O_3$ Brenzschleimsäure (Furan-α-carbonsäure) 1838
Furancarbonsäure-(3) 1706
Isobrenzschleimsäure 1331
Pyromekonsäure 1640
Citraconsäureanhydrid 444, 1319*, 1658* 2189*, 2664*
Itaconsäureanhydrid 1048
$C_5H_4O_4$ Aconsäure 2224
$C_5H_5JN_2$ 5-Jod-2-aminopyridin 1800
C_5H_5N Pyridin 235
C_5H_5NO 2-Hydroxypyridin (α-Pyridon) 1506
3-Hydroxypyridin 1751
4-Hydroxypyridin (γ-Pyridon) 2036
Brenzschleimsäureamid 1838*
$C_5H_5NO_2$ Furfuroloxim 251*
Pyrrolcarbonsäure-(2) 2566
$C_5H_5N_5$ Adenin (6-Aminopurin) 3203
C_5H_6 Cyclopentadien 133
$C_5H_6N_2$ 2-Aminopyridin 885
3-Aminopyridin 1009
4-Aminopyridin 2137
Glutarsäuredinitril 279
$C_5H_6N_2O_2$ Thymin 3182
Imidazolcarbonsäure-(4 bzw. 5)-methylester 3097*
$C_5H_6N_2O_3$ Dimethylparabansäure 1989

$C_5H_6O_3$ dl-Brenzweinsäureanhydrid (dl-Methylbernsteinsäureanhydrid) 673, 1562*
$C_5H_6O_4$ Citraconsäure 1319, 444*
Glutaconsäure 1901
Itaconsäure (Methylenbernsteinsäure) 2189, 1319*
Mesaconsäure (Methylfumarsäure) 2664, 1319*
Paraconsäure (β-Carboxy-γ-butyrolacton) 907
Cyclopropandicarbonsäure-(1,1) 1923
$C_5H_6O_5$ Acetondicarbonsäure 1856
$C_5H_7NO_2$ Glutarsäureimid 1397*
$C_5H_7N_3$ 2,6-Diaminopyridin 1682
$C_5H_7N_3O$ Tetroaldehydsemicarbazon 294*
C_5H_8 Isopren [Methylbutadien-(1,3)] 43
$C_5H_8ClNO_4$ Chloracetyl-dl-serin 2968*
$C_5H_8Cl_3NO_3$ Chloralurethan 1456, 811*
$C_5H_8N_2$ 3,5-Dimethylpyrazol 1504
$C_5H_8N_2O_2$ Citraconsäurediamid 1319*
Itaconsäurediamid 2189*
Mesaconsäurediamid 2664*
$C_5H_8N_2O_3$ Acetondicarbonsäureamid 1856*
$C_5H_8N_4O_{12}$ Pentaerythrittetranitrat 1906, 2997*
C_5H_8O Cyclopentanon 201
$C_5H_8O_2$ Acetylaceton 308
Angelicasäure 745
Tiglinsäure 1006
β,β-Dimethylacrylsäure 1061
γ-Valerolacton 271
$C_5H_8O_3$ Lävulinsäure 628
$C_5H_8O_4$ Glutarsäure 1397, 111*
dl-Brenzweinsäure (Methylbernsteinsäure) 1562
Äthylmalonsäure 1560
Dimethylmalonsäure 2533
Malonsäuredimethylester 180
$C_5H_8O_5$ α-Hydroxyglutarsäure 1099
β-Hydroxyglutarsäure 1368
dl-Citramalsäure 1658
C_5H_9N Valeronitril (n-Butylcyanid) 99
C_5H_9NO α-Piperidon (2-Oxopiperidin) 694, 2127*
2-Methylpyrrolidon-(5) 2768*
Cyclopentanonoxim 201*
Angelicasäureamid 745*
Tiglinsäureamid 1006*
$C_5H_9NO_2$ Nitrocyclopentan 111*
l-Prolin (Pyrrolidin-α-carbonsäure) 2826
Acetylacetonoxim 308*
Lävulinsäureamid 628*
$C_5H_9NO_3$ Lävulinsäureoxim 628*
Acetylsarkosin 2748*
Acetylurethan (Acetylcarbamidsäureäthylester) 1159
$C_5H_9NO_4$ d-Glutaminsäure (d-α-Aminoglutarsäure) 2842
$C_5H_9N_3$ Histamin [4(5)-Aminoäthylimidazol, β-Imidazolyläthylamin] 1237
$C_5H_9N_3O$ Crotonaldehydsemicarbazon 155*
$C_5H_9N_3O_6$ 2,3,4-Trinitro-2-methylbutan 8*
C_5H_{10} Penten-(2) 12
Trimethyläthylen (β-Methyl-β-buten, β-Isoamylen) 26
Cyclopentan (Pentamethylen) 111
$C_5H_{10}Br_2$ 1,5-Dibrompentan (Pentamethylenbromid) 257
$C_5H_{10}ClNO_4$ d-Glutaminsäurehydrochlorid 2842*
$C_5H_{10}ClN_3$ Histaminhydrochlorid 1237*
$C_5H_{10}N_2O_2$ Glutarsäurediamid 1397*
dl-Brenzweinsäurediamid 1562*
Äthylmalonsäurediamid 1560*
Dimethylmalonsäurediamid 2533*
$C_5H_{10}N_2O_3$ d-Glutamin 2479
$C_5H_{10}N_4O_2$ Mesaconsäuredihydrazid 2664*
$C_5H_{10}O$ Valeraldehyd 122
Methylpropylketon [Pentanon-(2)] 137
Methylisopropylketon 121
Diäthylketon 232
$C_5H_{10}O_2$ n-Valeriansäure 262, 1088*
dl-Methyläthylessigsäure 148
Isovaleriansäure 248
Trimethylessigsäure 651
Isobuttersäuremethylester 135
Propionsäureäthylester 156
Essigsäurepropylester (Propylacetat) 117
Ameisensäureisobutylester (Isobutylformiat) 100
$C_5H_{10}O_3$ Kohlensäurediäthylester 229
$C_5H_{10}O_5$ *l*-Arabinose 2152
akt. Ribose 1283
d-Xylose 1997
$C_5H_{11}Br$ n-Amylbromid 103
Isoamylbromid 61
$C_5H_{11}Cl$ n-Amylchlorid 85
tert.-Amylchlorid 160
$C_5H_{11}J$ n-Amyljodid 130
$C_5H_{11}N$ Piperidin 348
$C_5H_{11}NO$ Valeraldehydoxim 122*
Methylpropylketonoxim 137*
Methylisopropylketonoxim 121*
Diäthylketonoxim 232*
Valeriansäureamid 1496
dl-Methyläthylessigsäureamid 148*
Isovaleriansäureamid 1867
Trimethylessigsäureamid 651*
$C_5H_{11}NO_2$ α-Aminovaleriansäure 3128
γ-Aminovaleriansäure 2768
δ-Aminovaleriansäure 2127
d-Valin 3172
dl-Valin 3143
β-Aminoisovaleriansäure 2797
Dimethylaminoessigsäuremethylester 3133*
Betain 3133

$C_5H_{11}NO_2S$ Methionin 3099
$C_5H_{11}NO_4$ Ribosamin 1283*
$C_5H_{11}N_3O$ Isobutyraldehydsemicarbazon 174*
Methyläthylketonsemicarbazon 129*
$C_5H_{11}N_3O_2$ Acetoinsemicarbazon 483*
C_5H_{12} n-Pentan 29
Isopentan 8
Tetramethylmethan (2,2-Dimethylpropan) 323
$C_5H_{12}ClN$ Piperidinhydrochlorid 348*
$C_5H_{12}ClNO_2$ Betainhydrochlorid (Acidol) 2860
$C_5H_{12}N_2O$ N,N'-Diäthylharnstoff 1563
Isovaleriansäurehydrazid 248*
$C_5H_{12}N_2O_2$ d-Ornithin 1929
$C_5H_{12}N_2S$ N,N'-Diäthylthioharnstoff 1152
$C_5H_{12}N_4O_2$ Äthylmalonsäuredihydrazid 1560*
Dimethylmalonsäuredihydrazid 2533*
$C_5H_{12}O$ n-Amylalkohol 152
Gärungsamylalkohol 48
Isoamylalkohol (Isobutylcarbinol) 50
tert.-Amylalkohol („Amylenhydrat") 363
tert.-Butylcarbinol (Neopentylalkohol) 843
Äthylpropyläther 66*
$C_5H_{12}O_2$ Formaldehyddiäthylacetal (Äthylal) 172
$C_5H_{12}O_3$ Pentaglycerin (Methyl-trimethylolmethan) 2626
$C_5H_{12}O_4$ Pentaerythrit 2997
$C_5H_{12}O_5$ Adonit 1437
l-Arabit 1439
$C_5H_{13}N$ n-Amylamin 193
tert.-Amylamin 68

$C_6Br_4O_2$ Tetrabromchinon (Bromanil) 3149
C_6Br_6 Hexabrombenzol 3173
$C_6Cl_4O_2$ Chloranil (Tetrachlorchinon) 3120, 2910*
C_6Cl_6 Hexachlorbenzol 2863
C_6HBr_5 Pentabrombenzol 2159
$C_6HCl_3O_2$ Trichlorchinon 2288
$C_6HCl_4NO_2$ 2,3,4,6-Tetrachlor-1-nitrobenzol 826*
C_6HCl_5 Pentachlorbenzol 1259
C_6HCl_5O Pentachlorphenol 2543
$C_6H_2ClN_3O_6$ Pikrylchlorid (2,4,6-Trinitrochlorbenzol) 1231
$C_6H_2Cl_2O_2$ 2,6-Dichlorchinon 1683
$C_6H_2Cl_2O_4$ Chloranilsäure 3101
$C_6H_2Cl_4$ 1,2,3,4-Tetrachlorbenzol 781
1,2,3,5-Tetrachlorbenzol 826
1,2,4,5-Tetrachlorbenzol 1912
$C_6H_2Cl_4O_2$ Tetrachlorhydrochinon 2910
$C_6H_2Cl_5N$ Pentachloranilin 2884
$C_6H_2J_3NO_2$ 3,4,5-Trijodnitrobenzol 2265
$C_6H_2N_2O_8$ Nitranilsäure 2308
$C_6H_3Br_2NO_3$ 4,6-Dibrom-2-nitrophenol 1647
2,6-Dibrom-4-nitrophenol 1974
$C_6H_3Br_3$ 1,2,3-Tribrombenzol 1288
1,2,4-Tribrombenzol 741
1,3,5-Tribrombenzol 1674
$C_6H_3Br_3O$ 2,4,6-Tribromphenol 1373
$C_6H_3Br_3O_2$ 2,4,6-Tribromresorcin (1,3-Dihydroxy-2,4,6-tribrombenzol) 1557
$C_6H_3ClN_2O_4$ 3-Chlor-1,2-dinitrobenzol 1150
4-Chlor-1,2-dinitrobenzol 577, 659, 675, 687
2-Chlor-1,3-dinitrobenzol 1292
4-Chlor-1,3-dinitrobenzol 728, 859
5-Chlor-1,3-dinitrobenzol 923
2-Chlor-1,4-dinitrobenzol 940
$C_6H_3Cl_2NO_2$ 2,3-Dichlor-1-nitrobenzol 959
2,4-Dichlor-1-nitrobenzol 623
2,5-Dichlor-1-nitrobenzol 878
2,6-Dichlor-1-nitrobenzol 1103
3,4-Dichlor-1-nitrobenzol 729
3,5-Dichlor-1-nitrobenzol 1021
$C_6H_3Cl_2NO_3$ 4,6-Dichlor-2-nitrophenol 1698
2,6-Dichlor-4-nitrophenol 1730
$C_6H_3Cl_3$ 1,2,3-Trichlorbenzol 858, 1573*
1,2,4-Trichlorbenzol 509, 1573*
1,3,5-Trichlorbenzol 990, 1573*
$C_6H_3Cl_3N_4$ 9-Methyl-2,6,8-trichlorpurin 2393
$C_6H_3Cl_3O$ 2,4,6-Trichlorphenol 1040
$C_6H_3Cl_3O_6S_3$ Benzol-1,3,5-trisulfonsäuretrichlorid 2461, 1424*
$C_6H_3Cl_4N$ 2,3,4,6-Tetrachloranilin 1303
$C_6H_3J_3$ 1,2,3-Trijodbenzol 1630
1,2,4-Trijodbenzol 1329
1,3,5-Trijodbenzol 2467
$C_6H_3J_3O$ 2,4,6-Trijodphenol 2145
$C_6H_3N_3O_6$ 1,2,3-Trinitrobenzol 1771
1,2,4-Trinitrobenzol 967
1,3,5-Trinitrobenzol 1713
$C_6H_3N_3O_7$ 2,3,6-Trinitrophenol 1641
2,4,5-Trinitrophenol 1384
Pikrinsäure (2,4,6-Trinitrophenol) 1710, 2496*
$C_6H_3N_3O_8$ Styphninsäure (2,4,6-Trinitroresorcin) 2375
C_6H_4BrClO 4-Brom-2-chlorphenol 822
$C_6H_4BrClO_2S$ Brombenzol-p-sulfochlorid 273*
C_6H_4BrJ p-Bromjodbenzol 1318
$C_6H_4BrNO_2$ 2-Brom-1-nitrobenzol 713
3-Brom-1-nitrobenzol 886
4-Brom-1-nitrobenzol 1753
$C_6H_4BrNO_3$ 4-Brom-2-nitrophenol 1296
2-Brom-4-nitrophenol 1588
$C_6H_4Br_2$ o-Dibrombenzol 438
m-Dibrombenzol 370
p-Dibrombenzol 1275
$C_6H_4Br_2O$ 2,4-Dibromphenol 696
2,6-Dibromphenol 892
$C_6H_4Br_3N$ 2,4,6-Tribromanilin 1673

C_6H_4ClJ p-Chlorjodbenzol 864
C_6H^3ClNO p-Chinonchlorimid 1264
$C_6H_4ClNO_2$ 2-Chlor-1-nitrobenzol 615
3-Chlor-1-nitrobenzol 766
4-Chlor-1-nitrobenzol 1235
$C_6H_4ClNO_3$ 4-Chlor-2-nitrophenol 1278
5-Chlor-2-nitrophenol 688
6-Chlor-2-nitrophenol 1081
2-Chlor-4-nitrophenol 1553
$C_6H_4ClNO_4S$ 4-Nitrobenzolsulfonsäurechlorid 1369*
$C_6H_4Cl_2$ o-Dichlorbenzol 330
m-Dichlorbenzol 304
p-Dichlorbenzol 845
$C_6H_4Cl_2N_2$ p-Chinon-bis-chlorimid 1742, 1919*
$C_6H_4Cl_2O$ 2,3-Dichlorphenol 898
2,4-Dichlorphenol 749
2,5-Dichlorphenol 911
2,6-Dichlorphenol 1036
3,4-Dichlorphenol 1046
3,5-Dichlorphenol 1047
$C_6H_4Cl_2O_2S$ p-Chlorbenzolsulfonsäurechlorid 1045*
$C_6H_4Cl_3N$ 2,4,6-Trichloranilin 1166
$C_6H_4JNO_2$ 2-Jod-1-nitrobenzol 808
3-Jod-1-nitrobenzol 660
4-Jod-1-nitrobenzol 2359
$C_6H_5J_2$ o-Dijodbenzol 540
m-Dijodbenzol 636
p-Dijodbenzol 1789
$C_6H_4N_2O_4$ o-Dinitrobenzol 1650
m-Dinitrobenzol 1305
p-Dinitrobenzol 2332
$C_6H_4N_2O_5$ 2,3-Dinitrophenol 1977
2,4-Dinitrophenol 1596
2,5-Dinitrophenol 1514
2,6-Dinitrophenol 1001
3,4-Dinitrophenol 1846
3,5-Dinitrophenol 1700
$C_6H_4N_2O_6$ 2,4-Dinitroresorcin 2019
$C_6H_4N_2S$ Piazthiol (3,4-Benzo-1,2,5-thiodiazol) 739
$C_6H_4N_4O$ Nicotinsäureazid 787, 2147*
$C_6H_4N_4O_6$ 2,4,6-Trinitroanilin (Pikramid) 2517
$C_6H_4O_2$ o-Chinon [Benzochinon-(1,2)] 955
p-Chinon (1,4-Benzochinon) 1622
$C_6H_4O_4$ Pyron-(2)-carbonsäure-(5) (Cumalinsäure) 2702
Pyron-(2)-carbonsäure-(6) 2862
Pyron-(4)-carbonsäure-(2) 2986
$C_6H_5AsF_2$ Phenylarsindifluorid 672
$C_6H_5AsJ_2$ Phenylarsindijodid 490
C_6H_5BO Phenylboroxyd 2792*
C_6H_5Br Brombenzol 273
C_6H_5BrO 2-Bromphenol 432
3-Bromphenol 614
4-Bromphenol 992
$C_6H_5BrO_3S$ p-Brombenzolsulfonsäure 1449
$C_6H_5Br_2N$ 2,4-Dibromanilin 1189
C_6H_5Cl Chlorbenzol 220
C_6H_5ClHg Phenylquecksilberchlorid 2993
C_6H_5ClO 2-Chlorphenol 450
3-Chlorphenol 619
4-Chlorphenol 725
$C_6H_5ClO_2S$ Benzolsulfochlorid 482
$C_6H_5ClO_3S$ p-Chlorbenzolsulfonsäure 1045
$C_6H_5Cl_2N$ 2,3-Dichloranilin 550
2,4-Dichloranilin 987
2,5-Dichloranilin 815
3,4-Dichloranilin 1095
3,5-Dichloranilin 823
C_6H_5F Fluorbenzol 236
C_6H_5J Jodbenzol 269
C_6H_5JO 2-Jodphenol 703
3-Jodphenol 698
4-Jodphenol 1332
C_6H_5NO Nitrosobenzol 1053
$C_6H_5NO_2$ Nitrobenzol 433
4-Nitrosophenol 1722
p-Chinonmonoxim 1622*
Pyridincarbonsäure-(2) (Picolinsäure) 1890
Pyridincarbonsäure-(3) (Nicotinsäure, Niacin) 2914, 2545*, 2954*, 3006*, 3021*, 3184*
Pyridincarbonsäure-(4) (Isonicotinsäure) 3174, 2857*, 2954*, 2979*, 3021*
$C_6H_5NO_3$ 2-Nitrophenol 756
3-Nitrophenol 1391
4-Nitrophenol 1590
$C_6H_5NO_5S$ 4-Nitrobenzolsulfonsäure 1369
$C_6H_5NO_6S$ 2-Nitrophenolsulfonsäure-(4) 1952
$C_6H_5N_3$ Benzotriazol 1412
$C_6H_5N_3O_4$ 2,4-Dinitroanilin 2383
2,5-Dinitroanilin 1887
2,6-Dinitroanilin 1898
3,5-Dinitroanilin 2183
$C_6H_5N_3O_5$ Pikraminsäure (2-Amino-4,6-dinitrophenol) 2314
C_6H_6 Benzol 428
$C_6H_6AsCl_3$ β,β',β''-Trichlortrivinylarsin 519
C_6H_6BrN 2-Bromanilin 607
3-Bromanilin 516
4-Bromanilin 1032
$C_6H_6BrNO_2S$ Brombenzol-p-sulfamid 273*
C_6H_6ClN 2-Chloranilin (1-Amino-2-chlorbenzol) 342
3-Chloranilin (1-Amino-3-chlorbenzol) 358
4-Chloranilin (1-Amino-4-chlorbenzol) 1080
$C_6H_6ClNO_2$ Picolinsäurehydrochlorid 1890*
Nicotinsäurehydrochlorid 2914*
Isonicotinsäurehydrochlorid 3174*
$C_6H_6ClNO_2S$ p-Chlorbenzolsulfonsäureamid 1045*

$C_6H_6Cl_3N$ 2,5-Dichloranilinhydrochlorid 815*
$C_6H_6Cl_6$ α-Benzolhexachlorid 2128
β-Benzolhexachlorid 3141
γ-Benzolhexachlorid (γ-Hexachlorcyclohexan, Hexanchloran, Gammexan, 666-Wirkstoff) 1573
δ-Benzolhexachlorid 1797
C_6H_6JN 2-Jodanilin 952
4-Jodanilin 1002
$C_6H_6N_2O$ 4-Nitrosoanilin 2351
Picolinsäureamid 1890*
Nicotinsäureamid (Niacinamid, β-Pyridincarbonsäureamid) 1702, 2914*
Isonicotinsäureamid 3174*
$C_6H_6N_2O_2$ 2-Nitroanilin 1096, 770*
3-Nitroanilin 1599
4-Nitroanilin 2024, 770*
Phenylnitramin 770
p-Chinondioxim 2935
$C_6H_6N_2O_3$ 4-Nitro-2-aminophenol 1960
5-Nitro-2-aminophenol 2654
2-Nitro-4-aminophenol 1810
3-Nitro-4-aminophenol 2088
$C_6H_6N_2O_4S$ 4-Nitrobenzolsulfonsäureamid 1369*
$C_6H_6N_2O_5$ Nicotinsäurenitrat 2914*
$C_6H_6N_4O_4$ 2,4-Dinitrophenylhydrazin 2617
C_6H_6O Phenol 711
C_6H_6OS 2-Acetothienon (2-Acetylthiophen) 451
$C_6H_6O_2$ Brenzcatechin (1,2-Dihydroxybenzol) 1478, 2625*
Resorcin (1,3-Dihydroxybenzol) 1552, 2035*
Hydrochinon (1,4-Dihydroxybenzol) 2316 2636*
α-Acetylfuran (Methyl-α-furylketon) 621
$C_6H_6O_2S$ Benzolsulfinsäure 1232
$C_6H_6O_3$ Pyrogallol (1,2,3-Trihydroxybenzol) 1840
Hydroxyhydrochinon (1,2,4-Trihydroxybenzol) 1946
Phloroglucin (1,3,5-Trihydroxybenzol) 2804, 1426*
Maltol 2155
5-Hydroxymethylfurfurol 604
5-Methylbrenzschleimsäure 1521
$C_6H_6O_3S$ Benzolsulfonsäure 821, 1232*
$C_6H_6O_4$ 1,2,3,5-Tetrahydroxybenzol 2246
1,2,4,5-Tetrahydroxybenzol 2784
Kojisäure (5-Hydroxy-2-hydroxymethyl-γ-pyron) 2074
Muconsäure 3142
$C_6H_6O_4S$ Phenolsulfonsäure-(2) 818
Phenolsulfonsäure-(4) 818*
$C_6H_6O_6$ Hexahydroxybenzol 2639
Aconitsäure 2585
$C_6H_6O_7S_2$ Phenol-2,4-disulfonsäure 1425
$C_6H_6O_8$ Äthan-α,α,β,β-tetracarbonsäure 2270
$C_6H_6O_9S_3$ Benzol-1,3,5-trisulfonsäure 1424
$C_6H_6S_2$ Dithioresorcin 568
$C_6H_7AsO_3$ Phenylarsonsäure 2170
$C_6H_7BO_2$ Phenylbordihydroxyd 2792
$C_6H_7BrN_2$ 4-Bromphenylhydrazin 1502
$C_6H_7ClN_2O$ Nicotinsäureamidhydrochlorid 1702*
C_6H_7N α-Picolin (α-Methylpyridin) 164
Anilin 373, 1221*, 1568*
C_6H_7NO Phenylhydroxylamin 1221
2-Aminophenol 2294
3-Aminophenol 1705
4-Aminophenol 2492
$C_6H_7NO_2$ α-Acetylfuranoxim 621*
$C_6H_7NO_2S$ Benzolsulfamid 2046
$C_6H_7NO_3S$ Anilinsulfonsäure-(4) (Sulfanilsäure) 3086
C_6H_7NS 2-Aminothiophenol 561
4-Aminothiophenol 762
$C_6H_7N_3O$ Nicotinsäurehydrazid 2147
Isonicotinsäurehydrazid (INH, Isoniacid, Neoteben, Rimifon) 2326
$C_6H_7N_3O_2$ 4-Nitrophenylhydrazin 2131
Furfurolsemicarbazon 251*
$C_6H_7O_3P$ Phenylphosphonsäure 2144
C_6H_8BrNO 3-Aminophenolhydrobromid 1705*
C_6H_8ClN Anilinhydrochlorid 2623, 373*
C_6H_8ClNO 3-Aminophenolhydrochlorid 1705*
4-Aminophenolhydrochlorid 2492*
C_6H_8JN Pyridinjodmethylat 235*
$C_6H_8N_2$ 2,5-Dimethylpyrazin 484
o-Phenylendiamin (1,2-Diaminobenzol) 1463, 2735*
m-Phenylendiamin (1,3-Diaminobenzol) 984
p-Phenylendiamin (1,4-Diaminobenzol) 1919
Phenylhydrazin 523
$C_6H_8N_2O$ 2,4-Diaminophenol 1084
3,4-Diaminophenol 2266
$C_6H_8N_2O_2$ Imidazolcarbonsäure- (4 bzw. 5)-äthylester 3097*
$C_6H_8N_2O_2S$ p-Aminophenylsulfonamid (Prontosil album, Sulfanilamid, Prontalbin, Diseptyl) 2236
$C_6H_8N_2O_3S$ Phenylhydrazin-p-sulfonsäure 3112
$C_6H_8N_2S$ β,β′-Dicyandiäthylsulfid 548
$C_6H_8N_6O_{18}$ Mannithexanitrat 1574
$C_6H_8O_2$ Dihydroresorcin 1482
Tetrahydro-p-chinon (Cyclohexan-1,4-dion 1165
Sorbinsäure 1855
$C_6H_8O_4$ Diformalerythrit 1669*
Allylmalonsäure 1475
Lactid 1734

$C_6H_8O_6$ Ascorbinsäure (Vitamin C, Cebion, Redoxon) 2522
Tricarballylsäure 2258
Acetyl-*l*-äpfelsäure 1851
$C_6H_8O_7$ Isozuckersäure 2480
Citronensäure 2078
C_6H_8S 2,3-Thioxen (2,3-Dimethylthiophen) 214
$C_6H_9AlO_6$ Aluminiumacetat 2633
$C_6H_9ClN_2$ Phenylhydrazinhydrochlorid 2943, 523*
$C_6H_9Cl_2N_3O$ Nicotinsäurehydraziddihydrochlorid 2147
$C_6H_9NO_4$ Isonitrosoacetessigester 906
$C_6H_9N_3$ 1,2,3-Triaminobenzol 1459
1,2,4-Triaminobenzol 1427
$C_6H_9N_3O_2$ Ammoniumsalz des Phenylnitrosohydroxylamins (Cupferron) 2219
l-Histidin (β-Imidazolylalanin) 3110
$C_6H_9N_3O_3$ Cyanursäuretrimethylester 1861
Isocyanursäuretrimethylester 2385
$C_6H_9N_3O_6S_3$ Benzol-1,3,5-trisulfonsäuretriamid 3164
C_6H_{10} Methylpropylacetylen [Hexin-(2)] 322
Diallyl 17, 90*
Diisopropenyl 176
Cyclohexen 74
$C_6H_{10}N_2O_2$ Sarkosinanhydrid (1,4-Dimethyl-2,5-dioxopiperazin 2017
$C_6H_{10}N_4$ Pentamethylentetrazol (Cardiazol, Pentetrazol) 894
$C_6H_{10}O$ Mesityloxyd 184
$C_6H_{10}O_2$ Acetonylaceton [Hexandion-(2,5)] 361
α-Äthylcrotonsäure 744
$C_6H_{10}O_3$ Acetessigester 226
$C_6H_{10}O_4$ Adipinsäure 2063, 74*
α,α-Dimethylbernsteinsäure 1956
dl-α,α'-Dimethylbernsteinsäure 1791
Glykoldiacetat 270
Bernsteinsäuredimethylester 522
Oxalsäurediäthylester 238, 353*
$C_6H_{10}O_5$ Lactylmilchsäure 2989
$C_6H_{10}O_6$ *d*-Weinsäuremonoäthylester 1310
d-Weinsäuredimethylester 970
Mesoweinsäuredimethylester 1928*
d-Galaktonsäure-γ-lacton 1936*
$C_6H_{10}O_7$ *d*-Galakturonsäure 2154
$C_6H_{10}O_8$ Schleimsäure 2763
$C_6H_{11}BrN_2O_2$ α-Bromisovalerianylharnstoff (Bromural, Bromisoval, Leunerval) 2023
$C_6H_{11}Cl$ Cyclohexylchlorid 227
$C_6H_{11}JN_2O_2$ α-Jodisovalerianylharnstoff (Jodival) 2422
$C_6H_{11}N$ Capronitril 151
$C_6H_{11}NO$ Mesityloxydoxim 184*
$C_6H_{11}NO_2$ β-Aminocrotonsäureäthylester 622
$C_6H_{11}NO_3S$ Alliin 2223
$C_6H_{11}N_3O$ Cyclopentanonsemicarbazon 201*
$C_6H_{11}N_3O_3$ Tricarballylsäuretriamid 2258*
$C_6H_{11}N_3O_4$ Diglycylglycin 2970
Citronensäuretriamid 2078*
C_6H_{12} Cyclohexan (Hexahydrobenzol) 437
$C_6H_{12}BrNO$ Diäthylbromessigsäureamid (Neuronal) 1033
$C_6H_{12}Cl_3N$ β,β',β''-Trichlortriäthylamin 389
$C_6H_{12}N_2O$ Acetylpiperazin 1469*
$C_6H_{12}N_2O_2$ Acetonylacetondioxim 1884
Adipinsäureamid 2063*
$C_6H_{12}N_2O_4S_2$ *l*-Cystin 3019
$C_6H_{12}O$ Cyclohexanol (Hexahydrophenol, Anol) 543
Methylbutylketon [Hexanon-(2)] 190
Methylisobutylketon 136
Pinakolin 205
$C_6H_{12}O_2$ cis-Chinit 1441
trans-Chinit 1909
n-Capronsäure 391, 1476*
Isocapronsäure (Isobutylessigsäure) 258
Dimethyläthylessigsäure 347
Valeriansäuremethylester 150
Buttersäureäthylester 110
Isobuttersäureäthylester 127
Essigsäureisobutylester (Isobutylacetat) 86
$C_6H_{12}O_3$ Phloroglucit [Cyclohexantriol-(1,3,5)] 2465
Paraldehyd 471
$C_6H_{12}O_5$ Quercit 2903
Fucose 1992
l-Rhamnose 1709
Rhodeose 1980
$C_6H_{12}O_6$ inakt. Inosit 2848
Scyllit (Quercin, Cocosit) 3198
d-Galaktose 2238
d-Glucose (Dextrose, Traubenzucker) 2004, 2845*
d-Mannose 1824
Sorbose (Sorbinose, Sorbin) 2244
d-Fructose (Lävulose) 1452, 2408*
$C_6H_{12}O_7$ d-Galaktonsäure 1936
$C_6H_{13}Br$ Hexylbromid 134
$C_6H_{13}Cl_4N$ Sinalost 389*
$C_6H_{13}JN_2S$ Thiosinaminjodäthylat (Jodamin)1076
$C_6H_{13}N$ dl-α-Pipecolin (dl-α-Methylpiperidin) 383
$C_6H_{13}NO$ Methylbutylketonoxim 190*
Pinakolinoxim 205*
Capronamid 1432
Isocapronsäureamid 258*

$C_6H_{13}NO_2$ *l*-Leucin 3137
dl-Leucin 3136
d-Isoleucin 3094
Methylpropylcarbinolcarbaminsäureester (Hedonal) 1142
Aponal (Carbaminsäureester d. tert.-Amylenhydrats) 1234
$C_6H_{13}NO_5$ d-Glucosamin 1542
Fucoseoxim 1992*
Rhodeoseoxim 1980*
$C_6H_{13}NO_6$ d-Galaktoseoxim 2238*
$C_6H_{13}NS_2$ Thialdin 732
$C_6H_{13}N_3O$ Methylpropylketonsemicarbazon 137*
Methylisopropylketonsemicarbazon 121*
Diäthylketonsemicarbazon 232*
$C_6H_{13}N_3S$ Valeraldehydthiosemicarbazon 122*
C_6H_{14} Hexan 106
2,2-Dimethylbutan 87
2,3-Dimethylbutan 25
$C_6H_{14}N_2$ cis-2,5-Dimethylpiperazin 1604
trans-2,5-Dimethylpiperazin 1654
$C_6H_{14}N_2O$ N-tert.-Amylharnstoff 2192
$C_6H_{14}N_2O_2$ Acetonylacetondioxim 361*
$C_6H_{14}N_2O_5$ d-Glucosaminoxim 1542*
$C_6H_{14}N_4O_2$ d-Arginin 2710
$C_6H_{14}N_6O_3$ Tricarballylsäuretrihydrazid 2258*
$C_6H_{14}O$ Hexylalkohol [Hexanol-(1)] 207
Dimethylisopropylcarbinol 343
Methyl-tert.-butylcarbinol (Pinakolinalkohol) 430
Dipropyläther 41
$C_6H_{14}O_2$ Pinakon [2,3-Dimethylbutandiol-(2,3)] 664
$C_6H_{14}O_5$ Rhamnit 1689
$C_6H_{14}O_6$ Dulcit 2524
d-Mannit 2256
d-Sorbit (Compral, Sionon) 1134, 1546
l-Talit 1286
dl-Talit 1372
$C_6H_{15}AlO_3$ Aluminiumäthylat 1842
$C_6H_{15}B$ Bortriäthyl 116
$C_6H_{15}ClN_2O_2$ Carbaminoylcholinchlorid (Doryl) 2665
$C_6H_{15}ClN_4O_2$ d-Argininhydrochlorid 2710*
$C_6H_{15}N$ Isohexylamin 105
Dipropylamin 178
Triäthylamin 52
$C_6H_{15}NO_3$ Triäthanolamin 2397*
$C_6H_{15}OP$ Triäthylphosphinoxyd 841
$C_6H_{16}BrN$ Dipropylaminhydrobromid 178*
$C_6H_{16}ClN$ Triäthylaminhydrochlorid 52*, 3001*
$C_6H_{16}ClNO_3$ Triäthanolaminhydrochlorid 2397
$C_6H_{21}N_3O_3$ Aldehydammoniak 1390
$C_7H_3Cl_3O_2$ 2,3,4-Trichlorbenzoesäure 2500
2,3,5-Trichlorbenzoesäure 2217
2,4,5-Trichlorbenzoesäure 2218
2,4,6-Trichlorbenzoesäure 2227
3,4,5-Trichlorbenzoesäure 2674
$C_7H_3NO_3$ Chinolinsäureanhydrid 2545*
Cinchomeronsäureanhydrid 3021*
$C_7H_3N_3O_8$ 2,4,6-Trinitrobenzoesäure 2873
$C_7H_4Br_2O_2$ 2,3-Dibrombenzoesäure 2040
2,4-Dibrombenzoesäure 2344
2,5-Dibrombenzoesäure 2079
2,6-Dibrombenzoesäure 2062
3,5-Dibrombenzoesäure 2817
$C_7H_4Br_4O$ 3,4,5,6-Tetrabrom-o-kresol 2708
2,4,5,6-Tetrabrom-m-kresol 2583
2,3,5,6-Tetrabrom-p-kresol 2622
$C_7H_4ClNO_3$ m-Nitrobenzoylchlorid 649
p-Nitrobenzoylchlorid 1131
$C_7H_4Cl_2O_2$ 2,3-Dichlorbenzoesäure 2252
2,4-Dichlorbenzoesäure 2225
2,5-Dichlorbenzoesäure 2100
2,6-Dichlorbenzoesäure 1972
3,4-Dichlorbenzoesäure 2690
3,5-Dichlorbenzoesäure 2513
$C_7H_4Cl_2O_3$ 3,5-Dichlorsalicylsäure 2818
$C_7H_4J_2O_3$ 3,5-Dijodsalicylsäure 2897
$C_7H_4N_2O_2$ 2-Nitrobenzonitril 1545
3-Nitrobenzonitril 1643
4-Nitrobenzonitril 2039
Cinchomeronsäureimid 3021*
$C_7H_4N_2O_5$ 2,4-Dinitrobenzaldehyd 1100
$C_7H_4N_2O_6$ 2,4-Dinitrobenzoesäure 2449
2,5-Dinitrobenzoesäure 2394
2,6-Dinitrobenzoesäure 2660
3,4-Dinitrobenzoesäure 2234
3,5-Dinitrobenzoesäure 2684
$C_7H_4N_2O_7$ 3,5-Dinitrosalicylsäure 2345
$C_7H_4N_4O_7$ 2,4,6-Trinitrobenzoesäureamid 2873*
$C_7H_4O_4S$ o-Sulfobenzoesäureanhydrid 1854*
$C_7H_4O_6$ Chelidonsäure (α,α'-Dicarboxy-γ-pyron) 3034
$C_7H_4O_7$ Mekonsäure (β-Hydroxypyron-α,α'-dicarbonsäure) 2055
C_7H_5BrO Benzoylbromid 405
$C_7H_5BrO_2$ 2-Brombenzoesäure 2047
3-Brombenzoesäure 2103
4-Brombenzoesäure 3003, 576*
$C_7H_5Br_3O_2$ 2,4,6-Tribromresorcinmonomethyläther 1557*
C_7H_5ClO 2-Chlorbenzaldehyd 465
3-Chlorbenzaldehyd 511
4-Chlorbenzaldehyd 799
Benzoylchlorid 399
$C_7H_5ClO_2$ 2-Chlorbenzoesäure 1921
3-Chlorbenzoesäure 2140
4-Chlorbenzoesäure 2951

$C_7H_5ClO_3$ 5-Chlorsalicylsäure 2331
Protocatechusäurechlorid 2625*
$C_7H_5Cl_2N$ Phenylisocyaniddichlorid (Phenylimidophosgen) 325
$C_7H_5Cl_2NO$ 2,5-Dichlorbenzoesäureamid 2100*
$C_7H_5Cl_2NO_2$ o-Nitrobenzalchlorid 572
m-Nitrobenzalchlorid 1013
p-Nitrobenzalchlorid 769
$C_7H_5Cl_3$ Benzotrichlorid (ω,ω,ω-Trichlortoluol) 315
$C_7H_5FO_2$ 2-Fluorbenzoesäure 1746
3-Fluorbenzoesäure 1721
4-Fluorbenzoesäure 2451
C_7H_5JO Benzoyljodid 419
$C_7H_5JO_2$ 2-Jodbenzoesäure 2198
3-Jodbenzoesäure 2507
4-Jodbenzoesäure 3046, 646*
$C_7H_5JO_3$ 3-Jodsalicylsäure 2565
C_7H_5N Benzonitril 345, 1568*, 1587*,
C_7H_5NO Benzoxazol 595
Phenylisocyanat 837*
C_7H_5NOS Benzthiazolon bzw. 2-Hydroxybenzthiazol 1897
$C_7H_5NO_3$ 2-Nitrobenzaldehyd 705, 733
3-Nitrobenzaldehyd 912
4-Nitrobenzaldehyd 1494
2-Nitrosobenzoesäure 2774
$C_7H_5NO_3S$ Saccharin (Benzoesäuresulfimid) 2869, 2120*
$C_7H_5NO_4$ 2-Nitrobenzoesäure 2031
3-Nitrobenzoesäure 1938
4-Nitrobenzoesäure 2941
Pyridindicarbonsäure-(2,3) (Chinolinsäure) 2545
Pyridindicarbonsäure-(2,4) (Lutidinsäure) 2979
Pyridindicarbonsäure-(2,5) (Isocinchomeronsäure 3006
Pyridindicarbonsäure-(2,6) (Dipicolinsäure) 2915
Pyridindicarbonsäure-(3,4) (Cinchomeronsäure) 3021
Pyridindicarbonsäure-(3,5) (Dinicotinsäure) 3184
$C_7H_5NO_5$ 3-Nitrosalicylsäure 1979
5-Nitrosalicylsäure 2871
C_7H_5NS Phenylsenföl 318
$C_7H_5N_3O$ Benzazid 606
$C_7H_5N_3O_5$ 2,4-Dinitrobenzaldehydoxim 1100*
$C_7H_5N_3O_6$ 2,3,4-Trinitrotoluol 1570
2,4,5-Trinitrotoluol 1470
2,4,6-Trinitrotoluol 1198
$C_7H_5N_3O_7$ 2,4,6-Trinitro-m-kresol 1533
2,4,6-Trinitroanisol 1058
$C_7H_5N_5O_8$ Tetryl 1805
C_7H_6BrNO 2-Brombenzoesäureamid 2047*
3-Brombenzoesäureamid 2103*
4-Brombenzoesäureamid 3003*
$C_7H_6Br_2$ p-Brombenzylbromid 957
C_7H_6ClNO 3-Chlorbenzaldehydoxim 511*
4-Chlorbenzaldehydoxim 799*
2-Chlorbenzoesäureamid 1921*
3-Chlorbenzoesäureamid 2140*
4-Chlorbenzoesäureamid 2951*
$C_7H_6ClNO_2$ o-Nitrobenzylchlorid 794
p-Nitrobenzylchlorid 1089
$C_7H_6Cl_2$ Benzalchlorid 332
p-Chlorbenzylchlorid 584
C_7H_6JNO 2-Jodbenzoesäureamid 2198*
4-Jodbenzoesäureamid 3046*
$C_7H_6N_2$ Indazol 2030
Benzimidazol 2299
Phenylcyanamid 777
Anthranilsäurenitril 812
p-Aminobenzonitril 1262
$C_7H_6N_2O$ Benzimidazolon 3158
$C_7H_6N_2O_3$ 2-Nitrobenzaldoxim 733*
3-Nitrobenzaldoxim 912*
4-Nitrobenzaldoxim 1494*
2-Nitrobenzamid 2392
3-Nitrobenzamid 1967, 1938*
4-Nitrobenzamid 2618, 2941*
$C_7H_6N_2O_4$ 2,3-Dinitrotoluol 988
2,4-Dinitrotoluol 1082
2,5-Dinitrotoluol 838
2,6-Dinitrotoluol 1024
3,4-Dinitrotoluol 944
3,5-Dinitrotoluol 1336
3-Nitro-2-aminobenzoesäure (3-Nitroanthranilsäure) 2682
4-Nitro-2-aminobenzoesäure (4-Nitroanthranilsäure) 3037
5-Nitro-2-aminobenzoesäure (5-Nitroanthranilsäure) 3085
6-Nitro-2-aminobenzoesäure (6-Nitroanthranilsäure) 2463
2-Nitro-3-aminobenzoesäure 2123
5-Nitro-3-aminobenzoesäure 2725
6-Nitro-3-aminobenzoesäure 2900
2-Nitro-4-aminobenzoesäure 3011
3-Nitro-4-aminobenzoesäure 3104
3-Nitrosalicylsäureamid 1979*
5-Nitrosalicylsäureamid 2871*
$C_7H_6N_2O_5$ 4,6-Dinitro-o-kresol 1261
2,6-Dinitro-p-kresol 1214
2,4-Dinitroanisol 1297
$C_7H_6N_4O_4$ Formaldehyd-2,4-dinitrophenylhydrazon 119*
C_7H_6O Benzaldehyd 291, 107*, 533*, 613*
C_7H_6OS Thiobenzoesäure 546
$C_7H_6O_2$ Salicylaldehyd (2-Hydroxybenzaldehyd) 413
3-Hydroxybenzaldehyd 1495
4-Hydroxybenzaldehyd 1628

Tropolon 807
Toluchinon 1066
Benzoesäure 1696, 104*, 315*, 1587*, 2321*
$C_7H_6O_2S$ Thiosalicylsäure 2229
$C_7H_6O_3$ 2,3-Dihydroxybenzaldehyd 1515
2,4-Dihydroxybenzaldehyd (Resorcinaldehyd) 1865
2,5-Dihydroxybenzaldehyd (Gentisinaldehyd) 1417
3,4-Dihydroxybenzaldehyd (Protocatechualdehyd) 2081
β-[Furyl-(2)]-acrylsäure 1945
Salicylsäure (o-Hydroxybenzoesäure) 2110, 2958*
3-Hydroxybenzoesäure 2644
4-Hydroxybenzoesäure 2778, 629*, 1870*
Benzopersäure 714
$C_7H_6O_4$ 2,3-Dihydroxybenzoesäure 2683
2,4-Dihydroxybenzoesäure (β-Resorcylsäure) 2760
2,5-Dihydroxybenzoesäure (Gentisinsäure) 2636
2,6-Dihydroxybenzoesäure (γ-Resorcylsäure) 2035
3,4-Dihydroxybenzoesäure (Protocatechusäure) 2625
3,5-Dihydroxybenzoesäure (α-Resorcylsäure) 2917
Pyron-(4)-carbonsäure-(2)-methylester 2986*
Patulin (Clavacin, Claviform, Expansin) 1532
$C_7H_6O_5$ Gallussäure 2929
Phloroglucincarbonsäure 1426
Pyrogallolcarbonsäure-(4) 2825
$C_7H_6O_5S$ o-Sulfobenzoesäure 1854
m-Sulfobenzoesäure 1948
p-Sulfobenzoesäure 3025
$C_7H_6O_6S$ 5-Sulfosalicylsäure 1547
C_7H_7Br Benzylbromid 390
2-Bromtoluol 296
3-Bromtoluol 242
4-Bromtoluol 576
C_7H_7BrO 4-Bromanisol 463
C_7H_7Cl Benzylchlorid 243
2-Chlortoluol 264
3-Chlortoluol 217
4-Chlortoluol 443
C_7H_7ClO 4-Chlorbenzylalkohol 1107
$C_7H_7ClO_2S$ o-Toluolsulfochlorid 457
p-Toluolsulfochlorid 1067
C_7H_7F 3-Fluortoluol 65
C_7H_7J Benzyljodid (ω-Jodtoluol) 544
4-Jodtoluol 646
C_7H_7NO 2-Aminobenzaldehyd 692
4-Aminobenzaldehyd 1079
α-Benzaldoxim 643, 291*
β-Benzaldoxim 1783
Benzamid 1772, 1186*, 1696*
Formanilid 817, 447*
$C_7H_7NO_2$ 2-Nitrotoluol 360, 392
3-Nitrotoluol 499
4-Nitrotoluol 829
Salicylaldoxim 901, 413*,
3-Hydroxybenzaldehydoxim 1495*
4-Hydroxybenzaldehydoxim 1628*
Toluchinonoxim 1066*
2-Aminobenzoesäure (Anthranilsäure) 1985
3-Aminobenzoesäure 2356
4-Aminobenzoesäure (Vitamin H′) 2496
β-[Furyl-(2)]-acrylsäureamid 1945*
Salicylsäureamid (Algamon) 1930, 2110*
3-Hydroxybenzoesäureamid 2644*
4-Hydroxybenzoesäureamid 2778*
Benzhydroxamsäure 1741
Trigonellin 2810
$C_7H_7NO_3$ 2-Nitrobenzylalkohol 1116
3-Nitrobenzylalkohol 573
4-Nitrobenzylalkohol 1345
3-Nitro-o-kresol 1995
4-Nitro-o-kresol 1227, 1383
5-Nitro-o-kresol 1653
6-Nitro-o-kresol 1071
4-Nitro-m-kresol 1794
5-Nitro-m-kresol 1314
6-Nitro-m-kresol 889
2-Nitro-p-kresol 610
3-Nitro-p-kresol 1178
2-Nitroanisol 453
4-Nitroanisol 867
3-Aminosalicylsäure 2898
p-Aminosalicylsäure (2-Hydroxy-4-aminobenzoesäure, PAS) 2056
5-Aminosalicylsäure 3098
2,4-Dihydroxybenzoesäureamid 2760*
Protocatechusäureamid 2625*
$C_7H_7NO_4$ Gallussäureamid 2929*
$C_7H_7NO_4S$ o-Sulfobenzamid 1854*
Benzoesäure-o-sulfamid 2249
Benzoesäure-p-sulfamid 3088
C_7H_7NS Thiobenzamid 1619
$C_7H_7N_3O_2$ Formaldehyd-p-nitrophenylhydrazon 119*
2-Nitrobenzaldehydhydrazon 705*
3-Nitrobenzaldehydhydrazon 912*
4-Nitrobenzaldehydhydrazon 1494*
p-Chinonmonosemicarbazon 1622*
Lutidinsäurediamid 2979*
Cinchomeronsäurediamid 3021*
$C_7H_7N_3O_3$ 5-Nitro-2-aminobenzoesäureamid 3085*
C_7H_8 Toluol (Methylbenzol) 104, 840*
$C_7H_8ClNO_2$ Anthranilsäurehydrochlorid 1985*
Trigonellinhydrochlorid 2810*

$C_7H_8ClNO_3$ p-Aminosalicylsäurehydrochlorid 2056*
$C_7H_8N_2$ Benzalhydrazin 495
Benzamidin 1186
$C_7H_8N_2O$ Methylphenylnitrosamin 474
Phenylharnstoff 2015, 777*
2-Aminobenzaldehydoxim 692*
4-Aminobenzaldehydoxim 1079*
Benzamidoxim 1187
2-Acetylaminopyridin 885*
Benzhydrazid (Benzoylhydrazin) 1579
$C_7H_8N_2O_2$ 3-Nitro-o-toluidin 1328
4-Nitro-o-toluidin 1803
5-Nitro-o-toluidin 1505
6-Nitro-o-toluidin 1392
2-Nitro-m-toluidin 854
4-Nitro-m-toluidin 1869*
5-Nitro-m-toluidin 1404
6-Nitro-m-toluidin 1531
2-Nitro-p-toluidin 1627
3-Nitro-p-toluidin 1158
2,3-Diaminobenzoesäure 2542
2,4-Diaminobenzoesäure 1924
2,5-Diaminobenzoesäure 2632
3,4-Diaminobenzoesäure 2735
3,5-Diaminobenzoesäure 2936
p-Aminosalicylsäureamid 2056*
$C_7H_8N_2S$ Phenylthioharnstoff 2090
$C_7H_8N_4O_2$ Theophyllin (1,3-Dimethylxanthin, 1,3-Dimethyl-2,6-dihydroxypurin, Theocin) 3051
Theobromin (3,7-Dimethylxanthin) 3199
$C_7H_8N_4O_3$ 5-Nitro-3-aminobenzoesäurehydrazid 2725*
C_7H_8O Benzylalkohol 339
o-Kresol 597
m-Kresol 461
p-Kresol 629
Anisol (Phenylmethyläther) 249
$C_7H_8O_2$ 2-Hydroxybenzylalkohol (Saligenin) 1267
3-Hydroxybenzylalkohol 1037
p-Hydroxybenzylalkohol 1738
4-Methylbrenzcatechin 1012
4-Methylresorcin 1472
5-Methylresorcin (Orcin) 1508
2-Methylhydrochinon 1726
Guajacol (Brenzcatechinmonomethyläther, 1-Hydroxy-2-methoxybenzol) 583
Hydrochinonmonomethyläther 850
2,6-Dimethyl-γ-pyron 1863
$C_7H_8O_2S$ p-Toluolsulfinsäure 1256
$C_7H_8O_3$ 2,4,6-Trihydroxytoluol 2777
Pyrogallol-1-methyläther 701
Pyrogallol-2-methyläther (1,3-Dihydroxy-2-methoxybenzol) 1282
2,4-Dimethylfurancarbonsäure-(3) 1699
2,5-Dimethylfurancarbonsäure-(3) (Uvinsäure) 1862
Brenzschleimsäureäthylester 630
cis-Cyclopentandicarbonsäure-(1,2)-anhydrid 1922*
$C_7H_8O_3S$ p-Toluolsulfonsäure 684, 1256*
$C_7H_8O_4$ Acetondiessigsäureanhydrid 1964*
C_7H_8S o-Thiokresol 491, 612*
p-Thiokresol 737
$C_7H_9ClN_2O_2$ 3-Nitro-p-toluidinhydrochlorid 1158*
$C_7H_9JN_2O$ Nicotinsäureamid-N-methojodid 1702*
C_7H_9N Benzylamin 658
o-Toluidin 305, 335, 2239*
m-Toluidin 228
p-Toluidin 754
N-Methylanilin 189
C_7H_9NO 2-Aminobenzylalkohol 1240
4-Aminobenzylalkohol 1008
3-Amino-o-kresol 1786
4-Amino-o-kresol 2362
5-Amino-o-kresol 2160
4-Amino-m-kresol 2411
6-Amino-m-kresol 2136
2-Amino-p-kresol 1857
3-Amino-p-kresol 2126
2-Methylaminophenol 1273
4-Methylaminophenol 1280
β-Benzylhydroxylamin 897
N-m-Tolylhydroxylamin 1055
N-p-Tolylhydroxylamin 1358
o-Anisidin (1-Amino-2-methoxybenzol) 427
p-Anisidin (1-Amino-4-methoxybenzol) 908
$C_7H_9NO_2S$ o-Toluolsulfamid 2120
p-Toluolsulfamid 1896
$C_7H_9N_3O$ 1-Phenylsemicarbazid 2337
4-Phenylsemicarbazid 1778
$C_7H_9N_3O_2$ α-Acetylfuransemicarbazon 621*
$C_7H_9N_3O_2S_2$ Sulfathioharnstoff (Badional) 2329
$C_7H_9N_3O_3S$ Sulfanilylharnstoff (p-Aminobenzolsulfonylharnstoff, Euvernil) 2007
$C_7H_9N_3S$ 1-Phenylthiosemicarbazid 2642
$C_7H_{10}ClN$ Benzylaminhydrochlorid 658*
o-Toluidinhydrochlorid 305
m-Toluidinhydrochlorid 228*
p-Toluidinhydrochlorid 754*
$C_7H_{10}JN$ α-Picolinjodmethylat 164*
$C_7H_{10}N_2$ 2,3-Diaminotoluol (o-Toluylendiamin) 993
2,4-Diaminotoluol (asymm. m-Toluylendiamin) 1416
2,5-Diaminotoluol (p-Toluylendiamin) 999

2,6-Diaminotoluol (vic. m-Toluylendiamin) 1480
3,4-Diaminotoluol (asymm. o-Toluylendiamin) 1295
Methyl-p-phenylendiamin 655
o-Tolylhydrazin 927
p-Tolylhydrazin 1017
$C_7H_{10}N_2O_2S$ p-Aminomethylbenzolsulfonamid 3017*
$C_7H_{10}N_2O_3$ 5-Isopropylbarbitursäure 2796
$C_7H_{10}N_4O_2S$ p-Aminobenzolsulfonylguanidin (Sulfaguanidin, Resulfon, Ruocid) 2525
$C_7H_{10}O$ 1-Methylcyclohexen-(1)-on-(3) 317
$C_7H_{10}O_3$ Diacetylaceton 797
$C_7H_{10}O_4$ Teraconsäure 2176
Terebinsäure 2376
cis-Cyclopentandicarbonsäure-(1,2) 1922
trans-Cyclopentandicarbonsäure-(1,2) 2181
Acetonoxalester 515
$C_7H_{10}O_5$ Acetondiessigsäure 1964
$C_7H_{10}S$ 2-Methyl-4-äthylthiophen 183
2-Methyl-5-äthylthiophen 167
$C_7H_{11}ClN_2O_2S$ p-Aminomethylbenzolsulfonamidhydrochlorid (Marfanil) 3017
$C_7H_{11}NO_2$ Arecaidin 2885
$C_7H_{12}O_2$ Hexahydrobenzoesäure 596
$C_7H_{12}O_3$ Hexahydrosalicylsäure 1554
$C_7H_{12}O_4$ Pimelinsäure 1486
n-Butylmalonsäure 1476
Diäthylmalonsäure 1728
Malonsäurediäthylester 213
$C_7H_{12}O_6$ Chinasäure 2190
$C_7H_{13}BrN_2O_2$ α-Bromdiäthylacetylharnstoff (Adalin) 1615
$C_7H_{13}N$ Chinuclidin 2139
Önanthonitril 166
$C_7H_{13}NO$ 1-Methylcyclohexanon-(2)-oxim 735
Hexahydrobenzoesäureamid 596*
$C_7H_{13}N_3O$ Mesityloxydsemicarbazon 184*
$C_7H_{13}N_3O_3$ Acetessigesteroxim 226*
C_7H_{14} Cycloheptan (Heptamethylen, Suberan) 351
Methylcyclohexan 33
$C_7H_{14}BrNO$ α-Brom-α-isopropylbutyramid (Neodorm) 828
$C_7H_{14}N_2O_2$ Diäthylmalonsäurediamid 1728*
$C_7H_{14}N_2O_4$ Methylendiurethan 811*
$C_7H_{14}O$ 1-Methylcyclohexanol 565
1-Methylcyclohexanol-(3) 219
Önanthaldehyd (Heptanal) 234
Di-n-propylketon [Heptanon-(4)] 266
$C_7H_{14}O_2$ Önanthsäure (Heptylsäure) 359
Isovaleriansäureäthylester 84
$C_7H_{14}O_6$ Quebrachit 2564
α-Methylglucosid 2257
β-Methylglucosid 1484
$C_7H_{15}NO$ Önanthaldehydoxim 234*
Önanthsäureamid 1379
$C_7H_{15}N_3O$ Methylbutylketonsemicarbazon 190*
Methylisobutylketonsemicarbazon 136*
Pinakolinsemicarbazon 205*
C_7H_{16} n-Heptan 124
$C_7H_{16}ClNO_2$ Acetylcholinchlorid 2006
$C_7H_{16}N_4O_2$ Pimelinsäuredihydrazid 1486*
$C_7H_{16}N_4O_5$ d-Glucosaminsemicarbazon 1542*
$C_7H_{16}O$ n-Heptylalkohol [Heptanol-(1)] 261
Dipropylcarbinol 250
Pentamethyläthylalkohol 507
$C_7H_{16}O_3$ Orthoameisensäureäthylester 329
$C_7H_{16}O_4S_2$ Diäthylsulfondimethylmethan (Sulfonal) 1769
$C_7H_{16}O_7$ d-Manno-α-heptit 2515
$C_7H_{17}N$ n-Heptylamin 309

$C_8Cl_4O_3$ Tetrachlorphthalsäureanhydrid 3015
$C_8H_2Cl_2O_3$ 3,6-Dichlorphthalsäureanhydrid 2551
4,5-Dichlorphthalsäureanhydrid 2514
$C_8H_4Br_3ClO_2$ 2,4,6-Tribromphenylchloracetat 1373*
$C_8H_4ClJ_3O_2$ 2,4,6-Trijodphenylchloracetat 2145*
C_8H_4ClNO α-Isatinchlorid 2421
$C_8H_4Cl_2O_2$ Phthalylchlorid 493, 1299*
Isophthalylchlorid 709
Terephthalylchlorid 1239, 2878*
asymm.-Phthalylchlorid 1299
$C_8H_4Cl_2O_4$ 4,5-Dichlorphthalsäure 2634
$C_8H_4Cl_4O_2$ 2,4,6-Trichlorphenylchloracetat 1040*
$C_8H_4N_2$ Isophthalonitril 2197
$C_8H_4O_2S$ Thionaphthenchinon 1690
$C_8H_4O_3$ Phthalsäureanhydrid 1779, 2550*, 2882*
$C_8H_4O_4$ 3-Hydroxyphthalsäureanhydrid 2185*
4-Hydroxyphthalsäureanhydrid 2685*
$C_8H_4O_5$ 3,4-Dihydroxyphthalsäureanhydrid 2743*
$C_8H_5Br_3O_2$ 2,4,6-Tribromphenylacetat 1373*
$C_8H_5Br_3O_3$ 2,4,6-Tribromresorcinmonoacetat 1557*
$C_8H_5ClO_4$ 3-Chlorphthalsäure 2494
4-Chlorphthalsäure 2048
$C_8H_5Cl_3N_4O_4$ Chloral-2,4-dinitrophenylhydrazon 186*
$C_8H_5Cl_3O_2$ 2,4-Dichlorphenylchloracetat 749*
2,5-Dichlorphenylchloracetat 911*
3,4-Dichlorphenylchloracetat 1046*

C_8H_5NO Benzoylcyanid 613
$C_8H_5NO_2$ Isatin 2679, 1707*
Phthalimid 2924, 2037*
$C_8H_5NO_6$ 3-Nitrophthalsäure 2836
4-Nitrophthalsäure 2241
5-Nitroisophthalsäure 3010
Nitroterephthalsäure 3062
Pyridintricarbonsäure-(2,3,4) (α-Carbocinchomeronsäure) 2981
Pyridintricarbonsäure-(2,4,5) (Berberonsäure) 2954
Pyridintricarbonsäure-(2,4,6) (Trimesitinsäure) 2857
Pyridintricarbonsäure-(3,4,5) (β-Carbocinchomeronsäure) 3031
$C_8H_5N_3O_8$ 2,4,6-Trinitrophenylacetat 1710*
C_8H_6 Phenylacetylen 216
$C_8H_6BrClO_2$ 4-Bromphenylchloracetat 992*
C_8H_6BrN α-Brombenzylcyanid 557
$C_8H_6Br_2O_2$ 2,4-Dibromphenylacetat 696*
$C_8H_6Br_3NO$ 2,4,6-Tribromacetanilid 1673*
$C_8H_6Br_4$ $\omega,\omega,\omega',\omega'$-Tetrabrom-m-xylol 1500
$\omega,\omega,\omega',\omega'$-Tetrabrom-p-xylol 2340
Tetrabrom-o-xylol 298*
Tetrabrom-m-xylol 198*
Tetrabrom-p-xylol 476*
$C_8H_6Cl_2O$ 3,4-Dichloracetophenon 1140
$C_8H_6Cl_2O_2$ 2-Chlorphenolchloracetat 450*
$C_8H_6Cl_3NO$ Trichloressigsäureanilid 903*
2,4,6-Trichloracetanilid 1166*
$C_8H_6N_2$ Chinazolin 784
Chinoxalin 593
Cinnolin 685
Phthalazin 1315
$C_8H_6N_2O_2$ β-Isatoxim (Isatin-β-oxim) 2663
$C_8H_6N_2O_6$ 2,4-Dinitrophenylacetat 1596*
Methyl-3,5-dinitrobenzoat 92*
$C_8H_6N_4O_6$ Hydurilsäure 2771*
$C_8H_6N_4O_8$ Alloxanthin 2771*
C_8H_6OS 3-Hydroxythionaphthen (Thioindoxyl) 1090
$C_8H_6O_2$ Phenylglyoxal 1322
o-Phthalaldehyd 890
Isophthalaldehyd 1304
Terephthalaldehyd 1629
Cumaranon 1443
Phthalid 1133
2-Hydroxyphenylessigsäurelacton 2013*
$C_8H_6O_3$ Piperonal (Heliotropin) 671, 856*
o-Phthalaldehydsäure bzw. 3-Hydroxyphthalid 1411
Isophthalaldehydsäure (3-Aldehydobenzoesäure) 2233
Terephthalaldehydsäure 3014
Phenylglyoxylsäure (Benzoylameisensäure) 1016
$C_8H_6O_4$ Piperonylsäure (3,4-Methylendioxybenzoesäure) 2875
Phthalsäure 2550, 2882
Isophthalsäure 3197
Terephthalsäure 2878
$C_8H_6O_5$ 3-Hydroxyphthalsäure 2185
4-Hydroxyphthalsäure 2685
2-Hydroxyisophthalsäure 2958, 2222*
4-Hydroxyisophthalsäure 3161
5-Hydroxyisophthalsäure 3116
Hydroxyterephthalsäure 3188
Gallussäuremethylester 2662
$C_8H_6O_6$ 3,4-Dihydroxyphthalsäure 2743
3,6-Dihydroxyphthalsäure 2823
4,5-Dihydroxyphthalsäure 2370
C_8H_6S Thionaphthen 612
$C_8H_6S_2$ 2,2'-Dithienyl 624
3,3'-Dithienyl 1821
C_8H_7Br ω-Bromstyrol 440
C_8H_7BrO ω-Bromacetophenon 824
$C_8H_7BrO_2$ 4-Bromphenylacetat 992*
p-Brombenzoesäuremethylester 1200
$C_8H_7Br_2NO$ 2,4-Dibromacetanilid 1189*
C_8H_7ClO ω-Chloracetophenon 905
$C_8H_7ClO_2$ Phenylchloracetat 711*
p-Chlorbenzoesäuremethylester 727
$C_8H_7Cl_2NO$ 2,4-Dichloracetanilid 987*
2,5-Dichloracetanilid 815*
3,5-Dichloracetanilid 823*
Dichloressigsäureanilid 460*
C_8H_7JO ω-Jodacetophenon 579
$C_8H_7JO_2$ 3-Jodphenylacetat 698*
4-Jodphenylacetat 1332*
C_8H_7N Indol 851
Benzylcyanid (α-Tolunitril) 302
o-Tolunitril 349
p-Tolunitril 588
C_8H_7NO Indoxyl 1252, 1707*
Oxindol 1750
dl-Mandelsäurenitril 533
Phthalimidin 2052
$C_8H_7NO_2$ ω-Nitrostyrol 913
o-Nitrostyrol 468
m-Nitrostyrol 381
p-Nitrostyrol 586
Dioxindol 2302
ω-Isonitrosoacetophenon 1748
Piperonaloxim 671*
Phenylglyoxal-α-oxim 1322*
Terephthalaldehydoxim 1629*
$C_8H_7NO_3$ Piperonylsäureamid 2875*
Oxanilsäure 2044
Phthalamidsäure 2037
$C_8H_7NO_4$ Ameisensäure-p-nitrobenzylester 447*
2-Nitrophenylacetat 756*
3-Nitrophenylacetat 1391*
4-Nitrophenylacetat 1590*
p-Nitrobenzoesäuremethylester 1378, 92*
C_8H_7NS Benzylrhodanid 726
p-Tolylsenföl 566

$C_8H_7N_3O_4$ 3-Nitrophthalsäurediamid 2836*
4-Nitrophthalsäurediamid 2241*
$C_8H_7N_3O_5$ 2,4-Dinitroacetanilid 1684, 2383*
2,6-Dinitroacetanilid 1898*
$C_8H_7N_3O_6$ 2,4,6-Trinitroäthylbenzol 107*
2,4,6-Trinitro-m-xylol 2448
2,3,5-Trinitro-p-xylol 1916, 476*
C_8H_8 Cyclooctatetraen 286
C_8H_8BrNO ω-Bromacetophenonoxim 824*
2-Bromacetanilid 607*
3-Bromacetanilid 516*
4-Bromacetanilid 1032*
Bromessigsäureanilid 804*
$C_8H_8Br_2$ Styroldibromid 1118
o-Xylylenbromid 1360
m-Xylylenbromid 1154
p-Xylylenbromid 1970
$C_8H_8Br_2O_2$ 4,5-Dibromveratrol (1,2-Dimethoxy-4,5-dibrombenzol) 536*
C_8H_8ClNO 2-Chloracetanilid 1291, 342*
3-Chloracetanilid 1160, 358*
4-Chloracetanilid 2358, 1080*
Monochloressigsäureanilid 969*
$C_8H_8ClN_3O$ 4-Chlorbenzaldehydsemicarbazon 799*
$C_8H_8Cl_2$ o-Xylylenchlorid 883
m-Xylylenchlorid 637
p-Xylylenchlorid 1428
C_8H_8JNO Benzoxazoljodmethylat 595*
2-Jodacetanilid 952*
4-Jodacetanilid 2462, 1002*
Jodessigsäureanilid 1230*
$C_8H_8N_2$ 2-Methylbenzimidazol 2487*
$C_8H_8N_2OS$ N-Benzoylthioharnstoff 2321
$C_8H_8N_2O_2$ Phenylglyoxaldioxim 1322*
Ricinin 2655
N-Benzoylharnstoff 2780
Phthalamid (Phthalsäurediamid) 2820, 2550*
Isophthalsäurediamid 3197*
$C_8H_8N_2O_3$ 2-Nitroacetanilid 1344, 1096*
3-Nitroacetanilid 2098, 1599*
4-Nitroacetanilid 2773, 2024*
$C_8H_8N_2O_4$ 3,4-Dinitro-o-xylol 1215
3,5-Dinitro-o-xylol 1126
3,6-Dinitro-o-xylol 1300
4,5-Dinitro-o-xylol 1617
2,4-Dinitro-m-xylol 1236
2,5-Dinitro-m-xylol 1433
4,5-Dinitro-m-xylol 1819
4,6-Dinitro-m-xylol 1356
2,3-Dinitro-p-xylol 1342
2,5-Dinitro-p-xylol 2020
2,6-Dinitro-p-xylol 1719
5-Nitro-3-aminobenzoesäuremethylester 2725*
$C_8H_8N_2O_5$ 2,4-Dinitrophenetol 1250
$C_8H_8N_4O_2S$ 3-Nitrobenzaldehydthiosemicarbazon 912*
$C_8H_8N_4O_3$ 2-Nitrobenzaldehydsemicarbazon 705*, 733*
3-Nitrobenzaldehydsemicarbazon 912*
4-Nitrobenzaldehydsemicarbazon 1494*
$C_8H_8N_4O_4$ Acetaldehyd-2,4-dinitrophenylhydrazon 38*
$C_8H_8N_4O_5$ Acetyl-2,4-dinitrophenylhydrazin 2617*
C_8H_8O Phenylacetaldehyd 1238*
Acetophenon (Methylphenylketon) 524, 107*, 1461*
$C_8H_8O_2$ Salicylaldehydmethyläther (2-Methoxybenzaldehyd) 680, 413*
Anisaldehyd (4-Methoxybenzaldehyd) 402
Furfurylidenaceton 693
Benzoylcarbinol (ω-Hydroxyacetophenon) 1263
4-Hydroxyacetophenon 1516
p-Xylochinon 1739
Phenylessigsäure (α-Toluylsäure) 1144
o-Toluylsäure 1489
m-Toluylsäure 1548, 198*
p-Toluylsäure 2427
Benzoesäuremethylester 350
$C_8H_8O_3$ Piperonylalkohol (3,4-Methylendioxybenzylalkohol) 856
3-Methoxysalicylaldehyd 759
Vanillin (3-Methoxy-4-hydroxybenzaldehyd) 1208, 626*
Isovanillin 1634
2,4-Dihydroxyacetophenon 2011
2,5-Dihydroxyacetophenon 2661
dl-Mandelsäure (dl-α-Hydroxyphenylessigsäure) 1678
2-Hydroxyphenylessigsäure 2013
4-Hydroxyphenylessigsäure 2032
2-Hydroxymethylbenzoesäure 1776
4-Hydroxymethylbenzoesäure 2434
3-Hydroxy-o-toluylsäure 1999
4-Hydroxy-o-toluylsäure 2398
5-Hydroxy-o-toluylsäure 2458
6-Hydroxy-o-toluylsäure 2274
2-Hydroxy-m-toluylsäure 2222
4-Hydroxy-m-toluylsäure 2347
5-Hydroxy-m-toluylsäure 2741
6-Hydroxy-m-toluylsäure 2065
2-Hydroxy-p-toluylsäure 2396
3-Hydroxy-p-toluylsäure 2707
Phenoxyessigsäure 1408
2-Methoxybenzoesäure 1429
3-Methoxybenzoesäure 1544
4-Methoxybenzoesäure (Anissäure) 2475
Salicylsäuremethylester (Methylsalicylat, o-Hydroxybenzoesäuremethylester) 362
m-Hydroxybenzoesäuremethylester 1109, 2644*

p-Hydroxybenzoesäuremethylester (Nipagin M) 1757, 2778*
Cyclohexen-(1)-dicarbonsäure-(1,2)-anhydrid 1667*
Cyclohexen-(2)-dicarbonsäure-(1,2)-anhydrid 2800*
$C_8H_8O_4$ 2,3,4-Trihydroxyacetophenon 2348
2,4,5-Trihydroxyacetophenon 2649
2,4,6-Trihydroxyacetophenon 2813
Fumigatin (3-Hydroxy-4-methoxy-2,5-toluchinon) 1626
2,5-Dihydroxyphenylessigsäure (Homogentisinsäure) 2028
2-Hydroxyphenoxyessigsäure (Guajacetinsäure) 1804
Orsellinsäure 2387
Vanillinsäure 2718
Isovanillinsäure (3-Hydroxy-4-methoxybenzoesäure) 2984
Protocatechusäuremethylester 2625*
Cumalinsäureäthylester 2702*
Pyron-(2)-carbonsäure-(6)-äthylester 2862*
Dehydracetsäure 1527
$C_8H_8O_5$ Spinulosin (Hydroxyfumigatin, 3,6-Dihydroxy-4-methoxy-2,5-toluchinon) 2667
C_8H_9Br o-Xylylbromid 532
p-Xylylbromid 652
C_8H_9ClO p-Chlor-m-xylenol (2-Chlor-5-hydroxy-1,3-dimethylbenzol) 1597
$C_8H_9ClO_2S$ o-Xylol-3-sulfochlorid 298*
C_8H_9NO 3-Aminoacetophenon 1375
4-Aminoacetophenon 1492
Acetophenonoxim 919, 524*
Acetanilid (Antifebrin) 1591, 373*, 919*
Ameisensäure-p-toluidid 447*
Phenylessigsäureamid 1144*
o-Toluylsäureamid 1489*
m-Toluylsäureamid 1548*
p-Toluylsäureamid 2427*
Benzoylmethylamin 118*
C_8H_9NOS Thioglykolsäureanilid 334*
$C_8H_9NO_2$ 3-Nitro-o-xylol 489
4-Nitro-o-xylol 592
4-Nitro-m-xylol 415
5-Nitro-m-xylol 1117
Salicylaldoximmethyläther 901*
N-Phenylglycin (Phenylaminoessigsäure) 1763
N-Methylanthranilsäure 2415
Anthranilsäuremethylester 549
4-Aminobenzoesäuremethylester 2496*
Glykolsäureanilid 1170*
dl-Mandelsäureamid 1678*
2-Acetaminophenol 2670, 2294*
3-Acetaminophenol 2033, 1705*
4-Acetaminophenol 2277, 2492*
Phenoxyessigsäureamid 1408*
Anissäureamid 2475*
$C_8H_9NO_3$ Vanillinoxim 1208*
3-Aminosalicylsäuremethylester 2898*
5-Aminosalicylsäuremethylester 3098*
m-Amino-p-hydroxybenzoesäuremethylester (Orthoform Neu) 1953
p-Amino-m-hydroxybenzoesäuremethylester 1676
$C_8H_9NO_4$ Biliverdinsäure 1594
C_8H_9NS Thioacetanilid 1136
$C_8H_9N_3O$ Benzaldehydsemicarbazon 291*
N-Benzoylguanidin 2179
$C_8H_9N_3OS$ p-Hydroxybenzaldehydthiosemicarbazon 1628*
$C_8H_9N_3O_2$ Acetaldehyd-p-nitrophenylhydrazon 38*
3-Hydroxybenzaldehydsemicarbazon 1495*
p-Hydroxybenzaldehydsemicarbazon 1628*
Toluchinonsemicarbazon 1066*
Benzoylsemicarbazid 1381*
$C_8H_9N_3O_3$ Glykolaldehyd-p-nitrophenylhydrazon 1387*
Acetyl-4-nitrophenylhydrazin 2131*
C_8H_{10} Äthylbenzol 107
o-Xylol 298
m-Xylol 198
p-Xylol 476
$C_8H_{10}BrN$ 4-Bromdimethylanilin 881
$C_8H_{10}ClNO_2$ Nicotinsäuremethylesterchlormethylat (Pyridin-3-carbonsäuremethylesterchlormethylat, Cesol) 1403
$C_8H_{10}N_2$ Acetaldehydphenylhydrazon 1409
$C_8H_{10}N_2O$ p-Nitrosodimethylanilin 1254
Benzylharnstoff 2010
Glykolaldehydphenylhydrazon 1387*
4-Aminoacetanilid 2191
β-Acetylphenylhydrazin 1784
N-Acetyl-N-phenylhydrazin 1773, 523*
$C_8H_{10}N_2O_2$ 3-Nitrodimethylanilin 953
4-Nitrodimethylanilin 2215
$C_8H_{10}N_2O_3S$ Sulfacetamid (p-Aminobenzolsulfonacetamid, Albucid) 2469
$C_8H_{10}N_4O$ 4-Aminobenzaldehydsemicarbazon 1079*
$C_8H_{10}N_4O_2$ Coffein (1,3,7-Trimethylxanthin) 2907
$C_8H_{10}O$ o-Tolylcarbinol (o-Tolubenzylalkohol) 634
p-Tolylcarbinol (p-Tolubenzylalkohol) 928
4-Äthylphenol 761
2,3-Dimethylphenol (vic. o-Xylenol) 1125
2,4-Dimethylphenol (asymm. m-Xylenol) 563
2,5-Dimethylphenol (p-Xylenol) 1121
2,6-Dimethylphenol (vic. m-Xylenol) 779

3,4-Dimethylphenol (asymm. o-Xylenol) 982
3,5-Dimethylphenol (symm. m-Xylenol) 1011
Phenetol 274
$C_8H_{10}O_2$ o-Xylylenglykol 1007
m-Xylylenglykol 778
p-Xylylenglykol 1576
2,5-Dimethylresorcin 2211
4,6-Dimethylresorcin 1731
2,5-Dimethylhydrochinon 2801
Anisalkohol (p-Methoxybenzylalkohol) 553
Hydrochinonmonoäthyläther 1025
Kresol (4-Hydroxy-3-methoxy-1-methylbenzol) 429
Veratrol (1,2-Dimethoxybenzol) 536
Resorcindimethyläther 206
Hydrochinondimethyläther (1,4-Dimethoxybenzol) 887
$C_8H_{10}O_3$ 2,4-Dimethylphloroglucin 2210
Pyrogallol-1,3-dimethyläther 879
Filicinsäure 2767
cis-Cyclohexandicarbonsäure-(1,2)-anhydrid 2556*
$C_8H_{10}O_3S$ o-Xylolsulfonsäure-(4) 871
m-Xylolsulfonsäure-(4) 996
p-Xylolsulfonsäure-(2) 1270, 476*
$C_8H_{10}O_4$ Penicillsäure 1281
Cyclohexen-(1)-dicarbonsäure-(1,2) 1667
Cyclohexen-(1)-dicarbonsäure-(1,4) 3145
Cyclohexen-(2)-dicarbonsäure-(1,2) 2800
Muconsäuredimethylester 3142*
$C_8H_{11}N$ β-Phenyläthylamin 328
p-Aminoäthylbenzol 379
2,5-Dimethylanilin (p-Xylidin) 494
3,4-Dimethylanilin (asymm. o-Xylidin) 802
N,N-Dimethylanilin 414
$C_8H_{11}NO$ Tyramin [β-(p-Hydroxyphenyl)-äthylamin] 2186
3-Dimethylaminophenol 1279
p-Phenetidin (p-Äthoxyanilin) 417
$C_8H_{11}NO_2S$ Benzolsulfonyläthylamin 143*
o-Xylol-3-sulfamid 298*
o-Xylolsulfonsäure-(4)-amid 871*
p-Xylolsulfonsäure-(2)-amid 1270*
$C_8H_{11}NO_3$ Adermin (Pyridoxin, Vitamin B_6) 2157
$C_8H_{12}BrNO_3$ Aderminhydrobromid 2157*
$C_8H_{12}ClN$ p-Xylidinhydrochlorid 494*
$C_8H_{12}ClNO$ p-Hydroxy-β-phenyläthylaminhydrochlorid (Tyraminhydrochlorid) 3064
$C_8H_{12}ClNO_3$ 2-Methyl-3-hydroxy-4,5-bis-(hydroxymethyl)-pyridinhydrochlorid (Aderminhydrochlorid, Pyridoxinhydrochlorid, Vitamin B_6-hydrochlorid) 2689, 2157*
3,4-Dihydroxyphenyläthanolaminhydrochlorid (Arterenolhydrochlorid) 1944
$C_8H_{12}N_2$ N,N'-Dimethyl-o-phenylendiamin 640
N,N-Dimethyl-p-phenylendiamin 708
N,N'-Dimethyl-p-phenylendiamin 849
Crotonaldazin 155*
$C_8H_{12}N_2O_3$ 5,5-Diäthylbarbitursäure (Veronal) 2541
$C_8H_{12}N_2O_4$ Tetraacetylhydrazin 1255
$C_8H_{12}O_2$ Dimethyldihydroresorcin [1,1-Dimethylcyclohexandion-(3,5), Dimedon, Methon] 2018
$C_8H_{12}O_4$ cis-Cyclohexandicarbonsäure-(1,2) 2556
trans-Cyclohexandicarbonsäure-(1,2) 2833
cis-Cyclohexandicarbonsäure-(1,3) 2203
trans-Cyclohexandicarbonsäure-(1,3) 2025
cis-Cyclohexandicarbonsäure-(1,4) 2187
trans-Cyclohexandicarbonsäure-(1,4) 3146
dl-Terpenylsäure 1309
Fumarsäurediäthlyester 409
$C_8H_{12}O_8Pb$ Blei(IV)-acetat 2366
$C_8H_{13}N$ Hämopyrrol 501
2,3,4,5-Tetramethylpyrrol 1601
$C_8H_{13}NO_4$ d-Tropinsäure 2998
$C_8H_{14}BrNO_2$ Arecolinhydrobromid 2317
$C_8H_{14}ClNO_2$ Arecolinhydrochlorid 2208
$C_8H_{14}O$ Methylheptenon 171
$C_8H_{14}O_3$ Buttersäureanhydrid 154
$C_8H_{14}O_4$ Korksäure 1926
Tetramethylbernsteinsäure 2597
dl-Butandiol-(2,3)-diacetat 445*
Mesobutandiol-(2,3)-diacetat 638*
Bernsteinsäurediäthylester 319
$C_8H_{14}O_6$ d-Weinsäurediäthylester 510
$C_8H_{14}O_8$ Schleimsäuredimethylester 2763*
$C_8H_{15}N$ *l*-β-Conicein 707
$C_8H_{15}NO$ Tropin 991
C_8H_{16} Cyclooctan (Oktamethylen) 455
$C_8H_{16}ClN_3O_4$ Diglycylglycinäthylesterhydrochlorid 2970*
$C_8H_{16}N_2O_2$ Korksäurediamid 1926*
N,N'-Diacetylputrescin 541*
$C_8H_{16}O$ Methylhexylketon 338
$C_8H_{16}O_2$ Caprylsäure (n-Octansäure) 497
Capronsäureäthylester 169
$C_8H_{16}O_4$ Paraldol 1301
$C_8H_{17}N$ d-Coniin (d-α-n-Propylpiperidin) 395
$C_8H_{17}NO$ Conhydrin 1666
Caprylsäureamid 1539, 497*
$C_8H_{17}N_3O$ Önanthaldehydsemicarbazon 234*
Di-n-propylketonsemicarbazon 266*
C_8H_{18} n-Octan 191
Diisobutyl (2,5-Dimethylhexan) 123
$C_8H_{18}BrN$ Coniinhydrobromid 2750
$C_8H_{18}ClN$ d-Coniinhydrochlorid 2832, 395*
$C_8H_{18}O$ n-Octylalkohol 336

sek.-Octylalkohol 245
Dibutyläther 101
$C_8H_{18}O_4S_2$ Trional (Methylsulfonal) 1146
$C_8H_{19}N$ Diisobutylamin 162
$C_8H_{20}Sn$ Zinntetraäthyl 59
$C_8H_{21}NO$ Tetraäthylammoniumhydroxyd 806

$C_9H_3Cl_4NO_2$ N-Methyltetrachlorphthalimid 114*
$C_9H_4O_5$ Hemimellitsäureanhydrid 2531*
Benzoltricarbonsäure-(1,2,4)-anhydrid 2830*
$C_9H_5Br_2NO$ 5,7-Dibrom-8-hydroxychinolin 2615
C_9H_5ClJNO 5-Chlor-7-jod-8-hydroxychinolin (Vioform) 2368
$C_9H_5NO_4$ 2-Nitrophenylpropiolsäure 2132
4-Nitrophenylpropiolsäure 2438
Benzoltricarbonsäure-(1,2,4)-imid 2830*
$C_9H_6Br_4O_2$ 3,4,5,6-Tetrabrom-o-kresylacetat 2708*
C_9H_6ClN 2-Chlorchinolin 677
$C_9H_6Cl_3NO_4$ Trichloressigsäure-p-nitrobenzylester 903*
C_9H_6JN 2-Jodchinolin 852
$C_9H_6N_2O_2$ 5-Nitrochinolin 1101
6-Nitrochinolin 2082
7-Nitrochinolin 1827
8-Nitrochinolin 1327
$C_9H_6O_2$ Phenylpropiolsäure 1889
Cumarin (o-Hydroxyzimtsäurelacton) 1086
Isocumarin 776
Chromon 924
$C_9H_6O_3$ Umbelliferon (7-Hydroxycumarin) 2870
Cumaroncarbonsäure-(2) (Cumarilsäure) 2563
Homophthalsäureanhydrid 2437*
$C_9H_6O_4$ 6,7-Dihydroxycumarin (Aesculetin) 3053
7,8-Dihydroxycumarin (Daphnetin) 3012
Ninhydrin 2933
$C_9H_6O_5$ Phthalonsäure 1996
$C_9H_6O_6$ Benzol-1,2,3-tricarbonsäure (Hemimellitsäure) 2531
Benzoltricarbonsäure-(1,2,4) (Trimellitsäure) 2830, 2481*
Benzol-1,3,5-tricarbonsäure (Trimesinsäure) 3206
$C_9H_7BrO_2$ cis-α-Bromzimtsäure 1675
trans-α-Bromzimtsäure 1813
cis-β-Bromzimtsäure 2158
trans-β-Bromzimtsäure 1859
C_9H_7ClO Zimtsäurechlorid (Cinnamoylchlorid) 662
$C_9H_7ClO_3$ Ameisensäure-p-chlorphenacylester 447*
$C_9H_7ClO_4$ 3-Chloracetoxybenzoesäure 2644*
4-Chloracetoxybenzoesäure 2778*
C_9H_7N Chinolin 340
Isochinolin (3,4-Benzopyridin) 552
Zimtsäurenitril (Styrylcyanid) 529
C_9H_7NO 2-Hydroxychinolin (Carbostyril) 2627
3-Hydroxychinolin 2620
4-Hydroxychinolin (Kynurin) 2653
5-Hydroxychinolin 2841
6-Hydroxychinolin 2572
8-Hydroxychinolin (Oxin) 1135
Benzoylacetonitril 1199
Phenylpropiolsäureamid 1889*
$C_9H_7NO_2$ 2,4-Dihydroxychinolin 3201
O-Methylisatin (2-Methoxy-3-oxoindolenin) 1445
N-Methylisatin 1849
5-Methylisatin (2,3-Dioxo-5-methylindolin) 2504
$C_9H_7NO_2S$ 2-Acetoxybenzthiazol 1897*
$C_9H_7NO_3$ Indoxylsäure 1707
$C_9H_7NO_4$ 2-Nitrozimtsäure 2942
3-Nitrozimtsäure 2643
4-Nitrozimtsäure 3111
$C_9H_7NO_5$ o-Carboxyoxanilsäure (Kynursäure) 2740
C_9H_8 Inden 396
C_9H_8BrNO trans-α-Bromzimtsäureamid 1813*
$C_9H_8BrNO_4$ Bromessigsäure-p-nitrobenzylester 804*
$C_9H_8Br_2$ Indendibromid 396*
$C_9H_8Br_2O_2$ inakt. Zimtsäuredibromid 2676
C_9H_8ClN Chinolinhydrochlorid 340*
C_9H_8ClNO ω-Chloracetophenonoxim 905*
$C_9H_8Cl_3NO_2$ Phenylcarbaminsäure-β,β,β-trichloräthylester 513*
β,β,β-Trichlormilchsäureanilid 1725*
C_9H_8NO Cyanessigsäureanilid 1022*
$C_9H_8N_2$ 2-Aminochinolin 1785
4-Aminochinolin 2084
6-Aminochinolin 1592
$C_9H_8N_2O_2$ 5-Phenylhydantoin 2401
$C_9H_8N_2O_3$ 2-Nitrozimtsäureamid 2942*
3-Nitrozimtsäureamid 2643*
4-Nitrozimtsäureamid 3111*
$C_9H_8N_2O_3S_2$ N-(2-Thiazolyl)-p-phenolsulfonamid (Darsivul, Phenosulfon) 2835
$C_9H_8N_2O_4$ Mesoxalsäurephenylhydrazon 1686*
$C_9H_8N_2O_5$ 2-Nitro-3-acetylaminobenzoesäure 2123*
$C_9H_8N_2O_6$ 3,5-Dinitrobenzoesäureäthylester 51*, 53*
$C_9H_8N_4O_4$ Acrolein-2,4-dinitrophenylhydrazon 128*
C_9H_8O Zimtaldehyd 369

Hydrindon-(1) [Indanon-(1)] 719
Hydrindon-(2) 963
$C_9H_8O_2$ o-Cumaraldehyd 1835
Atropasäure (α-Phenylacrylsäure) 1497
cis-Zimtsäure (Allozimtsäure) 1056
(trans)-Zimtsäure 1874, 1357*, 1618*, 2706*
2-Hydroxyhydrozimtsäurelacton 1223*
$C_9H_8O_3$ β-Phenylglycidsäure 1238
trans-2-Hydroxyzimtsäure (Cumarsäure) 2775
3-Hydroxyzimtsäure 2573
4-Hydroxyzimtsäure 2746
Phenylbrenztraubensäure 2096
Benzoylessigsäure 1461
Acetophenon-2-carbonsäure 1602
Acetophenon-4-carbonsäure 2691
3-Acetoxybenzaldehyd 1495*
$C_9H_8O_4$ 2,4-Dihydroxyzimtsäure (Umbellsäure) 2939
2,5-Dihydroxyzimtsäure 2712
3,4-Dihydroxyzimtsäure (Kaffeesäure) 2593
Homophthalsäure (2-Carboxyphenylessigsäure) 2437
5-Methylisophthalsäure (Uvitinsäure) 3126
Acetylsalicylsäure (Aspirin) 1882
3-Acetoxybenzoesäure 2644*
4-Acetoxybenzoesäure 2778*
$C_9H_9Cl_2NO$ Dichloressigsäure-p-toluidid 460*
$C_9H_9J_2NO_3$ Dijodtyrosin (Jodgorgosäure, Dityrin, Jodoglobin) 2692
C_9H_9N N-Methylindol 321
2-Methylindol 945
3-Methylindol (Skatol) 1367
5-Methylindol 918
7-Methylindol 1253
C_9H_9NO Hydrocarbostyril 2213
Zimtaldehydoxim 369*
Hydrindon-(1)-oxim 719*
Hydrindon-(2)-oxim 963*
Zimtsäureamid 2034, 1874*
Acrylsäureanilid 472*
$C_9H_9NO_2$ 2-Aminozimtsäure 2146
3-Aminozimtsäure 2444
4-Aminozimtsäure 2379
trans-2-Hydroxyzimtsäureamid 2775*
$C_9H_9NO_3$ Hippursäure (Benzoylglycin) 2535, 2890*
2-Acetaminobenzoesäure 2477, 1985*
3-Acetaminobenzoesäure 2975, 2356*
4-Acetaminobenzoesäure 3018, 158*, 2496*
Acetylsalicylsäureamid 1882*
$C_9H_9NO_4$ Phenylglycin-o-carbonsäure 2816
2-Nitrobenzylacetat 1116*
4-Nitrobenzylacetat 504*, 1345*
Äthyl-p-nitrobenzoat 53*
Chinolinsäuredimethylester 2545*
Lutidinsäuredimethylester 2979*
Isocinchomeronsäuredimethylester 3006*
Dipicolinsäuredimethylester 2915*
Pyridindicarbonsäure-(3,5)-dimethylester 3184*
$C_9H_9NO_5$ Glykolsäure-p-nitrobenzylester 1170*
$C_9H_9N_3OS$ Piperonalthiosemicarbazon 671*
$C_9H_9N_3O_2$ Acrolein-p-nitrophenylhydrazon 128*
Piperonalsemicarbazon 671*
Phenylglyoxal-α-semicarbazon 1322*
$C_9H_9N_3O_2S_2$ 2-Sulfanilamidothiazol (Sulfathiazol, Cibazol, Eleudron) 2650
$C_9H_9N_3O_4$ Brenztraubensäure-o-nitrophenylhydrazon 479*
$C_9H_9N_3O_6$ 2,4,6-Trinitromesitylen 2905
$C_9H_{10}BrNO$ α-Brompropionsäureanilid 559*
Bromessigsäure-p-toluidid 804*
$C_9H_{10}BrN_3O$ ω-Bromacetophenonsemicarbazon 824*
$C_9H_{10}ClN$ Skatolhydrochlorid 1367*
$C_9H_{10}ClNO_2$ Phenylcarbaminsäure-β-chloräthylester 170*
$C_9H_{10}FNO_3$ Fluortyrosin (Pardinon) 3107
$C_9H_{10}N_2$ Myosmin 722
$C_9H_{10}N_2O_2$ Brenztraubensäurephenylhydrazon 479*
Hippursäureamid 2535*
$C_9H_{10}N_2O_3$ Acetyl-3-nitro-o-toluidin 1328*
Acetyl-4-nitro-o-toluidin 1803*
Acetyl-5-nitro-o-toluidin 1505*
Acetyl-6-nitro-o-toluidin 1392*
Acetyl-2-nitro-m-toluidin 854*
Acetyl-4-nitro-m-toluidin 1869*
Acetyl-5-nitro-m-toluidin 1404*
Acetyl-6-nitro-m-toluidin 1531*
Acetyl-2-nitro-p-toluidin 1627*
Acetyl-3-nitro-p-toluidin 1158*
$C_9H_{10}N_2O_4$ 5-Nitro-2-aminobenzoesäureäthylester 3085*
5-Nitro-3-aminobenzoesäureäthglester 2725*
3-Nitro-4-aminobenzoesäureäthylester 3104*
$C_9H_{10}N_4O_4$ Propionaldehyd-2,4-dinitrophenylhydrazon 142*
$C_9H_{10}N_4O_5$ Dihydroxyaceton-2,4-dinitrophenylhydrazon 1191*
$C_9H_{10}O$ Zimtalkohol (Styron) 627
4-Propenylphenol 1347
Propiophenon (Äthylphenylketon) 531
Methylbenzylketon 571
4-Methylacetophenon 580
$C_9H_{10}O_2$ 4-Allylbrenzcatechin 790
2-Methoxyacetophenon 679
Hydrozimtsäure (β-Phenylpropionsäure) 793

2-Äthylbenzoesäure 1043
2,3-Dimethylbenzoesäure 1975
2,4-Dimethylbenzoesäure 1744
2,5-Dimethylbenzoesäure 1818
2,6-Dimethylbenzoesäure 1625
3,4-Dimethylbenzoesäure 2253
3,5-Dimethylbenzoesäure 2254
Essigsäurebenzylester (Benzylacetat) 208
o-Kresylacetat 597*
m-Kresylacetat 461*
p-Kresylacetat 629*
Benzoesäureäthylester 263, 1199*, 1696*
$C_9H_{10}O_3$ 2-Hydroxy-3-äthoxybenzaldehyd (o-Bourbonal) 1028
Bourbonal („Äthylvanillin", 3-Äthoxy-4-hydroxybenzaldehyd) 1151
3-Hydroxy-4-äthoxybenzaldehyd (Isobourbonal) 1736
2,3-Dimethoxybenzaldehyd 876
2,4-Dimethoxybenzaldehyd 1087
2,5-Dimethoxybenzaldehyd 847
3,4-Dimethoxybenzaldehyd (Veratrumaldehyd) 730
dl-Atrolactinsäure (α-Phenylmilchsäure) 1359
dl-Phenylmilchsäure (α-Hydroxy-β-phenylpropionsäure) 1396
akt. 2-Phenylhydracrylsäure (akt. α-Tropasäure) 1777
dl-Tropasäure 1645
l-β-Phenyl-β-milchsäure (*l*-β-Hydroxy-β-phenylpropionsäure) 1618
β-Phenylhydracrylsäure 1357
2-Hydroxyhydrozimtsäure (Hydro-o-cumarsäure) 1223
4-Hydroxyhydrozimtsäure (Phloretinsäure) 1795
dl-Milchsäurephenylester 517*
Salicylsäureäthylester (2-Hydroxybenzoesäureäthylester) 412
p-Hydroxybenzoesäureäthylester (Nipagin A) 1631, 2778*
$C_9H_{10}O_4$ Syringaaldehyd 1581
Veratrumsäure (3,4-Dimethoxybenzoesäure) 2441
$C_9H_{10}O_5$ Gallussäureäthylester 2094
$C_9H_{11}ClO_3$ Chlorphenesin (Gecophen, α,β-Dihydroxy-γ-[p-chlorphenoxy]-propan) 1192
$C_9H_{11}N$ 1,2,3,4-Tetrahydrochinolin 527
$C_9H_{11}NO$ 4-Dimethylaminobenzaldehyd 1119
Methylbenzylketonoxim 571*
Propiophenonoxim 531*
4-Methylacetophenonoxim 580*
Hydrozimtsäureamid 793*
2,4-Dimethylbenzoesäureamid 1744*
2,5-Dimethylbenzoesäureamid 1818*
3,4-Dimethylbenzoesäureamid 2253*
3,5-Dimethylbenzoesäureamid 2254*
Propionanilid 1487, 324*
N-Benzylacetamid (Acetylbenzylamin) 950, 658*
Acet-o-toluidid 1535, 305*
Acet-m-toluidid 1023, 228*
Acet-p-toluidid 2077, 754*
N-Methylacetanilid (Exalgin) 1453, 189*
Benzoyläthylamin 143*
Benzoyldimethylamin 98*
$C_9H_{11}NOS$ Thiocarbanilsäureäthylester 318*
Thioglykolsäure-p-toluidid 334*
$C_9H_{11}NO_2$ 2-Nitromesitylen (2-Nitro-1,3,5-trimethylbenzol) 712
2-Methoxyacetophenonoxim 679*
l-Phenylalanin 3100
dl-Phenylalanin 3066
p-Dimethylaminobenzoesäure 2937
Anthranilsäureäthylester (o-Aminobenzoesäureäthylester) 473
Anästhesin (Benzocain, 4-Aminobenzoesäureäthylester) 1311
N-Methylanthranilsäuremethylester 521
Carbanilsäureäthylester (Phenylurethan, Euphorin) 837
dl-Phenylmilchsäureamid 1396*
dl-Tropasäureamid 1645*
dl-Milchsäureanilid 517*
2-Acetylamino-p-kresol 1857*
3-Acetylamino-p-kresol 2126*
Acet-o-anisidid 1284, 427*
Acet-p-anisidid 1807, 908*
$C_9H_{11}NO_3$ 2,4-Dimethoxybenzaldoxim 1087*
3,4-Dimethoxybenzaldoxim 730*
l-Tyrosin [β-(p-Hydroxyphenyl)-α-aminopropionsäure] 3125
dl-Tyrosin 3124
p-Aminosalicylsäureäthylester 2056*
Veratrumsäureamid 2441*
$C_9H_{11}NO_4$ akt. 3,4-Dihydroxyphenylalanin (akt. Dopa) 3093
$C_9H_{11}N_3O$ Anisaldehydsemicarbazon 402*
Acetophenonsemicarbazon 524*
$C_9H_{11}N_3O_2$ Propionaldehyd-o-nitrophenylhydrazon 142*
Propionaldehyd-p-nitrophenylhydrazon 142*
Aceton-p-nitrophenylhydrazon 102*
$C_9H_{11}N_3O_3$ Vanillinsemicarbazon 1208*
C_9H_{12} n-Propylbenzol 79
Cumol (Isopropylbenzol) 93
Pseudocumol (1,2,4-Trimethylbenzol) 187
$C_9H_{12}N_2$ Acetonphenylhydrazon 567, 102*
$C_9H_{12}N_2O$ N-Phenyl-N'-äthylharnstoff 1029
Acetolphenylhydrazon 331*
4-Dimethylaminobenzaldehydoxim 1119*
Acetyl-2,4-diaminotoluol 1416*
5-Amino-2-acetaminotoluol 999*

Hydrozimtsäurehydrazid 793*
Acetyl-p-tolylhydrazin 1017*
$C_9H_{12}N_2O_2$ 4-Äthoxyphenylharnstoff (Dulcin) 2349
$C_9H_{12}N_2O_3$ 1-Propoxy-2-amino-4-nitrobenzol („Ultrasüß") 803
5-Äthyl-5-allylbarbitursäure (Dormin) 2161
$C_9H_{12}N_2O_4S$ Phenylisocyanattaurin 2944*
$C_9H_{12}O$ Pseudocumenol (2,4,5-Trimethylphenol) 1094
Mesitol (2,4,6-Trimethylphenol) 1049
$C_9H_{12}O_3$ 2,4,6-Trimethylphloroglucin 2470
Pyrogalloltrimethyläther (1,2,3-Trimethoxybenzol) 774, 1840*
Phloroglucintrimethyläther (1,3,5-Trimethoxybenzol) 870
Metacrolein 760
$C_9H_{13}JN_2O_2$ 3-Nitrophenyltrimethylammoniumjodid 953*
$C_9H_{13}N$ 2,3,5,6-Tetramethylpyridin 1206
Pseudocumidin (1-Amino-2,4,5-trimethylbenzol) 1054
Dimethyl-o-toluidin 181
$C_9H_{13}NO_2$ N-Methyl-β-(3,4-dihydroxyphenyl)-äthylamin (Epinin) 2520
Persedon (3,3-Diäthyl-2,4-dioxotetrahydropyridin) 1302
Hämopyrrolcarbonsäure 1809
Anhydroekgonin 2899
$C_9H_{13}NO_2S$ Benzolsulfonylpropylamin 140*
$C_9H_{13}NO_3$ Adrenalin (Suprarenin, 3,4-Dihydroxyphenyläthanolmethylamin) 2785
$C_9H_{14}ClN$ Dimethyl-o-toluidinhydrochlorid 181*
$C_9H_{14}ClNO_3$ 1-(3′,4′-Dihydroxyphenyl)-2-aminopropanol-(1)-hydrochlorid (Corbasil) 2406
1-(3′,4′-Dihydroxyphenyl)-2-methylaminoäthan-1-ol-hydrochlorid (Adrenalinhydrochlorid, Suprareninhydrochlorid) 1932, 2785*
$C_9H_{14}JN$ Phenyltrimethylammoniumjodid 414*
$C_9H_{14}N_2O_3$ 5-Äthyl-5-propylbarbitursäure 2002
5-Äthyl-5-isopropylbarbitursäure (Ipral) 2681
$C_9H_{14}O$ Phoron 581
dl-Camphenilon 676
$C_9H_{14}O_6$ Triformal-d-mannit 2256*
l-Camphoronsäure 2138
Isocamphoronsäure 2304
Glycerintriacetat 526*
$C_9H_{15}BrN_2O_3$ Acetylbromdiäthylacetylharnstoff (Abasin) 1525
$C_9H_{15}N$ Phyllopyrrol 1064
$C_9H_{15}NO$ Pseudopelletierin 700
Phoronoxim 581*
$C_9H_{15}NO_3$ *l*-Ekgonin (3-Hydroxynortropan-2-carbonsäure) 2693
$C_9H_{15}N_3O_3$ Cyanursäuretriäthylester 585
$C_9H_{15}NNaO_5$ Natriumpantothenat 1693
$C_9H_{16}N_2O_2$ Allylisopropylacetylharnstoff (Sedormid) 2580
$C_9H_{16}O_4$ Azelainsäure 1499, 1088*
Glutarsäurediäthylester 307
$C_9H_{17}N$ trans-Dekahydrochinolin 785
$C_9H_{17}NO$ Triacetonamin 642
Diäthylallylacetamid (Novonal) 1105
$C_9H_{17}N_3O$ Methylheptenonsemicarbazon 171*
$C_9H_{18}BrNO_2$ Brommethylat des Methylhexahydronicotinsäuremethylesters (Neu-Cesol) 2672
$C_9H_{18}N_2O_2$ Azelainsäurediamid 1499*
$C_9H_{18}O$ Methylheptylketon 364
Dibutylketon 378
$C_9H_{18}O_2$ Pelargonsäure (n-Nonansäure) 470
$C_9H_{18}S_3$ Trithioaceton 547
$C_9H_{19}NO$ Pelargonsäureamid 470*
$C_9H_{19}N_3O$ Methylhexylketonsemicarbazon 338*
C_9H_{20} n-Nonan 196
$C_9H_{20}O$ n-Nonylalkohol 382
Methylheptylcarbinol 259
$C_9H_{20}O_2$ Nonandiol-(1,9) (Nonamethylenglykol) 758
$C_9H_{21}N$ Tripropylamin 109
$C_9H_{22}BrN$ Tripropylaminhydrobromid 109*
$C_9H_{24}J_2N_2O$ Hexamethyldiaminoisopropanoldijodid (Endojodin) 3074

$C_{10}H_2O_6$ Benzol-1,2,3,4-tetracarbonsäuredianhydrid 2946*
Benzol-1,2,4,5-tetracarbonsäuredianhydrid (Pyromellitsäuredianhydrid) 3072*, 3115*
$C_{10}H_4N_4O_8$ 1,2,5,8-Tetranitronaphthalin 3063
1,3,5,8-Tetranitronaphthalin 2587
1,3,6,8-Tetranitronaphthalin 2673
$C_{10}H_5N_3O_6$ 1,2,5-Trinitronaphthalin 1575
1,3,5-Trinitronaphthalin 1704
1,3,8-Trinitronaphthalin 2812
1,4,5-Trinitronaphthalin 2091
$C_{10}H_6Br_2$ 1,8-Dibromnaphthalin 1523
$C_{10}H_6Cl_2$ 1,2-Dichlornaphthalin 645
1,3-Dichlornaphthalin 971
1,4-Dichlornaphthalin 1041
1,5-Dichlornaphthalin 1503
1,6-Dichlornaphthalin 801
1,7-Dichlornaphthalin 994
1,8-Dichlornaphthalin 1293

2,3-Dichlornaphthalin 1668
2,6-Dichlornaphthalin 1879
2,7-Dichlornaphthalin 1595
$C_{10}H_6Cl_2O$ 2,4-Dichlornaphthol 1507
$C_{10}H_6Cl_2O_4S_2$ 1,5-Naphthalindisulfonsäure-dichlorid 2945*
$C_{10}H_6N_2O_4$ 1,3-Dinitronaphthalin 1976
1,5-Dinitronaphthalin 2805
1,6-Dinitronaphthalin 2261
1,8-Dinitronaphthalin 2333
$C_{10}H_6N_2O_5$ 2,4-Dinitronaphthol-(1) 1899
1,6-Dinitronaphthol-(2) 2592
$C_{10}H_6N_2O_8S$ 2,4-Dinitronaphthol-(1)-sulfonsäure-(7) 1941
$C_{10}H_6O_2$ 1,2(β)-Naphthochinon 1620
1,4(α)-Naphthochinon 1749
$C_{10}H_6O_3$ 2-Hydroxynaphthochinon-(1,4) 2537
5-Hydroxynaphthochinon-(1,4) (Juglon) 2089
$C_{10}H_6O_4$ Furil 2237, 1866*
2,3-Dihydroxynaphthochinon-(1,4) (Isonaphthazarin) 3091
$C_{10}H_6O_8$ Benzol-1,2,3,4-tetracarbonsäure (Mellophansäure) 2946
Benzol-1,2,3,5-tetracarbonsäure (Prehnitsäure) 2994
Benzol-1,2,4,5-tetracarbonsäure (Pyromellitsäure) 3072
$C_{10}H_7Br$ α-Bromnaphthalin 436
β-Bromnaphthalin 922
$C_{10}H_7Br_3O_4$ 2,4,6-Tribromresorcindiacetat 1557*
$C_{10}H_7Cl$ 1-Chlornaphthalin 333
2-Chlornaphthalin 941
$C_{10}H_7ClO_2S$ α-Naphthalinsulfochlorid 1052, 1308*
β-Naphthalinsulfochlorid 1177, 1321*
$C_{10}H_7F$ 2-Fluornaphthalin 925
$C_{10}H_7J$ 2-Jodnaphthalin 877
$C_{10}H_7NO_2$ 1-Nitronaphthalin 972
2-Nitronaphthalin 1179
2-Nitrosonaphthol-(1) 2205
4-Nitrosonaphthol-(1) (bzw. 1,4-Naphthochinonoxim) 2619, 1749*
1-Nitrosonaphthol-(2) 1567
1,2-Naphthochinonoxim 1620*
Chinolincarbonsäure-(2) (Chinaldinsäure) 2129
Chinolincarbonsäure-(4) (Cinchoninsäure) 2999
Chinolincarbonsäure-(5) 3194
$C_{10}H_7NO_3$ 2-Nitronaphthol-(1) 1775
4-Nitronaphthol-(1) 2226
1-Nitronaphthol-(2) 1457
N-Acetylisatin 1951
4-Hydroxychinolincarbonsäure-(2) (Kynurensäure) 3122
$C_{10}H_8$ Azulen 1415
Naphthalin 1197
Benzofulven 665
$C_{10}H_8BrClO_3$ Monochloressigsäure-p-bromphenacylester 969*
$C_{10}H_8Cl_2O_4$ 4,5-Dichlorphthalsäuremonoäthylester 2634*
$C_{10}H_8N_2$ α,α'-Dipyridyl 1070
Dipyridyl-(4,4') 1559
$C_{10}H_8N_2O$ 1-Nitrosonaphthylamin-(2) 2058
Chinaldinsäureamid 2129*
Cinchoninsäureamid 2999*
$C_{10}H_8N_2O_2$ 4-Nitronaphthylamin-(1) 2594
1-Amino-5-nitronaphthalin 1655
1-Nitronaphthylamin-(2) 1755
$C_{10}H_8N_2O_6$ Allyl-3,5-dinitrobenzoat 30*
$C_{10}H_8N_4O_5$ Pikrolonsäure [1-(p-Nitrophenyl)-3-methyl-4-nitro-5-pyrazolon] 1723
$C_{10}H_8O$ α-Naphthol 1389
β-Naphthol 1712
$C_{10}H_8OS_3$ Anetholtrithion (5-[p-Methoxyphenyl]-1,2-dithiol-3-thion) 1555
$C_{10}H_8O_2$ 1,2-Dihydroxynaphthalin 1462
1,3-Dihydroxynaphthalin (Naphthoresorcin) 1720
1,4-Dihydroxynaphthalin 2557
1,5-Dihydroxynaphthalin 3020
1,6-Dihydroxynaphthalin 1894
1,7-Dihydroxynaphthalin 2404
1,8-Dihydroxynaphthalin 1925
2,3-Dihydroxynaphthalin 2173
2,6-Dihydroxynaphthalin 2808
2,7-Dihydroxynaphthalin 2534
$C_{10}H_8O_3$ 7-Hydroxy-4-methylcumarin (β-Methylumbelliferon) 2489
β-Benzoylacrylsäure 1385
$C_{10}H_8O_3S$ α-Naphthalinsulfonsäure 1308
β-Naphthalinsulfonsäure 1321
$C_{10}H_8O_4$ 1,2,5,8-Tetrahydroxynaphthalin 2087
Furoin 1866
Benzalmalonsäure 2598
Zimtsäure-o-carbonsäure 2355
$C_{10}H_8O_4S$ Naphthol-(1)-sulfonsäure-(4) 2306
Naphthol-(1)-sulfonsäure-(8) 1498
Naphthol-(2)-sulfonsäure-(6) (Schäffersche Säure) 1735
Naphthol-(2)-sulfonsäure-(7) (F-Säure) 1298
$C_{10}H_8O_5$ 3,4-Dimethoxyphthalsäureanhydrid (Hemipinsäureanhydrid) 2497*
4,5-Dimethoxyphthalsäureanhydrid 2432*
$C_{10}H_8O_6S_2$ 1,5-Naphthalindisulfonsäure 2945
$C_{10}H_8S$ Thio-β-naphthol (β-Naphthylmercaptan) 1204
$C_{10}H_9JN_2O_2$ 5-Nitrochinolinjodmethylat 1101*

6-Nitrochinolinjodmethylat 2082*
7-Nitrochinolinjodmethylat 1827*
$C_{10}H_9N$ 2-Methylchinolin (Chinaldin) 397
3-Methylchinolin 502
4-Methylchinolin (Lepidin) 454
6-Methylchinolin 311
α-Naphthylamin 820
β-Naphthylamin 1566
$C_{10}H_9NO$ 2-Hydroxy-4-methylchinolin (4-Methylcarbostyril) 2839
4-Hydroxy-2-methylchinolin 2950
5-Aminonaphthol-(1) 2293
8-Aminonaphthol-(1) 1374
5-Aminonaphthol-(2) 2491
7-Aminonaphthol-(2) 2651
8-Aminonaphthol-(2) 2700
Acetylindol 851*
$C_{10}H_9NO_2$ β-Indolylessigsäure (Heteroauxin) 2279
$C_{10}H_9NO_3$ β-Benzoylacrylsäureoxim 1385*
Maleinsäuremonoanilid 1802*
$C_{10}H_9NO_3S$ Naphthylamin-(1)-sulfonsäure-(2) 3067
$C_{10}H_9NO_4$ β-Nitroisosafrol 439*
Furoinoxim 1866*
$C_{10}H_9NO_6$ Glykolsäure-p-nitrophenacylester 1170*
$C_{10}H_9N_3O$ Imidazolcarbonsäure-(4 bzw. 5)-anilid 3097*
$C_{10}H_{10}$ α-Phenyl-α,γ-butadien 423
1,2-Dihydronaphthalin 365
1,4-Dihydronaphthalin 554
$C_{10}H_{10}BrN$ α-Naphthylaminhydrobromid 3108
$C_{10}H_{10}ClNO$ β-Chlorcrotonsäureanilid 1354*
β-Chlorisocrotonsäureanilid 958*
$C_{10}H_{10}ClN_3O$ ω-Chloracetophenonsemicarbazon 905*
$C_{10}H_{10}JN$ Isochinolinjodmethylat 552*
$C_{10}H_{10}JNO$ 8-Hydroxychinolinjodmethylat 1135*
$C_{10}H_{10}N_2$ 1,2-Naphthylendiamin 1414
1,3-Naphthylendiamin 1377
1,4-Naphthylendiamin 1671
1,5-Naphthylendiamin 2528
1,6-Naphthylendiamin 1157
1,7-Naphthylendiamin 1648
1,8-Naphthylendiamin 1034
2,3-Naphthylendiamin 2568
2,6-Naphthylendiamin 2802
2,7-Naphthylendiamin 2175
α-Naphthylhydrazin 1635
β-Naphthylhydrazin 1727
$C_{10}H_{10}N_2O$ 1-Phenyl-3-methylpyrazolon-(5) 1764
$C_{10}N_{10}N_2O_2$ Zimtsäure-o-carbonsäurediamid 2355*
$C_{10}H_{10}N_2O_6$ n-Propyl-3,5-dinitrobenzoat 34*
$C_{10}H_{10}N_4O_4$ Crotonaldehyd-2,4-dinitrophenylhydrazon 155*
$C_{10}H_{10}O$ Benzalaceton (Methylstyrylketon) 715
$C_{10}H_{10}O_2$ Safrol (1-Allyl-3,4-methylendioxybenzol) 466
Isosafrol 439
Benzoylaceton 938
β-Benzalpropionsäure 1289
α-Methyl-cis-zimtsäure 1326
α-Methyl-trans-zimtsäure 1115, 1218
β-Methyl-cis-zimtsäure 1815
β-Methyl-trans-zimtsäure 1413
Zimtsäuremethylester 663
$C_{10}H_{10}O_3$ Benzalmilchsäure 1885
β-Benzoylpropionsäure 1624
2-Methoxyzimtsäure 2488
4-Methoxyzimtsäure 2516
3-Hydroxyzimtsäuremethylester 2573*
Acetophenoncarbonsäure-(4)-methylester 2691*
Essigsäurephenacylester 504*
$C_{10}H_{10}O_4$ Mekonin (6,7-Dimethoxyphthalid) 1455
Ferulasäure (4-Hydroxy-3-methoxyzimtsäure) 2282
Isoferulasäure (3-Hydroxy-4-methoxyzimtsäure) 2868
Phenylbernsteinsäure 2264
Vanillinacetat 1208*
Benzoyl-dl-milchsäure 1561
Hydrochinondiacetat 2316*
Isophthalsäuredimethylester 1042, 3197*
Terephthalsäuredimethylester 1943
$C_{10}H_{10}O_5$ Opiansäure 2051
$C_{10}H_{10}O_6$ 3,4-Dimethoxyphthalsäure (Hemipinsäure) 2497
4,5-Dimethoxyphthalsäure 2432
$C_{10}H_{11}Br_3O$ Monobromanetholdibromid 537*
$C_{10}H_{11}Br_3O_2$ 2,4,6-Tribromresorcindiäthyläther 1557*
$C_{10}H_{11}ClO_2$ 4-Äthylphenylchloracetat 761*
$C_{10}H_{11}JN_2$ 2-Aminochinolinjodmethylat 1785*
$C_{10}H_{11}NO$ Benzalacetonoxim 715*
β-Benzalpropionsäureamid 1289*
β-Methyl-cis-zimtsäureamid 1815*
β-Methyl-trans-zimtsäureamid 1413*
α-Crotonsäureanilid 1098*
Isocrotonsäureanilid 486*
Vinylessigsäureanilid 244*
Acrylsäure-p-toluidid 472*
$C_{10}H_{11}NO_2$ Phenylcarbaminsäureallylester 30*
β-Benzoylpropionsäureamid 1624*
4-Acetylaminoacetophenon 1492*
Acetessigsäureanilid 1248
Diacetylanilin (N-Phenyldiacetamid) 674
$C_{10}H_{11}NO_3$ Benzoyl-d-alanin 3140*

Benzoyl-dl-alanin 3138*
O,N-Diacetyl-2-aminophenol 2294*
$C_{10}H_{11}NO_4$ Milchsäurephenylurethan 1914
2-Carbäthoxyaminobenzoesäure 1762
Propionsäure-p-nitrobenzylester 324*
n-Propyl-p-nitrobenzoat 34*
Benzoyl-dl-serin 2968*
Benzoyl-dl-isoserin 2976*
$C_{10}H_{11}N_3O$ Zimtaldehydsemicarbazon 369*
Hydrindon-(1)-semicarbazon 719*
$C_{10}H_{11}N_3O_2S_2$ 2-Sulfanilamido-4-methylthiazol (Sulfamethylthiazol, Ultraseptyl) 2920
$C_{10}H_{12}$ Dicyclopentadien 620
Tetralin (Tetrahydronaphthalin) 272
$C_{10}H_{12}BrNO$ dl-α-Brombuttersäureanilid 387*
$C_{10}H_{12}Br_2O$ Anetholdibromid 537*
$C_{10}H_{12}Cl_2N_2O_2$ Cyclopentadienbisnitrosochlorid 620*
$C_{10}H_{12}N_2$ Crotonaldehydphenylhydrazon 155*
$C_{10}H_{12}N_2O_2$ Acetessigsäureanilidoxim 1248*
Diacetyl-o-phenylendiamin 2487, 1463*
Diacetyl-m-phenylendiamin 984*
Diacetyl-p-phenylendiamin 1919*, 2191*
$C_{10}H_{12}N_2O_3$ 5,5-Diallylbarbitursäure (Dial, Curral) 2318
N-Phenyl-N'-(β-carboxyäthyl)-harnstoff 2630*
α-Ketobuttersäurephenylhydrazon 608*
$C_{10}H_{12}N_2O_4$ Nitrophenacetin 1871*
d-Alanin-p-nitrobenzylester 3140*
$C_{10}H_{12}N_4O_2S_2$ Sulfaäthylthiadiazol [2-(p-Aminobenzolsulfonamido)-5-äthyl-1,3,4-thiodiazol, Globucid) 2474
$C_{10}H_{12}N_4O_4$ Butyraldehyd-2,4-dinitrophenylhydrazon 91*
Methyläthylketon-2,4-dinitrophenylhydrazon 129*
Isobutyraldehyd-2,4-dinitrophenylhydrazon 174*
$C_{10}H_{12}O$ 5,6,7,8-Tetrahydronaphthol-(1) 1065
5,6,7,8-Tetrahydronaphthol-(2) 934
Anethol (4-Propenylanisol) 537
Butyrophenon (Phenylpropylketon) 464
$C_{10}H_{12}O_2$ Eugenol 357
Isoeugenol 626
Thymochinon 789
γ-Phenylbuttersäure 825
Cuminsäure 1632
2,3,4-Trimethylbenzoesäure 388*
2,4,5-Trimethylbenzoesäure (Durylsäure, Cumylsäure) 2053
2,4,6-Trimethylbenzoesäure 2071
$C_{10}H_{12}O_3$ Coniferylalkohol 1111
2-Methoxy-3-äthoxybenzaldehyd 752
3-Äthoxy-4-methoxybenzaldehyd (Isovanillinäthyläther 819
3-(α-Hydroxyisopropyl)-benzoesäure 1716
4-(α-Hydroxyisopropyl)-benzoesäure 2109
p-Hydroxybenzoesäurepropylester (Nipasol) 1371
3-Hydroxy-o-toluylsäureäthylester 1999*
4-Hydroxy-o-toluylsäureäthylester 2398*
5-Hydroxy-o-toluylsäureäthylester 2458*
2-Hydroxy-m-toluylsäureäthylester 2222*
4-Hydroxy-m-toluylsäureäthylester 2347*
6-Hydroxy-m-toluylsäureäthylester 2065*
2-Hydroxy-p-toluylsäureäthylester 2396*
3-Hydroxy-p-toluylsäureäthylester 2707*
$C_{10}H_{12}O_4$ Cantharidin 2806
$C_{10}H_{12}O_5$ 2,4,5-Trimethoxybenzoesäure (Asaronsäure) 1982
3,4,5-Trimethoxybenzoesäure 2289
$C_{10}H_{13}BrN_2O_3$ 5-Isopropyl-5-(β-bromallyl)-barbitursäure (Noctal) 2409
$C_{10}H_{13}ClN_2$ 2-Benzyl-4,5-imidazolinhydrochlorid (Priscol) 2320
$C_{10}H_{13}ClO$ 4-Chlorthymol (6-Chlor-3-hydroxy-1-methyl-4-isopropylbenzol) 916
$C_{10}H_{13}N$ 5,6,7,8-Tetrahydronaphthylamin-(2) 683
$C_{10}H_{13}NO$ Thallin (6-Methoxy-1,2,3,4-tetrahydrochinolin) 723
Butyrophenonoxim 464*
γ-Phenylbuttersäureamid 825*
Buttersäureanilid 385*
Isobuttersäureanilid 218*
Propionsäure-p-toluidid 324*
N-Äthylacetanilid 873
Acet-p-xylidid 494*
3,4-Dimethylacetanilid 802*
Benzoylpropylamin 140*
$C_{10}H_{13}NO_2$ Thymochinonoxim 789*
p-Aminobenzoesäure-n-propylester (Propäsin) 1110
p-Dimethylaminobenzoesäuremethylester 2937*
Phenylcarbaminsäure-n-propylester 34*
Phenacetin (4-Acetaminophenyläthyläther) 1871, 417*
$C_{10}H_{13}NO_4S$ p-Toluolsulfonyl-d-alanin 3140*
$C_{10}H_{13}N_3O$ Propiophenonsemicarbazon 531*
Methylbenzylketonsemicarbazon 571*
4-Methylacetophenonsemicarbazon 580*
$C_{10}H_{13}N_3O_2$ Butyraldehyd-p-nitrophenylhydrazon 91*
Methyläthylketon-p-nitrophenylhydrazon 129*

2-Methoxyacetophenonsemicarbazon 679*
$C_{10}H_{13}N_3O_3$ 3,4-Dimethoxybenzaldehydsemicarbazon 730*
$C_{10}H_{14}$ p-Cymol (1-Methyl-4-isopropylbenzol) 157
1,2,3,4-Tetramethylbenzol (Prehnitol) 388
1,2,3,5-Tetramethylbenzol (Isodurol) 306
1,2,4,5-Tetramethylbenzol (Durol) 1194
$C_{10}H_{14}ClNO_3$ Äthylaminoacetobrenzcatechinhydrochlorid (Homorenonhydrochlorid) 3026
$C_{10}H_{14}N_2O$ p-Nitrosodiäthylanilin 1244
Acetoinphenylhydrazon 483*
Acetyl-N,N-dimethyl-p-phenylendiamin 708*
$C_{10}H_{14}N_2O_2$ Glycerinaldehydmethylphenylhydrazon 1902*
Glycin-p-phenetidid (Aminophenacetin, Phenokoll) 1365
$C_{10}H_{14}N_2O_2S$ Benzolsulfonylpiperazin 1469*
$C_{10}H_{14}N_2O_3$ 5-Äthyl-5-crotylbarbitursäure (Kalypnon) 1608
5-Allyl-5-isopropylbarbitursäure (Numal) 1917
$C_{10}H_{14}N_5O_7P$ Muskeladenylsäure 2561
$C_{10}H_{14}O$ Carvacrol (1-Methyl-2-hydroxy-4-isopropylbenzol) 408
Thymol (3-Hydroxy-1-methyl-4-isopropylbenzol) 832, 1233*
akt. Carvon (1-Methyl-4-isopropenyl-Δ^6-cyclohexen-2-on) 299
$C_{10}H_{14}O_2$ Brenzcatechindiäthyläther 717
Thymohydrochinon 1934, 789*
d-Campherchinon 2624
$C_{10}H_{14}O_3$ Mephenesin (Myanesin, α,β-Dihydroxy-γ-[2-methylphenoxy]-propan) 1083
d-Camphersäureanhydrid 2831
$C_{10}H_{14}O_4$ Guajacolglycerinäther (Guajamar) 1128
Camphansäure 2652
Muconsäurediäthylester 3142*
$C_{10}H_{15}BrO$ d-3(α)-Bromcampher 1147
$C_{10}H_{15}BrO_4S$ α-Brom-d-campher-β-sulfonsäure 780
α-Brom-d-campher-π-sulfonsäure 2599
$C_{10}H_{15}ClO$ 3(α)-Chlor-d-campher 1349
$C_{10}H_{15}N$ 4-tert.-Butylanilin 505
Carvacrylamin 337
Duridin (3-Amino-1,2,4,5-tetramethylbenzol) 1127
Isoduridin (4-Amino-1,2,3,5-tetramethylbenzol) 538
N,N-Diäthylanilin 247
$C_{10}H_{15}NO$ *l*-Ephedrin [1-Phenyl-2-methylaminopropanol-(1)] 697
dl-1-Phenyl-2-methylaminopropanol-(1) 2499
Hordenin [β-(p-Hydroxyphenyl)-α-dimethylaminoäthan] 1651
3-Diäthylaminophenol 1161
akt. Carvonoxim 96*, 299*
$C_{10}H_{15}NO_2S$ Benzolsulfonyl-dl-sek.-butylamin 73*
Benzolsulfonyldiäthylamin 211*
$C_{10}H_{15}NO_3$ 3-Nitro-d-campher 1446
$C_{10}H_{16}$ *l*-Bornylen 1582
dl-Camphen 813
d-Limonen 96
akt. α-Pinen 194
β-Pinen (Nopinen) 212
$C_{10}H_{16}Br_2$ dl-Camphendibromid 813*
akt. α-Pinendibromid 194*
β-Pinendibromid (Nopinendibromid) 212*
$C_{10}H_{16}Br_4$ d-Limonentetrabromid 96*
$C_{10}H_{16}ClN$ 1-Phenyl-2-methylaminopropanhydrochlorid (Pervitin, Isophen) 2315
Carvacrylaminhydrochlorid 337*
$C_{10}H_{16}ClNO$ d-Limonen-α-nitrosochlorid 96*
akt. α-Pinennitrosochlorid 194*
l-Ephedrinhydrochlorid [1-Phenyl-2-methylaminopropanol-(1)-hydrochlorid] 2789, 697*
dl-1-Phenyl-2-methylaminopropanol-(1)-hydrochlorid (Ephetonin, Racedrin) 2499
$C_{10}H_{16}ClNO_2$ 1-(4′-Hydroxyphenyl)-2-methylaminopropanol-(1)-hydrochlorid (Suprifen) 2678
$C_{10}H_{16}JN$ 2,3,5,6-Tetramethylpyridinjodmethylat 1206*
Dimethyl-o-toluidinjodmethylat 181*
$C_{10}H_{16}N_2$ Tetramethyl-m-phenylendiamin 398
Tetramethyl-p-phenylendiamin 827
$C_{10}H_{16}N_2O$ p-Aminoephetonin (Ephetonal) 2365
$C_{10}H_{16}N_2O_3$ 5-Butyl-5-äthylbarbitursäure (Soneryl, Neonal) 1743
5,5-Dipropylbarbitursäure (Proponal) 1991
5-Propyl-5-isopropylbarbitursäure 2372
$C_{10}H_{16}N_2O_4$ dl-Hydroxybiotin 2709
$C_{10}H_{16}O$ d-Campher 2413, 2757*
d-Fenchon 435
$C_{10}H_{16}O_2$ Ascaridol 420
Diosphenol (Buccocampher) 1233
$C_{10}H_{16}O_3$ Nopinsäure 212*
$C_{10}H_{16}O_4$ Camphersäure 2501, 2413*
l-Isocamphersäure 2342
$C_{10}H_{16}O_5$ dl-Cineolsäure 2686
$C_{10}H_{17}Cl$ Bornylchlorid 1817
dl-Camphenhydrochlorid 814*

$C_{10}H_{17}NO$ 3-Aminocampher 1537
d-Campheroxim 1657, 2413*
d-Fenchonoxim 435*
$C_{10}H_{17}NO_3$ α-Campheramidsäure 2389
$C_{10}H_{17}N_3O$ Phoronsemicarbazon 581*
dl-Camphenilonsemicarbazon 676*
$C_{10}H_{18}$ trans-Dekalin 253
Camphan 2122
Isocamphan 1019
$C_{10}H_{18}ClNO$ 3-Aminocampherhydrochlorid 1537*
$C_{10}H_{18}ClNO_2$ α-Terpineolnitrosochlorid 650*
$C_{10}H_{18}O$ cis-α-Dekalol 1338
trans-α-Dekalol 986
cis-β-Dekalol I 1479
cis-β-Dekalol II 514
trans-β-Dekalol I 844
trans-β-Dekalol II 1123
d-Borneol 2722
Isoborneol 2757
Camphenhydrat 813*
Cineol (Eucalyptol, 1,8-Oxido-p-menthan) 410
l-Fenchylalkohol 775
α-Terpineol 650
l-Menthon 371
$C_{10}H_{18}O_2$ Pinolhydrat 1811
d-Campholsäure 1493
$C_{10}H_{18}O_4$ Sebacinsäure 1850, 625*
$C_{10}H_{18}O_8$ Schleimsäurediäthylester 2763*
$C_{10}H_{19}N$ d-Bornylamin 2209
$C_{10}H_{19}NO$ *l*-Menthonoxim 371*
$C_{10}H_{20}N_2O_2$ Sebacinsäurediamid 1850*
$C_{10}H_{20}O$ *l*-Menthol 724
$C_{10}H_{20}O_2$ cis-Terpin 1488; (Hydrat) 1672
Caprinsäure (n-Decansäure) 602, 487*
Caprylsäureäthylester 225
Essigsäureoctylester (Octylacetat) 246
$C_{10}H_{21}NO$ Caprinsäureamid 602*
Acetyldiisobutylamin 162*
$C_{10}H_{21}N_3O$ Methylheptylketonsemicarbazon 364*
Dibutylketonsemicarbazon 378*
$C_{10}H_{22}$ n-Decan 275
Diisoamyl 204, 61*
$C_{10}H_{22}N_4O_2$ Sebacinsäuredihydrazid 1850*
$C_{10}H_{22}O$ Decylalkohol 441
$C_{10}H_{22}O_2$ Dekamethylenglykol [Decandiol-(1,10)] 1104

$C_{11}H_6N_2O$ 4,5-Diazafluorenon 2759
$C_{11}H_6O_2$ 8-Hydroxynaphthoesäure-(1)-lacton 2284*
$C_{11}H_6O_{10}$ Benzolpentacarbonsäure 2921, 855*
$C_{11}H_7ClO_2$ 1-Hydroxynaphthoesäure-(2)-chlorid 2498*
$C_{11}H_7N$ α-Naphthonitril 669
β-Naphthonitril 1027
$C_{11}H_7NO_4$ Chinolin-2,3-dicarbonsäure (Acridinsäure) 1677
$C_{11}H_8N_4O_5$ Furfurol-2,4-dinitrophenylhydrazon 251*
$C_{11}H_8O$ β-Naphthaldehyd 964
$C_{11}H_8O_2$ 2-Hydroxynaphthaldehyd-(1) 1220
4-Hydroxynaphthaldehyd 2439
1-Hydroxynaphthaldehyd-(2) 946
α-Naphthoesäure 2184
β-Naphthoesäure 2481
$C_{11}H_8O_3$ 2-Hydroxynaphthoesäure-(1) 2124
3-Hydroxynaphthoesäure-(1) 2978
4-Hydroxynaphthoesäure-(1) 2457
5-Hydroxynaphthoesäure-(1) 2906
6-Hydroxynaphthoesäure-(1) 2727
7-Hydroxynaphthoesäure-(1) 3000
8-Hydroxynaphthoesäure-(1) 2284
1-Hydroxynaphthoesäure-(2) 2498
3-Hydroxynaphthoesäure-(2) 2791
4-Hydroxynaphthoesäure-(2) 2450
5-Hydroxynaphthoesäure-(2) 2742
6-Hydroxynaphthoesäure-(2) 2965
7-Hydroxynaphthoesäure-(2) 3055
8-Hydroxynaphthoesäure-(2) 2872
$C_{11}H_8O_4$ Umbelliferonacetat 2870*
$C_{11}H_9N$ 4-Phenylpyridin 1155
$C_{11}H_9NO$ β-Naphthaldehydoxim 964*
α-Naphthoesäureamid 2184*
β-Naphthoesäureamid 2481*
$C_{11}H_9NO_2$ Chinaldinsäuremethylester 2129*
Brenzschleimsäureanilid 1838*
3-Hydroxynaphthoesäure-(1)-amid 2978*
1-Hydroxynaphthoesäure-(2)-amid 2498*
$C_{11}H_9NO_3$ 6-Methoxychinolin-4-carbonsäure (Chininsäure) 3092
$C_{11}H_9N_3O_2$ 1,2-Naphthochinonsemicarbazon 1620*
1,4-Naphthochinonsemicarbazon 1749*
$C_{11}H_{10}$ 1-Methylnaphthalin 313
2-Methylnaphthalin 635
$C_{11}H_{10}Cl_2O_4$ Orcinbischloracetat 1508*
$C_{11}H_{10}N_2O$ Furfurolphenylhydrazon 1395, 251*
4-Acetylaminochinolin 2084*
α-Naphthoesäurehydrazid 2184*
$C_{11}H_{10}N_2O_2$ 6-Methoxychinolin-4-carbonsäureamid 3092*
$C_{11}H_{10}N_2O_3$ 5-Methyl-5-phenylbarbitursäure 2852
$C_{11}H_{10}N_2S$ α-Naphthylthioharnstoff (ANTU, Anturat, Bantu) 2614
$C_{11}H_{10}O$ 1-Methylnaphthol-(2) 1565
β-Naphtholmethyläther (Nerolin) 1132
$C_{11}H_{10}O_2$ Cinnamalessigsäure 2251
$C_{11}H_{10}O_3S$ α-Naphthalinsulfonsäuremethylester 1308*
β-Naphthalinsulfonsäuremethylester 1321*

$C_{11}H_{10}O_4$ Äsculetindimethyläther 3053*
Visnaginon 1984
Benzalbernsteinsäure (Phenylitaconsäure, γ-Phenyl-β-propylen-α,β-dicarbonsäure) 2562
$C_{11}H_{10}O_6$ Hemimellitsäuredimethylester 2531*
$C_{11}H_{11}ClO_3$ Propionsäure-p-chlorphenacylester 324*
$C_{11}H_{11}JN_2O$ Jodantipyrin (Jodopyrin) 2169, 1551*
$C_{11}H_{11}J_2N$ 2-Jodchinolinäthojodid 852*
$C_{11}H_{11}N$ 2,3-Dimethylchinolin 1062
2,6-Dimethylchinolin 943
$C_{11}H_{11}NO$ Acetylskatol 1367*
$C_{11}H_{11}NO_3$ 2-Acetylaminozimtsäure 2146*
3-Acetylaminozimtsäure 2444*
4-Acetylaminozimtsäure 2379*
Glutaconsäuremonoanilid 1901*
$C_{11}H_{11}NO_4$ 2-Nitrozimtsäureäthylester 721, 2942*
3-Nitrozimtsäureäthylester 2643*
4-Nitrozimtsäureäthylester 1913, 3111*
$C_{11}H_{11}NO_5$ Benzoyl-*l*-asparaginsäure 3059*
$C_{11}H_{11}N_3O_2S$ 2-Sulfanilamidopyridin (Sulfapyridin, Dagenan, Eubasin) 2553
$C_{11}H_{12}ClNO_2$ Hydrastininchlorid (2-Methyl-6,7-methylendioxy-3,4-dihydroisochinoliniumchlorid) 2738
$C_{11}H_{12}Cl_2N_2O_5$ D-threo-1-(p-Nitrophenyl)-2-dichloracetamino-1,3-propandiol (Chloromycetin, Chloramphenicol) 2043
$C_{11}H_{12}Cl_3FeN_2O$ Antipyrin-Eisenchlorid (Ferripyrin) 2827
$C_{11}H_{12}JN$ Chinaldinjodmethylat 397*
3-Methylchinolinjodmethylat 502*
Lepidinjodmethylat 454*
6-Methylchinolinjodmethylat 311*
$C_{11}H_{12}N_2O$ 1-Phenyl-2,3-dimethylpyrazolon-(5) (Antipyrin) 1551
$C_{11}H_{12}N_2O_2$ 5-Phenyl-5-äthylhydantoin (Nirvanol) 2628
l-Tryptophan 3118
$C_{11}H_{12}N_2O_6$ n-Butyl-3,5-dinitrobenzoat 149*
Isobutyl-3,5-dinitrobenzoat 67*
tert.-Butyl-3,5-dinitrobenzoat 558*
$C_{11}H_{12}N_4O_2S$ 2-(p-Aminophenylsulfonamido)-4-methylpyrimidin (Debenal M, Methylpyrimal, Sulfamerazin) 2893
$C_{11}H_{12}N_4O_4$ Cyclopentanon-2,4-dinitrophenylhydrazon 201*
$C_{11}H_{12}N_4O_5$ Acetylaceton-2,4-dinitrophenylhydrazon 308*
$C_{11}H_{12}O$ Äthylstyrylketon (α-Methyl-α'-benzalaceton) 689
$C_{11}H_{12}O_2$ Anisalaceton 1102
Zimtsäureäthylester 469
$C_{11}H_{12}O_3$ 2-Hydroxyzimtsäureäthylester 2775*
$C_{11}H_{12}O_4$ α-Acetoxy-β-phenylpropionsäure 1396*
Benzaldiacetat 763
Orcindiacetat 1508*
$C_{11}H_{12}O_5$ Sinapinsäure 1581*
Opiansäuremethylester 2051*
$C_{11}H_{12}O_6$ 6-Acetoxyveratrumsäure 2177
$C_{11}H_{13}ClO_2$ Mesitylchloracetat 1049*
Pseudocumenylchloracetat 1094*
$C_{11}H_{13}NO$ Äthylstyrylketonoxim 689*
Angelicasäureanilid 745*
Tiglinsäureanilid 1006*
Isocrotonsäure-p-toluidid 486*
$C_{11}H_{13}NO_2$ 2-Aminozimtsäureäthylester 2146*
3-Aminozimtsäureäthylester 2444*
4-Aminozimtsäureäthylester 2379*
Lävulinsäureanilid 628*
p-Acetaminophenylallyläther (Allylphenacetin) 1352
$C_{11}H_{13}NO_3$ Hydrastinin 1633
Hippursäureäthylester 2535*
Acetylanthranilsäureäthylester 473*
$C_{11}H_{13}NO_3S$ p-Acetylaminothiolsalicylsäureäthylester 2125
$C_{11}H_{13}NO_4$ Buttersäure-p-nitrobenzylester 385*
n-Butyl-p-nitrobenzoat 149*
tert.-Butyl-p-nitrobenzoat 558*
$C_{11}H_{13}N_3O$ Benzalacetonsemicarbazon 715*
$C_{11}H_{13}N_3O_3S$ 3,4-Dimethyl-5-sulfanilamidoisoxazol (Sulfafurazol, Gantrisin) 2584
$C_{11}H_{13}N_3O_5$ Opiansäuresemicarbazon 2051*
$C_{11}H_{14}BrNO$ dl-α-Brombuttersäure-p-toluidid 387*
$C_{11}H_{14}ClNO_3$ Hydrastininhydrochlorid 1633*
$C_{11}H_{14}N_2$ Cyclopentanonphenylhydrazon 201*
$C_{11}H_{14}N_2O$ Cytosin 2099
Benzoylpiperazin 1469*
$C_{11}H_{14}N_2O_2$ Lävulinsäurephenylhydrazon 628*
$C_{11}H_{14}N_2O_3$ Hydrastininoxim 1633*
$C_{11}H_{14}N_4O_4$ Valeraldehyd-2,4-dinitrophenylhydrazon 122*
Methylpropylketon-2,4-dinitrophenylhydrazon 137*
Methylisopropylketon-2,4-dinitrophenylhydrazon 121*
Diäthylketon-2,4-dinitrophenylhydrazon 232*
$C_{11}H_{14}O_2$ Pseudocumenylacetat 1094*
$C_{11}H_{14}O_3$ o-Thymotinsäure 1766
$C_{11}H_{15}BrN_2O_3$ sek.-Butyl-β-bromallylbarbitursäure (Pernocton) 1770

N-Methyl-5-isopropyl-5-β-bromallylbarbitursäure (Eunarcon) 1351
$C_{11}H_{15}BrN_2O_4$ *l*-Arabinose-p-bromphenylhydrazon 2152*
akt. Ribose-4-bromphenylhydrazon 1283*
$C_{11}H_{15}BrN_2O_6$ d-Xylosebromphenylhydrazon 1997*
$C_{11}H_{15}NO$ n-Valeriansäureanilid 262*
Isovaleriansäureanilid 248*
Buttersäure-p-toluidid 385*
dl-Methyläthylessigsäureanilid 148*
Isobuttersäure-p-toluidid 218*
Acetylpseudocumidin 1054*
Benzoylbutylamin 209*
Benzoyl-tert.-butylamin 168*
Diäthylbenzoylamin 211*
$C_{11}H_{15}NO_2$ p-Aminobenzoesäureisobutylester (Cycloform) 997
Phenylcarbaminsäure-n-butylester 149*
Phenylcarbaminsäureisobutylester 67*
Phenylcarbaminsäure-tert.-butylester 558*
$C_{11}H_{15}NO_3$ p-Lactylphenetidin (Lactophenin) 1642
$C_{11}H_{15}N_3O$ Butyrophenonsemicarbazon 464*
$C_{11}H_{15}N_3O_2$ Methylpropylketon-p-nitrophenylhydrazon 137*
Methylisopropylketon-p-nitrophenylhydrazon 121*
Diäthylketon-p-nitrophenylhydrazon 232*
Thymochinonsemicarbazon 789*
$C_{11}H_{15}N_3O_6$ *l*-Arabinose-o-nitrophenylhydrazon 2152*
d-Xylose-m-nitrophenylhydrazon 1997*
$C_{11}H_{16}$ Pentamethylbenzol 855
$C_{11}H_{16}Br_2N_2O_3$ N-Dibrompropyl-C,C-diäthylbarbitursäure (Diogenal) 1729
$C_{11}H_{16}N_2O_2$ Pilocarpin 633
$C_{11}H_{16}N_2O_2S$ p-Toluolsulfonylpiperazin 1469*
$C_{11}H_{16}N_2O_3$ 5-Allyl-5-butylbarbitursäure (Idobutal) 1793
5-Allyl-5-isobutylbarbitursäure 1915
$C_{11}H_{16}N_2O_4$ *l*-Arabinosephenylhydrazon 2152*
$C_{11}H_{16}O$ p-tert.-Amylphenol 1353
Pentamethylphenol 1737
$C_{11}H_{16}O_2$ Hydrochinonmonoamyläther 805
3-Hydroxymethylen-d-campher 1202
$C_{11}H_{16}O_3$ d-Camphocarbonsäure 1768
$C_{11}H_{17}ClN_2O_2$ Pilocarpinhydrochlorid 633*
$C_{11}H_{17}N$ Pentamethylanilin 2067
$C_{11}H_{17}NO_3$ Mezcalin (3,4,5-Trimethoxyphenäthylamin) 653
$C_{11}H_{17}N_3O_3$ 5-Piperidyl-5-äthylbarbitursäure (Eldoral) 2795
$C_{11}H_{18}ClNO_3$ β-(3,4,5-Trimethoxyphenyl)-äthylaminhydrochlorid (Mezcalinhydrochlorid) 2468, 653*
$C_{11}H_{18}N_2O_3$ 5-Isoamyl-5-äthylbarbitursäure (Amytal) 2113
5-Butyl-5-propylbarbitursäure 2086
$C_{11}H_{19}N_3O$ d-Camphersemicarbazon 2413*
d-Fenchonsemicarbazon 435*
$C_{11}H_{20}O_2$ ι,κ-Undecylensäure 551
$C_{11}H_{21}NO$ ι,κ-Undecylensäureamid 551*
$C_{11}H_{21}N_3O$ *l*-Menthonsemicarbazon 371*
$C_{11}H_{22}N_2O_6$ chinasaures Piperazin (Sidonal) 2280
$C_{11}H_{22}O$ Methylnonylketon 487
$C_{11}H_{22}O_2$ Undecylsäure (n-Undecansäure) 587
$C_{11}H_{23}NO$ Methylnonylketonoxim 487*
Undecylsäureamid 587*
$C_{11}H_{24}$ Undecan 289
$C_{11}H_{24}O$ Undecylalkohol 356
$C_{11}H_{25}N$ n-Undecylamin 492

$C_{12}Cl_6O_6$ Benzolhexacarbonsäurechlorid 3115*
$C_{12}H_5N_7O_{12}$ 2,4,6,2′,4′,6′-Hexanitrodiphenylamin 2964
$C_{12}H_6Cl_2O_2$ Naphthalin-1,4-dicarbonsäuredichlorid 3186*
$C_{12}H_6O_2$ Acenaphthenchinon 3028
$C_{12}H_6O_3$ Naphthalindicarbonsäure-(1,2)-anhydrid 2373*
Naphthalsäureanhydrid 3069
Naphthalin-2,3-dicarbonsäureanhydrid 2931*
$C_{12}H_6O_{12}$ Benzolhexacarbonsäure (Mellitsäure) 3115
$C_{12}H_7NO_2$ Acenaphthenchinonmonoxim 3028*
Naphthalin-2,3-dicarbonsäureimid 2931*
$C_{12}H_8$ Acenaphthylen 1333
$C_{12}H_8Cl_2O_2$ 2,4-Dichlornaphthylacetat 1507*
$C_{12}H_8N_2$ o-Phenanthrolin 1639
Phenazin 2325
Phenazon 2117
$C_{12}H_8N_2O_4$ 2,2′-Dinitrodiphenyl 1732
2,4′-Dinitrodiphenyl 1355
3,3′-Dinitrodiphenyl 2635
4,4′-Dinitrodiphenyl 2913, 1085*
1,2-Dihydroxyphenazin-N,N′-dioxyd (Jodinin) 2909
$C_{12}H_8N_4O_5$ 1,4-Naphthochinon-2′,4′-dinitrophenylhydrazon 1749*
$C_{12}H_8N_4O_8S$ Benzolsulfonyl-2,4,6-trinitroanilin 2517*
$C_{12}H_8O$ Diphenylenoxyd 1251
$C_{12}H_8OS$ Phenoxthin 954
$C_{12}H_8O_4$ Naphthalin-1,2-dicarbonsäure 2373
Naphthalin-1,4-dicarbonsäure 3186
Naphthalin-1,6-dicarbonsäure 3160

Naphthalin-1,7-dicarbonsäure 3042
Naphthalin-2,3-dicarbonsäure 2931
$C_{12}H_8S_2$ Thianthren 2156, 960*
$C_{12}H_9AsClN$ Phenarsazinchlorid (10-Chlor-9,10-dihydrophenarsazin, Adamsit) 2595
$C_{12}H_9Br_2NO$ Benzoyl-2,4-dibromanilin 1189*
$C_{12}H_9ClO_2$ α-Naphthylchloracetat 1389*
β-Naphthylchloracetat 1712*
$C_{12}H_9N$ Carbazol 2922
$C_{12}H_9NO$ Phenoxazin 2118
$C_{12}H_9NO_2$ 2-Nitrodiphenyl 670
3-Nitrodiphenyl 965
4-Nitrodiphenyl 1583
Nicotinsäurephenylester 2914*
Isonicotinsäurephenylester 3174*
$C_{12}H_9NO_4$ 1-Nitronaphthyl-(2)-acetat 1457*
2-Nitronaphthyl-(1)-acetat 1775*
$C_{12}H_9NS$ Phenthiazin 2426
$C_{12}H_9N_3O_4$ 2,4-Dinitrodiphenylamin 2153
2,4′-Dinitrodiphenylamin 2837
4,4′-Dinitrodiphenylamin 2788
$C_{12}H_9N_5O$ Benzoyladenin 3203 *
$C_{12}H_9N_5O_4$ 4,4′-Dinitrodiazoaminobenzol 2829
$C_{12}H_{10}$ Diphenyl 1085
Acenaphthen 1361
$C_{12}H_{10}AsBr$ Diphenylarsinbromid 872
$C_{12}H_{10}AsCl$ Diphenylarsinchlorid 686
$C_{12}H_{10}AsJ$ Diphenylarsinjodid 704
$C_{12}H_{10}As_2$ Arsenobenzol 2756
$C_{12}H_{10}BrNO_2S$ p-Brombenzolsulfonsäureanilid 1449*
$C_{12}H_{10}ClNO_2S$ Benzolsulfonsäure-2-chloranilid 342*
Benzolsulfonsäure-4-chloranilid 1080*
p-Chlorbenzolsulfonsäureanilid 1045*
$C_{12}H_{10}Hg$ Quecksilberdiphenyl 1697
$C_{12}H_{10}N_2$ Azobenzol 1044
9,10-Dihydrophenazin 2754
$C_{12}H_{10}N_2O$ Diphenylnitrosamin (N-Nitrosodiphenylamin) 1038
4-Nitrosodiphenylamin 1968
2-Hydroxyazobenzol 1228
3-Hydroxyazobenzol 1607
4-Hydroxyazobenzol 2070
Azoxybenzol 657, 1221*
Isoazoxybenzol 1243
2-Benzoylaminopyridin 885*
Nicotinsäureanilid 2914*
$C_{12}H_{10}N_2O_2$ 4-Nitrodiphenylamin 1836
o,o′-Azophenol 2330
p,p′-Azophenol 2787
Naphthalindicarbonsäure-(1,2)-diamid 2373*
$C_{12}H_{10}N_2O_3$ 1-Acetylamino-4-nitronaphthalin 2594*
1-Nitro-2-acetylaminonaphthalin 1755*
$C_{12}H_{10}N_2O_4S$ Benzolsulfonyl-2-nitroanilin 1096*
Benzolsulfonyl-3-nitroanilin 1599*
Benzolsulfonyl-4-nitroanilin 2024*
$C_{12}H_{10}O$ p-Hydroxydiphenyl 2240
Diphenyläther 569
$C_{12}H_{10}OS$ Diphenylsulfoxyd 1074
$C_{12}H_{10}O_2$ o,o′-Diphenol 1530
o,p′-Diphenol 2196
m,m′-Diphenol 1715
p,p′-Diphenol 3070
Essigsäure-α-naphthylester 768, 1389*
Essigsäure-β-naphthylester 1075, 1712*
$C_{12}H_{10}O_2S$ Diphenylsulfon 1782
$C_{12}H_{10}O_2S_2$ Diphenyldisulfoxyd 750, 1232*
$C_{12}H_{10}O_3$ Benzfuroin 1891
2-Methoxynaphthoesäure-(1) 2124*
5-Methoxynaphthoesäure-(1) 2906*
2-Hydroxynaphthoesäure-(1)-methylester 2124*
3-Hydroxynaphthoesäure-(1)-methylester 2978*
1-Hydroxynaphthoesäure-(2)-methylester 2498*
3-Hydroxynaphthoesäure-(2)-methylester 2791*
$C_{12}H_{10}O_4$ 3,3′,5,5′-Tetrahydroxydiphenyl 3162
Chinhydron 2323
Piperinsäure 2793
$C_{12}H_{10}O_8$ Prehnitsäuredimethylester 2994*
$C_{12}H_{10}S$ Diphenylsulfid 314
$C_{12}H_{10}S_2$ Diphenyldisulfid 960
$C_{12}H_{11}N$ β-Benzylpyridin 631
2-Aminodiphenyl 796
3-Aminodiphenyl 590
4-Aminodiphenyl 842
Diphenylamin 857
$C_{12}H_{11}NO$ 2-Hydroxydiphenylamin 1072
3-Hydroxydiphenylamin 1219
4-Hydroxydiphenylamin (Allegan) 1077
Acetyl-α-naphthylamin 2151, 820*
Acetyl-β-naphthylamin 1841, 1566*
$C_{12}H_{11}NOS$ Thioglykolsäure-β-naphthylamid (Thionalid) 1522
$C_{12}H_{11}NO_2$ 8-Acetylaminonaphthol-(1) 1374*
5-Acetylaminonaphthol-(2) 2491*
$C_{12}H_{11}NO_2S$ Benzolsulfanilid 1538, 821*
$C_{12}H_{11}NO_3$ 6-Methoxychinolin-4-carbonsäuremethylester 3092*
$C_{12}H_{11}N_3$ 4-Aminoazobenzol 1740
Diazoaminobenzol 1400
$C_{12}H_{11}N_3O$ β-Naphthaldehydsemicarbazon 964*
$C_{12}H_{12}$ 2-Äthylnaphthalin 326
Guajen (2,3-Dimethylnaphthalin) 1466
2,6-Dimethylnaphthalin 1549
2,7-Dimethylnaphthalin 1386
$C_{12}H_{12}N_2$ 2,4′-Diaminodiphenyl 747
Benzidin (p,p′-Diaminodiphenyl) 1760, 2913*, 3144*

2-Aminodiphenylamin 1183
4-Aminodiphenylamin 1030
N,N-Diphenylhydrazin 641
N,N′-Diphenylhydrazin (Hydrazobenzol 1754
$C_{12}H_{12}N_2O$ α-Acetylfuranphenylhydrazon 621*
Acetyl-1,2-naphthylendiamin 1414*
$C_{12}H_{12}N_2O_2S$ 5-Äthyl-5-phenyl-2-thiobarbitursäure (Thioluminal) 2752
Sulfanilid 1569
$C_{12}H_{12}N_2O_3$ 5-Phenyl-5-äthylbarbitursäure (Luminal) 2352
$C_{12}H_{12}N_2O_6S_2$ Benzidindisulfonsäure-(2,2′) 2298
$C_{12}H_{12}N_2S$ 4,4′-Diaminodiphenylsulfid 1512
2-Acetothienonphenylhydrazon 451*
$C_{12}H_{12}N_2S_2$ 2,2′-Diaminodiphenyldisulfid 1339, 561*
4,4′-Diaminodiphenyldisulfid 1190
$C_{12}H_{12}N_4$ 2,4-Chrysoidin (2,4-Diaminoazobenzol) 1646
2,2′-Diaminoazobenzol 1844
3,3′-Diaminoazobenzol 2114
4,4′-Diaminoazobenzol 2987
$C_{12}H_{12}O$ β-Naphthyläthyläther 667
$C_{12}H_{12}O_5$ Khellinon 2095*
$C_{12}H_{12}O_6$ Hydroxyhydrochinontriacetat 1946*
Phloroglucintriacetat 2804*
Pyrogalloltriacetat (Lenigallol) 2242, 1840*
Hemimellitsäuretrimethylester 2531*
Trimesinsäuretrimethylester 3206*
$C_{12}H_{13}BrO_3$ Isobuttersäure-p-bromphenacylester 218*
$C_{12}H_{13}ClO_3$ Buttersäure-p-chlorphenacylester 385*
$C_{12}H_{13}N$ Dimethyl-β-naphthylamin 767
$C_{12}H_{13}NO_3$ N-(p-Äthoxyphenyl)-succinimid (Phenosuccin, Pyrantin) 2101
$C_{12}H_{13}NO_4$ Tiglinsäure-p-nitrobenzylester 1006*
$C_{12}H_{13}NO_5$ Lävulinsäure-p-nitrobenzylester 628*
dl-Benzoylglutaminsäure 2842*
$C_{12}H_{13}N_3$ 4,4′-Diaminodiphenylamin 2141
$C_{12}H_{13}N_5O_2S$ 2,4-Diaminoazobenzol-4′-sulfonsäureamid (Prontosil rubrum, Sulfamidochrysoidin, Rubazin) 2853
$C_{12}H_{14}As_2Cl_2N_2O_2$ Salvarsan (3,3′-Diamino-4,4′-dihydroxyarsenobenzoldihydrochlorid) 2491
$C_{12}H_{14}ClNO_2$ Methylhydrastininchlorid 2761
$C_{12}H_{14}JN$ 2,3-Dimethylchinolinjodmethylat 1062*
2,6-Dimethylchinolinjodmethylat 943*
$C_{12}H_{14}N_2O_3$ 5-[Cyclopenten-(2′)-yl]-5-allylbarbitursäure (Cyclopal) 1907
$C_{12}H_{14}N_2O_4$ Furfurylisopropylbarbitursäure (Dormovit) 2278
$C_{12}H_{14}N_2O_6$ n-Amyl-3,5-dinitrobenzoat 152*
Isoamyl-3,5-dinitrobenzoat 50*
tert.-Amyl-3,5-dinitrobenzoat 363*
$C_{12}H_{14}N_3NaO_4S$ 1-Phenyl-2,3-dimethyl-4-amino-5-pyrazolon-N-methansulfonsaures Natrium (Amizol, Melubrin) 2883
$C_{12}H_{14}N_4O_2S$ 6-(p-Aminobenzolsulfonamido)-2,4-dimethylpyrimidin (Sulfadimethylpyrimidin, Aristamid, Elkosin) 2955
$C_{12}H_{14}O_3$ Isoeugenolacetat 626*
$C_{12}H_{14}O_4$ Apiol (1,2-Methylendioxy-3,6-dimethoxy-4-allylbenzol, Petersiliencampher) 591
Isoapiol 884
p-Xylylenglykoldiacetat 1576*
Terephthalsäurediäthylester 2878*
$C_{12}H_{15}ClO_2$ O-Chloracetylthymol 832*
$C_{12}H_{15}Cl_2NO_3$ Cotarninchlorid (Stypticin, Hydrochlorid des 6,7-Methylendioxy-8-methoxy-3,4-dihydroisochinolinmethochlorids) 2540
$C_{12}H_{15}NO$ N-Benzoylpiperidin 783, 348*
N-Acetyl-5,6,7,8-tetrahydronaphthylamin-(2) 683
Tiglinsäure-p-toluidid 1006*
$C_{12}H_{15}NO_2$ Lävulinsäure-p-toluidid 628*
$C_{12}H_{15}NO_3$ Benzoyl-dl-valin 3143*
$C_{12}H_{15}NO_4$ Cotarnin 1833
$C_{12}H_{15}N_3O_2$ Mesityloxyd-p-nitrophenylhydrazon 184*
$C_{12}H_{15}N_3O_4$ Acetessigester-p-nitrophenylhydrazon 226*
$C_{12}H_{16}$ Phenylcyclohexan (Cyclohexylbenzol) 442
$C_{12}H_{16}ClN_3O_2S$ Hydroxythiamin 2602
$C_{12}H_{16}N_2O$ Bufotenin (N,N-Dimethylserotonin, 3-[β-Dimethylaminoäthyl]-5-hydroxyindol) 1905
$C_{12}H_{16}N_2O_2$ p-Nitrophenylcarbaminsäure-n-amylester 152*
$C_{12}H_{16}N_2O_3$ 5-(Δ^1-Cyclohexenyl)-5-äthylbarbitursäure (Phanodorm) 2343
5-(Δ^1-Cyclohexenyl)-1,5-dimethylbarbitursäure (Evipan, Hexobarbital) 1994
Phenylharnstoffderiv. d. d-Valin 3172*
$C_{12}H_{16}N_4O_4$ Methylbutylketon-2,4-dinitrophenylhydrazon 190*
Methylisobutylketon-2,4-dinitrophenylhydrazon 136*
$C_{12}H_{16}O_3$ 2,4,5-Trimethoxy-1-propenylbenzol (Asaron) 966
$C_{12}H_{16}O_4$ Campheroxalsäure 1290
$C_{12}H_{16}O_6$ Succinylobernsteinsäurediäthylester 1780
$C_{12}H_{16}O_7$ Arbutin 2581
$C_{12}H_{17}BrN_2O_3$ sek.-Amyl-β-bromallylbarbitursäure (Rectidon) 2202

$C_{12}H_{17}BrN_2O_4$ Rhodeose-p-bromphenylhydrazon 1980*
$C_{12}H_{17}NO$ Capronsäureanilid 391*
Isocapronsäureanilid 258*
n-Valeriansäure-p-toluidid 262*
Isovaleriansäure-p-toluidid 248*
dl-Methyläthylessigsäure-p-toluidid 148*
γ-Phenylbuttersäureäthylamid 825*
4-tert.-Butylacetanilid 505*
Acetylduridin 1127*
$C_{12}H_{17}NO_2$ Phenylcarbaminsäure-n-amylester 152*
Phenylcarbaminsäureisoamylester 50*
Phenylcarbaminsäure-tert.-amylester 363*
Phenylcarbaminsäure-tert.-butylcarbinylester 843*
$C_{12}H_{17}NO_2S$ p-Toluolsulfonylpiperidin 348*
$C_{12}H_{17}NO_4S$ dl-Benzolsulfonylleucin 3136*
p-Toluolsulfonyl-d-valin 3172*
p-Toluolsulfonyl-dl-valin 3143*
$C_{12}H_{17}N_3O_2$ Methylbutylketon-p-nitrophenylhydrazon 190*
$C_{12}H_{17}N_3O_6$ Fucose-p-nitrophenylhydrazon 1992*
d-Galaktose-m-nitrophenylhydrazon 2238*
d-Glucose-p-nitrophenylhydrazon 2004*
l-Rhamnose-p-nitrophenylhydrazon 1709*
$C_{12}H_{18}$ Hexamethylbenzol 2255
$C_{12}H_{18}Cl_2N_4OS$ Aneurinhydrochlorid (Vitamin B_1-hydrochlorid, Thiaminhydrochlorid, Betabion, Betaxin, Oryzamin, Torulin) 2983
$C_{12}H_{18}N_2O_3$ 5-Äthyl-5-cyclohexylbarbitursäure 2659
$C_{12}H_{18}N_2O_4$ *l*-Rhamnosephenylhydrazon 1709*
$C_{12}H_{18}N_2O_5$ d-Galaktosephenylhydrazon 2238*
α-d-Glucosephenylhydrazon 2167
β-d-Glucosephenylhydrazon 1937
d-Mannosephenylhydrazon 2612, 1824*
$C_{12}H_{18}O_4$ Camphansäureäthylester 2652*
$C_{12}H_{18}O_9S_3$ Benzol-1,3,5-trisulfonsäuretriäthylester 2009
$C_{12}H_{19}NO_2S$ Benzolsulfonyldipropylamin 178*
$C_{12}H_{19}NO_3$ N-Methylmezcalin 653*
$C_{12}H_{20}N_6O_2S$ Septurit (Mol-Verb. des Sulfanilsäureamids mit Hexamethylentetramin) 2267
$C_{12}H_{20}O_2$ d-Borneolacetat 2722*
cis-β-Dekalylacetat 1479*
$C_{12}H_{20}O_5$ dl-Cineolsäuredimethylester 2686*
$C_{12}H_{20}O_{10}$ Inulin 2408
$C_{12}H_{22}O_2$ *l*-Menthylacetat 724*
$C_{12}H_{22}O_4$ Dodecandisäure (Dekamethylendicarbonsäure) 1787
Sebacinsäuredimethylester 1850*
$C_{12}H_{22}O_6$ Diacetondulcit 2524*
d-Weinsäuredibutylester 535
$C_{12}H_{22}O_{11}$ Cellobiose 2845
Lactose 2656
Maltose 1450
Saccharose 2482
$C_{12}H_{24}O$ Laurinaldehyd (Dodecanal) 743
$C_{12}H_{24}O_2$ Laurinsäure (Dodecansäure) 740
$C_{12}H_{25}NO$ Laurinaldehydoxim 743*
Laurinsäureamid 740*
$C_{12}H_{25}N_3O$ Methylnonylketonsemicarbazon 487*
$C_{12}H_{26}$ Dodecan 352
$C_{12}H_{26}O$ Dodecylalkohol 545
$C_{12}H_{27}N$ Triisobutylamin 297

$C_{13}H_6Cl_3NO_4$ 2,4,6-Trichlorphenyl-4′-nitrobenzoat 1040*
$C_{13}H_7Br_3O_2$ 2,4,6-Tribromphenylbenzoat 1373*
$C_{13}H_7Cl_3O_2$ 2,4,6-Trichlorphenylbenzoat 1040*
$C_{13}H_7N_3O_8$ p-Nitrophenyl-3,5-dinitrobenzoat 756*
$C_{13}H_8Br_2O_2$ 2,4-Dibromphenylbenzoat 696*
$C_{13}H_8Br_3NO$ Benzoesäure-2,4,6-tribromanilid 1673*
$C_{13}H_8ClNO_4$ 2-Chlorphenol-p-nitrobenzoat 450*
$C_{13}H_8Cl_2O_2$ 2,4-Dichlorphenylbenzoat 749*
2,5-Dichlorphenylbenzoat 911*
$C_{13}H_8Cl_3NO$ Benzoesäure-2,4,6-trichloranilid 1166*
$C_{13}H_8N_2O_4$ 2,7-Dinitrofluoren 1612*
$C_{13}H_8N_2O_6$ 2,4-Dinitrophenylbenzoat 1596*
$C_{13}H_8N_4O_7$ Benzoyl-2,4,6-trinitroanilin 2517*
$C_{13}H_8N_4O_8$ 2,4,2′,4′-Tetranitrodiphenylmethan 570*
$C_{13}H_8N_6O_8$ 2,4-Dinitrobenzaldehyd-2′,4′-dinitrophenylhydrazon 1100*
$C_{13}H_8O$ Fluorenon 1242, 2115*
$C_{13}H_8OS$ Thioxanthon 2731
$C_{13}H_8O_2$ Xanthon 2360, 931*, 1714*
$C_{13}H_8O_4$ Euxanthon 2940
$C_{13}H_9ClN_4O_4$ 2-Chlorbenzaldehyd-2′,4′-dinitrophenylhydrazon 465*
4-Chlorbenzaldehyd-2′,4′-dinitrophenylhydrazon 799*
$C_{13}H_9ClO_2$ 3-Chlorphenylbenzoat 619*
4-Chlorphenylbenzoat 725*
$C_{13}H_9Cl_2NO$ N-Benzoyl-2,4-dichloranilin 987*
N-Benzoyl-2,5-dichloranilin 815*
N-Benzoyl-3,5-dichloranilin 823*
$C_{13}H_9JO_2$ 2-Jodphenylbenzoat 703

3-Jodphenylbenzoat 698*
4-Jodphenylbenzoat 1332*
$C_{13}H_9N$ Acridin 1536
Phenanthridin 1468
β-Naphthochinolin (5,6-Benzochinolin) 1350
7,8-Benzochinolin 835
6,7-Benzoisochinolin („β-Anthrapyridin") 2250
$C_{13}H_9NO$ 2-Phenylbenzoxazol 1458
Acridon (9-Oxo-9,10-dihydroacridin) 3200, 2464*
Fluorenonoxim 1242*
$C_{13}H_9NO_2$ 2-Nitrofluoren 2116
9-Nitrofluoren 2431
Xanthonoxim 2360*
$C_{13}H_9NO_4$ 3-Nitrophenylbenzoat 1391*
4-Nitrophenylbenzoat 756*, 1590*
$C_{13}H_9NS$ 2-Phenylbenzothiazol 1600, 1436*
$C_{13}H_9N_3O_2$ Acenaphthenchinonsemicarbazon 3028*
$C_{13}H_9N_3O_5$ Benzoyl-2,4-dinitroanilin 2383*
$C_{13}H_9N_5O_6$ 4-Nitrobenzaldehyd-2',4'-dinitrophenylhydrazon 1494*
2,4-Dinitrobenzaldehyd-4'-nitrophenylhydrazon 1100*
$C_{13}H_{10}$ Fluoren 1612
$C_{13}H_{10}AsN$ Diphenylarsincyanid 603
$C_{13}H_{10}BrNO$ N-Benzoyl-2-bromanilin 607*
N-Benzoyl-3-bromanilin 516*
N-Benzoyl-4-bromanilin 1032*
2-Brombenzoesäureanilid 2047*
3-Brombenzoesäureanilid 2103*
4-Brombenzoesäureanilid 3003*
$C_{13}H_{10}BrNO_2$ Phenylcarbaminsäure-4-bromphenylester 992*
$C_{13}H_{10}ClN$ 7,8-Benzochinolinhydrochlorid 835*
$C_{13}H_{10}ClNO$ N-Benzoyl-2-chloranilin 342*
N-Benzoyl-3-chloranilin 358*
N-Benzoyl-4-chloranilin 1080*
2-Chlorbenzoesäureanilid 1921*
3-Chlorbenzoesäureanilid 2140*
$C_{13}H_{10}ClNO_2$ Phenylcarbaminsäure-4-chlorphenylester 725*
$C_{13}H_{10}ClN_3O_2$ 4-Chlorbenzaldehyd-4'-nitrophenylhydrazon 799*
$C_{13}H_{10}Cl_3NO_2$ α-Naphthylcarbaminsäure-β,β,β-trichloräthylester 513*
$C_{13}H_{10}HgO_2$ Phenylquecksilberbenzoat 1380
$C_{13}H_{10}JNO$ Benzoesäure-4-jodanilid 1002*
2-Jodbenzoesäureanilid 2198*
4-Jodbenzoesäureanilid 3046*
$C_{13}H_{10}JNO_2$ Phenylcarbaminsäure-2-jodphenylester 703*
Phenylcarbaminsäure-3-jodphenylester 698*
$C_{13}H_{10}N_2$ 2-Phenylbenzimidazol 3114
$C_{13}H_{10}N_2O$ Pyocyanin 1837
$C_{13}H_{10}N_2O_3$ Azoxybenzol-2-carbonsäure 1649
N-Benzoyl-2-nitroanilin 1096*
N-Benzoyl-3-nitroanilin 1599*
N-Benzoyl-4-nitroanilin 2024*
2-Nitrobenzoesäureanilid 2031*
3-Nitrobenzoesäureanilid 1938*
4-Nitrobenzoesäureanilid 2941*
$C_{13}H_{10}N_2O_4$ Phenylcarbaminsäure-2-nitrophenylester 756*
Phenylcarbaminsäure-3-nitrophenylester 1391*
Phenylcarbaminsäure-4-nitrophenylester 1590*
5-Nitrosalicylsäureanilid 2871*
$C_{13}H_{10}N_4O_4$ 2-Nitrobenzaldehyd-4'-nitrophenylhydrazon 705*
4-Nitrobenzaldehyd-4'-nitrophenylhydrazon 1494*
2,4-Dinitrobenzaldehydphenylhydrazon 1100*
$C_{13}H_{10}N_4O_5$ Salicylaldehyd-2,4-dinitrophenylhydrazon 413*
3-Hydroxybenzaldehyd-2',4'-dinitrophenylhydrazon 1495*
4-Hydroxybenzaldehyd-2',4'-dinitrophenylhydrazon 1628*
Toluchinon-2,4-dinitrophenylhydrazon 1066*
Benzoyl-2,4-dinitrophenylhydrazin 2617*
$C_{13}H_{10}N_4O_6$ Protocatechualdehyd-2,4-dinitrophenylhydrazon 2081*
$C_{13}H_{10}O$ Xanthen 1431
Fluorenol 2115
Benzophenon (Diphenylketon) 562, 782
$C_{13}H_{10}O_2$ Xanthydrol 1714
2-Hydroxybenzophenon 690
4-Hydroxybenzophenon 1870
Mycomycin [n-Tridecatetraen-(3,5,7,8)-diin-(10,12)-säure) 1130
Isomycomycin 1130*
Diphenyl-2-carbonsäure 1598
Diphenyl-3-carbonsäure 2188
Diphenyl-4-carbonsäure 2840
Benzoesäurephenylester 1073, 711*
$C_{13}H_{10}O_3$ 2,4-Dihydroxybenzophenon 1978
2,5-Dihydroxybenzophenon 1733
3,4-Dihydroxybenzophenon 1990
2,2'-Dihydroxybenzophenon 931
2,3'-Dihydroxybenzophenon 1745
2,4'-Dihydroxybenzophenon 2054
3,3'-Dihydroxybenzophenon 2303
3,4'-Dihydroxybenzophenon 2699
4,4'-Dihydroxybenzophenon 2736
2-Phenoxybenzoesäure 1585
Salicylsäurephenylester (Salol) 731
4-Hydroxybenzoesäurephenylester 2778*
Kohlensäurediphenylester 1163

$C_{13}H_{10}O_4$ Visnagin 1984
2,3,4-Trihydroxybenzophenon 1939
2,4,6-Trihydroxybenzophenon 2247
3,4,5-Trihydroxybenzophenon 2399
Protocatechusäurephenylester 2625*
2-Acetoxynaphthoesäure-(1) 2124*
3-Acetoxynaphthoesäure-(1) 2978*
6-Acetoxynaphthoesäure-(1) 2727*
7-Acetoxynaphthoesäure-(1) 3000*
3-Acetoxynaphthoesäure-(2) 2791*
4-Acetoxynaphthoesäure-(2) 2450*
5-Acetoxynaphthoesäure-(2) 2742*
6-Acetoxynaphthoesäure-(2) 2965*
7-Acetoxynaphthoesäure-(2) 3055*
8-Acetoxynaphthoesäure-(2) 2872*
$C_{13}H_{10}O_5$ Euxanthonsäure (2,5,2′,6′-Tetrahydroxybenzophenon) 2648
$C_{13}H_{10}O_6$ Äsculetindiacetat 3053*
$C_{13}H_{10}S$ Thioxanthen 1781
$C_{13}H_{11}Br$ Benzhydrylbromid 746
$C_{13}H_{11}BrN_2O$ Salicylaldehyd-p-bromphenylhydrazon 413*
$C_{13}H_{11}Br_2NO_2S$ p-Toluolsulfonsäure-2,4-dibromanilid 1189*
$C_{13}H_{11}Cl$ Benzhydrylchlorid 480
$C_{13}H_{11}ClN_2$ 2-Chlorbenzaldehydphenylhydrazon 465*
3-Chlorbenzaldehydphenylhydrazon 511*
4-Chlorbenzaldehydphenylhydrazon 799*
$C_{13}H_{11}JN_2S$ N-Phenyl-N′-(p-jodphenyl)-thioharnstoff 1002*
$C_{13}H_{11}N$ α-Stilbazol 1323
γ-Stilbazol 1765
9,10-Dihydroacridin (Acridan) 2281
Benzalanilin 834, 291*
$C_{13}H_{11}NO$ 2-Aminobenzophenon 1490
3-Aminobenzophenon 1277
4-Aminobenzophenon 1717
Benzophenonoxim 1971, 562*, 782*
Benzanilid 2180, 373*, 1696*
$C_{13}H_{11}NO_2$ 2-Hydroxybenzophenonoxim 690*
4-Hydroxybenzophenonoxim 1870*
N-Phenylanthranilsäure 2464
2-Benzoylaminophenol 2294*
3-Benzoylaminophenol 1705*
4-Benzoylaminophenol 2492*
Salicylanilid (2-Hydroxybenzoesäureanilid) 1853
$C_{13}H_{11}NO_3$ 2,4-Dihydroxybenzoesäureanilid 2760*
Protocatechusäureanilid 2625*
$C_{13}H_{11}NO_4$ Gallussäureanilid 2929*
$C_{13}H_{11}NO_4S$ Benzolsulfonylanthranilsäure 1985*
$C_{13}H_{11}NS$ Thiobenzanilid 1436
$C_{13}H_{11}N_3O_2$ Benzaldehyd-p-nitrophenylhydrazon 291*
2-Nitrobenzaldehydphenylhydrazon 705*, 733*
3-Nitrobenzaldehydphenylhydrazon 912*
4-Nitrobenzaldehydphenylhydrazon 1494*
$C_{13}H_{11}N_3O_3$ 3-Hydroxybenzaldehyd-4′-nitrophenylhydrazon 1495*
4-Hydroxybenzaldehyd-4′-nitrophenylhydrazon 1628*
5-Nitro-2-aminobenzoesäureanilid 3085*
Benzoyl-4-nitrophenylhydrazin 2131*
$C_{13}H_{11}N_3O_6S$ p-Toluolsulfonyl-2,4-dinitroanilin 2383*
$C_{13}H_{12}$ Diphenylmethan 570
$C_{13}H_{12}BrNO_2S$ N-p-Toluolsulfonyl-2-bromanilin 607*
$C_{13}H_{12}ClNO$ 2-Aminobenzophenonhydrochlorid 1490*
3-Aminobenzophenonhydrochlorid 1277*
Phenacylpyridiniumchlorid 235*
$C_{13}H_{12}ClNO_2$ α-Naphthylcarbaminsäure-β-chloräthylester 170*
$C_{13}H_{12}ClNO_2S$ N-p-Toluolsulfonyl-2-chloranilin 342*
N-p-Toluolsulfonyl-4-chloranilin 1080*
$C_{13}H_{12}N_2$ Benzalphenylhydrazin 2102, 291*
N-Phenylbenzamidin 1568
N,N′-Diphenylformamidin 1900
$C_{13}H_{12}N_2O$ Banisterin (Harmin, Telepathin, Yagein) 3033
N,N-Diphenylharnstoff 2527
N,N′-Diphenylharnstoff 2927, 1248*
2,2′-Diaminobenzophenon 1852
4,4′-Diaminobenzophenon 2948
Salicylaldehydphenylhydrazon 413*
3-Hydroxybenzaldehydphenylhydrazon 1495*
4-Hydroxybenzaldehydphenylhydrazon 1628*
Toluchinonphenylhydrazon 1066*
Nicotinsäure-p-toluidid 2914*
Anthranilsäureanilid 1985*
3-Aminobenzoesäureanilid 2356*
Benzoylphenylhydrazin 523*
$C_{13}H_{12}N_2O_2$ p-Nitrobenzylanilin 373*
$C_{13}H_{12}N_2O_3$ 5-Allyl-5-phenylbarbitursäure (Alphenal) 2150
$C_{13}H_{12}N_2O_4S$ Benzolsulfonyl-4-nitro-o-toluidin 1803*
1-Benzolsulfonylamino-3-methyl-4-nitrobenzol 1869*
Benzolsulfonyl-2-nitro-p-toluidin 1627*
p-Toluolsulfonsäure-2-nitroanilid 1096*
p-Toluolsulfonsäure-4-nitroanilid 2024*
$C_{13}H_{12}N_2S$ N,N′-Diphenylthioharnstoff (Thiocarbanilid) 2093, 318*
$C_{13}H_{12}N_4O$ Diphenylcarbazon 2135
$C_{13}H_{12}N_4S$ Diphenylthiocarbazon (Dithizon) 1955

$C_{13}H_{12}O$ Benzhydrol 1059
4-Hydroxydiphenylmethan 1245
$C_{13}H_{12}O_2$ 4,4'-Dihydroxydiphenylmethan 2142
$C_{13}H_{12}O_3$ 4-Hydroxynaphthoesäure-(1)-äthylester 2457*
5-Hydroxynaphthoesäure-(1)-äthylester 2906*
5-Hydroxynaphthoesäure-(2)-äthylester 2742*
6-Hydroxynaphthoesäure-(2)-äthylester 2965*
8-Hydroxynaphthoesäure-(2)-äthylester 2872*
$C_{13}H_{13}BrO_3$ Tiglinsäure-p-bromphenacylester 1006*
$C_{13}H_{13}N$ 2-Aminodiphenylmethan 833
4-Aminodiphenylmethan 639
Phenylbenzylamin (Benzylanilin) 666
Methyldiphenylamin 368
$C_{13}H_{13}NO_2$ α-Naphthylurethan (α-Naphthylcarbaminsäureäthylester) 1201
$C_{13}H_{13}NO_2S$ Phenylsulfonylbenzylamin 658*
Phenylsulfonyl-m-toluidin 228*
Phenylsulfonyl-p-toluidin 754*
p-Toluolsulfonsäureanilid 684*
$C_{13}H_{13}NO_3$ 6-Methoxychinolin-4-carbonsäureäthylester 3092*
$C_{13}H_{13}NO_3S$ 2-Benzolsulfonylamino-p-kresol 1857*
Phenylsulfonyl-p-anisidin 908*
$C_{13}H_{13}N_3$ 4-Methyldiazoaminobenzol 1313
N,N'-Diphenylguanidin 2012
4-Aminobenzaldehydphenylhydrazon 1079*
$C_{13}H_{13}N_3O_3$ Benzoyl-*l*-histidin 3110*
$C_{13}H_{14}N_2$ 4,4'-Diaminodiphenylmethan 1340
$C_{13}H_{14}N_2O$ 2-Acetaminodiphenylamin 1183*
Benzoyl-p-tolylhydrazin 1017*
$C_{13}H_{14}N_2O_2S$ Benzolsulfonyl-2,4-diaminotoluol 1416*
$C_{13}H_{14}N_2O_3$ N-Methyl-5-phenyl-5-äthylbarbitursäure (Prominal) 2386
1-Acetyl-5-äthyl-5-phenylhydantoin (Acetylnirvanol) 2414
$C_{13}H_{14}N_2O_6$ Cyclohexyl-3,5-dinitrobenzoat 543*
$C_{13}H_{14}N_4O$ 1,5-Diphenylcarbohydrazid 2371
$C_{13}H_{14}O_3$ Benzalacetessigester 920
$C_{13}H_{14}O_5$ Citrinin (4,6-Dihydro-8-hydroxy-3,4,5-trimethyl-6-oxo-3H-2-benzopyran-7-carbonsäure) 2275
$C_{13}H_{14}O_6$ Acetylsinapinsäure 1581*
$C_{13}H_{15}BrO_3$ Isovaleriansäure-p-bromphenacylester 248*
$C_{13}H_{15}ClN_2$ 4,4'-Diaminodiphenylmethanhydrochlorid 1340*
$C_{13}H_{15}ClO_3$ n-Valeriansäure-p-chlorphenacylester 262*
$C_{13}H_{15}Cl_3N_2O_3$ Chloralhydrat-Antipyrin (Hypnal) 1035
$C_{13}H_{15}NO_4$ Cyclohexyl-p-nitrobenzoat 543*
$C_{13}H_{15}N_3O_4S_2$ Disulfanilmethylamid (Neouliron, Diseptal B) 1961
$C_{13}H_{16}N_2O_6$ Hexyl-3,5-dinitrobenzoat 207*
$C_{13}H_{16}O_4$ 5-Methylisophthalsäurediäthylester 3126*
$C_{13}H_{17}NO$ Hexahydrobenzoesäureanilid 596*
$C_{13}H_{17}NO_2$ Phenylcarbaminsäurecyclohexylester 543*
$C_{13}H_{17}NO_3$ dl-Benzoylleucin 3136*
Benzoyl-d-isoleucin 3094*
Pimelinsäuremonoanilid 1486*
$C_{13}H_{17}N_3O$ Pyramidon [1-Phenyl-2,3-dimethyl-4-dimethylaminopyrazolon-(5)] 1518; s. auch unter Nr. 1225
$C_{13}H_{18}N_2O_3$ 5-($\Delta^{1,2}$-Cycloheptenyl)-5-äthylbarbitursäure (Heptabarbital, Medomin) 2350
$C_{13}H_{18}N_2O_4$ p-Nitrophenylcarbaminsäurehexylester 207*
$C_{13}H_{18}N_4O_4$ Önanthaldehyd-2,4-dinitrophenylhydrazon 234*
Di-n-propylketon-2,4-dinitrophenylhydrazon 266*
$C_{13}H_{18}O_7$ Salicin 2657
$C_{13}H_{18}O_9$ d-Xyloseacetat 1997*
$C_{13}H_{19}AsN_2O_3$ Antipyrinkakodylat 2163
$C_{13}H_{19}JN_2O$ Bufoteninjodmethylat 1905*
$C_{13}H_{19}NO$ Önanthsäureanilid 359*
Capronsäure-p-toluidid 391*
Isocapronsäure-p-toluidid 258*
$C_{13}H_{19}NO_2$ Phenylcarbaminsäurehexylester 207*
Phenylcarbaminsäuremethyl-tert.-butylcarbinylester 430*
$C_{13}H_{19}NO_4$ N-Acetylmezcalin 653*
$C_{13}H_{19}N_3O_2$ Önanthaldehyd-p-nitrophenylhydrazon 234*
aminoäthylester (Novocain-Base) 930
$C_{13}H_{20}N_2O_2$ p-Aminobenzoesäure-β-diäthyl
$C_{13}H_{20}N_2O_5$ d-Galaktose-p-tolylhydrazon 2238*
$C_{13}H_{20}N_4O_4S$ Diäthanolaminsalz des Benzaldehyd-4-carbonsäurethiosemicarbazons (Solvoteben) 2269
$C_{13}H_{20}O_8$ Pentaerythrittetraacetat 2997*
$C_{13}H_{21}ClN_2O_2$ p-Aminobenzoesäure-β-diäthylaminoäthylesterhydrochlorid (Jenacain, Novocain, Procain) 2112, 930*
$C_{13}H_{21}N_3O_5$ Novocainnitrat (p-Aminobenzoesäure-β-diäthylaminoäthylesternitrat) 1434

$C_{13}H_{22}N_2O_6S_2$ Prostigmin (Dimethylcarbaminsäureester d. m-Hydroxyphenyltrimethylammoniumsulfats) 1969
$C_{13}H_{27}N_3O$ Laurinaldehydsemicarbazon 743*
$C_{13}H_{28}$ Tridecan 374
$C_{13}H_{28}O$ n-Tridecylalkohol 594

$C_{14}H_6Cl_2O_2$ 1,3-Dichloranthrachinon 2724
2,3-Dichloranthrachinon 3030
$C_{14}H_6Cl_2O_6S_2$ Anthrachinon-1,5-disulfonsäuredichlorid 3163*
Anthrachinon-1,7-disulfonsäuredichlorid 1664*
Anthrachinon-1,8-disulfonsäuredichlorid 3135*
$C_{14}H_6N_2O_6$ 1,5-Dinitroanthrachinon 3211
1,8-Dinitroanthrachinon 3168
2,7-Dinitroanthrachinon 3089
2,7-Dinitrophenanthrenchinon 3150
$C_{14}H_6O_8$ Ellagsäure (Alizaringelb) 3212
$C_{14}H_7BrO_2$ 1-Bromanthrachinon 2512
2-Bromanthrachinon 2711
$C_{14}H_7ClO_2$ 1-Chloranthrachinon 2195
2-Chloranthrachinon 2734
$C_{14}H_7ClO_4S$ Anthrachinonsulfonsäure-(1)-chlorid 2769*
$C_{14}H_7NO_4$ 1-Nitroanthrachinon 2876
2-Nitroanthrachinon 2476
$C_{14}H_7NO_6$ 3-Nitroalizarin 2957
4-Nitroalizarin 3117
$C_{14}H_8Br_2$ 9,10-Dibromanthracen 2834
$C_{14}H_8Cl_2$ 2,3-Dichloranthracen 3007
9,10-Dichloranthracen 2732
$C_{14}H_8Cl_6$ α,β,β,β-Tetrachlor-α,α-bis-(p-chlorphenyl)-äthan 1343
$C_{14}H_8O_2$ Anthrachinon 3044, 1761*
Phenanthrenchinon 2717
$C_{14}H_8O_3$ 1-Hydroxyanthrachinon 2570
2-Hydroxyanthrachinon 3152
Diphensäureanhydrid 2865*
$C_{14}H_8O_4$ 1,2-Dihydroxyanthrachinon (Alizarin) 3119, 2724* 3030*
1,3-Dihydroxyanthrachinon (Xanthopurpurin, Purpuroxanthin) 3036
1,4-Dihydroxyanthrachinon (Chinizarin) 2647
1,5-Dihydroxyanthrachinon (Anthrarufin) 3090
1,6-Dihydroxyanthrachinon 3077
1,7-Dihydroxyanthrachinon 3131
1,8-Dihydroxyanthrachinon (Isticin, Chrysazin) 2549
α-Disalicylid 2762, 2637*
β-Disalicylid 2637
$C_{14}H_8O_5$ 1,2,3-Trihydroxyanthrachinon (Anthragallol) 3169
1,2,4-Trihydroxyanthrachinon (Purpurin) 3016
1,2,5-Trihydroxyanthrachinon (Hydroxyanthrarufin) 3084
1,2,7-Trihydroxyanthrachinon (Anthrapurpurin) 3205
1,2,8-Trihydroxyanthrachinon (Hydroxychrysazin) 2930
$C_{14}H_8O_5S$ Anthrachinonsulfonsäure-(1) 2769
$C_{14}H_8O_6$ 1,4,5,8-Tetrahydroxyanthrachinon 2969
$C_{14}H_8O_8S_2$ Anthrachinon-1,5-disulfonsäure 3163
Anthrachinon-1,7-disulfonsäure 1664
Anthrachinon-1,8-disulfonsäure 3135
$C_{14}H_9Cl_5$ Dichlordiphenyltrichloräthan (DDT, Gesarol, Gesapon, Neocid, Duolit) 1491
$C_{14}H_9NO$ Phenanthrenchinonmonoimin 2717*
$C_{14}H_9NO_2$ 9-Nitroanthracen 2005
1-Aminoanthrachinon 2960
2-Aminoanthrachinon 3151
Phenanthrenchinonmonooxim 2717*
Phthalanil 2726
$C_{14}H_9NO_7$ 5-Nitrosalicylsalicylsäure 2605
$C_{14}H_{10}$ Tolan (Diphenylacetylen) 947
Anthracen 2798
Phenanthren 1419, 840*
$C_{14}H_{10}BrNO_4$ 2-Brombenzoesäure-p-nitrobenzylester 2047*
3-Brombenzoesäure-p-nitrobenzylester 2103*
4-Brombenzoesäure-p-nitrobenzylester 3003*
$C_{14}H_{10}Br_2Cl_2$ 4,4'-Dichlorstilbendibromid 2405*
$C_{14}H_{10}ClNO_4$ 2-Chlorbenzoesäure-p-nitrobenzylester 1921*
3-Chlorbenzoesäure-p-nitrobenzylester 2140*
4-Chlorbenzoesäure-p-nitrobenzylester 2951*
$C_{14}H_{10}Cl_2$ 4,4'-Dichlorstilben 2405
$C_{14}H_{10}Cl_4$ α,α-Dichlor-β,β-bis-(p-chlorphenyl)-äthan 1556
$C_{14}H_{10}JNO_4$ 2-Jodbenzoesäure-p-nitrobenzylester 2198*
3-Jodbenzoesäure-p-nitrobenzylester 2507*
4-Jodbenzoesäure-p-nitrobenzylester 3046*
$C_{14}H_{10}N_2O$ 2,5-Diphenyl-1,3,4-oxdiazol 2923*
Isatin-α-anil 1747
$C_{14}H_{10}N_2O_2$ 1,2-Diaminoanthrachinon 3153
1,4-Diaminoanthrachinon 3049
1,5-Diaminoanthrachinon 3176
1,6-Diaminoanthrachinon 3129
1,7-Diaminoanthrachinon 3121
1,8-Diaminoanthrachinon 3035
2,6-Diaminoanthrachinon 3165

Anthrachinondioxim 3044*
Phenanthrenchinondioxim 2717*
$C_{14}H_{10}N_2O_4$ o,o'-Azobenzoesäure 2962
m,m'-Azobenzoesäure 3195
p,p'-Azobenzoesäure 3187
$C_{14}H_{10}N_2O_5$ o,o'-Azoxybenzoesäure 3002
m,m'-Azoxybenzoesäure 3177
p,p'-Azoxybenzoesäure 2934
4-Nitrophthalsäuremonoanilid 2241*
$C_{14}H_{10}N_2O_6$ 2-Nitrobenzoesäure-4'-nitrobenzylester 2031*
3-Nitrobenzoesäure-4'-nitrobenzylester 1938*
4-Nitrobenzoesäure-4'-nitrobenzylester 2941*
Benzyl-3,5-dinitrobenzoat 339*
o-Kresyl-3,5-dinitrobenzoat 597*
$C_{14}H_{10}N_2O_6S_2$ Anthrachinon-1,5-disulfonsäurediamid 3163*
Anthrachinon-1,7-disulfonsäurediamid 1664*
$C_{14}H_{10}N_4O_5$ Piperonal-2,4-dinitrophenylhydrazon 671*
$C_{14}H_{10}O$ 1-Hydroxyanthracen 2060
2-Anthrol (2-Hydroxyanthracen) 2631
Anthranol 2068
Phenanthrol-(2) 2285
Phenanthrol-(3) 1661
Phenanthrol-(9) 2075
Anthron 2092
$C_{14}H_{10}O_2$ 1,2-Dihydroxyanthracen 1808
1,5-Dihydroxyanthracen (Rufol) 3041
1,8-Dihydroxyanthracen 2846
3,4-Dihydroxyphenanthren 1966
9,10-Dihydroxyphenanthren 2021
Oxanthron (10-Hydroxy-9-oxo-9,10-dihydroanthracen) 2263
Benzil 1362
$C_{14}H_{10}O_2S_2$ Benzoyldisulfid 1816
$C_{14}H_{10}O_3$ 1,8-Dihydroxyanthranol (Cignolin) 2412
Desoxyalizarin (Anthrarobin, 3,4-Dihydroxyanthranol) 2723
2-Benzoylbenzoesäure (Benzophenon-o-carbonsäure) 1761
3-Benzoylbenzoesäure 2194
4-Benzoylbenzoesäure 2582
3-Benzoyloxybenzaldehyd 1495*
4-Benzoyloxybenzaldehyd 1628*
Tropolonbenzoat 807*
Benzoesäureanhydrid 716
$C_{14}H_{10}O_4$ Diphensäure 2865
Benzoylperoxyd (Lucidol) 1471
$C_{14}H_{10}O_5$ Gentisin 3045
Salicylosalicylsäure (Diplosal) 2016
$C_{14}H_{11}BrN_4O_4$ ω-Bromacetophenon-2,4-dinitrophenylhydrazon 824*
$C_{14}H_{11}Cl$ β-Chlor-α,α-diphenyläthylen 718
$C_{14}H_{11}N$ 2-Phenylindol 2505
9-Methylacridin 1652
5,6-Benzochinaldin 1211
1-Aminoanthracen 1758
2-Aminoanthracen 2911
9-Aminoanthracen 2001
2-Aminophenanthren 1249
3-Aminophenanthren 1287
4-Aminophenanthren 1477
9-Aminophenanthren 1892
$C_{14}H_{11}NO$ Acetylcarbazol 2922*
$C_{14}H_{11}NO_2$ α-Benzilmonoxim 1893
β-Benzilmonoxim 1587
N-Acetylphenoxazin 2118*
Salicylsäureanilid 2110*
2-Benzoylbenzoesäureamid 1761*
Dibenzamid 2026
$C_{14}H_{11}NO_3$ Phenylurethan d. Salicylaldehyds 413*
Phenylurethan d. 3-Hydroxybenzaldehyds 1495*
Phenylurethan d. p-Hydroxybenzaldehyds 1628*
2-Benzaminobenzoesäure (Benzoylanthranilsäure) 2435, 1985*
3-Benzoylaminobenzoesäure 2356*
4-Benzoylaminobenzoesäure 2496*
Phthalanilsäure (Phthalsäuremonoanilid) 2286, 2550*
Dibenzhydroxamsäure 2182
$C_{14}H_{11}NO_4$ 4'-Nitro-4-methoxybenzophenon 249*
p-Nitrobenzylbenzoat 573*, 1696*
5-Benzoylaminosalicylsäure 3098*
$C_{14}H_{11}NO_5$ Salicylsäure-p-nitrobenzylester 2110*
3-Hydroxybenzoesäure-p-nitrobenzylester 2644*
$C_{14}H_{11}NO_6$ 2,4-Dihydroxybenzoesäure-p-nitrobenzylester 2760*
$C_{14}H_{12}$ α,α-Diphenyläthylen 449
Stilben (α,β-Diphenyläthylen) 1724, 840*, 1039*, 2706*
9,10-Dihydroanthracen 1513
$C_{14}H_{12}BrN_3O_2$ ω-Bromacetophenon-p-nitrophenylhydrazon 824*
$C_{14}H_{12}Br_2$ Stilbendibromid 1724*
$C_{14}H_{12}ClNO$ 2-Chlorbenzoesäure-p-toluidid 1921*
$C_{14}H_{12}HgO_2$ Benzylquecksilberbenzoat 1138
$C_{14}H_{12}HgO_3$ Benzylquecksilbersalicylat 1212
Phenylquecksilbermethylsalicylat 1406
$C_{14}H_{12}JN$ Acridinjodmethylat 1536*
$C_{14}H_{12}N_2$ Benzalazin (Dibenzalhydrazin) 1337, 291*
$C_{14}H_{12}N_2O$ Piperonalphenylhydrazon 671*
$C_{14}H_{12}N_2O_2$ α-Benzildioxim (Benzil-syn.-dioxim) 2912, 1362*
β-Benzildioxim 2705, 2228*
γ-Benzildioxim 2228

Phenylglyoxylsäurephenylhydrazon 1016*
Diphensäurediamid 2865*
Oxanilid 2973, 2529*
N,N'-Dibenzoylhydrazin 2923
$C_{14}H_{12}N_2O_3$ Stilbennitrosit 1724*
Benzoyl-3-nitro-o-toluidin 1328*
Benzoyl-4-nitro-o-toluidin 1803*
4-Nitro-2-benzoylaminotoluol 1505*
Benzoyl-6-nitro-o-toluidin 1392*
1-Benzoylamino-3-methyl-4-nitrobenzol 1869*
Benzoyl-5-nitro-m-toluidin 1404*
Benzoyl-2-nitro-p-toluidin 1627*
3-Nitrobenzoesäure-p-toluidid 1938*
4-Nitrobenzoesäure-p-toluidid 2941*
$C_{14}H_{12}N_2O_4$ Benzidindicarbonsäure-(2,2') 2297
Benzidindicarbonsäure-(3,3') 3144
Hydrazobenzol-2,2'-dicarbonsäure 2694
Anthranilsäure-p-nitrobenzylester 1985*
$C_{14}H_{12}N_2S$ Dehydrothiotoluidin 2548
$C_{14}H_{12}N_4O_3$ 4-Nitrobenzaldehyd-4'-phenylsemicarbazon 1494*
$C_{14}H_{12}N_4O_5$ Anisaldehyd-2,4-dinitrophenylhydrazon 402*
$C_{14}H_{12}O$ Desoxybenzoin 942
4-Methylbenzophenon 933
$C_{14}H_{12}O_2$ Benzoin 1832
Diphenylessigsäure 2029
2-Benzylbenzoesäure 1593
4-Benzylbenzoesäure 2134
Benzoesäurebenzylester 530
p-Kresylbenzoat 629*
p-Toluylsäurephenylester 2427*
$C_{14}H_{12}O_3$ Benzilsäure 2045
p-Hydroxybenzoesäurebenzylester 1586
Guajacolbenzoat 951, 583*
$C_{14}H_{12}O_4$ 2,6-Dihydroxy-4-methoxybenzophenon 1801
1,2-Diacetoxynaphthalin 1462*
1,3-Diacetoxynaphthalin 1720*
1,4-Diacetoxynaphthalin 2557*
1,5-Diacetoxynaphthalin 3020*
1,6-Diacetoxynaphthalin 1894*
1,7-Diacetoxynaphthalin 2404*
1,8-Diacetoxynaphthalin 1925*
2,3-Diacetoxynaphthalin 2173*
2,6-Diacetoxynaphthalin 2808*
2,7-Diacetoxynaphthalin 2534*
Naphthalin-1,2-dicarbonsäuredimethylester 2373*
Naphthalin-1,4-dicarbonsäuredimethylester 3186*
Naphthalin-1,6-dicarbonsäuredimethylester 3160*
$C_{14}H_{12}O_5$ Khellin (Visammin) 2095
$C_{14}H_{13}BrN_2$ ω-Bromacetophenonphenylhydrazon 824*
$C_{14}H_{13}BrN_2O$ Anisaldehyd-p-bromphenylhydrazon 402*
$C_{14}H_{13}BrO_3$ Sorbinsäure-p-bromphenacylester 1855*
$C_{14}H_{13}NO$ Desoxybenzoinoxim 942*
4-Methylbenzophenonoxim 933*
2-Acetaminodiphenyl 796*
3-Acetaminodiphenyl 590*
4-Acetaminodiphenyl 842*
Phenylessigsäureanilid 1144*
Benzoylbenzylamin 658*
Benz-o-toluidid 305*
Benz-m-toluidid 228*
Benz-p-toluidid 754*, 1696*
o-Toluylsäureanilid 1489*
m-Toluylsäureanilid 1548*
p-Toluylsäureanilid 2427*
Benzoyl-N-methylanilin 189*
Acetyldiphenylamin (N,N-Diphenylacetamid) 1435, 857*
$C_{14}H_{13}NO_2$ α-Benzoinoxim (Cupron) 2066, 1832*
p-Hydroxydiphenylmethancarbaminsäureester (Butolan) 1962
Phenylcarbaminsäurebenzylester 339*
Phenylcarbaminsäure-m-kresylester 461*
Phenylcarbaminsäure-p-kresylester 629*
α-Naphthylcarbaminsäureallylester 30*
dl-Mandelsäureanilid 1678*
Benzilsäureamid 2045*
5-Benzoylamino-o-kresol 2160*
4-Benzoylamino-m-kresol 2411*
2-Benzoylamino-p-kresol 1857*
3-Benzoylamino-p-kresol 2126*
Phenoxyessigsäureanilid 1408*
N-Benzoyl-o-anisidin 427*
N-Benzoyl-p-anisidin 908*
3-Methoxybenzoesäureanilid 1544*
Anissäureanilid 2475*
$C_{14}H_{13}NO_3$ Phenylcarbaminsäureguajacylester 583*
$C_{14}H_{13}NO_3S$ 4-Benzolsulfonylaminoacetophenon 1492*
$C_{14}H_{13}NO_4S$ 4-(p-Tolylsulfonylamino)-benzoesäure 2496*
$C_{14}H_{13}N_3O$ Benzophenonsemicarbazon 562*, 782*
4-Acetylaminoazobenzol 1740*
$C_{14}H_{13}N_3O_3$ 2-Methoxybenzaldehyd-p-nitrophenylhydrazon 680*
$C_{14}H_{13}N_5O_4$ 4-Aminoacetophenon-2',4'-dinitrophenylhydrazon 1492*
$C_{14}H_{14}$ Dibenzyl 840
o,o'-Ditolyl 512
m,m'-Ditolyl 434
p,p'-Ditolyl 1701
$C_{14}H_{14}N_2$ o,o'-Azotoluol 880, 2239*
m,m'-Azotoluol 874
p,p'-Azotoluol 1986

2,2'-Diaminostilben 1711, 2381
4,4'-Diaminostilben 2856
Acetophenonphenylhydrazon 1474
N,N'-Diphenylacetamidin 1820
$C_{14}H_{14}N_2O$ m,m'-Azoxytoluol 1055*
p,p'-Azoxytoluol 1358*
Phenolblau 2199
Anisaldehydphenylhydrazon 402*
Benzoyl-2,4-diaminotoluol 1416*
Anthranilsäure-p-toluidid 1985*
Acetyl-N,N-diphenylhydrazin 641*
$C_{14}H_{14}N_2O_2$ N,N'-Diacetylnaphthylendiamin-(1,4) 1671*
N,N'-Diacetylnaphthylendiamin-(1,8) 1034*
N,N'-Diacetylnaphthylendiamin-(2,3) 2698*
N,N'-Diacetylnaphthylendiamin-(2,7) 2175*
$C_{14}H_{14}N_2O_3$ p,p'-Azoxyanisol 1843
$C_{14}H_{14}N_2O_4S$ p-Toluolsulfonyl-3-nitro-o-toluidin 1328*
$C_{14}H_{14}N_4$ Oxalsäure-bis-phenylamidin („Cyananilin") 2770
$C_{14}H_{14}O$ Phenylbenzylcarbinol 1039
Dibenzyläther (Benzyläther) 421
$C_{14}H_{14}OS$ Dibenzylsulfoxyd 1845
$C_{14}H_{14}O_2$ Hydrobenzoin 1903
Isohydrobenzoin 1685
$C_{14}H_{14}O_2S$ Dibenzylsulfon 2064
$C_{14}H_{14}O_8$ 1,2,4,5-Tetraacetoxybenzol 2784*
Benzol-1,2,3,4-tetracarbonsäuretetramethylester 2946*
Prehnitsäuretetramethylester 2994*
Pyromellitsäuretetramethylester 3072*
$C_{14}H_{14}S$ Dibenzylsulfid (Benzylsulfid) 800
$C_{14}H_{14}S_2$ Dibenzyldisulfid 1092
$C_{14}H_{15}N$ Dibenzylamin 293
Di-p-tolylamin 1175
$C_{14}H_{15}NO_2S$ Phenylsulfonsäure-3,4-dimethylanilid 802*
p-Tolylsulfonylbenzylamin 658*
p-Tolylsulfonyl-m-toluidin 228*
p-Tolylsulfonyl-p-toluidin 754*
p-Tolylsulfonyl-N-methylanilin 189*
$C_{14}H_{15}NO_3S$ p-Tolylsulfonyl-p-anisidin 908*
$C_{14}H_{15}N_3$ o-Aminoazotoluol (o-Toluol-azo-o-toluidin) 1438
5-(p-Toluolazo)-2-aminotoluol 1774
4-Dimethylaminoazobenzol 1637
$C_{14}H_{16}ClN_3$ o-Aminoazotoluolhydrochlorid 1438*
$C_{14}H_{16}N_2$ rac. Stilbendiamin (α,α'-Diphenyläthylendiamin) 1324
2,2'-Dimethylbenzidin (m-Tolidin) 1520
3,3'-Dimethylbenzidin (o-Tolidin) 1790
o,o'-Hydrazotoluol (N,N'-Di-o-tolylhydrazin) 2239
p,p'-Hydrazotoluol (N,N'-Di-p-tolylhydrazin) 1839
$C_{14}H_{16}N_2O_2$ o-Dianisidin 1888
$C_{14}H_{16}N_2O_2S$ p-Toluolsulfonyl-2,4-diaminotoluol 1416*
$C_{14}H_{16}N_2O_3$ 5-Benzyl-5-propylbarbitursäure 2737
$C_{14}J_{16}N_2O_6$ 1-Methylcyclohexyl-3,5-dinitrobenzoat 565*
1-Methylcyclohexyl-(3)-3,5-dinitrobenzoat 219*
$C_{14}H_{16}O_4$ Phthalsäuremonocyclohexylester 543*
Benzalmalonsäurediäthylester 605
$C_{14}H_{17}BrO_3$ Capronsäure-p-bromphenacylester 391*
$C_{14}H_{17}NO_4$ 1-Methylcyclohexyl-p-nitrobenzoat 565*
1-Methylcyclohexyl-(3)-p-nitrobenzoat 219*
$C_{14}H_{17}NO_6$ Indican (Pflanzenindican) 2420
$C_{14}H_{17}N_3O_4S_2$ 4-(4'-Aminobenzolsulfonamido)-benzolsulfonsäuredimethylamid (Disulfanildimethylamid, Uliron, Diseptal A) 2578
$C_{14}H_{18}N_2O$ Larodon (1-Phenyl-2,3-dimethyl-4-isopropyl-5-pyrazolon) 1448
$C_{14}H_{18}N_2O_6$ n-Heptyl-3,5-dinitrobenzoat 261*
Dipropylcarbinyl-3,5-dinitrobenzoat 250*
$C_{14}H_{18}N_4O_4$ Methylheptenon-2,4-dinitrophenylhydrazon 171*
$C_{14}H_{19}NO_2$ Phenylcarbaminsäure-1-methylcyclohexylester 565*
$C_{14}H_{19}N_2NaO_4S$ $\Delta\beta,\gamma$-Pentenylpenicillin-Natrium (Penicillin-F-Natrium) 2688
$C_{14}H_{19}N_3O_2$ Methylheptenon-p-nitrophenylhydrazon 171*
$C_{14}H_{19}N_5O_4S_3$ Marbadal (Badionalsaures Marfanil) 2417
$C_{14}H_{20}N_2O_5$ Rhodeoseacetylphenylhydrazon 1980*
$C_{14}H_{20}N_2O_6S$ 4-Methylaminophenolsulfat 2990
$C_{14}H_{20}N_4O_4$ Methylhexylketon-2,4-dinitrophenylhydrazon 338*
$C_{14}H_{20}O_4$ Campheroxalsäureäthylester 1290*
$C_{14}H_{21}NO$ Caprylsäureanilid 497*
Önanthsäure-p-toluidid 359*
$C_{14}H_{21}NO_2$ Phenylcarbaminsäure-n-heptylester 261*
$C_{14}H_{21}N_2NaO_4S$ n-Amylpenicillin-Natrium 2511
$C_{14}H_{21}N_3O_2$ Methylhexylketon-p-nitrophenylhydrazon 338*
$C_{14}H_{22}ClNO_2$ Benzoyl-2-dimethylamino-methylbutanol-(2)-hydrochlorid (Stovain) 2369
$C_{14}H_{22}N_2O$ ω-Diäthylamino-2,6-dimethylacetanilid (Xylocain) 1788

$C_{14}H_{22}O_8$ Äthan-α,α,β,β-tetracarbonsäure-tetraäthylester 1145
$C_{14}H_{23}ClN_2O_2$ p-Aminobenzoesäure-α,β-dimethyl-γ-dimethylaminopropylester-hydrochlorid (Tutocainhydrochlorid) 2766
$C_{14}H_{23}NO_2S$ Benzolsulfonyldiisobutylamin 162*
$C_{14}H_{26}O_3$ Önanthsäureanhydrid 506
$C_{14}H_{28}$ Tetradecen-(1) 353
$C_{14}H_{28}O$ Myristinaldehyd (Tetradecanal) 542*
$C_{14}H_{28}O_2$ Myristinsäure (n-Tetradecansäure) 862
$C_{14}H_{29}NO$ Myristinaldehydoxim 542*
Myristinsäureamid 862*
$C_{14}H_{30}$ Tetradecan 431
$C_{14}H_{30}O$ n-Tetradecylalkohol 682

$C_{15}H_8O_4$ Anthrachinoncarbonsäure-(1) 3134
Anthrachinoncarbonsäure-(2) 3127
$C_{15}H_8O_6$ 1,4-Dihydroxyanthrachinoncarbonsäure-(2) 2982
5,6(oder 7,8)-Dihydroxyanthrachinon-2-carbonsäure 3155
1,8-Dihydroxyanthrachinon-3-carbonsäure (Rhein) 3183
$C_{15}H_{10}BrClO_3$ 2-Chlorbenzoesäure-p-bromphenacylester 1919*
3-Chlorbenzoesäure-p-bromphenacylester 2140*
$C_{15}H_{10}BrJO_3$ 2-Jodbenzoesäure-p-bromphenacylester 2198*
3-Jodbenzoesäure-p-bromphenacylester 2507*
4-Jodbenzoesäure-p-bromphenacylester 3046*
$C_{15}H_{10}BrNO_5$ 2-Nitrobenzoesäure-p-bromphenacylester 2031*
3-Nitrobenzoesäure-p-bromphenacylester 1938*
4-Nitrobenzoesäure-p-bromphenacylester 2941*
$C_{15}H_{10}Br_2O_3$ 2-Brombenzoesäure-p-bromphenacylester 2047*
3-Brombenzoesäure-p-bromphenacylester 2103*
4-Brombenzoesäure-p-bromphenacylester 3003*
$C_{15}H_{10}O_2$ Flavon 1418
α,γ-Diketo-β-phenylhydrinden 1407*
2-Methylanthrachinon 2395
Anthracencarbonsäure-(1) 2961
Anthracencarbonsäure-(2) 3087
Anthracencarbonsäure-(9) 2799
3-Benzalphthalid 1407
$C_{15}H_{10}O_3$ 3,4-Dioxo-2-phenylchroman (Flavonol) 2301
1-Methoxyanthrachinon 2570*
2-Methoxyanthrachinon 3152*
$C_{15}H_{10}O_4$ 5,7-Dihydroxyflavon (Chrysin) 3073
4,5-Dihydroxy-2-methylanthrachinon (Chrysophansäure) 2604
$C_{15}H_{10}O_5$ 3,5,7-Trihydroxyflavon (Galangin) 2803
5,7,4′-Trihydroxyflavon (Apigenin) 3196
1,8-Dihydroxy-3-hydroxymethylanthrachinon (Aloeemodin) 2843
4,5,7-Trihydroxy-2-methylanthrachinon (Emodin, Frangulaemodin) 3022
Purpurin-2-methyläther 3016*
Benzophenondicarbonsäure-(2,2′) 2061
Benzophenondicarbonsäure-(4,4′) 3202
$C_{15}H_{10}O_5S$ Anthrachinonsulfonsäure-(1)-methylester 2769*
$C_{15}H_{10}O_6$ 3,5,7,4′-Tetrahydroxyflavon (Kämpferol) 3078
5,6,7,4′-Tetrahydroxyflavon (Scutellarein) 3190
3,7,3′,4′-Tetrahydroxyflavon (Fisetin) 3189
5,7,3′,4′-Tetrahydroxyflavon (Luteolin) 3185
$C_{15}H_{10}O_7$ 3,5,7,2′,4′-Pentahydroxyflavon (Morin) 3123
3,5,7,3′,4′-Pentahydroxyflavon (Quercetin, Meletin, Sophoretin) 3170
$C_{15}H_{11}BrO_3$ Benzoesäure-p-bromphenacylester 1696*
2-Brombenzoesäurephenacylester 2047*
3-Brombenzoesäurephenacylester 2103*
4-Brombenzoesäurephenacylester 3003*
$C_{15}H_{11}BrO_4$ Salicylsäure-p-bromphenacylester 2110*
$C_{15}H_{11}ClN_4O_4$ ω-Chloracetophenon-2,4-dinitrophenylhydrazon 905*
$C_{15}H_{11}ClO_3$ 2-Chlorbenzoesäurephenacylester 1919*
3-Chlorbenzoesäurephenacylester 2140*
$C_{15}H_{11}JO_3$ 2-Jodbenzoesäurephenacylester 2198*
3-Jodbenzoesäurephenacylester 2507*
4-Jodbenzoesäurephenacylester 3046*
$C_{15}H_{11}J_4NO_4$ Thyroxin (β-[3,5-Dijod-4-(3′,5′-dijod-4′-hydroxyphenoxy)-phenyl]-α-aminopropionsäure) 2881
$C_{15}H_{11}N$ 2-Phenylchinolin 1268
6-Phenylchinolin 1550
$C_{15}H_{11}NO$ Phenylpropiolsäureanilid 1889*
$C_{15}H_{11}NO_4$ Phthalonsäuremonoanilid 1996*
$C_{15}H_{11}NO_5$ 2-Nitrobenzoesäurephenacylester 2031*
3-Nitrobenzoesäurephenacylester 1938*
4-Nitrobenzoesäurephenacylester 2941*
$C_{15}H_{12}$ 1-Methylanthracen 1265
2-Methylanthracen 2715

$C_{15}H_{12}N_2O_3$ Furfuramid 1638
$C_{15}H_{12}N_2O_5$ 4-Nitrophthalsäuremono-p-toluidid 2241*
$C_{15}H_{12}N_2O_6$ 3,5-Dinitrobenzoesäure-2′,4′-dimethylphenylester 563*
3,5-Dinitrobenzoesäure-2′,5′-dimethylphenylester 1121*
3,5-Dinitrobenzoesäure-3′,5′-dimethylphenylester 1011*
$C_{15}H_{12}N_4O_4$ Hydrindon-(1)-2,4-dinitrophenylhydrazon 719*
$C_{15}H_{12}O$ 2-Methoxyanthracen 2631*
Benzalacetophenon (Chalkon) 904
$C_{15}H_{12}O_2$ Dibenzoylmethan 1162
α-Phenyl-cis-zimtsäure 1895
α-Phenyl-trans-zimtsäure 2338
Fluorenylacetat 2115*
$C_{15}H_{12}O_3$ 4,5,9(oder 10)-Trihydroxy-2-methylanthracen 2704
Pyroxanthin [1,3-Difurfurylidencyclopentanon-(2)] 2200
Benzoesäurephenacylester 1696*
2-Benzoylbenzoesäuremethylester 1761*
3-Benzoylbenzoesäuremethylester 2194*
4-Benzoylbenzoesäuremethylester 2582*
$C_{15}H_{12}O_4$ Benzoesäure-3,4-methylendioxybenzylester 856*
Salicylsäurephenacylester 2110*
Acetylsalicylsäurephenylester 731*
Monobenzylphthalat 339*
$C_{15}H_{13}ClN_2$ ω-Chloracetophenonphenylhydrazon 905*
$C_{15}H_{13}NO$ Benzalacetophenonoxim 904*
α-Phenyl-cis-zimtsäureamid 1895*
α-Phenyl-trans-zimtsäureamid 2338*
cis-Zimtsäureanilid 1056*
(trans)-Zimtsäureanilid 1874*
$C_{15}H_{13}NO_2$ 4-Benzoylaminoacetophenon 1492*
2-Acetylaminobenzophenon 1490*
3-Acetylaminobenzophenon 1277*
4-Acetylaminobenzophenon 1717*
$C_{15}H_{13}NO_3$ N-Benzylphthalaminsäure (Akineton) 2085
N-Benzoyl-N-phenylglycin 1763*
Anthranilsäurephenacylester 1985*
Benzoylanthranilsäuremethylester 549*
Acetylsalicylsäureanilid 1882*
$C_{15}H_{13}NO_4$ Phenylessigsäure-p-nitrobenzylester 1144*
o-Toluylsäure-4-nitrobenzylester 1489*
m-Toluylsäure-4-nitrobenzylester 1548*
p-Toluylsäure-p′-nitrobenzylester 2427*
Phenylcarbaminsäure-3,4-methylendioxybenzylester 856*
Phenylcarbaminsäurevanillylester 1208*
Salicylsäure-p-acetylaminophenylester (Salophen) 2552
$C_{15}H_{13}NO_5$ dl-Mandelsäure-p-nitrobenzylester 1678*
3-Methoxybenzoesäure-p-nitrobenzylester 1543*
Anissäure-p-nitrobenzylester 2475*
$C_{15}H_{13}NO_6$ Vanillinsäure-p-nitrobenzylester 2718*
$C_{15}H_{13}N_3O_2$ Zimtaldehyd-p-nitrophenylhydrazon 369*
Hydrindon-(1)-p-nitrophenylhydrazon 719*
$C_{15}H_{14}N_2$ Zimtaldehydphenylhydrazon 369*
Hydrindon-(1)-phenylhydrazon 719*
$C_{15}H_{14}N_2O_2$ Hippursäureanilid 2535*
Malonsäureanilid 1875*
$C_{15}H_{14}N_4O_4$ Propiophenon-2,4-dinitrophenylhydrazon 531*
Methylbenzylketon-2,4-dinitrophenylhydrazon 571*
4-Methylacetophenon-2′,4′-dinitrophenylhydrazon 580*
$C_{15}H_{14}N_4O_6$ 2,4-Dimethoxybenzaldehyd-2′,4′-dinitrophenylhydrazon 1087*
3,4-Dimethoxybenzaldehyd-2′,4′-dinitrophenylhydrazon 730*
$C_{15}H_{14}N_6O_5$ Glycerinaldehyd-p-nitrophenylosazon 1902*
$C_{15}H_{14}O$ Dibenzylketon (α,α′-Diphenylaceton) 644
4,4′-Dimethylbenzophenon 1364
$C_{15}H_{14}O_2$ Benzoinmethyläther 1832*
4-Äthylphenylbenzoat 761*
2,4-Dimethylphenylbenzoat 563*
2,5-Dimethylphenylbenzoat 1121*
$C_{15}H_{14}O_3$ Lapachol 1927
$C_{15}H_{14}O_4$ 2-Hydroxy-4,6-dimethoxybenzophenon 1405
$C_{15}H_{14}O_5$ Phloretin 3039
Guajacolcarbonat (Duotal) 1274, 583*
$C_{15}H_{14}O_6$ d-Catechin 2362
Javanicin 2714
$C_{15}H_{15}NO$ Dibenzylketonoxim 644*
4,4′-Dimethylbenzophenonoxim 1364*
2-Acetaminodiphenylmethan 833*
4-Acetaminodiphenylmethan 639*
Hydrozimtsäureanilid 793*
Phenylessigsäure-p-toluidid 1144*
Benzoyl-p-xylidin 494*
m-Toluylsäure-p-toluidid 1548*
p-Toluylsäure-p′-toluidid 2427*
2,4-Dimethylbenzoesäureanilid 1744*
2,5-Dimethylbenzoesäureanilid 1818*
3,4-Dimethylbenzoesäureanilid 2253*
$C_{15}H_{15}NO_2$ Phenylcarbaminsäure-4-äthylphenylester 761*
Diphenylurethan (Diphenylcarbaminsäureäthylester) 1108, 53*
Carbanilsäure-o-tolylcarbinylester 634*
Benzoyl-p-phenetidin 417*

3-Methoxybenzoesäure-p-toluidid 1544*
Anissäure-p-toluidid 2475*
$C_{15}H_{15}NO_3$ Phenylurethan d. Anisalkohols 553*
Veratrumsäureanilid 2441*
$C_{15}H_{15}NO_3S$ 4-(p-Toluolsulfonylamino)-acetophenon 1492*
$C_{15}H_{15}N_3O$ Desoxybenzoinsemicarbazon 942*
4-Methylbenzophenonsemicarbazon 933*
$C_{15}H_{15}N_3O_2$ Propiophenon-p-nitrophenylhydrazon 531*
Methylbenzylketon-p-nitrophenylhydrazon 571*
4-Methylacetophenon-4'-nitrophenylhydrazon 580*
Benzoinsemicarbazon 1832*
2-Methoxybenzaldehyd-4-phenylsemicarbazon 680*
Methylrot 2455
$C_{15}H_{15}N_5O_4$ 4-Dimethylaminobenzaldehyd-2',4'-dinitrophenylhydrazon 1119*
$C_{15}H_{16}$ Di-p-tolylmethan 578
$C_{15}H_{16}N_2$ Methylbenzylketonphenylhydrazon 571*
4-Methylacetophenonphenylhydrazon 580*
$C_{15}H_{16}N_2O$ 2-Methoxyacetophenonphenylhydrazon 679*
Benzoyl-N,N-dimethyl-p-phenylendiamin 708*
$C_{15}H_{16}N_2O_2$ Glycerinaldehyddiphenylhydrazon 1902*
3,4-Dimethoxybenzaldehydphenylhydrazon 730*
$C_{15}H_{16}N_2S$ N,N'-Di-o-tolylthioharnstoff 2235, 82*
N,N'-Di-p-tolylthioharnstoff 2384
$C_{15}H_{16}N_4O_2$ 4-Dimethylaminobenzaldehyd-4'-nitrophenylhydrazon 1119*
Malonsäure-bis-(β-phenylhydrazid) 1875*
$C_{15}H_{16}O_2$ Pseudocumenylbenzoat 1094*
$C_{15}H_{16}O_8$ Triacetylgallussäureäthylester (Etelen) 1828
$C_{15}H_{16}O_9$ [6,7-Dihydroxycumarin]-[β-d-glucopyranosid]-(6) (Aesculin, Polychrom, Aesculinsäure) 2168
$C_{15}H_{17}NO_2$ α-Naphthylcarbaminsäure-n-butylester 149*
α-Naphthylcarbaminsäureisobutylester 67*
α-Naphthylcarbaminsäure-tert.-butylester 558*
$C_{15}H_{17}NO_2S$ Benzolsulfonylpseudocumidin 1054*
p-Toluolsulfonsäure-3,4-dimethylanilid 802*
$C_{15}H_{17}N_3$ 4-Dimethylaminobenzaldehydphenylhydrazon 1119*
$C_{15}H_{18}N_2O$ N-α-Naphthyl-N',N'-diäthylharnstoff 211*
$C_{15}H_{18}N_4O_4$ Phoron-2,4-dinitrophenylhydrazon 581*
$C_{15}H_{18}O_2$ Santonin 2311
$C_{15}H_{18}O_4$ Artemisin 2668
$C_{15}H_{18}O_6$ Hemimellitsäuretriäthylester 2531*
Trimesinsäuretriäthylester 3206*
$C_{15}H_{19}ClO_3$ Önanthsäure-p-chlorphenacylester 359*
$C_{15}H_{19}NO_2$ Benzoylpseudotropin (Tropinbenzoat, Tropacocain) 798
$C_{15}H_{19}NO_4$ Artemisinoxim 2668*
$C_{15}H_{20}ClNO_2$ Tropacocainhydrochlorid (Hydrochlorid d. Tropinbenzoats) 3065, 798*
$C_{15}H_{20}N_2O_6$ n-Octyl-3,5-dinitrobenzoat 336*
sek.-Octyl-3,5-dinitrobenzoat 245*
$C_{15}H_{20}O_8$ Salicinacetat 2657*
$C_{15}H_{21}NO_2$ 1-Methyl-4-(3'-hydroxyphenyl)-piperidyl-4-äthylketon (Cliradon, Hoechst 10720, Ketobemidon) 2108
$C_{15}H_{21}N_3O_2$ Physostigmin (Eserin) 1485
$C_{15}H_{22}BrNO_4$ 1-Methyl-4-(3'-hydroxyphenyl)-piperidyl-4-äthylketonhydrobromid 2108*
$C_{15}H_{22}ClNO_2$ 1-Methyl-4-phenylpiperidin-4-carbonsäureäthylesterhydrochlorid (Dolantin) 2508
$C_{15}H_{22}ClNO_4$ 1-Methyl-4-(3'-hydroxyphenyl)-piperidyl-4-äthylketonhydrochlorid 2108*
$C_{15}H_{22}N_2O$ Aphyllidin 1572
$C_{15}H_{22}N_4O_4$ Dibutylketon-2,4-dinitrophenylhydrazon 378*
$C_{15}H_{23}NO$ Pelargonsäureanilid 470*
Caprylsäure-p-toluidid 497*
$C_{15}H_{23}NO_2$ Phenylcarbaminsäure-n-octylester 336*
Phenylcarbaminsäure-sek.-octylester 245*
$C_{15}H_{23}NO_4$ Actidion 1621
$C_{15}H_{23}NO_4S$ p-Carboxybenzolsulfonsäuredi-n-butylamid (Butacid, Longacid) 2221
$C_{15}H_{24}N_2O_4$ Actidionoxim 1621*
$C_{15}H_{24}O$ Caryophyllenoxyd 998
$C_{15}H_{24}O_2$ Santal-Campher (Hydroxydihydroeremophilon) 1451
$C_{15}H_{25}ClN_2O_2$ Pantocainhydrochlorid (p-n-Butylaminobenzoesäure-β-dimethylaminoäthylesterhydrochlorid) 2041
$C_{15}H_{25}N_3O_5$ Pantocainnitrat (4-Butylaminobenzoesäure-β-dimethylaminoäthylesternitrat) 1826
$C_{15}H_{26}O$ Cederncampher (Cedrol) 1271
$C_{15}H_{26}O_2$ Calamendiol (Calameon) 2276
$C_{15}H_{26}O_6$ Triisopropylidensorbit 1134*
$C_{15}H_{28}N_2O_4S$ Sparteinsulfat 1931
$C_{15}H_{28}O$ Cyclopentadecanon (Exalton) 985

$C_{15}H_{29}O_2$ Exaltolid [Pentadecanolid-(15,1)] 599
$C_{15}H_{30}O_2$ Myristinsäuremethylester 862*
$C_{15}H_{31}N_3O$ Myristinaldehydsemicarbazon 542*
$C_{15}H_{32}$ Pentadecan 456
$C_{15}H_{32}O$ n-Pentadecylalkohol 755

$C_{16}H_8N_2O_2$ Dehydroindigo 2747
$C_{16}H_8O_2$ Aceanthrenchinon 3057
1,8-Pyrenchinon 3096
$C_{16}H_8O_2S_2$ Thioindigo 3095, 1090*
$C_{16}H_8O_4$ Diphthalyl 3192
Oxindigo 3079
$C_{16}H_9NO_2$ Aceanthrenchinonmonoxim 3057*
$C_{16}H_{10}$ Fluoranthen (Idryl) 1541
Pyren 2042
$C_{16}H_{10}N_2O_2$ Indigo 3207, 851*, 1252*, 1707*, 1763*, 2421*, 2747*, 2816*
$C_{16}H_{10}N_4O_{12}$ Äthylenglykolbis-3,5-dinitrobenzoat 355*
$C_{16}H_{10}O_4$ Anthracendicarbonsäure-(1,4) 3181
1-Acetoxyanthrachinon 2570*
2-Acetoxyanthrachinon 3152*
$C_{16}H_{10}O_6$ 1,8-Dihydroxyanthrachinon-3-carbonsäuremethylester 3183*
$C_{16}H_{11}NO_2$ α-Phenyl-γ-chinolincarbonsäure (Atophan) 2729
Cinchoninsäurephenylester 2999*
$C_{16}H_{11}NO_3$ 1-Acetylaminoanthrachinon 2960*
2-Acetylaminoanthrachinon 3151*
$C_{16}H_{11}NO_4$ Phenylpropiolsäure-p-nitrobenzylester 1889*
$C_{16}H_{12}$ 1-Phenylnaphthalin 753
2-Phenylnaphthalin 1447
$C_{16}H_{12}N_2O$ 1,2-Naphthochinonphenylhydrazon 1620*
1,4-Naphthochinonphenylhydrazon 1749*
$C_{16}H_{12}N_2O_4S$ 1-Nitro-2-benzolsulfonylaminonaphthalin 1755*
1-Benzolsulfonylamino-4-nitronaphthalin 2594*
$C_{16}H_{12}N_2O_5$ 2-Nitrozimtsäure-p-nitrobenzylester 2942*
$C_{16}H_{12}N_2O_6$ Cinnamyl-3,5-dinitrobenzoat 627*
3-Nitrozimtsäure-p-nitrobenzylester 2643*
4-Nitrozimtsäure-4′-nitrobenzylester 3111*
$C_{16}H_{12}N_2O_8$ Oxalsäure-p-nitrobenzylester 2529*
Äthylenglykolbis-p-nitrobenzoat 355*
$C_{16}H_{12}N_4O_7$ Furoin-2,4-dinitrophenylhydrazon 1866*
$C_{16}H_{12}O$ 2,5-Diphenylfuran 1320
$C_{16}H_{12}O_2$ 2-Acetoxyanthracen 2631*
Phenanthryl-(9)-acetat 2075*
$C_{16}H_{12}O_3$ 10-Acetoxy-9-oxo-9,10-dihydroanthracen 2263*
$C_{16}H_{12}O_3S$ α-Naphthalinsulfonsäurephenylester 1308*
β-Naphthalinsulfonsäurephenylester 1321*
$C_{16}H_{12}O_4$ 1,2-Dimethoxyanthrachinon 3119*
1,3-Dimethoxyanthrachinon 3036*
1,4-Dimethoxyanthrachinon 2647*
1,5-Dimethoxyanthrachinon 3090*
1,6-Dimethoxyanthrachinon 3077*
1,7-Dimethoxyanthrachinon 3131*
1,8-Dimethoxyanthrachinon 2549*
$C_{16}H_{13}BrO_3$ Phenylessigsäure-p-bromphenacylester 1144*
o-Toluylsäure-p-bromphenacylester 1489*
p-Toluylsäure-p′-bromphenacylester 2427*
$C_{16}H_{13}BrO_4$ Phenoxyessigsäure-p-bromphenacylester 1408*
3-Methoxybenzoesäure-p-bromphenacylester 1543*
Anissäure-p-bromphenacylester 2475*
$C_{16}H_{13}N$ Phenyl-α-naphthylamin 977
Phenyl-β-naphthylamin 1517
$C_{16}H_{13}NO$ Phenylpropiolsäure-p-toluidid 1889*
1-Acetylaminoanthracen 1758*
2-Acetylaminoanthracen 2911*
$C_{16}H_{13}NO_2$ 3-Hydroxynaphthoesäure-(1)-anilid 2978*
$C_{16}H_{13}NO_2S$ Benzolsulfonyl-α-naphthylamin 820*
Benzolsulfonyl-β-naphthylamin 1566*
α-Naphthalinsulfonsäureanilid 1308*
$C_{16}H_{13}NO_3$ 2-Benzoylaminozimtsäure 2146*
3-Benzoylaminozimtsäure 2444*
4-Benzoylaminozimtsäure 2379*
$C_{16}H_{13}NO_4$ Zimtsäure-p-nitrobenzylester 1874*
Cinnamyl-p-nitrobenzoat 627*
$C_{16}H_{13}NO_5$ trans-2-Hydroxyzimtsäure-p-nitrobenzylester 2775*
$C_{16}H_{13}NO_6$ Acetylsalicylsäure-p-nitrobenzylester 1882*
$C_{16}H_{14}$ 9-Äthylanthracen 949
2,6-Dimethylanthracen 2956
2,7-Dimethylanthracen 2938
$C_{16}H_{14}N_2O_2$ Fumarsäureanilid 3113*
$C_{16}H_{14}N_2O_3$ Furoinphenylhydrazon 1866*
$C_{16}H_{14}N_2O_4$ o,o′-Azobenzoesäuredimethylester 2962*
m,m′-Azobenzoesäuredimethylester 3195*
p,p′-Azobenzoesäuredimethylester 3187*
$C_{16}H_{14}N_2O_5$ o,o′-Azoxybenzoesäuredimethylester 3002*
m,m′-Azoxybenzoesäuredimethylester 3177*

p,p'-Azoxybenzoesäuredimethylester 2934*
Hippursäure-p-nitrobenzylester 2535*
$C_{16}H_{14}N_4O_4$ Benzalaceton-2,4-dinitrophenylhydrazon 715*
$C_{16}H_{14}N_4O_5$ Benzoylaceton-2,4-dinitrophenylhydrazon 938*
Acetylsalicyltheobromin (Theacylon) 2590
$C_{16}H_{14}O$ 2-Äthoxyanthracen 2631*
$C_{16}H_{14}O_2$ 1,5-Dimethoxyanthracen 3041*
Zimtsäurebenzylester 691
$C_{16}H_{14}O_3$ Benzoinacetat 1832*
Guajacolcinnamat (Styracol) 1957
Phenylessigsäurephenacylester 1144*
p-Toluylsäurephenacylester 2427*
$C_{16}H_{14}O_4$ dl-Mandelsäurephenacylester 1678*
3-Methoxybenzoesäurephenacylester 1543*
Anissäurephenacylester 2475*
o,o'-Diphenoldiacetat 1530*
o,p'-Diphenoldiacetat 2196*
m,m'-Diphenoldiacetat 1715*
p,p'-Diphenoldiacetat 3070*
Äthylenglykoldibenzoat 355*
Dibenzyloxalat 339*
Diphensäuredimethylester 2865*
$C_{16}H_{14}O_5$ Benzyläther-3,3'-dicarbonsäure 2425
2,4-Dihydroxybenzophenon-2'-carbonsäureäthylester (Resaldol) 1847
$C_{16}H_{14}O_6$ Hesperetin (3',5,7-Trihydroxy-4'-methoxyflavanon) 2892
Hämatoxylin 1430
$C_{16}H_{15}NO$ Benzoyl-1,2,3,4-tetrahydrochinolin 527*
α-Methyl-trans-zimtsäureanilid 1218*
β-Methyl-trans-zimtsäureanild 1413*
cis-Zimtsäure-o-toluidid 1056*
trans-Zimtsäure-p-toluidid 1874*
$C_{16}H_{15}NO_2$ β-Benzoylpropionsäureanilid 1624*
$C_{16}H_{15}NO_3$ Benzoyl-*l*-phenylalanin 3100*
Benzoyl-dl-phenylalanin 3066*
Benzoylanthranilsäureäthylester 473*
$C_{16}H_{15}NO_4$ Hydrozimtsäure-4-nitrobenzylester 793*
Benzoyl-*l*-tyrosin 3125*
Benzoyl-dl-tyrosin 3124*
$C_{16}H_{15}N_3O_2$ Dibenzoylmethansemicarbazon 1162*
$C_{16}H_{15}N_3O_3$ Benzoylaceton-p-nitrophenylhydrazon 938*
$C_{16}H_{16}$ α-Äthylstilben 896
4,4'-Dimethylstilben 2418
$C_{16}H_{16}Br_2$ 4,4'-Dimethylstilbendibromid 2418*
$C_{16}H_{16}Br_2O_2$ 4,4'-Dimethoxystilbendibromid 2755*
$C_{16}H_{16}N_2$ Benzalacetonphenylhydrazon 715*
$C_{16}H_{16}N_2O_2$ Bernsteinsäuredianilid 2478*
Methylmalonsäuredianilid 1868*
Oxalsäure-p-toluidid 2529*
Dibenzoyläthylendiamin 448*
N,N'-Diacetyl-2,4'-diaminodiphenyl 747*
N,N'-Diacetylbenzidin 1760*
$C_{16}H_{16}N_2O_3$ *l*-Äpfelsäuredianilid 1423*
$C_{16}H_{16}N_2O_4$ Äthylenglykolbisphenylurethan 355*
akt.-Weinsäureanilid 2313*
$C_{16}H_{16}N_6O_2$ Benzildisemicarbazon 1362*
$C_{16}H_{16}O_2$ Benzoinäthyläther 974
4,4'-Dimethoxystilben 2755
Mesitylbenzoat 1049*
$C_{16}H_{16}O_4$ Anisoin 537*
$C_{16}H_{16}O_{10}$ Benzolpentacarbonsäurepentamethylester 2921*
$C_{16}H_{17}JN_3$ 4-Dimethylaminoazobenzoljodmethylat 1637*
$C_{16}H_{17}NO$ Hydrozimtsäure-p-toluidid 793*
Benzoylpseudocumidin 1054*
$C_{16}H_{17}NO_2$ Phenylcarbaminsäuremesitylester 1049*
Phenylcarbaminsäurepseudocumenylester 1094*
p-Diphenylylcarbaminsäure-n-propylester 34*
$C_{16}H_{17}NO_4S$ p-Toluolsulfonyl-l-phenylalanin 3100*
$C_{16}H_{17}NO_5S$ p-Toluolsulfonyl-*l*-tyrosin 3125*
$C_{16}H_{17}N_3O$ Dibenzylketonsemicarbazon 644*
Propiophenon-4-phenylsemicarbazon 531*
$C_{16}H_{18}N_2O$ Monoacetyl-o-tolidin 1790*
$C_{16}H_{18}N_2O_2$ p,p'-Azophenetol 2164
$C_{16}H_{18}O_8$ Prehnitsäuretriäthylester 2994*
$C_{16}H_{18}O_9$ Chlorogensäure (3-[3',4'-Dihydroxycinnamoyl]-chinasäure) 2713
$C_{16}H_{19}NO_4$ *l*-Ekgoninbenzoat 2693*
$C_{16}H_{19}N_3$ p-Diäthylaminoazobenzol 1399
$C_{16}H_{20}ClNO_4$ Pseudococainhydrochlorid 738*
$C_{16}H_{20}ClN_3$ p-Diäthylaminoazobenzolhydrochlorid 1399*
$C_{16}H_{20}N_2$ Tetramethylbenzidin 2579
$C_{16}H_{20}N_2O_4$ *l*-Rhamnose-β-naphthylhydrazon 1709*
$C_{16}H_{20}N_4O_4$ d-Campher-2,4-dinitrophenylhydrazon 2413*
$C_{16}H_{21}BrN_2$ d-Campher-p-bromphenylhydrazon 2413*
$C_{16}H_{21}ClO_3$ Caprylsäure-p-chlorphenacylester 497*
$C_{16}H_{21}NO_3$ Tropinmandelsäureester (Homatropin) 1388
$C_{16}H_{21}N_3O_2$ d-Campher-p-nitrophenylhydrazon 2413*

$C_{16}H_{22}BrNO_3$ Homatropinhydrobromid (Tropinmandelsäureesterhydrobromid) 2781, 1388*
$C_{16}H_{22}ClNO_3$ Homatropinhydrochlorid 2851
$C_{16}H_{22}ClN_3$ N,N-Dimethyl-N'-(2-pyridyl)-N'-benzyläthylendiaminhydrochlorid (Pyribenzamin, Tripelenamin) 2567
$C_{16}H_{22}N_2$ d-Campherphenylhydrazon 2413*
$C_{16}H_{22}N_2O_6$ n-Nonyl-3,5-dinitrobenzoat 382*
$C_{16}H_{22}N_4O_4$ *l*-Menthon-2,4-dinitrophenylhydrazon 371*
$C_{16}H_{22}O_5$ Humulochinon 989
$C_{16}H_{22}O_{11}$ Pentaacetyl-α-d-glucose 1584
Pentaacetyl-β-d-glucose 1848
$C_{16}H_{23}NO_2$ Acrifolin 1460
$C_{16}H_{23}N_3$ 3-Aminocampherphenylhydrazon 1537*
$C_{16}H_{24}JNO_2$ Acrifolinhydrojodid 1460*
$C_{16}H_{24}N_2O_4$ p-Nitrophenylcarbaminsäure-n-nonylester 382*
$C_{16}H_{25}JN_2O$ Aphyllidinjodmethylat 1572*
$C_{16}H_{25}NO$ Lycopodin 1670
Caprinsäureanilid 602*
Pelargonsäure-p-toluidid 470*
$C_{16}H_{25}NO_2$ Phenylcarbaminsäure-n-nonylester 382*
Egressin (N-Isoamylcarbaminsäure-3-methyl-6-isopropylphenylester) 900
$C_{16}H_{26}N_4O_4$ Actidionsemicarbazon 1621*
$C_{16}H_{27}ClN_2O_2$ Benzoesäure-(α,α-bis-(dimethylaminomethyl)-n-propyl)-esterhydrochlorid (Alypin) 2287
p-Aminobenzoesäure-(2,2-dimethyl-3-diäthylaminopropyl)-esterhydrochlorid (Larocain) 2606
$C_{16}H_{28}O_2$ Grifolin 699
Hydnocarpussäure 932
$C_{16}H_{29}NO$ Hydnocarpussäureamid 932*
$C_{16}H_{30}O_2$ Hypogäasäure 625
$C_{16}H_{31}N$ Palmitinsäurenitril 598
$C_{16}H_{31}N_3O$ Cyclopentadecanonsemicarbazon 985*
$C_{16}H_{31}NaO_2$ Natriumpalmitat 3061
$C_{16}H_{32}O_2$ Palmitinsäure (n-Hexadecansäure) 983
Myristinsäureäthylester 462
$C_{16}H_{33}NO$ Palmitinsäureamid 983*
$C_{16}H_{34}$ Hexadecan 525
$C_{16}H_{34}O$ Cetylalkohol (Hexadecanol) 809

$C_{17}H_9NO_4$ Alizarinblau 3058
$C_{17}H_{10}Br_3NO_2$ α-Naphthylcarbaminsäure-2,4,6-tribromphenylester 1373*
$C_{17}H_{10}Cl_3NO_2$ α-Naphthylcarbaminsäure-2,4,6-trichlorphenylester 1040*
$C_{17}H_{10}N_2O_6$ 1-Benzoyloxy-2,4-dinitronaphthalin 1899*
β-Naphthyl-3,5-dinitrobenzoat 1712*
$C_{17}H_{10}N_6O_4$ 4,5-Diazafluorenondinitrophenylhydrazon 2759*
$C_{17}H_{10}O$ Benzanthron 2296
$C_{17}H_{11}N$ Anthraceno-[2',1':2,3]-pyridin („β-Anthrachinolin") 2295
$C_{17}H_{11}NO_4$ 1-Nitronaphthyl-(2)-benzoat 1457*
$C_{17}H_{11}NO_5$ 2-(4'-Hydroxy-3'-carboxyphenyl)-chinolin-4-carbonsäure 3102
$C_{17}H_{11}N_3O_2$ Aceanthrenchinonmonophenylhydrazon 3057*
$C_{17}H_{12}$ 2,3-Benzofluoren 2753
$C_{17}H_{12}BrNO_2$ α-Naphthylcarbaminsäure-4-bromphenylester 992*
$C_{17}H_{12}BrNO_5$ 2-Nitrozimtsäure-p-bromphenacylester 2942*
3-Nitrozimtsäure-p-bromphenacylester 2643*
4-Nitrozimtsäure-p-bromphenacylester 3111*
$C_{17}H_{12}ClNO_2$ Naphthylcarbaminsäure-4-chlorphenylester 725*
$C_{17}H_{12}N_2O_3$ 1-Benzoylamino-4-nitronaphthalin 2594*
1-Nitro-2-benzoylaminonaphthalin 1755*
$C_{17}H_{12}N_2O_4$ α-Naphthylcarbaminsäure-2-nitrophenylester 756*
α-Naphthylcarbaminsäure-3-nitrophenylester 1391*
α-Naphthylcarbaminsäure-4-nitrophenylester 1590*
$C_{17}H_{12}N_4O_4$ β-Naphthaldehyd-2,4-dinitrophenylhydrazon 964*
$C_{17}H_{12}O_2$ α-Naphthylbenzoat 1389*
β-Naphthylbenzoat 1511, 1712*
$C_{17}H_{12}O_3$ Salicylsäure-β-naphthylester (Betol) 1370
3-Hydroxynaphthoesäure-(2)-phenylester 2791*
$C_{17}H_{12}O_4$ Anthrachinoncarbonsäure-(1)-äthylester 3134*
Anthrachinoncarbonsäure-(2)-äthylester 3127*
$C_{17}H_{12}O_6$ 1,8-Dimethoxyanthrachinon-3-carbonsäure 3183*
$C_{17}H_{13}BrO_3$ cis-Zimtsäure-p-bromphenacylester 1056*
trans-Zimtsäure-p-bromphenacylester 1874*
$C_{17}H_{13}NO$ Benzoyl-α-naphthylamin 820*
Benzoyl-β-naphthylamin 1566*
α-Naphthoesäureanilid 2184*
$C_{17}H_{13}NO_2$ 6-Methyl-2-phenylchinolin-4-carbonsäure (Paratophan) 2790
Atophanmethylester (Novatophan, 2-Phenylchinolin-4-carbonsäuremethylester) 910
Phenylcarbaminsäure-α-naphthylester 1389*

Phenylcarbaminsäure-β-naphthylester 1712*
α-Naphthylcarbaminsäurephenylester 711*
5-Benzoylaminonaphthol-(1) 2293*
8-Benzoylaminonaphthol-(1) 1374*
5-Benzoylaminonaphthol-(2) 2491*
8-Benzoylaminonaphthol-(2) 2700*
6-Hydroxynaphthoesäure-(1)-anilid 2727*
7-Hydroxynaphthoesäure-(1)-anilid 3000*
5-Hydroxynaphthoesäure-(2)-anilid 2742*
6-Hydroxynaphthoesäure-(2)-anilid 2965*
7-Hydroxynaphthoesäure-(2)-anilid 3055*
8-Hydroxynaphthoesäure-(2)-anilid 2872*
$C_{17}H_{13}NO_5$ 2-Nitrozimtsäurephenacylester 2942*
3-Nitrozimtsäurephenacylester 2643*
4-Nitrozimtsäurephenacylester 3111*
$C_{17}H_{13}N_3O_2$ β-Naphthaldehyd-p-nitrophenylhydrazon 964*
$C_{17}H_{13}N_3O_5S_2$ Phthalylsulfathiazol (Taleudron) 3068
$C_{17}H_{14}$ 1-Benzylnaphthalin 921
2-Benzylnaphthalin 654
$C_{17}H_{14}BrNO_4$ Hippursäure-p-bromphenacylester 2535*
$C_{17}H_{14}N_2$ Benzaldehyd-α-naphthylhydrazon 291*
β-Naphthaldehydphenylhydrazon 964*
$C_{17}H_{14}N_2O$ Benzoyl-1,2-naphthylendiamin 1414*
$C_{17}H_{14}N_2O_4S$ 1-Nitro-2-p-toluolsulfonylaminonaphthalin 1755*
1-(p-Tolylsulfonylamino)-4-nitronaphthalin 2549*
$C_{17}H_{14}N_2O_8$ Malonsäure-p-nitrobenzylester 1875*
$C_{17}H_{14}N_2S$ N-(β-Naphthyl)-N′-phenylthioharnstoff 1566*
$C_{17}H_{14}O$ Cinnamalacetophenon 1442
Dibenzalaceton (Distyrylketon) 1564, 102*
$C_{17}H_{14}O_3$ Zimtsäurephenacylester 1874*
$C_{17}H_{14}O_4$ 4,5-Dimethoxy-2-methylanthrachinon 2604*
$C_{17}H_{14}O_5$ 1,2,3-Trimethoxyanthrachinon 3169*
1,2,5-Trimethoxyanthrachinon 3084*
1,2,7-Trimethoxyanthrachinon 3205*
Hydroxychrysazintrimethyläther 2930*
Acetylsalicylsäurephenacylester 1882*
$C_{17}H_{15}BrO_3$ Hydrozimtsäure-p-bromphenacylester 793*
$C_{17}H_{15}NO$ Dibenzalacetonoxim 1564*
$C_{17}H_{15}NO_2S$ p-Tolylsulfonyl-α-naphthylamin 820*
p-Tolylsulfonyl-β-naphthylamin 1566*
$C_{17}H_{15}NO_3S$ 8-(p-Tolylsulfonylamino)-naphthol-(1) 1374*
$C_{17}H_{16}N_2O_2$ Citraconsäuredianilid 1319*
Glutaconsäuredianilid 1901*
Mesaconsäuredianilid 2664*
$C_{17}H_{16}N_2O_5$ Opiansäurebenzoylhydrazon 2051*
$C_{17}H_{16}N_2O_6$ Thymol-3,5-dinitrobenzoat 832*
$C_{17}H_{16}O_3$ Hydrozimtsäurephenacylester 793*
$C_{17}H_{17}NO_2$ Apomorphin 2588
$C_{17}H_{17}NO_3$ Phenylurethan d. Eugenols 357*
$C_{17}H_{18}ClNO_2$ Apomorphinhydrochlorid 2588*
$C_{17}H_{18}N_2O_2$ Glutarsäureanilid 1397*
Malonsäure-p-toluidid 1875*
Äthylmalonsäuredianilid 1560*
$C_{17}H_{18}O_2$ Thymolbenzoat 832*
$C_{17}H_{18}O_3$ Isoeugenolbenzoat 626*
$C_{17}H_{19}NO_2$ Phenylcarbaminsäurecarvacrylester 408*
Phenylcarbaminsäurethymylester 832*
p-Diphenylylcarbaminsäure-n-butylester 149*
α-Naphthylcarbaminsäurecyclohexylester 543*
$C_{17}H_{19}NO_3$ Piperin 1798
Morphin 3004
Dihydromorphinon (Dilaudid) 3024
$C_{17}H_{20}ClNO_3$ Morphinhydrochlorid 2641
$C_{17}H_{20}ClN_3$ 2-(N-Phenyl-N-benzylaminomethyl)-Δ^2-imidazolinhydrochlorid (Antistin) 2918
$C_{17}H_{20}N_2O$ 4,4′-Bis-dimethylaminobenzophenon 2357
$C_{17}H_{20}N_2O_3$ Dihydromorphinonoxim 3024*
$C_{17}H_{20}N_2O_4$ *l*-Arabinosediphenylhydrazon 2152*
$C_{17}H_{20}N_2O_6$ d-Borneol-3,5-dinitrobenzoat 2722*
$C_{17}H_{20}N_2S$ N-(2-Dimethylaminopropyl)-phenothiazin (Promethazin) 937
$C_{17}H_{20}N_4O$ Dihydroxyacetonmethylphenylosazon 1191*
$C_{17}H_{20}N_4O_3$ *l*-Arabinosephenylosazon 2152*
akt. Ribosephenylosazon 1283*
d-Xylosephenylosazon 1997*
$C_{17}H_{20}N_4O_6$ Riboflavin (Lactoflavin, Vitamin B_2, 6,7-Dimethyl-9-(D-1′-ribityl)-isoalloxazin) 3130
$C_{17}H_{20}O_5$ Artemisinacetat 2668*
$C_{17}H_{21}ClN_2S$ 10-(2′-Dimethylaminopropyl)-phenothiazinhydrochlorid (Prometha-

zinhydrochlorid, Atosil, Phenergan) 2880, 937*
$C_{17}H_{21}ClO_2$ *l*-Fenchyl-p-chlorbenzoat 775*
$C_{17}H_{21}NO_2$ Apoatropin 973
α-Naphthylcarbaminsäurehexylester 207*
$C_{17}H_{21}NO_3$ Phenylurethan d. Diosphenols 1233*
$C_{17}H_{21}NO_4$ *l*-Cocain 1398
α-Cocain 1285
l-Scopolamin (Hyoscin) 926
d-Borneol-p-nitrobenzoat 2722*
l-Fenchyl-p-nitrobenzoat 775*
$C_{17}H_{21}N_3$ Auramin 1876
$C_{17}H_{22}BrNO_4$ Scopolaminhydrobromid 2589
$C_{17}H_{22}ClNO$ β-Dimethylaminoäthylbenzhydrylätherhydrochlorid (Dabylen, Benadryl) 2262
$C_{17}H_{22}ClNO_2$ Apoatropinhydrochlorid 2925
$C_{17}H_{22}ClNO_4$ *l*-Cocainhydrochlorid 2446, 1398*
α-Cocainhydrochlorid 1285*
$C_{17}H_{22}ClN_3$ Auraminhydrochlorid 1876*
$C_{17}H_{22}N_2$ 4,4′-Bis-(dimethylamino)-diphenylmethan 1317
$C_{17}H_{22}N_2O$ 4,4′-Bisdimethylaminobenzhydrol 1376
$C_{17}H_{22}N_2O_6$ *l*-Menthyl-3,5-dinitrobenzoat 724*
$C_{17}H_{23}ClN_2$ N-(Dimethylaminoäthyl)-N-benzylanilinhydrochlorid (Antergan-hydrochlorid) 2719
$C_{17}H_{23}NO_2$ Phenylcarbaminsäure-cis-α-dekalylester 1338*
Phenylcarbaminsäure-trans-α-dekalylester 986*
Phenylcarbaminsäure-cis-β-dekalyl-I-ester 1479*
Phenylcarbaminsäure-cis-β-dekalyl-II-ester 514*
Phenylcarbaminsäure-trans-β-dekalylester 1123*
Phenylcarbaminsäure-d-bornylester 2722*
Phenylcarbaminsäure-*l*-fenchylester 775*
Phenylcarbaminsäure-α-terpinylester 650*
$C_{17}H_{23}NO_3$ Atropin 1609
l-Hyoscyamin 1524
$C_{17}H_{23}NO_4$ *l*-Menthyl-p-nitrobenzoat 724*
$C_{17}H_{23}NO_6S$ Atropinschwefelsäureester (Atrinal) 2926
$C_{17}H_{23}N_3$ 4,4′-Bisdimethylaminobenzhydrylamin 1858
$C_{17}H_{24}BrNO_3$ Homatropinmethylbromid (Novatropin) 2424
$C_{17}H_{24}ClNO_3$ Atropinhydrochlorid 1609*
$C_{17}H_{24}N_2O_6$ Decyl-3,5-dinitrobenzoat 441*
$C_{17}H_{24}O_2$ *l*-Menthylbenzoat 724*
$C_{17}H_{24}O_4$ Methylenbis-(dimethyldihydroresorcin) 119*
$C_{17}H_{25}NO_2$ Phenylcarbaminsäure-*l*-menthylester 724*
$C_{17}H_{25}NO_5$ Acetylactidion 1621*
$C_{17}H_{25}N_3O_5$ Humulochinonmonosemicarbazon 989*
$C_{17}H_{26}ClNO_3$ Euphthalmin (Mandelsäureester des N,α,α′,α′-Tetramethyl-γ-hydroxyhexahydropyridinhydrochlorids) 2454
$C_{17}H_{26}JNO_2$ Acrifolinjodmethylat 1460*
$C_{17}H_{26}N_2O_4$ p-Nitrophenylcarbaminsäuredecylester 441*
$C_{17}H_{27}NO$ Undecylsäureanilid 587*
Caprinsäure-p-toluidid 602*
$C_{17}H_{27}NO_2$ Phenylcarbaminsäuredecylester 441*
$C_{17}H_{27}N_3O_2$ Methylnonylketon-p-nitrophenylhydrazon 487*
$C_{17}H_{28}JNO$ Lycopodinjodmethylat 1670*
$C_{17}H_{29}ClN_2O_2$ p-Aminobenzoyl-N,N-diäthylleucinolhydrochlorid (Supracain) 2547
$C_{17}H_{29}N_3O_2$ Palustrin 1687
$C_{17}H_{30}ClN_3O_2$ Palustrinhydrochlorid 1687*
$C_{17}H_{30}O$ Zibeton 618
$C_{17}H_{31}NO$ Zibetonoxim 618*
$C_{17}H_{34}O_2$ Margarinsäure (n-Heptadecylsäure, Daturinsäure) 956
Palmitinsäuremethylester 983*
$C_{17}H_{34}O_4$ α-Monomyristin (Glycerin-α-myristinsäureester) 1051
$C_{17}H_{35}NO$ Margarinsäureamid 956*
$C_{17}H_{36}$ Heptadecan 534

$C_{18}H_{10}O_2$ 1,2-Benzanthrachinon 2272
Chrysochinon-(1,2) 2932
$C_{18}H_{11}NO_2$ Chinophthalon 2947
Naphthalin-2,3-dicarbonsäurephenylimid 2931*
$C_{18}H_{11}NO_8$ 3-Nitroalizarindiacetat 2957*
4-Nitroalizarindiacetat 3117*
$C_{18}H_{12}$ Chrysen 2991
$C_{18}H_{12}Br_2O_6$ Oxalsäure-p-bromphenacylester 2529*
$C_{18}H_{12}N_2$ Dichinolyl-(2,3′) 2390
Dichinolyl-(6,6′) 2436
$C_{18}H_{12}N_2O$ Aposafranon (9-Phenylphenazon) 2977
Acenaphthenchinonmonophenylhydrazon 3028
$C_{18}H_{12}O_4$ 3-Benzoxynaphthoesäure-(1) 2978*
$C_{18}H_{12}O_6$ 1,2-Diacetoxyanthrachinon 3119*
1,3-Diacetoxyanthrachinon 3036*
1,4-Diacetoxyanthrachinon 2647*

1,5-Diacetoxyanthrachinon 3090*
1,6-Diacetoxyanthrachinon 3077*
1,7-Diacetoxyanthrachinon 3131*
1,8-Diacetoxyanthrachinon 2549*
$C_{18}H_{12}O_7$ 1-Hydroxy-2,3-diacetoxyanthrachinon 3169*
Diacetyl-1,2,7-trihydroxyanthrachinon (Purgatin) 2380
$C_{18}H_{13}NO_2$ Tetrophan 2974
$C_{18}H_{13}NO_4$ 2-Piperonylchinolin-4-carbonsäuremethylester (Synthalin) 1872
$C_{18}H_{14}$ 1,4-Diphenylbenzol 2758
ω,ω-Diphenylfulven 1216
$C_{18}H_{14}N_2O_8$ Fumarsäure-bis-p-nitrobenzylester 3113*
Maleinsäure-bis-p-nitrobenzylester 1802*
$C_{18}H_{14}O$ Fuchson 2273
$C_{18}H_{14}O_3$ Zimtsäureanhydrid 1880
$C_{18}H_{14}O_4$ α-Hydroxy-β-(2-hydroxy-3-carboxybenzyl)-naphthalin (Epicarin) 2538
Dibenzalbernsteinsäure 2807
1,2-Diacetoxyanthracen 1808*
1,5-Diacetoxyanthracen 3041*
1,8-Diacetoxyanthracen 2846*
$C_{18}H_{14}O_6$ Oxalsäurephenacylester 2529*
$C_{18}H_{14}O_8$ Succinylsalicylsäure (Diaspirin) 2391
$C_{18}H_{15}Al$ Aluminiumtriphenyl 2607
$C_{18}H_{15}As$ Triphenylarsin 948
$C_{18}H_{15}B$ Bortriphenyl 1877
$C_{18}H_{15}Bi$ Wismuttriphenyl 1167
$C_{18}H_{15}BrN_2O_8$ dl-Brombernsteinsäure-bis-p-nitrobenzylester 2172*
$C_{18}H_{15}N$ Triphenylamin 1767
$C_{18}H_{15}NO$ Phenyl-α-naphthylacetamid 977*
N-Acetylphenyl-β-naphthylamin 1517*
$C_{18}H_{15}NO_2$ Atophanäthylester (Acitrin) 968
α-Naphthylcarbaminsäurebenzylester 339*
α-Naphthylcarbaminsäure-o-kresylester 597*
α-Naphthylcarbaminsäure-m-kresylester 461*
α-Naphthylcarbaminsäure-p-kresylester 629*
$C_{18}H_{15}NO_2S$ Phenylsulfonyldiphenylamin 857*
$C_{18}H_{15}NO_3$ α-Naphthylcarbaminsäure-guajacylester 583*
$C_{18}H_{15}OP$ Triphenylphosphinoxyd 2121
$C_{18}H_{15}O_4P$ Triphenylphosphat 795
$C_{18}H_{15}P$ Triphenylphosphin 1182
$C_{18}H_{15}SSb$ Triphenylstibinsulfid (Sulfoform) 1662
$C_{18}H_{16}Br_2O_4$ dl-Butandiol-(2,3)-bis-p-brombenzoat 445*
Mesobutandiol-(2,3)-bis-p-brombenzoat 638*
$C_{18}H_{16}N_2$ Hydrindon-(1)-azin 719*
Acetophenon-β-naphthylhydrazon 524*
$C_{18}H_{16}N_2O_4S_2$ N,N'-Dibenzolsulfonyl-o-phenylendiamin 1463*
N,N'-Dibenzolsulfonyl-p-phenylendiamin 1919*
$C_{18}H_{16}N_2O_5$ dl-Weinsäure-di-p-nitrobenzylester 2675*
$C_{18}H_{16}N_2O_8$ Bernsteinsäure-p-nitrobenzylester 2478*
Methylmalonsäure-p-nitrobenzylester 1868*
$C_{18}H_{16}N_2O_9$ *l*-Äpfelsäurebis-p-nitrobenzylester 1423*
$C_{18}H_{16}N_2O_{10}$ akt.-Weinsäure-p-nitrobenzylester 2313*
$C_{18}H_{16}O_2$ Zimtsäurecinnamylester (Styracin) 742
$C_{18}H_{16}O_4$ 1,2-Diäthoxyanthrachinon 3119*
1,3-Diäthoxyanthrachinon 3036*
1,5-Diäthoxyanthrachinon 3090*
α-Truxillsäure (Cocasäure) 3106
β-Truxinsäure 2706
$C_{18}H_{16}O_5$ Aloeemodintrimethyläther 2843*
Emodintrimethyläther 3022*
Apigenintrimethyläther 3196*
$C_{18}H_{16}O_6$ 1,4,5,8-Tetramethoxyanthrachinon 2969*
Opiansäurephenacylester 2051*
$C_{18}H_{17}NO$ Retenchinonmonoimin 2609*
$C_{18}H_{17}N_3O$ Dibenzalacetonsemicarbazon 1564*
$C_{18}H_{18}$ Reten (1-Methyl-7-isopropylphenanthren) 1420
$C_{18}H_{18}N_2O_2$ Rentenchinonoxim 2609*
Maleinsäuredi-p-toluidid 1802*
4,4'-Diacetaminostilben 2856*
$C_{18}H_{18}N_2O_4$ Antipyrinsalicylat (Salipyrin) 1325
$C_{18}H_{18}N_2O_4S$ p-Toluolsulfonyl-*l*-tryptophan 3118*
$C_{18}H_{18}O_2$ 3,4-Bis-(p-hydroxyphenyl)-2,4-hexadien (Dienöstrol) 2887
1,5-Diäthoxyanthracen 3041*
$C_{18}H_{18}O_4$ Adipinsäurephenylester 2063*
dl-Butandiol-(2,3)-dibenzoat 445*
Mesobutandiol-(2,3)-dibenzoat 638*
Diphensäurediäthylester 2865*
$C_{18}H_{18}O_{12}$ Benzolhexacarbonsäurehexamethylester 3115*
Hexaacetoxybenzol 2639*
$C_{18}H_{19}N_3O_2$ Diacetylaminoazotoluol (Pellidol) 1120, 1438*
$C_{18}H_{20}Br_2N_4O_3$ Fucose-p-bromphenylosazon 1992*
$C_{18}H_{20}JNO_2$ p-Joddiphenylylcarbaminsäure-n-amylester 152*
$C_{18}H_{20}N_2O_2$ Adipinsäureanilid 2063*
Diacetylstilbendiamin 1324*

N,N'-Diacetyl-o-tolidin 1790*
N,N'-Diacetyl-m-tolidin 1520*
N,N'-Dibenzoylputrescin 541*
$C_{18}H_{20}N_2O_4$ N,N'-Diacetyl-o-dianisidin 1888*
$C_{18}H_{20}O_2$ trans-4,4'-Dihydroxy-α,β-diäthylstilben (Stilböstrol, Diäthylstilböstrol) 2290
$C_{18}H_{21}NO_2$ p-Diphenylylcarbaminsäure-n-amylester 152*
α-Naphthylcarbaminsäure-1-methylcyclohexylester 565*
$C_{18}H_{21}NO_3$ Codein 2104
Dihydrocodeinon (Dicodid) 2577
N-Benzoylmezcalin 653*
$C_{18}H_{21}NO_4$ Dihydrohydroxycodeinon 2819
$C_{18}H_{22}BrNO_3$ Morphinbrommethylat (Morphosan) 3040
$C_{18}H_{22}ClNO_3$ Dihydrocodeinonhydrochlorid 2577*
$C_{18}H_{22}ClNO_4$ Dihydrohydroxycodeinonhydrochlorid (Eukodal) 3052, 2819*
$C_{18}H_{22}N_2O_2$ N,N'-Di-(p-äthoxyphenyl)-acetamidin (Holocain) 1681
$C_{18}H_{22}N_2O_3$ Dihydrocodeinonoxim 2577*
$C_{18}H_{22}N_2O_4$ Fucosediphenylhydrazon 1992*
Rhodeosediphenylhydrazon 1980*
$C_{18}H_{22}N_4O_3$ Fucosephenylosazon 1992*
l-Rhamnosazon 1709*
$C_{18}H_{22}N_4O_4$ d-Glucosephenylosazon 2004*
d-Mannosephenylosazon 1824*
d-Fructosephenylosazon 1452*
Sorbosephenylosazon 2244*
$C_{18}H_{22}N_4O_6$ Schleimsäurephenylhydrazid 2763*
$C_{18}H_{22}O_2$ Östron (α-Follikelhormon, $\Delta^{1,3,5(10)}$ Östratrien-3-ol-17-on) 3023
$C_{18}H_{22}O_4$ Phthalsäuremono-*l*-fenchylester 775*
$C_{18}H_{22}O_8$ Pyromellitsäuretetraäthylester 3072*
$C_{18}H_{23}ClN_2O_2$ N,N'-Di-(p-äthoxyphenyl)-acetamidinhydrochlorid (Holocainhydrochlorid) 2586
$C_{18}H_{23}ClN_2S$ N-Diäthylaminoäthylphenothiazinhydrochlorid (Casantin, Thiantan) 2471
$C_{18}H_{23}NO_2$ Östronoxim 3023*
α-Naphthylcarbaminsäure-n-heptylester 261*
α-Naphthylcarbaminsäuredipropylcarbinylester 250*
$C_{18}H_{23}NO_3$ (—)-Dihydrocodein (Base d. Paracodins) 1577
$C_{18}H_{24}ClNO_3$ Dihydrocodeinhydrochlorid (Paracodinhydrochlorid) 2967, 1577*
$C_{18}H_{24}NO_7P$ Codeinphosphat 2901
$C_{18}H_{24}O_2$ β-Östradiol ($\Delta^{1,3,5(10)}$-Östratrien-3,17β-diol, Dihydrofollikelhormon) 2364
$C_{18}H_{24}O_{12}$ inakt. Inosithexaacetat 2848*
$C_{18}H_{25}BrO_3$ Caprinsäure-p-bromphenacylester 602*
$C_{18}H_{25}ClO_3$ Caprinsäure-p-chlorphenacylester 602*
$C_{18}H_{26}BrNO_3$ Methylatropiniumbromid 2838
$C_{18}H_{26}N_2O_6$ Methylatropiniumnitrat (Eumydrin) 2214
$C_{18}H_{26}O_{12}$ d-Mannithexaacetat 2256*
Sorbithexaacetat 1134*, 1546*
$C_{18}H_{27}NO_2$ Undecyl-p-nitrobenzoat 356*
$C_{18}H_{29}NO$ Laurinsäureanilid 740*
Undecylsäure-p-toluidid 587*
$C_{18}H_{29}NO_2$ Phenylcarbaminsäureundecylester 356*
$C_{18}H_{30}$ Hexaäthylbenzol 1792
$C_{18}H_{30}Br_4O_2$ α-Eläostearinsäuretetrabromid 792*
$C_{18}H_{30}Br_6O_2$ Linolensäurehexabromid (9,10,12,13,15,16-Hexabromoctadecansäure) 2429
$C_{18}H_{30}N_2O$ Laurinsäurephenylhydrazid 740*
$C_{18}H_{30}O_2$ α-Eläostearinsäure 792
β-Eläostearinsäure 1088
$C_{18}H_{32}Br_4O_2$ Linolsäuretetrabromid 1606
$C_{18}H_{32}J_2O_2$ Ricinstearolsäuredijodid (Dijodyl) 1093
$C_{18}H_{32}O_2$ Linolsäure 367
Stearolsäure 788
Chaulmoograsäure 1060
$C_{18}H_{32}O_4$ Stearoxylsäure 1269
$C_{18}H_{33}NO$ Chaulmoograsäureamid 1060*
$C_{18}H_{33}NaO_2$ Natriumoleat 2889
$C_{18}H_{34}O_2$ Ölsäure 481
Elaidinsäure 751
$C_{18}H_{34}O_3$ Ricinolsäure 426
Ricinelaidinsäure 831
$C_{18}H_{35}KO_2$ Kaliumstearat 1823
$C_{18}H_{35}NO$ Ölsäureamid 481*
Elaidinsäureamid 751*
$C_{18}H_{35}NO_2$ Ricinolsäureamid 426*
$C_{18}H_{36}$ α-Octadecylen [Octadecen-(1)] 518
$C_{18}H_{36}O_2$ Stearinsäure 1069
Palmitinsäureäthylester 983*
$C_{18}H_{36}O_3$ α-Hydroxystearinsäure 1346
10-Hydroxystearinsäure 1203
$C_{18}H_{36}O_4$ hochschm. ϑ,ι-Dihydroxystearinsäure 1834
$C_{18}H_{37}NO$ Stearinsäureamid 1069*
$C_{18}H_{36}$ Octadecan 574
$C_{18}H_{38}O$ Stearylalkohol 936

$C_{19}H_{12}N_4O_4$ Fluorenon-2,4-dinitrophenylhydrazon 1242*
$C_{19}H_{12}O_2$ α-Naphthoflavon (2-Phenyl-7,8-benzochromon) 2097

$C_{19}H_{12}O_3$ Resorcinbenzein 3191
$C_{19}H_{13}BrO_3$ α-Naphthoesäure-p-bromphenacylester 2184*
$C_{19}H_{13}N$ 9-Phenylacridin 2440, 1695*
$C_{19}H_{13}NO$ Benzoylcarbazol 2922*
$C_{19}H_{13}NO_4$ Lutidinsäurediphenylester 2979*
$C_{19}H_{13}N_3O_2$ Fluorenon-p-nitrophenylhydrazon 1242*
$C_{19}H_{13}N_3O_7$ Trinitrophenylcarbinol 1348*
$C_{19}H_{14}$ 9-Phenylfluoren 2022
$C_{19}H_{14}N_2$ Fluorenonphenylhydrazon 1242*
$C_{19}H_{14}N_2O$ Xanthonphenylhydrazon 2360*
$C_{19}H_{14}N_4O_4$ Benzophenon-2,4-dinitrophenylhydrazon 782*
$C_{19}H_{14}O_6$ 5,7-Diacetoxyflavon 3073
4,5-Diacetoxyanthrachinon 2604*
$C_{19}H_{15}$ Triphenylmethyl 2000
$C_{19}H_{15}Br$ Triphenylbrommethan 2072
$C_{19}H_{15}Cl$ Triphenylchlormethan 1571
$C_{19}H_{15}Cl_3O_5$ Ustin 2473
$C_{19}H_{15}NO$ 4-Benzoylaminodiphenyl 842*
Benzoyldiphenylamin 857*
$C_{19}H_{15}NO_2$ Atophanallylester (Atochinol) 656
Diphenylylcarbaminsäurephenylester 711*
$C_{19}H_{15}NO_6$ Piperinsäure-p-nitrobenzylester 2793*
$C_{19}H_{15}N_3$ Chrysanilin 3048
$C_{19}H_{15}N_3O$ 4-Benzoylaminobenzol 1740*
$C_{19}H_{15}N_3O_2$ Benzophenon-p-nitrophenylhydrazon 782*
Cinchomeronsäuredianilid 3021*
$C_{19}H_{16}$ Triphenylmethan (Tritan) 1348
$C_{19}H_{16}ClNO_4$ 1-(3′,4′-Methylendioxybenzyl)-3-methyl-6,7-methylendioxyisochinolinhydrochlorid (Eupaverinhydrochlorid) 2143
$C_{19}H_{16}N_2$ Benzophenonphenylhydrazon 1886, 562*, 782*
$C_{19}H_{16}N_2O$ 2-Benzoylaminodiphenylamin 1183*
$C_{19}H_{16}N_2O_3$ N-(2-Phenylcinchonoyl)-äthylurethan (Fantan) 2353
$C_{19}H_{16}N_2O_8$ Itaconsäure-p-nitrobenzylester 2189*
Citraconsäure-p-nitrobenzylester 1319*
Mesaconsäure-p-nitrobenzylester 2664*
$C_{19}H_{16}O$ Triphenylcarbinol 2206, 1571*, 2072*
$C_{19}H_{17}N$ 3-Aminotriphenylmethan 1229
$C_{19}H_{17}NO$ 2-Aminotriphenylcarbinol 1695
4-Aminotriphenylcarbinol 1623
$C_{19}H_{17}NO_2$ α-Naphthylcarbaminsäure-4-äthylphenylester 761*
α-Naphthylcarbaminsäure-2,5-dimethylphenylester 1121*
α-Naphthylcarbaminsäure-3,4-dimethylphenylester 982*
$C_{19}H_{17}NO_2S$ p-Tolylsulfonyldiphenylamin 857*
$C_{19}H_{17}N_3$ N,N,N′-Triphenylguanidin 1812
N,N′,N″-Triphenylguanidin 1983, 325*, 2093*
$C_{19}H_{18}N_2$ 4,4′-Diaminotriphenylmethan 1910
$C_{19}H_{18}N_2O$ 4,4′-Diaminotriphenylcarbinol 2354
$C_{19}H_{18}N_2O_8$ Glutarsäure-p-nitrobenzylester 1397*
Äthylmalonsäure-p-nitrobenzylester 1560*
Dimethylmalonsäure-p-nitrobenzylester 2533*
$C_{19}H_{18}O_6$ Fisetintetramethyläther 3189*
Scutellareintetramethyläther 3190*
$C_{19}H_{19}NO_4$ Bulbocapnin 2646
$C_{19}H_{19}N_3$ 4,4′,4″-Triaminotriphenylmethan 2716
$C_{19}H_{19}N_3O$ 4,4′,4″-Triaminotriphenylcarbinol 2696
$C_{19}H_{20}N_2O_2$ Mesaconsäure-p-toluidid 2664*
$C_{19}H_{20}N_2O_4$ Antipyrinmandelat (Tussol) 839
$C_{19}H_{20}O_2$ Dienöstrolmonomethyläther 2887*
$C_{19}H_{20}O_3$ Isovaleriansäure-p-phenylphenacylester 248*
$C_{19}H_{20}O_4$ Dibenzalpentaerythrit 2997*
$C_{19}H_{21}NO_2$ p-Diphenylylcarbaminsäurecyclohexylester 543*
$C_{19}H_{21}NO_3$ Thebain 2574
$C_{19}H_{22}ClNO_3$ Thebainhydrochlorid 2459
$C_{19}H_{22}N_2O$ Apocinchonin 2786
Cinchonin 3054
Cinchonidin 2666
Cinchotoxin 914
$C_{19}H_{22}N_2O_2$ Apochinin 2733
Cuprein 2616
Pimelinsäuredianilid 1486*
$C_{19}H_{23}ClN_2O$ Cinchoninhydrochlorid 2728
$C_{19}H_{23}NO_4$ Cinnamoylcocain 1680
$C_{19}H_{23}N_3O_2$ Ergometrin 2204
Ergometrinin 2601
$C_{19}H_{24}BrNO_3$ Codeinbrommethylat (Eucodin) 3029
$C_{19}H_{24}Br_2O_2$ Dibromzimtsäurebornylester (Adamon) 1124
$C_{19}H_{24}ClNO_3$ Äthylmorphinhydrochlorid (Dionin) 2292
$C_{19}H_{24}N_2$ Phenyl-benzyl-[N-methylpiperidyl-(4)]-amin 2596*
$C_{19}H_{24}N_2O$ Hydrocinchonin 3083
$C_{19}H_{24}N_2O_2$ Chinamin 2485
Isochinamin 2485*
$C_{19}H_{25}ClN_2$ N-(β-N′-Phenyl-N′-benzylaminoäthyl)-pyrrolidinhydrochlorid (Bronchistin, Luvistin) 2600

Phenyl-benzyl-[N-methylpiperidyl-(4)]-aminhydrochlorid (Soventol) 2596
$C_{19}H_{25}NO_2$ α-Naphthylcarbaminsäure-n-octylester 336*
α-Naphthylcarbaminsäure-sek.-octylester 245*
$C_{19}H_{25}N_3O_2$ Östronsemicarbazon 3023*
$C_{19}H_{26}ClNO_4$ d-Benzoylpseudotropincarbonsäurepropylesterhydrochlorid (Psicain-Neu) 2828
$C_{19}H_{26}O_2$ β-Östradiol-3-methyläther 2364*
$C_{19}H_{27}ClO_3$ Undecylsäure-p-chlorphenacylester 587*
$C_{19}H_{27}JO_3$ Undecylsäure-p-jodphenacylester 587*
$C_{19}H_{28}O_2$ Testosteron (Δ^4-Androsten-17β-ol-3-on) 2106
Dehydroisoandrosteron [Δ^5-Androstenol-(3β)-on-(17)] 2027
$C_{19}H_{29}NO_2$ Testosteronoxim 2106*
Dehydroisoandrosteronoxim 2027*
$C_{19}H_{30}N_2O_4$ p-Nitrophenylcarbaminsäuredodecylester 545*
$C_{19}H_{30}O_2$ Androsteron (Androstan-3α-ol-17-on) 2484
$C_{19}H_{31}NO$ Laurinsäure-p-toluidid 740*
$C_{19}H_{31}NO_2$ Androsteronoxim 2484*
$C_{19}H_{34}O_2$ Chaulmoograsäuremethylester 1060*
$C_{19}H_{38}O_2$ Stearinsäuremethylester 1069*
$C_{19}H_{38}O_4$ α-Monopalmitin (Glycerin-α-palmitat) 1171
ϑ,ι-Dihydroxystearinsäuremethylester 1834*
$C_{19}H_{40}$ Nonadecan 611

$C_{20}H_{10}Br_4O_4$ 3′,5′,3″,5″-Tetrabromphenolphthalein 3132
$C_{20}H_{10}Cl_4O_4$ Tetrachlorphenolphthalein 3175
$C_{20}H_{12}$ Perylen 3038
$C_{20}H_{12}N_2O_8$ Resorcindi-p-nitrobenzoat 1552*
$C_{20}H_{12}N_4O_5$ Phenanthrenchinon-2,4-dinitrophenylhydrazon 2717*
$C_{20}H_{12}O_3$ Fluoran 2419
$C_{20}H_{12}O_5$ Fluorescein (Resorcinphthalein) 3171
Hydrochinonphthalein 2888
$C_{20}H_{13}NO_4S$ Anthrachinonsulfonsäure-(1)-anilid 2769*
2-Benzolsulfonylaminoanthrachinon 3151*
$C_{20}H_{13}NO_5$ 2-(4′-Nitrobenzoyloxy)-benzophenon 690*
$C_{20}H_{14}$ Dinaphthyl-(1,1′) 2178
Dinaphthyl-(2,2′) 2510
9-Phenylanthracen 2076
$C_{20}H_{14}Hg_2O_4$ Phenylquecksilberphthalat 2776
$C_{20}H_{14}N_2$ 1,1′-Azonaphthalin 2530
2,2′-Azonaphthalin 2720
$C_{20}H_{14}N_2O$ α,α′-Azoxynaphthalin 1759
β,β′-Azoxynaphthalin 2268
Phenanthrenchinonphenylhydrazon 2717*
$C_{20}H_{14}N_2O_6$ Benzhydryl-3,5-dinitrobenzoat 1059*
$C_{20}H_{14}N_4O_5$ Benzil-2,4-dinitrophenylhydrazon 1362*
$C_{20}H_{14}O_2$ 2,2′-Dihydroxydinaphthyl-(1,1′) 2809
4,4′-Dihydroxydinaphthyl-(1,1′) 3148
3,3-Diphenylphthalid (Phthalophenon) 1611
$C_{20}H_{14}O_4$ Phenolphthalein 3005, 2849*
Benzoylsalicylsäurephenylester 731*
Resorcindibenzoat 1552*
Hydrochinondibenzoat 2316*
Isophthalsäurediphenylester 3197*
Terephthalsäurediphenylester 2878*
$C_{20}H_{14}O_8$ 1,2,3-Triacetoxyanthrachinon 3169*
1,2,4-Triacetoxyanthrachinon 3106*
1,2,5-Triacetoxyanthrachinon 3084*
1,2,7-Triacetoxyanthrachinon 3205*
1,2,8-Triacetoxyanthrachinon 2930*
$C_{20}H_{15}N$ Di-α-naphthylamin 1610
Di-β-naphthylamin 2319
$C_{20}H_{15}NO_2$ 2-Benzoylaminobenzophenon 1490*
3-Benzoylaminobenzophenon 1277*
4-Benzoylaminobenzophenon 1717*
2-Benzoylbenzoesäureanilid 1761*
$C_{20}H_{15}NO_4$ Benzhydryl-p-nitrobenzoat 1059*
$C_{20}H_{15}N_3$ 4-Amino-1,1′-azonaphthalin 2452
$C_{20}H_{15}N_3O$ Fluorenonphenylsemicarbazon 1242*
$C_{20}H_{15}N_3O_3$ Benzil-p-nitrophenylhydrazon 1362*
$C_{20}H_{15}N_3O_4$ 3-Nitrophthalsäuredianilid 2836*
$C_{20}H_{16}$ Triphenyläthylen (α-Phenylstilben) 1014
$C_{20}H_{16}Br_2O_6$ Bernsteinsäure-p-bromphenacylester 2478*
$C_{20}H_{16}Br_2O_7$ l-Äpfelsäurebis-p-bromphenacylester 1423*
$C_{20}H_{16}Br_2O_8$ akt.-Weinsäure-p-bromphenacylester 2313*
$C_{20}H_{16}N_2O$ Benzilphenylhydrazon 1362*
$C_{20}H_{16}N_2O_2$ Phthalsäuredianilid 2882*
Terephthalsäureanilid 2878*
Dibenzoyl-m-phenylendiamin 984*
$C_{20}H_{16}N_2O_4$ p-Nitrophenylcarbaminsäurebenzhydrylester 1059*

Bis-phenylurethan d. Brenzcatechins 1478*
Bis-phenylurethan d. Resorcins 1552*
$C_{20}H_{16}N_4$ Nitron (1,4-Diphenyl-3,5-endoanilino-1,2,4-triazolin) 2519
$C_{20}H_{16}N_4O_4$ Desoxybenzoin-2,4-dinitrophenylhydrazon 942*
4-Methylbenzophenon-2′,4′-dinitrophenylhydrazon 933*
$C_{20}H_{16}N_4O_5$ Benzoin-2,4-dinitrophenylhydrazon 1832*
$C_{20}H_{16}N_6O_4$ Phenylglyoxalbis-p-nitrophenylhydrazon 1322*
$C_{20}H_{16}O_2$ Triphenylessigsäure 3047
2-Benzhydrylbenzoesäure 2193
Benzhydrylbenzoat 1059*
$C_{20}H_{16}O_4$ Phenolphthalin 2849
$C_{20}H_{16}O_6$ Fumarsäurediphenacylester 3113*
Maleinsäurediphenacylester 1802*
$C_{20}H_{17}ClN_4$ Nitronhydrochlorid (1,4-Diphenyl-3,5-endoanilino-1,2,4-triazolinhydrochlorid) 2519*
$C_{20}H_{17}Cl_3O_5$ Monomethylustin 2473*
$C_{20}H_{17}NO$ Diphenylessigsäureanilid 2029*
2-Benzoylaminodiphenylmethan 833*
$C_{20}H_{17}NO_2$ Phenylcarbaminsäurebenzhydrylester 1059*
p-Diphenylylcarbaminsäurebenzylester 339*
Diphenylylcarbaminsäure-p-kresylester 629*
Benzilsäureanilid 2045*
$C_{20}H_{17}NO_{11}$ Amygdalin 2779
$C_{20}H_{17}N_3O$ Benzophenonphenylsemicarbazon 782*
$C_{20}H_{17}N_3O_2$ Desoxybenzoin-p-nitrophenylhydrazon 942*
$C_{20}H_{18}N_2$ Desoxybenzoinphenylhydrazon 942*
4-Methylbenzophenonphenylhydrazon 933*
Acetophenondiphenylhydrazon 524*
$C_{20}H_{18}N_2O$ Benzoinphenylhydrazon 1832*
$C_{20}H_{18}N_4$ Phenylglyoxal-bis-phenylhydrazon 1322*
o-Phthalaldehydbisphenylhydrazon 890*
$C_{20}H_{18}O_6$ Bernsteinsäurephenacylester 2478*
$C_{20}H_{18}O_7$ *l*-Äpfelsäurediphenacylester 1423*
$C_{20}H_{18}O_8$ akt.-Weinsäurephenacylester 2313*
$C_{20}H_{19}N$ N,N-Dibenzylanilin 1091
$C_{20}H_{19}NO_2S$ Dibenzyl-benzolsulfonylamin 293*
$C_{20}H_{19}NO_5$ Berberin 1987
$C_{20}H_{20}N_2O_4S_2$ N,N′-Di-p-toluolsulfonyl-o-phenylendiamin 1463*
N,N′-Di-p-toluolsulfonyl-p-phenylendiamin 1919*
$C_{20}H_{20}N_2O_5$ Antipyrinacetylsalicylat (Acetopyrin) 1005
$C_{20}H_{20}N_2O_6S_2$ N,N′-Dibenzoyl-*l*-cystin 3019*
$C_{20}H_{20}N_2O_8$ Adipinsäure-p-nitrobenzylester 2063*
$C_{20}H_{20}N_2O_{12}$ Schleimsäure-di-p-nitrobenzylester 2763*
$C_{20}H_{20}N_4O_{10}$ Isosafrolpseudonitrosit 439*
$C_{20}H_{20}O_7$ Morinpentamethyläther 3123*
Quercetinpentamethyläther 3170*
$C_{20}H_{21}NO_4$ Papaverin 2014
Bulbocapninmethyläther 2646*
$C_{20}H_{21}NO_9S$ Berberinsulfat 2855
$C_{20}H_{21}N_3O$ 4,4′,4″-Triamino-3-methyltriphenylcarbinol 2495
$C_{20}H_{22}ClNO_4$ Papaverinhydrochlorid 2749, 2014*
$C_{20}H_{22}JNO_4$ Bulbocapninjodmethylat 2646*
$C_{20}H_{22}N_2O_2$ N,N′-Di-[p-allyloxyphenyl]-äthenyl-amidin 1258
$C_{20}H_{22}N_6O_2$ Retenchinonsemicarbazon 2609*
$C_{20}H_{22}O_2$ Dienöstroldimethyläther 2887*
$C_{20}H_{22}O_3$ Capronsäure-p-phenylphenacylester 391*
Isocapronsäure-p-phenylphenacylester 258*
Dimethyläthylessigsäure-p-phenylphenacylester 347*
$C_{20}H_{22}O_6$ Dibenzaldulcit 2524*
$C_{20}H_{23}ClN_2O_2$ N,N′-Di-(p-allyloxyphenyl)-acetamidinhydrochlorid (Diocain) 2073, 1258*
$C_{20}H_{23}N_3O_4$ Pyramidonsalicylat 1057
$C_{20}H_{24}ClNO_4$ Acedicon (Enolacetat des Dihydrocodeinonhydrochlorids) 2891
$C_{20}H_{24}N_2O_2$ Chinin 2367
Chinidin (Conchinin) 2341
Chinotoxin 939
Korksäureanilid 1926*
Adipinsäure-p-toluidid 2063*
$C_{20}H_{24}N_2O_8S_2$ Di-p-toluolsulfonyl-*l*-cystin 3019*
$C_{20}H_{24}N_4O_6$ Dicyclopentadienpseudonitrosit 620*
$C_{20}H_{24}O_2$ Äthinylöstradiol (17α-Äthinyl-$\Delta^{1,4,5(10)}$-östratrien-3,17β-diol) 1998
Diäthylstilböstroldimethyläther (4,4′-Dimethoxy-α,β-diäthylstilben) 1708
$C_{20}H_{24}O_3$ Östronacetat 3023*
$C_{20}H_{25}ClN_2O_2$ Chininhydrochlorid 2148, 2367*
$C_{20}H_{25}N_3O_2$ Methergin 2335
$C_{20}H_{26}ClNO_2$ Trasentin (Hydrochlorid d. Diphenylessigsäureesters d. Diäthylaminoäthanols) 1578
$C_{20}H_{26}N_2O_2$ Hydrochinin 2334
$C_{20}H_{26}O$ Vitamin A_2-aldehyd (Retinin$_2$) 1156
$C_{20}H_{26}O_3$ β-Östradiol-3-acetat 2364*
β-Östradiol-17-acetat 2364*

$C_{20}H_{28}O$ Vitamin-A_1-aldehyd (Retinin$_1$) 978
$C_{20}H_{28}O_2$ Vitamin-A_1-säure 2442
Dehydroabietinsäure 2328
$C_{20}H_{29}BrO_3$ Laurinsäure-p-bromphenacylester 740*
$C_{20}H_{30}ClN_3O_2$ Percain (Nupercain, α-Butoxycinchoninsäurediäthylaminoäthylamidhydrochlorid) 1393
$C_{20}H_{30}O$ Vitamin-A_1 (Axerophthol) 981
$C_{20}H_{30}O_2$ Methyltestosteron (17α-Methyl-Δ^4-androsten-17β-ol-3-on) 2248
Abietinsäure 2220
Neoabietinsäure 2271
$C_{20}H_{30}O_3$ Laurinsäurephenacylester 740*
$C_{20}H_{31}NO_4$ n-Tridecyl-p-nitrobenzoat 594*
$C_{20}H_{32}N_2$ d-Fenchonazin 435*
$C_{20}H_{32}N_2O_6S$ Hordeninsulfat 2765
$C_{20}H_{33}NO$ Myristinsäureanilid 862*
$C_{20}H_{33}NO_2$ Phenylcarbaminsäure-n-tridecylester 594*
$C_{20}H_{33}N_3O_2$ Androsteronsemicarbazon 2484*
$C_{20}H_{34}Br_6O_2$ Linolensäurehexabromidäthylester 2429*
$C_{20}H_{34}N_2O$ Myristinsäurephenylhydrazid 862*
$C_{20}H_{40}O$ Phytol 411
$C_{20}H_{40}O_2$ Arachinsäure (Eikosansäure) 1149
Stearylacetat 936*
Stearinsäureäthylester 1069*
$C_{20}H_{40}O_4$ ϑ,ι-Dihydroxystearinsäureäthylester 1834*
$C_{20}H_{41}NO$ Arachinsäureamid 1149*
$C_{20}H_{42}$ Eikosan 678

$C_{21}H_{12}O_6$ 1,8-Dihydroxyanthrachinon-3-carbonsäurephenylester 3183*
$C_{21}H_{13}NO_3$ 1-Benzoylaminoanthrachinon 2960*
2-Benzoylaminoanthrachinon 3151*
$C_{21}H_{14}O$ α,α'-Dinaphthylketon 1467
1,2'-Dinaphthylketon 1864
2,2'-Dinaphthylketon 2230
$C_{21}H_{15}NO_2$ α-Naphthylcarbaminsäure-α'-naphthylester 1389*
α-Naphthylcarbaminsäure-β'-naphthylester 1712*
$C_{21}H_{15}NO_4S$ 2-(p-Toluolsulfonylamino)-anthrachinon 3151*
$C_{21}H_{15}NO_5$ Benzoin-p-nitrobenzoat 1832*
2-Benzoylbenzoesäure-p-nitrobenzylester 1761*
$C_{21}H_{16}$ Di-α-naphthylmethan 1529
Di-β-naphthylmethan 1341
$C_{21}H_{16}Br_2O_4$ Itaconsäure-p-bromphenacylester 2189*
$C_{21}H_{16}N_2$ Lophin (2,4,5-Triphenylglyoxalin) 3075
$C_{21}H_{16}N_2O_3$ Phthalonsäuredianilid 1996*
$C_{21}H_{16}N_2O_5$ p-Nitrophenylurethan d. Benzoins 1832*
$C_{21}H_{16}N_4O_4$ Benzalacetophenon-2,4-dinitrophenylhydrazon 904*
$C_{21}H_{16}O_4$ 4-Hydroxybenzoesäure-p-phenylphenacylester 2778*
Orcindibenzoat 1508*
Saligenindibenzoat 1267*
$C_{21}H_{16}O_6$ Gallussäure-p-phenylphenacylester 2929*
$C_{21}H_{16}O_8$ Apigenintriacetat 3196*
Aloeemodintriacetat 2843*
4,5,7-Triacetoxy-2-methylanthrachinon 3022*
$C_{21}H_{16}O_{11}$ Novaspirin (Methylencitrylsalicylsäure, Anhydromethylencitronensäuredisalicylester) 2057
$C_{21}H_{17}Cl_3O_6$ Acetylustin 2473*
$C_{21}H_{17}NO$ α-Phenyl-cis-zimtsäureanilid 1895*
α-Phenyl-trans-zimtsäureanilid 2338*
$C_{21}H_{17}NO_3$ Phenylurethan d. Benzoins 1832*
$C_{21}H_{17}NO_4$ Diphenylessigsäure-p-nitrobenzylester 2029*
$C_{21}H_{17}NO_5$ Benzilsäure-p-nitrobenzylester 2045*
$C_{21}H_{18}Br_2O_6$ Glutarsäure-p-bromphenacylester 1397*
$C_{21}H_{18}N_2$ Amarin 1831, 1543*
Hydrobenzamid 1543
Zimtaldehyddiphenylhydrazon 369*
Benzalacetophenonphenylhydrazon 904*
$C_{21}H_{18}N_2O_4$ Bisphenylurethan d. Orcins 1508*
$C_{21}H_{18}N_4O_4$ Dibenzylketon-2,4-dinitrophenylhydrazon 644*
4,4'-Dimethylbenzophenon-2,4-dinitrophenylhydrazon 1364*
$C_{21}H_{18}O_6$ Citraconsäurephenacylester 1319*
Itaconsäurephenacylester 2189*
$C_{21}H_{19}Cl_3O_5$ Dimethylustin 2473*
$C_{21}H_{19}NO$ 3-Acetaminotriphenylmethan 1229*
Diphenylessigsäure-p-toluidid 2029*
$C_{21}H_{19}NO_2$ p-Diphenylylcarbaminsäure-2,4-dimethylphenylester 563*
p-Diphenylylcarbaminsäure-2,5-dimethylphenylester 1121*
p-Diphenylylcarbaminsäure-2,6-dimethylphenylester 779*
p-Diphenylylcarbaminsäure-3,4-dimethylphenylester 982*
p-Diphenylylcarbaminsäure-3,5-dimethylphenylester 1011*
$C_{21}H_{19}N_3O_2$ 4,4'-Dimethylbenzophenon-p-nitrophenylhydrazon 1364*
$C_{21}H_{20}N_2$ Dibenzylketonphenylhydrazon 644*
$C_{21}H_{20}O_6$ Curcumin 2453

Glutarsäurephenacylester 1397*
dl-Brenzweinsäurediphenacylester 1562*
$C_{21}H_{21}N$ Tribenzylamin 1334
$C_{21}H_{21}NO_2$ α-Naphthylurethan d. Thymols 832*
$C_{21}H_{21}NO_2S$ Dibenzyl-p-toluolsulfonylamin 293*
$C_{21}H_{21}NO_6$ Hydrastin 1822
$C_{21}H_{21}NO_7$ Narcotolin (Desmethylnarcotin) 2658
$C_{21}H_{21}N_3$ Anhydroformaldehydanilin 1965
$C_{21}H_{21}O_7P$ Guajacolphosphat (Phosphorsäuretriguajacolester) 1402
$C_{21}H_{22}ClNO_6$ Hydrastinhydrochlorid 1822*
$C_{21}H_{22}JN$ N,N-Dibenzylanilinjodmethylat 1091*
$C_{21}H_{22}N_2O_2$ Strychnin 3050
$C_{21}H_{22}N_2O_6$ Diäthylmalonsäure-p-nitrobenzylester 1728*
$C_{21}H_{22}O_9$ Barbaloin (Aloin) 1963
$C_{21}H_{23}NO_5$ Heroin (Diacetylmorphin) 2346
$C_{21}H_{23}NO_6$ Colchicein 1918
$C_{21}H_{24}ClNO_5$ Diacetylmorphinhydrochlorid (Heroinhydrochlorid) 2874, 2346*
$C_{21}H_{24}O_3$ Önanthsäure-p-phenylphenacylester 359*
$C_{21}H_{24}O_{10}$ Phloridzin 2309
$C_{21}H_{25}NO$ 2,4,5-Triphenyloxazol (Benzilan) 1614
$C_{21}H_{25}NO_2$ α-Naphthylcarbaminsäure-d-bornylester 2722*
α-Naphthylcarbaminsäure-*l*-fenchylester 775*
α-Naphthylcarbaminsäure-α-terpinylester 650*
$C_{21}H_{26}N_2O_2$ Azelainsäuredianilid 1499*
Pimelinsäuredi-p-toluidid 1486*
$C_{21}H_{26}N_2O_3$ Yohimbin 2904
$C_{21}H_{26}O_3$ Östronpropionat 3023*
$C_{21}H_{27}ClN_2O_3$ Yohimbinhydrochlorid 3109, 2904*
$C_{21}H_{27}NO$ Methadon [Polamidon, 6-Dimethylamino-4,4-diphenylheptanon-(3)] 1169
$C_{21}H_{27}NO_2$ α-Naphthylcarbaminsäure-*l*-menthylester 724*
$C_{21}H_{27}NO_{10}$ Psicain (d-Pseudococainbitartrat) 738
$C_{21}H_{27}N_3O_5$ Mepyraminmaleat (Neoantergan, Neobridal, Maleinat des N,N-Dimethyl-N′-[2-pyridyl]-N′-[p-methoxybenzyl]-äthylendiamins) 1410
$C_{21}H_{28}ClNO$ dl-6-Dimethylamino-4,4-diphenyl-3-heptanonhydrochlorid (dl-Methadonhydrochlorid, Polamidonhydrochlorid) 2908, 1169*
$C_{21}H_{28}N_2O$ 4,4′-Bis-(diäthylamino)-benzophenon 1382*
$C_{21}H_{28}O_2$ Pregneninolon (17α-Äthinyltestosteron, 17α-Äthinyl-Δ⁴-androsten-17β-ol-3-on) 3056
$C_{21}H_{28}O_3$ β-Östradiol-3-propionat 2364*
β-Östradiol-17-propionat 2364*
$C_{21}H_{29}NO_2$ Pregeninolonoxim 3056*
α-Naphthylcarbaminsäuredecylester 441*
$C_{21}H_{30}O_2$ Progesteron (Proluton, Δ^4-Pregnen-3,20-dion) 1688
$C_{21}H_{30}O_3$ 11-Desoxycorticosteron [21-Hydroxyprogesteron, Δ^4-Pregnenol-(21)-dion-(3,20)] 1935
Dehydroisoandrosteronacetat 2027*
$C_{21}H_{30}O_4$ Corticosteron (Δ^4-Pregnen-11β,21-diol-3,20-dion) 2430
$C_{21}H_{30}O_5$ Humulon 1018
$C_{21}H_{32}N_2O_2$ Progesterondioxim 1688*
$C_{21}H_{32}O_2$ Pregnenolon (3β-Hydroxy-Δ^5-pregnen-20-on) 2571
Neoabietinsäuremethylester 2271*
$C_{21}H_{32}O_3$ Androsteronacetat 2484*
$C_{21}H_{33}BrO_3$ Myristinsäure-p-bromphenacylester 862*
$C_{21}H_{33}NO_2$ Pregnenolonoxim 2571*
$C_{21}H_{33}NO_4$ Tetradecyl-p-nitrobenzoat 682*
$C_{21}H_{34}O_3$ Myristinsäurephenacylester 862*
$C_{21}H_{34}O_5$ Tetrahydrohumulon 1224
$C_{21}H_{35}NO$ Myristinsäure-p-toluidid 862*
$C_{21}H_{35}NO_2$ Phenylcarbaminsäure-n-tetradecylester 682*
$C_{21}H_{40}O_4$ α-Monoolein (Glycerin-α-monooleat) 648
$C_{21}H_{42}O_2$ Arachinsäuremethylester 1149*
α-Monostearin (Glycerin-α-monostearat) 1207

$C_{22}H_{14}$ Picen 3204
$C_{22}H_{14}N_2O$ Rosindon 3032
$C_{22}H_{14}N_8O_{10}$ Furil-bis-2,4-dinitrophenylhydrazon 2237*
$C_{22}H_{14}O_4$ Chinhydron aus 1,8-Pyrenchinon u. Hydrochinon 3096*
$C_{22}H_{15}N_3$ Rosindulin 2621
$C_{22}H_{15}N_3O_{10}$ 3-Nitrophthalsäure-bis-[p-nitrobenzylester] 2836*
$C_{22}H_{16}Br_2O_6$ Muconsäure-p-bromphenacylester 3142*
$C_{22}H_{16}N_2O_8$ Phthalsäure-p-nitrobenzylester 2550*, 2882*
Isophthalsäure-p-nitrobenzylester 3197*
Terephthalsäure-p-nitrobenzylester 2878*
$C_{22}H_{16}O_{10}$ 1,4,5,8-Tetraacetoxyanthrachinon 2969*
$C_{22}H_{17}BrO_4$ Benzilsäure-p-bromphenacylester 2045*
$C_{22}H_{17}NO$ Phenyl-α-naphthylbenzamid 977*
$C_{22}H_{18}N_2O_4S_2$ 1,5-Naphthalindisulfonsäure-di-anilid 2945*
$C_{22}H_{18}N_4O_2$ Furil-bis-phenylhydrazon 2237*

$C_{28}H_{14}N_2O_4$ Indanthren 3213
$C_{28}H_{14}O_2$ Mesobenzdianthron (Helianthron) 2985
$C_{28}H_{14}S$ Flavophen 3208
$C_{28}H_{16}O_2$ Dianthron 3147
$C_{28}H_{18}O_4$ Phenanthrenchinhydron 2717*
$C_{28}H_{20}O_2$ Amaron 2972
$C_{28}H_{20}N_2O_4$ α-Naphthylurethan d. Hydrochinons 2316*
$C_{28}H_{20}N_2O_8$ Diphensäure-bis-p-nitrobenzylester 2865*
$C_{28}H_{20}O$ Tetraphenylfuran 2377
$C_{28}H_{24}N_2O_4$ N,N′-Dibenzoyl-o-dianisidin 1888*
$C_{28}H_{24}N_2O_7$ Orcein 2049
$C_{28}H_{30}N_2O_3$ N,N,N′,N′-Tetraäthylrhodamin 2245
$C_{28}H_{30}O_4$ Thymolphthalein 2971
$C_{28}H_{34}O_5$ Corticosteron-21-benzoat 2430*
$C_{28}H_{36}N_2O_4$ Psychotrin 1703
$C_{28}H_{36}N_4O_5$ Diäthylbarbitursaures Chinin (Chineonal) 1881
$C_{28}H_{38}N_2O_4$ Cephaelin 1188
$C_{28}H_{38}O_{19}$ Lactoseacetat 2656*
Maltoseoktaacetat 1450
$C_{28}H_{40}JNO_2$ p-Joddiphenylylcarbaminsäure-n-pentadecylester 755*
$C_{28}H_{44}N_2O$ Stearinsäure-β-naphthylhydrazid 1069*
$C_{28}H_{44}O$ Vitamin D_2 (Calciferol) 1636
$C_{28}H_{45}BrO_3$ Arachinsäure-p-bromphenacylester 1149*
$C_{28}H_{46}O_3$ Arachinsäurephenacylester 1149*
$C_{28}H_{47}NO$ Erucasäureanilid 632*
Brassidinsäureanilid 1015*
$C_{28}H_{48}N_2O$ Erucasäurephenylhydrazid 632*
Brassidinsäurephenylhydrazid 1015*
$C_{28}H_{48}O_2$ γ-Tocopherol (7,8-Dimethyltocol) 394
$C_{28}H_{49}NO$ Behensäureanilid 1241*
$C_{28}H_{55}ClO$ Montansäurechlorid 1266*
$C_{28}H_{56}O_2$ Montansäure 1266
Cerylacetat 1173*
$C_{28}H_{57}NO$ Montansäureamid 1266*

$C_{29}H_{22}N_2O_4$ Bis-α-naphthylurethan d. Orcins 1508*
$C_{29}H_{36}N_2O_3$ Vitamin D_3-allophanat 1226*
$C_{29}H_{40}N_2O_4$ Emetin 1114
$C_{29}H_{45}NO_3$ Acetylsolasodin 2645*
$C_{29}H_{46}O$ 7-Dehydrostigmasterin 2059
$C_{29}H_{46}O_2$ 7-Dehydrocholesterylacetat 1954*
$C_{29}H_{48}O$ Stigmasterin 2312
$C_{29}H_{48}O_2$ Cholesterylacetat 2038*
$C_{29}H_{49}NO$ Erucasäure-p-toluidid 632*
$C_{29}H_{50}O_2$ α-Tocopherol (Vitamin E, 5,7,8-Trimethyltocol) 418
Koprosterinacetat 1483*
$C_{29}H_{58}O_2$ Montansäuremethylester 1266*

$C_{30}H_{21}Br_3O_9$ Aconitsäure-tris-p-bromphenacylester 2585*
$C_{30}H_{23}Br_3O_9$ Tricarballylsäuretri-p-bromphenacylester 2258*
$C_{30}H_{23}Br_3O_{10}$ Citronensäure-tris-p-bromphenacylester 2078*
$C_{30}H_{23}Cl_3O_9$ Tricarballylsäuretri-p-chlorphenacylester 2258*
$C_{30}H_{24}N_4$ Azophenin 2966
$C_{30}H_{24}N_6O_3$ Trimesinsäure-tris-benzalhydrazid 3206*
$C_{30}H_{26}O_{10}$ Citronensäuretriphenacylester 2078*
$C_{30}H_{28}N_2S_4$ Tetrabenzylthiuramdisulfid 1829
$C_{30}H_{34}O_{13}$ Pikrotoxin 2669
$C_{30}H_{35}N_5O_5$ Ergosin 2866
Ergosinin 2867
$C_{30}H_{44}N_2O$ Ölsäurediphenylhydrazid 481*
$C_{30}H_{46}N_2O$ Stearinsäurediphenylhydrazid 1069*
$C_{30}H_{46}N_2O_2$ 10-Hydroxystearinsäurediphenylhydrazid 1203*
$C_{30}H_{46}O_2$ Ergosterylacetat 2212*
$C_{30}H_{46}O_{12}$ g-Strophanthin (Ouabain) 2509
$C_{30}H_{48}O_3$ Oleanolsäure (Caryophyllin) 3159
$C_{30}H_{50}N_2O_4$ γ-Tocopherylallophanat 394*
$C_{30}H_{50}O_2$ Cholesterylpropionat 2038*
$C_{30}H_{59}ClO$ Melissinsäurechlorid 1312*
$C_{30}H_{60}$ Melen 976
$C_{30}H_{60}O_2$ Melissinsäure 1312
Montansäureäthylester 1266*
$C_{30}H_{61}NO$ Melissinsäureamid 1312*
$C_{30}H_{62}$ Triakontan 1031

$C_{31}H_{24}O_6$ Malonsäure-p-phenylphenacyleste 1875*
$C_{31}H_{43}N_3O$ 4,4′,4″-Tris-(diäthylamino)-triphenylcarbinol 1883
$C_{31}H_{46}JNO_2$ p-Joddiphenylylcarbaminsäur stearylester 936*
$C_{31}H_{48}O_2$ 7-Dehydrostigmasterylacetat 2059*
$C_{31}H_{49}NO_9$ Protoveratridin 3043
$C_{31}H_{50}O_2$ Stigmasterylacetat 2312*
$C_{31}H_{50}O_3$ Oleanolsäuremethylester 3159*
$C_{31}H_{52}N_2O_4$ α-Tocopherylallophanat 418*
$C_{31}H_{54}O_2$ Koprosterinbutyrat 1483*
$C_{31}H_{62}O$ Palmiton 1209
$C_{31}H_{62}O_2$ Melissinsäuremethylester 1312*
$C_{31}H_{64}O$ Myricylalkohol (Melissylalkohol 1260

$C_{32}H_{24}N_2O_4$ Bis-diphenylurethan d. Resocins 1552*
$C_{32}H_{24}O_6$ Maleinsäurebis-(p-phenylphena ester) 1802*
$C_{32}H_{26}O_4$ Dienöstroldibenzoat 2887*

$C_{22}H_{18}O_3$ o-Toluylsäure-p-phenylphenacylester 1489*
m-Toluylsäure-p-phenylphenacylester 1548*
p-Toluylsäure-p′-phenylphenacylester 2427*
$C_{22}H_{18}O_4$ Benzilsäurephenacylester 2045*
$C_{22}H_{19}N_3O_4$ 3-Nitrophthalsäuredi-p-toluidid 2836*
$C_{22}H_{20}Br_2O_6$ Adipinsäure-p-bromphenacylester 2063*
$C_{22}H_{20}Br_2O_{10}$ Schleimsäure-di-p-bromphenacylester 2763*
$C_{22}H_{20}N_2O_2$ Phenylbernsteinsäuredianilid 2264*
$C_{22}H_{20}O_9$ Hesperetintriacetat 2892*
$C_{22}H_{20}O_{13}$ Carminsäure 1878
$C_{22}H_{22}O_4$ 3,4-Bis-(p-acetoxyphenyl)-2,4-hexadien (Dienöstroldiacetat, Foragynol) 1663, 2887*
Dibenzalbernsteinsäurediäthylester 2807*
$C_{22}H_{23}NO_7$ Narcotin 2388
$C_{22}H_{24}JN$ Tribenzylaminjodmethylat 1334*
$C_{22}H_{24}N_2O_4$ Vomicin 3103
$C_{22}H_{24}N_2O_9$ Terramycin (Hydroxytetracyclin) 2483
$C_{22}H_{24}O_4$ trans-4,4′-Diacetoxy-α,β-diäthylstilben 2290*
$C_{22}H_{25}ClN_2O_4$ Vomicinhydrochlorid 3103*
$C_{22}H_{25}NO_6$ Colchicin 2105
$C_{22}H_{26}N_2O_2$ d-Camphersäuredianilid 2501*
$C_{22}H_{26}O_3$ Äthinylöstradiol-3-acetat 1998*
$C_{22}H_{27}NO_4$ d-Corydalin 1860
$C_{22}H_{28}ClNO_2$ Lobelinhydrochlorid 2410
$C_{22}H_{28}N_2O_2$ Sebacinsäureanilid 1850*
Korksäure-p-toluidid 1926*
$C_{22}H_{28}O_4$ β-Östradioldiacetat 2364*
$C_{22}H_{31}N_3O_2$ Pregneninolonsemicarbazon 3056*
$C_{22}H_{32}N_2O$ Laurinsäure-β-naphthylhydrazid 740*
$C_{22}H_{32}N_2O_{10}$ N-Methyl-β-hydroxy-β-(p-hydroxyphenyl)-äthylamintartrat (Sympathol) 2521
$C_{22}H_{32}O_2$ Vitamin-A_1-acetat 981*
$C_{22}H_{32}O_3$ Testosteronpropionat (Testoviron, Δ^4-Androsten-17β-ol-3-onpropionat) 1694
Methyltestosteronacetat 2248*
$C_{22}H_{33}N_3O_2$ Progesteronsemicarbazon 1688*
$C_{22}H_{34}O_2$ Pregnenolonmethyläther 2571*
$C_{22}H_{34}O_3$ Testosteronpropionat 2106*
Androsteronpropionat 2484*
$C_{22}H_{35}NO_4$ n-Pentadecyl-p-nitrobenzoat 755*
$C_{22}H_{37}NO$ Palmitinsäureanilid 983*
$C_{22}H_{37}NO_2$ Phenylcarbaminsäure-n-pentadecylester 755*
$C_{22}H_{40}O_2$ Behenolsäure 909
$C_{22}H_{40}O_7$ Agaricinsäure (Cetylcitronensäure) 1940
$C_{22}H_{41}ClO$ Brassidinsäurechlorid 1015*
$C_{22}H_{41}NO$ Behenolsäureamid 909*
$C_{22}H_{42}O_2$ Erucasäure 632
Brassidinsäure 1015
$C_{22}H_{43}NO$ Erucasäureamid 632*
Brassidinsäureamid 1015*
$C_{22}H_{44}O_2$ Behensäure (Dokosansäure) 1241
Isobehensäure 1129
Arachinsäureäthylester 1149*
$C_{22}H_{45}NO$ Behensäureamid 1241*

$C_{23}H_{17}NO$ N-Benzoylphenyl-β-naphthylamin 1517*
$C_{23}H_{17}NO_3$ Atophanguajacolester (Guphen) 1465
$C_{23}H_{18}N_4O_4$ Dibenzalaceton-2,4-dinitrophenylhydrazon 1564*
$C_{23}H_{18}O_{10}$ Fisetintetraacetat 3189*
Luteolintetraacetat 3185*
Scutellareintetraacetat 3190*
$C_{23}H_{19}N_3O_2$ Dibenzalaceton-p-nitrophenylhydrazon 1564*
$C_{23}H_{20}N_2$ Dibenzalacetonphenylhydrazon 1564*
$C_{23}H_{20}O_3$ Hydrozimtsäure-p-phenylphenacylester 793*
$C_{23}H_{21}NO_3$ Diphenylylcarbaminsäureisoeugenylester 626*
$C_{23}H_{22}Br_2O_6$ Pimelinsäuredi-p-bromphenacylester 1486*
$C_{23}H_{22}O_6$ Deguelin 2322
Rotenon (Tubain, Tubatoxin) 2216
$C_{23}H_{22}O_7$ Tephrosin (Toxicarol, Hydroxydeguelin) 2822
$C_{23}H_{23}NO_8$ Acetylnarcotolin 2658*
$C_{23}H_{24}O_6$ Pimelinsäurediphenacylester 1486*
$C_{23}H_{26}ClN_3O_3$ N^1,N^3-Bis-(p-methoxyphenyl)-N^2-(p-äthoxyphenyl)-guanidinhydrochlorid (Acoin) 2363
$C_{23}H_{26}N_2$ 4,4′-Bis-dimethylamino-triphenylmethan (Leukomalachitgrün) 1440
$C_{23}H_{26}N_2O$ 4,4′-Bis-dimethylamino-triphenylcarbinol) 1501
$C_{23}H_{26}N_2O_4$ Brucin 2402
$C_{23}H_{26}N_2O_8$ Azelainsäuredi-p-nitrobenzylester 1499*
$C_{23}H_{27}NO_8$ Narcein 2307
$C_{23}H_{27}N_3O_3$ p-Aminosalicylat d. 1-Phenyl-1-pyridyl-(2′)-3-dimethylaminopropans (Avil) 1959
$C_{23}H_{27}N_3O_7$ Brucinnitrat 2894
$C_{23}H_{28}ClNO_8$ Narceinhydrochlorid 2523
$C_{23}H_{28}N_2O_4$ Chinin-O-carbonsäureäthylester (Euchinin) 1363
$C_{23}H_{30}N_2O_2$ Azelainsäuredi-p-toluidid 1499*

$C_{23}H_{32}O_4$ 11-Desoxycorticosteronacetat (21-Hydroxyprogesteronacetat, Cortiron) 2165, 1935*
$C_{23}H_{32}O_5$ Corticosteron-21-acetat 2430*
$C_{23}H_{33}NO_2$ α-Naphthylcarbaminsäuredodecylester 545*
$C_{23}H_{34}O_3$ Pregnenolonacetat 2571*
$C_{23}H_{36}N_2O_6$ Cetyl-3,5-dinitrobenzoat 809*
$C_{23}H_{37}NO_4$ Palmitinsäure-p-nitrobenzylester 983*
Cetyl-p-nitrobenzoat 809*
$C_{23}H_{38}N_2O_4$ p-Nitrophenylcarbaminsäurecetylester 809*
$C_{23}H_{39}NO$ Palmitinsäure-p-toluidid 983*
$C_{23}H_{39}NO_2$ Phenylcarbaminsäurecetylester 809*
$C_{23}H_{42}O_2$ Behenolsäuremethylester 909*
$C_{23}H_{44}O_2$ Brassidinsäuremethylester 1015*
$C_{23}H_{46}O_2$ Isobehensäuremethylester 1129*

$C_{24}H_{16}Br_2O_6$ Phthalsäure-p-bromphenacylester 2882*
Isophthalsäure-p-bromphenacylester 3197*
Terephthalsäure-p-bromphenacylester 2878*
$C_{24}H_{16}O_4$ 1,4-Dibenzoxynaphthalin 2557*
1,5-Dibenzoxynaphthalin 3020*
2,3-Dibenzoxynaphthalin 2173*
2,7-Dibenzoxynaphthalin 2534*
$C_{24}H_{18}$ 1,3,5-Triphenylbenzol 2339
4,4′-Diphenyldiphenyl 3178
$C_{24}H_{18}N_2O_2$ N,N′-Dibenzoylnaphthylendiamin-(1,4) 1671*
N,N′-Dibenzoylnaphthylendiamin-(2,7) 2175*
$C_{24}H_{18}O_4$ 2,2′-Diacetoxydinaphthyl-(1,1′) 2809*
$C_{24}H_{18}O_6$ Phthalsäurephenacylester 2550*, 2882*
Isophthalsäurephenacylester 3197*
Terephthalsäurephenacylester 2878*
Phenolphthaleindiacetat 3005*
$C_{24}H_{19}NO_2$ α-Naphthylcarbaminsäurebenzhydrylester 1059*
$C_{24}H_{19}NO_5$ O,O′-Diacetyl-bis-(p-hydroxyphenyl)-isatin (Isacen) 2952
$C_{24}H_{20}N_2$ Chinoxalinderivat d. Retenchinons 2609*
$C_{24}H_{20}N_2O_2S_2$ Dithionalid 1522*
$C_{24}H_{20}N_2O_4S_2$ N,N′-Dibenzolsulfonylbenzidin 1760*
$C_{24}H_{20}N_4O$ Biebricher Scharlach-R 2472
$C_{24}H_{20}O_6$ Tribenzoin 1148
$C_{24}H_{20}Pb$ Bleitetraphenyl 2864
$C_{24}H_{20}Sn$ Zinntetraphenyl 2850
$C_{24}H_{22}N_2O_4S_2$ Bis-p-toluolsulfonylnaphthylendiamin-(1,4) 1671*
$C_{24}H_{23}N_3O_3$ Tricarballylsäuretrianilid 2996
$C_{24}H_{24}Br_2O_6$ Korksäure-p-bromphenacylester 1926*
$C_{24}H_{25}NO_3$ Benzylmorphin (Base v. Peronin) 1814
$C_{24}H_{26}N_2O_8$ d-Camphersäure-p-nitrobenzylester 2501*
$C_{24}H_{26}O_6$ Korksäurephenacylester 1926*
$C_{24}H_{28}N_2O_8$ Sebacinsäure-p-nitrophenylester 1850*
$C_{24}H_{28}O_4$ Stilböstroldipropionat (p,p′-Dipropionoxy-α,β-diäthylstilben, Cyren B) 1473, 2290*
Äthinylöstradioldiacetat 1998*
$C_{24}H_{28}O_6$ Guajacolcamphorat (Guacamphol) 1756
$C_{24}H_{30}ClNO_4$ 6,7,3′,4′-Tetraäthoxy-1-benzylisochinolinhydrochlorid (Perparin) 2518
$C_{24}H_{30}O_{12}$ Benzolhexacarbonsäurehexaäthylester 3115*
$C_{24}H_{32}JNO_2$ p-Joddiphenylylcarbaminsäureundecylester 356*
$C_{24}H_{32}N_2O_2$ Sebacinsäure-p-toluidid 1850*
$C_{24}H_{32}N_4O_9$ Cellobioseosazon 2845*
Lactoseosazon 2656*
Maltosephenylosazon 1450*
$C_{24}H_{32}O_4$ β-Östradioldipropionat 2364*
$C_{24}H_{34}N_2O_2$ Eucupin 2083
$C_{24}H_{34}O_5$ Dehydrocholsäure 2916
$C_{24}H_{35}NO_2$ α-Naphthylcarbaminsäure-n-tridecylester 594*
$C_{24}H_{36}N_2O$ Myristinsäure-β-naphthylhydrazid 862*
$C_{24}H_{36}O_8$ Erysimolacton 2687
Isoerysimolacton 2687*
$C_{24}H_{37}NO$ Chaulmoograsäureanilid 1060*
$C_{24}H_{38}O_3$ Palmitinsäurephenacylester 983*
$C_{24}H_{39}NO$ Ölsäureanilid 481*
$C_{24}H_{39}NO_4$ Margarinsäure-p-nitrobenzylester 956*
$C_{24}H_{40}N_2O$ Ölsäurephenylhydrazid 481*
$C_{24}H_{40}O_5$ Cholsäure (3,7,12-Trihydroxycholansäure) 2591
$C_{24}H_{41}NO$ Stearinsäureanilid 1069*
$C_{24}H_{42}N_2O_2$ 10-Hydroxystearinsäurephenylhydrazid 1203*
$C_{24}H_{44}O_2$ Behenolsäureäthylester 909*
$C_{24}H_{46}J_2O_2$ „Dijodbrassidinsäureäthylester“ (Lipojodin) 668
$C_{24}H_{46}O_2$ Brassidinsäureäthylester 1015*
$C_{24}H_{48}O_2$ Carnaubasäure 1113
Lignocerinsäure 1196
Behensäureäthylester 1241*

$C_{25}H_{16}O_9$ Muscarufin 3076
$C_{25}H_{19}NO_3$ α-Naphthylurethan d. Benzoins 1832*
$C_{25}H_{20}$ Tetraphenylmethan 3105

$C_{25}H_{20}N_2O$ Tetraphenylharnstoff 2456
$C_{25}H_{20}O_{12}$ Quercetinpentaacetat 3170*
$C_{25}H_{25}JN_2$ Pinacyanol 3080
$C_{25}H_{26}Br_2O_6$ Azelainsäuredi-p-bromphenacylester 1499*
$C_{25}H_{26}O_3$ Östronbenzoat 3023*
$C_{25}H_{28}O_3$ β-Östradiol-3-benzoat 2554, 2364*
β-Östradiol-17-benzoat 2364*
$C_{25}H_{28}O_6$ Azelainsäurediphenacylester 1499*
$C_{25}H_{31}N_3$ 4,4′,4″-Tris-(dimethylamino)-triphenylmethan (Leukokristallviolett) 2378
$C_{25}H_{31}N_3O$ 4,4′,4″-Tris-(dimethylamino)-triphenylcarbinol 2821
$C_{25}H_{32}ClNO_8$ Äthylnarceinhydrochlorid (Narcyl) 2698
$C_{25}H_{37}NO_2$ α-Naphthylcarbaminsäure-n-tetradecylester 682*
$C_{25}H_{39}BrO_3$ Margarinsäure-p-bromphenacylester 956*
$C_{25}H_{41}NO_9$ Aconin 1973
$C_{25}H_{42}ClNO_9$ Aconinhydrochlorid 1973*
$C_{25}H_{42}N_2O_4$ p-Nitrophenylcarbaminsäurestearylester 936*
$C_{25}H_{50}O_2$ Carnaubasäuremethylester 1113
Lignocerinsäuremethylester 1196*

$C_{26}H_{14}$ Rubicen 3156
$C_{26}H_{18}N_2O_6S_2$ 1,5-Anthrachinondisulfonsäuredianilid 3163*
1,8-Anthrachinondisulfonsäuredianilid 3135*
$C_{26}H_{20}$ Tetraphenyläthylen 2858
$C_{26}H_{20}N_2O_2$ N,N′-Dibenzoylbenzidin 1760*
Diphensäuredianilid 2865*
$C_{26}H_{20}N_4$ Anthrachinon-bis-phenylhydrazon 3044*
$C_{26}H_{20}O$ α-Benzpinakolin 2721
β-Benzpinakolin (ω,ω,ω-Triphenylacetophenon) 2445
$C_{26}H_{21}NO$ Triphenylessigsäureanilid 3047*
$C_{26}H_{22}$ α,α,α,β-Tetraphenyläthan 1981
α,α,β,β-Tetraphenyläthan 2751
$C_{26}H_{22}N_4$ syn-Benzilosazon 2701
anti-Benzilosazon (β-Benzilosazon) 2844, 2701*
$C_{26}H_{22}O$ Dibenzhydryläther (Benzhydroläther) 1540
$C_{26}H_{22}O_2$ Benzpinakon (Tetraphenyläthylenglykol, α,β-Dihydroxy-α,α,β,β-tetraphenyläthan) 2493
$C_{26}H_{22}O_4$ Guajakolbenzein 2992
$C_{26}H_{24}N_2O_4S_2$ N,N′-Di-p-toluolsulfonylbenzidin 1760*
$C_{26}H_{28}Br_2O_6$ Sebacinsäure-p-bromphenacylester 1850*
$C_{26}H_{28}O$ ms,ms-Diphenylanthron (10-Oxo-9,9-diphenylanthracendihydrid-(9,10) 2558
$C_{26}H_{30}N_4O_4$ Vitamin-A_2-aldehyd-2,4-dinitrophenylhydrazon 1156*
$C_{26}H_{30}O_6$ Sebacinsäurephenacylester 1850*
$C_{26}H_{32}N_4O_4$ Vitamin-A_1-aldehyd-2,4-dinitrophenylhydrazon 978*
$C_{26}H_{32}O_3$ Testosteronbenzoat 2106*
Dehydroisoandrosteronbenzoat 2027*
$C_{26}H_{34}O_3$ Laurinsäure-p-phenylphenacylester 740*
Androsteronbenzoat 2484*
$C_{26}H_{36}JNO_2$ p-Joddiphenylylcarbaminsäure-n-tridecylester 594*
$C_{26}H_{38}O_4$ Lupulon (β-Hopfenbittersäure) 1316
$C_{26}H_{39}BrO_3$ Elaidinsäure-p-bromphenacylester 751*
$C_{26}H_{39}NO_2$ α-Naphthylcarbaminsäure-n-pentadecylester 755*
$C_{26}H_{41}BrO_3$ Stearinsäure-p-bromphenacylester 1069*
$C_{26}H_{42}O_3$ Stearinsäurephenacylester 1069*
$C_{26}H_{45}NO$ Arachinsäureanilid 1149*
$C_{26}H_{51}ClO$ Cerotinsäurechlorid 1168*
$C_{26}H_{52}O_2$ Cerotinsäure 1168, 1173*
Carnaubasäureäthylester 1113
Lignocerinsäureäthylester 1196*
$C_{26}H_{53}NO$ Cerotinsäureamid 1168*
$C_{26}H_{54}O$ Cerylalkohol 1173

$C_{27}H_{18}O_6$ Phloroglucintribenzoat 2804*
Pyrogalloltribenzoat 1840*
$C_{27}H_{21}N_3O_6$ Phenylurethan d. Pyrogallols 1840*
$C_{27}H_{21}N_3O_{12}$ Aconitsäure-tris-p-nitrobenzylester 2585*
$C_{27}H_{23}N_3O_{13}$ Citronensäure-tris-p-nitrobenzylester 2078*
$C_{27}H_{24}ClNO_7$ Narcotinhydrochlorid 2677
$C_{27}H_{28}N_2O_4$ Salicylsäurechininester (Salochin, Salochinin) 1947
$C_{27}H_{28}O_3$ Äthinylöstradiol-3-benzoat 1998*
$C_{27}H_{38}JNO_2$ p-Joddiphenylcarbaminsäure-n-tetradecylester 682*
$C_{27}H_{39}NO_3$ Jervin 2949
$C_{27}H_{40}ClNO_3$ Jervinhydrochlorid 2949*
$C_{27}H_{41}NO_2$ α-Naphthylcarbaminsäurecetylester 809*
$C_{27}H_{43}NO_2$ Solasodin (Solanidin S, Solancarpidin, Purapuridin) 2645
$C_{27}H_{44}O$ 7-Dehydrocholesterin (Provitamin D_3) 1954
Vitamin D_3 1226
$C_{27}H_{46}Br_2O$ Cholesterindibromid 2038*
$C_{27}H_{46}O$ Cholesterin 2038
$C_{27}H_{48}O$ Koprosterin [Koprostanol-(3β)] 1483
$C_{27}H_{45}O_2$ Cerotinsäuremethylester 1168*

$C_{23}H_{32}O_4$ 11-Desoxycorticosteronacetat (21-Hydroxyprogesteronacetat, Cortiron) 2165, 1935*
$C_{23}H_{32}O_5$ Corticosteron-21-acetat 2430*
$C_{23}H_{33}NO_2$ α-Naphthylcarbaminsäuredodecylester 545*
$C_{23}H_{34}O_3$ Pregnenolonacetat 2571*
$C_{23}H_{36}N_2O_6$ Cetyl-3,5-dinitrobenzoat 809*
$C_{23}H_{37}NO_4$ Palmitinsäure-p-nitrobenzylester 983*
Cetyl-p-nitrobenzoat 809*
$C_{23}H_{38}N_2O_4$ p-Nitrophenylcarbaminsäurecetylester 809*
$C_{23}H_{39}NO$ Palmitinsäure-p-toluidid 983*
$C_{23}H_{39}NO_2$ Phenylcarbaminsäurecetylester 809*
$C_{23}H_{42}O_2$ Behenolsäuremethylester 909*
$C_{23}H_{44}O_2$ Brassidinsäuremethylester 1015*
$C_{23}H_{46}O_2$ Isobehensäuremethylester 1129*

$C_{24}H_{16}Br_2O_6$ Phthalsäure-p-bromphenacylester 2882*
Isophthalsäure-p-bromphenacylester 3197*
Terephthalsäure-p-bromphenacylester 2878*
$C_{24}H_{16}O_4$ 1,4-Dibenzoxynaphthalin 2557*
1,5-Dibenzoxynaphthalin 3020*
2,3-Dibenzoxynaphthalin 2173*
2,7-Dibenzoxynaphthalin 2534*
$C_{24}H_{18}$ 1,3,5-Triphenylbenzol 2339
4,4'-Diphenyldiphenyl 3178
$C_{24}H_{18}N_2O_2$ N,N'-Dibenzoylnaphthylendiamin-(1,4) 1671*
N,N'-Dibenzoylnaphthylendiamin-(2,7) 2175*
$C_{24}H_{18}O_4$ 2,2'-Diacetoxydinaphthyl-(1,1') 2809*
$C_{24}H_{18}O_6$ Phthalsäurephenacylester 2550*, 2882*
Isophthalsäurephenacylester 3197*
Terephthalsäurephenacylester 2878*
Phenolphthaleindiacetat 3005*
$C_{24}H_{19}NO_2$ α-Naphthylcarbaminsäurebenzhydrylester 1059*
$C_{24}H_{19}NO_5$ O,O'-Diacetyl-bis-(p-hydroxyphenyl)-isatin (Isacen) 2952
$C_{24}H_{20}N_2$ Chinoxalinderivat d. Retenchinons 2609*
$C_{24}H_{20}N_2O_2S_2$ Dithionalid 1522*
$C_{24}H_{20}N_2O_4S_2$ N,N'-Dibenzolsulfonylbenzidin 1760*
$C_{24}H_{20}N_4O$ Biebricher Scharlach-R 2472
$C_{24}H_{20}O_6$ Tribenzoin 1148
$C_{24}H_{20}Pb$ Bleitetraphenyl 2864
$C_{24}H_{20}Sn$ Zinntetraphenyl 2850
$C_{24}H_{22}N_2O_4S_2$ Bis-p-toluolsulfonylnaphthylendiamin-(1,4) 1671*
$C_{24}H_{23}N_3O_3$ Tricarballylsäuretrianilid 2996
$C_{24}H_{24}Br_2O_6$ Korksäure-p-bromphenacylester 1926*
$C_{24}H_{25}NO_3$ Benzylmorphin (Base v. Peronin) 1814
$C_{24}H_{26}N_2O_8$ d-Camphersäure-p-nitrobenzylester 2501*
$C_{24}H_{26}O_6$ Korksäurephenacylester 1926*
$C_{24}H_{28}N_2O_8$ Sebacinsäure-p-nitrophenylester 1850*
$C_{24}H_{28}O_4$ Stilböstroldipropionat (p,p'-Dipropionoxy-α,β-diäthylstilben, Cyren B) 1473, 2290*
Äthinylöstradioldiacetat 1998*
$C_{24}H_{28}O_6$ Guajacolcamphorat (Guacamphol) 1756
$C_{24}H_{30}ClNO_4$ 6,7,3',4'-Tetraäthoxy-1-benzylisochinolinhydrochlorid (Perparin) 2518
$C_{24}H_{30}O_{12}$ Benzolhexacarbonsäurehexaäthylester 3115*
$C_{24}H_{32}JNO_2$ p-Joddiphenylylcarbaminsäureundecylester 356*
$C_{24}H_{32}N_2O_2$ Sebacinsäure-p-toluidid 1850*
$C_{24}H_{32}N_4O_9$ Cellobioseosazon 2845*
Lactoseosazon 2656*
Maltosephenylosazon 1450*
$C_{24}H_{32}O_4$ β-Östradioldipropionat 2364*
$C_{24}H_{34}N_2O_2$ Eucupin 2083
$C_{24}H_{34}O_5$ Dehydrocholsäure 2916
$C_{24}H_{35}NO_2$ α-Naphthylcarbaminsäure-n-tridecylester 594*
$C_{24}H_{36}N_2O$ Myristinsäure-β-naphthylhydrazid 862*
$C_{24}H_{36}O_8$ Erysimolacton 2687
Isoerysimolacton 2687*
$C_{24}H_{37}NO$ Chaulmoograsäureanilid 1060*
$C_{24}H_{38}O_3$ Palmitinsäurephenacylester 983*
$C_{24}H_{39}NO$ Ölsäureanilid 481*
$C_{24}H_{39}NO_4$ Margarinsäure-p-nitrobenzylester 956*
$C_{24}H_{40}N_2O$ Ölsäurephenylhydrazid 481*
$C_{24}H_{40}O_5$ Cholsäure (3,7,12-Trihydroxycholansäure) 2591
$C_{24}H_{41}NO$ Stearinsäureanilid 1069*
$C_{24}H_{42}N_2O_2$ 10-Hydroxystearinsäurephenylhydrazid 1203*
$C_{24}H_{44}O_2$ Behenolsäureäthylester 909*
$C_{24}H_{46}J_2O_2$ „Dijodbrassidinsäureäthylester" (Lipojodin) 668
$C_{24}H_{46}O_2$ Brassidinsäureäthylester 1015*
$C_{24}H_{48}O_2$ Carnaubasäure 1113
Lignocerinsäure 1196
Behensäureäthylester 1241*

$C_{25}H_{16}O_9$ Muscarufin 3076
$C_{25}H_{19}NO_3$ α-Naphthylurethan d. Benzoins 1832*
$C_{25}H_{20}$ Tetraphenylmethan 3105

$C_{22}H_{18}O_3$ o-Toluylsäure-p-phenylphenacylester 1489*
m-Toluylsäure-p-phenylphenacylester 1548*
p-Toluylsäure-p′-phenylphenacylester 2427*
$C_{22}H_{18}O_4$ Benzilsäurephenacylester 2045*
$C_{22}H_{19}N_3O_4$ 3-Nitrophthalsäuredi-p-toluidid 2836*
$C_{22}H_{20}Br_2O_6$ Adipinsäure-p-bromphenacylester 2063*
$C_{22}H_{20}Br_2O_{10}$ Schleimsäure-di-p-bromphenacylester 2763*
$C_{22}H_{20}N_2O_2$ Phenylbernsteinsäuredianilid 2264*
$C_{22}H_{20}O_9$ Hesperetintriacetat 2892*
$C_{22}H_{20}O_{13}$ Carminsäure 1878
$C_{22}H_{22}O_4$ 3,4-Bis-(p-acetoxyphenyl)-2,4-hexadien (Dienöstroldiacetat, Foragynol) 1663, 2887*
Dibenzalbernsteinsäurediäthylester 2807*
$C_{22}H_{23}NO_7$ Narcotin 2388
$C_{22}H_{24}JN$ Tribenzylaminjodmethylat 1334*
$C_{22}H_{24}N_2O_4$ Vomicin 3103
$C_{22}H_{24}N_2O_9$ Terramycin (Hydroxytetracyclin) 2483
$C_{22}H_{24}O_4$ trans-4,4′-Diacetoxy-α,β-diäthylstilben 2290*
$C_{22}H_{25}ClN_2O_4$ Vomicinhydrochlorid 3103*
$C_{22}H_{25}NO_6$ Colchicin 2105
$C_{22}H_{26}N_2O_2$ d-Camphersäuredianilid 2501*
$C_{22}H_{26}O_3$ Äthinylöstradiol-3-acetat 1998*
$C_{22}H_{27}NO_4$ d-Corydalin 1860
$C_{22}H_{28}ClNO_2$ Lobelinhydrochlorid 2410
$C_{22}H_{28}N_2O_2$ Sebacinsäureanilid 1850*
Korksäure-p-toluidid 1926*
$C_{22}H_{28}O_4$ β-Östradioldiacetat 2364*
$C_{22}H_{31}N_3O_2$ Pregneninolonsemicarbazon 3056*
$C_{22}H_{32}N_2O$ Laurinsäure-β-naphthylhydrazid 740*
$C_{22}H_{32}N_2O_{10}$ N-Methyl-β-hydroxy-β-(p-hydroxyphenyl)-äthylamintartrat (Sympathol) 2521
$C_{22}H_{32}O_2$ Vitamin-A_1-acetat 981*
$C_{22}H_{32}O_3$ Testosteronpropionat (Testoviron, Δ^4-Androsten-17β-ol-3-onpropionat) 1694
Methyltestosteronacetat 2248*
$C_{22}H_{33}N_3O_2$ Progesteronsemicarbazon 1688*
$C_{22}H_{34}O_2$ Pregnenolonmethyläther 2571*
$C_{22}H_{34}O_3$ Testosteronpropionat 2106*
Androsteronpropionat 2484*
$C_{22}H_{35}NO_4$ n-Pentadecyl-p-nitrobenzoat 755*
$C_{22}H_{37}NO$ Palmitinsäureanilid 983*
$C_{22}H_{37}NO_2$ Phenylcarbaminsäure-n-pentadecylester 755*
$C_{22}H_{40}O_2$ Behenolsäure 909
$C_{22}H_{40}O_7$ Agaricinsäure (Cetylcitronensäure) 1940
$C_{22}H_{41}ClO$ Brassidinsäurechlorid 1015*
$C_{22}H_{41}NO$ Behenolsäureamid 909*
$C_{22}H_{42}O_2$ Erucasäure 632
Brassidinsäure 1015
$C_{22}H_{43}NO$ Erucasäureamid 632*
Brassidinsäureamid 1015*
$C_{22}H_{44}O_2$ Behensäure (Dokosansäure) 1241
Isobehensäure 1129
Arachinsäureäthylester 1149*
$C_{22}H_{45}NO$ Behensäureamid 1241*
$C_{23}H_{17}NO$ N-Benzoylphenyl-β-naphthylamin 1517*
$C_{23}H_{17}NO_3$ Atophanguajacolester (Guphen) 1465
$C_{23}H_{18}N_4O_4$ Dibenzalaceton-2,4-dinitrophenylhydrazon 1564*
$C_{23}H_{18}O_{10}$ Fisetintetraacetat 3189*
Luteolintetraacetat 3185*
Scutellareintetraacetat 3190*
$C_{23}H_{19}N_3O_2$ Dibenzalaceton-p-nitrophenylhydrazon 1564*
$C_{23}H_{20}N_2$ Dibenzalacetonphenylhydrazon 1564*
$C_{23}H_{20}O_3$ Hydrozimtsäure-p-phenylphenacylester 793*
$C_{23}H_{21}NO_3$ Diphenylylcarbaminsäureisoeugenylester 626*
$C_{23}H_{22}Br_2O_6$ Pimelinsäuredi-p-bromphenacylester 1486*
$C_{23}H_{22}O_6$ Deguelin 2322
Rotenon (Tubain, Tubatoxin) 2216
$C_{23}H_{22}O_7$ Tephrosin (Toxicarol, Hydroxydeguelin) 2822
$C_{23}H_{23}NO_8$ Acetylnarcotolin 2658*
$C_{23}H_{24}O_6$ Pimelinsäurediphenacylester 1486*
$C_{23}H_{26}ClN_3O_3$ N^1,N^3-Bis-(p-methoxyphenyl)-N^2-(p-äthoxyphenyl)-guanidinhydrochlorid (Acoin) 2363
$C_{23}H_{26}N_2$ 4,4′-Bis-dimethylamino-triphenylmethan (Leukomalachitgrün) 1440
$C_{23}H_{26}N_2O$ 4,4′-Bis-dimethylamino-triphenylcarbinol) 1501
$C_{23}H_{26}N_2O_4$ Brucin 2402
$C_{23}H_{26}N_2O_8$ Azelainsäuredi-p-nitrobenzylester 1499*
$C_{23}H_{27}NO_8$ Narcein 2307
$C_{23}H_{27}N_3O_3$ p-Aminosalicylat d. 1-Phenyl-1-pyridyl-(2′)-3-dimethylaminopropans (Avil) 1959
$C_{23}H_{27}N_3O_7$ Brucinnitrat 2894
$C_{23}H_{28}ClNO_8$ Narceinhydrochlorid 2523
$C_{23}H_{28}N_2O_4$ Chinin-O-carbonsäureäthylester (Euchinin) 1363
$C_{23}H_{30}N_2O_2$ Azelainsäuredi-p-toluidid 1499*

$C_{32}H_{26}O_8$ akt.-Weinsäure-p-phenylphenacylester 2313*
$C_{32}H_{28}O_4$ trans-4,4′-Dibenzoxy-α,β-diäthylstilben 2290*
$C_{32}H_{32}O_4$ β-Östradioldibenzoat 2364*
$C_{32}H_{44}O_3$ Olsäure-p-phenylphenacylester 481*
$C_{32}H_{49}NO_9$ Veratrin 2697
$C_{32}H_{50}N_2O$ Erucasäure-β-naphthylhydrazid 632*
Brassidinsäure-β-naphthylhydrazid 1015*
$C_{32}H_{50}O_4$ Acetyloleanolsäure 3159*
$C_{32}H_{52}O_2$ Stigmasterylpropionat 2312*
$C_{32}H_{53}BrO_3$ Lignocerinsäure-p-bromphenacylester 1196*
$C_{32}H_{54}O_3$ Lignocerinsäurephenacylester 1196*
$C_{32}H_{62}MgO_4$ Magnesiumpalmitat 1692
$C_{32}H_{64}O_2$ Melissinsäureäthylester 1312*
$C_{32}H_{66}O$ Dicetyläther 882

$C_{33}H_{28}O_6$ Glutarsäure-p-phenylphenacylester 1397*
$C_{33}H_{35}N_5O_5$ Ergotamin 2764
Ergotaminin 2995
$C_{33}H_{49}NO_8$ Pseudojervin 3154
$C_{33}H_{62}O_6$ Tricaprin (Glycerintricaprinat) 601
$C_{33}H_{66}O_2$ Myricylacetat 1260*

$C_{34}H_{22}O_6$ Phenolphthaleindibenzoat 3005*
$C_{34}H_{22}O_8$ Pyromellitsäuretetraphenylester 3072*
$C_{34}H_{32}Br_4N_2O_8$ Bromochinal (Chinindibromsalicylat) 2611
$C_{34}H_{34}N_2O_7$ Rheumatin (salicylsaures Salochin) 1947*
$C_{34}H_{46}N_2O_6$ 7-Dehydrocholesteryl-m-dinitrobenzoat 1954*
Vitamin-D_3-3,5-dinitrobenzoat 1226*
$C_{34}H_{47}NO_{11}$ Aconitin 2610
Japaconitin 2680
$C_{34}H_{48}N_2O_{10}S$ dl-Hyoscyaminsulfat (Atropinsulfat) 2536
$C_{34}H_{48}N_2O_{14}$ Aconitinnitrat 2629
$C_{34}H_{48}O_2$ 7-Dehydrocholesterylbenzoat 1954*
$C_{34}H_{50}N_2O_6$ Koprosterindinitrobenzoat 1483*
$C_{34}H_{50}O_2$ Cholesterylbenzoat 2038*
$C_{34}H_{52}N_2O$ Brassidinsäurediphenylhydrazid 1015*

$C_{35}H_{28}O_2$ Benzamaron 2815
Isobenzamaron 2416
$C_{35}H_{32}O_6$ Pimelinsäuredi-p-phenylphenacylester 1486*
$C_{35}H_{36}O_4$ Vitamin-A_1-anthrachinon-β-carbonsäureester 981*
$C_{35}H_{39}N_5O_5$ Ergocristin 2111
Ergocristinin 2772
d-Ergotinin 2928
$C_{35}H_{46}N_2O_6$ Vitamin-D_2-3,5-dinitrobenzoat 1636*
$C_{35}H_{47}NO_4$ Ergosteryl-p-nitrobenzoat 2212*
$C_{35}H_{48}O_2$ Ergosterylbenzoat 2212*
$C_{35}H_{68}O_5$ α,α'-Dipalmitin (Glycerin-α,α'-dipalmitat) 1068
$C_{35}H_{70}O$ Stearon 1294

$C_{36}H_{22}O_8$ Aloeemodintribenzoat 2843*
$C_{36}H_{29}N_3O_6$ α-Naphthylurethan d. Glycerins 526*
$C_{36}H_{38}N_2O_6$ d-Chondocurin 2886
$C_{36}H_{39}ClN_2O_6$ d-Chondocurinhydrochlorid 2886*
$C_{36}H_{44}N_2O_{10}S$ Codeinsulfat 3082
$C_{36}H_{50}O_2$ 7-Dehydrostigmasterylbenzoat 2059*
$C_{36}H_{51}NO_{11}$ Bikhaconitin 1589
Veratridin (Veratroylcevin) 2107
$C_{36}H_{51}NO_{12}$ Pseudoaconitin 2744
$C_{36}H_{52}BrNO_{12}$ Pseudoaconitinhydrobromid 2744*
$C_{36}H_{52}O_2$ Stigmasterylbenzoat 2312*
$C_{36}H_{52}O_3$ Erucasäure-p-phenylphenacylester 632*
$C_{36}H_{54}N_2O_5$ p-Nitrophenylcarbaminsäure-α-tocopherylester 418*
$C_{36}H_{54}O_{15}$ k-Strophanthin 2310

$C_{37}H_{31}N_3O$ 4,4′,4″-Trianilinotriphenylcarbinol 1257
$C_{37}H_{36}O_6$ Azelainsäuredi-p-phenylphenacylester 1499*
$C_{37}H_{52}O_4$ Benzoyloleanolsäure 3159*

$C_{38}H_{44}Cl_2N_2O_6$ Tubocurarinchlorid 3071
$C_{38}H_{44}J_2N_2O_6$ d-Chondocurindimethojodid 2886*
$C_{38}H_{46}N_2O_8$ α-Truxillin 1195
$C_{38}H_{46}N_4O_6S$ Cinchoninsulfat 2603
Cinchonidinsulfat 2613
$C_{38}H_{68}O_2$ Myricylbenzoat 1260*
$C_{38}H_{69}NO_2$ Phenylcarbaminsäuremyricylester 1260*

$C_{39}H_{74}O_6$ Trilaurin (Glycerintrilaurat) 771
$C_{39}H_{76}O_5$ α,α'-Distearin (Glycerin-α,α'-distearat 1141

$C_{40}H_{56}$ α-Carotin 2502
β-Carotin 2460
γ-Carotin 2403
$C_{40}H_{56}O$ Kryptoxanthin (Caricaxanthin) 2283

$C_{41}N_{46}N_4O_5$ Dichinincarbonat (Aristochin) 2526
$C_{41}H_{56}O_2$ Vitamin K_2 861

$C_{45}H_{33}N_3O_6$ Diphenylurethan d. Pyrogallols 1840*
$C_{45}H_{73}NO_{15}$ Solanin t 2980
$C_{45}H_{86}O_6$ Trimyristin 895

$C_{46}H_{43}NO_2$ Rubijervin 2902

$C_{48}H_{36}O_{12}$ inakt. Inosithexabenzoat 2848*
$C_{48}H_{38}O_{12}$ d-Mannithexabenzoat 2256*

$C_{48}H_{44}N_6O_{12}$ Hexaphenylurethan d. Dulcit 2524*

$C_{51}H_{98}O_6$ Tripalmitin (Glycerintripalmitinsäureester) 1020

$C_{52}H_{104}O_2$ Cerotinsäurecerylester 1168*

$C_{57}H_{104}O_6$ Triolein (Glycerintrioleat) 384
$C_{57}H_{110}O_6$ Tristearin (Glycerintristearat) 1097

$C_{146}H_{202}N_{30}O_{26}$ Gramicidin 2879

STICHWORTVERZEICHNIS
AUS DEN TABELLENSPALTEN 11 UND 13

INDEX OF THE SPECIAL TERMES TO BE FOUND
IN THE COLUMNS 11 AND 13

INDEX DES TERMES SPECIAUX SE TROUVE
DANS LES COLONNES 11 ET 13

УКАЗАТЕЛЬ КЛЮЧЕВЫХ СЛОВ ИЗ СТОЛБЧОВ
№№ 11 И 13 ТАБЛИЦЫ

abkühlen	to cool off	refroidir	охладить
Abkühlung	cooling	refroidissement	охлаждение
Abscheidung	separation	précipitation	отделение
absorbiert	absorbs	absorbé	абсорбированный
Absorprtion	absorption	absorption	абсорбция
Absorptionsmaximum	absorption maximum	absorption maximale	максимум абсорбции
Absorptionsminimum	absorption minimum	absorption minimale	минимум абсорбции
Abspaltung	cleavage	fission	отщепление
acetalähnlich	acetal-like	semblable à l'acétal	ацеталеподобный
Acetylzahl	acetyl number	indice d'acétyl	ацетильное число
adstringierend	astringent	astringent	вяжущее
ähnlich	similar (to)	semblable	сходный
ätherisch	ethereal	éthérique	эфирный
ätzend	caustic	caustique	едкий
alkalisch	alkaline	alcalin	щелочной
Alkoholat	alkoxide	alcoolat	алкоголят
amethystblau	amethyst-blue	(bleu) améthyste	аметистово-синий
ammoniakalisch	ammoniacal	ammoniacal	аммиачный
amorph	amorphous	amorphe	аморфный
anaesthesierend	anesthetic	anesthésiant	анестезирующий
angenehm	pleasant	agréable	приятный
anhaftend	adherent	adhésif	пристающий
Anis	anise	anis	анiз
ansäuern	to acidify	acidifier	подкислить
antipyretisch	antipyretic	antipyrétique	жаропонижающий
antiseptisch	antiseptic	antiseptique	антисептический
anwärmen	to warm	réchauffer	подогреть
apfelartig	apple-li'ke	pommique	яблокоподобный
apfelsinenartig	orange-like	orangé	апельсиноподобный
aromatisch	aromatic	aromatique	ароматный
Atemwege	respiratory paths	voies respiratoires	дыхательные пути
Atmungsorgane	respiratory organs	organes de la respiration	органы дыхания
Aufbewahrung	storage	conservation	хранение
auffüllen	to fill (up)	remplir	наполнить
aufhören	to cease	cesser	прекратить
Augen	eyes	yeux	глаза
Ausdehnungskoeffizient	expansion coefficient	coefficient de dilatation	коэффициент расширения
ausschütteln	to extract	agiter	вытрясти, высыпать

Bad	bath	bain	баня, ванна
bakterizid	bactericidal	bactéricide	бактерицид
Baldrian	valerian	valériane	валерьяна
baldrianähnlich	similar to valerian	semblable à la valériane	валерьяноподобный
balsamisch	balsamic	balsamique	благоухающий, бальзам
basisch	alkaline	basique	основной
Baumwolle	cotton	coton	хлопок
beißend	sharp	corrodant	едкий, жгучий
Beleuchtung	illumination	éclairage	освещение
belichten	to expose	éclairer	осветить
benzinartig	petrol-like	du genre de la benzine, du genre de l'essence	бензиноподобный
bernsteinähnlich	similar to amber	semblable à l'ambré	янтареподобный
Berührungsfläche	area of contact	surface de contact	плоскость соприкосновения
Berührungsstelle	point of contact	point de contact	место соприкосновения
Beschlag	deposit	efflorescence	налет
beständig	stable	résistant	устойчивый
Bestimmung	determination	détermination	определение
betäubend	anesthetizing	stupéfiant	анестезирующий, оглушающий
Bildung	formation	formation	образование
bitter	bitter	amer	горький
bittermandelartig	like bitter almonds	du genre des amandes amères	типа горького миндаля
Bittermandelgeruch	odor of bitter almonds	odeur d'amande amère	запах горького миндаля
Bittermandelöl	oil of bitter almonds	huile d'amandes amères	масло из горького миндаля
Blasen	blisters	ampoules	пузыри
blasenziehend	blistering	vésicant	вспенивающий
blaß	pale	pâle	бледный
Blättchen	laminas	lamelles	листочки
Blätter	leaves	feuilles	листы, листья
blattförmig	leaf-shaped	foliacé	листоподобный
blau	blue	bleu	синий
Blaufärbung	blue coloration	coloration bleue	окрашивание в синий цвет
bläulich	bluish	bleuâtre	голубоватый
Blindprobe	blank	témoin	слепая проба
blumenartig	flowerlike	floriforme	цветокоподобный
blumig	flowery	efflorescent	цветковый
blutdrucksteigernd	hypertensive (agent)	augmentant la tension artérielle	повышающий давление крови
Blutgift	blood toxin	poison sanguin	яд для крови
blutrot	blood-red	rouge sang	кроваво-красный
blutstillend	styptic	hémostatique	останавливающее кровотечение
bordeauxrot	bordeaux-red	(rouge) bordeaux	бордово-красный
braun	brown	brun	коричневый
Braunfärbung	brown coloration	coloration brune	окрашивание в коричневый цвет
bräunlich	brownish	brunâtre	коричневатый

Bräunung	browning	brunissement	посмугление
brennbar	combustible	combustible	горящий
brennend	caustic	brûlant	жгучий
burgunderrot	burgundy-red	(rouge) bourgogne	бургундо-красный
Büschel	cluster	aigrette	пучек
carminrot	carmine-red	(rouge) carmin	карминово-красный
champagnerfarben	champagne-colored	champagne	цвета шампанского вина
charakteristisch	characteristic	caractéristique	характерно
chlorähnlich	similar to chlorine	analogue au chlore	хлороподобный
chlorartig	chlorine-like	du genre du chlore	хлороподобный
Dampf	vapour	vapeur	пар
Dampfbad	vapour bath	bain de vapeur	паровая баня
Dampfdichte	vapour density	densité de vapeur	плотность пара
Dampfdruck	vapour pressure	pression de vapeur	давление пара
Dendrite	dendrites	dendrite	дендриты
depolymerisiert	depolymerizes; depolymerized	dépolymérisé	деполимеризованный
Destillat	distillate	distillat	дестиллат
destillierbar	distillable	distillable	поддающийся перегонке
detoniert	explodes	détoné, explosé	детонирующий
Diazoreagens	diazo reagent	réactif diazoïque	диазореагент
dichroitisch	dichroic	dichroitique	двуцветный
Dipolmoment	dipole moment	moment du dipôle	дипольный момент
Dissoziationskonstante	dissociation constant	constante de dissociation	константа диссоциации
Drusen	druses	druse	желёзки, железы
dumpf	dull	sourd	глухо
dunkel	dark	sombre	темно
dünn	thin	mince	тонкий
durchdringend	penetrating	traversant	пронизывающий
durchleiten	to pass through	conducter	пропускать
durchsichtig	transparent	transparent	прозрачный
bullioskopisch	ebullioscopic	ébullioscopique	эбулеоскопный
eigelb	the color of egg yolk	jaune d'oeuf	цвета желтка
eigentümlich	characteristic (of)	particulier	своеобразный
einbasisch	monobasic	monobasique	одноосновный
eindampfen	to concentrate	évaporer	упарить
eintauchen	to dip (into)	immerger, plonger	погрузить
eintragen	to introduce	inscrire	занести
Eiweißlösung	albumin solution	solution albumineuse	белковый раствор
Ekzem	eczema	eczéma	экзема
Empfindlichkeit	sensitivity	sensibilité	чувствительность
entfärben	to decolorize	décolorer	обескрасить
Entfärbung	decolorization	décoloration	обесцвечивание
entzündet sich	ignites (spontaneously)	s'enflamme	воспламеняется
entzündlich	flammable	inflammable	воспламеняющийся
entweichen	to escape	s'échapper	улетучиваться
erbsengroß	pea-sized	de la dimension d'un pois	размером с горох
erhitzen	to heat	échauffer	нагревать
erinnert	resembles	rappelé	напоминает

erkalten	cooling	refroidissement	охладить
erregt	excited	excité	возбужденный
Entwicklung	evolution	développement	развитие, проявление
eosinrot	eosin-red, eosin	rouge éosine	эозиново-красный
Epidermis	epidermis	épiderme	эпидермис
erstarrt	solidified	solidifié	застывший
erstickend	suffocating	asphyxiant, suffocant	удушающий
erwärmen	to heat	réchauffer	подогреть
Essigsäure	acetic acid	acide acétique	уксусно-кислый
eutektisch	eutectic	eutectique	эвтектический
explodiert	explodes; exploded	explosé	взрывается
fade	stale	fade, insipide	ленивый
fahlblau	pale-blue	bleu pâle	эветло-голубой
fäkalartig	like fecal matter	analogue aux matières fécales	фекалиноподобный, экскремент
Fällung	precipitation	précipitation	осаждение
farblos	colorless	incolore	бесцветный
Farbänderung	change in color	changement de couleur	изменение цвета
Farbstoff	pigment, dye	matière colorante	краситель
Färbung	pigmentation	coloration	окрашивание
Farbvertiefung	deepening of color	rehaussement de la couleur	создание более глубокого окрашивания
farnkrautähnlich	fernlike	filiciforme	папортниковоподобный
faulend	rotting	en putréfaction	гниющий
feinpulvrig	finely powdered	pulvérulent	тонко-порошковый
festes	compact	compact	твердый
fettig	fatty	graisseux, onctueux	жирный
Fettsäure	fatty acid	acide gras	жирная кислота
feucht	moist	humide	влажный
Feuchtigkeit	moisture	humidité	влага
feurigrot	fiery, red bright red	rouge flamboyant	огне-красный
Fichtenspan	splinter of spruce	éclat de bois de sapin	стружка пихты
filtrieren	to filter	filtrer	фильтрировать
Filtrierpapier	filter paper	papier filtre	фильтровальная бумага
fischartig	fish-like	ichtyoïte	рыбоподобный
flach	flat	plat	плоский
Flamme	flame	flamme	пламя
Flammenfärbung	flame coloration	coloration de la flamme	окрашивание пламени
Flammpunkt	flash point	point d'éclair	точка воспламенения
Fleck	spot	tache	пятно
fleckig	spotted	taché, tacheté	пятнистый
fleischfarben	flesh-colored	carné	цвет кожи
fleischrot	flesh-red	(rouge) incarnat	цвета мяса
fliederartig	lilac-like	lilas	сиренеподобный
Flitter	tinsel	paillette	блёстка
Flocken	flakes	flocon	хлопья
flüchtig	volatile	volatil	летучий
Flüchtigkeit	volatility	volatilité	летучесть
Fluoreszenz	fluorescence	fluorescence	флуоресценция
Flüssigkeit	liquid	fluidité	жидкость
Formen	shapes	formes	формы

fuchsinrot	fuchsin (color), red as fuchsin	(rouge) fuchsine	фуксиновокрасный
Fusel	fusel oil	huile empyreumatique	сивуха
gallertartig	gelatinous	gélatineux	студенистый
Gallerte	gelatin	gélatine	студень, желатина
Gasentwicklung	evolution of gas	dégagement de gaz	выделение газа
Gasgemisch	gas mixture	mélange de gaz	смесь газов
gelb	yellow	jaune	желтый
gelbfarbig	yellow-colored	coloré en jaune	желтая окраска
Gelbfärbung	yellow coloration; dyeing yellow	coloration jaune	окрашивание в желтый цвет
gelblich	yellowish	jaunâtre	желтоватый
Gemisch	mixture	mélange	смесь
Geranien	geraniums	geranium	герань
Geruch	odor	odeur	запах
geruchlos	odorless	inodore	без запаха
gesättigt	saturated	saturé	насыщенный
Geschmack	flavor	saveur	вкус
geschmacklos	tasteless	insipide	бесвкусный
gestreift	striped	rayé	полосатый
getränkt	soaked	imbibé, imprègné	пропитанный
gewürzartig } gewürzhaft }	spicy	aromatique	пряный
gezackt	jagged	dentelé	зубчатый
giftig	toxic	toxique	ядовитый
Glanz	glaze	éclat	блеск
glänzend	brilliant	brillant	блестящий
Glasstab	glass rod	baguette de verre	стеклянная палочка
goldgelb	golden-yellow	(jaune) or	гранатово-красный
granatrot	garnet-red, garnet	(rouge) grenat	золотистый
grau	gray	gris	серый
grün	green	vert	зеленый
grün gesäumt	green-bordered	bordé de vert	зеленая каемка
grünlich	greenish	verdâtre	зеленоватый
grünstichig	tinged with green	tirant sur le vert	слегка зеленый
haarförmig	hair-shaped	capillaire	типа волоса
hart	firm	dur	твердый
Harz	resin	résine	смола
harzig	resinous	résineux	смолистый
Haut	skin	peau	кожа
Hautentzündung	dermatitis	dermatite	воспаление кожи
heftig	violent	intense	бурная
heiß	hot	très chaud	горячо
heliotropartig	heliotrope-like	du genre de l'héliotrope	гелиотропный
hell	light	clair	светлый
herb	harsh	ácre, aigre	терпкий
hexagonal	hexagonal	hexagonal	гексагональный
himbeerrot	raspberry-red	(rouge) framboise	малиновокрасный
Hitze	heat	(forte) chaleur	жара
Holz	wood	bois	древесина

Holzkohle	charcoal (from wood)	charbon de bois	древесный уголь
honigartig	honeylike	mielleux	медоподобный
Honiggeruch	odor of honey	odeur de miel	запах меда
hustenerregend	causing coughing	provoquant la toux	вызывающий кашель
hustenreizend	irritating so as to cause coughing	irritant les voies respiratoires	вызывающий кашель
Hyazinthen	hyacinths	jacinthe	гиацинты
hygroskopisch	hygroscopic	hygroscopique	гигроскопический
hypnotisch	hypnotic	hypnotique	гипнозный
inaktiv	inactive	inactif	неактивный
indifferent	indifferent	indifférent	индифферентный
indigoblau	indigo-blue	(bleu) indigo	индигосиний
intensiv	intensive, intense	intensif	интенсивный
Inversion	inversion	inversion	инверсия
Jasmin	jasmine	jasmin	жасмин
jodblau	iodine-blue	bleu iode	цвета иода
jodoformartig	iodoform-like	de la nature de l'iodoforme	типа иодоформа
Jodtinktur	tincture of iodine	teinture d'iode	настойка иода
Jodzahl	iodine number	indice d'iode	иодное число
Johannisbrot	St.-John's-bread, carob (bean), locust bean	caroube	рожковое дерево
kanariengelb	canary-yellow	jaune serin	зеленовато-желтый
Kapillare	capillary	capillaire	капилляр
Kalk	lime	chaux	известь
Kälte	cold	froid	холод
Karbolgeruch	phenolic odor	odeur phéniquée	запах фенола
karminrot	carmine-red, carmin	(rouge) carmin	карминовокрасный
karmoisinrot	crimson-red, crimson	(rouge) cramoisi	кармазиновокрасный
käsig	curdy	caséeux	сырный
Katalysator	catalyst	catalyseur	катализатор
kaustisch	caustic	caustique	каустически-едкий
kirschrot	cherry-red	rouge cerise	вишневокрасный
klebrig	sticky	gluant	клейкий
Knoblauch	garlic	ail	чеснок
kochen	to boil	ébullition	кипятить
Kolben	flask	piston	колба
Komplexsalz	complex salt	sel complexe	комплексная соль
Konstante	constant	constante	константа
kornblumenblau	cornflower-blue	(bleu) bluet	васильковоголубой
Körnchen	granule	granule	зерно
körnig	granular	granuleux	зернистый
kratzend	harsh	grattant	вызывающий чесотку
Kresse	cress	lépidier, cresson	капуции, кресс
Kristalle	crystals	cristaux	кристаллы
Kriställchen	little crystals	petits cristaux	кристаллики
kristallin	crystalline	cristallin	кристаллический
kristallisiert	crystallizes; crystallized	cristallisé	кристаллизированый
Kristallmehl	crystal powder	poudre cristalline	кристаллическая мука

Kristallverwachsung	crystal overgrowth	entrelacement	сросшиеся кристаллы
kryoskopisch	cryoscopic	cryoscopique	криоскопный
kühlend	cooling	refroidissant	охлаждающий
Kühlung	cooling	refroidissement	охлаждение
Lamellen	lamellas	lamelles	пластинка
langsam	slowly	lentement	медленно
lauchartig	leeklike	allioсé	лукоподобный
Lauge	base	lessive	щелочь
laugenartig	alkaline	alcalin	щелочный
leicht	easy	facile	легкий
leicht beweglich	very mobile	facile à remuer	легко подвижный
leicht oxydabel leicht oxydierbar	highly oxidizable	facilement oxydable	легко окисляющийся легко оксиляемый
leuchtend	bright	luisant	светящийся
unter Lichtabschluß	exclusion of light	à l'abri de la lumière	затемнение
lichtbrechend	refractive	refringent	лучепреломляющий
lichtempfindlich	light-sensitive	sensible à la lumière	светочувствительный
lichtgelb	light-yellow	jaune lumineux	светложелтый
lila	lilac-coloured, pale violet	lilas	лиловый
linksdrehend	levorotatory	lévogyre	левовращающий
Litergewicht	weight in liters	poids d'un litre	вес одного литра
lokalanaesthesierend	producing local anesthesia	anesthésiant local	местное анестезирующее действие
lösen	to dissolve	dissolution	растворять
Luft	air	air	воздух
Mandeln	almonds	amandes	миндали
Masse	mass	masse	масса
matt	faint	mat	матовый
Mäuse	mice	souris	мыши
Meerrettich	horseradish	raifort	хрен
Menge	quantity, amount	quantité	количество
metallisch	metallic	métallique	металлический
Methylierungsmittel	methylating agent	méthylisant	метилирующее средство
mikroskopisch	microscopic	miscroscopique	микроскопический
milchig	milky	laiteux	молочный
mischbar	miscible	mélangeable	смешивающийся
Mischung	mixture	mélange	смесь
möhrenähnlich	similar to carrots	semblable à la carotte	морковоподобный
molekular	molekular	moléculaire	молекулярный
monoklin	monoclinic	monoclinique	моноклинный
mydriatisch	mydriatic	mydriatique	вызывает расширение зрачков
Nachweis	identification	preuve	доказательство
nachweisen	to identify	prouver	доказать
Nadelbüschel	cluster of needles	aigrette d'aiguilles	пучек иголок
Nädelchen	little needle (or pin)	petite aiguille	иголочки
nadelförmig	needle-shaped	aciculaire	иголкообразный
Nadelkugeln	needle clusters	pelotes à aiguille	игольчатые шары

Nadeln	needles	aiguilles	иголки
Narkotikum	narcotic (product)	narcotique	наркотик
narkotisch	narcotic	narcotique	наркотичный
Nasenschleimhäute	mucous membranes of the nose	membranes pituitaires	слизистая оболочка носовой полости
Nelken	cloves, carnations, pinks	œillets	гроздика
neutral	neutral	neutre	нейтральный
neutralisieren	to neutralize	neutraliser	нейтрализировать
Niesen	sneezing	éternument	чихать
nitrieren	to nitrate	nitrurer	нитрировать
Nitriersäure	acid for nitriding	acide nitrant	нитрирующая кислота
obere	upper	supérieur	верхний
Oberflächenspannung	surface tension	contrainte superficielle	поверхностное натяжение
obstartig	fruitlike	fructiforme	фруктоподобный
ockergelb	ocher	(jaune d')ocre	цвета желтой охры
Oktaeder	octahedron	octaèdre	октаэдр
oktaedrisch	octahedral	octaédrique	октаэдрический
oliv	olive	olive	оливкового цвета
olivstichig	olive-tinged	tirant sur le vert olive	с оливковым оттенком
optisch	optic, optical	optique	оптический
orange	orange-colored	orange	оранжевый
Orangen	oranges	oranges	апельсины
Orangenblüten	orange blossoms	fleurs d'oranger	цветы апельсинового дерева
Oxydation	oxidation	oxydation	окисление
Oxydationsmittel	oxidizing agent	oxydant	окислитель
Papier	paper	papier	бумага
penetrant	penetrating	pénétrant	проникающий
perlmutterartig	iridescent	nacré	перламутроподобный
Petersilie	parsley	persil	петрушка
pfefferartig	peppery	piperacé	перцеподобный
pfefferminzartig	like peppermint	du genre de la menthe poivrée	мятный
Pfefferminzgeruch	peppermint odor	odeur de menthe poivrée	запах мяты
pfirsichblütenfarben	peach-blossom-colored	couleur fleur de pêcher	цвета персикового цветка
Platten	plates	plaques	плиты
Plätzchen	tablet	pastille, tablette	таблетки
polymerisiert	polymerizes; polymerized	polymérisé	полимеризованный
Porzellanschale	porcelain dish	capsule en porcelaine	фарфоровая ступка
Porzellantiegel	porcelain crucible	creuset en porcelaine	фарфоровый тигель
prachtvoll	splendid	splendide	великолепно
prismatisch	prismatic	prismatique	призматичный
Prismen	prisms	prismes	призмы
Probierrohr	test tube	éprouvette	пробирка
Produkt	product	produit	продукт
Pulver	powder	poudre	порошок
pulvrig	powdery	pulvérulent	порошковый

pupillenverengend	causing the pupil(s) to contract	contractant les pupilles	съужающее зрачки
purpur	purple	pourpre	пурпурный
quadratisch	square	quadratique	квадратный
quantitativ	quantitative(ly)	quantitatif	количественный
Rachenschleimhäute	mucous membranes of the pharynx	membrane pharyngée	слизитая оболочка глотки
Rand	edge	bord	край
ranzig	rancid	rance	прогорклый
rauchartig	smoky	fumeux	дымоподобный
rauchend	fuming	fumant	дымящийся
Rauten	rhombuses (or rhombi); diamonds; rues (pl. of rue)	rhombes	руты
Reagens	reagent	réactif	реактив
reagiert	reacts; reacted	réagit	реагирует
rechtsdrehend	dextrorotatory	dextrogyre	правовращающий
Reduktion	reduction	réduction	восстановление
reduziert	reduced	réduit	восстанавливает
regulär	regular	régulier	регулярный
reichlich	ample	abondant	достаточно
reinblau	pure blue	bleu pur, bleu franc	чисто голубой (синий)
reizend	irritating	excitant	едкий
reizt	irritates	excite	раздражает
rettigartig	like black radish	réticulaire	типа редьки
Rhabarber	rhubarb	rhubarbe	ревень
rhombisch	rhombic	rhomboïdal	ромбический
riechend	odorous	odorant	с запахом
riecht	smills	sent	пахнет
Ring	ring	anneau	кольцо
Rohr	tube	tube	труба
Röhrchen	little tube	petit tube (capillaire)	трубочка, трубка
rosa	pink	rose	розовыи
Rosenöl	rose oil	essence de roses	розовое масло
rosenrot	rose-red	rose	розово-красный
Rosetten	rosettes	rosettes	розетка
rot	red	rouge	красный
Rotglut	red heat	incandescence rouge	красное каление
rötlich	reddish	rougeâtre	красноватый
rubinrot	ruby-red	(rouge) rubis	рубиновокрасный
Rückfluß	reflux	reflux	противоток
Rückstand	residue	résidu	остаток
Safran	saffron	safran	шафран
safranartig	saffronlike	semblable au safran	шафраноподобный
safrangelb	saffron-yellow, saffron	jaune safran, safrané	шафраножелтый
salpeterähnlich	like salpeter or niter	nitreux	подобный азотной кислоте
salzig	salty	salé	соленый
sauer	acid	sûr	кислый
Säulen	prisms	colonne, pile	колонны

Säure	acid	acide	кислота
Säureschicht	acid layer	couche acide	слой кислоты
scharf	acrid	aigu	острый
scharfkantig	sharp-edged	à arêtes vives	острый кант
scharlachrot	scarlet	(rouge) écarlate	кармазиновокрасный
schäumt	foams	écume	вспенивается
Scheiben	disks	disque	слои
Schicht	layer	couche	слой
schieferblau	slate-blue	(bleu) ardoise	серосиний
Schimmel	mold	moisissure	плесень
schimmernd	glistening	scintillant	поблескивающий
Schleimhäute	mucous membranes, mucosa	muqueuses	слизистая оболочка
schmeckt	tastes	à le goût de	вкусно
Schmelze	melt	fusion	расплав
Schmelzpunkt	melting point	point de fusion	точки плавления
schmerzstillend	anodyne	sédatif	болеуспокаивающий
schmierig	sticky	graisseux	мазкий
schmutzig	dirty, soiled, filthy	sale	грязный
schokoladenbraun	chocolate-brown	chocolat	цвета шоколада
Schuppen	scales	écailles	чешуйки
schwach	feeble	faible	слабый
schwächer	more feeble	plus faible	более слабый
schwarz	black	noir	черный
schwefelgelb	sulfur-yellow	jaune soufre	серножелтый
schweißtreibend	diaphoretic	sudorifique	потогонное средство
Sechseck	hexagon	hexagone	шестиугольник
Seide	silk	soie	шелк
seidenglänzend	silky	brillant comme de la soie	с шелковым блеском
Seifenlauge	soap suds	lessive caustique	мыльный раствор
selbstentzündlich	spontaneously flammable	auto-inflammable	самовоспламенение
senfartig	mustard-like	du genre de la moutarde	горчичный
sepiabraun	sepia-brown	(brun) sépia	бурая краска
Seßhaftigkeit	sedentariness	aptitude à la sédimentation	осаждаемость
sieden	to boil	ébulliter	кипеть
Siedepunkt	boiling point	point d'ébullition	точка кипения
silberglänzend	silvery	brillant comme de l'argent	с серебрянным блеском
sintern	to sinter	cuire	спекать
smaragdgrün	emerald-green	(vert) émeraude	измуруднозеленый
Sonnenlicht	sunlight	lumière solaire	солнечный свет
Spaltung	cleavage	dissociation, fission	расщепление
spermaähnlich	spermlike, resembling sperm	analogue au sperme	семеноподобный
spezifisch	specific	spécifique	специфический
Spieße	lances	aiguilles	иглы
Spur	trace	trace	след
Stäbchen	little rod	bâtonnet, baguette	палочка
stabil	stable	stable	стабильный
stahlblau	steel-blue	bleu acier	цвета стали

stark	strong	fort	сильный
Starrkrampf	tetanus	tétanos	столбняк
Staub	powder	poussière	пыль
stechend	pungent	piquant	острый
stereoisomer	stereoisomeric	stéréoisomère	стереоизомерный
sternförmig	star-shaped	étoilé	звездообразный
Stich	tinge	piqûre	укус, укол
Stöpselzylinder	ground-glass stopper	capsule de bouchon	пробковый цилиндр
strauchartig	shrub-like	frutescent	пучкообразный
strohgelb	straw-yellow	jaune paille	соломенножелтый
Stunde	hour	heure	час
sublimierbar	sublimable	sublimable	сублимирующийся
sublimiert	sublimes; sublimed	sublimé	сублимированный
Substanz	substance	substance	вещество
substituiert	substitutes; substitudet	substitué	замещенный
Suspension	suspension	suspension	суспензия
süß	sweet	doux	сладкий
süßlich	sweetish	douceâtre	сладковатый
Täfelchen	tablet	tablettes	плиточки
Tafeln	plates	tableaux	доски, плиты
Tageslicht	daylight	lumière du jour	дневной свет
Teerosen	tea roses	rose-thé	чайные розы
teilweise	partial(ly)	partiellement	частично
thermisch	thermal	thermique	термический
tief	deep	profond	глубоко
toxisch	toxic	toxique	ядовитый
Tränen	tears	larmes	слезы
Tränenreiz	lacrimatory irritation	lacrymogène	слезоточивое средство
Trennung	separation	séparation	разделение
trikline	triclinic	triclinique	триклинический
trocken	dry	sec	сухой
Tropfen	drop	goutte	капля
tropfenweise	dropwise	goutte à goutte	по каплям
trübe	cloudy	trouble	мутный
Trübung	cloudiness	obscurcissement	помутение
Überschuß	excess	excédent	избыток
überschüssig	in excess	excédentaire	в избытке
Uhrglas	watch glass	verre de montre	часовое стекло
ultramarinblau	ultramarine-blue	(bleu) outremer	ультрамариновосиний
umschwenken	to rotate	convertir	изменить направление
Umwandlung	transformation	transformation	превращение
unangenehm	unpleasant	désagréable	неприятно
unbeständig	unstable	instable	неустойчивый
undurchsichtig	nontransparent	opaque	непрозрачный
unerträglich	intolerable	insupportable	невыносимый
ungemein	uncommon	extraordinaire	необычный, в высшей степени
unterer	low	inférieur	нижний
unterhalb	below	en dessous de	под, ниже
Unterscheidung	differentiation	différence	различие

unterschichten	to put a layer underneath	introduire sous la couche	нижние слои
Unterschied	difference	différence	разница
unverändert	unchanged	non modifié	неизменный
unzersetzt	undecomposed	non décomposé	неразложившийся
UV-Licht	ultraviolet light	lumière ultra violette	ультрафиолетовый свет
Vakuum	vacuum	vide	вакуум
vanilleartig	vanilla-like	vanillé	ванилиноподобный
Vanillin	vanillin	vanilline	ванилин
veilchenblau	violet	violet	фиолетовосиний
Verbrennungswärme	heat of combustion	chaleur de combustion	теплота сгорания
verdampfen	to evaporate	vaporiser	испарить
Verdampfungsverlust	loss from evaporation	pertes à la vaporisation	потери при испарении
Verdampfungswärme	heat of vaporization	chaleur de vaporisation	теплота испарения
verdünnt	diluted	dilué, raréfié	разбавленный
verfärbt	faded	coloré	выцветший
verharzt	resinified	couverti en résine	осмолившийся
verpuffen	to explode	détoner	вспыхивать
Verpuffung	explosion	détonation	вспышка
verreiben	to triturate	broyer	растереть
verschwindet	disappears	disparaît	исчезает
Verseifung	saponification	saponification	омыление
verunreinigt	contaminates	souillé	загрязненный
verwittert	weathered	décomposé sous l'effet des intempéries	выветрившийся
violett	violet, violet-colored	violet	фиолетовый
violettstichig	violet-tinged	tirant sur le violet	отдающий фиолетовым цветом
Viskosität	viscosity	viscosité	вязкость
Volumen	volume	volume	объем
vorsichtig	careful	avec précaution	осторожно
vorübergehend	temporary	éphémère	проходящий, временный
wahrnehmbar	perceptible	perceptible	ощутимо
warm	warm	chaud	тепло
Wärme	heat	chaleur	теплота
Warzen	warts	boutons	бородавки
wasserfrei	anhydrous	anhydre	безводный
Wasserstoffstrom	current of hydrogen	courant d'hydrogène	поток водорода
weinartig	vinous	vienux	виноподобный
weingelb	wine-yellow	jaune vin	виножелтый
weinrot	wine-red	rouge vin	винокрасный
Weinsäure	tartaric acid	acidité du vin	винная кислота
weiß	white	blanc	белый
Weißdornblüte	hawthorn blossom	fleur d'aubépine	цветок боярышника
wenig	few	peu	мало
widerlich	repugnant	repoussant, dégoûtant	отвратительно
wirkt	effects	agit	действует
Wolle	wool	laine	шерсть
Würfel	cube	cube	куб
würzig	spicy	aromatique	пряный

zeisiggelb	siskin-yellow	jaune serin	чижиковожелтый
Zeitungspapier	newsprint	papier de journal	газетная бумага
zerfällt	decomposes	se décompose	распадается
zerfließlich	deliquescent	déliquescent	растекающийся
ziegelrot	brick-red	rouge brique	кирпичнокрасный
Zimmertemperatur	room temperature	température ambiante, température de la pièce	комнатная теипература
zimtartig	cinnamon-like	du genre de la cannelle	коричноподобный
Zimtöl	oil of cinnamon	huile essentielle de canelle	коричное масло
Zinkstaub	zinc dust	poudre de zinc	цинковая пыль
zinnoberrot	vermilion (color)	(rouge) vermillon	красной киновари цвета
zitronenartig	lemonlike, lemony	du genre du citron	лимоноподобный
zitronengelb	lemon-yellow	jaune citron	лимоножелтый
Zucker	sugar	sucre	сахар
zusammenziehend	astringent	astringent	стягивающий
Zusatz	addition	produit d'addition, adjuvant	добавка
Zustand	state	état	состояние
Zwiebel	onion	oignon	лук
zwiebelrot	onion-red	rouge comme l'oignon	луковокрасный